SIMMONS
CÁLCULO
com Geometria Analítica

Volume 1

SIMMONS

CÁLCULO
com Geometria Analítica

Volume 1

Pearson

© 1987 Pearson Education do Brasil
© 1985, McGraw-Hill, Inc.

Todos os direitos reservados. Nenhuma parte desta publicação poderá ser reproduzida ou transmitida de qualquer modo ou por qualquer outro meio, eletrônico ou mecânico, incluindo fotocópia, gravação ou qualquer outro tipo de sistema de armazenamento e transmissão de informação, sem prévia autorização, por escrito, da Pearson Education do Brasil.

Impresso no Brasil por   Docuprint DCPT 224011

Dados Internacionais de Catalogação na Publicação (CIP)
(Câmara Brasileira do Livro, SP, Brasil)

Simmons, George F.
   Cálculo com geometria analítica V. 1 / George F. Simmons; tradução Seiji Hariki; revisão técnica Rodney Carlos Bassanezi, Silvio de Alencastro Pregnolatto
São Paulo: Pearson Makron Books, 1987

   Título original: Calculus With Analytic Geometry

   ISBN 978-00-745-0411-6

1. Cálculo 2. Geometria analítica I. Título.

87-0193   CDD-515.15

Índice para catálogo sistemático:
1.   Cálculo e geometria analítica   515.15

Direitos exclusivos cedidos à
Pearson Education do Brasil Ltda.,
uma empresa do grupo Pearson Education
Avenida Santa Marina, 1193
CEP 05036-001 - São Paulo - SP - Brasil
Fone: 19 3743-2155
pearsonuniversidades@pearson.com

Distribuição
Grupo A Educação
www.grupoa.com.br
Fone: 0800 703 3444

AGRADECIMENTOS

A Editora deseja expressar publicamente seus agradecimentos a todos os ilustres professores que muito nos honraram com seus comentários e sugestões, permitindo que este livro esteja de acordo com as atuais necessidades do ensino de Cálculo e Geometria Analítica.

Pedindo desculpas pela eventual omissão de alguns nomes, desejamos destacar:

AFFONSO SÉRGIO FAMBRINI
Mackenzie/FAAP – SP

ALINE TEREZA CARMINATI GONÇALVES
FATEC – SP

ÂNGELA M. F. DE MAGALHÃES PINTO
UFMG – MG

ANTÔNIO CATARUZZI
Fundação Santo André – SP

ANTÔNIO JOSÉ PINHEIRO DE ALMEIDA
PUC – SP

ANTÔNIO MARQUES VIEIRA CHAVES
AEVA/UFRJ – RJ

ANTÔNIO PERTENCE JUNIOR
SENAI – MG

ARMANDO PEREIRA LORETO JUNIOR
Fac. S. Judas Tadeu/Fac. Moema/FEI – SP

CÉLIA LOPES MARTINS
AEVA/USU – RJ

CÍNTIA AUGUSTA DE MENEZES BARBOSA
AEVA – RJ

CLÁUDIO JOÃO DALL'ANESE
IMES/FEI/Fac. Objetivo/Fund. Santo André – SP

DEBORAH RAPHAEL
USP – SP

EDUARDO A. VALÉRIO DOMINGUES
PUC – SP

EDUARDO J. DE SOUZA MONTENEGRO
Fac. S. Judas Tadeu/Fac. Moema/FGV – SP

FLÁVIO ANGELINE
PUC – SP

GERSON RODRIGUES DA ROCHA
Fac. Estácio de Sá/UGF – RJ

IZABEL CRISTINA R. TEIXEIRA VIANNA
Fac. Estácio de Sá – RJ

JOÃO ANTÔNIO POLIDO
Fac. S. Judas Tadeu/Fac. Moema/PUC/FMU – SP

JOÃO VIEIRA DE FARIA
SUAM – RJ

JOAQUIM DA SILVA CORRÊIA
AEVA/UFRJ – RJ

JOSÉ JUSTINO CASTILHO
Mack./EE Mauá/EE Piracicaba/FEC Araraquara – SP

JOSÉ MAURÍCIO MACHADO DA SILVA
UFMG – MG

JUSSARA DE SOUZA TRANJAN
Fund. Santo André – SP

LAURITO ANTÔNIO PERRELLA
IMES – SP

LEILÁ M. V. FIGUEIREDO
USP – SP

LUCÍLIA BORSARI
USP – SP

LUIZ MAURO ROCHA
FEI/Fund. Santo André – SP

MARIA LUÍZA AZAMBUJA DE SOUZA
PUC – RS

NATALINA NEVES DIAS
Fac. S. Judas Tadeu – SP

NEDA DA SILVA GONÇALVES
PUC – RS

ODUVALDO CACALANO
Fund. Santo André/IMES – SP

RICARDO BIANCONNI
USP – SP

ROBERT MALLET
PUC – SP

ROBERTO BARBOSA
Fund. Santo André/Fac. C. Pasquale (FICAP) – SP

ROBERTO DE MARIA NUNES MENDES
UFMG – MG

RONALDO SILVEIRA DE SOUZA
SUAM/USU/UCP – RJ

RUBENER DA SILVA FREITAS
FEI/PUC/Fund. Santo André – SP

SÉRGIO MARQUES BARBOSA
AEVA – RJ

VICTOR HUGO TEIXEIRA RODRIGUES
PUC – Campinas

*Para Gertrude Clark,
a grande professora da minha vida.*

Tradição não pode ser herdada, e se você a quer tem de obtê-la através de grandes trabalhos. — *T.S. Eliot*

Ciência e Filosofia lançam uma rede de palavras no mar da existência, feliz no fim se elas arrastam alguma coisa além da própria rede, com alguns buracos nela. — *Santayana*

A verdadeira definição de ciência é que ela é o estudo da beleza do mundo. — *Simone Weil*

Para mim, lógica e aprendizado e todas as atividades mentais têm sido sempre incompreensíveis como uma imagem fechada e completa e têm sido compreensíveis somente como um processo pelo qual o homem se coloca em relação com o seu ambiente. É a batalha para aprender o que é significativo, e não a vitória.
Toda vitória que é absoluta é seguida de uma vez pelo crepúsculo dos deuses, no qual o conceito exato de vitória é dissolvido no momento em que é atingido.
Estamos nadando contra a corrente, contra um grande tormento de desorganização, que tende a reduzir tudo à morte térmica, ao equilíbrio, descrita na segunda lei da termodinâmica. O que Maxwell, Boltzmann e Gibbs quiseram dizer por essa morte térmica em Física tem uma contrapartida na ética de Kierkegaard, que mostrou que vivemos num universo moral caótico. Nisso, a nossa principal obrigação é estabelecer enclaves arbitrários até ordem e sistema. Esses enclaves não ficarão lá indefinidamente, por algum processo deles próprios, uma vez estabilizados. Como a Rainha Vermelha, não podemos ficar onde estamos sem correr o mais depressa que podemos.
Não estamos lutando por uma vitória definitiva no futuro indefinido. É a maior vitória possível ser, continuar a ser e ter sido. Nenhuma derrota pode nos privar do sucesso de ter existido por algum momento de tempo num universo que parece indiferente a nós. — *Norbert Wiener*

SUMÁRIO

Prefácio XIV
Ao Estudante XIX

CAPÍTULO 1 NÚMEROS, FUNÇÕES E GRÁFICOS 1

    1.1 Introdução 1
    1.2 A Reta Real 2
    1.3 O Plano Coordenado 9
    1.4 Coeficientes Angulares e Equações de Retas 16
    1.5 Circunferências e Parábolas 26
    1.6 O Conceito de Função 36
    1.7 Tipos de Função. Fórmulas da Geometria 41
    1.8 Gráficos de Funções 46

CAPÍTULO 2 A DERIVADA DE UMA FUNÇÃO 69

    2.1 O que é Cálculo? O Problema das Tangentes 69
    2.2 Como Calcular o Coeficiente Angular (Inclinação) da Tangente 72
    2.3 A Definição de Derivada 79
    2.4 Velocidade e Taxas de Variação 86
    2.5 Limites e Funções Contínuas 94

CAPÍTULO 3 O CÁLCULO DE DERIVADAS 107

    3.1 Derivadas de Polinômios 107

  3.2 As Regras do Produto e do Quociente 114
  3.3 Funções Compostas e a Regra da Cadeia 120
  3.4 Funções Implícitas e Expoentes Fracionários 126
  3.5 Derivadas de Ordem Superior. 133

CAPÍTULO 4 APLICAÇÕES DE DERIVADAS 146

  4.1 Funções Crescentes e Decrescentes. Máximos e Mínimos 146
  4.2 Concavidade e Pontos de Inflexão 153
  4.3 Problemas de Aplicações de Máximos e Mínimos 160
  4.4 Mais Problemas de Máximos e Mínimos. Reflexão e Refração 171
  4.5 Taxas Relacionadas 182
  4.6 (Opcional) Método de Newton para Resolver Funções 190
  4.7 (Opcional) Aplicações à Economia e Negócios 194

CAPÍTULO 5 INTEGRAIS INDEFINIDAS E EQUAÇÕES DIFERENCIAIS 219

  5.1 Introdução. 219
  5.2 A Notação de Diferenciais 219
  5.3 Integrais Indefinidas. Integração por Substituição 231
  5.4 Equações Diferenciais. Separação de Variáveis. 239
  5.5 Movimento sob a Gravidade. Velocidade de Escape e Buracos Negros 245

CAPÍTULO 6 INTEGRAIS DEFINIDAS. 259

  6.1 Introdução. 259
  6.2 O Problema das Áreas. 260
  6.3 A Notação Sigma e Algumas Somas Especiais 264
  6.4 A Área sob uma Curva. Integrais Definidas 267
  6.5 O Cálculo de Áreas como Limites 274
  6.6 O Teorema Fundamental do Cálculo 278
  6.7 Propriedades das Integrais Definidas 286

CAPÍTULO 7 APLICAÇÕES DA INTEGRAÇÃO 297

  7.1 Introdução. O Significado Intuitivo da Integração 297
  7.2 A Área entre Duas Curvas 299
  7.3 Volumes: O Método do Disco 303
  7.4 Volumes: O Método da Casca 310
  7.5 Comprimento de Arco 315

7.6	A Área de uma Superfície de Revolução	321
7.7	Força Hidrostática	328
7.8	Trabalho e Energia	333

CAPÍTULO 8 FUNÇÕES EXPONENCIAIS E LOGARÍTMICAS ... 351

8.1	Introdução	351
8.2	Revisão de Expoentes e Logaritmos	352
8.3	O Número e e a Função $y = e^x$	357
8.4	A Função Logaritmo Natural $y = \ln x$	366
8.5	Aplicações. Crescimento Populacional e Decaimento Radiativo	377
8.6	Mais Aplicações. Crescimento Populacional Inibido etc.	387

CAPÍTULO 9 FUNÇÕES TRIGONOMÉTRICAS ... 404

9.1	Revisão de Trigonometria	404
9.2	As Derivadas do Seno e do Co-Seno	417
9.3	As Integrais do Seno e do Co-Seno. O Problema da Agulha	426
9.4	As Derivadas das Outras Quatro Funções	433
9.5	As Funções Trigonométricas Inversas	437
9.6	Movimento Harmônico Simples. O Pêndulo	448
9.7	As Funções Hiperbólicas	457

CAPÍTULO 10 MÉTODOS DE INTEGRAÇÃO ... 468

10.1	Introdução. As Fórmulas Básicas	468
10.2	O Método da Substituição	472
10.3	Algumas Integrais Trigonométricas	477
10.4	Substituições Trigonométricas	483
10.5	Complementando o Quadrado	491
10.6	O Método das Frações Parciais	494
10.7	Integração por Partes	504
10.8	(Opcional) Funções Cujas Integrais Não Podem Ser Expressas como Funções Elementares	513
10.9	(Opcional) Integração Numérica	520

CAPÍTULO 11 OUTRAS APLICAÇÕES DE INTEGRAÇÃO ... 536

11.1	O Centro de Massa de um Sistema Discreto	536
11.2	Centróides	540
11.3	Os Teoremas de Pappus	547
11.4	Momento de Inércia	550

CAPÍTULO 12 FORMAS INDETERMINADAS E INTEGRAIS IMPRÓPRIAS 560

12.1 Introdução. O Teorema do Valor Médio 560
12.2 A Forma Indeterminada 0/0. Regra de L'Hospital 563
12.3 Outras Formas Indeterminadas 569
12.4 Integrais Impróprias 577

APÊNDICES

A. ADICIONAIS TÓPICOS 592

A.1 Mais informações sobre Números: Números Irracionais, Números Perfeitos e Números Primos de Mersenne 592
A.2 O Cálculo Realizado por Fermat de $\int_0^b x^n \, dx$ para n Racional Positivo .. 600
A.3 Como Arquimedes Descobriu a Integração 601
A.4a Uma Abordagem Simples da Equação $E = Mc^2$ 605
A.4b Propulsão de Foguete no Espaço Cósmico 607
A.5 Uma Prova da Fórmula de Vieta 609
A.6 A Catenária ou a Curva de um Fio Suspenso entre Dois Apoios 611
A.7 A Seqüência dos Primos 614
A.8 A Solução por Bernoulli para o Problema da Braquistócrona 623

B. A TEORIA DO CÁLCULO 628

B.1 O Conjunto dos Números Reais 628
B.2 Teoremas sobre Limites 633
B.3 Algumas Propriedades mais Profundas das Funções Contínuas 642
B.4 O Teorema do Valor Médio 648
B.5 A Integrabilidade de Funções Contínuas 654
B.6 Uma Outra Prova do Teorema Fundamental do Cálculo 660
B.7 Existência de $e = \lim_{h \to 0} (1 + h)^{1/h}$ 661
B.8 A Validade da Integração por Substituição Inversa 663
B.9 Prova do Teorema das Frações Parciais 665

C. NOTAS BIOGRÁFICAS 669

Um Panorama da História do Cálculo 669
Pitágoras 671
Euclides 676
Arquimedes 681
Pappus 686

	Descartes	688
	Mersenne	693
	Fermat	694
	Pascal	701
	Huygens	705
	Newton	708
	Leibniz	713
	Os Irmãos Bernoulli	724
	Euler	726
	Lagrange	731
	Laplace	732
	Fourier	733
	Gauss	734
	Cauchy	740
	Abel	740
	Dirichlet	742
	Liouville	743
	Hermite	744
	Riemann	745
D.	**ALGUNS TÓPICOS DE REVISÃO**	750
D.1	O Teorema do Binômio de Newton	750
D.2	Indução Matemática	758
	TABELAS NUMÉRICAS	771
	RESPOSTAS	773
	ÍNDICE ANALÍTICO	827

PREFÁCIO

É curioso que alguém que escreve um livro-texto de mil páginas pense ser necessário escrever um prefácio para explicar os objetivos: o próprio livro já seria o suficiente. No entanto, todo livro-texto — e este não é exceção — é tanto expressão de insatisfação com os livros existentes como uma proposta do que um tal livro deva conter: um prefácio oferece a última oportunidade para sintetizar a proposta. Além do mais, qualquer pessoa que contribua para aumentar a abundância de livros introdutórios de Cálculo deve ser intimada a justificar sua ação (ou talvez se desculpar por isto) a seus colegas da comunidade matemática.

Este livro pretende ser um texto de Cálculo que possa ser utilizado em toda espécie de curso superior em qualquer nível. Foi projetado particularmente para o curso-padrão de três semestres para estudantes de Ciência, Engenharia ou Matemática. O pré-requisito requerido é Álgebra e Geometria do 2º grau.

Não se supõe nenhum conhecimento especializado de Ciência, e os estudantes de Filosofia, História ou Economia podem ler e compreender as aplicações tão facilmente como qualquer outro estudante. Não há lei da natureza humana segundo a qual as pessoas com grande interesse pelas Ciências Humanas ou Sociais estejam automaticamente impedidas de compreender e de gostar de Matemática. A Matemática é, de fato, o palco de muitas das mais elevadas realizações da mente humana e deveria atrair os humanistas com a mesma força com a qual um campo de flores silvestres atrai as abelhas. Dizem, com razão, que a Matemática pode iluminar o mundo ou satisfazer a mente e, freqüentemente, ambas as coisas. Assim, um estudante de Filosofia, por exemplo, teria informação tão falha pela ausência de conhecimentos nesta área quanto um estudante de História sem uma ampla compreensão de Economia e de Religião. Assim, como poderiam os estudantes de Filosofia ou de História dar-se ao luxo de desprezar o fato (e é um fato!) de que o progresso da Matemática e das Ciências no século XVII foi o evento crucial no desenvolvimento do mundo moderno, muito mais profundo em significado histórico que as Revoluções Americana, Francesa e Russa? Nós, professores de Matemática, temos obrigação de ajudar tais estudantes neste aspecto de sua formação, e o Cálculo é um excelente ponto de partida.

O texto em si – isto é, os 22 capítulos (Volumes I e II)* sem os apêndices – é tradicional na matéria e na organização. Dei grande ênfase à *motivação* e à *compreensão intuitiva*, e os refinamentos da teoria foram negligenciados. A maioria dos estudantes revela impaciência com a parte teórica do assunto, e com razão, pois a essência do Cálculo não está em teoremas e em como prová-los, mas nos instrumentos que fornece e na forma de utilizá-los. Meu propósito maior foi o de apresentar o Cálculo como arte poderosa de resolver problemas, arte que é indispensável em todas as ciências quantitativas. Naturalmente, desejo convencer o estudante de que os instrumentos-padrão do Cálculo são razoáveis e legítimos, mas não à custa de transformar o assunto numa disciplina lógica enfadonha, dominada por definições supercuidadosas, apresentações formais de teoremas e provas meticulosas. É minha esperança que toda explicação matemática nestes capítulos pareça ao estudante atento ser tão natural e inevitável quanto a água que flui no leito do rio. O objetivo principal do texto é explorar assuntos para os quais o Cálculo é útil – o que ele nos possibilita fazer e compreender – e não qual é sua natureza lógica, quando encarado do ponto de vista especializado (e limitado) do matemático puro moderno.

Há diversos aspectos do próprio texto que gostaria de comentar.

Material Anterior ao Cálculo Devido à grande extensão do Cálculo a ser coberta, é desejável começar com uma partida rápida, introduzir a derivada o mais cedo possível e demorar o mínimo na revisão do material anterior ao Cálculo. Entretanto, os estudantes constituem um grupo heterogêneo com níveis de preparação matemática bastante diferentes. Por essa razão, incluí um primeiro capítulo com material de revisão que recomendo aos professores omitir completamente ou tratar superficialmente, tanto quanto julgar aconselhável para seus alunos. Esse capítulo foi escrito com suficientes detalhes, de forma a que os estudantes que tenham necessidade de dispender mais tempo nos preliminares consigam absorver a maior parte dele por si próprios com um pequeno esforço extra**.

Trigonometria O problema do que fazer com a Trigonometria em cursos de Cálculo não tem tido solução satisfatória. Alguns autores introduzem o assunto cedo, parcialmente, para poder usar as funções trigonométricas no ensino da regra da cadeia. Essa abordagem tem a desvantagem de saturar os primeiros capítulos de Cálculo com material técnico que não é realmente essencial para os primeiros objetivos dos estudantes nesse estágio, que são compreender os significados e algumas das aplicações das derivadas e das integrais. Uma outra desvantagem dessa forma de tratamento é que muitos têm um único semestre de Cálculo e para eles a Trigonometria é uma complicação desnecessária da qual talvez eles devam ser dispensados. O fato é que a trigonometria só se torna realmente indispensável quando métodos formais de integração devem ser enfrentados.

Por essas razões, introduzo o cálculo de funções trigonométricas no Capítulo 9, de modo que todas as idéias estarão frescas quando os estudantes iniciarem o Capítulo 10, que trata dos métodos de integração. Uma exposição completa de trigonometria é dada na Seção 9.1. Para a maioria

---

*   (*Nota do Tradutor*). 22 capítulos na edição portuguesa.

** Uma exposição mais completa da matemática do 2º grau, ainda respeitavelmente concisa, pode ser encontrada em meu livreto, *Precalculos Mathematics In a Nutshell* (William Kaufmann, Inc., Los Altos, Calif., 1981), 119 páginas.

dos estudantes, será uma revisão necessária da matéria aprendida (e, em grande parte, esquecida) no 2º grau. Para aqueles que não estudaram trigonometria, as explicações apresentadas são suficientemente completas e os estudantes poderão aprender o que necessitam a partir desta única seção.

Para os professores que prefiram apresentar a trigonometria mais cedo — e há boas razões para isto — destaco as Seções 9.1 e 9.2, que podem ser facilmente introduzidas diretamente após as Seções 4.5, 9.3 e 9.4 ou podem perfeitamente ser apresentadas em qualquer estágio depois do Capítulo 6. Os únicos ajustes necessários são advertir os estudantes a não trabalharem as pares (b), (c) e (d) do Exemplo 2 da Seção 9.2 e também informá-los de que os Problemas 15-18 da Seção 9.2; 12, 16, 17 e 29 da Seção 9.3; e 11, 12 e 24 da Seção 9.4 não são exercícios para casa.

Problemas Para os estudantes, as partes mais importantes de seu livro de Cálculo podem bem ser os conjuntos de problemas, pois é neles que gastam a maior parte de seu tempo e energia. Há mais de 5.800 problemas neste livro, incluindo muitos dos velhos problemas de apoio, familiares a todos os professores de Cálculo, analisados desde o tempo de Euler e mesmo antes. Tentei retribuir nosso débito ao passado criando novos problemas, sempre que possível. Os conjuntos de problemas foram cuidadosamente construídos, começando com exercícios de cálculo de rotina e passando a problemas mais complexos que exigem níveis mais elevados de pensamento e de habilidade. Os problemas mais complexos são marcados com um asterisco (*). Em geral, cada conjunto contém aproximadamente o dobro de problemas que a maioria dos professores gostaria de passar para trabalho de casa, de forma que um grande número fica para os estudantes usarem como material de revisão.

A maioria dos capítulos termina com longas listas de problemas suplementares. Muitos deles pretendem apenas fornecer escopo e variedade adicionais aos conjuntos de problemas dos fins das seções. Entretanto, os professores e estudantes devem tratar esses problemas suplementares com cuidado especial, pois alguns são bastante sutis e difíceis e devem ser enfrentados por estudantes munidos de amplas reservas de energia e tenacidade.

Devo mencionar também que há diversas seções espalhadas por todo o livro não coroadas com uma relação de problemas correspondentes. Às vezes, essas seções ocorrem em grupos pequenos e são meramente subdivisões convenientes do que considero um tópico isolado e portanto têm uma única lista de exercícios, como no caso das Seções 6.1, 6.2, 6.3, 6.4 e 6.5. Em outros casos (Seção 9.7 e Seções 14.12, 15.5, 19.4 e 20.9, Volume II) a ausência de problemas é uma sugestão tácita de que o assunto tratado deve ser tocado de leve e com brevidade.

Há um grande número de problemas "com histórias" espalhados por todo o livro. Todos os professores sabem que os estudantes tremem diante desses problemas, pois usualmente exigem pensamento não-rotineiro. Entretanto, a utilidade da Matemática nas várias ciências demanda que tentemos ensinar os nossos estudantes a penetrar no significado de um problema com história, julgar o que é relevante e traduzir as palavras para esboços e equações. Sem essas habilidades — que são igualmente valiosas para os estudantes que se tornarão doutores, advogados, analistas financeiros ou pensadores de qualquer natureza — não há educação matemática digna desse nome.

Séries Infinitas Todo matemático que der uma olhada no Capítulo 14 (Volume II) verá de imediato que "séries infinitas" é um de meus temas favoritos. No calor de meu entusiasmo, desenvolvi esse tópico com profundidade maior e com mais detalhes do que é usual em livros de Cálculo. Entretanto, alguns professores podem não desejar dedicar muito tempo e atenção a esse tópico e para sua conveniência, dei um tratamento breve no Capítulo 13 (Volume II), que deve ser suficiente para as necessidades da maioria dos estudantes que não estão planejando prosseguir em cursos mais avançados de Matemática. Os professores que, como eu, consideram que o assunto é de fato importante, irão provavelmente utilizar ambos os capítulos, o primeiro para dar um panorama e o segundo para estabelecer uma fundamentação sólida e fixar os conceitos básicos. Esses capítulos foram concebidos com espíritos bastante diferentes e, surpreendentemente, há pouca repetição.

Equações Diferenciais e Análise Vetorial Cada um desses assuntos é por si só um ramo importante da Matemática. Eles devem ser ensinados em cursos separados, após o Cálculo, com tempo amplo para explorar seus métodos e aplicações específicos. Uma das principais responsabilidades de um curso de Cálculo é preparar o caminho para esses assuntos mais avançados e dar alguns passos preliminares nessa direção, mas o quanto se deve ir é uma questão discutível. No caso de equações diferenciais, o assunto é introduzido tão cedo quanto possível (Seção 5.4) e retornamos a ele de um modo restrito sempre que surge a oportunidade (Seções 5.5, 7.8, 8.5, 8.6 e 9.6 e Seções 17.7, 19.9, Volume II), completando com um estudo mais detalhado no Capítulo 22 (Volume II). Em análise vetorial acredito que o Teorema de Green é exatamente o ponto certo para parar, com o Teorema de Stokes – que é um dos teoremas mais profundos e de longo alcance de toda a Matemática – sendo deixado para um curso posterior. Para os que desejarem incluir mais análise vetorial em seu curso de Cálculo, dou um tratamento resumido do Teorema da Divergência e do Teorema de Stokes – com problemas – nos Apêndices A.15 e A.16 (Volume II).

Um dos principais aspectos que distinguem este livro e o tornam talvez único em relação a todos os demais é notado pelo exame dos apêndices, que comentarei rapidamente. Antes de fazê-lo, enfatizo que este material é inteiramente separado do texto principal, podendo ser cuidadosamente estudado, consultado ocasionalmente ou completamente ignorado, conforme o desejo de cada estudante ou professor.

Apêndice A Ensinando Cálculo durante vários anos, coletei uma quantidade considerável de tópicos de Teoria dos Números, Geometria, Ciência etc., que tenho usado com o propósito de abrir as portas e estabelecer ligações com outros assuntos... e também para sair da rotina e despertar os espíritos. Muitos de meus estudantes acharam essas "pepitas" interessantes e estimulantes. Coletei a maioria desses tópicos nesse apêndice com a esperança de conquistar alguns adeptos à visão de que a Matemática, embora às vezes tediosa e rotineira, pode, com freqüência, ser sumamente interessante.

Apêndice B No corpo do texto, o nível de rigor matemático aumenta e diminui de acordo com a natureza do assunto estudado. É bastante baixo nos capítulos geométricos, onde confio no senso comum e na intuição e acrescento ilustrações; é bastante elevado nos capítulos sobre as séries infinitas, onde a substância do assunto não pode realmente ser compreendida sem um pensamento cuidadoso. Tive sempre em mente o fato de que a maioria dos estudantes tem pouco interesse no raciocínio puramente matemático em si e tentei evitar esse tipo de material, introduzindo apenas o absolutamente necessário. Alguns estudantes, no entanto, têm um gosto natural por teoria, e alguns professores encaram como questão de princípio que todos os estudantes devam estar expostos a uma certa quantidade de teoria para seu próprio bem. Esse apêndice contém virtualmente todo o material teórico que por qualquer esforço da imaginação poderia ser considerado apropriado para o estudo do Cálculo. Do ponto de vista puramente matemático, é possível para os professores dar cursos em muitos níveis diferentes de sofisticação usando – ou não – o material selecionado contido nesse apêndice.

Em resumo, o corpo principal deste livro é direto e tradicional, e os apêndices o tornam conveniente para os professores, permitindo-lhes, em correspondência a seus interesses e opiniões, oferecerem uma ampla variedade de cursos adaptados às necessidades de suas próprias classes. Pretendi a máxima flexibilidade de uso.

Apêndice C Esse material compõe-se de uma pequena história biográfica da Matemática desde seus primeiros tempos até meados do século XIX. Ele tem dois objetivos principais.

Primeiro, espero dessa maneira "humanizar" o Cálculo, tornar transparentemente claro que grandes homens criaram-no com genialidade. Dessa forma almejo aumentar o interesse dos estudantes naquilo que estão estudando. As mentes de muitas pessoas evitam enfrentar problemas – mudam de direção, ausentam-se, eludem o contato, mudam de assunto, pensam em alguma outra coisa a todo custo. Essas pessoas – a grande maioria da raça humana – encontram consolo e conforto no que conhecem e no que lhes é familiar, evitando o desconhecido. É tão difícil para elas pensar regularmente em um problema difícil quanto manter juntos os pólos norte de dois fortes ímãs. Em contraste, uma minúscula minoria é atraída irresistivelmente pelos problemas: envolvem-se e lutam com eles, sem descanso, até que seus segredos sejam revelados. É essa minoria que ensina aos outros muito do que se sabe e se pode fazer, desde a roda e a balança à metalurgia e à Teoria da Relatividade. Escrevi sobre algumas dessas pessoas de nosso passado na esperança de encorajar elementos dessa geração.

Meu segundo objetivo está ligado ao fato de que muitos estudantes de Ciências Humanas e Ciências Sociais são obrigados, contra a própria vontade, a estudar Cálculo só para satisfazer requisitos acadêmicos. As profundas conexões que unem a Matemática à história da Filosofia e também à mais ampla história social e intelectual da civilização ocidental são muitas vezes capazes de aumentar o interesse desses estudantes que, de outro modo, se mostrariam indiferentes.

George F. Simmons

AO ESTUDANTE

Embora não pareça, nenhum autor tem a intenção deliberada de produzir um livro ilegível; todos nós fazemos o que podemos e esperamos ter feito o melhor. Naturalmente, espero que minha linguagem seja clara e útil para os estudantes; no fim só eles estão qualificados para julgar. Entretanto, seria uma grande vantagem para todos nós — professores e estudantes — se de algum modo fossem dadas aos estudantes usuários de livros-texto de Matemática algumas sugestões sobre a arte de ler Matemática, que é muito diferente da de ler novelas, revistas ou jornais.

Nos cursos de Matemática do 2º grau, a maioria dos estudantes está acostumada a tentar resolver primeiro os exercícios para casa, com impaciência, para terminar toda a tarefa penosa o mais rapidamente possível. Esses estudantes lêem as explicações no texto apenas como último recurso. Este é o oposto grotesco do procedimento razoável e tem tanto sentido quanto tentar pôr os sapatos antes das meias. Minha sugestão é que os estudantes leiam primeiro o texto e quando este estiver totalmente assimilado *então e só então* passem para os exercícios de casa.

Como um estudante deve ler o texto de um livro como este? Devagar e com cuidado, e com total consciência de que um grande número de detalhes terá sido deliberadamente omitido. Se este livro contivesse todos os detalhes de cada tema, seria cinco vezes maior, o que seria pecado mortal! Há um velho provérbio francês que diz: "Aquele que tenta explicar tudo acaba falando sozinho". Todo autor de um livro dessa natureza tenta andar num estreito caminho entre dizer demais e dizer de menos.

As palavras "evidentemente", "é fácil ver" e expressões semelhantes não têm intenção de serem consideradas ao pé da letra e jamais devem ser interpretadas por um estudante como menosprezo de suas habilidades. Estas são frases-padrão utilizadas na escrita matemática há centenas de anos. Seu propósito é dar um sinal ao leitor cuidadoso de que nesse lugar particular a exposição é algo condensada e que alguns detalhes de cálculo foram omitidos. Toda frase como estas equivale a uma sugestão amigável para o estudante de que talvez seja uma boa idéia ler ainda com mais cuidado e meditação a fim de preencher as lacunas da exposição, ou talvez lançar mão de uma folha de rascunho para verificar detalhes de cálculo que foram omitidos. Ou melhor ainda, fazer total uso das margens deste livro para enfatizar pontos, levantar questões, fazer pequenos cálculos e corrigir erros de impressão.

CAPÍTULO

1

NUMEROS, FUNÇÕES E GRÁFICOS

1.1 INTRODUÇÃO

Todos nós sabemos que o mundo em que vivemos é dominado por movimento e variação. A Terra move-se em sua órbita em torno do Sol; uma colônia de bactérias cresce; uma pedra lançada para cima vai perdendo velocidade, pára e, em seguida, cai ao chão com velocidade crescente; elementos radiativos de desintegram. Estes são apenas alguns itens no rol infindável de fenômenos para os quais a Matemática é o meio mais natural de comunicação e compreensão. Como disse Galileu há mais de 300 anos: "O Grande Livro da Natureza está escrito com símbolos matemáticos".

O Cálculo é o ramo da Matemática cujo principal objetivo é o estudo do movimento e da ariação. É um instrumento indispensável de pensamento em quase todos os campos da ciência pura e aplicada — em Física, Química, Biologia, Astronomia, Geologia, Engenharia e até mesmo em algumas das ciências sociais. Tem também muitas aplicações importantes em outras partes da Matemática, especialmente na Geometria. Qualquer que seja o padrão de medida, os métodos e as aplicações do Cálculo estão entre as maiores realizações intelectuais da civilização.

Os principais objetos de estudo do Cálculo são as funções. Mas, o que é uma função? Grosso modo, é uma regra ou lei que nos diz como uma quantidade variável depende de uma outra. "Função" é o principal conceito das ciências exatas. Ele nos oferece a perspectiva de compreender e correlacionar fenômenos naturais por meio de instrumental matemático de grande e, às vezes, misterioso poder. O conceito de função é tão vitalmente importante para todo nosso trabalho que devemos batalhar muito para torná-lo claro, para além de qualquer possibilidade de confusão. Este é o tema do presente capítulo.

As seções seguintes contêm uma boa quantidade de material que muitos leitores já estudaram. Alguns irão saudar a oportunidade de rever e refrescar sua memória. Aqueles que acharem cansativo trilhar um mesmo caminho repetidas vezes poderão descobrir algumas variações interessantes e desafios estimulantes nos problemas suplementares no fim do capítulo. Este capítulo tenciona servir somente para propósitos de revisão. Poderá ser estudado com cuidado ou superficialmente, ou até mesmo ser omitido, dependendo do nível de preparo do leitor. O conteúdo real deste curso começa no Capítulo 2, mas seria desastroso se, um único estudante que fosse, viesse a sentir que *este capítulo* preliminar é mais um obstáculo que uma fonte de recorrência.

1.2 A RETA REAL

A maior parte das quantidades variáveis que estudamos, tais como comprimento, área, volume, posição, tempo e velocidade, é medida por meio de números reais e, nesse sentido, o Cálculo está baseado no sistema dos números reais. É verdade que existem outros sistemas numéricos importantes e úteis, como, por exemplo, os números complexos. É também verdade que os tratamentos bi e tridimensional de posição e velocidade exigem o uso de vetores. Essas idéias serão examinadas no devido momento, mas, por longo período de tempo, os únicos números com os quais trabalharemos serão os números reais*.

Pressupomos neste livro que os estudantes estejam familiarizados com a álgebra elementar dos números reais. Todavia, nesta seção, damos um breve apanhado descritivo que poderá ser útil. Para nossos propósitos basta isto, mas o leitor que deseje investigar com maior profundidade a natureza dos números reais encontrará uma discussão mais precisa no Apêndice B.1.

O sistema dos números reais contém diversos tipos de número que merecem menção especial: os *inteiros positivos* (ou *números naturais*)

$$1, 2, 3, 4, 5, \ldots;$$

os *inteiros*

$$\ldots, -3, -2, -1, 0, 1, 2, 3, \ldots;$$

e os *números racionais,* que são aqueles números reais que podem ser representados sob a forma de frações (ou quocientes de inteiros), tais como

$$\tfrac{2}{3}, -\tfrac{7}{4}, 4, 0, -5, 3{,}87, 2\tfrac{1}{4}.$$

Um número real que não é racional é denominado *irracional*; por exemplo:

$$\sqrt{2},\ \sqrt{3},\ \sqrt{2}+\sqrt{3},\ \sqrt{5},\ \sqrt[3]{5}, \quad \text{e} \quad \pi$$

são números irracionais.

Aproveitamos esta oportunidade para lembrar ao leitor que, para todo número positivo a, o símbolo $\sqrt{a}$ significa sempre a raiz quadrada positiva. Assim, $\sqrt{4}$ é igual a 2 e não a -2, embora

---

* O adjetivo "real" foi originalmente utilizado para distinguir esses números de números tais como $\sqrt{-1}$, que foram no passado encarados como "irreais" ou "imaginários".

$(-2)^2 = 4$. Se desejamos designar ambas as raízes quadradas de 4, devemos escrever $\pm\sqrt{4}$. Analogamente, $\sqrt[n]{a}$ significa sempre a raiz n-ésima positiva de a.

A Reta Real

O uso dos números reais para medição se reflete no costume bastante conveniente de representar esses números graficamente por meio de pontos numa reta horizontal.

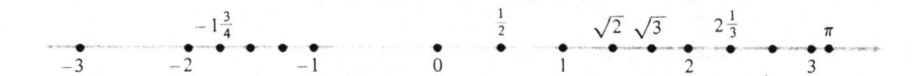

Figura 1.1 A reta real.

Essa representação começa com a escolha de um ponto arbitrário, denominado origem ou ponto zero, e um outro ponto arbitrário a sua direita, o ponto 1. A distância entre esses pontos (a distância unitária) serve então como escala por meio da qual podemos associar pontos da reta a inteiros positivos ou negativos, como está ilustrado na Fig. 1.1, e também a números racionais. Chamamos atenção especial para o fato de que todos os números positivos estão à direita do 0, no "sentido positivo", e todos os números negativos estão a sua esquerda. O método de associar um ponto a um número racional é mostrado na Fig. 1.1 para o número $\frac{7}{3} = 2\frac{1}{3}$: o segmento de reta entre 2 e 3 é subdividido por dois pontos em três segmentos iguais, e o primeiro desses pontos é designado $2\frac{1}{3}$. Esse processo de usar subdivisões iguais serve, é claro, para determinar o ponto da reta que corresponde a todo e qualquer número racional. Além disso, essa correspondência entre números racionais e pontos pode ser estendida para números irracionais, pois, como veremos no fim desta seção, a expansão decimal de números irracionais tais como

$$\sqrt{2} = 1{,}414\ldots, \qquad \sqrt{3} = 1{,}732\ldots, \qquad \pi = 3{,}14159\ldots,$$

pode ser interpretada como um conjunto de instruções que especificam a posição exata do ponto correspondente.

O descrito acima é uma correspondência um a um (ou biunívoca) entre todos os números reais e todos os pontos da reta, correspondência esta que caracteriza esses números como um sistema de coordenadas na reta. Esta reta com coordenadas chama-se *reta real* (ou, às vezes, *reta numérica*). É conveniente e costumeiro fundir os conceitos logicamente distintos de sistema dos números reais e reta real — falaremos livremente de pontos da reta como se fossem números e de números como se fossem pontos da reta. Dessa forma, expressões mistas, tais como "ponto irracional" e "segmento de reta entre 2 e 3", são absolutamente naturais e serão utilizadas sem maiores explicações.

Desigualdades

A sucessão, da esquerda para a direita, de pontos na reta real corresponde a uma parte importante da álgebra dos números reais – a que trata das desigualdades. Essas idéias exercem um papel maior no Cálculo que nos cursos anteriores de Matemática, de modo que recordaremos rapidamente os pontos essenciais.

O significado geométrico da desigualdade $a < b$ (leia-se "a é menor que b") é simplesmente que a está à esquerda de b; a desigualdade equivalente $b > a$ ("b é maior que a") significa que b está à direita de a. Um número a é positivo ou negativo conforme $a > 0$ ou $a < 0$. As principais regras utilizadas no trabalho com desigualdades são as seguintes:

1. Se $a > 0$ e $b < c$, então $ab < ac$.
2. Se $a < 0$ e $b < c$, então $ab > ac$.
3. Se $a < b$, então $a + c < b + c$ para qualquer número c.

As regras 1 e 2 são usualmente expressas dizendo-se que uma desigualdade é preservada quando da multiplicação por número positivo e invertida quando da multiplicação por número negativo; a regra 3 diz que uma desigualdade é preservada quando qualquer número (positivo ou negativo) é adicionado a ambos os membros. Muitas vezes, é desejável substituir uma desigualdade $a > b$ pela desigualdade equivalente $a - b > 0$, sendo a regra 3 utilizada para estabelecer a equivalência.

Se desejamos dizer que a é positivo ou igual a zero, escrevemos $a \geq 0$ e lemos "a é maior ou igual a zero". Analogamente, $a \geq b$ significa que $a > b$ ou $a = b$. Assim, $3 \geq 2$ e $3 \geq 3$ são ambas desigualdades verdadeiras.

Lembramos também que o produto de dois ou mais números será igual a zero se e somente se pelo menos um dos fatores for igual a zero. Se nenhum dos fatores for igual a zero, o produto será positivo ou negativo, conforme tenha um número par ou ímpar de fatores negativos.

Valores Absolutos

O valor absoluto (ou módulo) de um número a é denotado por $|a|$ e definido por

$$|a| = \begin{cases} a & \text{se } a \geq 0, \\ -a & \text{se } a < 0. \end{cases}$$

Por exemplo, $|3| = 3$, $|-2| = -(-2) = 2$ e $|0| = 0$. É claro que a operação de formar o valor absoluto mantém inalterados os números positivos e troca cada número negativo pelo número positivo correspondente. As principais propriedades dessa operação são

$$|ab| = |a||b| \qquad \text{e} \qquad |a + b| \leq |a| + |b|.$$

Em linguagem geométrica, o valor absoluto de um número a é simplesmente a distância do ponto a à origem. Analogamente, a distância de a a b é $|a - b|$.

Para resolver uma equação como $|x + 2| = 3$, podemos escrevê-la na forma $|x - (-2)| = 3$ e pensá-la como "a distância de x a -2 é 3". Tendo em mente a Fig. 1.1, é evidente que as soluções são $x = 1$ e $x = -5$. Podemos também resolver essa equação utilizando o fato de que $|x + 2| = 3$ significa que $x + 2 = 3$ ou $x + 2 = -3$, e as soluções são $x = 1$ e $x = -5$, como antes.

Intervalos

Os conjuntos de números reais que consideraremos são, na grande maioria dos casos, intervalos. Um *intervalo* é simplesmente um segmento da reta real. Se suas extremidades são os números a e b, então o intervalo consiste em todos os números que estão entre a e b. No entanto, podemos querer incluir ou não as próprias extremidades como parte do intervalo.

Para maior precisão, suponha que a e b sejam números, com $a < b$. O *intervalo fechado* de a a b, denotado por $[a, b]$, inclui as extremidades e, portanto, consiste em todos os números reais x tais que $a \leq x \leq b$. Utilizaremos parênteses para indicar extremidades excluídas. O intervalo (a, b), com ambas as extremidades excluídas, chama-se *intervalo aberto* de a a b, e consiste em todos os x tais que $a < x < b$. Algumas vezes desejamos incluir somente uma extremidade num intervalo. Assim, os intervalos denotados por $[a, b)$ e $(a, b]$ são definidos pelas desigualdades $a \leq x < b$ e $a < x \leq b$, respectivamente. Em cada um desses casos, todo número c tal que $a < c < b$ chama-se *ponto interior* do intervalo (Fig. 1.2).

Ponto interior
↙
a c b
↖   ↗
Extremidades

a b
Fechado: $a \leq x \leq b$ ou $[a, b]$

a b
Aberto: $a < x < b$ ou (a, b)

Figura 1.2 Intervalos.

Do ponto de vista estrito, as notações $a \leq x \leq b$ e $[a, b]$ têm significados diferentes — a primeira representa uma restrição imposta sobre x, enquanto a segunda denota um conjunto —, mas ambas designam o mesmo intervalo. Iremos então considerá-las equivalentes e usá-las indistintamente; o leitor deverá se familiarizar com ambas as notações. Entretanto, o significado geométrico da notação $a \leq x \leq b$ é mais visual e, por essa razão, iremos preferi-la à outra.

Uma semi-reta é, muitas vezes, considerada como um intervalo estendendo-se ao infinito em um dos sentidos. O símbolo ∞ (leia-se "infinito") é com freqüência utilizado na designação de tal intervalo. Assim, para todo número real a, os intervalos definidos pelas desigualdades $a < x$ e $x \leq a$ podem ser escritos como $a < x < \infty$ e $-\infty < x \leq a$ ou, equivalentemente, como (a, ∞) e $(-\infty, a]$. Lembre-se, no entanto, de que os símbolos ∞ e -∞ não denotam números reais; eles são utilizados desta maneira somente como um modo conveniente de enfatizar que a x é permitido ser arbitrariamente grande (no sentido positivo ou negativo). Para ajudar a ter clara a notação em nossa mente, pode ser útil pensar em -∞ e ∞ como "números fictícios" localizados nas "extremidades" esquerda e direita da reta real, como se sugere na Fig. 1.3. É também às vezes conveniente pensar na própria reta real como um intervalo, $-\infty < x < \infty$ ou $(-\infty, \infty)$.

Figura 1.3

Conjuntos numéricos descritos por meio de desigualdades e valores absolutos são, com freqüência, intervalos. É claro, por exemplo, que o conjunto de todos os x tais que $|x| < 2$ é o intervalo $-2 < x < 2$ ou $(-2, 2)$. O exemplo seguinte ilustra algumas técnicas que serão úteis em várias situações.

Exemplo Resolver a desigualdade $x^3 > x$.

"Resolver" uma desigualdade como esta significa achar todos os números x para os quais a desigualdade é verdadeira. Primeiro, escrevemos a desigualdade como $x^3 - x > 0$, e depois na forma fatorada

$$x(x + 1)(x - 1) > 0. \qquad (1)$$

A expressão da esquerda é igual a zero quando $x = 0, -1, 1$. Esses três pontos dividem a reta real em quatro intervalos abertos, como é mostrado na Fig. 1.4; e, no interior de cada um desses intervalos, a expressão $x(x + 1)(x - 1)$ tem sinal constante. Por exemplo, quando $x < -1$, vemos, por inspeção, que todos os três fatores são negativos, e assim $x(x + 1)(x - 1)$ é negativo; quando $-1 < x < 0$, vemos que x e $x - 1$ são negativos, mas $x + 1$ é positivo, e assim $x(x + 1)(x - 1)$ é positivo. Testamos a expressão em cada intervalo dessa maneira e registramos os resultados em nossa figura. Concluída essa operação, simplesmente lemos os intervalos nos quais (1) é satisfeita e escrevemos a solução: $-1 < x < 0$ ou $1 < x$ ou, de modo equivalente, $(-1, 0)$ ou $(1, \infty)$.

Figura 1.4

Acrescentamos alguns comentários sobre o uso de intervalos para que se compreenda o significado geométrico da expansão decimal de um número real. No caso do irracional $\sqrt{2}$, o fato de que a sua expansão decimal é 1,414... significa que o número $\sqrt{2}$ satisfaz cada uma das desigualdades da seguinte relação infinita:

$$1 \leq \sqrt{2} \leq 2,$$
$$1,4 \leq \sqrt{2} \leq 1,5,$$
$$1,41 \leq \sqrt{2} \leq 1,42,$$
$$\ldots$$

Isto, por sua vez, significa que o ponto correspondente a $\sqrt{2}$ está em cada um dos intevalos fechados com extremidades racionais: [1, 2], [1,4 | 1,5], [1, | 41 | 1,42]... Essa seqüência de "intervalos encaixados" é mostrada na Fig. 1.5. É geometricamente claro que existe um e somente um ponto que está em todos esses intervalos, e, nesse sentido, a expansão decimal do número $\sqrt{2}$ pode ser interpretada como um conjunto de instruções especificando a posição exata do ponto $\sqrt{2}$ na reta real. Como $\sqrt{2}$ é irracional, ele é um ponto interior de todos os intervalos dessa seqüência.

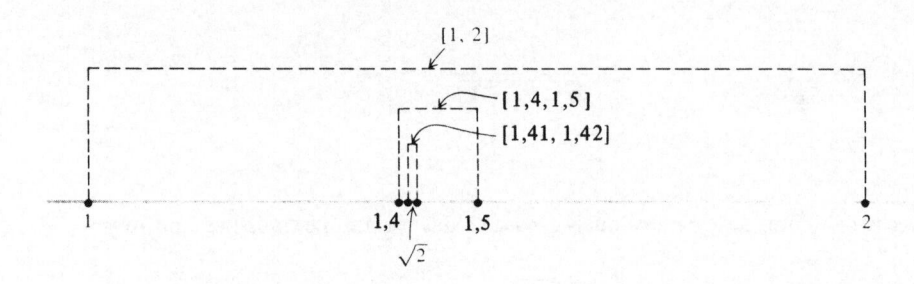

Figura 1.5 $\sqrt{2}$ = 1,414... localizado geometricamente.

Enfatizamos que nossas metas neste livro são quase inteiramente práticas. Entretanto nossas discussões muitas vezes fazem aparecer certas questões "não-práticas", que alguns leitores poderão considerar interessantes e atraentes. Por exemplo, como sabemos que o número $\sqrt{2}$ é irracional? Aos leitores com tempo e inclinação para atacar essas questões – e também porque consideramos que vale a pena conhecer as respostas por si mesmas, sem outra finalidade –, oferecemos material para aprofundamento em apêndices ocasionais (veja o Apêndice A.1).

Problemas

1. Ache todos os valores de x que satisfazem cada uma das seguintes condições:

   (a) $|x| = 5$;
   (b) $|x + 4| = 3$;
   (c) $|x - 2| = 4$;
   (d) $|x + 1| = |x - 2|$;
   (e) $|x + 1| = |2x - 2|$;
   (f) $|x^2 - 5| = 4$;
   (g) $|x - 3| \leq 5$.

2. Resolva as seguintes desigualdades (ou inequações):

   (a) $x(x - 1) > 0$;
   (b) $x^4 < x^2$;
   (c) $(x - 1)(x + 2) < 0$;
   (d) $x^2 - 2 \geq x$;
   (e) $x^2(x - 1) \geq 0$;
   (f) $(2x + 1)^8(x + 1) \leq 0$;
   (g) $x^2 + 4x - 21 > 0$;
   (h) $2x^2 + x < 3$;
   (i) $1 - x \leq 2x^2$;
   (j) $4x^2 + 10x - 6 < 0$;
   (k) $x^3 + 1 < x^2 + x$;
   (l) $x^2 + 2x + 4 > 0$.

3. Lembrando que $\sqrt{a}$ é um número real se e somente se $a \geq 0$, ache os valores de x para os quais cada uma das seguintes expressões é um número real:

   (a) $\sqrt{4 - x^2}$;
   (b) $\sqrt{x^2 - 9}$;
   (c) $\dfrac{1}{\sqrt{4 - 3x}}$;
   (d) $\dfrac{1}{\sqrt{x^2 - x - 12}}$.

4. Ache os valores de x para os quais cada uma das seguintes expressões é positiva:

   (a) $\dfrac{x}{x^2 + 4}$;
   (b) $\dfrac{x}{x^2 - 4}$;
   (c) $\dfrac{x + 1}{x - 3}$;
   (d) $\dfrac{x^2 - 1}{x^2 - 3x}$.

5. Mostre, por meio de um exemplo numérico, que a seguinte afirmação não é verdadeira: se $a < b$ e $c < d$, então $ac < bd$. (Para essa afirmação ser verdadeira, ela deverá ser verdadeira para *todos* os números a, b, c, d, satisfazendo as condições estabelecidas. Uma única exceção – chamada *contra-exemplo* – é, portanto, suficiente para demonstrar que a afirmação não é verdadeira.)

6. Se a, b, c e d são números positivos tais que $a/b < c/d$, mostre que

$$\frac{a}{b} < \frac{a+c}{b+d} < \frac{c}{d}.$$

7. Mostre que o número $\frac{1}{2}(a+b)$, chamado *média aritmética* de a e b, é o ponto médio do intervalo $a \leqslant x \leqslant b$. (Sugestão: o ponto médio é a mais a metade do comprimento do intervalo.) Ache os pontos de trisseção desse intervalo.

8. Se $0 < a < b$, mostre que $a^2 < b^2$ e $\sqrt{a} < \sqrt{b}$.

9. Se $0 < a < b$, o número $\sqrt{ab}$ chama-se *média geométrica* de a e b. Mostre que $a < \sqrt{ab} < b$.

10. Se a e b são números positivos, mostre que $\sqrt{ab} \leqslant \frac{1}{2}(a+b)$.

1.3 O PLANO COORDENADO

Assim como os números reais são utilizados como coordenadas para pontos de uma reta, pares de números reais podem ser utilizados como coordenadas para pontos de um plano. Com esse propósito estabelecemos um *sistema de coordenadas retangulares* no plano, como se segue.

Desenhamos duas retas perpendiculares no plano, uma horizontal e a outra vertical, como na Fig. 1.6. Essas retas chamam-se *eixo x* e *eixo y*, respectivamente, e seu ponto de interseção chama-se *origem*. As coordenadas são assinaladas nesses eixos da maneira descrita anteriormente, com a origem como o ponto zero em ambos os eixos e a mesma distância unitária em ambos os eixos. O semi-eixo positivo dos x está à direita da origem, e o semi-eixo negativo dos x à esquerda, como antes; o semi-eixo positivo dos y está acima da origem, e o semi-eixo negativo dos y está abaixo.

Agora consideremos um ponto P qualquer do plano. Desenhamos uma reta por P paralela ao eixo dos y, e seja x a coordenada do ponto em que essa reta corta o eixo dos x. Analogamente, desenhamos uma reta por P paralela ao eixo dos x, e seja y a coordenada do ponto em que essa reta corta o eixo dos y. Os números x e y determinados dessa maneira chamam-se *coordenada x* e *coordenada y* de P. Ao nos referirmos às coordenadas de P, é costume escrevê-las como um par ordenado (x, y), com a coordenada x escrita em primeiro lugar; dizemos que P tem coordenadas (x, y)*.

---

* Na prática, o uso da mesma notação para pares ordenados e intervalos abertos jamais leva a confusão, pois em qualquer contexto específico fica sempre claro o que está sendo tratado.

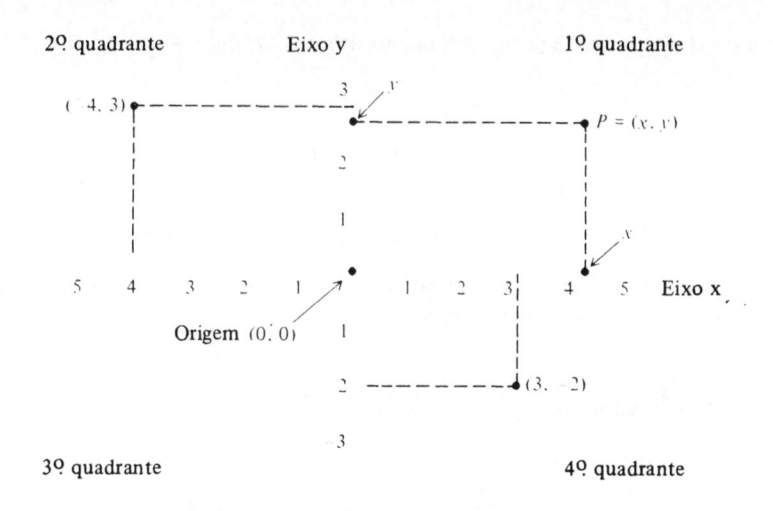

Figura 1.6 O plano coordenado, ou plano xy.

Essa correspondência entre o ponto P e suas coordenadas é uma correspondência um-a-um entre todos os pontos do plano e todos os pares ordenados de números reais, pois P determina suas coordenadas univocamente, e, revertendo o processo, vemos que cada par ordenado de números reais determina univocamente um ponto P tendo esses números como suas coordenadas. Como no caso da reta real, é costume deixar de lado a distinção entre um ponto e suas coordenadas e falar de "o ponto (x, y)" em vez de "o ponto com coordenadas (x, y)". As coordenadas x e y do ponto P são, às vezes, chamadas de *abscissa* e *ordenada*, respectivamente, de P. O leitor deve notar, em particular, que os pontos $(x, 0)$ estão sobre o eixo dos x, os pontos $(0, y)$ sobre o eixo dos y e que $(0, 0)$ é a origem. Deve também notar que os eixos dividem o plano em quatro quadrantes, como mostrado na Fig. 1.6; esses quadrantes são caracterizados, como se segue, pelos sinais de x e y: primeiro quadrante, $x > 0$ e $y > 0$; segundo quadrante, $x < 0$ e $y < 0$; terceiro quadrante, $x < 0$ e $y < 0$; quarto quadrante, $x > 0$ e $y < 0$.

Quando o plano está munido do sistema de coordenadas aqui descrito, é usualmente chamado *plano coordenado*, ou *plano xy*.

A Fórmula da Distância

Grande parte de nosso trabalho envolve idéias geométricas — triângulos retângulos, triângulos semelhantes, círculos, esferas, cones etc. —, e consideramos que os estudantes tenham já adquirido uma razoável compreensão da geometria elementar nos cursos anteriores. Um fato notável de particular importância é o Teorema de Pitágoras: "Em todo triângulo retângulo, a soma dos quadrados dos catetos é igual ao quadrado da hipotenusa" (Fig. 1.7). Dentre as diversas demonstrações desse teorema, a que se segue talvez seja a mais simples Sejam a e b os catetos e c, a hipotenusa; disponha quatro réplicas do triângulo nos cantos de um quadrado de lado $a + b$, como mostra a Fig. 1.7. Então, a área do quadrado maior é igual a 4 vezes a área do triângulo mais a área do quadrado menor; isto é,

$$(a + b)^2 = 4(\tfrac{1}{2}ab) + c^2.$$

Isto se simplifica imediatamente para $a^2 + b^2 = c^2$, que é o Teorema de Pitágoras*.

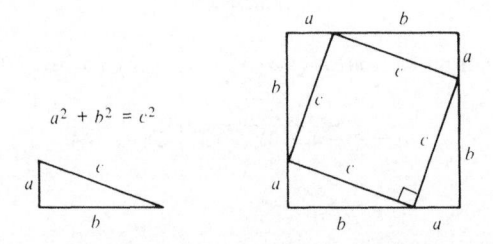

Figura 1.7 O Teorema de Pitágoras e uma de suas demonstrações.

Como primeira de muitas aplicações desse fato, obtemos a fórmula da distância d entre dois pontos quaisquer do plano coordenado. Se os pontos são $P_1 = (x_1, y_1)$ e $P_2 = (x_2, y_2)$, então o segmento que os une é a hipotenusa de um triângulo retângulo (Fig. 1.8), com catetos $|x_1 - x_2|$ e $|y_1 - y_2|$. Pelo Teorema de Pitágoras,

$$d^2 = |x_1 - x_2|^2 + |y_1 - y_2|^2$$
$$= (x_1 - x_2)^2 + (y_1 - y_2)^2,$$

logo
$$d = \sqrt{(x_1 - x_2)^2 + (y_1 - y_2)^2},$$

---

* Os estudantes interessados em aprender um pouco mais acerca dos homens extraordinários que criaram a Matemática encontrarão no Apêndice C um breve relato sobre quase todas as personalidades cujas contribuições são mencionadas no decorrer deste livro.

que é a *fórmula da distância*.

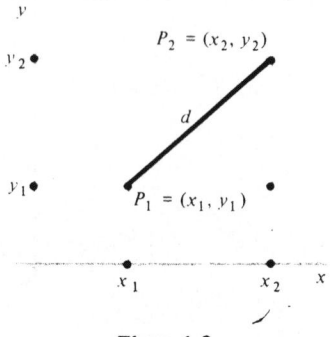

Figura 1.8

Exemplo 1 A distância d entre os pontos $(-4, 3)$ e $(3, -2)$ na Fig. 1.6 é

$$d = \sqrt{(-4 - 3)^2 + (3 + 2)^2} = \sqrt{74}.$$

Observe que, ao aplicar a fórmula (1), a ordem em que os pontos são tomados não importa.

Exemplo 2 Achar os comprimentos dos lados do triângulo cujos vértices são $P_1 = (-1, -3)$, $P_2 = (5, -1)$ e $P_3 = (-2, 10)$.

Por (1), esses comprimentos são

$$P_1P_2 = \sqrt{(-1 - 5)^2 + (-3 + 1)^2} = \sqrt{40} = 2\sqrt{10},$$

$$P_1P_3 = \sqrt{(-1 + 2)^2 + (-3 - 10)^2} = \sqrt{170} \text{ e}$$

$$P_2P_3 = \sqrt{(5 + 2)^2 + (-1 - 10)^2} = \sqrt{170}.$$

Esses cálculos revelam que o triângulo é isósceles, sendo P_1P_3 e P_2P_3 os lados iguais.

As Fórmulas do Ponto Médio

Muitas vezes é útil conhecer as coordenadas do ponto médio do segmento que une dois pontos distintos dados. Se os pontos dados são $P_1 = (x_1, y_1)$ e $P_2 = (x_2, y_2)$, e se $P = (x, y)$ é o ponto médio, então, é claro (Fig. 1.9), x é o ponto médio da projeção do segmento sobre o eixo x, e analogamente para y. Assim (veja o Problema 7 da Seção 1.2), temos que $x = x_1 + \frac{1}{2}(x_2 - x_1)$ e $y = y_1 + \frac{1}{2}(y_2 - y_1)$ e, finalmente:

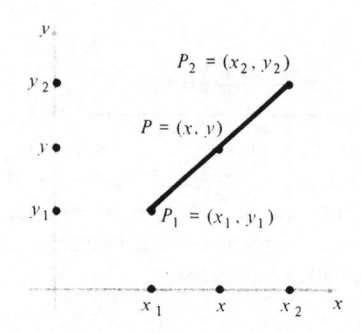

$$x = \tfrac{1}{2}(x_1 + x_2) \quad \text{e} \quad y = \tfrac{1}{2}(y_1 + y_2).$$

Figura 1.9

Um outro modo de se obter essas fórmulas (veja Fig. 1.9) é notar que $x - x_1 = x_2 - x$ e, assim, $2x = x_1 + x_2$, ou $x = \frac{1}{2}(x_1 + x_2)$; usa-se o mesmo argumento para y. Analogamente, se P é um ponto de trisseção do segmento que une P_1 e P_2, suas coordenadas podem ser determinadas pelo fato de que x e y são pontos de trisseção dos correspondentes segmentos sobre os eixos x e y.

Exemplo 3 Em todo triângulo, o segmento que une os pontos médios de dois lados é paralelo ao terceiro lado e tem a metade de seu comprimento.

Para provar essa afirmação por nossos métodos, começamos notando que o triângulo pode sempre ser colocado na posição mostrada na Fig. 1.10, com o terceiro lado ao longo do eixo x e a extremidade esquerda desse lado na origem. Consideramos a seguir os pontos médios dos outros dois lados, como é mostrado na figura, e observamos que, como têm a mesma coordenada y, o segmento que os une é paralelo ao terceiro lado. O comprimento do segmento é simplesmente a diferença entre as coordenadas x de suas extremidades:

$$\frac{a+b}{2} - \frac{b}{2} = \frac{a}{2},$$

que é a metade do comprimento do terceiro lado.

14   Cálculo com Geometria Analítica

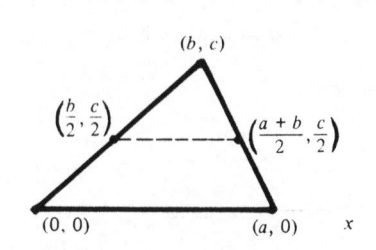

                              y
                           (b, c)
              (b/2, c/2)
                                    ((a+b)/2, c/2)
                (0, 0)   (a, 0)   x

Figura 1.10

Esse exemplo ilustra a maneira pela qual podemos utilizar as coordenadas para dar demonstrações algébricas de muitos teoremas geométricos. O artifício empregado aqui, colocando a figura numa posição conveniente em relação ao sistema de coordenadas — ou, de modo equivalente, escolhendo o sistema de coordenadas numa posição conveniente em relação à figura — tem o objetivo de simplificar os cálculos algébricos.

Problemas

1. Faça um esboço indicando os pontos (x, y) do plano para os quais

(a) $x < 2$;
(b) $-1 < y \leq 2$;
(c) $0 \leq x \leq 1$ e $0 \leq y \leq 1$;
(d) $x = -1$;
(e) $y = 3$;
(f) $x = y$.

2. Utilize a fórmula da distância para mostrar que os pontos $(-2, 1)$, $(2, 2)$ e $(10, 4)$ estão na mesma reta.

3. Mostre que o ponto $(6, 5)$ está na mediatriz do segmento que une os pontos $(-2, 1)$ e $(2, -3)$.

4. Mostre que o triângulo cujos vértices são $(3, -3)$, $(-3, 3)$ e $(3\sqrt{3}, 3\sqrt{3})$ é eqüilátero.

5. Os pontos $(2, -2)$ e $(-6, 5)$ são as extremidades do diâmetro de um círculo. Ache o centro e o raio do círculo.

6. Ache todos os pontos cuja distância a cada eixo coordenado é igual a sua distância do ponto $(4, 2)$.

7. Ache o ponto eqüidistante do pontos $(-9, 0)$, $(6, 3)$ e $(-5, 6)$.

8. Se a e b são dois números quaisquer, convença-se de que:

   (a) os pontos (a, b) e $(a, -b)$ são simétricos em relação ao eixo x;

   (b) (a, b) e $(-a, b)$ são simétricos em relação ao eixo y;

   (c) (a, b) e $(-a, -b)$ são simétricos em relação à origem.

9. Que afirmação de simetria pode ser feita sobre os pontos (a, b) e (b, a)?

10. Em um dos casos abaixo, coloque a figura numa posição conveniente em relação ao sistema de coordenadas e prove as afirmações algebricamente:

    (a) As diagonais de um paralelogramo se cortam ao meio.

    (b) A soma dos quadrados das diagonais de um paralelogramo é igual à soma dos quadrados dos lados.

    (c) O ponto médio da hipotenusa de um triângulo retângulo é eqüidistante dos três vértices.

    Utilize o fato estabelecido em (c) para mostrar que, quando os ângulos agudos de um triângulo retângulo são de 30° e 60°, o lado oposto ao ângulo de 30° é a metade da hipotenusa.

11. Num triângulo retângulo isósceles, ambos os ângulos agudos são de 45°. Se a hipotenusa é h, qual o comprimento de cada um dos outros lados?

12. Sejam $P_1 = (x_1, y_1)$ e $P_2 = (x_2, y_2)$ pontos distintos. Se $P = (x, y)$ está sobre o segmento que une P_1 e P_2 a um terço do caminho de P_1 a P_2, mostre que

    $$x = \tfrac{1}{3}(2x_1 + x_2) \quad \text{e} \quad y = \tfrac{1}{3}(2y_1 + y_2).$$

    Ache as fórmulas correspondentes para o caso em que P está a dois terços do caminho de P_1 a P_2.

13. Considere um triângulo arbitrário com vértices (x_1, y_1), (x_2, y_2) e (x_3, y_3). Ache o ponto sobre cada mediana que está a dois terços do caminho do vértice ao ponto médio do lado oposto. Realize os cálculos separadamente para cada mediana e verifique que esses três pontos são um único ponto, com coordenadas

$$\tfrac{1}{3}(x_1 + x_2 + x_3) \qquad \text{e} \qquad \tfrac{1}{3}(y_1 + y_2 + y_3).$$

Isto prova que as medianas de qualquer triângulo se interceptam num mesmo ponto, que está a dois terços do caminho de cada vértice ao ponto médio do lado oposto.

1.4 COEFICIENTES ANGULARES E EQUAÇÕES DE RETAS

Nesta seção utilizamos a linguagem da álgebra para descrever o conjunto de todos os pontos que pertencem a uma dada reta. Essa descrição algébrica chama-se *equação da reta*. No entanto, é necessário, primeiro, discutir um importante conceito preliminar.

O Coeficiente Angular de uma Reta

A toda reta não-vertical está associado um número que especifica sua direção, denominado *coeficiente angular, declive* ou *declividade*. Esse número é definido como mostra a Fig. 1.11.

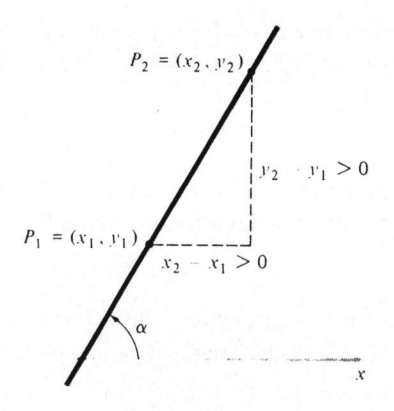

Figura 1.11

Escolhemos dois pontos distintos da reta, digamos $P_1 = (x_1, y_1)$ e $P_2 = (x_2, y_2)$. Então, o coeficiente angular é denotado por m e definido como sendo a razão

$$m = \frac{y_2 - y_1}{x_2 - x_1}. \tag{1}$$

Se invertermos a ordem de subtração no numerador e no denominador, o sinal de cada um deles muda, mas m permanece inalterado:

$$m = \frac{y_2 - y_1}{x_2 - x_1} = \frac{y_1 - y_2}{x_1 - x_2}.$$

Isto mostra que o coeficiente angular pode ser calculado como a diferença das coordenadas y dividida pela diferença das coordenadas x, numa das duas ordens possíveis, contanto que ambas as diferenças sejam formadas na mesma ordem. Na Fig. 1.11, onde P_2 está situado à direita de P_1 e a reta ascende à direita, é claro que o coeficiente angular como foi definido em (1) é simplesmente a razão da altura pela base do triângulo retângulo indicado. É preciso saber que o valor de m depende apenas da própria reta e é o mesmo, não importando em que lugar da reta os pontos P_1 e P_2 estejam localizados. Isto é fácil de perceber visualizando-se o efeito de deslocar P_1 e P_2 para diferentes posições da reta; essas mudanças fazem aparecer triângulos retângulos semelhantes ao primeiro e, portanto, deixam inalterada a razão (1).

Se escolhemos a posição de P_2 de modo que $x_2 - x_1 = 1$, isto é, se colocamos P_2 uma unidade à direita de P_1, então $m = y_2 - y_1$. Isto revela que o coeficiente angular é simplesmente a variação em y quando um ponto (x, y) se move ao longo da reta de tal modo que x cresça de uma unidade. Essa variação em y pode ser positiva, negativa ou nula, dependendo da direção da reta. Temos, portanto, as seguintes correlações importantes entre o sinal de m e as direções indicadas:

$m > 0$, a reta ascende à direita;

$m < 0$, a reta descende à direita;

$m = 0$, a reta é horizontal.

Além disso, o valor absoluto de m é medida da declividade da reta (Fig. 1.12). É evidente, considerando-se (1), que uma reta vertical não tem coeficiente angular, pois, neste caso, os dois pontos têm coordenadas x iguais e o denominador em (1) é 0.

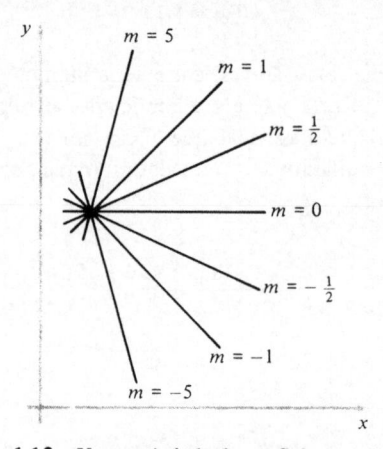

Figura 1.12 Uma variedade de coeficientes angulares.

Se a reta em questão corta o eixo x, então o ângulo α, formado entre o semi-eixo positivo dos x e a reta e medido no sentido anti-horário, chama-se *inclinação*, ou, às vezes, *ângulo de inclinação* da reta. Os leitores que estudaram trigonometria verão (Fig. 1.11) que o coeficiente angular é a tangente desse ângulo: $m = \text{tg } \alpha$.

Equações de uma Reta

Uma reta vertical caracteriza-se pelo fato de que todos os seus pontos têm a mesma coordenada x. Se a reta corta o eixo x no ponto $(a, 0)$, então um ponto (x, y) pertence à reta se e somente se

$$x = a, \tag{2}$$

como ilustra a Fig. 1.13. A afirmação de que (2) é a equação da reta significa exatamente o seguinte: um ponto (x, y) pertence à reta se e somente se a condição (2) é satisfeita.

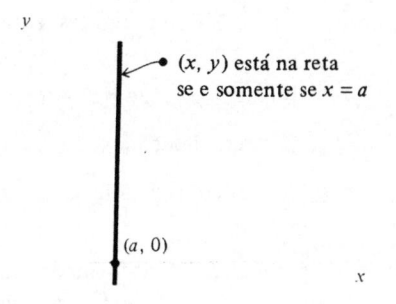

Figura 1.13

À seguir, consideremos uma reta não-vertical e suponhamos que ela seja "dada" no sentido de que conhecemos um seu ponto (x_0, y_0) e seu coeficiente angular m (Fig. 1.14). Se (x, y) é um ponto do plano que não está na reta vertical que passa por (x_0, y_0), então é fácil ver que esse ponto pertence à reta dada se e somente se a reta determinada por (x_0, y_0) e (x, y) tem o mesmo coeficiente angular que a reta dada:

$$\frac{y - y_0}{x - x_0} = m. \tag{3}$$

Esta seria a equação de nossa reta não fosse uma pequena falha: as coordenadas do ponto (x_0, y_0) — que está evidentemente na reta — não satisfazem a equação (elas reduzem o membro esquerdo à expressão sem sentido 0/0). Essa falha é facilmente sanada se escrevermos a equação (3) na forma

$$y - y_0 = m(x - x_0). \tag{4}$$

No entanto, preferimos usualmente a forma (3), porque sua conexão direta com a idéia geométrica ilustrada na Fig. 1.14 facilita a memorização. Qualquer uma das equações (ou ambas) chama-se *equação ponto-coeficiente angular* da reta, pois a reta está inicialmente especificada por meio de um ponto conhecido e do coeficiente angular conhecido.

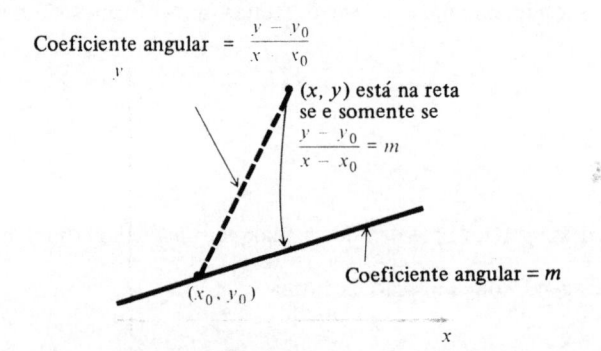

Figura 1.14

Para compreendermos melhor o significado da equação (4), imaginemos um ponto (x, y) movendo-se ao longo da reta dada. Quando esse ponto se move, suas coordenadas x e y variam, mas mantêm-se ligadas pela relação fixa expressa pela equação (4).

Se o ponto conhecido é o ponto em que a reta corta o eixo y, e se esse ponto é denotado por $(0, b)$, então a equação (4) torna-se $y - b = mx$ ou

$$y = mx + b. \tag{5}$$

O número b chama-se *interseção y* da reta (ou *coeficiente linear*) e (5) chama-se *equação reduzida* da reta. Essa forma é bastante conveniente, porque nos revela, num relance, a localização e a direção da reta. Por exemplo, se a equação

$$6x - 2y - 4 = 0 \tag{6}$$

for resolvida em y, veremos que

$$y = 3x - 2. \tag{7}$$

Comparando-se (7) e (5) obtemos $m = 3$ e $b = -2$, e assim (6) e (7) representam ambas a reta que passa por $(0, -2)$ com coeficiente angular 3. Essa informação facilita muito o esboço da reta. Poderia parecer que (6) e (7) fossem equações diferentes, com (6) sendo considerada "uma" equação da reta e (7), "outra" equação da reta; entretanto, preferimos considerá-las simplesmente como formas diferentes de uma única equação. Muitas outras formas são possíveis, por exemplo:

$$y + 2 = 3x, \qquad x = \tfrac{1}{3}y + \tfrac{2}{3}, \qquad 3x - y = 2.$$

É razoável desprezar as aparências e considerar qualquer uma delas como "a" equação da reta.

De modo mais geral, toda equação da forma

$$Ax + By + C = 0, \tag{8}$$

onde as constantes A e B não são ambas nulas, representa uma reta. Pois se $B = 0$, então $A \neq 0$, e a equação pode ser escrita como

$$x = -\frac{C}{A},$$

que é, evidentemente, a equação de uma reta vertical. Por outro lado, se $B \neq 0$, então

$$y = -\frac{A}{B}x - \frac{C}{B},$$

e essa equação tem a forma (5), com $m = -A/B$ e $b = -C/B$.

A equação (8) é um pouco inconveniente para muitos propósitos, porque suas constantes não estão diretamente relacionadas à geometria da reta. Seu principal mérito é o de representar todas as retas sem qualquer necessidade de distinção entre os casos vertical e não-vertical. Por essa razão ela é chamada *equação linear geral*.

Retas Paralelas e Perpendiculares

Duas retas não-verticais, com coeficientes angulares m_1 e m_2, são evidentemente paralelas se e somente se seus coeficientes angulares são iguais:

$$m_1 = m_2.$$

O critério de perpendicularidade é a relação

$$m_1 m_2 = -1, \tag{9}$$

que não é óbvia mas pode ser estabelecida muito facilmente utilizando-se triângulos semelhantes (Fig. 1.15).

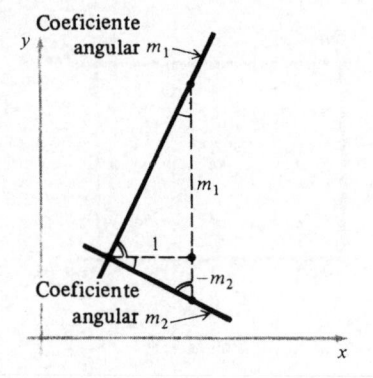

Figura 1.15

Suponhamos que as retas sejam perpendiculares, como mostra a Fig. 1.15. Desenhamos um segmento de comprimento 1 à direita do ponto de interseção e traçamos, a partir de sua extremidade direita, segmentos verticais para cima e para baixo até as duas retas. Segue-se pelo significado dos coeficientes angulares que os dois triângulos retângulos formados dessa maneira têm lados com os comprimentos indicados. Como as retas são perpendiculares, os ângulos indicados são iguais e os triângulos são semelhantes. Essa semelhança implica a seguinte igualdade entre as razões de lados correspondentes:

$$\frac{m_1}{1} = \frac{1}{-m_2}.$$

Essa expressão é equivalente a (9) e assim (9) será verdade quando as retas forem perpendiculares. O raciocínio empregado pode ser facilmente invertido, levando-nos à conclusão de que se (9) for verdade, então as retas serão perpendiculares. Como a equação (9) é equivalente a

$$m_1 = -\frac{1}{m_2} \quad \text{e} \quad m_2 = -\frac{1}{m_1},$$

vemos que duas retas, das quais nenhuma é vertical, serão perpendiculares se e somente se os seus coeficientes angulares forem recíprocos simétricos um do outro.

As idéias desta seção ampliam nosso arsenal de instrumentos para provar teoremas geométricos por métodos algébricos.

Exemplo Se as diagonais de um retângulo forem perpendiculares, então o retângulo é um quadrado.

Para provar, colocamos o retângulo na posição conveniente mostrada na Fig. 1.16.

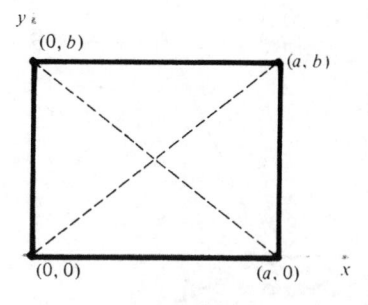

Figura 1.16

Os coeficientes angulares das diagonais são, é claro, b/a e $-b/a$. As diagonais sendo perpendiculares, temos que

$$\frac{b}{a} = \frac{a}{b}, \quad a^2 = b^2, \quad a^2 - b^2 = 0, \quad \text{e} \quad (a+b)(a-b) = 0.$$

A última equação implica que $a = b$ e, portanto, o retângulo é um quadrado.

Problemas

1. Assinale cada um dos seguintes pares de pontos, desenhe a reta que eles determinam e calcule seu coeficiente angular:

   (a) $(-3, 1), (4, -1)$;   (b) $(2, 7), (-1, -1)$;
   (c) $(-4, 0), (2, 1)$;   (d) $(-4, 3), (5, -6)$;
   (e) $(-5, 2), (7, 2)$;   (f) $(0, -4), (1, 6)$.

2. Assinale cada um dos seguintes conjuntos de três pontos e utilize o coeficiente angular para determinar, em cada caso, se os três pontos são colineares:

   (a) $(5, -1), (2, 2), (-4, 6)$;
   (b) $(1, 1), (-5, -2), (5, 3)$;
   (c) $(4, 3), (10, 14), (-2, -8)$;
   (d) $(-1, 3), (6, -1), (-9, 7)$.

3. Assinale cada um dos seguintes conjuntos de três pontos e utilize os coeficientes angulares para determinar, em cada caso, se os pontos formam um triângulo retângulo:

   (a) $(2, -3), (5, 2), (0, 5)$;
   (b) $(10, -5), (5, 4), (-7, -2)$;
   (c) $(8, 2), (-1, -1), (2, -7)$;
   (d) $(-2, 6), (3, -4), (8, 11)$.

4. Escreva a equação de cada uma das retas do Problema 1, utilizando a forma ponto-coeficiente angular; depois, reescreva cada uma dessas equações na forma $y = mx + b$ e ache o coeficiente linear.

5. Ache a equação da reta:

   (a) que passa por $(2, -3)$ e tem coeficiente angular -4;

   (b) que passa por $(-4, 2)$ e $(3, -1)$;

(c) que tem coeficiente angular $\frac{2}{3}$ e coeficiente linear -4;

(d) que passa por $(2, -4)$ e é paralela ao eixo x;

(e) que passa por $(1, 6)$ e é paralela ao eixo y;

(f) que passa por $(4, -2)$ e é paralela a $x + 3y = 7$;

(g) que passa por $(5, 3)$ e é perpendicular a $y + 7 = 2x$;

(h) que passa por $(-4, 3)$ e é paralela à reta determinada por $(-2, -2)$ e $(1, 0)$;

(i) mediatriz do segmento que une $(1, -1)$ e $(5, 7)$;

(j) que passa por $(-2, 3)$ e tem inclinação $135°$.

6. Uma reta corta o eixo x no ponto $(a, 0)$; o número a chama-se *intercepto x* da reta. Se uma reta tem intercepto x $a \neq 0$ e intercepto y $b \neq 0$, mostre que sua equação pode ser escrita da seguinte maneira:

$$\frac{x}{a} + \frac{y}{b} = 1.$$

Esta é chamada *forma segmentária* da equação da reta. Note que é fácil pôr $y = 0$ e ver que a reta corta o eixo x em $x = a$ e pôr $x = 0$ e ver que a reta corta o eixo y em $y = b$.

7. Coloque cada uma das equações na forma segmentária e esboce a reta correspondente:

(a) $5x + 3y + 15 = 0$; (b) $3x = 8y - 24$;
(c) $y = 6 - 6x$; (d) $2x - 3y = 9$.

8. O conjunto de todos os pontos (x, y) que estão igualmente distantes dos pontos $P_1 = (-1, -3)$ e $P_2 = (5, -1)$ é a mediatriz do segmento que une esses pontos. Ache sua equação:

(a) igualando as distâncias de (x, y) a P_1 e P_2 e simplificando a equação resultante;

(b) achando o ponto médio do segmento dado e utilizando um coeficiente angular adequado.

9. Esboce as retas $3x + 4y = 7$ e $x - 2y = 6$ e ache o ponto de interseção. Sugestão: o ponto de interseção é aquele ponto (x, y) cujas coordenadas satisfazem ambas as equações simultaneamente.

10. Ache o ponto de interseção de cada um dos seguintes pares de retas:

    (a) $2x + 2y = 2$, $y = x - 1$;
    (b) $10x + 7y = 24$, $15x - 4y = 7$;
    (c) $3x - 5y = 7$, $15y + 25 = 9x$.

11. Sejam F e C as temperaturas em graus Fahrenheit e graus Celsius. Ache a equação que relaciona F e C, sabendo-se que é linear e que $F = 32$ quando $C = 0$ e $F = 212$ quando $C = 100$.

12. Determine os valores da constante k para os quais a reta

$$(k - 3)x - (4 - k^2)y + k^2 - 7k + 6 = 0$$

    (a) é paralela ao eixo x;

    (b) é paralela ao eixo y;

    (c) passa pela origem.

13. Mostre que os segmentos que unem os pontos médios de lados adjacentes de qualquer quadrilátero formam um paralelogramo.

14. Mostre que as retas que passam por qualquer vértice de um paralelogramo e pelos pontos médios dos lados opostos trissecionam uma diagonal.

15. Sejam $(0, 0)$, $(a, 0)$ e (b, c) os vértices de um triângulo arbitrário colocado de tal modo que um lado esteja ao longo do semi-eixo positivo dos x com sua extremidade esquerda na origem. Se o quadrado desse lado é igual à soma dos quadrados dos outros dois lados, utilize coeficientes angulares para mostrar que o triângulo é um triângulo retângulo. Assim, a recíproca do Teorema de Pitágoras também é verdadeira.

1.5 CIRCUNFERÊNCIAS E PARÁBOLAS

O plano coordenado ou plano xy é, muitas vezes, denominado *plano cartesiano*, e x e y são freqüentemente referidos como *coordenadas cartesianas* do ponto $P = (x, y)$. A palavra "cartesiano" provém de Cartesius, nome latino do matemático e filósofo francês Descartes, um dos principais criadores da Geometria Analítica*. A idéia básica dessa matéria é bem simples: explorar a correspondência entre pontos e suas coordenadas para estudar problemas geométricos, especialmente as propriedades das curvas, com os instrumentos da Álgebra. O leitor verá essa idéia em ação por todo este livro. De um modo geral, a Geometria é visual e intuitiva, enquanto a Álgebra é rica em instrumento computacional e cada uma serve à outra de muitas maneiras frutuosas.

A maioria das pessoas que tiveram um curso de álgebra sabe que uma equação da forma

$$F(x, y) = 0 \tag{1}$$

determina usualmente uma curva (o seu *gráfico*) que consiste em todos os pontos $P = (x, y)$ cujas coordenadas satisfazem a equação dada. Reciprocamente, uma curva definida por alguma condição geométrica pode usualmente ser descrita algebricamente por uma equação da forma (1). É intuitivamente claro que as retas são as curvas mais simples, e nosso trabalho na Seção 1.4 demonstrou que retas no plano coordenado correspondem a equações lineares em x e y. Agora desenvolveremos descrições algébricas de diversas curvas que serão úteis como exemplos ilustrativos para os próximos capítulos.

Circunferências

A fórmula da distância da Seção 1.3 é muitas vezes usada para achar a equação de uma curva cuja definição geométrica depende de uma ou mais distâncias.

Uma das curvas mais simples dessa espécie é a circunferência, que pode ser definida como o conjunto de todos os pontos que estão a uma dada distância (o raio) de um dado ponto (o centro). Se o centro é o ponto (h, k) e o raio é o número positivo r (Fig. 1.17) e se (x, y) é um ponto arbitrário da circunferência, então a definição se traduz em

$$\sqrt{(x - h)^2 + (y - k)^2} = r.$$

---

* O outro (também francês) foi Fermat, uma figura bem menos conhecida que Descartes mas um matemático maior.

Convém eliminar o radical, elevando ao quadrado ambos os membros da equação; temos então

$$(x - h)^2 + (y - k)^2 = r^2. \qquad (2)$$

Esta é, portanto, a equação da circunferência com centro (h, k) e raio r. Em particular, se o centro for a origem, isto é, se tivermos $h = k = 0$, então

$$x^2 + y^2 = r^2$$

será a equação da circunferência.

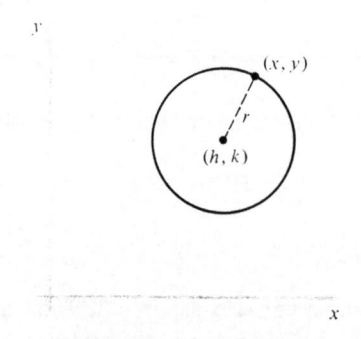

Figura 1.17 Circunferência.

Exemplo 1 Se o raio de uma circunferência é $\sqrt{10}$ e seu centro $(-3, 4)$, então sua equação será

$$(x + 3)^2 + (y - 4)^2 = 10.$$

Observe que as coordenadas do centro são os números *subtraídos* de x e y nos parênteses.

Exemplo 2 Um ângulo inscrito numa semicircunferência é necessariamente um ângulo reto.

Para provar algebricamente essa afirmação, suponhamos que a semicircunferência tenha raio r e centro na origem (Fig. 1.18), de modo que sua equação seja $x^2 + y^2 = r^2$ com $y \geq 0$.

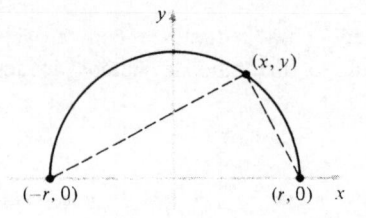

Figura 1.18

O ângulo inscrito será um ângulo reto se e somente se o produto dos coeficientes angulares de seus lados for -1, isto é, se

$$\frac{y}{x-r} \cdot \frac{y}{x+r} = -1. \tag{3}$$

É fácil ver que essa igualdade é equivalente à $x^2 + y^2 = r^2$, que por seu lado é verdadeira para todo ponto (x, y) da semicircunferência; logo, (3) é verdadeira e o ângulo é um ângulo reto.

É claro que toda equação da forma (2) é de fácil interpretação geométrica. Por exemplo,

$$(x-5)^2 + (y+2)^2 = 16 \tag{4}$$

é imediatamente reconhecida como a equação da circunferência de centro $(5, -2)$ e raio 4, e essa informação permite-nos esboçar o gráfico sem dificuldade. No entanto, se a equação for grosseiramente tratada por alguém que goste de tratar as coisas algebricamente, então ela poderá vir a ter a forma

$$x^2 + y^2 - 10x + 4y + 13 = 0. \tag{5}$$

Esta é uma versão equivalente mas confusa de (4), e suas constantes não nos informam nada diretamente acerca da natureza do gráfico. Para descobrir qual é o gráfico, devemos fazer uma manipulação completando-se o quadrado*. Para isso, começamos reescrevendo a equação (5) como

$$(x^2 - 10x +) + (y^2 + 4y +) = -13,$$

com o termo constante passado para a direita e com espaços em branco para a inserção de constantes apropriadas. Quando o quadrado da metade do coeficiente de x for adicionado ao

---

* A forma da equação $(x+a)^2 = x^2 + 2ax + a^2$ é a chave do processo de completar o quadrado. Observe que o membro direito é um quadrado perfeito – o quadrado de $x+a$ –, exatamente porque seu termo constante é o quadrado da metade do coeficiente de x.

primeiro espaço em branco e o quadrado da metade do coeficiente de y, ao segundo, e as mesmas constantes forem adicionadas ao membro direito para manter o balanço da equação, obteremos

$$(x^2 - 10x + 25) + (y^2 + 4y + 4) = -13 + 25 + 4$$

ou

$$(x - 5)^2 + (y + 2)^2 = 16. \qquad (6)$$

O mesmo processo pode ser aplicado à equação geral da forma (5), a saber:

$$x^2 + y^2 + Ax + By + C = 0, \qquad (7)$$

mas há pouco a ganhar escrevendo os detalhes nesse caso geral. Entretanto, é importante observar que se o termo constante 13 em (5) for substituído por 29, então (6) tornar-se-á

$$(x - 5)^2 + (y + 2)^2 = 0,$$

cujo gráfico é dado por um único ponto: $(5, -2)$. Analogamente, se o termo constante for substituído por qualquer número maior que 29, então o membro direito de (6) torna-se-á negativo e o gráfico será vazio, no sentido de que não existem pontos (x, y) do plano cujas coordenadas satisfaçam a equação. Vemos, portanto, que o gráfico de (7) é, às vezes, uma circunferência, às vezes, um único ponto e, às vezes, vazio — dependendo inteiramente das constantes A, B e C.

Parábolas

A definição que utilizamos é a seguinte (Fig. 1.19a): parábola é a curva formada por todos os pontos que estão igualmente distantes de um ponto fixo F (chamado *foco*) e de uma reta fixa d (chamada *diretriz*). A distância de um ponto a uma reta é sempre entendida como a distância do ponto ao pé da perpendicular por esse ponto à reta.

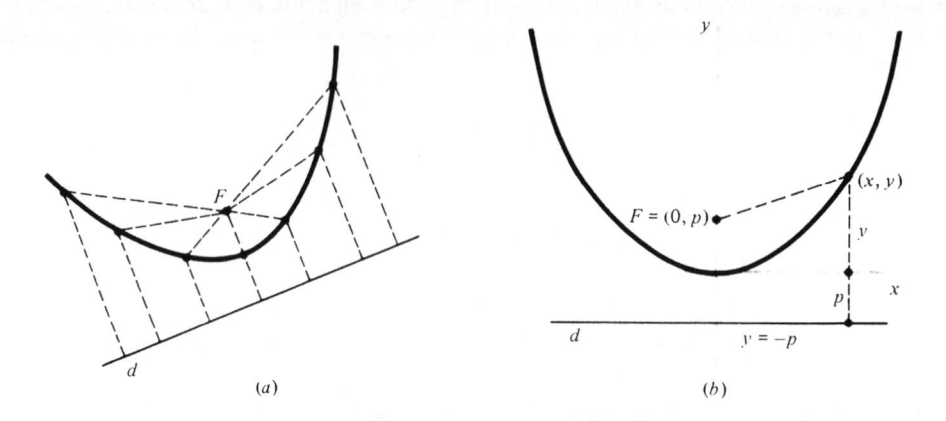

Figura 1.19 Parábola.

Para determinar a equação de uma parábola, a colocamos no sistema de coordenadas como mostrado na Fig. 1.19b, com o foco e a diretriz situados a igual distância, para cima e para baixo, do eixo x. A reta que passa pelo foco e é perpendicular à diretriz chama-se *eixo* da parábola; ele é o eixo de simetria da curva e é o eixo y na figura. O ponto médio sobre o eixo da parábola, entre o foco e a diretriz, chama-se *vértice* da parábola; na figura esse ponto é a origem. Se (x, y) é um ponto arbitrário da parábola, a condição expressa na definição é estabelecida algebricamente pela equação

$$\sqrt{x^2 + (y-p)^2} = y + p. \tag{8}$$

Elevando-se ao quadrado ambos os membros e simplificando, obtemos

$$x^2 + y^2 - 2py + p^2 = y^2 + 2py + p^2$$

ou
$$x^2 = 4py. \tag{9}$$

Esses passos são reversíveis, assim (8) e (9) são equivalentes e (9) é a equação da parábola cujos foco e diretriz são localizados como mostra a Fig. 1.19b. Observe particularmente que a constante positiva p em (9) é a distância do foco ao vértice e também do vértice à diretriz.

Mudando a posição da parábola com relação aos eixos coordenados, mudamos naturalmente sua equação. Três outras posições são mostradas na Fig. 1.20, cada uma com sua equação correspondente e com $p > 0$ em cada caso.

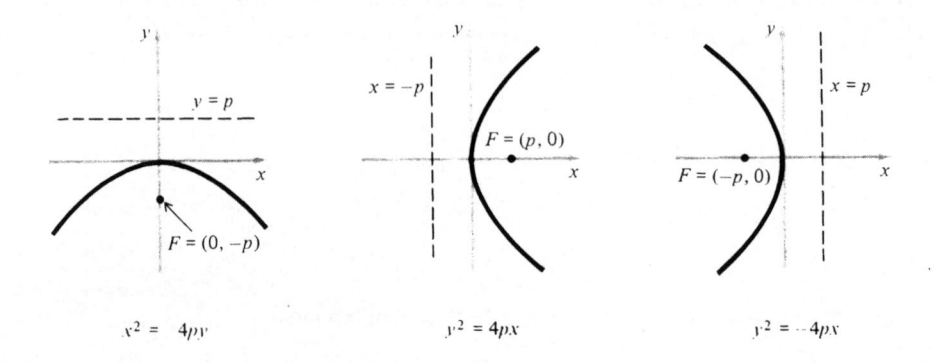

Figura 1.20 Várias parábolas.

Os estudantes devem verificar a correção das três equações. Assinalamos também que cada uma dessas quatro equações pode ser colocada na forma

$$y = ax^2$$

ou $\qquad x = ay^2.$ (10)

Essas formas escondem a constante p, com seu significado geométrico, mas em compensação são mais úteis para visualizar a aparência global do gráfico. Por exemplo, em (10) a variável x está elevada ao quadrado, mas y não. Isto significa que quando um ponto (x, y) se move ao longo da curva, y cresce mais rápido que x, para $x\,|>1$, e assim a curva se abre na direção y — para cima ou para baixo, conforme a seja positivo ou negativo. As formas revelam também que o gráfico é simétrico com relação ao eixo y, porque x está elevado ao quadrado; e, portanto, temos um mesmo número y para um número x e seu oposto.

Exemplo 3 Qual o gráfico da equação $12x + y^2 = 0$? Colocando-se a equação dada na forma $y^2 = -12x$ e comparado-a com a equação da direita da Fig. 1.20, é claro que o gráfico é uma parábola com vértice na origem abrindo-se para a esquerda. Como $4p = 12$ e, portanto, $p = 3$, o ponto $(-3, 0)$ é o foco e $x = 3$, a diretriz.

Exemplo 4 O gráfico de $y = 2x^2$ é evidentemente uma parábola com vértice na origem abrindo-se para cima. Para achar o foco e a diretriz, a equação deve ser reescrita sob a forma $x^2 = \frac{1}{2}y$ e comparada com a equação (9). Obtemos $4p = \frac{1}{2}$, e assim, $p = \frac{1}{8}$. O foco é, portanto $(0, \frac{1}{8})$, e a diretriz é $y = -\frac{1}{8}$.

Ilustraremos um último aspecto das parábolas, examinando a equação

$$y = x^2 - 4x + 5. \tag{11}$$

Se essa equação for escrita sob a forma

$$y - 5 = x^2 - 4x,$$

e se completarmos o quadrado nos termos envolvendo x, obteremos

$$y - 1 = (x - 2)^2. \tag{12}$$

Introduzindo agora as novas variáveis

$$X = x - 2$$

e $\tag{13}$

$$Y = y - 1.$$

a equação (12) fica

$$Y = X^2.$$

O gráfico dessa equação é naturalmente uma parábola abrindo-se para cima, com vértice na origem do sistema de coordenadas XY. Pelas equações (13), a origem do sistema XY é o ponto $(2, 1)$ no sistema xy (Fig. 1.21).

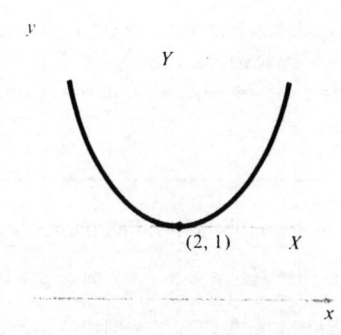

Figura 1.21

Observe que o sistema de coordenadas foi deslocado ou transladado para uma nova posição no plano e que os eixos foram rebatizados. As equações (13) expressam a relação entre as coordenadas de um ponto arbitrário com relação a cada um dos dois sistemas coordenados. Da mesma maneira, toda equação da forma

$$y = ax^2 + bx + c, \quad a \neq 0,$$

representa uma parábola com eixo vertical que se abre para cima ou para baixo conforme o número a seja positivo ou negativo. Analogamente, a equação

$$x = ay^2 + by + c, \quad a \neq 0,$$

representa uma parábola com eixo horizontal que se abre para a direita ou esquerda conforme $a > 0$ ou $a < 0$.

Em nosso trabalho até aqui utilizamos o conceito estático de curva como um certo conjunto de pontos. É possível entretanto adotar o ponto de vista dinâmico, em que uma curva é pensada como a trajetória de um ponto móvel. Por exemplo, uma circunferência é a trajetória de um ponto que se move mantendo uma distância fixa de um dado ponto. Quando esse modo de abordar é utilizado – com sua vantagem de grande vivacidade intuitiva –, uma curva é, muitas vezes, chamada *lugar geométrico*. Assim, uma parábola é o lugar geométrico de um ponto que se move mantendo-se eqüidistante de um dado ponto e de uma dada reta.

Problemas

1. Ache a equação da circunferência tendo como centro o ponto dado, e como raio o número dado.

    (a) $(4, 6)$, 3;
    (b) $(-3, 7)$, $\sqrt{5}$;
    (c) $(-5, -9)$, 7;
    (d) $(1, 6)$, $\sqrt{2}$;
    (e) $(a, 0)$, a;
    (f) $(0, a)$, a.

2. Em cada caso, ache a equação da circunferência determinada pelas condições dadas.

    (a) Centro $(2, 3)$ e passa por $(-1, -2)$.

    (b) As extremidades de um diâmetro são $(-3, 2)$ e $(5, -8)$.

    (c) Centro $(4, 5)$ e tangente ao eixo x.

    (d) Centro $(-4, 1)$ e tangente à reta $x = 3$.

    (e) Centro $(-2, 3)$ e tangente à reta $4y - 3x + 2 = 0$.

    (f) Centro na reta $x + y = 1$ e passa por $(-2, 1)$ e $(-4, 3)$.

    (g) Centro na reta $y = 3x$ e tangente à reta $x = 2y$ no ponto $(2, 1)$.

3. Em cada um dos seguintes casos, determine a natureza do gráfico da equação dada, completando quadrados:

(a) $x^2 + y^2 - 4x - 4y = 0$.
(b) $x^2 + y^2 - 18x - 14y + 130 = 0$.
(c) $x^2 + y^2 + 8x + 10y + 40 = 0$.
(d) $4x^2 + 4y^2 + 12x - 32y + 37 = 0$.
(e) $x^2 + y^2 - 8x + 12y + 53 = 0$.
(f) $x^2 + y^2 - \sqrt{2}x + \sqrt{2}y + 1 = 0$.
(g) $x^2 + y^2 - 16x + 6y - 48 = 0$.

4. Ache a equação do lugar geométrico de um ponto $P = (x, y)$ que se move de acordo com cada uma das condições abaixo e esboce os gráficos.

(a) A soma dos quadrados das distâncias de P aos pontos $(a, 0)$ e $(-a, 0)$ é $4b^2$, onde $b \geqslant a > 0$.

(b) A distância de P ao ponto $(8, 0)$ é o dobro de sua distância ao ponto $(0, 4)$.

5. A fórmula das raízes da equação quadrática $ax^2 + bx + c = 0$, $a \neq 0$, é

$$x_{1,2} = \frac{-b \pm \sqrt{b^2 - 4ac}}{2a}.$$

Deduza essa fórmula a partir da equação dividindo-a por a, passando para o membro direito o termo constante e completando o quadrado. Sob que circunstâncias a equação tem raízes reais distintas, raízes reais iguais e nenhuma raiz real?

6. Em que pontos a circunferência $x^2 + y^2 - 8x - 6y - 11 = 0$ intercepta

(a) o eixo x?

(b) o eixo y?

(c) a reta $x + y = 1$?

Esboce a figura e a utilize para julgar se suas respostas são razoáveis ou não.

7. Ache as equação de todas as retas que são tangentes à circunferência $x^2 + y^2 = 2y$ e passam pelo ponto $(0, 4)$. Sugestão: a reta $y = mx + 4$ é tangente à circunferência se tem um único ponto em comum com a mesma.

8. Ache o foco e a diretriz de cada uma das seguintes parábolas e esboce as curvas:

(a) $y^2 = 12x$;
(b) $y = 4x^2$;
(c) $2x^2 + 5y = 0$;
(d) $4x + 9y^2 = 0$;
(e) $x = -2y^2$;
(f) $12y = -x^2$;
(g) $16y^2 = x$;
(h) $24x^2 = y$;
(i) $y^2 + 8y - 16x = 16$;
(j) $x^2 + 2x + 29 = 7y$.

9. Esboce a parábola e ache sua equação se ela tem

(a) vértice $(0,0)$ e foco $(-3,0)$;

(b) vértice $(0,0)$ e diretriz $y = -1$;

(c) vértice $(0,0)$ e diretriz $x = -2$;

(d) vértice $(0,0)$ e foco $(0, -\frac{1}{3})$;

(e) diretriz $x = 2$ e foco $(-4, 0)$;

(f) foco $(3, 3)$ e diretriz $y = -1$.

10. Ache o foco e a diretriz de cada uma das seguintes parábolas e esboce as curvas:

(a) $y = x^2 + 1$;
(b) $y = (x - 1)^2$;
(c) $y = (x - 1)^2 + 1$;
(d) $y = x^2 - x$.

11. A água que está esguichando de um bocal mantido horizontalmente a 4 metros acima do solo descreve uma curva parabólica com o vértice no bocal. Se a corrente de água desce 1 metro medido na vertical nos primeiros 10 metros de movimento horizontal, a que distância horizontal do bocal irá atingir o solo?

12. Mostre que existe exatamente uma reta com coeficiente angular dado m e que ela é tangente à parábola $x^2 = 4py$. Ache sua equação.

13. Prove que duas tangentes a uma parábola que passam por qualquer ponto da diretriz sã perpendiculares.

1.6 O CONCEITO DE FUNÇÃO

O conceito mais importante em toda a Matemática é o de função. Não importa que ramo consideremos — Álgebra, Geometria, Teoria dos Números, Probabilidade ou outro qualquer —, quase sempre se verifica que os objetos principais de investigação são funções. Isto é particularmente verdadeiro no Cálculo, onde a maior parte do trabalho se orienta ao desenvolvimento de instrumental para o estudo das funções e a aplicação desse instrumental a problemas de outras ciências.

O que é função? Comecemos a responder essa questão examinando a equação

$$y = x^2$$

e seu gráfico correspondente, o qual sabemos ser uma parábola que se abre para cima e tem seu vértice na origem (Fig. 1.22).

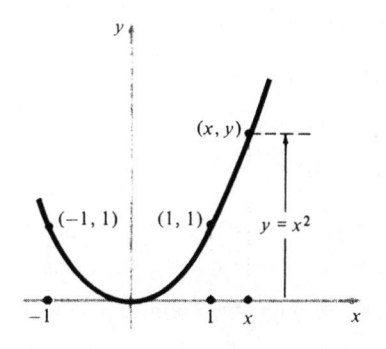

Figura 1.22

Na Seção 1.5 tratamos dessa equação como uma relação entre as coordenadas variáveis de um ponto (x, y) que se move ao longo da curva. Agora mudamos nosso enfoque: em vez disso a consideramos como uma fórmula que fornece um mecanismo para calcular o valor numérico de y quando é dado o valor numérico de x. Assim, $y = 1$ quando $x = 1$, $y = 4$ quando $x = 2$, $y = \frac{1}{4}$ quando $x = \frac{1}{2}$, $y = 1$ quando $x = -1$ e assim por diante. Dizemos então que o valor de y *depende* de ou é *função* do valor de x. Essa dependência pode ser expressa em notação funcional escrevendo-se

$$y = f(x) \qquad \text{onde} \qquad f(x) = x^2.$$

O símbolo $f(x)$ lê-se "f de x", e a letra f representa a regra ou o processo — de elevar ao quadrado, nesse caso particular — que se aplica a qualquer número x para produzir o número correspondente y. Os exemplos numéricos que acabamos de dar podem, portanto, ser escritos como $f(1) = 1$, $f(2) = 4$, $f(\frac{1}{2}) = \frac{1}{4}$ e $f(-1) = 1$. O significado dessa notação pode talvez ser melhor esclarecido observando-se que

$$f(x+1) = (x+1)^2 = x^2 + 2x + 1 \qquad e \qquad f(x^3) = (x^3)^2 = x^6;$$

ou seja, a regra f produz simplesmente o quadrado de qualquer quantidade que se coloque entre os parênteses.

Deixemos de lado agora esse caso particular e formulemos o conceito geral de função tal como será usado na maior parte de nosso trabalho.

Seja D um dado conjunto de números reais. Uma *função* f definida em D é uma regra, ou lei de correspondência, que atribui um único número real y a cada número x de D. O conjunto D dos valores permitidos para x chama-se *domínio* (ou *domínio de definição*) da função, e o conjunto dos valores correspondentes de y chama-se *imagem*. O número y, que é especificado para x pela função f, escreve-se usualmente $f(x)$ – de modo que $y = f(x)$ – e chama-se *valor* de f em x. Costuma-se chamar x de *variável independente*, porque ela é livre para assumir qualquer valor do domínio, e chamar y de *variável dependente*, porque seu valor numérico depende da escolha de x. Naturalmente nada há de essencial em utilizar as letras x e y aqui; outras letras fariam exatamente o mesmo papel.

O leitor já está, sem dúvida, familiarizado com a idéia de *gráfico* de uma função f: se nós imaginamos o domínio D situado no eixo x do plano coordenado (Fig. 1.23), então para cada número x em D corresponde a um número $y = f(x)$, e o conjunto de todos os pontos resultantes (x, y) no plano é o gráfico. Os gráficos são auxiliares visuais de grande valia, pois permitem-nos ver as funções em sua totalidade; examinaremos muitos gráficos na Seção 1.8.

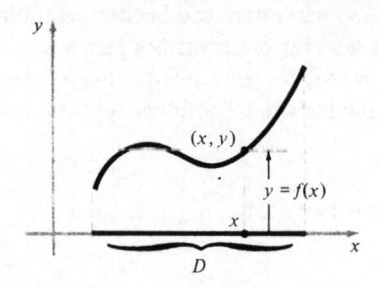

Figura 1.23

Originalmente, as únicas funções consideradas pelos matemáticos eram aquelas definidas por fórmulas. Isto levou à idéia intuitiva de que uma função "faz alguma coisa" em cada número x de seu domínio para "produzir" o número correspondente $y = f(x)$. Assim, se

$$y = f(x) = (x^3 + 4)^2,$$

então y é o resultado de se aplicar certas operações específicas a x: elevar ao cubo, somar 4 e elevar a soma ao quadrado. Por outro lado, a função seguinte é também perfeitamente legítima, dada por uma prescrição verbal em vez de por uma fórmula:

$$y = f(x) = \begin{cases} 0 \text{ se } x \text{ é um número racional,} \\ 1 \text{ se } x \text{ é um número irracional.} \end{cases}$$

Tudo que é realmente exigido de uma função é que y seja univocamente determinado — não importando a maneira — quando x for dado; além disso, não se diz nada acerca da natureza da regra f. Em discussões que focalizam idéias em vez de problemas específicos, tão ampla generalidade é, muitas vezes, vantajosa.

Algumas observações adicionais talvez venham a calhar. De modo estrito, a palavra "função" se refere à regra de correspondência f que atribui um único número $y = f(x)$ a cada número x do domínio. Os puristas gostam de enfatizar a distinção entre a função f e seu valor $f(x)$ em x. No entanto, uma vez que essa distinção esteja claramente compreendida, a maioria dos que trabalham com Matemática prefere usar a palavra de modo vago e falar de "a função $y = f(x)$" ou mesmo "a função $f(x)$". Além disso, quando a regra está definida por uma fórmula, como no exemplo $f(x) = x^2$, falamos também de "a função $f(x) = x^2$" ou "a função $y = x^2$" ou mesmo, se não há necessidade de se referir a y ou a $f(x)$, "a função x^2". É claro que qualquer letra pode ser usada para denotar a função. Não há nada sagrado acerca da letra f, mas ela é a favorita por razões óbvias, sendo que g, h, F, G, H e outras são também muito freqüentes. Acontece, muitas vezes, que desejamos discutir funções em geral sem nos comprometer exatamente com qual função estamos tratando. A notação $y = f(x)$ é quase invariavelmente usada nessas discussões.

Observe que uma função $f(x)$ não estará totalmente determinada enquanto não soubermos precisamente quais números reais são valores permitidos para a variável independente x. O domínio é, portanto, uma parte indispensável do conceito de função. Na prática, no entanto, a maior parte das funções específicas de que tratamos é definida apenas por fórmulas, tais como

$$f(x) = \frac{1}{(x-1)(x+2)}, \tag{1}$$

e nada se diz sobre o domínio. A menos que esteja especificado o contrário, o domínio de tais funções é compreendido como sendo o conjunto de todos os números reais x para os quais a fórmula faz sentido. No caso do Exemplo 1, os únicos valores não-permitidos para x são aqueles que tornam o denominador zero, pois a divisão por zero não tem sentido em Álgebra. O domínio de (1), então, consiste em todos os números reais, exceto $x = 1$ e $x = -2$.

Exemplo Considere as funções definidas por

$$f(x) = x^2, \tag{2}$$

$$g(x) = \frac{1}{x^2}, \tag{3}$$

e $$h(x) = \sqrt{25 - x^2}.\qquad(4)$$

O domínio de (2) é evidentemente o conjunto de todos os números reais, e sua imagem é o conjunto de todos os números reais não-negativos. O domínio de (3) é o conjunto de todos os números reais, exceto 0, e sua imagem é o conjunto dos números reais positivos. No caso de (4), a principal coisa a ter em mente é que raízes quadradas de números negativos não são reais. Assim, o domínio aqui é o conjunto de todos os x tais que $25 - x^2 \geqslant 0$, isto é, o intervalo $-5 \leqslant x \leqslant 5$, e a imagem é o intervalo $[0, 5]$.

As funções com as quais trabalhamos no Cálculo são, muitas vezes, funções compostas, construídas a partir de outras mais simples. Como ilustração dessa idéia, considere as funções

$$f(x) = x^2 + 3x \quad \text{e} \quad g(x) = x^2 - 1.$$

A função que resulta, aplicando primeiro g a x e depois aplicando f a $g(x)$, é

$$f(g(x)) = f(x^2 - 1) = (x^2 - 1)^2 + 3(x^2 - 1)$$
$$= x^4 + x^2 - 2.$$

Observe que $f(x^2 - 1)$ é obtida substituindo-se x por $x^2 - 1$ na fórmula $f(x) = x^2 + 3x$. O símbolo $f(g(x))$ lê-se "f de g de x". Se aplicarmos as funções em outra ordem (primeiro f, depois g), teremos

$$g(f(x)) = g(x^2 + 3x) = (x^2 + 3x)^2 - 1$$
$$= x^4 + 6x^3 + 9x^2 - 1,$$

e assim $f(g(x))$ e $g(f(x))$ serão diferentes. Em casos particulares pode acontecer de $f(g(x))$ e $g(f(x))$ serem a mesma função de x; por exemplo, se $f(x) = 2x - 3$ e $g(x) = -x + 6$:

$$f(g(x)) = f(-x + 6) = 2(-x + 6) - 3 = -2x + 9,$$
$$g(f(x)) = g(2x - 3) = -(2x - 3) + 6 = -2x + 9.$$

Em cada um desses exemplos, duas funções dadas são combinadas para formar uma única função composta. Na maior parte dos trabalhos práticos, caminhamos no sentido oposto e dissecamos funções compostas em seus constituintes mais simples. Por exemplo, se

$$y = (x^3 + 1)^7, \tag{5}$$

podemos introduzir uma variável auxiliar u, escrevendo $u = x^3 + 1$, e decompor (5) em

$$y = u^7 \quad \text{e} \quad u = x^3 + 1.$$

Veremos que decomposições como esta são bastante úteis nos problemas de Cálculo.

Problemas

1. Se $f(x) = x^3 - 3x^2 + 4x - 2$, calcule $f(1), f(1), f(2), f(3), f(0), f(-1)$ e $f(-2)$.

2. Se $f(x) = 2^x$, calcule $f(1), f(3), f(5), f(0)$ e $f(-2)$.

3. Se $f(x) = 4x - 3$, mostre que $f(2x) = 2f(x) + 3$.

4. Quais os domínios de $f(x) = \dfrac{1}{x-8}$ e $g(x) = x^3$? O que é $h(x) = f(g(x))$? Qual o domínio de $h(x)$?

5. Ache o domínio de cada uma das seguintes funções:

   (a) $\sqrt{x}$;
   (b) $\sqrt{-x}$;
   (c) $\sqrt{x^2}$;
   (d) $\sqrt{x^2 - 4}$;
   (e) $\dfrac{1}{x^2 - 4}$;
   (f) $\dfrac{1}{x^2 + 4}$;
   (g) $\sqrt{(x-1)(x+2)}$;
   (h) $\dfrac{1}{\sqrt{(x-1)(x+2)}}$;
   (i) $\sqrt{3 - 2x - x^2}$;
   (j) $\sqrt{\dfrac{x}{x-2}}$.

6. Se $f(x) = 1 - x$, mostre que $f(f(x)) = x$.

7. Se $f(x) = \dfrac{x}{x-1}$, calcule $f(0), f(1), f(2), f(3)$ e $f(f(3))$. Mostre que $f(f(x)) = x$.

8. Se $f(x) = \dfrac{ax+b}{x-a}$, mostre que $f(f(x)) = x$.

9. Se $f(x) = 1/(1-x)$, calcule $f(0), f(1), f(2), f(f(2))$ e $f(f(f(2)))$. Mostre que $f(f(f(x))) = x$.

10. Se $f(x) = ax$, mostre que $f(x) + f(1-x) = f(1)$. Verifique também que $f(x_1 + x_2) = f(x_1) + f(x_2)$ para quaisquer x_1 e x_2.

11. Se $f(x) = 2^x$, use a notação funcional para exprimir o fato de que $2^{x_1} \cdot 2^{x_2} = 2^{x_1 + x_2}$.

12. Se $f(x) = \log_{10} x$, use a notação funcional para exprimir o fato de que $\log_{10} x_1 x_2 = \log_{10} x_1 + \log_{10} x_2$.

13. Função *linear* afim é uma função que tem a forma $f(x) = ax + b$, onde a e b são constantes. Se $g(x) = cx + d$ é também linear afim, é sempre verdade que $f(g(x)) = g(f(x))$?

14. Se $f(x) = ax + b$ é uma função linear afim com $a \neq 0$, mostre que existe uma função linear afim $g(x) = \alpha x + \beta$ tal que $f(g(x)) = x$*. Mostre também que para essas funções é verdade que $f(g(x)) = g(f(x))$.

15. Função *quadrática* é uma função que tem a forma $f(x) = ax^2 + bx + c$, onde a, b e c são constantes com $a \neq 0$.

    (a) Ache os valores dos coeficientes a, b e c se $f(0) = 3, f(1) = 2$ e $f(2) = 9$.

    (b) Mostre que, independentemente dos valores dados aos coeficientes a, b e c, a imagem de uma função quadrática não pode ser o conjunto de todos os números reais.

1.7 TIPOS DE FUNÇÃO. FÓRMULAS DA GEOMETRIA

Na Seção 1.6 discutimos em detalhe o conceito de função.

---

* Os símbolos α e β são letras do alfabeto grego cujos nomes são "alfa" e "beta". As letras desse alfabeto (veja o Apêndice F) são utilizadas com tanta freqüência em Matemática e outras ciências que o estudante deve aprendê-las o mais cedo possível.

Essa discussão pode ser resumida como se segue.

Se x e y são duas variáveis relacionadas de tal modo que, sempre que um valor numérico é associado a x, está determinado um único valor numérico correspondente para y, então dizemos que y é uma *função* de x e exprimimos esse fato escrevendo $y = f(x)$. A letra f simboliza a própria função, que é a operação ou regra de correspondência que produz y quando aplicada a x. No entanto, por motivos práticos, preferimos falar de "a função $y = f(x)$" em vez de "a função f". Como questão de princípio, os estudantes devem entender claramente que uma função não é uma fórmula nem precisa ser especificada por uma fórmula, embora a maior parte de nossas funções o sejam.

Na prática, as funções surgem, com freqüência, de relações algébricas entre variáveis. Assim, uma equação envolvendo x e y determina y como função de x se tal equação for equivalente a uma fórmula que exprima univocamente y em termos de x. Por exemplo, a equação $4x + 2y = 6$ pode ser resolvida para y, $y = 3 - 2x$, e essa segunda equação define y como função de x. Entretanto, em alguns casos, o processo de resolução para y leva a mais de um valor de y. Por exemplo, se a equação for $y^2 = x$, temos $y = \pm \sqrt{x}$. Como temos dois valores de y para cada valor positivo de x, a equação $y^2 = x$ não determina por si mesma y como função de x. Se desejarmos, podemos repartir a fórmula $y = \pm \sqrt{x}$ em duas fórmulas: $y = \sqrt{x}$ e $y = -\sqrt{x}$. Cada uma dessas fórmula define y como função de x, de modo que de uma equação obtemos duas funções.

O número de funções individuais distintas é claramente ilimitado. No entanto, a maioria das que aparecem neste livro é relativamente simples e pode ser classificada em algumas categorias convenientes. Poderá ser útil para a orientação dos estudantes apresentarmos grosso modo uma descrição dessas categorias em ordem crescente de complexidade.

Polinômios

As funções mais simples são as potências de x com expoentes inteiros não-negativos,

$$1, x, x^2, x^3, \ldots, x^n, \ldots$$

Se uma quantidade finita delas é multiplicada por constantes e os resultados são somados, obtemos um polinômio

$$p(x) = a_0 + a_1 x + a_2 x^2 + a_3 x^3 + \cdots + a_n x^n.$$

O *grau* de um polinômio é o maior expoente de x que aparece nele; se $a_n \neq 0$, o grau de $p(x)$ é n. Os polinômios seguintes são de grau 1, 2 e 3, respectivamente:

$$y = 3x - 2, \quad y = 1 - 2x + x^2, \quad y = x - x^3.$$

Os polinômios podem, evidentemente, ser multiplicados por constantes, somados, subtraídos e multiplicados, e os resultados serão novamente polinômios.

Funções Racionais

Se permitirmos também a divisão entre polinômios, passaremos dos polinômios para as funções racionais tais como

$$\frac{x}{x^2+1}, \quad \frac{x+2}{x-2}, \quad \frac{x^3-4x^2+x+6}{x^2+x+1}, \quad x+\frac{1}{x}.$$

A função racional geral é um quociente de polinômios

$$\frac{a_0 + a_1 x + a_2 x^2 + \cdots + a_n x^n}{b_0 + b_1 x + b_2 x^2 + \cdots + b_m x^m},$$

e uma dada função é racional se ela é ou pode ser expressa sob a forma de tal quociente. Se o denominador for uma constante não-nula, esse quociente será, ele próprio, um polinômio. Assim, os polinômios estão incluídos entre as funções racionais.

Funções Algébricas

Se permitirmos extrações de raízes de polinômios, passaremos das funções racionais para a classe das funções algébricas, que será devidamente definida em um capítulo posterior. Alguns exemplos simples são

$$y = \sqrt{x}, \quad y = x + \sqrt[3]{x^2+1}, \quad y = \frac{1}{\sqrt{1-x}}, \quad y = \sqrt[4]{\frac{x+1}{x-1}}.$$

Usando a notação de expoentes fracionários, essas funções poderão ser escritas

$$y = x^{1/2}, \quad y = x + (x^2+1)^{1/3}, \quad y = (1-x)^{-1/2}, \quad y = \left(\frac{x+1}{x-1}\right)^{1/4}.$$

Funções Transcendentes

Toda função que não é algébrica se diz transcendente. As únicas funções transcendentes estudadas no Cálculo são as funções trigonométricas, trigonométricas inversas, exponenciais e logarítmicas. Não partimos do pressuposto de que os estudantes tenham qualquer conhecimento prévio dessas funções. Todas elas serão cuidadosamente explanadas em capítulos posteriores.

Concluímos esta seção com uma breve revisão de algumas funções importantes que aparecem na Geometria. Uma rápida compreensão das fórmulas da Geometria dadas na Fig. 1.24 é essencial para enfrentar os muitos exemplos e problemas dos capítulos seguintes. Essas fórmulas, para a área e circunferência do círculo, para o volume e área da superfície de uma esfera e para o volume e área da superfície lateral de um cilindro e de um cone, devem ser compreendidas e relembradas.

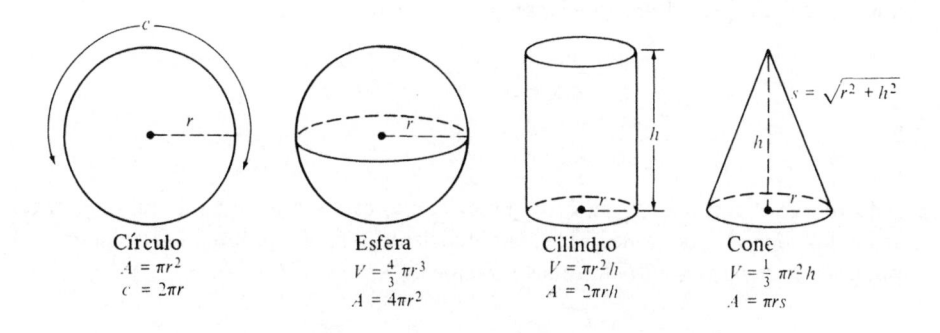

Círculo
$A = \pi r^2$
$c = 2\pi r$

Esfera
$V = \frac{4}{3}\pi r^3$
$A = 4\pi r^2$

Cilindro
$V = \pi r^2 h$
$A = 2\pi r h$

Cone
$s = \sqrt{r^2 + h^2}$
$V = \frac{1}{3}\pi r^2 h$
$A = \pi r s$

Figura 1.24 Fórmulas de Geometria

Cada uma das quatro primeiras fórmulas, as do círculo e da esfera, define uma função da variável independente r, em que um dado valor positivo de r determina o valor correspondente da variável dependente.

Nossa atenção neste livro será dedicada a funções de uma única variável independente, como foram previamente definidas e discutidas. Todavia, assinalamos que cada uma das últimas fórmulas da Fig. 1.24 define uma função de duas variáveis r e h; essas variáveis são chamadas *independentes* (uma da outra) porque o valor atribuído a uma delas não precisa estar relacionado com o valor atribuído à outra. Em circunstâncias especiais, uma função dessa natureza pode ser expressa como função de apenas uma variável. Por exemplo, se a altura de um cone é conhecida como sendo o dobro do raio da base, de modo que $h = 2r$, então podemos escrever a fórmula para esse volume como função de r ou como função de h:

$$V = \tfrac{1}{3}\pi r^2 (2r) = \tfrac{2}{3}\pi r^3 \quad \text{ou} \quad V = \tfrac{1}{3}\pi \left(\frac{h}{2}\right)^2 h = \tfrac{1}{12}\pi h^3.$$

As fórmulas da Fig. 1.24 ilustram também a prática de se escolher letras para as variáveis de forma que tenham alguma relação com as grandezas em questão, tais como A para área, V para volume, r para raio e assim por diante.

Problemas

1. Decida, em cada caso, se a equação determina ou não y como função de x e, em caso afirmativo, ache uma fórmula para a função

   (a) $3x^2 + y^2 = 1$;   (b) $3x^2 + y = 1$;

   (c) $\dfrac{y+1}{y-1} = x$;   (d) $x = y - \dfrac{1}{y}$.

2. Separe a equação $2x^2 + 2xy + y^2 = 3$ em duas equações, de modo que cada uma delas determine y como função de x.
   Todos os problemas seguintes envolvem Geometria. Ao trabalhar com tais problemas, faça sempre uma figura e use essa figura como fonte de idéias.

3. Se um triângulo eqüilátero tem lado x, exprima sua área como função de x.

4. Os lados iguais de um triângulo isósceles têm medida 2. Se x é a base, exprima a área como função de x.

5. Se a aresta de um cubo é x, exprima seu volume, a área de sua superfície e sua diagonal como funções de x.

6. Um retângulo, cuja base tem comprimento x, está inscrito num círculo de raio a. Exprima a área do retângulo como função de x.

7. Um fio de comprimento L é cortado em dois pedaços, e estes tomam a forma de uma circunferência e de um quadrado. Se x é o lado do quadrado, exprima a área total englobada pelas duas figuras como função de x.

8. (a) A área de um círculo é função do comprimento de sua circunferência? Se for, qual é essa função?

   (b) A área de um quadrado é função de seu perímetro? Se for, qual é essa função?

   (c) A área de um triângulo é função de seu perímetro? Se for, qual é essa função?

9. O volume de uma esfera é função da área de sua superfície? Ache uma fórmula para essa função.

10. Um cilindro está inscrito numa esfera de raio a. Se h é a altura e r o raio da base do cilindro, exprima seu volume e a área da superfície total como funções de r e também como funções de h.

11. Um cilindro está circunscrito a uma esfera, sendo os respectivos volumes denotados por C e S. Ache C como função de S.

12. Um cilindro tem volume dado V. Exprima a área total de sua superfície como função do raio r de sua base.

13. Um cone dado tem altura H e raio da base R. Se um cilindro com raio da base r é inscrito no cone, exprima o volume do cilindro como função de r.

14. (a) Um fazendeiro tem 100 metros de cerca para construir um galinheiro retangular. Se x é o comprimento de um lado do galinheiro, mostre que a área cercada é

$$A = 50x - x^2 = 625 - (x - 25)^2.$$

Use o resultado para achar a maior área cercada possível e os comprimentos dos lados que dão essa maior área.

(b) Suponha que o fazendeiro da questão (a) decida construir a cerca mas aproveitando a parede de um celeiro, de modo que ele terá de cercar apenas três lados. Se x é o comprimento de um lado perpendicular à parede do celeiro, ache a área cercada como função de x. Ache também a maior área possível e os comprimentos dos lados que dão essa maior área.

1.8 GRÁFICOS DE FUNÇÕES

Os chineses têm um provérbio que exprime uma verdade fundamental acerca do estudo da Matemática: "Uma boa figura vale mais que mil palavras". Em nosso estudo de funções, ele se aplica a *desenhar gráficos*. Acrescentamos que devemos cultivar o hábito de pensar graficamente até o ponto em que isto se torne automático.

Antes de descer aos detalhes de funções específicas, enfatizamos que muitas vezes é possível pensar no gráfico de uma função $y = f(x)$ muito concretamente, como a trajetória de um ponto móvel (Fig. 1.25).

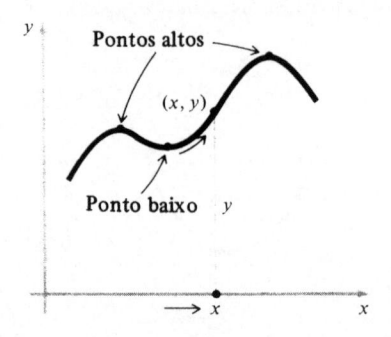

Figura 1.25

A variável independente x pode ser visualizada como um ponto móvel ao longo do eixo x da esquerda para a direita; cada x determina um valor da variável dependente y, que é a cota do ponto (x, y). O gráfico da função é simplesmente a trajetória do ponto (x, y) quando ele se move por meio do plano cartesiano, às vezes subindo e às vezes descendo, em geral variando a cota de acordo com a natureza da função em consideração. O gráfico como um todo pretende dar um retrato completo e claro dessa variação. O gráfico que se vê na Fig. 1.25 é uma curva lisa com dois pontos altos e um ponto baixo (picos), mas este é apenas um exemplo, podendo ocorrer situações muito diversas das apresentadas.

Discutiremos agora os gráficos dos exemplos representativos dos tipos de função descritos na Seção 1.7.

Polinômios

Vimos que os polinômios mais simples são as potências de x com expoentes inteiros não-negativos:

$$y = 1, x, x^2, x^3, \ldots, x^n, \ldots$$

Como sabemos, o gráfico de $y = 1$ é uma reta horizontal que passa pelo ponto $(0, 1)$ e o gráfico de $y = x$ é a reta que passa pela origem, com coeficiente angular 1 (Fig. 1.26a). Para valores maiores do expoente n, os gráficos de $y = x^n$ são de dois tipos distintos, dependendo de ser n par ou ímpar:

$$y = x^2, x^4, x^6, \ldots$$

e

$$y = x^3, x^5, x^7, \ldots$$

Esses tipos são mostrados nos itens *b* e *c* da Fig. 1.26.

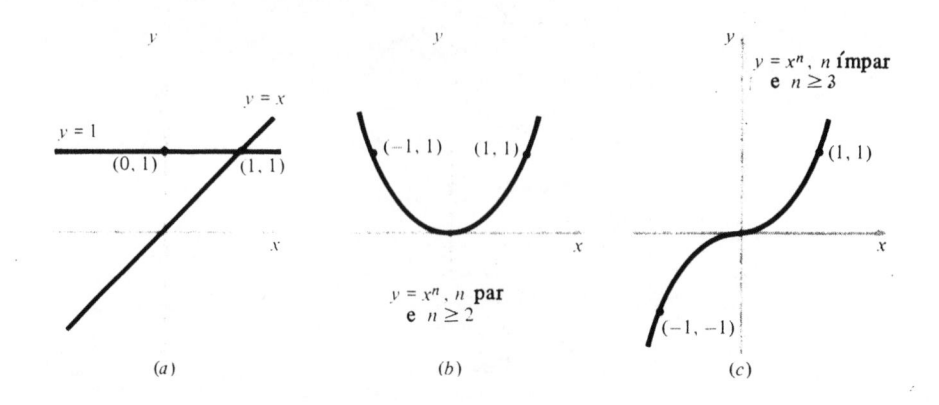

Figura 1.26 Gráficos de $y = x^n$.

Quando *n* cresce, essas curvas se tornam mais achatadas perto da origem e mais inclinadas fora do intervalo $[-1, 1]$.

Já sabemos que os gráficos dos polinômios de primeiro e segundo graus tais como

$$y = 2x - 1$$

e

$$y = 3x^2 - 2x + 1,$$

são retas e parábolas. Esses gráficos são fáceis de desenhar, sem ser ponto a ponto, baseando-se nas idéias das Seções 1.4 e 1.5.

Para nossa próxima observação, precisamos de uma nova terminologia. Uma raiz (ou um *zero*) de uma função $y = f(x)$ é uma raiz da equação correspondente $f(x) = 0$. Geometricamente, os zeros dessa função (se é que ela tem algum) são os valores de *x* em que o seu gráfico atravessa ou toca o eixo *x*.

Consideramos agora o polinômio geral de segundo grau

$$y = ax^2 + bx + c, \quad a \neq 0. \tag{1}$$

Como sabemos, o gráfico dessa função é uma parábola para todos os valores dos coeficientes. Supondo-se que $a > 0$, de modo que a parábola se abre para cima, há três possibilidades para o os zeros de (1), e estas são mostradas na Fig. 1.27.

Números, funções e gráficos 49

Dois zeros distintos

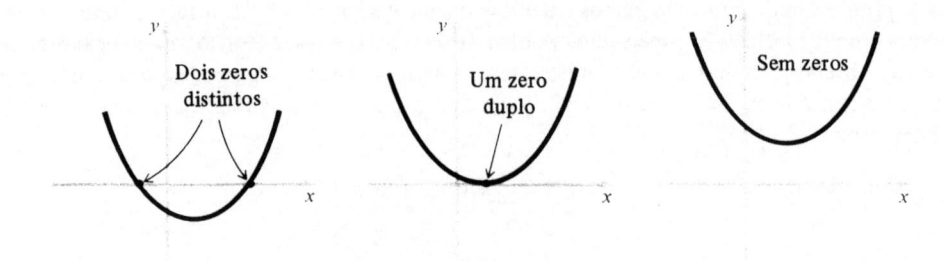

Um zero duplo

Sem zeros

Figura 1.27

Como as raízes da equação quadrática $ax^2 + bx + c = 0$ são dadas pela fórmula

$$x_{1,2} = \frac{-b \pm \sqrt{b^2 - 4ac}}{2a},$$

é claro que as três possibilidades da Fig. 1.27 correspondem às condições algébricas $b^2 - 4ac > 0$, $b^2 - 4ac = 0$, $b^2 - 4ac < 0$.

O problema de construir os gráficos de polinômios de grau $n \geqslant 3$ não é fácil. Nossa discussão dos exemplos seguintes sugere diversas idéias úteis.

Exemplo 1 O gráfico de

$$y = x^3 - 3x \qquad (2)$$

é mostrado na Fig. 1.28.

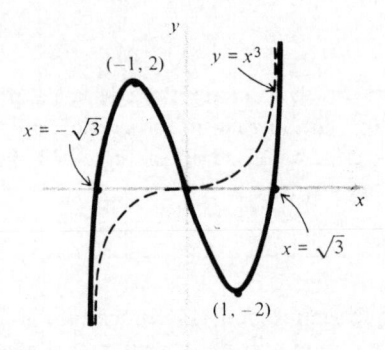

Figura 1.28

Até o presente momento não temos métodos disponíveis para descobrir facetas importantes dessa curva, como a localização precisa dos pontos altos e baixos (picos). Isto virá mais tarde. Todavia, algumas observações podem ser feitas, e estas darão ao menos alguns detalhes e uma impressão suficientemente boa da forma do gráfico, de modo que os estudantes sejam capazes de esboçá-lo por si mesmos.

Começamos destacando que se (2) for escrita na forma fatorada

$$y = x(x^2 - 3) = x(x + \sqrt{3})(x - \sqrt{3}), \qquad (3)$$

então seus zeros serão obviamente 0, $-\sqrt{3}$, $\sqrt{3}$. Esses três números dividem o eixo x em quatro intervalos, como se vê na Fig. 1.29, e uma rápida inspeção de (3) revela que em cada intervalo y têm o sinal dado na figura.

Figura 1.29

Sabemos, portanto, para cada intervalo, se o gráfico de (2) está acima ou abaixo do eixo x (veja Fig. 1.28).

Nossa segunda observação se refere ao comportamento do gráfico de (2) quando x é numericamente grande, isto é, bem para a direita e bem para a esquerda na Fig. 1.28. Escrevendo-se (2) sob a forma

$$y = x^3 \left(1 - \frac{3}{x^2}\right), \qquad x \neq 0,$$

vemos que, para grandes valores positivos ou negativos de x, a expressão entre parênteses está perto de 1, e assim y está perto de x^3. Em linguagem geométrica, quando x é grande, o gráfico de (2) está perto do gráfico de $y = x^3$, como sugere a Fig. 1.28. Em particular, o gráfico de (2) é crescente à direita e decrescente à esquerda.

Os estudantes notarão que sempre poderão esboçar um gráfico, dispendendo muita energia, assinalando muitos pontos e unindo esses pontos por uma curva razoável. Todavia, esse procedimento bem grosseiro deve ser adotado somente como último recurso, quando métodos mais imaginativos falharem. Os aspectos importantes das funções e seus gráficos são muito mais claramente revelados pelo enfoque qualitativo do esboço de curvas que tentamos sugerir e que continuaremos a enfatizar.

Funções Racionais

Exemplo 2   A função racional mais simples não-polinomial é

$$y = \frac{1}{x}. \tag{4}$$

Examinando-se (4), notamos os seguintes fatos: y é indefinido para $x = 0$; y é positivo quando x é positivo; é pequeno quando x é grande; é grande quando x está perto do zero à direita; y é negativo quando x é negativo; é pequeno quando x é grande e grande quando x está próximo de 0 à esquerda. O gráfico de (4) dado na Fig. 1.30 é uma versão pictórica direta dessas afirmações.

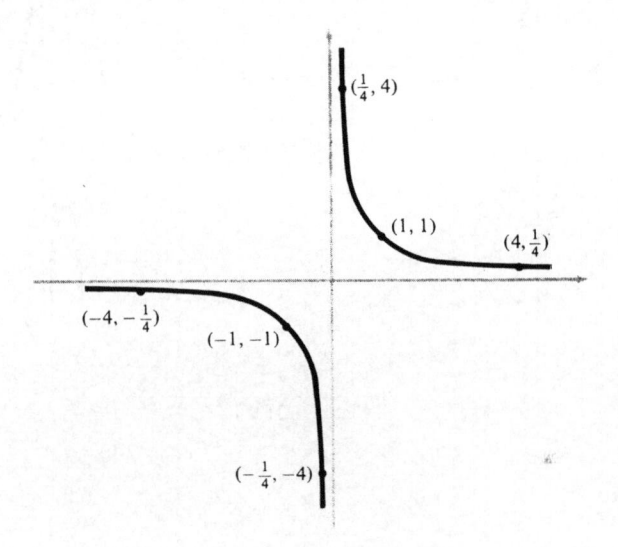

Figura 1.30

Nesse caso particular o gráfico é também fácil de esboçar assinalando alguns pontos, como mostra a figura. No entanto, os estudantes terão muito maior proveito simplesmente visualizando o comportamento de tal função nas diversas partes de seu domínio e desenhando o que vêem.

Uma reta chama-se *assíntota* de uma curva se, quando um ponto se move ao longo de uma parte extrema da curva, a distância desse ponto à reta se aproxima de 0. É claro que ambos os eixos x e y são assíntotas do gráfico mostrado na Fig. 1.30. O comportamento da função (4) no ponto $x = 0$ e perto dele, isto é, o fato de que y não está definido em $x = 0$ e "torna-se infinito" perto de $x = 0$, é descrito dizendo-se que nesse ponto ocorre uma *descontinuidade infinita* da função.

Exemplo 3   No caso da função

$$y = \frac{x}{x-1}, \tag{5}$$

é claro que o ponto $x = 1$ tem um interesse particular, pois y não está definido em $x = 1$ e é grande quando x está perto desse ponto ($x = 1$ é uma descontinuidade infinita). Também vemos que y está perto de 1 e é um pouco menor que 1 quando x é grande e negativo*. Essas observações sugerem desenhar as linhas verticais e horizontais mostradas na Fig. 1.31a. Observando-se que $y = 0$ quando $x = 0$ e dando atenção ao sinal de y em cada um dos intervalos $-\infty < x < 0$, $0 < x < 1$ e $1 < x$, então o gráfico dado na Fig. 1.31a fica muito fácil de se esboçar. Ambas as retas $x = 1$ e $y = 1$ são assíntotas.

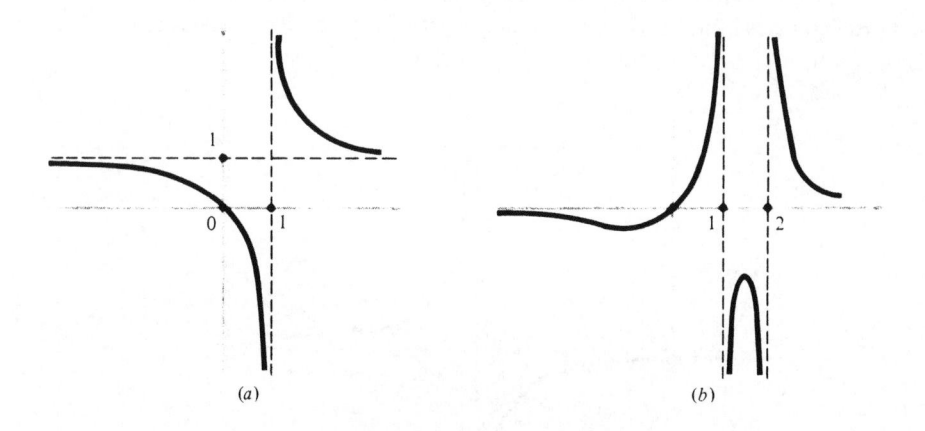

(a)   (b)

Figura 1.31

Exemplo 4 A função

$$y = \frac{x}{x^2 - 3x + 2} = \frac{x}{(x-1)(x-2)} \tag{6}$$

é semelhante a (5), mas um pouco mais complicada. Aqui a forma fatorada do denominador revela duas descontinuidades infinitas: $x = 1$ e $x = 2$. De novo, $y = 0$ quando $x = 0$, mas dessa vez y é pequeno quando x é grande, pois o grau do denominador é maior que o do numerador. Combinando-se esses fatos com o sinal observável de y em cada um dos intervalos $-\infty < x < 0$, $0 < x < 1$, $1 < x < 2$ e $2 < x$, então é razoavelmente fácil esboçar o gráfico como na Fig. 1.31b. É evidente que há um ponto alto entre 1 e 2 e um ponto baixo à esquerda de 0, mas até agora não estamos capacitados a determinar a localização precisa desses pontos (eles ocorrem em $x = \sqrt{2}$ e $x = -\sqrt{2}$).

---

* Para ver isto, teste com valores específicos convenientes de x; assim, por exemplo, $y = \frac{10}{9}$ quando $x = 10$, e $y = \frac{10}{11}$ quando $x = -10$.

Exemplo 5 A função

$$y = x + \frac{1}{x} \qquad (7)$$

tem descontinuidade infinita em $x = 0$ e é positiva ou negativa conforme x seja positivo ou negativo. Para x positivo pequeno, o primeiro termo à direita de (7) é desprezível e o segundo termo é grande; para x positivo grande, o segundo termo é desprezível e y é aproximadamente igual a x. Logo, esboçamos a parte do gráfico no semiplano direito como se segue: desenhamos a linha $y = x$ (Fig. 1.32), colocamos as duas partes extremas da curva, aproximando-se dessa linha e do semi-eixo positivo dos y, como foi sugerido pelo comportamento previamente estabelecido, e ligamos essas partes extremas de maneira razoável, considerando que nessa parte o gráfico tem obviamente um ponto baixo. A função se comporta analogamente, com um correspondente ponto alto para valores negativos de x. O eixo y e a reta $y = x$ são ambas assíntotas.

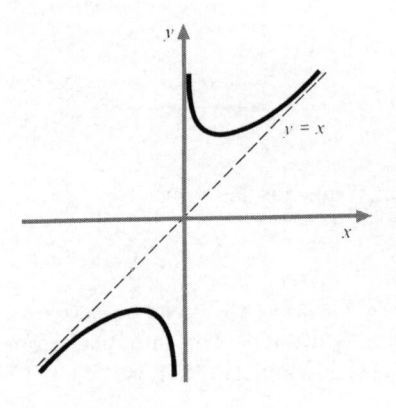

Figura 1.32

Exemplo 6 O denominador de

$$y = \frac{x}{x^2 + 1} \qquad (8)$$

é positivo (de fato ≥ 1) para todo x, assim $y = 0$ quando $x = 0$, y é positivo quando x é positivo e y é negativo quando x é negativo. E, também, y é pequeno quando x é grande, porque o grau do denominador é maior que o do numerador*. Essas propriedades da função forçam o gráfico a ter a forma mostrada na Fig. 1.33.

Figura 1.33

Exemplo 7 Ao considerar a função

$$y = \frac{x^2 - 1}{x - 1}, \qquad (9)$$

é natural fatorar o numerador, obtendo

$$y = \frac{(x + 1)(x - 1)}{x - 1},$$

e então cancelar o fator comum, o que nos dá

$$y = x + 1. \qquad (10)$$

Esse cancelamento é válido *exceto quando* $x = 1$. Nesse ponto o valor de (10) é 2, mas (9) não tem valor ($y = 0/0$, o que não tem significado). Portanto, para esboçar o gráfico de (9), desenhamos a reta (10) e retiramos o ponto (1, 2) como na Fig. 1.34.

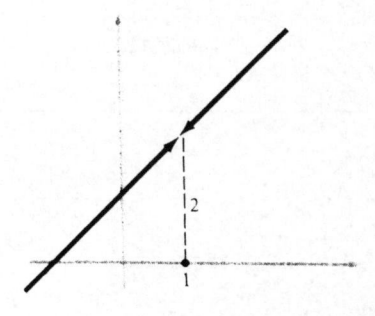

Figura 1.34

---

* Observe que, quando x é grande, $x^2 + 1$ é enorme, e assim y é pequeno.

Duas funções $y = f(x)$ e $y = g(x)$ são ditas *iguais* se elas têm o mesmo domínio e se $f(x) = g(x)$ para todo x em seu domínio comum. De acordo com essa definição, as funções (9) e (10) não são iguais, porque elas têm domínios diferentes: o ponto $x = 1$ está no domínio de (10) mas não está no domínio de (9). O fato de o gráfico de (9) ter uma falha (um buraco) correspondente a $x = 1$ é expresso dizendo-se que (9) é descontínua em $x = 1$ ou tem uma *descontinuidade* nesse ponto.

Funções Algébricas

Exemplo 8 As funções

$$y = \sqrt{x} \quad \text{e} \quad y = \sqrt{25 - x^2} \qquad (11)$$

podem ser obtidas resolvendo as equações

$$y^2 = x \quad \text{e} \quad x^2 + y^2 = 25 \qquad (12)$$

em y e escolhendo as raízes quadradas positivas. Sabemos que os gráficos das equações (12) são uma parábola e uma circunferência, como se vê na Fig. 1.35, e assim os gráficos de (11) são as partes dessas curvas que estão sobre ou acima do eixo x.

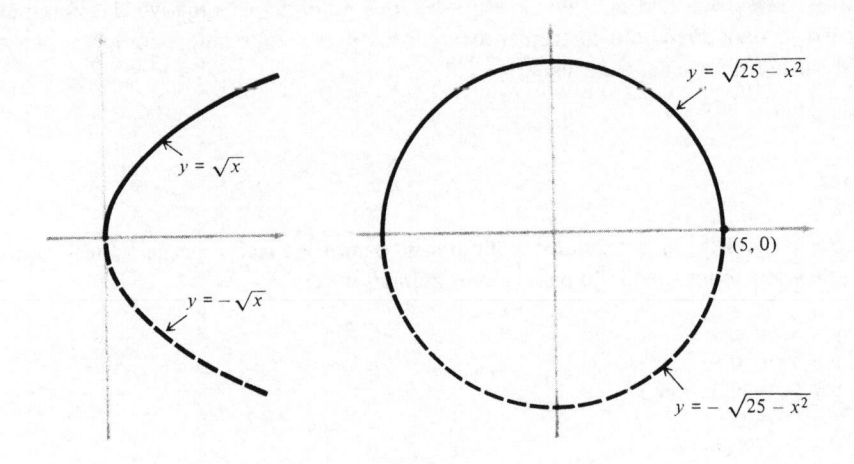

Figura 1.35

Exemplo 9 O gráfico da função valor absoluto

$$y = |x|,$$

é fácil de desenhar (Fig. 1.36). Para ver que essa função é algébrica, temos apenas de notar que $|x| = \sqrt{x^2}$ para todo valor de x.

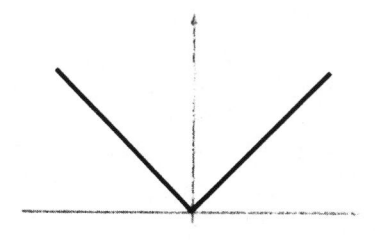

Figura 1.36

Como esses exemplos mostram, muitos dos aspectos básicos de uma função tornam-se transparentes ao se esboçar seu gráfico. Estamos menos interessados em esboços de grande precisão do que naqueles que mostram aspectos gerais e amplos: onde o gráfico está em ascensão e onde está em decréscimo; a presença de falhas; a presença de pontos altos e pontos baixos; qual sua forma aproximada. As fórmulas são obviamente importantes no estudo de funções — de fato, elas são indispensáveis quando nossos propósitos exigem cálculos exatos conduzindo a resultados quantitativos. Mas não devemos nunca esquecer que o principal objetivo da Matemática é a compreensão, e os gráficos são instrumentos valiosos para se obter uma compreensão visual das características individuais das funções.

Problemas

1. Esboce os gráficos dos seguintes polinômios, dando atenção especial à localização de seus zeros e a seu comportamento para valores grandes de x:

   (a) $y = x^2 + x - 2$;
   (b) $y = x^3 - 3x^2 + 2x$;
   (c) $y = (1 - x)(2 - x)(3 - x)$;
   (d) $y = x^4 - x^2$;
   (e) $y = x^4 - 5x^2 + 4$.

2. Esboce os gráficos das seguintes funções racionais:

(a) $y = \dfrac{1}{x^2}$;

(b) $y = \dfrac{1}{x^3}$;

(c) $y = x^2 + \dfrac{1}{x}$;

(d) $y = x^2 + \dfrac{1}{x^2}$;

(e) $y = \dfrac{1}{x^2 + 1}$;

(f) $y = \dfrac{x^2}{x^2 + 1}$;

(g) $y = \dfrac{1}{x^2 - 1}$;

(h) $y = \dfrac{x}{x^2 - 1}$;

(i) $y = \dfrac{x^2}{x^2 - 1}$;

(j) $y = \dfrac{x^2 - 3x + 2}{2 - x}$;

(k) $y = \dfrac{x^3 - x^2}{x - 1}$;

(l) $y = \dfrac{(x + 2)(x - 5)(x^2 + 2x - 8)}{(x - 2)(x^2 - 3x - 10)}$.

3. Esboce os gráficos das seguintes funções algébricas:

(a) $y = \sqrt{(x - 1)(3 - x)}$;

(b) $y = \dfrac{1}{\sqrt{(x - 1)(3 - x)}}$;

(c) $y = \dfrac{1}{\sqrt{x - 1}}$;

(d) $y = \sqrt{\dfrac{x}{3 - x}}$;

(e) $y = \sqrt{\dfrac{4 - x}{x - 2}}$;

(f) $y = \sqrt{\dfrac{x - 4}{x - 2}}$.

4. Em cada item, esboce os gráficos de todas as três funções num único sistema de coordenadas:

(a) $y = |x|$, $y = |x| + 1$, $y = |x| - 1$;
(b) $y = |x|$, $y = |x + 1|$, $y = |x - 1|$;
(c) $y = |x|$, $y = 2|x|$, $y = \tfrac{1}{2}|x|$.

5. Esboce os gráficos das seguintes funções:

(a) $y = \dfrac{|x|}{x}$;

(b) $y = |2x + 3|$;

(c) $y = x + |x|$;
(e) $y = x - |x|$;
(g) $y = |x^2 - 1|$.

(d) $y = 2x + |x|$;
(f) $y = 1 + x - |x|$;

6. Considerando somente valores positivos de x, mostre que

$$y = \frac{|x+1|-|x-1|}{x} = \begin{cases} 2, & 0 < x < 1, \\ \dfrac{2}{x}, & x \geq 1, \end{cases}$$

7. Os seguintes pares de funções são iguais?

(a) $f(x) = \dfrac{x}{x}$, $g(x) = 1$.

(b) $f(x) = x^2 - 1$, $g(x) = (x+1)(x-1)$.

(c) $f(x) = x$, $g(x) = \sqrt{x^2}$.

(d) $f(x) = x$, $g(x) = (\sqrt{x})^2$.

Problemas Suplementares do Capítulo 1

Seção 1.2

1. Se a e b são números positivos, prove a desigualdade $\sqrt{ab} \leq \frac{1}{2}(a+b)$ como fez Euclides, considerando um triângulo retângulo inscrito num semicírculo (Fig. 1.37).

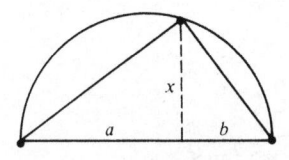

Figura 1.37

2. Se a e b são dois números quaisquer, denote o maior por max(a, b) e o menor por min(a, b). Mostre que

$$\max(a, b) = \tfrac{1}{2}(a + b + |a - b|),$$

e ache uma expressão análoga para min(a, b).

3. Mostre que se $a \leq b$ e $c \leq d$, então $a + c \leq b + d$. Use esse fato para provar que $|a+b| \leq |a|+|b|$. Sugestão: comece por notar que $-|a| \leq a \leq |a|$ e $-|b| \leq b \leq |b|$.

4. Se a é um número racional positivo, explique por que o seguinte método para calcular a raiz quadrada de a funciona. Primeiro, escolha um número racional que seja um palpite razoável para o valor de a e chame essa aproximação inicial de x_1. A seguir, divida a por x_1 e faça a média aritmética do resultado com x_1, obtendo, desse modo, uma segunda aproximação x_2. A seguir, divida a por x_2 e faça a média aritmética do resultado com x_2, obtendo uma terceira aproximação x_3. Esse procedimento é expresso pela fórmula

$$x_{n+1} = \frac{1}{2}\left(x_n + \frac{a}{x_n}\right), \quad n = 1, 2, 3, \ldots$$

Sugestão: se x_1 é razoavelmente próximo de $\sqrt{a}$ mas diferente dela, então $\sqrt{a}$ está entre x_1 e $\frac{a}{x_1}$ (por quê?), e assim a média aritmética de x_1 e $\frac{a}{x_1}$ está provavelmente mais perto de $\sqrt{a}$. Note também que

$$x_{n+1} - \sqrt{a} = \frac{1}{2}\left(x_n - 2\sqrt{a} + \frac{a}{x_n}\right) = \frac{1}{2x_n}(x_n - \sqrt{a})^2.$$

5. Use o método do Problema 4 para calcular $\sqrt{2}$, primeiro com $x_1 = 1$ e depois com $x_1 = \frac{3}{2}$.

6. Use o método do Problema 4 para calcular $\sqrt{3}$, primeiro com $x_1 = 2$ e depois com $x_1 = \frac{3}{2}$.

7. Se a e b são números reais com $a < b$, mostre que existe pelo menos um número racional c tal que $a < c < b$ e, portanto, existe uma infinidade deles. Em particular, entre dois irracionais existe uma infinidade de racionais.

8. Se a é um número racional não-nulo e b é irracional, mostre que $a + b$, $a - b$, ab, $\frac{a}{b}$ e $\frac{b}{a}$ são todos irracionais.

9. Se a e b são irracionais, então $a + b$ é necessariamente irracional? E ab?

10. Se a e b são números reais com $a < b$, mostre que existe pelo menos um número irracional c tal que $a < c < b$ e, portanto, existe uma infinidade deles. Em particular, entre dois racionais existe um número infinito de irracionais.

Seção 1.3

11. Dê uma outra prova do Teorema de Pitágoras usando as equações

$$\frac{a}{c} = \frac{e}{a} \quad \text{e} \quad \frac{b}{c} = \frac{d}{b},$$

obtidas de triângulos semelhantes (Fig. 1.38).

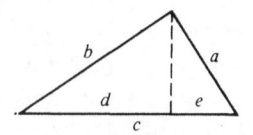

Figura 1.38

12. Coloque a figura, em cada caso, numa posição conveniente relativamente ao sistema de coordenadas, e prove algebricamente a afirmação:

   (a) A soma dos quadrados das distâncias de qualquer ponto a dois vértices opostos de um retângulo é igual à soma dos quadrados das distâncias desse ponto aos outros dois vértices.

   (b) Em qualquer triângulo, 4 vezes a soma dos quadrados das medianas é igual a 3 vezes a soma dos quadrados dos lados.

13. Se $P_1 = (x_1, y_1)$ e $P_2 = (x_2, y_2)$ são pontos distintos e se $P = (x, y)$ está localizado no segmento que os une numa posição tal que a razão entre sua distância a P_1 e sua distância a P_2 é $\frac{q}{p}$, mostre que

$$x = \frac{px_1 + qx_2}{p + q} \quad \text{e} \quad y = \frac{py_1 + qy_2}{p + q}.$$

14. Ache o ponto sobre o segmento que une $(1, 2)$ e $(5, 9)$ que esteja a $\frac{11}{17}$ do caminho do primeiro para o segundo.

Seção 1.4

15. A reta determinada por dois pontos distintos (x_1, y_1) e (x_2, y_2) não é vertical e portanto tem coeficiente angular $\frac{(y_2 - y_1)}{(x_2 - x_1)}$. Mostre que a forma ponto-coeficiente angular dessa equação é a mesma, independentemente do ponto usado como ponto dado.

16. Determine o que se infere sobre as constantes A, B e C na equação $Ax + By + C = 0$ a partir das seguintes sentenças:

   (a) A reta passa pela origem.
   (b) A reta é paralela ao eixo y.
   (c) A reta é perpendicular ao eixo y.
   (d) A reta passa por $(1, 1)$.

(e) A reta é paralela a $5x + 3y = 2$.
(f) A reta é perpendicular a $x + 10y = 3$.

17. Se as retas $A_1 x + B_1 y + C_1 = 0$ e $A_2 x + B_2 y + C_2 = 0$ não são paralelas e k é uma constante qualquer, mostre que

$$(A_1 x + B_1 y + C_1) + k(A_2 x + B_2 y + C_2) = 0$$

é uma reta que passa pelo ponto de interseção das retas dadas. Quando atribuímos diversos valores a k, essa equação representa vários membros da família de todas as retas que passam pelo ponto de interseção.

18. Dadas as retas $x + 3y - 2 = 0$ e $2x - y + 4 = 0$, use o Problema 17 para achar a equação da reta que passa pelo ponto de interseção e que

   (a) passa por $(-2, 1)$;

   (b) é perpendicular à reta $3y + x = 21$;

   (c) passa pela origem.

19. Os pontos $(0, 0)$, $(a, 0)$ e (b, c) são os vértices de um triângulo arbitrário que está localizado numa posição conveniente com relação ao sistema de coordenadas.

   (a) Ache a equação da reta que passa por cada vértice e é perpendicular ao lado oposto e mostre algebricamente que essas três retas se interceptam num único ponto.

   (b) Ache a equação da mediatriz de cada lado e mostre algebricamente que essas três retas se interceptam num único ponto. Por que esse fato é geometricamente óbvio?

   (c) Ache as equações das retas que passam por cada vértice e pelo ponto médio do lado oposto e mostre algebricamente que essas três retas se interceptam num único ponto. Verifique também que esse ponto está a dois terços do caminho de cada vértice para o ponto médio do lado oposto.

20. Mostre que cada uma das seguintes equações é a equação de uma reta:

   (a) $x^3 - x^2 y - 2x^2 + 3x - 3y - 6 = 0$.
   (b) $3xy^2 + 5y^2 - y^3 - 4y + 12x + 20 = 0$.

21. Mostre que a distância de um ponto (x_0, y_0) a uma reta $Ax + By + C = 0$ é dada por

$$\frac{|Ax_0 + By_0 + C|}{\sqrt{A^2 + B^2}}.$$

22. Ache a distância entre as retas paralelas $4x + 3y + 12 = 0$ e $4x + 3y - 38 = 0$.

23. Se duas retas concorrentes são dadas, então é fácil ver que as bissetrizes dos ângulos formados por essas retas são retas cujos pontos são eqüidistantes das retas dadas. Use esse fato para achar as equações das bissetrizes dos ângulos formados pelas retas

    (a) $3x + 4y - 10 = 0$ e $4x - 3y - 5 = 0$;
    (b) $y = 0$ e $y = x$.

24. Por que é geometricamente óbvio (sem cálculo) que as bissetrizes dos ângulos de qualquer triângulo se interceptam num único ponto?

Seção 1.5

25. Ache os valores de b para os quais a reta $y = 3x + b$ intercepta a circunferência $x^2 + y^2 = 4$.

26. Se a reta $y = mx + b$ é tangente à circunferência $x^2 + y^2 = r^2$, ache uma equação que relacione m, b e r.

27. Ache a equação do lugar geométrico descrito pelo ponto $P = (x, y)$ que se move de tal modo que.

    (a) sua distância a $(0, 0)$ seja o dobro de sua distância a $(a, 0)$;

    (b) o produto de suas distâncias a $(a, 0)$ e $(-a, 0)$ seja a^2 (essa curva chama-se *lemniscata*). Esboce os gráficos.

28. Um segmento de reta de comprimento 6 move-se de tal modo que suas extremidades permanecem nos eixos dos x e dos y. Qual a equação do lugar geométrico de seu ponto médio?

29. Um ponto se move de tal modo que a razão de suas distâncias a dois pontos fixos é uma constante $k \neq 1$. Mostre que o lugar geométrico é uma circunferência.

30. Ache a equação da reta tangente à circunferência $x^2 + y^2 + 8x + 6y + 8 = 0$ no ponto $(-8, -2)$.

31. Ache as equações das retas que passam pelo ponto $(1, 3)$ e são tangentes à circunferência $x^2 + y^2 = 2$.

32. Se duas circunferências

$$x^2 + y^2 + A_1 x + B_1 y + C_1 = 0$$

e

$$x^2 + y^2 + A_2 x + B_2 y + C_2 = 0$$

se interceptam em dois pontos e se k é uma constante $\neq -1$, explique por que

$$(x^2 + y^2 + A_1 x + B_1 y + C_1) + k(x^2 + y^2 + A_2 x + B_2 y + C_2) = 0$$

é a equação de uma circunferência que passa pelos pontos de interseção. Se $k = -1$, o que essa equação representa?

33. Use o Problema 32 para achar a equação da reta que une os pontos de interseção das circunferências

$$x^2 + y^2 = 4x + 4y - 4 \quad \text{e} \quad x^2 + y^2 = 2y.$$

Ache também esses pontos de interseção.

34. Mostre que uma parábola com foco na origem, eixo no eixo x e abrindo-se para a direita tem uma equação da forma $y^2 = 4p(x + p)$, onde $p > 0$.

35. Ache a equação da parábola com foco $(1, 1)$ e diretriz $x + y = 0$ e simplifique essa equação para uma forma que não contenha radicais. Sugestão: veja o Problema 21

36. Liguemos o vértice da parábola $x^2 = 4py$ com todos os outros pontos da parábola. Mostre que os pontos médios das cordas resultantes estão sobre uma outra parábola. Ache o foco e a diretriz dessa segunda parábola.

37. Considere todas as cordas com dado coeficiente angular m que têm extremidades na parábola $x^2 = 4py$. Prove que o lugar geométrico dos pontos médios dessas cordas é uma reta paralela ao eixo y.

38. Uma *corda focal* de uma parábola é o segmento, cortado pela parábola, de uma reta que passa pelo foco.

    (a) Se A e B são as extremidades de uma corda focal e se a reta que passa por A e pelo vértice intercepta a diretriz no ponto C, mostre que a reta que passa por B e C é paralela ao eixo da parábola.

(b) Mostre que o comprimento de uma corda focal é o dobro da distância de seu ponto médio à diretriz.

(c) Mostre que se duas tangentes a uma parábola são traçadas a partir de qualquer ponto da diretriz, então os pontos de tangência são as extremidades de uma corda focal.

39. Dados os pontos $A = (4p, 0)$ e $B = (4p, 4p)$, divida os segmentos OA e AB em número igual de partes iguais, numere os pontos de divisão como mostrado na Fig. 1.39 e ligue à origem os pontos de divisão de AB, por meio de retas. Mostre que os pontos de interseção de cada uma dessas retas com as correspondentes retas verticais estão sobre a parábola $x^2 = 4py$.

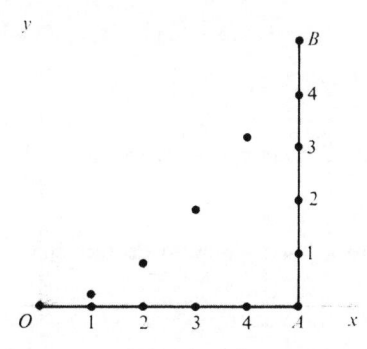

Figura 1.39

Seção 1.6

40. Ache o domínio de cada uma das seguintes funções:

(a) $5 - x$;

(b) $\dfrac{x}{2x - 3}$;

(c) $\sqrt{3x - 2}$;

(d) $\sqrt{5 - 3x}$;

(e) $\dfrac{x + 7}{x^2 - 9}$;

(f) $\sqrt[3]{x}$;

(g) $\sqrt{9 - 4x^2}$;

(h) $\dfrac{1}{\sqrt{x + 3}}$;

(i) $\sqrt{7x^2 + 5}$.

41. Se $f(x) = ax + b$, mostre que

$$f\left(\frac{x_1 + x_2}{2}\right) = \frac{f(x_1) + f(x_2)}{2}$$

Isto é verdade para $f(x) = x^2$?

42. Se $f(x) = (1 + x)/(1 - x)$, ache

    (a) $f(-x)$;

    (b) $f\left(\dfrac{1}{x}\right)$;

    (c) $f\left(\dfrac{1}{1-x}\right)$;

    (d) $f(f(x))$.

43. Se $f(x) = \sqrt[3]{x}$, que função $g(x)$ tem a propriedade de que $g(f(x)) = x$?

Seção 1.7

44. O perímetro de um triângulo retângulo é 6 e a hipotenusa é x. Exprima a área como função de x.

45. Um cilindro tem área de superfície total A fixa. Exprima seu volume como função do raio r de sua base.

46. Um cone está inscrito numa esfera com raio a fixo. Se r é o raio da base do cone, exprima seu volume como função de r.

47. Um cone está circunscrito a uma esfera com raio a fixo. Se r é o raio da base do cone, exprima seu volume como função de r.

48. Se $f(x) = (x - 3)/(x + 1)$, mostre que $f(f(f(x))) = x$.

49. Sejam dadas as constantes a, b, c e d com a propriedade de que $ad - bc \neq 0$. Se $f(x) = (ax + b)/(cx + d)$, mostre que existe uma função $g(x) = (\alpha x + \beta)/(\gamma x + \delta)$ tal que $f(g(x)) = x$. Mostre também que para essas duas funções é verdade que $f(g(x)) = g(f(x))$.

50. Suponha que uma função $f(x)$ tenha a propriedade de que $f(x_1 + x_2) = f(x_1) + f(x_2)$, para quaisquer x_1 e x_2. Disto segue-se que

$$f(x_1 + x_2 + \cdots + x_n) = f(x_1) + f(x_2) + \cdots + f(x_n).$$

Prove que existe um número a tal que $f(x) = ax$ para todos os números racionais x. Sugestão:

decida o que a deve ser, depois prove a afirmação sucessivamente para os casos em que x é um inteiro positivo, um inteiro, o inverso de um inteiro não-nulo e um número racional*.

51. Esse problema é uma seqüência do Problema 50. Suponha que uma função $f(x)$ tenha as duas seguintes propriedades: $f(x_1 + x_2) = f(x_1) + f(x_2)$ e $f(x_1 x_2) = f(x_1) . f(x_2)$ para quaisquer x_1 e x_2. Se essa função tem pelo menos um valor não-nulo, mostre que $f(x) = x$ para todos os números reais x, provando as seguintes afirmações:

   (a) $f(1) = 1$;

   (b) $f(x) = x$ se x é racional;

   (c) $f(x) > 0$ se $x > 0$ (Sugestão: um número positivo é quadrado de algum número positivo.);

   (d) $f(x_1) < f(x_2)$ se $x_1 < x_2$;

   (e) $f(x) = x$ para todo x (Sugestão: existe um número racional entre quaisquer dois números reais.)

Seção 1.8

52. Seja $p(x) = a_n x^n + a_{n-1} x^{n-1} + ... + a_1 x + a_0$ um polinômio de grau $n \geq 1$. Prove as seguintes afirmações:

    (a) Se $p(0) = 0$, então $p(x) = xq(x)$, onde $q(x)$ é um polinômio de grau $n-1$.

    (b) Se a é um número real qualquer, a função $f(x)$ definida por $f(x) = p(x + a)$ é um polinômio de grau n.

    (c) Se a é um número real tal que $p(a) = 0$, isto é, se a é um zero de $p(x)$, então $p(x) = (x - a) r(x)$, onde $r(x)$ é um polinômio de grau $n - 1$. Sugestão: considere $f(x) = p(x + a)$.

    (d) $p(x)$ tem no máximo n zeros.

53. Se n é um inteiro ≥ 1 qualquer, mostre que existe um polinômio de grau n com n zeros. Se n é par, ache um polinômio de grau n sem zeros; e se n é ímpar, ache um polinômio com somente um zero.

54. Seja $p(x) = a_n x^n + a_{n-1} x^{n-1} + ... + a_1 x + a_0$ um polinômio de grau $n \geq 1$. Se $p(x)$ tem n zeros $x_1, x_2, ..., x_n$ e, portanto, pode ser expresso sob a forma

$$p(x) = a_n (x - x_1)(x - x_2) ... (x - x_n),$$

---

* Sem hipóteses suplementares, sabemos ser impossível provar que $f(x) = ax$ para todos os números reais x.

mostre que

(a) $x_1 x_2 \cdots x_n = (-1)^n \dfrac{a_0}{a_n}$;

(b) $x_1 + x_2 + \cdots + x_n = -\dfrac{a_{n-1}}{a_n}$.

55. Uma função f diz-se *par* se $f(-x) = f(x)$ para todo x de seu domínio e diz-se *ímpar* se $f(-x) = -f(x)$ para todo x de seu domínio (em cada caso, entende-se que $-x$ está no domínio de f quando x está). Determine se cada uma das seguintes funções é *par, ímpar* ou nenhuma das duas:

(a) $f(x) = x^3$;

(b) $f(x) = x(x^3 + x)$;

(c) $f(x) = |x|$;

(d) $f(x) = x + \dfrac{1}{x}$;

(e) $f(x) = x^2 + \dfrac{1}{x}$;

(f) $f(x) = \dfrac{x^3 + x}{x^2 + 1}$;

(g) $f(x) = x^5 + 1$;

(h) $f(x) = x(x + 1)$.

56. Qual o aspecto característico do gráfico de uma função par? De uma função ímpar?

57. O que se pode dizer acerca

(a) do produto de duas funções pares?

(b) do produto de duas funções ímpares?

(c) do produto de uma função par por uma função ímpar?

58. Se $f(x)$ é uma função arbitrária definida num intervalo da forma $[-a, a]$, mostre que $f(x)$ pode ser expressa de uma única maneira como soma de uma função par $g(x)$ com uma função ímpar $h(x)$: $f(x) = g(x) + h(x)$. Sugestão: $f(-x) = g(x) - h(x)$.

59. Dê um polinômio de segundo grau cujos valores em 1, 2 e 3 são π, $\sqrt{3}$ e 550.

60. Se a e b são constantes positivas, esboce o gráfico de

$$y = \dfrac{b}{2a}(|x + a| + |x - a| - 2|x|).$$

61. O símbolo $[x]$ (leia-se "colchete de x") é usado para indicar o maior inteiro que é menor ou igual a um número real x. Por exemplo, $[1] = 1$, $[2,1] = 2$, $[\pi] = 3$ e $[-1,7] = -2$.

Esboce os gráficos das seguintes funções:

(a) $y = [x]$;
(b) $y = x - [x]$;
(c) $y = \sqrt{x - [x]}$;
(d) $y = [x] + \sqrt{x - [x]}$;
(e) $y = \sqrt{x} - [\sqrt{x}]$, $0 \leq x \leq 9$.

62. Exprima o número de quadrados perfeitos menores ou iguais a um número positivo x em termos da função colchete definida no Problema 61. Faça o mesmo para o número de cubos perfeitos menores ou iguais a x.

63. Se o símbolo $\{x\}$ (leia-se "chave de x") denota a distância de um número real x ao inteiro mais próximo, esboce o gráfico das seguintes funções:

(a) $y = \{x\}$;   (b) $y = \{2x\}$;
(c) $y = \{4x\}$;   (d) $y = \frac{1}{4}\{4x\}$.

CAPÍTULO

2

A DERIVADA DE UMA FUNÇÃO

2.1 O QUE É CÁLCULO? O PROBLEMA DAS TANGENTES

Começamos nosso estudo de Cálculo com uma breve apreciação sobre seu conteúdo e as razões de sua importância. Uma vista geral do percurso que está à frente pode ajudar-nos a atingir uma clareza de propósito e senso de direção que nos serão muito úteis no meio dos muitos detalhes técnicos que constituem a parte principal de nosso trabalho.

O Cálculo é usualmente dividido em duas partes principais – *cálculo diferencial* e *cálculo integral* –, sendo que cada uma tem sua própria terminologia não-familiar, notação enigmática e métodos computacionais especializados. Acostumar-se a tudo isto exige tempo e prática, processo semelhante ao de aprender uma nova língua. Entretanto, esse fato não deve nos impedir de ver no início que os problemas centrais do assunto são realmente muito simples e claros, sem nada de estranho ou misterioso acerca deles.

Quase todas as idéias e aplicações do Cálculo giram em torno de dois problemas geométricos que são muito fáceis de ser entendidos. Ambos se referem ao gráfico de uma função $y = f(x)$. Evitamos complicações assumindo que esse gráfico está inteiramente acima do eixo x, como na Fig. 2.1.

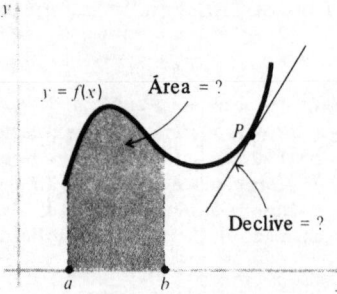

Figura 2.1 A essência do Cálculo.

PROBLEMA 1 O problema básico do cálculo diferencial é o *problema das tangentes:* calcular o coeficiente angular da reta tangente ao gráfico num ponto dado P.

PROBLEMA 2 O problema básico do cálculo integral é o *problema das áreas:* calcular a área debaixo do gráfico, entre os pontos $x = a$ e $x = b$.

O que faremos em seguida estará sempre relacionado com esses dois problemas, as idéias e técnicas desenvolvidas para resolvê-los e as aplicações originadas deles*.

À primeira vista, esses problemas parecem de alcance bem limitado. Esperamos que eles lancem luz, de modo significativo, sobre a Geometria – e eles o farão. O que é muito surpreendente é constatar que eles têm também muitas aplicações profundas e de longo alcance em várias ciências. O Cálculo adquire importância no grande mundo fora da Matemática por meio dessas aplicações científicas, e um de nossos principais objetivos é introduzir o estudante a uma variedade delas tão grande quanto possível. Ao mesmo tempo continuaremos a enfatizar a Geometria e as aplicações geométricas, pois este é o contexto em que as idéias do Cálculo são mais facilmente compreendidas.

Às vezes é dito que o Cálculo foi "inventado" por aqueles dois grandes gênios do século XVII, Newton e Leibniz**. Na verdade, o Cálculo é o produto de um longo processo evolutivo que começou na Grécia Antiga e continuou no século XIX. Newton e Leibniz foram homens verdadeiramente notáveis e suas contribuições foram de importância decisiva, mas o assunto nem começou nem terminou com eles. Os problemas enunciados acima estavam presentes nas mentes de muitos cientistas europeus da metade do século XVII – mais notadamente em Fermat – e foi feito um progresso considerável em cada um deles, com engenhosos métodos especiais. A grande realização de Newton e Leibniz foi reconhecer e explorar a íntima conexão entre esses problemas, que ninguém tinha entendido completamente. Especificamente, eles foram os primeiros a entender o significado do *Teorema Fundamental do Cálculo,* o qual diz, com efeito, que a solução do problema da tangente pode ser usada para resolver o problema da área. Esse teorema – certamente o mais importante de toda a Matemática – foi descoberto por cada um deles, independentemente um do outro, e eles e seus sucessores usaram-no para unir as duas metades do assunto numa arte de resolução de problemas de poder e versatilidade impressionantes.

Como essas observações sugerem, começamos nosso trabalho fazendo um estudo bastante completo do problema da tangente, nos próximos quatro capítulos. Depois nos Capítulos 6 e 7, voltamos ao problema da área. Daí prosseguimos em várias direções, estendendo nossos conceitos

---

* Para os leitores interessados nas origens das palavras, *calculus*, na Roma Antiga, era uma pequena pedra ou seixo utilizado para contagem e jogo, e o verbo latino *calculare* passou a significar "figurar", "computar", "calcular". Hoje Cálculo é um método ou sistema de métodos para resolver problemas quantitativos de uma natureza particular, como no cálculo de probabilidades, cálculo de diferenças finitas, cálculo tensorial, cálculo das variações, cálculo de resíduos etc. Nosso Cálculo – o ramo da Matemática que compreende o cálculo diferencial e integral – é às vezes chamado *o* Cálculo, para distingui-lo de todos esses outros cálculos subordinados.

**É às vezes escrito Leibnitz (pronúncia latina) para sugerir a pronúncia correta.

e instrumentos básicos para classes mais amplas de funções com maior variedade de aplicações significativas.

Antes de tentar calcular o coeficiente angular de uma reta tangente, devemos primeiro decidir o que *é* uma reta tangente – e isto não é tão fácil quanto parece.

No caso de uma circunferência não há dificuldade. Uma tangente a uma circunferência (Fig. 2.2, à esquerda) é uma reta que intercepta a circunferência em apenas um ponto, chamado o ponto de tangência; as retas não-tangentes ou interceptam a circunferência em dois pontos diferentes ou não a interceptam.

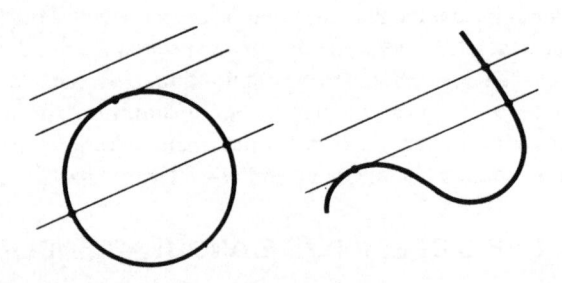

Figura 2.2

Essa situação reflete a idéia intuitiva que a maioria das pessoas tem de tangente a uma curva num dado ponto como sendo uma reta que "toca" a curva naquele ponto*. Ela sugere também a possibilidade de definir uma tangente a uma curva como uma reta que intercepta a curva em apenas um ponto. Essa definição foi usada com sucesso pelos gregos ao tratarem de circunferências e algumas outras curvas especiais, mas, para curvas em geral, ela é totalmente insatisfatória. Para compreender o porquê, considere a curva mostrada na Fig. 2.2 à direita. Ela tem uma tangente perfeitamente aceitável (a reta debaixo), que essa definição rejeitaria, é uma reta obviamente não-tangente (a reta de cima), que seria aceita.

O conceito moderno de reta tangente originou-se com Fermat, em torno de 1630. Como os estudantes poderão ver, esse conceito é não só um enunciado razoável acerca da natureza geométrica das tangentes mas é também a chave de um processo prático para a construção de tangentes.

Resumidamente, a idéia é esta: considere uma curva $y = f(x)$ e P um dado ponto fixo sobre essa curva (Fig. 2.3). Considere Q um segundo ponto próximo de P sobre a curva e desenhe a reta secante PQ. A reta tangente em P pode agora ser encarada como a posição-limite da secante variável quando Q desliza ao longo da curva em direção a P. Veremos na Seção 2.2 como essa idéia qualitativa leva, pelo menos, a um método quantitativo para o cálculo do coeficiente angular exato da tangente em termos da função $f(x)$ dada.

---

* A palavra latina *tangere* significa "tocar".

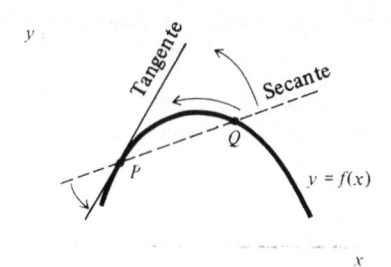

Figura 2.3 A idéia de Fermat.

Que não haja má compreensão. Essa maneira de pensar acerca de tangentes não é um ponto técnico de menor importância na geometria de curvas. Pelo contrário, é uma das três ou quatro idéias mais fecundas que qualquer matemático já tenha tido, pois, sem ela, não haveria o conceito de velocidade ou aceleração ou força em Física, nem dinâmica ou astronomia newtoniana, nem ciência física de qualquer natureza, exceto como mera descrição verbal de fenômenos, e certamente não teríamos a idade moderna da Engenharia e tecnologia.

2.2 COMO CALCULAR O COEFICIENTE ANGULAR (INCLINAÇÃO) DA TANGENTE

Discussões gerais têm seu lugar, mas chegou o momento de descer aos detalhes.

Seja $P = (x_0, y_0)$ um ponto arbitrário fixado sobre a parábola $y = x^2$, como está mostrado na Fig. 2.4. Como nossa primeira ilustração da idéia básica deste capítulo, calcularemos o coeficiente angular da tangente a essa parábola no ponto dado P. Para começar o processo, escolhemos um segundo ponto próximo $Q = (x_1, y_1)$ sobre a curva.

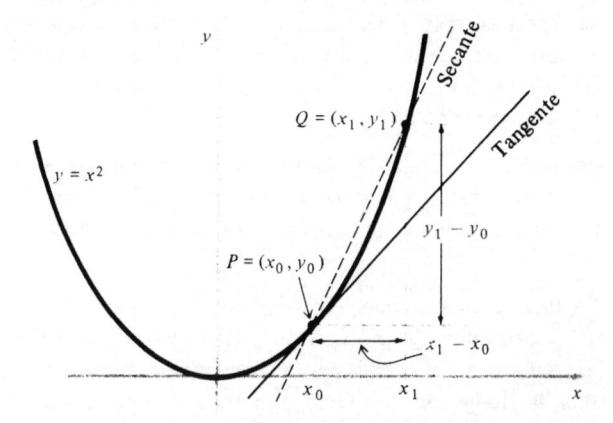

Figura 2.4

A seguir, desenhamos a reta secante PQ determinada por esses dois pontos. O coeficiente angular dessa secante é, evidentemente:

$$m_{sec} = \text{coeficiente angular de } PQ = \frac{y_1 - y_0}{x_1 - x_0}. \tag{1}$$

Agora, a etapa crucial: façamos x_1 se aproximar de x_0, de modo que o ponto variável Q se aproxime do ponto fixado P, deslizando ao longo da curva — como uma conta desliza ao longo de um fio curvo. Quando acontece isto, a secante muda de direção e se aproxima visivelmente da tangente em P como sua posição-limite. É também intuitivamente claro que o coeficiente angular m da tangente é o valor-limite aproximado pelo coeficiente angular m_{sec} da secante. Se usarmos o símbolo-padrão → para significar "se aproxima" ou "tende", então a última frase poderia ser expressa de forma mais concisa e adequada:

$$m = \lim_{Q \to P} m_{sec} = \lim_{x_1 \to x_0} \frac{y_1 - y_0}{x_1 - x_0}. \tag{2}$$

A abreviação "lim", com "$x_1 \to x_0$" escrita embaixo, lê-se "o limite, quando x_1 tende a x_0, de ...".

Não podemos calcular o valor-limite m em (2) colocando simplesmente $x_1 = x_0$, porque isto daria um resultado sem significado:

$$\frac{y_1 - y_0}{x_1 - x_0} = \frac{0}{0}.$$

Devemos pensar que x_1 chega muito perto de x_0, mas permanece distinto dele. No entanto, quando isto acontece, ambos $y_1 - y_0$ e $x_1 - x_0$ tornam-se arbitrariamente pequenos e não é de todo claro de que valor-limite esse quociente se aproxima.

O modo de sair dessa dificuldade é usar a equação da curva. Como P e Q estão sobre a curva, temos $y_0 = x_0^2$ e $y_1 = x_1^2$ e, assim, (1) pode ser escrito

$$m_{sec} = \frac{y_1 - y_0}{x_1 - x_0} = \frac{x_1^2 - x_0^2}{x_1 - x_0}. \tag{3}$$

O motivo desse numerador tornar-se pequeno se dá em virtude de conter o denominador $x_1 - x_0$ como um fator. Se esse fator comum for cancelado, obteremos

$$m_{sec} = \frac{y_1 - y_0}{x_1 - x_0} = \frac{x_1^2 - x_0^2}{x_1 - x_0} = \frac{(x_1 - x_0)(x_1 + x_0)}{x_1 - x_0} = x_1 + x_0,$$

e (2) torna-se

$$m = \lim_{x_1 \to x_0} \frac{y_1 - y_0}{x_1 - x_0} = \lim_{x_1 \to x_0} (x_1 + x_0).$$

Agora é muito fácil ver o que está acontecendo. Quando x_1 fica cada vez mais próximo de x_0, $x_1 + x_0$ fica cada vez mais próximo de $x_0 + x_0 = 2x_0$. Assim,

$$m = 2x_0 \qquad (4)$$

é o coeficiente angular da tangente à curva $y = x^2$ no ponto (x_0, y_0).

Exemplo 1 Os pontos $(1, 1)$ e $(-\frac{1}{2}, \frac{1}{4})$ estão na parábola $y = x^2$ (Fig. 2.5). Pela fórmula (4), os coeficientes angulares das tangentes nesses pontos são $m = 2$ e $m = -1$. Usando a forma ponto-coeficiente angular da equação de uma reta, nossas duas retas tangentes têm claramente equações

$$\frac{y-1}{x-1} = 2 \qquad \text{e} \qquad \frac{y - \frac{1}{4}}{x + \frac{1}{2}} = -1.$$

De maneira exatamente igual,

$$\frac{y - x_0^2}{x - x_0} = 2x_0$$

é a equação da tangente em um ponto genérico (x_0, x_0^2) sobre a curva.

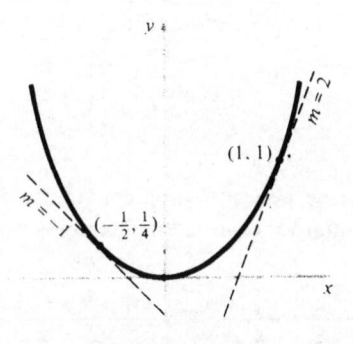

Figura 2.5

Introduzimos agora a chamada *notação delta*. Esta é uma peça simbólica amplamente utilizada e que a Matemática, assim como outras ciências, teria muitas dificuldades em passar sem ela.

O procedimento acima descrito começa variando-se a variável independente x de um primeiro valor x_0 para um segundo valor x_1. A notação-padrão para a quantidade de tal variação é Δx (leia-se "delta x"), de modo que

$$\Delta x = x_1 - x_0 \qquad (5)$$

é a variação em x ao se passar do primeiro valor para o segundo. Podemos também considerar o segundo valor como sendo obtido do primeiro, acrescentando-se a mudança

$$x_1 = x_0 + \Delta x. \qquad (6)$$

É essencial compreender que Δx não é o produto de um número Δ por um número x, mas um único número chamado um *incremento* de x. Um incremento Δx pode ser positivo ou negativo. Assim, se $x_0 = 1$ e $x_1 = 3$, então $\Delta x = 3 - 1 = 2$; e se $x_0 = 1$ e $x_1 = -2$, então $\Delta x = -2 - 1 = -3$.

A letra Δ é o "d" grego. Quando escrita na frente de uma variável, ela significa a diferença entre dois valores daquela variável. Esse simples artifício notacional é extremamente conveniente e se espalhou em quase todas as partes da Matemática e da Ciência. Ilustramos seu papel em nosso trabalho utilizando-a para reformular os cálculos anteriores.

Em vista de (5) e (6), a fórmula (3) para o coeficiente angular da secante pode ser escrita na forma

$$m_{sec} = \frac{x_1^2 - x_0^2}{x_1 - x_0} = \frac{(x_0 + \Delta x)^2 - x_0^2}{\Delta x}. \qquad (7)$$

Agora, em vez de fatorar o numerador, expandimos seu primeiro termo e simplificamos o resultado, obtendo

$$(x_0 + \Delta x)^2 - x_0^2 = x_0^2 + 2x_0 \Delta x + (\Delta x)^2 - x_0^2$$
$$= 2x_0 \Delta x + (\Delta x)^2$$
$$= \Delta x(2x_0 + \Delta x),$$

assim, (7) torna-se

$$m_{sec} = 2x_0 + \Delta x.$$

Se inserirmos isto em (2) e utilizarmos o fato de que $x_1 \to x_0$ é equivalente a $\Delta x \to 0$, chegaremos a

$$m = \lim_{\Delta x \to 0} (2x_0 + \Delta x) = 2x_0,$$

como antes. De novo, é muito fácil ver o que está acontecendo no processo de limite indicado: quando Δx fica cada vez mais perto de zero, $2x_0 + \Delta x$ torna-se cada vez mais próximo de $2x_0$.

O segundo método, usando a notação delta, depende da expansão do quadrado $(x_0 + \Delta x)^2$, enquanto o primeiro depende da fatoração da expressão $x_1^2 - x_0^2$. Nesse caso particular, nenhum dos dois cálculos é notadamente mais árduo que o outro. No entanto, em geral expandir é mais fácil que fatorar, e por essa razão adotamos o método de incrementos como nosso procedimento-padrão.

O cálculo que acabamos de realizar para a parábola $y = x^2$ pode ser, em princípio, descrito para o gráfico de qualquer função $y = f(x)$ (Fig. 2.6). Primeiro, calculamos o coeficiente angular da secante que passa pelos pontos P e Q, correspondentes a x_0 e $x_0 + \Delta x$,

$$m_{\text{sec}} = \frac{f(x_0 + \Delta x) - f(x_0)}{\Delta x}.$$

Depois, calculamos o limite de m_{sec} quando Δx tende a zero, obtendo um número m que interpretamos geometricamente como sendo o coeficiente angular da tangente à curva no ponto P:

$$m = \lim_{\Delta x \to 0} \frac{f(x_0 + \Delta x) - f(x_0)}{\Delta x}.$$

O valor desse limite é usualmente denotado pelo símbolo $f'(x_0)$, que se lê "f linha de x_0", enfatizando sua dependência do ponto x_0 e da função $f(x)$. Assim, por definição, temos

$$f'(x_0) = \lim_{\Delta x \to 0} \frac{f(x_0 + \Delta x) - f(x_0)}{\Delta x}. \tag{8}$$

Nessa notação, o resultado do cálculo dado acima pode ser expresso como se segue: se $f(x) = x^2$, então $f'(x_0) = 2x_0$.

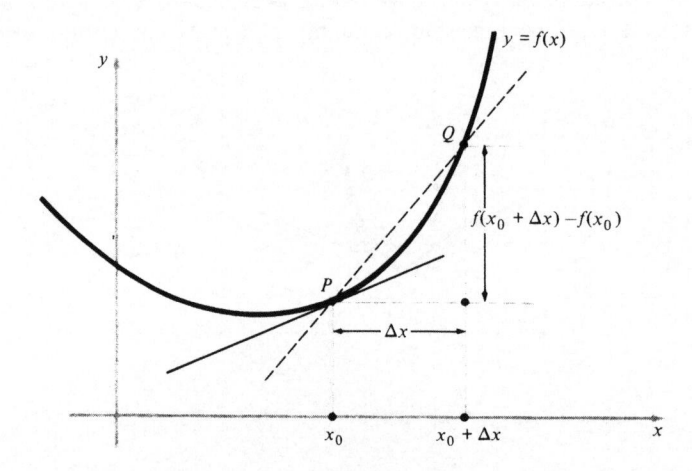

Figura 2.6

Exemplo 2 Calcular $f'(x_0)$ se $f(x) = 2x^2 - 3x$.

Solução Para essa função, o numerador do quociente em (8) é

$$f(x_0 + \Delta x) - f(x_0) = [2(x_0 + \Delta x)^2 - 3(x_0 + \Delta x)] - [2x_0^2 - 3x_0]$$
$$= 2x_0^2 + 4x_0 \Delta x + 2(\Delta x)^2 - 3x_0 - 3\Delta x - 2x_0^2 + 3x_0$$
$$= 4x_0 \Delta x + 2(\Delta x)^2 - 3\Delta x$$
$$= \Delta x(4x_0 + 2\Delta x - 3).$$

O quociente em (8) é, portanto,

$$\frac{f(x_0 + \Delta x) - f(x_0)}{\Delta x} = 4x_0 + 2\Delta x - 3,$$

e

$$f'(x_0) = \lim_{\Delta x \to 0} (4x_0 + 2\Delta x - 3)$$
$$= 4x_0 - 3.$$

Assumimos nas observações que conduzem a (8) que a curva em discussão tem realmente uma tangente bem definida no ponto P. Esta é uma hipótese genuína, porque algumas curvas não têm tangente em todo ponto (Fig. 2.7). Entretanto, quando existe tangente, é claro que é necessário para a secante PQ tender à mesma posição-limite quando Q tende a P pela direita ou pela esquerda. Esses dois modos de tendência correspondem, respectivamente, a Δx tender a zero por valores apenas positivos ou apenas negativos. É portanto parte do significado de (8) que, para esse limite existir, devemos ter o mesmo valor-limite para ambos os sentidos de aproximação.

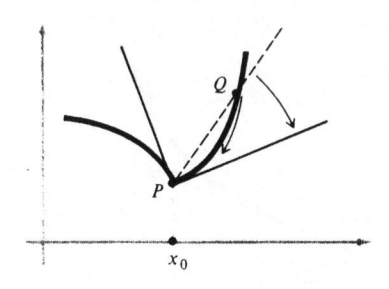

Figura 2.7

Problemas

1. Ache a equação da tangente à parábola $y = x^2$

    (a) no ponto $(-2, 4)$;

    (b) no ponto em que o coeficiente angular é 8;

    (c) se a tangente corta o eixo x no ponto 2.

2. Mostre que a tangente à parábola $y = x^2$, no ponto (x_0, y_0) diferente do vértice, corta o eixo x no ponto $x = \frac{1}{2}x_0$.

3. Uma reta $y = mx + b$, presume-se que seja sua própria reta tangente em qualquer ponto. Verifique isto mostrando que $f'(x_0) = m$ se $f(x) = mx + b$.

4. Esboce o gráfico de $y = x - x^2$ sobre o intervalo $-2 \leq x \leq 3$.

    (a) Use o método dos incrementos para calcular o coeficiente angular da reta tangente num ponto arbitrário (x_0, y_0) da curva.

    (b) Quais são os coeficientes angulares das retas tangentes nos pontos $(-1, -2)$, $(0, 0)$, $(1, 0)$ e $(2, -2)$ sobre a curva? Use esses coeficientes angulares para desenhar as tangentes nesses pontos em seu esboço.

    (c) Em que pontos sobre a curva a tangente é horizontal?

5. Use a fórmula (8) para calcular $f'(x_0)$ se $f(x)$ é igual a

   (a) $x^2 - 4x - 5$;   (b) $x^2 - 2x + 1$;
   (c) $2x^2 + 1$;   (d) $x^2 - 4$.

   Os resultados desses cálculos serão necessários nos problemas seguintes.

6. Esboce a curva dada e a reta tangente no ponto dado e ache a equação dessa reta tangente:

   (a) $y = x^2 - 4x - 5, (4, -5)$.
   (b) $y = x^2 - 2x + 1, (-1, 4)$.

7. Ache a equação da reta tangente à curva $y = 2x^2 + 1$, que é paralela à reta $8x + y - 2 = 0$.

8. Ache as equações das duas retas que passam pelo ponto $(3, 1)$ e são tangentes à curva $y = x^2 - 4$.

9. Prove analiticamente (isto é, sem usar um raciocínio geométrico) que não existe uma reta que passe pelo ponto $(1, -2)$ e seja tangente à curva $y = x^2 - 4$.

10. Desenhe o gráfico de $y = f(x) = |x - 1|$.

    (a) Existe algum ponto sobre o gráfico que não tenha reta tangente?

    (b) Ache $f'(x_0)$ se $x_0 > 1$. E também se $x_0 < 1$. O que se pode dizer acerca de $f'(x_0)$ se $x_0 = 1$?

2.3 A DEFINIÇÃO DE DERIVADA

Se separarmos a fórmula (8) da Seção 2.2 de sua motivação geométrica e também retirarmos o índice em x_0, chegaremos a nossa definição básica: dada uma função $f(x)$ qualquer, sua *derivada* $f'(x)$ é a nova função cujo valor num ponto x é definido por

$$f'(x) = \lim_{\Delta x \to 0} \frac{f(x + \Delta x) - f(x)}{\Delta x}. \qquad (1)$$

Ao calcular esse limite, x é mantido fixo enquanto Δx varia e tende a zero. O limite indicado pode existir para alguns valores de x e deixar de existir para outros. Se o limite existe para $x = a$, então a função diz-se *derivável* (ou *diferenciável*) em a. Uma função derivável (ou diferenciável) é aquela que é derivável em cada ponto de seu domínio. A maioria das funções específicas consideradas neste livro tem essa propriedade.

Sabemos que a derivada $f'(x)$ pode ser visualizada da maneira sugerida pela Fig. 2.6 na qual $f(x)$ é a altura variável de um ponto P se movendo ao longo da curva, e $f'(x)$ é declividade variável da reta tangente em P. Do ponto de vista estrito, no entanto, a definição acima da derivada não depende, de maneira nenhuma, de idéias geométricas. O que pensamos acerca da Fig. 2.8 constitui uma *interpretação geométrica* e mesmo que possa ser importante como auxiliar para a compreensão, não é parte essencial do conceito de derivada. Na seção seguinte encontraremos outras interpretações igualmente importantes que não têm nada a ver com geometria. Devemos portanto estar preparados para considerar $f'(x)$ puramente como uma função e reconhecer que ela tem diversas interpretações, sem existir necessariamente nenhuma conexão entre elas.

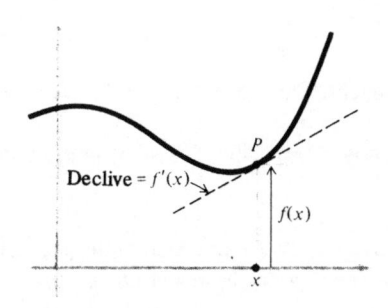

Figura 2.8

O processo de calcular realmente a derivada $f'(x)$ chama-se *derivação* (ou *diferenciação*) da função dada $f(x)$. Esta é a operação fundamental do Cálculo, da qual tudo o mais depende. Em princípio seguiremos simplesmente as instruções computacionais especificadas em (1). Essas instruções podem ser arranjadas num procedimento sistemático denominado *regra dos três passos* (ou *etapas*).

Passo 1: Escreva a diferença $f(x + \Delta x) - f(x)$ para a particular função em consideração e, se possível, simplifique-a até o ponto em que Δx seja um fator.

Passo 2: Divida por Δx para formar o *quociente das diferenças*

$$\frac{f(x + \Delta x) - f(x)}{\Delta x},$$

e manipule-o de modo a preparar o caminho para o cálculo de seu limite quando $\Delta x \to 0$. Na maioria dos exemplos e problemas deste capítulo, essa manipulação envolve nada mais que cancelar Δx do numerador e do denominador.

Passo 3: Calcule o limite do quociente das diferenças quando $\Delta x \to 0$. Se o Passo 2 atingiu seu propósito, só uma simples inspeção é necessária aqui.

Se lembrarmos que a notação de aparência inocente $f(x)$ abarca todas as funções concebíveis, então compreenderemos que esses passos são, às vezes, fáceis de executar e que, outras vezes, não são. Os exemplos seguintes dependem apenas de álgebra elementar, mas mesmo estes exigem um pouco de conhecimento e habilidade.

Exemplo 1 Determine $f'(x)$ se $f(x) = x^3$.

Passo 1:

$$\begin{aligned} f(x + \Delta x) - f(x) &= (x + \Delta x)^3 - x^3 \\ &= x^3 + 3x^2 \Delta x + 3x(\Delta x)^2 + (\Delta x)^3 - x^3 \\ &= 3x^2 \Delta x + 3x(\Delta x)^2 + (\Delta x)^3 \\ &= \Delta x [3x^2 + 3x \Delta x + (\Delta x)^2]. \end{aligned}$$

Passo 2:

$$\frac{f(x + \Delta x) - f(x)}{\Delta x} = 3x^2 + 3x \Delta x + (\Delta x)^2.$$

Passo 3:

$$f'(x) = \lim_{\Delta x \to 0} [3x^2 + 3x \Delta x + (\Delta x)^2] = 3x^2.$$

Exemplo 2 Determine $f'(x)$ se $f(x) = 1/x$.

Passo 1:

$$\begin{aligned} f(x + \Delta x) - f(x) &= \frac{1}{x + \Delta x} - \frac{1}{x} \\ &= \frac{x - (x + \Delta x)}{x(x + \Delta x)} = \frac{-\Delta x}{x(x + \Delta x)}. \end{aligned}$$

Passo 2:

$$\frac{f(x+\Delta x)-f(x)}{\Delta x} = \frac{-1}{x(x+\Delta x)}.$$

Passo 3:

$$f'(x) = \lim_{\Delta x \to 0} \frac{-1}{x(x+\Delta x)} = -\frac{1}{x^2}.$$

Vamos considerar resumidamente o que o resultado do Exemplo 2 nos diz acerca do gráfico da função $y = f(x) = 1/x$. Primeiro, $f'(x) = -1/x^2$ é evidentemente negativo para todo $x \neq 0$ e, como este é o coeficiente angular da tangente, todas as retas tangentes apontam à direita, para baixo. Depois, quando x está próximo de 0, $f'(x)$ é muito grande, o que significa que essas retas tangentes são bem inclinadas; e quando x é grande, $f'(x)$ é pequeno, e assim essas retas tangentes são quase horizontais. É instrutivo verificar nossas observações examinando a Fig. 1.30. De modo geral, as derivadas são capazes de nos dizer bastante acerca do comportamento das funções e das propriedades de seus gráficos. Vamos explorar esse tópico mais detalhadamente no Capítulo 4.

Exemplo 3 Achar $f'(x)$ se $f(x) = \sqrt{x}$.

Passo 1:

$$f(x+\Delta x) - f(x) = \sqrt{x+\Delta x} - \sqrt{x}.$$

Passo 2:

$$\frac{f(x+\Delta x)-f(x)}{\Delta x} = \frac{\sqrt{x+\Delta x}-\sqrt{x}}{\Delta x}.$$

O que foi mostrado não está numa forma conveniente para cancelar Δx, de modo que empregamos um truque algébrico para remover as raízes quadradas do numerador. Multiplicamos o numerador e o denominador da última fração por $\sqrt{x+\Delta x}+\sqrt{x}$, que se reduz a multiplicar essa fração por 1, e então utilizamos o fato expresso pela identidade algébrica $(a-b)(a+b) = a^2 - b^2$:

$$\frac{f(x+\Delta x)-f(x)}{\Delta x} = \frac{\sqrt{x+\Delta x}-\sqrt{x}}{\Delta x} \cdot \frac{\sqrt{x+\Delta x}+\sqrt{x}}{\sqrt{x+\Delta x}+\sqrt{x}}$$

$$= \frac{(x+\Delta x)-x}{\Delta x(\sqrt{x+\Delta x}+\sqrt{x})} = \frac{1}{\sqrt{x+\Delta x}+\sqrt{x}}.$$

Agora o próximo passo é fácil.

Passo 3:

$$f'(x) = \lim_{\Delta x \to 0} \frac{1}{\sqrt{x + \Delta x} + \sqrt{x}} = \frac{1}{\sqrt{x} + \sqrt{x}} = \frac{1}{2\sqrt{x}}.$$

Observações Sobre a Notação

Há um aspecto do Cálculo um pouco desconcertante que poderíamos confrontar aqui. É o fato de que diversas notações diferentes para as derivadas são de uso comum, de preferência passando de uma para outra, de acordo com as circunstâncias em que os símbolos estão sendo usados. Alguém pode perguntar: "O que importa quais símbolos sejam usados?". O fato é que isto tem grande importância, pois boas notações podem suavizar o caminho e realizar boa parte de nosso trabalho, enquanto notações ruins nos imobilizam, sendo quase impossível uma movimentação fácil.

A derivada de uma função $f(x)$ foi denotada acima por $f'(x)$. Essa notação tem o mérito de enfatizar que a derivada de $f(x)$ é uma outra função de x que está associada de certa maneira com a função dada. Se nossa função é dada na forma $y = f(x)$, com a variável dependente explícita, então o símbolo mais curto, y', é freqüentemente usado em lugar de $f'(x)$.

A principal desvantagem da notação prima (') para derivadas é que ela não sugere a natureza do processo pelo qual $f'(x)$ é obtida de $f(x)$. A notação criada por Leibniz para sua versão de Cálculo é melhor nesse aspecto bem como em outros.

Para explicar a notação de Leibniz, começamos com uma função $y = f(x)$ e escrevemos o quociente de diferenças

$$\frac{f(x + \Delta x) - f(x)}{\Delta x}$$

na forma

$$\frac{\Delta y}{\Delta x},$$

onde $\Delta y = f(x + \Delta x) - f(x)$. Aqui Δy não é apenas uma mudança qualquer em y; ela é a mudança específica que resulta quando a variável independente muda de x para $x + \Delta x$. Como sabemos, o quociente de diferenças $\Delta y / \Delta x$ pode ser interpretado como a razão da variação de y pela variação de x ao longo da curva $y = f(x)$, e esta é o declive da secante (Fig. 2.9).

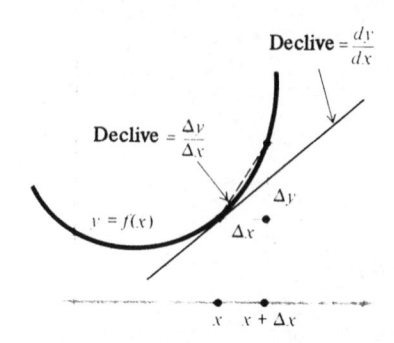

Figura 2.9

Leibniz escreveu o limite desse quociente de diferenças, que naturalmente é a derivada $f'(x)$, na forma dy/dx (leia-se "dy sobre dx" ou, simplesmente, "dy,dx"). Nessa notação, a definição da derivada torna-se

$$\frac{dy}{dx} = \lim_{\Delta x \to 0} \frac{\Delta y}{\Delta x}, \qquad (2)$$

e este é o coeficiente angular (declive) da tangente na Fig. 2.9. Duas formas equivalentes um pouco diferentes de dy/dx são

$$\frac{df(x)}{dx} \quad \text{e} \quad \frac{d}{dx} f(x).$$

Na segunda notação, o símbolo d/dx deve ser encarado como uma operação que pode ser aplicada à função $f(x)$ para levar a sua derivada $f'(x)$, como é sugerida pela equação

$$\frac{d}{dx} f(x) = f'(x).$$

O símbolo d/dx pode ser lido "a derivada em relação a x de . . .", qualquer que seja a função de x que siga.

É importante compreender que dy/dx em (2) é um único símbolo individual. A despeito da maneira como é escrita, *não* é o quociente de duas quantidades dy e dx, porque dy e dx não foram definidas e não têm existência independente. Na notação de Leibniz, a formação do limite à direita de (2) é simbolicamente expressa substituindo-se a letra Δ pela ledra d. Desse ponto de vista, o símbolo dy/dx para a derivada tem a vantagem psicológica de nos fazer lembrar rapidamente de todo o processo de se formar o quociente de diferenças $\Delta y/\Delta x$ e calcular seu limite quando $\Delta x \to 0$. Há também uma vantagem prática, pois certas fórmulas fundamentais desenvolvidas no próximo capítulo são mais fáceis de lembrar e usar quando as derivadas são escritas na notação de Leibniz.

Mas, por melhor que seja, essa notação não é perfeita. Por exemplo, suponha que desejemos escrever o valor numérico da derivada num ponto específico, digamos $x = 3$. Como dy/dx não mostra a variável x da maneira conveniente, como o faz $f'(x)$, somos forçados a usar uma notação desajeitada, como

$$\left(\frac{dy}{dx}\right)_{x=3} \quad \text{ou} \quad \left.\frac{dy}{dx}\right|_{x=3}.$$

O símbolo claro e conciso $f'(3)$ é obviamente melhor que essas expressões deselegantes.

Como vimos, cada uma das notações descritas anteriormente é boa a sua maneira. Todas são amplamente utilizadas na literatura da Ciência e da Matemática. Para ajudar o estudante a se familiarizar completamente com elas, iremos utilizá-las livremente e de modo permutável de agora em diante.

Problemas

Nos Problemas 1 a 12 use a regra dos três passos para calcular $f'(x)$ se $f(x)$ é igual à expressão dada.

1. $ax^2 + bx + c$ (a, b, c constantes).
2. $5x - x^3$.
3. $2x^3 - 3x^2 + 6x - 5$.
4. x^4.
5. $x - \dfrac{1}{x}$.
6. $\dfrac{1}{3x + 2}$.
7. $\dfrac{x}{x + 1}$.
8. $\dfrac{1}{x^2}$.
9. $\dfrac{1}{x^3}$.
10. $\dfrac{1}{x^2 + 1}$.
11. $\sqrt{2x}$.
12. $\sqrt{x - 1}$.

13. Considere a parte da curva $y = 1/x$ que fica no primeiro quadrante e desenhe a tangente num ponto arbitrário (x_0, y_0) dessa curva.

    (a) Mostre que a porção da reta tangente compreendida entre os eixos tem como ponto médio o ponto de tangência.

(b) Ache a área do triângulo formado pelos eixos e pela tangente e verifique que essa área é independente da localização do ponto de tangência.

14. Ache $f'(x)$ se $f(x) = x^3 - 3x$. Use o resultado para verificar as posições dos pontos de picos (superiores e inferiores) sobre a curva $y = x^3 - 3x$, que são mostradas na Fig. 1.28. Sugestão: nos pontos de picos a tangente é horizontal.

15. Desenho o gráfico da função $y = f(x) = |x| + x$ e prove que essa função não é derivável em $x = 0$. Sugestão: na fórmula (1), tome primeiro Δx positivo obtendo um valor-limite; depois, tome Δx negativo, obtendo um valor-limite diferente. Em uma situação dessa natureza, dizemos que a função tem uma *derivada pela direita* e uma *derivada pela esquerda*, mas não tem derivada.

2.4 VELOCIDADE E TAXAS DE VARIAÇÃO

O conceito de derivada está intimamente relacionado com o problema de calcular a velocidade de um objeto móvel. Foi esse fato que tornou o Cálculo um instrumento de pensamento essencial para Newton, em seus esforços para descobrir os princípios da Dinâmica e compreender os movimentos dos planetas. Poderia parecer que só os estudantes de Física achariam vantajoso preocupar-se com idéias precisas acerca da velocidade. No entanto, veremos que essas idéias dão uma introdução bastante fácil ao conceito geral de taxa de variação e esse conceito é importante em muitos outros campos de estudo, incluindo as ciências biológicas e sociais — especialmente Economia.

Nesta seção consideramos um caso particular do problema geral da velocidade: aquele em que o objeto em questão pode ser pensado como um ponto móvel ao longo de uma reta, de modo que a posição do ponto seja determinada por uma única coordenada s (Fig. 2.10).

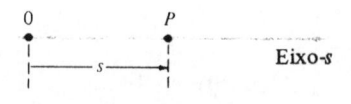

Figura 2.10

O movimento é totalmente conhecido se sabemos onde o ponto móvel está em cada momento; isto é, se conhecemos a posição s como uma função do tempo t,

$$s = f(t). \tag{1}$$

O tempo é usualmente medido a partir de algum instante inicial conveniente $t = 0$.

Exemplo 1 Considere um objeto em queda livre, digamos uma pedra largada da borda de um penhasco a 122,5 m de altura (Fig. 2.11). Sabe-se, por muitos experimentos, que essa pedra estará a uma distância s,

$$s = 4,9t^2, \qquad (2)$$

metros em t segundos. Vemos que quando $t = 5$, $s = 122,5$. A pedra, portanto, atinge o solo 5 segundos após ter começado a cair, e a fórmula (2) é válida somente para $0 \leqslant t \leqslant 5$.

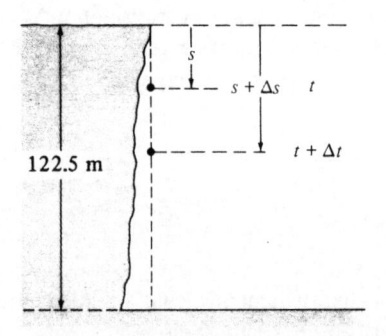

Figura 2.11

Duas questões básicas podem ser colocadas acerca do movimento descrito nesse exemplo. Primeiro, o que significa a velocidade da pedra que cai, num dado instante? E segundo, como pode essa velocidade ser calculada a partir de (2)?

Estamos todos familiarizados com a idéia de velocidade em seu sentido cotidiano, como um número que mede a taxa em que a distância está sendo percorrida. Falamos de andar a 5 quilômetros por hora (km/h), dirigir a 80 km/h etc. Falamos também de velocidades *médias*, que são os números usualmente computados. Se percorremos de carro uma distância de 320 km em 5 horas, então nossa velocidade média é de 64 km/h, pois

$$\frac{\text{distância percorrida}}{\text{intervalo de tempo gasto}} = \frac{320 \text{ km}}{5 \text{ h}} = 64 \text{ km/h}.$$

Em geral,

$$\text{velocidade média} = \frac{\text{distância percorrida}}{\text{intervalo de tempo gasto em percorrê-la}}.$$

E esta é uma fórmula com a qual poucas pessoas não concordariam.

Exemplo 1 (Cont.) A função posição para a pedra em queda livre, $f(t) = 4,9t^2$, diz que, no primeiro segundo depois que a pedra é largada, ela cai $f(1) = 4,9$ m; nos primeiros 2 segundos $f(2) = 19,6$ m; nos primeiros 3 segundos $f(3) = 44,1$ m; e assim por diante. As velocidades médias, durante cada um dos 3 primeiros segundos, são, portanto,

$$\frac{4,9}{1} = 4,9 \text{ m/s}, \quad \frac{19,6 - 4,9}{1} = 14,7 \text{ m/s} \quad \text{e} \quad \frac{44,1 - 19,6}{1} = 24,5 \text{ m/s}.$$

A pedra, é claro, está caindo cada vez mais rapidamente, mas a questão de exatamente quão rápido está caindo em qualquer instante dado ainda não está respondida.

Para achar a velocidade v da pedra num dado instante t, fazemos o seguinte: no intervalo de tempo de amplitude Δt entre t e um instante posterior $t + \Delta t$, a pedra cai uma distância Δx (veja a Fig. 2.11). A velocidade média durante esse intervalo é o quociente $\Delta s/\Delta t$. Quando Δt é pequeno, essa velocidade média está perto da velocidade exata v no começo do intervalo, isto é,

$$v \cong \frac{\Delta s}{\Delta t},$$

onde o símbolo $\cong$ lê-se "é aproximadamente igual a". Além disso, quanto menor Δt, torna-se cada vez melhor essa aproximação, e assim temos

$$v = \lim_{\Delta t \to 0} \frac{\Delta s}{\Delta t}. \qquad (3)$$

Nosso ponto de vista é que a velocidade v é um conceito intuitivo direto e (3) nos mostra como calculá-la. No entanto, também é possível encarar (3) como a *definição* de velocidade, com as observações precedentes servindo de motivação. O limite em (3), é claro, é a derivada ds/dt. Entrando em detalhes temos

$$v = \frac{ds}{dt} = \lim_{\Delta t \to 0} \frac{\Delta s}{\Delta t}$$

$$= \lim_{\Delta t \to 0} \frac{4,9(t + \Delta t)^2 - 4,9t^2}{\Delta t}$$

$$= \lim_{\Delta t \to 0} (9,8t + 4,9\Delta t) = 9,8 \, t.$$

Essa fórmula diz-nos que a velocidade da pedra após 1, 2 e 3 segundos de queda é 9,8, 19,6 e 29,4 m/s, e também que a pedra atinge o solo a 49 m/s. Notamos que a velocidade cresce de 9,8 m/s durante cada segundo de queda. Esse fato é usualmente expresso dizendo-se que a aceleração da pedra é 9,8 metros por segundo por segundo (m/s^2).

O raciocínio utilizado nesse exemplo é válido para qualquer movimento ao longo de uma reta. Para o movimento geral (1), calculamos, portanto, a velocidade v no instante t de maneira exatamente igual, isto é, aproximamos v cada vez mais pela velocidade média sobre um intervalo de tempo cada vez menor, começando no instante t:

$$v = \lim_{\Delta t \to 0} \frac{\Delta s}{\Delta t} = \lim_{\Delta t \to 0} \frac{f(t + \Delta t) - f(t)}{\Delta t}.$$

Reconhecemos isto como a derivada da função $s = f(t)$, e assim a velocidade de um ponto móvel numa reta é simplesmente a derivada de sua função posição

$$v = \frac{ds}{dt} = f'(t).$$

Algumas vezes, esta é chamada a velocidade "instantânea", para enfatizar que é calculada num instante t. Entretanto, uma vez que esse ponto foi destacado, é habitual omitir-se o adjetivo. A velocidade pode ser positiva ou negativa, conforme o ponto esteja se movendo na reta no sentido positivo ou negativo.

Exemplo 2 Considere um projétil disparado para cima em linha reta, do solo, com velocidade inicial de 39,2 m/s. Esse projétil move-se para cima e depois para baixo ao longo de uma reta. Entretanto, as duas partes de seu percurso são mostradas separadas na Fig. 2.12, para maior clareza visual.

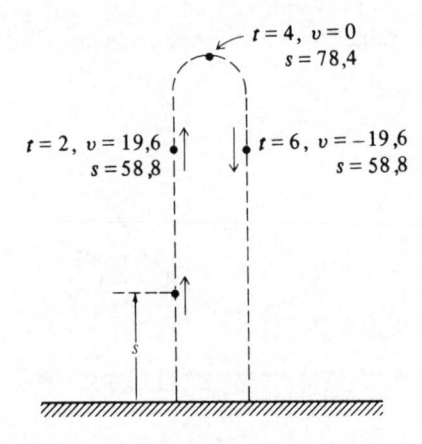

Figura 2.12

Seja $s = f(t)$ a altura em metros do projétil t segundos após o disparo. Se a força da gravidade estivesse ausente, o projétil continuaria se movendo para cima com velocidade constante de 39,2 m/s e teríamos $s = f(t) = 39,2\,t$. No entanto, a ação da gravidade provoca seu amortecimento e ele pára momentaneamente no topo de seu vôo, e depois cai com velocidade crescente. A evidência experimental sugere que a altura do projétil durante o seu vôo é dada pela fórmula

$$s = f(t) = 39{,}2t - 4{,}9t^2. \tag{4}$$

Se escrevermos na forma fatorada $s = 4{,}9t(8-t)$, vemos que $s = 0$ quando $t = 0$ e quando $t = 8$. Logo, o projétil retorna ao solo 8 segundos após a partida e (4) é válida somente para $0 \leqslant t \leqslant 8$.

Para aprender mais sobre a natureza desse movimento é necessário conhecer a velocidade. Se a regra dos três passos para calcular derivadas é aplicada a (4), encontramos a velocidade no instante t:

$$v = \frac{ds}{dt} = 39{,}2 - 9{,}8t. \tag{5} \quad (5)$$

No topo de seu vôo, o projétil está momentaneamente em repouso e portanto $v = 0$. Por (5), $t = 4$ quando $v = 0$, e por (4), $s = 78{,}4$ quando $t = 4$. Dessa maneira, achamos a altura máxima alcançada pelo projétil e o tempo exigido para alcançar essa altura (veja a Fig. 2.12). Quando t cresce de 0 a 8, é claro, a partir de (5), que v decresce de 39,2 m/s a $-39{,}2$ m/s. De fato, v decresce de 9,8 m/s durante cada segundo na subida e isto se expressa dizendo que a aceleração é $-9{,}8$ metros por segundo por segundo (m/s^2). Notamos explicitamente que a velocidade é positiva de $t = 0$ a $t = 4$, quando s é crescente; e é negativa de $t = 4$ a $t = 8$, quando s está decrescendo. Em particular, é fácil ver por (5) que $v = 19{,}6$ m/s quando $t = 2$ e $v = -19{,}6$ m/s quando $t = 6$.

A velocidade é um exemplo do conceito de taxa de variação, que é básico para todas as ciências. Para toda função $y = f(x)$, a derivada dy/dx chama-se a taxa de variação de y com relação a x. Intuitivamente, esta é a variação em y que seria produzida por um acréscimo de uma unidade de x se a taxa de variação permanecesse constante (Fig. 2.13).

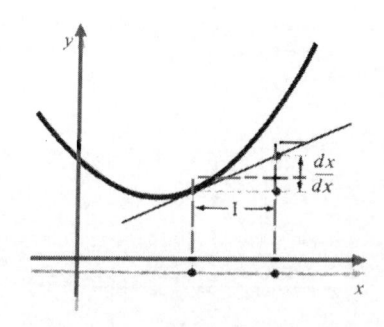

Figura 2.13

Nessa terminologia, a velocidade é simplesmente a taxa de variação da posição com relação ao tempo. Quando o tempo é a variável independente, omitimos, com freqüência, a frase "com relação ao tempo" e falamos somente "taxa de variação".

Exemplo 3 (a) Sabemos que a velocidade é importante para estudar o movimento de um ponto ao longo de uma reta, mas a maneira como a velocidade varia é também importante. Por definição, a *aceleração* de um ponto móvel é a taxa de variação de sua velocidade v,

$$a = \frac{dv}{dt}.$$

(b) Suponha que esteja sendo despejada água no tanque cônico mostrado na Fig. 2.14 à taxa de 0,14 m³/min. Se V designa o volume da água no tanque no instante t, então

$$\frac{dV}{dt} = 0,14.$$

A taxa de variação da profundidade x é a derivada dx/dt e esta não é constante. É intuitivamente claro que essa taxa de variação é grande quando a área da superfície da água é pequena e torna-se pequena quando esta área aumenta.

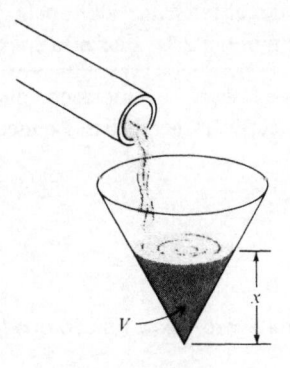

Figura 2.14

(c) em Economia, a taxa de variação de uma quantidade Q com relação a uma conveniente variável independente é usualmente chamada "Q marginal". Assim, temos custo marginal, receita marginal, lucro marginal etc. Se $C(x)$ é o custo de fabricar x peças de algum produto, então o custo marginal é dC/dx. Em muitos casos, x é um número grande e assim 1 é pequeno comparado com x, e dC/dx é aproximadamente igual a $C(x+1) - C(x)$. Por essa razão, muitos economistas descrevem custo marginal como "o custo de produzir uma peça a mais".

(d) Sabemos que a área A de um círculo em termos de seu raio r é dada pela fórmula $A = \pi r^2$, e a derivada dessa função é fácil de calcular pela regra dos três passos:

$$\frac{dA}{dr} = 2\pi r. \tag{6}$$

Isto diz que a taxa de variação da área do círculo com relação ao seu raio é igual à medida da circunferência (comprimento). Para compreender a razão geométrica desse fato notável, seja Δr um incremento do raio e ΔA o correspondente incremento da área (Fig. 2.15).

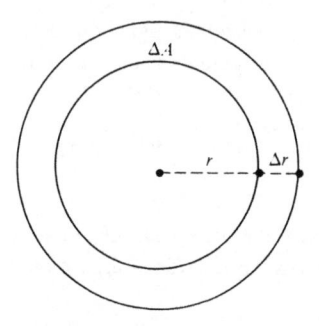

Figura 2.15

É claro que ΔA é a área da faixa estreita ao redor do círculo e esta é aproximadamente igual ao produto do comprimento da circunferência, $2\pi r$, pela largura Δr da faixa. O quociente de diferenças $\Delta A / \Delta r$ é, portanto, próximo a $2\pi r$. Fazendo $\Delta r \to 0$ obtemos (6).

Introduzimos dois tópicos nesta seção: velocidade, que é a taxa de variação da posição de um objeto móvel, e taxas de variação em geral. Esses conceitos são muito importantes para o Cálculo e serão vistos mais vezes.

Problemas

De acordo com o Problema 1 da Seção 2.3, a função quadrática geral

$$s = f(t) = at^2 + bt + c$$

tem derivada

$$\frac{ds}{dt} = f'(t) = 2at + b.$$

Cada uma das fórmulas dos Problemas 1 a 7 descreve o movimento de um ponto ao longo de uma reta horizontal cujo sentido é o da esquerda para a direita. Em cada caso, use o resultado do enunciado acima para escrever a velocidade $v = ds/dt$. Encontre, também, (a) os instantes em que a velocidade é nula, de modo que o ponto está momentaneamente em repouso; e (b) os instantes em que o ponto está se movendo para a direita.

1. $s = 3t^2 - 12t + 7$.
2. $s = 1 - 6t - t^2$.
3. $s = 2t^2 + 28t - 6$.
4. $s = -19 + 10t - 5t^2$.
5. $s = 7t^2 + 2$.
6. $s = 2 + 7t$.
7. $s = (2t - 6)^2$.

8. Dois pontos partem da origem do eixo s no instante $t = 0$ e movem-se ao longo desse eixo, de acordo com as fórmulas

$$s_1 = t^2 - 6t \quad \text{e} \quad s_2 = 8t - t^2,$$

onde s_1 e s_2 são medidos em metros e t, em segundos.

(a) Quando é que os dois pontos têm a mesma velocidade?

(b) Quais são as velocidades dos dois pontos nos instantes em que eles têm a mesma posição?

9. Partindo do repouso, um certo carro move-se s metros em t segundos, onde $s = 1,34t^2$. Quanto tempo levará o carro para atingir a velocidade de 26,8 m/s?

10. Suponha que um projétil disparado do solo para cima com uma velocidade inicial de v_0 m/s atinja uma altura de s metros em t segundos, onde

$$s = v_0 t - 4,9t^2.$$

(a) Calcule a velocidade v no instante t.

(b) Quanto tempo decorre para que o projétil atinja sua altura máxima?

(c) Qual é a altura máxima?

(d) Qual é a velocidade do projétil no instante em que atinge o solo?

(e) Qual deve ser a velocidade inicial para que o projétil atinja o solo 15 segundos após o disparo?

11. Um tanque de óleo deve ser drenado para limpeza. Se sobram V galões de óleo no tanque t minutos após o início da drenagem, onde $V = 40(50 - t^2)$, calcule:

    (a) a taxa média em que é drenado o óleo para fora do tanque durante os primeiros 20 minutos;

    (b) a taxa em que o óleo está fluindo para fora do tanque 20 minutos após o início da drenagem.

12. Considere um quadrado de área A e lado s, de modo que $A = s^2$. Se $x = \frac{1}{2}s$, utilize a idéia do Exemplo 3d para fazer conjecturas acerca do valor de dA/dx. Verifique suas conjecturas por meio de cálculos.

13. Suponha que um balão de volume V e raio r esteja sendo inflado, de tal modo que V e r sejam ambas funções do tempo t. Se dV/dt é constante, o que pode ser dito (sem cálculos) acerca do comportamento de dr/dt quando r cresce?

2.5 LIMITES E FUNÇÕES CONTÍNUAS

É evidente, pelas seções precedentes, que a definição de derivada repousa sobre o conceito de limite de função, que utilizamos livremente, com explanação muito resumida. O que é esse conceito?

Consideremos uma função $f(x)$ definida para valores de x próximos de um ponto a sobre o eixo x, mas não necessariamente definida no próprio ponto a. Suponhamos que exista um número L com a propriedade de que $f(x)$ fica cada vez mais próximo de L quando x se aproxima mais e mais de a (Fig. 2.16).

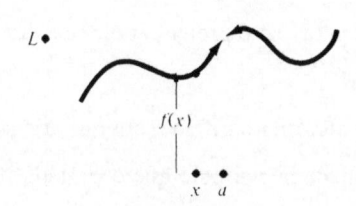

Figura 2.16

Nessas circunstâncias, dizemos que L é o limite de $f(x)$ quando x tende a a e expressamos isto simbolicamente escrevendo

$$\lim_{x \to a} f(x) = L. \tag{1}$$

Se não existe um número L com essa propriedade, dizemos que $f(x)$ *não tem limite* quando x tende a a, ou que o $\lim_{x \to a} f(x)$ *não existe*. Uma outra notação amplamente utilizada, que é equivalente a (1), é

$$f(x) \to L \quad \text{quando} \quad x \to a,$$

que se lê "$f(x)$ tende a L quando x tende a a". Ao pensar no significado de (1), é essencial compreender que não importa o que acontece com $f(x)$ quando x é igual a a; tudo que interessa é o comportamento de $f(x)$ para x *perto de a*.

Essas descrições informais do significado de (1) são úteis para a intuição e adequadas para muitos propósitos práticos. Todavia, são muito vagas para serem aceitáveis como definições, por causa da imprecisão de expressões tais como "cada vez mais próximo" e "tende a". O significado exato de (1) é importante demais para ser deixado para a imaginação do leitor; e, com o risco de sermos exageradamente técnicos, tentaremos dar uma definição tão resumida e clara quanto possível.

Começamos analisando um exemplo específico:

$$y = f(x) = \frac{2x^2 + x}{x}.$$

Essa função não está definida para $x = 0$, e para $x \neq 0$ os seus valores são dados pela expressão mais simples

$$f(x) = \frac{x(2x + 1)}{x} = 2x + 1.$$

Ao examinarmos o gráfico (Fig. 2.17), fica claro que $f(x)$ está próximo de 1 quando x está próximo de 0. Para dar uma descrição quantitativa desse comportamento qualitativo, necessitamos de uma fórmula para a diferença entre $f(x)$ e o valor-limite 1:

$$f(x) - 1 = (2x + 1) - 1 = 2x.$$

Vemos, por essa fórmula, que pode-se tornar $f(x)$ *tão próximo* de 1 *quanto se queira*, tornando-se x *suficientemente próximo* de 0. Assim,

$$f(x) - 1 = \tfrac{1}{100} \quad \text{quando} \quad x = \tfrac{1}{200},$$
$$f(x) - 1 = \tfrac{1}{1000} \quad \text{quando} \quad x = \tfrac{1}{2000},$$

e assim por diante.

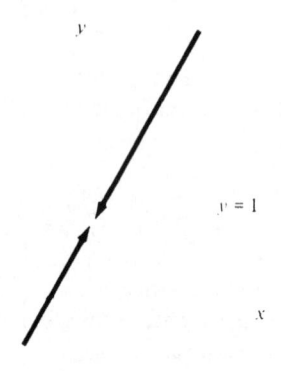

Figura 2.17

De modo mais geral, seja ε (epsilon) qualquer número positivo dado de antemão, não importa quão pequeno seja, e defina δ (delta) por $\delta = \frac{1}{2}\varepsilon$. Então, a distância de $f(x)$ a 1 será menor que ε, bastando que a distância de x 0 seja menor que δ, isto é,

$$\text{se} \quad |x| < \delta = \tfrac{1}{2}\epsilon \quad \text{então} \quad |f(x) - 1| = 2|x| < \epsilon.$$

Essa afirmação é muito mais precisa que o vago enunciado de que $f(x)$ está "perto" de 1 quando x está "perto" de 0. Ela nos diz exatamente quão próximo x deve estar de 0 para garantir que $f(x)$ atingirá um grau previamente especificado de proximidade de 1. Naturalmente, não permitimos x igual a 0 aqui, porque $f(x)$ não tem significado para $x = 0$.

A chamada definição de (1) por epsilon e delta é agora fácil de compreender. É esta: para cada número positivo ε existe um número positivo δ com a propriedade de que

$$|f(x) - L| < \epsilon,$$

para todo número x no domínio da função que satisfaz as desigualdades

$$0 < |x - a| < \delta.$$

O estudante deve ler essa definição cuidadosamente e estar ciente de seu papel na teoria do Cálculo. No entanto, uma compreensão intuitiva de limites é suficiente para nossos objetivos, e desse ponto de vista os exemplos seguintes não apresentam dificuldades.

Exemplo 1 Primeiro,

$$\lim_{x \to 2}(3x + 4) = 10.$$

Aqui é claro que quando x tende a 2, $3x$ tende a 6 e $3x + 4$ tende a $6 + 4 = 10$. A seguir,

$$\lim_{x \to 1} \frac{x^2 - 1}{x - 1} = \lim_{x \to 1} (x + 1) = 2.$$

A primeira coisa que notamos aqui é que a função $(x^2 - 1)/(x - 1)$ não está definida em $x = 1$, pois tanto o numerador como o denominador se anulam. Mas esse fato é irrelevante, pois tudo o que importa é o comportamento da função para x próximo de 1, mas diferente de 1, sendo que para todos esses x a função é igual a $x + 1$, que está próxima de 2.

Exemplo 2 É esclarecedor considerar alguns limites que não existem, por exemplo,

$$\lim_{x \to 0} \frac{x}{|x|}, \quad \lim_{x \to 0} \frac{1}{x}, \quad e \quad \lim_{x \to 0} \frac{1}{x^2}.$$

O comportamento desses limites é mais facilmente compreendido olhando-se os gráficos das funções $x/|x|$, $1/x$ e $1/x^2$ (Fig. 2.18).

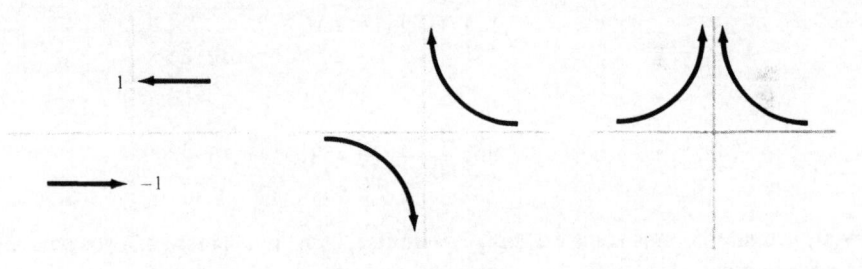

Figura 2.18

No primeiro caso, a função é igual a 1 quando x é positivo, e -1 quando x é negativo (e não está definida em $x = 0$). Assim não existe nenhum número do qual os valores da função se aproximam quando x tende a 0, de ambos os lados. Podemos ser um pouco mais específicos sobre a maneira em que esse limite falha, escrevendo

$$\lim_{x \to 0+} \frac{x}{|x|} = 1 \quad e \quad \lim_{x \to 0-} \frac{x}{|x|} = -1.$$

As notações $x \to 0+$ e $x \to 0-$ têm a intenção de sugerir que a variável x tende a 0 pelo lado positivo (pela direita) e pelo lado negativo (pela esquerda), respectivamente. Os outros dois limites deixam de existir porque, em cada caso, os valores da função tornam-se arbitrariamente grandes em valor absoluto quando x tende a 0. Em símbolos,

$$\lim_{x \to 0+} \frac{1}{x} = \infty, \quad \lim_{x \to 0-} \frac{1}{x} = -\infty, \quad \text{e} \quad \lim_{x \to 0} \frac{1}{x^2} = \infty.$$

As principais regras para calcular limites são exatamente as que poderíamos esperar. Por exemplo,

$$\lim_{x \to a} x = a,$$

e se c é uma constante, então

$$\lim_{x \to a} c = c.$$

Também, se $\lim_{x \to a} f(x) = L$ e $\lim_{x \to a} g(x) = M$, então

$$\lim_{x \to a} [f(x) + g(x)] = L + M,$$

$$\lim_{x \to a} [f(x) - g(x)] = L - M,$$

$$\lim_{x \to a} f(x)g(x) = LM,$$

e

$$\lim_{x \to a} \frac{f(x)}{g(x)} = \frac{L}{M} \quad (\text{se } M \neq 0).$$

Em palavras, o limite de uma soma é a soma dos limites, com enunciados análogos para diferenças, produtos e quocientes.

Quando nos aprofundamos no assunto, será, muitas vezes, importante que conheçamos o que significa uma *função* ser *contínua*. No linguajar cotidiano, um processo "contínuo" é aquele que ocorre sem falhas ou interrupções ou mudanças repentinas. Grosso modo, uma função $y = f(x)$ é contínua se ela mostra um comportamento semelhante, isto é, se uma pequena variação em x produz uma pequena variação no valor correspondente $f(x)$. A função mostrada na Fig. 2.19 é contínua no ponto a porque $f(x)$ está próxima de $f(a)$ quando x está próximo de a, ou, mais precisamente, porque $f(x)$ pode ser tornada tão próxima quanto quisermos de $f(a)$, tomando-se x suficientemente próximo de a. Na linguagem de limites, diz-se que

$$\lim_{x \to a} f(x) = f(a). \tag{2}$$

Até aqui nossas observações acerca da continuidade têm sido um pouco vagas e intuitivas e pretenderam mais explicar que definir. Adotamos agora a equação (2) como a definição de que $f(x)$ é *contínua em a*. O leitor deve observar que a continuidade de $f(x)$ em *a* exige que três coisas aconteçam: *a* deve estar no domínio de $f(x)$, de modo que $f(a)$ exista; $f(x)$ deve ter um limite quando x tende a a; e esse limite deve ser igual a $f(a)$. Podemos compreender essas idéias mais claramente examinando a Fig. 2.19, na qual a função é descontínua, de diferentes maneiras, nos pontos b, c e d: no ponto b, $\lim_{x \to b} f(x)$ existe, mas $f(b)$ não; em c, $f(c)$ existe, mas $\lim_{x \to c} f(x)$ não; e, em d, $f(d)$ e $\lim_{x \to d} f(x)$ existem mas têm valores diferentes.

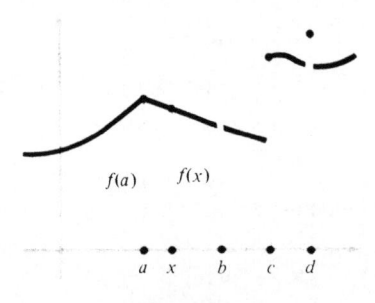

Figura 2.19

A definição dada aqui nos diz o que significa uma função ser contínua num particular ponto de seu domínio. Uma *função* se diz *contínua* se ela é contínua em cada ponto de seu domínio. Em particular, pelas propriedades de limites, é fácil ver que as funções polinomiais e racionais são contínuas. Estaremos interessados especialmente em funções que são contínuas em intervalos. Essas funções serão, com freqüência, descritas como aquelas cujos gráficos podem ser desenhados sem tirar o lápis do papel.

Com uma pequena mudança de notação, podemos exprimir a continuidade de nossa função num ponto x (em vez de a) numa das formas equivalentes

$$\lim_{\Delta x \to 0} f(x + \Delta x) = f(x) \quad \text{ou} \quad \lim_{\Delta x \to 0} [f(x + \Delta x) - f(x)] = 0;$$

e, se escrevemos $\Delta y = f(x + \Delta x) - f(x)$, então, essa condição fica sendo

$$\lim_{\Delta x \to 0} \Delta y = 0.$$

A razão disto é possibilitar uma prova muito fácil de um fato que iremos necessitar no capítulo seguinte, ou seja, *uma função que é derivável num ponto é contínua nesse ponto*. A prova consta apenas de uma única linha:

$$\lim_{\Delta x \to 0} \Delta y = \lim_{\Delta x \to 0} \frac{\Delta y}{\Delta x} \cdot \Delta x = \left[\lim_{\Delta x \to 0} \frac{\Delta y}{\Delta x} \right] \left[\lim_{\Delta x \to 0} \Delta x \right] = \frac{dy}{dx} \cdot 0 = 0.$$

A recíproca desse teorema não é verdadeira, pois uma função pode ser contínua num ponto sem ser aí derivável (por exemplo, veja o ponto *a* na Fig. 2.19).

Observamos anteriormente que o Cálculo é uma arte de resolver problemas e não um ramo da Lógica. Ele tem mais a ver com o enfoque originado da compreensão intuitiva do que com um cuidadoso raciocínio dedutivo. Naturalmente tentaremos convencer o leitor da verdade de nossas afirmações e da legimitidade de nossos procedimentos. No entanto, esses esforços serão breves e preferencialmente informais, no sentido de evitar entupimento do texto com massivos nacos indigestos de material teórico. Aqueles que desejarem dedicar mais atenção ao lado puramente matemático do assunto encontrarão provas logicamente rigorosas dos principais teoremas no Apêndice B, no fim do livro. Em particular, as propriedades dos limites enunciados aqui são provadas no Apêndice B.2.

Problemas

Alguns dos limites seguintes existem e outros não. Calcule aqueles que existem.

1. $\lim_{x \to 3} (7x - 6)$.

2. $\lim_{x \to 2} \dfrac{10}{3 + x}$.

3. $\lim_{x \to 0} \dfrac{5}{x - 1}$.

4. $\lim_{x \to 2} \dfrac{6}{2x - 4}$.

5. $\lim_{x \to 3} \dfrac{3x - 9}{x - 3}$.

6. $\lim_{x \to 3} \dfrac{x^2 + 3x}{x^2 - x + 3}$.

7. $\lim_{x \to 5} \dfrac{x - 3 - 2x^2}{1 + 3x}$.

8. $\lim_{x \to -3} \dfrac{4x}{x + 3}$.

9. $\lim_{x \to -3} \left(\dfrac{4x}{x + 3} + \dfrac{12}{x + 3} \right)$.

10. $\lim_{x \to 0.001} \dfrac{x}{|x|}$.

11. $\lim_{x \to 7} \dfrac{x^2 + x - 56}{x^2 - 11x + 28}$.

12. $\lim_{x \to -2} \dfrac{(x + 2)(x^2 - x + 3)}{x^2 + x - 2}$.

13. $\lim_{x \to 0} \dfrac{x^2}{|x|}$.

14. $\lim_{x \to 4} \dfrac{x - 4}{\sqrt{x} - 2}$.

15. $\lim_{x \to 4} \dfrac{x - 4}{x - \sqrt{x} - 2}$.

16. $\lim_{x \to 3} \dfrac{\sqrt{x^2 + 16} - 5}{x^2 - 3x}$.

17. Se $\lim_{x\to a} f(x) = 4$, $\lim_{x\to a} g(x) = -2$ e $\lim_{x\to a} h(x) = 0$, calcule os seguintes limites:

(a) $\lim_{x\to a} [f(x) - g(x)]$;

(b) $\lim_{x\to a} [g(x)]^2$;

(c) $\lim_{x\to a} \dfrac{f(x)}{g(x)}$;

(d) $\lim_{x\to a} \dfrac{h(x)}{f(x)}$;

(e) $\lim_{x\to a} \dfrac{f(x)}{h(x)}$;

(f) $\lim_{x\to a} \dfrac{1}{[f(x) + g(x)]^2}$.

18. Em muitas situações estamos interessados no comportamento de $f(x)$ quando x é grande e positivo. Se existe um número L com a propriedade de que $f(x)$ fica cada vez mais próxima de L quando x cresce sem limitação (Fig. 2.20), então dizemos que L é o *limite* de $f(x)$ quando x tende a infinito — e simbolizamos esse fato escrevendo $\lim_{x\to\infty} f(x) = L$.

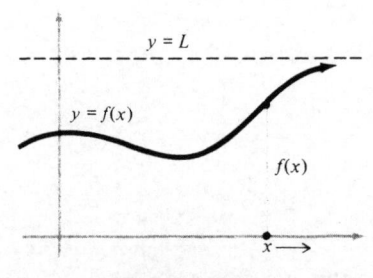

Figura 2.20

Calcule os seguintes limites:

(a) $\lim_{x\to\infty} \dfrac{1}{x}$;

(b) $\lim_{x\to\infty} \left(2 + \dfrac{100}{x}\right)$;

(c) $\lim_{x\to\infty} \dfrac{5x + 3}{2x - 7}$; *

(d) $\lim_{x\to\infty} \dfrac{2x^2 + x - 5}{3x^2 - 7x + 2}$;

(e) $\lim_{x\to\infty} \dfrac{x}{x^2 + 1}$;

(f) $\lim_{x\to\infty} \dfrac{x^2 - 2x + 5}{x^3 + 7x^2 + 2x - 1}$.

---

* Sugestão: observe que dividindo ambos o numerador e o denominador desse quociente por x obtemos

$$\frac{5x + 3}{2x - 7} = \frac{5 + \dfrac{3}{x}}{2 - \dfrac{7}{x}}.$$

O que acontece com a expressão da direita quando $x \to \infty$?

19. Determine os pontos de descontinuidade das seguintes funções:

(a) $\dfrac{x}{x^2 + 1}$;

(b) $\dfrac{x}{x^2 - 1}$;

(c) $\dfrac{x^2 - 1}{x - 1}$;

(d) $\sqrt{x}$;

(e) $\dfrac{1}{\sqrt{x}}$;

(f) $\sqrt{x^2}$;

(g) $\dfrac{1}{x^2 + x - 12}$;

(h) $\dfrac{1}{x^2 + 4x + 5}$.

Problemas Suplementares do Capítulo 2

Seção 2.2

1. Para quais valores de b o gráfico de $y = x^2 + bx + 1$ tem uma tangente horizontal em $x = 3$?

2. Encontre os dois pontos sobre a curva $y = x - \dfrac{1}{4} x^2$, de modo que cada tangente à curva nesses pontos passe pelo ponto $(\dfrac{9}{2}, 0)$.

3. Seja $P = (x_0, y_0)$ um ponto da parábola $y = x^2$. Mostre que uma reta não-vertical passando por P, que não intercepta a curva em qualquer outro ponto, é necessariamente a reta tangente em P; isto é, mostre que se a reta

$$y - y_0 = m(x - x_0)$$

intercepta $y = x^2$ somente em (x_0, y_0), então $m = 2x_0$.

4. Se (x_1, y_1) e (x_2, y_2) são pontos distintos da parábola $y = x^2$, em que ponto da curva é a reta tangente paralela à corda que une esses dois pontos dados?

5. A curva $y = x^2$ é uma parábola particular, mas se a é uma constante positiva não-especificada, $y = f(x) = ax^2$ é uma parábola absolutamente genérica, localizada numa posição conveniente.

   (a) Mostre que $f'(x_0) = 2ax_0$.

   (b) Mostre que a reta tangente num ponto $P = (x_0, y_0)$ diferente do vértice tem coeficiente linear $-y_0$ e utilize esse fato para formular um método geométrico de construção da tangente em P.

Seção 2.3

6. Use a regra dos três passos para calcular $f'(x)$ se $f(x)$ é igual a

   (a) $\dfrac{x+1}{x}$;
   (b) $\dfrac{3-2x}{x-2}$;
   (c) $\sqrt{3x+2}$;
   (d) $\sqrt{x^2+1}$.

7. Esboce o gráfico de cada uma das seguintes funções e determine onde elas não são deriváveis:

   (a) $\sqrt{|x|}$;
   (b) $|x^2 - 4|$;
   (c) $|2x - 3|$;
   (d) $x|x|$.

8. Seja $f(x)$ uma função com a propriedade de que $f(x_1 + x_2) = f(x_1)f(x_2)$ para quaisquer x_1 e x_2. Se $f(0) = 1$ e $f'(0) = 1$, mostre que $f'(x) = f(x)$ para todo x.

9. Se a derivada $f'(x)$ existe, então ela pode ser calculada pela fórmula

$$f'(x) = \lim_{\Delta x \to 0} \frac{f(x + \Delta x) - f(x - \Delta x)}{2\Delta x}.$$

   Verifique essa afirmação para o caso particular $f(x) = x^2$ e daí prove-a no caso geral. [Para compreender essa afirmação, sejam P, Q e R os pontos da curva $y = f(x)$ que correspondem a x, $x + \Delta x$, $x - \Delta x$ e, assim, escreva o coeficiente angular da secante que passa por Q e R; e, para prová-la, observe que $f(x + \Delta x) - f(x - \Delta x) = f(x + \Delta x) - f(x) + f(x) - f(x - \Delta x)$.]

10. Mostre que a seguinte função é derivável em $x = 0$:

$$f(x) = \begin{cases} x^2 & \text{se } x \text{ é racional,} \\ 0 & \text{se } x \text{ é irracional.} \end{cases}$$

11. Mostre que a seguinte função não é derivável em $x = 0$:

$$f(x) = \begin{cases} x & \text{se } x \text{ é racional,} \\ 0 & \text{se } x \text{ é irracional.} \end{cases}$$

12. Se $f(x)$ é uma função com a propriedade de que $|f(x)| \leq x^2$ para todo x, prove que $f(x)$ é derivável em $x = 0$.

13. Considere a função $f(x)$ definida por

$$f(x) = \begin{cases} x^2 & \text{se } x \leqslant a, \\ mx + b & \text{se } x > a, \end{cases}$$

onde a, b e m são constantes. Ache os valores que m e b devem ter (em termos de a) para que essa função seja derivável em todos os pontos.

Seção 2.4

14. Numa certa viagem de bicicleta, a primeira metade da distância foi percorrida a 30 km/h e a segunda metade, a 20 km/h. Qual foi a velocidade média?

15. Uma moeda é jogada para cima, do topo de um edifício de 61,5 metros. Após t segundos está

$$s = 61{,}25 + 7{,}35t - 4{,}9t^2$$

metros acima do solo. Quando a moeda começará a cair? Qual é sua velocidade após ter caído 0,30625 metros?

16. Um capacitor (ou condensador) de um circuito elétrico é um aparelho para armazenar carga elétrica. Se a quantidade de carga num dado capacitor no instante t é $Q = 3t^2 + 5t + 2$ coulombs, determine a corrente $I = dQ/dt$ no circuito quando $t = 3$.

17. Use a regra dos três passos para mostrar que a taxa de variação do volume de uma esfera com relação ao seu raio é igual à área da superfície.

Seção 2.5

Calcule os seguintes limites:

18. $\lim\limits_{x \to 2} \dfrac{2x - x^2}{2 - x}$.

19. $\lim\limits_{x \to 0} \left(x + \dfrac{5}{x} \right)$.

20. $\lim\limits_{x \to 3} \dfrac{x^2 - 6x + 9}{x - 3}$.

21. $\lim\limits_{x \to 0} \dfrac{4x^2 - 5x}{x}$.

22. $\lim\limits_{x \to 0} \dfrac{x^2(1 - x)}{3x}$.

23. $\lim\limits_{x \to 0} \dfrac{x(1 - x)}{3x^2}$.

24. $\lim\limits_{x \to 1} \dfrac{x + 2}{x^2 - 4}$.

25. $\lim\limits_{x \to 2} \dfrac{x + 2}{x^2 - 4}$.

26. $\lim_{x \to 3} \dfrac{2x^2 + 3}{x + 4}$.

27. $\lim_{x \to 0} \dfrac{2 - 3\sqrt{x}}{1 + 9\sqrt{x}}$.

28. $\lim_{x \to 2} \dfrac{x^2 - 6x + 8}{x^2 - 5x + 6}$.

29. $\lim_{x \to -1} \dfrac{x^2 - 2x - 3}{x^2 - 1}$.

30. $\lim_{x \to 1} \dfrac{(x^2 + 3x - 4)^2}{x^2 - 7x + 6}$.

31. $\lim_{x \to 0} \dfrac{2x^2 + x - 6}{x + 2}$.

32. $\lim_{x \to -2} \dfrac{2x^2 + x - 6}{x + 2}$.

33. $\lim_{x \to 3} \dfrac{x - 3}{x^2 + x - 12}$.

34. $\lim_{x \to -4} \dfrac{x - 3}{x^2 + x - 12}$.

35. $\lim_{x \to 3} \dfrac{x^2 - x - 6}{x^2 - 7x + 12}$.

36. $\lim_{x \to 4} \dfrac{x^2 - x - 6}{x^2 - 7x + 12}$.

37. $\lim_{x \to 1} \dfrac{x + \sqrt{x} - 2}{x^3 - 1}$.

38. $\lim_{x \to 1} \dfrac{x^3 - 6x^2 + 3x + 2}{x^3 + x^2 - 3x + 1}$. *

39. $\lim_{x \to 2} \dfrac{x^3 - 4x}{x^3 - 3x^2 + 2x}$.

40. $\lim_{x \to 4} \dfrac{x^3 - 64}{x - 4}$.

41. $\lim_{x \to a} \dfrac{x^3 - a^3}{x^2 - a^2}$.

42. $\lim_{x \to -a} \dfrac{x^4 - a^4}{x^3 + a^3}$.

43. $\lim_{x \to 0} 2^{x^2}$.

44. $\lim_{x \to 0} 2^{-x^2}$.

45. $\lim_{x \to 0} 2^{-1/x^2}$.

46. $\lim_{x \to 0} \dfrac{2^{1/x^2} + 1}{2^{1/x^2} - 1}$.

47. $\lim_{x \to 0} \dfrac{2^{1/x} + 1}{2^{1/x} - 1}$.

48. $\lim_{x \to +\infty} \dfrac{x}{\sqrt{x^2 + 1}}$.

49. $\lim_{x \to +\infty} \dfrac{x}{\sqrt{x + 1}}$.

50. $\lim_{x \to +\infty} \dfrac{2x^3 - x^2 + 7x - 3}{2 - x + 5x^2 - 4x^3}$.

51. $\lim_{x \to +\infty} \dfrac{9x^{45} - x^9 + 2}{3x^{45} + x^{29} - 19}$.

52. $\lim_{x \to +\infty} 2^x$.

53. $\lim_{x \to +\infty} 2^{-x}$.

54. $\lim_{x \to +\infty} 2^{1/x}$.

55. $\lim_{x \to +\infty} (\sqrt{x + 1} - \sqrt{x})$.

56. $\lim_{x \to +\infty} \dfrac{\sqrt{x + 1}}{\sqrt{9x + 1}}$.

57. $\lim_{x \to -\infty} \dfrac{2^x - 2^{-x}}{2^x + 2^{-x}}$.

---

* Se $x = a$ é uma raiz de um polinômio $p(x)$, então $x - a$ é um fator de $p(x)$, sendo que o outro fator pode ser encontrado por divisão (veja o Problema Suplementar 52 no fim do Capítulo 1).

58. Considere a função $f(x)$ definida para $x \neq 0$ por $f(x) = [1/x]$, onde $[1/x]$ denota o maior inteiro $\leq 1/x$, como no Problema Suplementar 61 no fim do Capítulo 1. Esboce o gráfico dessa função para $\frac{1}{4} \leq x \leq 2$ e também para $-2 \leq x \leq -\frac{1}{4}$. Como se comporta $f(x)$ quando x tende a zero pelo lado positivo? Pelo lado negativo? O limite $\lim_{x \to 0} f(x)$ existe?

59. Siga as orientações do Problema 58 para a função $f(x) = (-1)^{[1/x]}$.

60. Siga as orientações do Problema 58 para a função $f(x) = |x|(-1)^{[1/x]}$.

61. Considere a função $f(x)$ definida por

$$f(x) = \begin{cases} 0 & \text{se } x \text{ é racional} \\ 1 & \text{se } x \text{ é irracional} \end{cases}$$

Para todo $a \in \mathbb{R}$, $\lim_{x \to a} f(x)$ não existe. Por quê?

62. Defina uma função $f(x)$ por

$$f(x) = \begin{cases} 0 & \text{se } x \text{ é irracional,} \\ \frac{1}{n} & \text{se } x \text{ é um número racional irredutível } m/n, \text{ com } n > 0. \end{cases}$$

Mostre que $f(x)$ é contínua nos pontos irracionais e descontínua nos pontos racionais.

CAPÍTULO

3

O CÁLCULO DE DERIVADAS

3.1 DERIVADAS DE POLINÔMIOS

O cálculo diferencial — o cálculo de derivadas — tem um sabor e importância especiais em virtude das suas inúmeras aplicações às ciências físicas, biológicas e sociais. Seria agradável lançar-se imediatamente a essas aplicações e chegar ao núcleo da matéria sem qualquer outra delonga. No entanto, do ponto de vista da eficiência geral, é melhor deixá-las para o próximo capítulo e, em vez disso, gastar um pouco de tempo agora para aprender a calcular derivadas com rapidez e precisão.

Como sabemos, o processo de achar a derivada de uma função chama-se *derivação* (ou *diferenciação*). No Capítulo 2, esse processo foi baseado diretamente na definição de derivada,

$$f'(x) = \lim_{\Delta x \to 0} \frac{f(x + \Delta x) - f(x)}{\Delta x},$$

ou de modo equivalente

$$\frac{dy}{dx} = \frac{d}{dx} f(x) = \lim_{\Delta x \to 0} \frac{\Delta y}{\Delta x}.$$

Vimos que esse enfoque é bastante demorado e sem graça. Nosso propósito no presente capítulo é desenvolver um pequeno número de regras formais que nos capacitarão a derivar rapidamente grandes classes de funções, por procedimentos puramente mecânicos. Nesta seção, aprenderemos como determinar a derivada de qualquer polinômio por inspeção sem precisar pensar de maneira alguma em limites; e, no fim do capítulo, estaremos aptos a enfrentar com tranqüilidade as confusas funções algébricas tais como

$$\frac{x}{\sqrt{x^2+1}}, \qquad \left[\frac{x+\sqrt{x+1}}{x-\sqrt{x+1}}\right]^{1/3} \qquad e \qquad \sqrt{1+\sqrt{1+\sqrt{1+x}}}.$$

Nossa meta nessa fase de trabalho é a habilidade computacional e, não é preciso dizer, tal habilidade virá somente com a prática.

Os estudantes recordarão que um polinômio em x é uma soma de produtos de constantes por potências de x, no qual cada expoente é um número positivo ou zero:

$$P(x) = a_n x^n + a_{n-1} x^{n-1} + \cdots + a_1 x + a_0.$$

O modo como um polinômio é formado por diversas peças mais simples sugere as regras de derivação, que passamos agora a discutir.

1. *A derivada de uma constante é igual a zero,*

$$\frac{d}{dx} c = 0.$$

O significado geométrico dessa afirmação é que a reta horizontal $y = f(x) = c$ tem coeficiente angular igual a zero. Para provar a afirmação pela definição, notamos que $\Delta y = f(x + \Delta x) + -f(x) = c - c = 0$ e, assim,

$$\frac{dy}{dx} = \lim_{\Delta x \to 0} \frac{\Delta y}{\Delta x} = \lim_{\Delta x \to 0} \frac{0}{\Delta x} = \lim_{\Delta x \to 0} 0 = 0.$$

2. *Se n é um inteiro positivo, então*

$$\frac{d}{dx} x^n = n x^{n-1}.$$

Em palavras, a derivada de x^n é obtida baixando-se o expoente n e tornando-o um coeficiente, subtraindo-se depois 1 de n para formar o novo expoente. Já conhecemos três casos particulares dessa regra do Capítulo 2:

$$\frac{d}{dx} x^2 = 2x, \qquad \frac{d}{dx} x^3 = 3x^2 \qquad e \qquad \frac{d}{dx} x^4 = 4x^3.$$

Para provar essa regra em geral escrevemos $y = f(x) = x^n$ e usamos o Teorema do Binômio*, obtendo

$$\Delta y = f(x + \Delta x) - f(x) = (x + \Delta x)^n - x^n$$

$$= \left[x^n + nx^{n-1} \Delta x + \frac{n(n-1)}{2} x^{n-2} (\Delta x)^2 + \cdots + (\Delta x)^n \right] - x^n$$

$$= nx^{n-1} \Delta x + \frac{n(n-1)}{2} x^{n-2} (\Delta x)^2 + \cdots + (\Delta x)^n.$$

Isto nos dá

$$\frac{dy}{dx} = \lim_{\Delta x \to 0} \frac{\Delta y}{\Delta x}$$

$$= \lim_{\Delta x \to 0} \left[nx^{n-1} + \frac{n(n-1)}{2} x^{n-2} \Delta x + \cdots + (\Delta x)^{n-1} \right]$$

$$= nx^{n-1},$$

porque Δx é um fator de cada termo no colchete, exceto do primeiro.

A nossa regra permanece válida quando o expoente é um inteiro negativo ou uma fração. Entretanto, convém deixar para depois, dando uma prova disso em uma parte posterior do capítulo.

---

* Para os estudantes que já esqueceram os detalhes do Teorema do Binômio, nós o enunciaremos a seguir: se n é um inteiro positivo, então

$$(a+b)^n = a^n + na^{n-1}b + \frac{n(n-1)}{2} a^{n-2}b^2 + \cdots$$

$$+ \frac{n(n-1) \cdots (n-k+1)}{1 \cdot 2 \cdots k} a^{n-k}b^k + \cdots + b^n.$$

A forma precisa dessa expansão pode ser compreendida sem muita dificuldade simplesmente considerando o produto de n fatores

$$(a+b)^n = (a+b)(a+b) \cdots (a+b).$$

Para multiplicar esses fatores, começamos escolhendo a de cada fator, o que dá o termo a^n. Se, a seguir, escolhemos b de um fator e a de todos os outros, isto pode ser feito de n maneiras e assim temos ba^{n-1} n vezes ou $na^{n-1}b$. Analogamente, $n(n-1)/2$ é o número de maneiras que podemos escolher b de dois fatores e a de todos os outros etc. O "etc." está explicado mais completamente no Apêndice D.1.

3. *Se c é uma constante e* $u = f(x)$ *é uma função derivável de x, então*

$$\frac{d}{dx}(cu) = c\frac{du}{dx}.$$

Isto é, a derivada de uma constante vezes uma função é igual à constante vezes a derivada da função*. Para provar isto, escrevemos $y = cu = cf(x)$ e observamos que $\Delta y = cf(x + \Delta x) - cf(x) = c[f(x + \Delta x) - f(x)] = c\Delta u$ e assim:

$$\frac{dy}{dx} = \lim_{\Delta x \to 0} \frac{\Delta y}{\Delta x} = \lim_{\Delta x \to 0} \frac{c\Delta u}{\Delta x} = c \lim_{\Delta x \to 0} \frac{\Delta u}{\Delta x} = c\frac{du}{dx}.$$

Combinando as regras 2 e 3, vemos que

$$\frac{d}{dx}cx^n = cnx^{n-1}$$

para toda constante c e todo inteiro positivo n.

Exemplo 1 Estamos agora em posição de calcular as seguintes derivadas tão rapidamente quanto podemos escrever:

$$\frac{d}{dx}3x^7 = 21x^6, \quad \frac{d}{dx}\left(-\frac{1}{2}x^{12}\right) = -6x^{11}, \quad \frac{d}{dx}22x^{101} = 2222x^{100},$$

$$\frac{d}{dx}55x = 55x^0 = 55, \quad \frac{d}{dx}\left(\frac{10^{\sqrt{2}} + \log_{10}\pi}{\sqrt{19} + 1024}\right)^{999} = 0.$$

4. *Se $u = f(x)$ e $v = g(x)$ são funções de x, então*

$$\frac{d}{dx}(u + v) = \frac{du}{dx} + \frac{dv}{dx}.$$

Isto é, a derivada da soma de duas funções é a soma das derivadas individuais. A prova é rotineira. Se escrevemos $y = u + v = f(x) + g(x)$, então $\Delta y = [f(x + \Delta x) + g(x + \Delta x)] - [f(x) + g(x)] = [f(x + \Delta x) - f(x)] + [g(x + \Delta x) - g(x)] = \Delta u + \Delta v$ e, portanto:

$$\frac{dy}{dx} = \lim_{\Delta x \to 0} \frac{\Delta y}{\Delta x} = \lim_{\Delta x \to 0} \frac{\Delta u + \Delta v}{\Delta x} = \lim_{\Delta x \to 0} \left[\frac{\Delta u}{\Delta x} + \frac{\Delta v}{\Delta x}\right]$$

$$= \lim_{\Delta x \to 0} \frac{\Delta u}{\Delta x} + \lim_{\Delta x \to 0} \frac{\Delta v}{\Delta x} = \frac{du}{dx} + \frac{dv}{dx}.$$

De maneira essencialmente igual, podemos mostrar que a derivada de uma diferença é a diferença das derivadas,

$$\frac{d}{dx}(u - v) = \frac{du}{dx} - \frac{dv}{dx}.$$

---

* De agora em diante, assumimos que toda função que tratarmos será derivável, a menos que claramente se apresente o contrário.

Além disso, esses resultados podem ser ampliados sem dificuldade para qualquer número de termos, como em

$$\frac{d}{dx}(u - v + w) = \frac{du}{dx} - \frac{dv}{dx} + \frac{dw}{dx}.$$

Exemplo 2 Agora é fácil derivar qualquer polinômio. Por exemplo,

$$\frac{d}{dx}(15x^4 + 9x^3 - 7x^2 - 3x + 5) = \frac{d}{dx}15x^4 + \frac{d}{dx}9x^3 - \frac{d}{dx}7x^2 - \frac{d}{dx}3x + \frac{d}{dx}5$$

$$= 60x^3 + 27x^2 - 14x - 3.$$

Com um pouco de prática, podemos omitir a etapa intermediária e escrever imediatamente o resultado final, por inspeção.

Exemplo 3 A função $y = (3x - 2)^4$ é um polinômio, mas não está na forma polinomial padrão. Nenhuma das regras estabelecidas até agora se aplica diretamente a essa função. Mais tarde, porém, provaremos uma fórmula que poderia ser utilizada aqui. Por enquanto, devemos primeiro expandir usando o Teorema do Binômio. Isto nos dá

$$y = (3x - 2)^4 = [3x + (-2)]^4$$

$$= (3x)^4 + 4(3x)^3(-2) + \frac{4 \cdot 3}{2}(3x)^2(-2)^2 + \frac{4 \cdot 3 \cdot 2}{1 \cdot 2 \cdot 3}(3x)(-2)^3 + (-2)^4$$

$$= 81x^4 - 216x^3 + 216x^2 - 96x + 16,$$

e assim

$$\frac{dy}{dx} = 324x^3 - 648x^2 + 432x - 96.$$

Exemplo 4 Mesmo que as letras x e y sejam, com freqüência, usadas para as variáveis independente e dependente, é claro que não há nada que nos impeça de usar quaisquer letras que queiramos, e os cálculos funcionarão exatamente da mesma maneira. Logo,

$$s = 13t^3 - 11t^2 + 25$$

é um polinômio em t; e, pelas regras desenvolvidas nesta seção, sua derivada é obviamente

$$\frac{ds}{dt} = 39t^2 - 22t.$$

Exemplo 5 Um objeto se move numa reta de tal modo que sua posição s no instante t é dada por

$$s = t^3 + 5t^2 - 8t.$$

Qual é sua aceleração quando está em repouso?

A velocidade v e a aceleração a são

$$v = \frac{ds}{dt} = 3t^2 + 10t - 8 \quad \text{e} \quad a = \frac{dv}{dt} = 6t + 10.$$

O objeto está em repouso quando $v = 0$ ou

$$3t^2 + 10t - 8 = (3t - 2)(t + 4) = 0,$$

isto é, quando $t = \frac{2}{3}, -4$. Os valores correspondentes da aceleração são $a = 14, -14$.

Problemas

1. Calcule a derivada de cada função:

   (a) $6x^9$;
   (b) 19;
   (c) $-15x^4$;
   (d) $3x^{500} + 15x^{100}$;
   (e) $(x-3)^2$;
   (f) $\frac{1}{5}x^5 + \frac{1}{4}x^4 + \frac{1}{3}x^3 + \frac{1}{2}x^2 + x$;
   (g) $x^4 + x^3 + x^2 + x + 1$;
   (h) $(x-2)^5$;
   (i) $x^{12} + 2x^6 - 4x^3 - 6x^2$;
   (j) $(2x-1)(3x^2+2)$.

2. Se s é a posição no instante t de um objeto se movendo numa reta, determine a velocidade v e a aceleração a:

   (a) $s = 12 - 6t + 3t^2$; (b) $s = 13 - 9t + 6t^3$;
   (c) $s = (3t - 2)^2$.

3. Ache uma função de x cuja derivada seja a função dada a seguir:

   (a) $3x^2$; (b) $4x^2$; (c) $3x^2 + 2x - 5$.

4. Ache a reta tangente à curva $y = 3x^2 - 5x + 2$ no ponto $(2, 4)$.

5. Ache os pontos da curva $y = 4x^3 + 6x^2 - 24x + 10$ nos quais a tangente é horizontal.

6. A reta $x = a$ intercepta a curva $y = \frac{1}{3}x^3 + 4x + 3$ num ponto P e a curva $y = 2x^2 + x$ num ponto Q. Para que valor (ou valores) de a as tangentes a essas curvas em P e Q são paralelas?

7. Ache o vértice da parábola $y = x^2 - 8x + 18$. Sugestão: a tangente no vértice é horizontal.

8. Ache o vértice da parábola $y = ax^2 + bx + c$ pelo método do Problema 7.

9. Que valores devem ter as constantes a, b e c se as duas curvas $y = x^2 + ax + b$ e $y = cx - x^2$ têm a mesma tangente no ponto $(3,3)$?

10. Seja p uma constante positiva e considere a parábola $x^2 = 4py$ com o vértice na origem e o foco no ponto $(0, p)$, como é mostrado na Fig. 3.1, à esquerda. Seja (x_0, y_0) um ponto dessa parábola, diferente do vértice.

    (a) Mostre que a tangente em (x_0, y_0) tem coeficiente linear $-y_0$.

    (b) Mostre que o triângulo com vértices (x_0, y_0), $(0, y_0)$ e $(0, p)$ é isósceles. Sugestão: use a fórmula da distância.

    (c) Suponha que uma fonte de luz seja colocada no foco e que cada raio de luz deixando o foco seja refletido pela parábola de tal modo que ele forme ângulos iguais com a reta tangente no ponto de reflexão (o ângulo de incidência é igual ao ângulo de reflexão). Use (b) para mostrar que, após a reflexão, cada raio aponta verticalmente para cima, paralelo ao eixo (Fig. 3.1, no meio)*.

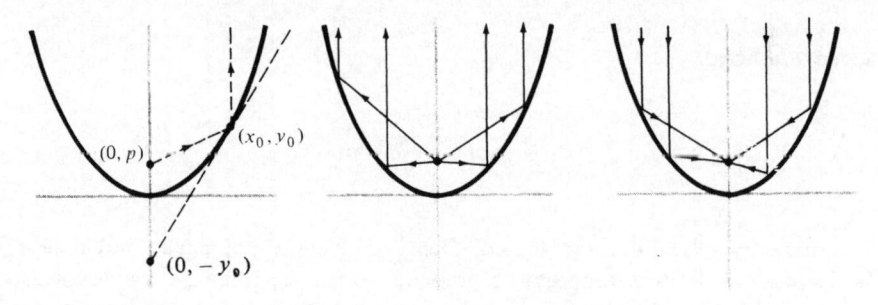

Figura 3.1 Um refletor parabólico.

---

* Esta é a chamada *propriedade de reflexão* das parábolas. Para formar uma idéia tridimensional da maneira como essa propriedade é usada no design de holofotes e faróis de automóvel, temos apenas de imaginar um espelho construído, girando-se uma parábola ao redor de seu eixo e prateando o lado interno da superfície resultante. Tal refletor parabólico pode ser também usado ao contrário (Fig. 3.1, à direita) para juntar raios fracos, que chegam paralelos ao eixo, e concentrá-los no foco. Este é o princípio básico das antenas de radar, radiotelescópios e telescópios ópticos refletores. O grande telescópio de Monte Palomar, na Califórnia, tem um refletor de vidro de 15 toneladas que mede aproximadamente 510 cm de diâmetro (o polimento acurado desse enorme espelho exigiu 11 anos de trabalho).

11. A reta que passa por um ponto de uma curva e é perpendicular à tangente nesse ponto chama-se *normal* à curva no ponto. Ache a normal à curva $4y + x^2 = 5$ no ponto $(1,1)$.

12. Considere a normal à curva $y = x - x^2$ no ponto $(1,0)$. Onde essa reta intercepta a curva, uma segunda vez?

3.2 AS REGRAS DO PRODUTO E DO QUOCIENTE

Na Seção 3.1 aprendemos a derivar somas, diferenças e produtos de constantes por função.

Consideramos agora

$$\text{produtos } uv \text{ e quocientes } \frac{u}{v},$$

onde u e v são funções deriváveis de x.

Como a derivada de uma soma é a soma das derivadas, é natural conjecturar que a derivada de um produto seja igual ao produto das derivadas. No entanto, é muito fácil construir exemplos mostrando que isto não é verdade. Por exemplo, o produto de x^3 por x^4 é x^7, e assim a derivada do produto é $7x^6$, mas o produto das derivadas individuais é $3x^2 \cdot 4x^3 = 12x^5$. A fórmula correta para derivar produtos de funções é um tanto surpreendente.

5.* *A regra do produto:*

$$\frac{d}{dx}(uv) = u\frac{dv}{dx} + v\frac{du}{dx}. \qquad (1)$$

Os estudantes talvez desejem ter em mente o seguinte enunciado verbal dessa regra: a derivada do produto de duas funções é a primeira vezes a derivada da segunda mais a segunda vezes a derivada da primeira. Para provar isto, escrevemos $y = uv$ e alternamos a variável independente x, com um acréscimo Δx, para $x + \Delta x$. Isto produz variações correspondentes Δu, Δv e Δy nas variáveis u, v e y e temos

$$y + \Delta y = (u + \Delta u)(v + \Delta v) = uv + u\Delta v + v\Delta u + \Delta u\,\Delta v,$$

$$\Delta y = (y + \Delta y) - y = u\Delta v + v\Delta u + \Delta u\,\Delta v,$$

$$\frac{\Delta y}{\Delta x} = u\frac{\Delta v}{\Delta x} + v\frac{\Delta u}{\Delta x} + \Delta u\frac{\Delta v}{\Delta x}.$$

---

* Continuamos a numeração iniciada na Seção 3.1.

Tomando limites quando $\Delta x \to 0$, temos

$$\frac{dy}{dx} = u\frac{dv}{dx} + v\frac{du}{dx} + 0 \cdot \frac{dv}{dx},$$

o que é equivalente a (1). Utilizamos o fato de que $\Delta u \to 0$ quando $\Delta x \to 0$. Isto exprime a continuidade de u, que se segue da derivabilidade, pelo argumento dado na Seção 2.5.

Exemplo 1 Primeiro, testamos (1) para os fatores x^3 e x^5, cujo produto, como já sabemos, tem derivada $7x^6$. Temos

$$\frac{d}{dx}(x^3 \cdot x^4) = x^3 \frac{d}{dx}x^4 + x^4 \frac{d}{dx}x^3$$

$$= x^3 \cdot 4x^3 + x^4 \cdot 3x^2 = 7x^6.$$

Como um exemplo mais complicado, aplicamos nossa fórmula para a função $y = (x^3 - 4x)(3x^4 + 2)$:

$$\frac{dy}{dx} = (x^3 - 4x)\frac{d}{dx}(3x^4 + 2) + (3x^4 + 2)\frac{d}{dx}(x^3 - 4x)$$

$$= (x^3 - 4x)(12x^3) + (3x^4 + 2)(3x^2 - 4)$$

$$= 12x^6 - 48x^4 + 9x^6 - 12x^4 + 6x^2 - 8$$

$$= 21x^6 - 60x^4 + 6x^2 - 8.$$

Observe que podemos também multiplicar os dois fatores e depois derivar. Isto nos dá

$$y = 3x^7 - 12x^5 + 2x^3 - 8x,$$

e assim

$$\frac{dy}{dx} = 21x^6 - 60x^4 + 6x^2 - 8,$$

como esperávamos. Visto que podemos resolver esse problema sem usar a regra do produto, pode parecer que essa regra é desnecessária. Isto é de fato verdade quando ambos os fatores são polinômios, porque o produto de dois polinômios é também um polinômio. No entanto, em situações mais complexas, nas quais os fatores são, em geral, tipos diferentes de função, ficará claro que a regra do produto é indispensável. Essas situações serão vistas posteriormente.

6. *A regra do quociente*:

$$\frac{d}{dx}\left(\frac{u}{v}\right) = \frac{v\,du/dx - u\,dv/dx}{v^2} \qquad (2)$$

em todos os valores de x onde $v \neq 0$.

Muitas pessoas acham mais fácil lembrar as instruções de trabalho dadas por (2) em palavras do que em símbolos. A derivada do quociente é o denominador vezes a derivada do numerador menos o numerador vezes a derivada do denominador, tudo isto dividido pelo quadrado do denominador. Para provar isto, escrevemos $y = u/v$ e variamos x de uma quantidade Δx. Como antes, isto produz variações $\Delta u, \Delta v$ e Δy nas variáveis u, v e y e temos

$$y + \Delta y = \frac{u + \Delta u}{v + \Delta v}, \qquad \Delta y = \frac{u + \Delta u}{v + \Delta v} - \frac{u}{v},$$

$$\Delta y = \frac{uv + v\,\Delta u - uv - u\,\Delta v}{v(v + \Delta v)} = \frac{v\,\Delta u - u\,\Delta v}{v(v + \Delta v)},$$

$$\frac{\Delta y}{\Delta x} = \frac{v\,\Delta u/\Delta x - u\,\Delta v/\Delta x}{v(v + \Delta v)}.$$

Se agora tomamos o limite quando $\Delta x \to 0$, obtemos a fórmula (2),

$$\frac{dy}{dx} = \frac{v\,du/dx - u\,dv/dx}{v^2},$$

pois $\Delta v \to 0$, quando $\Delta x \to 0$.

Exemplo 2 Para derivar o quociente $y = (3x^2 - 2)/(x^2 + 1)$, seguimos a prescrição verbal,

$$\frac{dy}{dx} = \frac{(x^2 + 1)(d/dx)(3x^2 - 2) - (3x^2 - 2)(d/dx)(x^2 + 1)}{(x^2 + 1)^2}$$

$$= \frac{(x^2 + 1)(6x) - (3x^2 - 2)(2x)}{(x^2 + 1)^2}$$

$$= \frac{6x^3 + 6x - 6x^3 + 4x}{(x^2 + 1)^2} = \frac{10x}{(x^2 + 1)^2}.$$

Com a prática, cálculos como estes podem ser realizados muito rapidamente. Por exemplo,

$$\frac{d}{dx}\frac{1}{x^2+1} = \frac{(x^2+1)(0) - 1(2x)}{(x^2+1)^2} = \frac{-2x}{(x^2+1)^2},$$

$$\frac{d}{dx}\frac{3x}{x^2+1} = \frac{(x^2+1)(3) - 3x(2x)}{(x^2+1)^2} = \frac{3-3x^2}{(x^2+1)^2},$$

$$\frac{d}{dx}\frac{2x+1}{3x-1} = \frac{(3x-1)(2) - (2x+1)(3)}{(3x-1)^2} = \frac{-5}{(3x-1)^2}.$$

A regra do quociente permite-nos estender a regra 2 da Seção 3.1,

$$\frac{d}{dx} x^n = n x^{n-1}, \qquad (3)$$

para o caso em que n é um inteiro negativo. Para tornar o caráter negativo de n mais visível, escrevemos $n = -m$, onde m é um inteiro positivo. Agora, usando (2) e sabendo que (3) é válido para expoentes inteiros positivos, temos

$$\frac{d}{dx} x^n = \frac{d}{dx} x^{-m} = \frac{d}{dx} \frac{1}{x^m} = \frac{x^m(0) - 1(mx^{m-1})}{(x^m)^2}$$

$$= \frac{-mx^{m-1}}{x^{2m}} = -mx^{-m-1} = nx^{n-1},$$

o que prova nossa afirmação. Assim, por exemplo,

$$\frac{d}{dx} x^{-1} = (-1)x^{-2} = -x^{-2}, \qquad \frac{d}{dx} x^{-2} = (-2)x^{-3} = -2x^{-3} \qquad \text{etc.}$$

Visto que (3) é evidentemente verdadeira para $n = 0$, sabemos agora que ela é válida para todos os expoentes inteiros.

Exemplo 3 Para derivar

$$y = 3x^2 - \frac{2}{x^3},$$

escrevemos como

$$y = 3x^2 - 2x^{-3}.$$

Então

$$\frac{dy}{dx} = 6x + 6x^{-4},$$

que pode ser reescrito como

$$\frac{dy}{dx} = 6x + \frac{6}{x^4}$$

se preferirmos expoentes positivos.

Recomendamos aos estudantes memorizar as regras do produto e do quociente pela prática conscienciosa.

Problemas

1. Derive cada uma das seguintes funções por dois métodos e verifique que suas respostas coincidem:

    (a) $(x-1)(x+1)$;
    (b) $(2x-6)(3x^2+9)$;
    (c) $(3x^2+1)(x^3+6x)$;
    (d) $(x-1)(x^4+x^3+x^2+x+1)$.

2. Derive cada uma das seguintes funções e simplifique sua resposta o mais que puder:

    (a) $\dfrac{x+1}{x-1}$; (b) $\dfrac{1}{x^2+2}$;

    (c) $\dfrac{2x^3+1}{x+2}$; (d) $\dfrac{3x+4}{7x+8}$;

    (e) $\dfrac{3x}{1+2x^2}$; (f) $\dfrac{4x-x^4}{x^3+2}$;

    (g) $\dfrac{1-x^2}{1+x^2}$; (h) $\dfrac{2x+1}{1-x^2}$.

3. Calcule dy/dx de duas maneiras, primeiro dividindo e depois usando a regra do quociente, e mostre que suas respostas coincidem:

(a) $\dfrac{4x+4}{x}$;

(b) $\dfrac{2x+6x^4-2x^6}{x^5}$;

(c) $\dfrac{1+x^4}{x^2}$.

4. Determine todos os pontos da curva $y = 6/x$ em que a tangente é paralela à reta $2x + 3y + 1 = 0$.

5. Ache as equações de

(a) tangente e normal a $y = 6/(x+2)$ em $(1, 2)$;

(b) tangente e normal a $y = 5/(x^2+1)$ em $x = 2$;

(c) tangente a $y = (x^3+x)/(x-1)$ em $(2, 10)$;

(d) normal a $y = (1-2x+3x^2)/(1+x^2)$ em $(0, 1)$.

6. Mostre que as tangentes às curvas $y = (x^2+45)/x^2$ e $y = (x^2-4)/(x^2+1)$ em $x = 3$ são perpendiculares entre si.

7. Seja P um ponto da curva $y = 1/x$ no primeiro quadrante. Mostre que o triângulo determinado pelo eixo x, a tangente em P e pela reta que liga P à origem é isósceles e calcule sua área.

8. Use a regra do produto para verificar a regra 3 da Seção 3.1. Se c é uma constante e u é uma função de x, então

$$\frac{d}{dx}(cu) = c\frac{du}{dx}.$$

9. Esboce a curva $y = 2/(1+x^2)$ e ache os pontos dessa curva onde a normal passa pela origem.

10. Verifique a localização dos pontos de picos do gráfico de

$$y = \frac{x}{x^2-3x+2}$$

como foi estabelecido no Exemplo 4 da Seção 1.8.

3.3 FUNÇÕES COMPOSTAS E A REGRA DA CADEIA

Vamos considerar o problema de derivar a função

$$y = (x^3 + 2)^5. \tag{1}$$

Podemos fazê-lo com os instrumentos que temos agora, usando o Teorema do Binômio para expandir a função no polinômio

$$y = x^{15} + 10x^{12} + 40x^9 + 80x^6 + 80x^3 + 32. \tag{2}$$

Segue-se agora imediatamente que

$$\frac{dy}{dx} = 15x^{14} + 120x^{11} + 360x^8 + 480x^5 + 240x^2. \tag{3}$$

Nesse caso, o trabalho de expansão é tedioso, mas não muito difícil. Entretanto, quase ninguém tentaria de boa vontade realizar o mesmo procedimento para a função $y = (x^3 + 2)^{100}$. É muito melhor desenvolver a regra da cadeia, que nos permite derivar ambas as funções com igual facilidade – e uma série de outras também.

Para esse propósito é importante compreender a estrutura da função (1). Executamos isto introduzindo uma variável auxiliar $u = x^3 + 2$, de modo que (1) pode ser decomposta em pedaços mais simples como se segue:

$$y = u^5 \quad \text{onde} \quad u = x^3 + 2.$$

Trabalhando em outro sentido, podemos reconstruir (1) a partir desses pedaços, substituindo a expressão de u em $y = u^5$. Tal função chama-se *função composta* ou, às vezes, *função de função*. Já encontramos essa idéia na Seção 1.6. Em geral, suponha que y seja uma função de u, onde u, por sua vez, é uma função de x, digamos

$$y = f(u) \quad \text{onde} \quad u = g(x). \tag{5}$$

A correspondente função composta é a função

$$y = f(g(x)), \tag{6}$$

obtida substituindo-se $u = g(x)$ em $y = f(u)$.

Nosso problema é o seguinte: temos uma função composta (6) e desejamos derivá-la, decompondo-a em funções mais simples (5) e usando as derivadas presumivelmente mais simples dessas funções. Isto é resumidamente a regra da cadeia.

7. *A regra da cadeia:* sob as circunstâncias descritas anteriormente,

$$\frac{dy}{dx} = \frac{dy}{du} \cdot \frac{du}{dx}. \tag{7}$$

Como vemos, nessa forma a regra da cadeia tem a aparência de uma identidade algébrica trivial; é fácil lembrar porque a notação fracionária de Leibniz para as derivadas sugere que du pode ser cancelado das duas "frações" à direita. Seu conteúdo intuitivo é fácil de entender se pensarmos em derivadas como taxas de variação:

Se y varia a vezes mais rápido que u
e u varia b vezes mais rápido que x,
então y varia ab vezes mais rápido que x.

Ou, em termos cotidianos, se um carro é duas vezes mais rápido que uma bicicleta e a bicicleta é quatro vezes mais rápida que um andarilho, então o carro é $2 \cdot 4 = 8$ vezes mais rápido que o andarilho.

Antes de apresentar a prova da regra da cadeia, vejamos como ela se aplica no problema que acabamos de discutir, no qual (1) é a função dada e (4) é sua decomposição. A fórmula (7) dá

$$\frac{dy}{dx} = \frac{dy}{du} \cdot \frac{du}{dx} = 5u^4 \cdot 3x^2 = 15x^2(x^3 + 2)^4. \tag{8}$$

Não é imediatamente óbvio que esse resultado seja o mesmo que (3), mas a equivalência é fácil de ser estabelecida*. Além disso, a derivada de $y = (x^3 + 2)^{100}$ pode ser facilmente calculada exatamente da mesma maneira. Escrevemos

$$y = u^{100} \quad \text{onde} \quad u = x^3 + 2$$

e usamos (7), obtendo

$$\frac{dy}{dx} = \frac{dy}{du} \cdot \frac{du}{dx} = 100u^{99} \cdot 3x^2 = 300x^2(x^3 + 2)^{99}.$$

Como esses exemplos mostram, a regra da cadeia é um instrumento muito poderoso.

---

* Esperamos que os estudantes não aceitem a expansão em (2) e que, da mesma maneira, não aceitem a equivalência citada de (8) e (3) sem conferir os detalhes por si mesmos. Ceticismo total é o estado de espírito recomendado ao estudar este livro (ou qualquer outro similar). Não aceitem nada por fé, verifiquem todos os cálculos, não acreditem em nada a menos que tenham visto e compreendido por si mesmos.

Iniciamos a prova de (7) com a variação usual Δx na variável independente x. Esta produz uma variação Δu na variável u, e esta, por sua vez, produz uma variação Δy na variável y. Sabemos que a derivabilidade implica continuidade, e assim $\Delta u \to 0$ quando $\Delta x \to 0$. Ao olharmos as definições das três derivadas que estamos tentando ligar,

$$\frac{dy}{dx} = \lim_{\Delta x \to 0} \frac{\Delta y}{\Delta x}, \qquad \frac{dy}{du} = \lim_{\Delta u \to 0} \frac{\Delta y}{\Delta u}, \qquad \frac{du}{dx} = \lim_{\Delta x \to 0} \frac{\Delta u}{\Delta x}, \qquad (9)$$

é natural tentar completar a prova como se segue: por álgebra simples, temos

$$\frac{\Delta y}{\Delta x} = \frac{\Delta y}{\Delta u} \cdot \frac{\Delta u}{\Delta x}, \qquad (10)$$

e assim

$$\frac{dy}{dx} = \lim_{\Delta x \to 0} \frac{\Delta y}{\Delta x} = \lim_{\Delta x \to 0} \frac{\Delta y}{\Delta u} \cdot \frac{\Delta u}{\Delta x} = \left[\lim_{\Delta x \to 0} \frac{\Delta y}{\Delta u} \right]\left[\lim_{\Delta x \to 0} \frac{\Delta u}{\Delta x} \right]$$

$$= \left[\lim_{\Delta u \to 0} \frac{\Delta y}{\Delta u} \right]\left[\lim_{\Delta x \to 0} \frac{\Delta u}{\Delta x} \right] = \frac{dy}{du} \cdot \frac{du}{dx}. \qquad (11)$$

Esse raciocínio está quase correto, mas não totalmente. A dificuldade está na possível divisão por zero. Ao calcular dy/dx pela definição em (9), sabemos como parte do significado dessa fórmula que o incremento Δx é pequeno, tende a zero, *mas nunca é igual a zero*. Por outro lado, pode acontecer que Δx não induza uma variação real em u, de modo que $\Delta u = 0$, e essa possibilidade invalida (10) e (11). Essa falha pode ser consertada por um engenhoso artifício matemático. Damos o argumento no rodapé para os estudantes que queiram examiná-lo*.

---

* Começamos com a definição de derivada dy/du, que é

$$\frac{dy}{du} = \lim_{\Delta u \to 0} \frac{\Delta y}{\Delta u}.$$

Isto é equivalente a

$$\frac{\Delta y}{\Delta u} = \frac{dy}{du} + \epsilon$$

ou

$$\Delta y = \frac{dy}{du} \Delta u + \epsilon \Delta u,$$

onde $\epsilon \to 0$ quando $\Delta u \to 0$. Nessas equações supomos que Δu é um incremento não-nulo em u, mas a última equação é válida mesmo quando $\Delta u = 0$. Dividindo esta por um incremento não-nulo Δx, temos

$$\frac{\Delta y}{\Delta x} = \frac{dy}{du} \frac{\Delta u}{\Delta x} + \epsilon \frac{\Delta u}{\Delta x},$$

e fazendo $\Delta x \to 0$ obtemos a regra da cadeia (7), desde que $\epsilon \to 0$.

Ficará claro, na seqüência, que a regra da cadeia é indispensável para quase todos os cálculos mais complexos de derivadas. Um importante caso particular foi ilustrado em conexão com o cálculo de derivadas de $(x^3 + 2)^5$ e $(x^3 + 2)^{100}$. O princípio geral aqui é expresso pela fórmula

$$\frac{d}{dx}(\ )^n = n(\ )^{n-1}\frac{d}{dx}(\ ),$$

onde qualquer função derivável de x pode ser inserida nos parênteses. Se denotamos a função por u, a fórmula pode ser escrita como se segue.

8. *A regra da potência:*

$$\frac{d}{dx}u^n = nu^{n-1}\frac{du}{dx}. \tag{12}$$

Nesse estágio de nosso trabalho, sabemos que o expoente n pode ser qualquer inteiro positivo ou negativo (ou zero). Na Seção 3.4 veremos que (12) é também válida para todos os expoentes fracionários.

Exemplo 1 Para derivar $y = (3x^4 + 1)^7$, fazemos uma aplicação rotineira de (12):

$$\frac{dy}{dx} = 7(3x^4 + 1)^6 \frac{d}{dx}(3x^4 + 1) = 7(3x^4 + 1)^6 \cdot 12x^3.$$

Mas para derivar $y = [(3x^4 + 1)^7 + 1]^5$ aplicamos (12) duas vezes:

$$\frac{dy}{dx} = 5[(3x^4 + 1)^7 + 1]^4 \frac{d}{dx}[(3x^4 + 1)^7 + 1]$$

$$= 5[(3x^4 + 1)^7 + 1]^4 \cdot 7(3x^4 + 1)^6 \frac{d}{dx}(3x^4 + 1)$$

$$= 5[(3x^4 + 1)^7 + 1]^4 \cdot 7(3x^4 + 1)^6 \cdot 12x^3.$$

Quando esse procedimento se tornar familiar e mais ou menos automático, será, com freqüência, possível saltar os passos intermediários e escrever a resposta de uma vez.

Exemplo 2   Se $y = [(1 - 2x)/(1 + 2x)]^4$, temos, por (12) e pela regra do quociente,

$$\frac{dy}{dx} = 4\left(\frac{1-2x}{1+2x}\right)^3 \frac{d}{dx}\left(\frac{1-2x}{1+2x}\right)$$

$$= 4\left(\frac{1-2x}{1+2x}\right)^3 \cdot \frac{(1+2x)(-2) - (1-2x)(2)}{(1+2x)^2}$$

$$= \frac{-16(1-2x)^3}{(1+2x)^5}.$$

Exemplo 3   Se $y = (x^2 - 1)^3(x^2 + 1)^{-2}$, temos, combinando (12) com a regra do produto,

$$\frac{dy}{dx} = (x^2 - 1)^3 \frac{d}{dx}(x^2 + 1)^{-2} + (x^2 + 1)^{-2} \frac{d}{dx}(x^2 - 1)^3$$

$$= (x^2 - 1)^3 \cdot (-2)(x^2 + 1)^{-3}(2x) + (x^2 + 1)^{-2} \cdot 3(x^2 - 1)^2(2x).$$

Para simplificar, colocamos em evidência $2x(x^2 - 1)^2$, nos livramos dos expoentes negativos e reduzimos ao mesmo denominador:

$$\frac{dy}{dx} = 2x(x^2 - 1)^2 \left[\frac{-2(x^2 - 1)}{(x^2 + 1)^3} + \frac{3}{(x^2 + 1)^2}\right]$$

$$= 2x(x^2 - 1)^2 \left[\frac{-2(x^2 - 1) + 3(x^2 + 1)}{(x^2 + 1)^3}\right] = \frac{2x(x^2 - 1)^2(x^2 + 5)}{(x^2 + 1)^3}.$$

No Capítulo 4 estaremos usando as derivadas como instrumentos em muitos problemas concretos e, então, ficará claro que vale a pena um pequeno esforço extra para pôr as derivadas que calculamos em formas as mais simples possíveis.

Há algumas poucas observações que devemos fazer. Não explicamos ainda por que a expressão "regra da cadeia" é apropriada. A razão é a seguinte. Em (7) estamos considerando três variáveis y, u e x que estão ligadas entre si, passo a passo, numa cadeia, de tal modo que cada uma é dependente da seguinte. Podemos sugerir essa relação escrevendo

y depende de u que depende de x.

A fórmula

$$\frac{dy}{dx} = \frac{dy}{du} \cdot \frac{du}{dx}$$

nos diz como derivar a primeira variável com relação à última, levando em conta cada ligação individual na cadeia. Essa fórmula pode ser facilmente estendida para mais variáveis. Por exemplo, se x depende, por sua vez, de z, então

$$\frac{dy}{dz} = \frac{dy}{du} \cdot \frac{du}{dx} \cdot \frac{dx}{dz};$$

se z depende de w, então

$$\frac{dy}{dw} = \frac{dy}{du} \cdot \frac{du}{dx} \cdot \frac{dx}{dz} \cdot \frac{dz}{dw};$$

e assim por diante. Cada nova variável acrescenta uma nova ligação à cadeia e uma nova derivada na fórmula.

Problemas

1. Calcule dy/dx em cada caso:

   (a) $y = (x^5 - 3x)^4$;
   (b) $y = (x^2 - 2)^{500}$;
   (c) $y = (x + x^2 - 2x^5)^6$;
   (d) $y = (1 - 3x)^{-1}$;
   (e) $y = (12 - x^2)^{-2}$;
   (f) $y = [1 - (3x - 2)^3]^4$.

2. Calcule dy/dx em cada caso:

   (a) $y = (5x + 3)^4(4x - 3)^7$;
   (b) $y = (x^2 - 2)^5(x^2 + 2)^{10}$;
   (c) $y = x^2(9 - x^2)^{-2}$;
   (d) $y = (1 - 2x)^{-4}(x^2 - x)^2$.

3. Calcule ds/dt em cada caso:

   (a) $s = \dfrac{(2t - 1)^3}{(t^2 + 3)^2}$;
   (b) $s = \dfrac{1}{(2t - 3)^2}$;
   (c) $s = \dfrac{6}{(5 - 4t)^3}$;
   (d) $s = \dfrac{t^4 - 10t^2}{(t^2 - 6)^2}$.

4. Em cada caso, calcule dy/dx por dois métodos e verifique que as suas respostas coincidam:

(a) $y = (2x - 1)^5(x + 3)^5 = (2x^2 + 5x - 3)^5$;

(b) $y = \dfrac{1}{(1 - 2x^2)^3} = (1 - 2x^2)^{-3}$;

(c) $y = \dfrac{(3x + 1)^4}{(1 - 2x)^4} = \left(\dfrac{3x + 1}{1 - 2x}\right)^4$.

5. Se u é uma função de x, exprima cada uma das seguintes derivadas em termos de u e du/dx:

(a) $\dfrac{d}{dx} u^3$;   (b) $\dfrac{d}{dx} (2u - 1)^2$;

(c) $\dfrac{d}{dx} (u^2 - 2)^2$.

6. Determine uma função $y = f(x)$ tal que

(a) $\dfrac{dy}{dx} = 2(x^2 - 1) \cdot 2x$;   (b) $\dfrac{dy}{dx} = 4(x^2 - 1)^2 \cdot 2x$;

(c) $\dfrac{dy}{dx} = 2(x^3 - 2) \cdot 3x^2$;   (d) $\dfrac{dy}{dx} = 3(x^3 - 2)^2 \cdot 3x^2$.

3.4 FUNÇÕES IMPLÍCITAS E EXPOENTES FRACIONÁRIOS

A maioria das funções que encontramos até agora foi da forma $y = f(x)$, em que y é expressa diretamente, ou explicitamente, em termos de x. Em contraste a isto, acontece com freqüência que y é definida como uma função de x por meio de uma equação

$$F(x, y) = 0, \qquad (1)$$

que não está resolvida para y, mas em que x e y são mais ou menos enredadas uma com a outra. Quando é dado um valor numérico conveniente a x, a equação resultante determina usualmente um ou mais valores correspondentes para y. Nesse caso, dizemos que a equação (1) determina y como uma ou mais *funções implícitas* de x.

Exemplo 1 (a) A equação muito simples $xy = 1$ determina uma função implícita de x, que pode ser escrita explicitamente como

$$y = \frac{1}{x}.$$

(b) A equação $x^2 + y^2 = 25$ determina duas funções implícitas de x, que podem ser escritas explicitamente como

$$y = \sqrt{25 - x^2} \quad \text{e} \quad y = -\sqrt{25 - x^2}.$$

Como sabemos, os gráficos dessas duas funções são as metades superior e inferior da circunferência de raio 5 mostrada na Fig. 3.2.

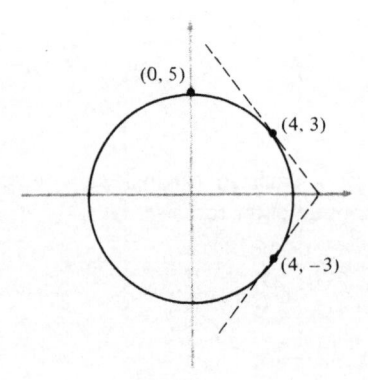

Figura 3.2

(c) A equação $2x^2 - 2xy = 5 - y^2$ determina também duas funções implícitas. Se usarmos a fórmula quadrática a fim de explicitar y, descobriremos que essas funções são

$$y = x + \sqrt{5 - x^2} \quad \text{e} \quad y = x - \sqrt{5 - x^2}.$$

(d) A equação $x^3 + y^3 = 3axy$ ($a > 0$) determina diversas funções implícitas, mas o problema de resolver essa equação para y é tão complicado que podemos muito bem esquecê-lo.

É muito surpreendente podermos, muitas vezes, calcular a derivada dy/dx de uma função implícita sem resolver primeiro a dada equação para y. Iniciamos o processo derivando a equação dada com relação a x, usando a regra da cadeia (ou a regra da potência) e pensando conscientemente em y como uma função de x sempre que aparecer. Assim, por exemplo, y^3 é tratado como o cubo de uma função de x e sua derivada é

$$\frac{d}{dx} y^3 = 3y^2 \frac{dy}{dx};$$

e $x^3 y^4$ é encarado como o produto de duas funções de x e sua derivada é

$$\frac{d}{dx}(x^3 y^4) = x^3 \cdot 4y^3 \frac{dy}{dx} + y^4 \cdot 3x^2.$$

Para completar o processo, resolvemos a equação resultante para dy/dx como a incógnita. Esse método chama-se *derivação implícita*. Mostramos como isto funciona aplicando-o às equações do Exemplo 1.

Exemplo 2 (a) Podemos pensar na equação $xy = 1$ considerando iguais as duas funções de x (a saber, xy e 1). Segue-se que as derivadas dessas funções são iguais e, assim:

$$x \frac{dy}{dx} + y = 0 \quad \text{ou} \quad \frac{dy}{dx} = -\frac{y}{x}.$$

Nesse caso, é possível resolver a equação original para y e conferir nosso resultado. Como $y = 1/x$, a fórmula que acabamos de obter torna-se

$$\frac{dy}{dx} = -\frac{y}{x} = -\frac{1}{x} \cdot y = -\frac{1}{x} \cdot \frac{1}{x} = -\frac{1}{x^2};$$

e derivando $y = 1/x$ diretamente temos também

$$\frac{dy}{dx} = -\frac{1}{x^2}.$$

(b) Da equação $x^2 + y^2 = 25$, obtemos

$$2x + 2y \frac{dy}{dx} = 0 \quad \text{ou} \quad \frac{dy}{dx} = -\frac{x}{y}.$$

Isto nos dá o resultado correto para qualquer das duas funções implícitas em que estamos pensando. Logo, no ponto (4, 3) da curva na Fig. 3.2, o valor de dy/dx é $-4/3$, e em (4, -3) o seu valor é 4/3.

(c) Se aplicamos esse processo de derivação implícita à equação $2x^2 - 2xy = 5 - y^2$, obtemos

$$4x - 2x\frac{dy}{dx} - 2y = -2y\frac{dy}{dx} \quad \text{ou} \quad \frac{dy}{dx} = \frac{2x-y}{x-y}.$$

(d) No Exemplo 1d a derivada dy/dx está claramente além das possibilidades de cálculo direto. Entretanto, é facilmente encontrada por nosso método presente. Como $x^3 + y^3 = 3axy$, temos

$$3x^2 + 3y^2\frac{dy}{dx} = 3ax\frac{dy}{dx} + 3ay \quad \text{ou} \quad \frac{dy}{dx} = \frac{ay - x^2}{y^2 - ax}.$$

É evidente que a derivação implícita dá, usualmente, uma expressão para dy/dx em termos tanto de x como de y, em vez de somente em termos de x. No entanto, em muitos casos, isto não é uma desvantagem real. Por exemplo, se queremos o coeficiente angular da tangente ao gráfico da equação num ponto (x_0, y_0), tudo o que precisamos fazer é substituir x e y por x_0 e y_0 na fórmula para dy/dx. Isto foi ilustrado no Exemplo 2b.

Nós agora usamos a derivação implícita para mostrar que a fórmula

$$\frac{d}{dx} x^n = nx^{n-1} \qquad (2)$$

é válida para todos os expoentes fracionários $n = p/q$*.

Por questão de conveniência, começamos a prova de (2) para expoentes fracionários, introduzindo y como a variável dependente

$$y = x^{p/q}.$$

Elevando ambos os membros à potência q, temos

$$y^q = x^p;$$

---

* Os estudantes que têm familiaridade com os expoentes fracionários devem ignorar esta nota de rodapé. Entretanto, para aqueles que esqueceram o significado desses expoentes, damos um breve resumo. Começamos recordando que a raiz quadrada $\sqrt{x}$, a raiz cúbica $\sqrt[3]{x}$ e mais geralmente a raiz q-ésima $\sqrt[q]{x}$, onde q é um inteiro positivo qualquer, são todas definidas para $x \geqslant 0$; se q é ímpar, $\sqrt[q]{x}$ está definida também para $x < 0$. A definição de expoente fracionário é feita em dois estágios: primeiro, $x^{1/q}$ é definido para $q > 0$ por $x^{1/q} = \sqrt[q]{x}$; segundo, se p/q é uma fração irredutível e $q > 0$, $x^{p/q}$ é definido por $x^{p/q} = (x^{1/q})^p$. Às vezes, é útil saber (e não é difícil de ser provado) que $(x^p)^{1/q} = (x^{1/q})^p$ se $x > 0$. Por exemplo, é fácil calcular $8^{2/3}$ de duas maneiras: $8^{2/3} = (8^2)^{1/3} = 64^{1/3} = 4$ e $8^{2/3} = (8^{1/3})^2 = 2^2 = 4$, mas $32^{3/5} = (32^3)^{1/5}$ é complicado, enquanto $32^{3/5} = (32^{1/5})^3 = 2^3 = 8$ é simples.

e derivando implicitamente com relação a x e utilizando a regra da potência para expoentes inteiros, obtemos

$$qy^{q-1}\frac{dy}{dx}=px^{p-1}$$

ou

$$\frac{dy}{dx}=\frac{p}{q}\frac{x^{p-1}}{y^{q-1}}.$$

Mas $y^{q-1}=y^q/y=x^p/x^{p/q}$ e assim

$$\frac{dy}{dx}=\frac{p}{q}\frac{x^{p-1}}{y^{q-1}}=\frac{p}{q}\frac{x^{p-1}}{x^p}\cdot x^{p/q}=\frac{p}{q}x^{p/q-1},$$

e a prova está terminada.

Exemplo 3 Temos imediatamente

$$\frac{d}{dx}x^{1/2}=\frac{1}{2}x^{-1/2}, \quad \frac{d}{dx}x^{-2/3}=-\frac{2}{3}x^{-5/3}, \quad \frac{d}{dx}x^{5/4}=\frac{5}{4}x^{1/4}.$$

A primeira dessas derivadas é muitas vezes usada na forma

$$\frac{d}{dx}\sqrt{x}=\frac{1}{2\sqrt{x}}.$$

Essa fórmula foi estabelecida diretamente da definição no Exemplo 3 da Seção 2.3.

Exemplo 4 Pela regra da cadeia, sabemos que a regra da potência da Seção 3.3 é válida para expoentes fracionários. Sendo assim,

$$\frac{d}{dx}(4-x^2)^{-5/2}=-\frac{5}{2}(4-x^2)^{-7/2}\frac{d}{dx}(4-x^2)$$

$$=-\frac{5}{2}(4-x^2)^{-7/2}(-2x)=\frac{5x}{(4-x^2)^{7/2}}.$$

Exemplo 5 Ao derivar expressões contendo radicais, uma boa idéia é começar substituindo todos os radicais por expoentes fracionários. Assim,

$$\frac{d}{dx}\frac{x}{\sqrt{x^2-1}} = \frac{d}{dx}x(x^2-1)^{-1/2} = x\left(-\frac{1}{2}\right)(x^2-1)^{-3/2}(2x) + (x^2-1)^{-1/2}$$

$$= \frac{-x^2}{(x^2-1)^{3/2}} + \frac{1}{(x^2-1)^{1/2}} = \frac{-x^2+(x^2-1)}{(x^2-1)^{3/2}} = \frac{-1}{(x^2-1)^{3/2}}.$$

Como referência, damos a lista conjunta das regras de derivação desenvolvidas neste capítulo.

1   $\dfrac{d}{dx}c = 0.$

2   $\dfrac{d}{dx}x^n = nx^{n-1}$ (n qualquer inteiro ou fração)

3   $\dfrac{d}{dx}(cu) = c\dfrac{du}{dx}.$

4   $\dfrac{d}{dx}(u+v) = \dfrac{du}{dx} + \dfrac{dv}{dx}.$

5   A regra do produto: $\dfrac{d}{dx}(uv) = u\dfrac{dv}{dx} + v\dfrac{du}{dx}.$

6   A regra do quociente: $\dfrac{d}{dx}\left(\dfrac{u}{v}\right) = \dfrac{v\,du/dx - u\,dv/dx}{v^2}.$

7   A regra da cadeia: $\dfrac{dy}{dx} = \dfrac{dy}{du} \cdot \dfrac{du}{dx}.$

8   A regra da potência: $\dfrac{d}{dx}u^n = nu^{n-1}\dfrac{du}{dx}$ (n qualquer inteiro ou fração)

Essas regras serão usadas de muitas maneiras em quase tudo que fizermos a partir de agora. Portanto recomendamos aos estudantes decorá-las e praticá-las até que seu uso se torne quase automático, se é que ainda não o fizeram. O eminente filósofo A. N. Whitehead podia bem ter tido essas regras em mente quando disse: "A civilização avança por extensão do número de operações importantes que podemos realizar sem pensar nelas".

Uma observação final: a maioria dos enganos em derivação tem origem no mau uso da regra da potência ou da regra do quociente. Por exemplo:

Erro comum	Resposta correta
$\dfrac{d}{dx}(1+6x^2)^4 = 4(1+6x^2)^3$	$4(1+6x^2)^3 \cdot 12x$
$\dfrac{d}{dx}(1+2x)^{1/3} = \tfrac{1}{3}(1+2x)^{-2/3}$	$\tfrac{1}{3}(1+2x)^{-2/3} \cdot 2$

A dificuldade com a regra do quociente está em recordar a ordem de subtração no numerador. Um modo de relembrar rapidamente a ordem correta é usar a regra do produto como se segue:

$$\frac{d}{dx}\left(\frac{u}{v}\right) = \frac{d}{dx}(uv^{-1}) = u \cdot (-1)v^{-2}\frac{dv}{dx} + v^{-1}\frac{du}{dx}$$

$$= \frac{1}{v}\frac{du}{dx} - \frac{u}{v^2}\frac{dv}{dx} = \frac{v\,du/dx - u\,dv/dx}{v^2}.$$

Problemas

1. Calcule dy/dx por derivação implícita:

   (a) $3x^3 + 4y^3 + 8 = 0$; (b) $xy^2 - x^2y + x^2 + 2y^2 = 0$;
   (c) $x = y - y^7$; (d) $x^4y^3 - 3xy = 60$;
   (e) $x^3 - y^3 = 4xy$; (f) $\dfrac{1}{x} + \dfrac{1}{y} = 1$;
   (g) $\sqrt{x} + \sqrt{y} = 6$.

2. Calcule dy/dx por derivação implícita e também por isolamento de y e posterior derivação. Verifique que as respostas são equivalentes:

   (a) $3xy + 2 = 0$; (b) $x^2 + y^2 = 9$;
   (c) $y^2 = 3x - 1$; (d) $2x^2 + 3x + y^2 = 12$.

3. Calcule a derivada em cada caso:

   (a) $x^{4/5}$; (b) $x^{5/6}$;
   (c) $x^{-3/4}$; (d) $x^{-7/11}$;
   (e) $3\sqrt[5]{x^2}$; (f) $(1 + x^{2/3})^{3/2}$;
   (g) $\left(\dfrac{x^3+8}{x^2}\right)^{3/4}$; (h) $\sqrt{1 + \sqrt{1+x}}$.

4. Ache a equação da

   (a) tangente a $y = (5 - 3x)^{1/3}$ em $(-1, 2)$;

   (b) tangente a $x^4 + 16y^4 = 32$ em $(2, 1)$;

   (c) normal a $y = x\sqrt{9+x^2}$ na origem;

   (d) normal a $y^2 - 4xy = 12$ em $(1, 6)$.

5. Mostre que as curvas $x^2 + 3y^2 = 12$ e $3x^2 - y^2 = 6$ se interceptam em ângulos retos no ponto $(\sqrt{3}, \sqrt{3})$.

6. Mostre que, para a "curva" $x(x + 6) + y^2 - 4y + 15 = 0$, a derivação implícita dá

$$\frac{dy}{dx} = \frac{x+3}{2-y}.$$

Mostre ainda que esse resultado é completamente sem sentido, porque não há pontos sobre essa "curva".

7. Verifique que a normal em qualquer ponto (x_0, y_0) da circunferência $x^2 + y^2 = a^2$ passa pelo centro.

8. Determine uma função $y = f(x)$ tal que

   (a) $\dfrac{dy}{dx} = 3\sqrt{x}$;   (b) $\dfrac{dy}{dx} = 5x\sqrt{x}$.

3.5 DERIVADAS DE ORDEM SUPERIOR

A derivada de $y = x^4$ é obviamente $y' = 4x^3$. Mas $4x^3$ também pode ser derivada, dando $12x^2$. É natural denotar essa função por y'' e chamá-la a *segunda derivada* da função original. Derivando a segunda derivada $y'' = 12x^2$, obtemos a *terceira derivada* $y''' = 24x$, e assim indefinidamente. Diversas notações são de uso comum para essas derivadas de ordem superior, e os estudantes devem se familiarizar com todas elas. As derivadas sucessivas de uma função $y = f(x)$ podem ser escritas como se segue:

Primeira derivada $f'(x)$ y' $\dfrac{dy}{dx}$ $\dfrac{d}{dx} f(x)$

Segunda derivada	$f''(x)$	y''	$\dfrac{d^2y}{dx^2}$	$\dfrac{d^2}{dx^2}f(x)$
Terceira derivada	$f'''(x)$	y'''	$\dfrac{d^3y}{dx^3}$	$\dfrac{d^3}{dx^3}f(x)$
n-ésima derivada	$f^{(n)}(x)$	$y^{(n)}$	$\dfrac{d^ny}{dx^n}$	$\dfrac{d^n}{dx^n}f(x)$

Algumas observações acerca dessas notações talvez sejam de praxe. Os elementos da primeira coluna lêem-se "f linha de x", "f duas linhas de x", "f três linhas de x", "$f\,n$ linhas de x"; analogamente, os da segunda coluna lêem-se "y linha", "y duas linhas", e assim por diante. A notação "linha" torna-se rapidamente "carregada" e raramente é usada além da terceira ordem. Às vezes, convém pensar na função original como a derivada de ordem zero e escrever $f(x) = f^{(0)}(x)$. A posição aparentemente estranha dos índices superiores na terceira coluna pode ser compreendida se recordarmos que a segunda derivada é a derivada da primeira derivada,

$$\frac{d^2y}{dx^2} = \frac{d}{dx}\left(\frac{dy}{dx}\right).$$

Do lado esquerdo, o índice superior 2 está preso ao d no topo e ao dx na base, e isto é consistente com o modo em que esses símbolos são escritos à direita.

Quais são as aplicações dessas derivadas superiores? Em Geometria, como veremos no Capítulo 4, o sinal de $f''(x)$ nos diz se a curva $y = f(x)$ é côncava para cima ou para baixo. Além disso, em capítulos posteriores, essa interpretação qualitativa da segunda derivada será refinada numa fórmula quantitativa para a curvatura da curva.

Em Física, as segundas derivadas são de grande importância. Se $s = f(t)$ dá a posição de um corpo móvel no instante t, então sabemos que a primeira e segunda derivadas dessa função de posição,

$$v = \frac{ds}{dt} \quad \text{e} \quad a = \frac{dv}{dt} = \frac{d^2s}{dt^2},$$

são a velocidade e a aceleração do corpo no instante t. O papel central da aceleração provém da Segunda Lei de Movimento de Newton, que estabelece que a aceleração de um corpo móvel é proporcional à força que age sobre ele. O problema básico da dinâmica newtoniana é utilizar o cálculo para deduzir a natureza do movimento, a partir da força dada. Começaremos examinando problemas dessa natureza no Capítulo 5.

As derivadas de ordem maior que dois não têm tais interpretações geométricas ou físicas fundamentais. No entanto, como veremos adiante, essas derivadas têm sua aplicação também, principalmente, na expansão de funções em séries infinitas.

Todas essas aplicações serão abordadas com detalhes no tempo certo. Por enquanto, nossa tarefa é desenvolver proficiência em realizar os cálculos.

Exemplo 1 É fácil calcular todas as derivadas de $y = x^5$:

$$y' = 5x^4, \quad y'' = 20x^3, \quad y''' = 60x^2,$$
$$y^{(4)} = 120x, \quad y^{(5)} = 120, \quad y^{(n)} = 0 \quad \text{para } n > 5.$$

A notação seguinte será com freqüência útil. Para todo inteiro positivo n, o símbolo $n!$ (lê-se "n fatorial") é definido como sendo o produto de todos os inteiros positivos de 1 a n:

$$n! = 1 \cdot 2 \cdot 3 \cdots n.$$

Assim, $1! = 1$, $2! = 1 \cdot 2 = 2$, $3! = 1 \cdot 2 \cdot 3 = 6$, $4! = 1 \cdot 2 \cdot 3 \cdot 4 = 24$ etc. Se derivarmos $y = x^n$ repetidamente, chegaremos evidentemente a

$$y' = nx^{n-1},$$
$$y'' = n(n-1)x^{n-2},$$
$$y''' = n(n-1)(n-2)x^{n-3}, \ldots,$$
$$y^{(n)} = n(n-1)(n-2) \cdots 2 \cdot 1 = n!,$$
$$y^{(k)} = 0 \quad \text{para } k > n.$$

Exemplo 2 Para descobrir uma fórmula para a n-ésima derivada de $y = 1/x = x^{-1}$, calculamos até que surja um padrão:

$$y' = -x^{-2},$$
$$y'' = 2x^{-3},$$
$$y''' = -2 \cdot 3x^{-4} = -3!x^{-4},$$
$$y^{(4)} = 2 \cdot 3 \cdot 4x^{-5} = 4!x^{-5},$$
$$y^{(5)} = -2 \cdot 3 \cdot 4 \cdot 5x^{-6} = -5!x^{-6}.$$

Pelo que se evidenciou até agora e pela maneira como o processo de derivação funciona, é claro que, exceto pelo sinal, $y^{(n)}$ é $n!x^{-(n+1)}$. Um modo conveniente de expressar o sinal alternado é dado pelo número $(-1)^n$, que é igual a -1 se n é ímpar e 1 se n é par. Temos, portanto,

$$y^{(n)} = (-1)^n n! x^{-(n+1)}$$

para todo inteiro positivo n.

Exemplo 3 A derivação implícita pode ser usada para encontrar uma fórmula simples para y'' sobre a circunferência $x^2 + y^2 = a^2$. Para começar o processo, derivamos e obtemos

$$2x + 2yy' = 0 \quad \text{ou} \quad y' = -\frac{x}{y}. \qquad (1)$$

Derivando novamente, pela regra do quociente, e lembrando que y é uma função de x, temos

$$y'' = -\frac{y - xy'}{y^2}.$$

Quando (1) é substituído nessa equação, a fórmula fica

$$y'' = -\frac{y - x(-x/y)}{y^2} = -\frac{y^2 + x^2}{y^3} = -\frac{a^2}{y^3},$$

que deve ser suficientemente simples para todos.

Exemplo 4 A derivação repetida permite-nos dar uma prova relativamente fácil do Teorema do Binômio. Para todo inteiro positivo n, consideramos a função

$$(1 + x)^n = (1 + x)(1 + x) \cdots (1 + x).$$

É óbvio que essa função é um polinômio de grau n, isto é,

$$(1 + x)^n = a_0 + a_1 x + a_2 x^2 + a_3 x^3 + \cdots + a_n x^n, \qquad (2)$$

e o nosso problema é descobrir quais são os coeficientes.

Se colocamos $x = 0$, obtemos imediatamente que $a_0 = 1$. A seguir, derivando ambos os membros de (2) repetidamente, temos

$$n(1 + x)^{n-1} = a_1 + 2a_2 x + 3a_3 x^2 + \cdots + na_n x^{n-1},$$
$$n(n-1)(1+x)^{n-2} = 2a_2 + 3 \cdot 2a_3 x + \cdots + n(n-1)a_n x^{n-2},$$
$$n(n-1)(n-2)(1+x)^{n-3} = 3 \cdot 2a_3 + \cdots + n(n-1)(n-2)a_n x^{n-3},$$

e assim por diante. Essas equações valem para todos os valores de x e assim podemos pôr $x = 0$ em cada uma delas. Esse procedimento dá as seguintes expressões para os coeficientes $a_1, a_2, a_3, \ldots$

$$a_1 = n, \quad a_2 = \frac{n(n-1)}{2}, \quad a_3 = \frac{n(n-1)(n-2)}{2 \cdot 3}, \quad \ldots,$$
$$a_k = \frac{n(n-1)(n-2) \cdots (n-k+1)}{1 \cdot 2 \cdot 3 \cdots k}, \quad \ldots, \quad a_n = 1.$$

Com esses coeficientes, a equação (2) toma a forma

$$(1 + x)^n = 1 + nx + \frac{n(n-1)}{1 \cdot 2} x^2 + \frac{n(n-1)(n-2)}{1 \cdot 2 \cdot 3} x^3 + \cdots$$
$$+ \frac{n(n-1)(n-2) \cdots (n-k+1)}{1 \cdot 2 \cdot 3 \cdots k} x^k + \cdots + x^n, \qquad (3)$$

e este é o Teorema do Binômio*.

Problemas

1. Calcule as quatro primeiras derivadas de:
   (a) $8x - 3$;
   (b) $8x^2 - 11x + 2$;
   (c) $8x^3 + 7x^2 - x + 9$;
   (d) $x^4 - 13x^3 + 5x^2 + 3x - 2$;
   (e) $x^{5/2}$.

---

* Para obter a versão equivalente dada no rodapé da Seção 3.1, substitua $x = b/a$ na equação (3) e depois multiplique por a^n.

2. Calcule a derivada indicada em cada caso:

(a) y'' se $y = \dfrac{x}{1-x}$;

(b) y'' se $y = x^2 - \dfrac{1}{x^2}$;

(c) $\dfrac{d^2}{dx^2}\left(\dfrac{1-x}{1+x}\right)$;

(d) $\dfrac{d^2}{dx^2}\left(x^3 + \dfrac{1}{x^3}\right)$;

(e) $\dfrac{d^{500}}{dx^{500}}(x^{131} - 3x^{79} + 4)$.

3. Determine uma fórmula geral para $y^{(n)}$ em cada caso:

(a) $y = \dfrac{1}{1-x}$;

(b) $y = \dfrac{1}{1+3x}$;

(c) $y = \dfrac{x}{1+x}$.

4. Use derivação implícita para achar uma fórmula simples para y'' em cada caso:

(a) $b^2x^2 + a^2y^2 = a^2b^2$;
(b) $y^2 = 4px$;
(c) $x^{1/2} + y^{1/2} = a^{1/2}$;
(d) $x^3 + y^3 = a^3$;
(e) $x^4 + y^4 = a^4$.

5. Encontre uma fórmula simples para y'' sobre a curva $x^n + y^n = a^n$ e mostre que seus resultados nas partes (c), (d) e (e) do Problema 4 são todos casos particulares dessa fórmula.

6. Determine os valores de y', y'' e y''' no ponto (4, 3) da circunferência $x^2 + y^2 = 25$.

7. Se s é a posição de um corpo móvel no instante t, ache tempo, posição e velocidade em cada momento em que a aceleração é nula:

(a) $s = 8t^2 - \dfrac{1}{t}$ $(t > 0)$;

(b) $s = 12t^{1/2} + t^{3/2}$ $(t > 0)$;

(c) $s = \dfrac{24}{3+t^2}$ $(t \geq 0)$.

8. (a) Qual é a 23ª derivada de

$$x^{22} - 501x^{17} + \tfrac{19}{33}x^6 - \pi^3 x^2?$$

(b) Qual é a 22ª derivada?

9. Se $f(x) = x^3 - 2x^2 - x$, para que valores de x é $f'(x) = f''(x)$?

10. Mostre o seguinte:

   (a) se y' é proporcional a x^2, então y'' é proporcional a x.

   (b) se y' é proporcional a y^2, então y'' é proporcional a y^3.

11. É natural esperar, pela regra da cadeia, que a fórmula

$$\frac{d^2y}{dx^2} = \frac{d^2y}{du^2} \cdot \frac{d^2u}{dx^2}$$

deva ser verdadeira. Prove que essa conjectura é falsa, considerando $y = \sqrt{u}$, onde $u = x^2 + 1$.

12. Se u e v são funções de x e $y = uv$, mostre que

$$y'' = u''v + 2u'v' + uv''.$$

Ache uma fórmula análoga para y'''.

Problemas Suplementares do Capítulo 3

Seção 3.1

1. Ache os pontos da curva $y = x^3 - 3x^2 - 9x + 5$ nos quais a tangente é horizontal.

2. Ache os pontos da curva $y = x^3 - x^2$ em que a tangente tem coeficiente angular igual a 1.

3. Encontre os pontos da curva $y = x^3 + x$ nos quais a tangente tem coeficiente angular igual a 4. Qual é o menor valor que o coeficiente angular da tangente a essa curva pode ter, e em que ponto(s) da curva o coeficiente angular da tangente tem esse valor mínimo?

4. Em que pontos da curva $y = x^3 - x^2 + x$ a tangente é paralela à reta $2x - y - 7 = 0$?

5. Determine o coeficiente angular da tangente à curva $y = x^4 - 2x^2 + 2$ em qualquer ponto. Para que valores de x a tangente é horizontal? Para que valores de x a tangente aponta, à direita, para cima?

6. A curva $y = ax^2 + bx + 2$ é tangente à reta $8x + y = 14$ no ponto $(2, -2)$. Ache a e b.

7. Ache as constantes a, b e c se a curva $y = ax^2 + bx + c$ passa pelo ponto $(-1, 0)$ e é tangente à reta $y = x$ na origem.

8. Se a curva $y = ax^2 + bx + c$ passa pelo ponto $(-1, 0)$ e tem a reta $3x + y = 5$ como sua tangente no ponto $(1, 2)$, que valores devem ter as constantes a, b e c?

9. As curvas $y = x^2 + ax + b$ e $y = x^3 - c$ têm a mesma tangente no ponto $(1, 2)$. Quais são os valores de a, b e c?

10. Determine as equações das tangentes à curva $y = x^2 - 4x$ que passam pelo ponto $(1, -4)$.

11. Se $a \neq 0$, mostre que a tangente à curva $y = x^3$ em (a, a^3) intercepta a curva uma segunda vez no ponto onde $x = -2a$.

12. Mostre que as tangentes à curva $y = x^2$ nos pontos (a, a^2) e $(a+2, a+2)^2$ se interceptam sobre a curva $y = x^2 - 1$.

13. Ache os valores de a, b, c e d se a curva $y = ax^3 + bx^2 + cx + d$ é tangente à reta $y = x - 1$ no ponto $(1, 0)$ e é tangente à reta $y = 6x - 9$ no ponto $(2, 3)$.

14. Use a propriedade de reflexão de parábolas para mostrar que as duas tangentes a uma parábola nas extremidades de uma corda que passa pelo foco são perpendiculares entre si.

15. Mostre que a tangente à curva $y = x^3 - 2x^2 - 3x + 8$ no ponto $(2, 2)$ é uma das normais de $y = x^2 - 3x + 3$.

16. Há somente uma normal à parábola $x^2 = 2y$ que passa pelo ponto $(4, 1)$. Ache sua equação.

17. O ponto $P = (6, 9)$ está na parábola $x^2 = 4y$. Ache todos os pontos Q dessa parábola com a propriedade de que a normal em Q passa por P.

Seção 3.2

18. Derive cada uma das seguintes funções de duas maneiras e verifique que suas respostas coincidem:

    (a) $(x^2 - 1)(x^3 - 1)$;   (b) $3x^4(x^2 + 2x)$;
    (c) $(x^2 - 3)(x - 1)$;   (d) $(x + 1)(x^2 - 2x - 3)$.

19. Derive cada uma das seguintes funções e simplifique sua resposta tanto quanto possível:

(a) $\dfrac{x + x^{-1}}{x - x^{-1}}$;

(b) $\dfrac{x^2 + 2x + 1}{x^2 - 2x + 1}$;

(c) $\dfrac{x^2}{x^3 + 2}$;

(d) $\dfrac{2x + 3}{x^2 + x - 4}$;

(e) $\dfrac{x^3}{1 - x^2}$;

(f) $\dfrac{1 - x}{1 + x}$;

(g) $\dfrac{6x^4 + 9}{x - 1}$;

(h) $\dfrac{x^2 + 6x + 9}{x^2 - 4x + 4}$.

20. Ache dy/dx de duas maneiras, primeiro dividindo e depois usando a regra do quociente, e mostre que suas respostas coincidem:

(a) $\dfrac{9 - x^3}{x^2}$; (b) $\dfrac{5 - 3x}{x^4}$; (c) $\dfrac{x^3 - 6x}{x^4}$.

21. Prove a regra do quociente a partir da regra do produto, como se segue: escreva $y = u/v$ na forma $yv = u$, derive com relação a x pela regra do produto e resolva a equação resultante para dy/dx.

22. Estenda a regra do produto para um produto de três funções mostrando que

$$\frac{d}{dx}(uvw) = vw\frac{du}{dx} + uw\frac{dv}{dx} + uv\frac{dw}{dx}.$$

Sugestão: trate uvw como um produto $(uv)w$ de dois fatores. (Observe que o membro direito dessa regra generalizada do produto é a soma de todos os termos em que a derivada de um fator é multiplicada pelos outros fatores inalterados. Esse padrão permanece para produtos de mais de três fatores.)

23. Use o Problema 22 para derivar

(a) $(x + 1)(x + 2)(x + 3)$;
(b) $(x^2 + 2x)(x^3 + 3x^2)(x^4 + 4)$.

24. Use o Problema 22 para mostrar que $(d/dx)u^3 = 3u^2 du/dx$ e aplique essa fórmula para calcular

$$\frac{d}{dx}(6x^{11} + 9x^5 - 3)^3.$$

25. Esboce a curva $y = 10\sqrt{5}/(1 + x^2)$ e ache os pontos em que a normal passa pela origem.

26. Considere a curva $y = a/(1 + x^2)$, onde a é uma constante positiva. Para que valores de a existe um ponto $P = (x_0, y_0)$ na parte da curva do primeiro quadrante em que a normal passa pela origem? Se a normal, no ponto em que $x_0 = 2$, passa pela origem, qual deve ser o valor de a?

27. Há dois pontos sobre a curva $y = (x + 4)/(x - 5)$ em que a tangente passa pela origem. Esboce a curva e determine esses pontos.

Seção 3.3

28. Calcule dy/dx em cada caso:

    (a) $y = (4x^2 - 2)^{12}$;   (b) $y = (x^4 + 1)^{125}$;
    (c) $y = (x^4 - x^8)^{16}$;   (d) $y = (x^{-1} - x^{-2})^{-3}$;
    (e) $y = (4x^2 + 5)^{-1}$;   (f) $y = (x + x^2 + x^3 + x^4)^5$.

29. Calcule dy/dx em cada caso:

    (a) $y = (1 + 2x)^3(4 - 5x)^6$;
    (b) $y = (x^2 + 1)^{10}(x^2 - 1)^{15}$;
    (c) $y = (x^2 - 1)(16 + x^2)^{-3}$;
    (d) $y = (4x^3 - 9x^2)^2(3x - 2x^2)^3$.

30. Calcule dx/dt em cada caso:

    (a) $s = \dfrac{(t + 3t^2)^2}{t + 1}$;   (b) $s = \dfrac{1}{(t^3 - 1)^5}$;
    (c) $s = \dfrac{(t^2 + 1)^4}{(t^2 - 1)^3}$;   (d) $s = \dfrac{(1 + 2t^2)^5}{(1 - 3t^3)^4}$.

31. Ache uma função $y = f(x)$ tal que

(a) $\dfrac{dy}{dx} = 12x^3(x^4 + 1)^2;$

(b) $\dfrac{dy}{dx} = 72x^5(x^6 + 1)^5.$

32. Prove a regra da potência para expoentes inteiros positivos n escrevendo $y = u^n$, expadindo $\Delta y = (u + \Delta u)^n - u^n$, pelo Teorema do Binômio e depois dividindo por Δx. Utilize a regra do quociente para estender esse resultado para expoentes inteiros negativos.

Seção 3.4

33. Calcule dy/dx por derivação implícita:

(a) $x^4 + 2xy^3 + 2y^4 = 4;$ (b) $\dfrac{y}{x} - 2x = y;$

(c) $y^2 = \dfrac{x^2 + 2}{x^2 - 2};$ (d) $x^4 y^4 = x^4 + y^4;$

(e) $\sqrt{xy} + 2y = \sqrt{x}.$

34. Calcule dy/dx por derivação implícita e também isolando y e derivando. Verifique que suas duas respostas são equivalentes:

(a) $y^3 = 3x^2 + 5x - 1;$ (b) $y^5 = x^2;$
(c) $4y^2 = 3xy + x^2;$ (d) $x^{3/2} + y^{3/2} = 8.$

35. Calcule a derivada em cada caso:

(a) $x^{5/2} - x^{3/2};$ (b) $(x^2 + 2)^{4/9};$

(c) $\sqrt[3]{x + \sqrt{x^5}};$ (d) $\dfrac{x^2}{\sqrt{1 - x^2}};$

(e) $\sqrt{x} + \dfrac{1}{\sqrt{x}};$ (f) $\sqrt[4]{2x^2 - 1};$

(g) $\sqrt{\dfrac{x^2 - 1}{x^2 + 1}};$ (h) $\sqrt{2 + \sqrt{2 - x}}.$

36. Encontre a equação da

   (a) tangente a $x^3 + y^3 = 2xy + 5$ em $(2, 1)$;

   (b) tangente a $y = \dfrac{2x}{\sqrt[3]{x^2 - 1}}$ em $(3,3)$;

   (c) normal a $x^3 + 3xy^3 - xy^2 = xy + 10$ em $(2,1)$;

   (d) normal a $x^{2/3} + y^{2/3} = 5$ em $(-8, 1)$.

37. Mostre que a soma das coordenadas x e y de qualquer reta tangente à curva $\sqrt{x} + \sqrt{y} = \sqrt{a}$ é igual a a.

38. A curva $x^{2/3} + y^{2/3} = a^{2/3}$ chama-se *hipociclóide de quatro cúspides*. Esboce-a e mostre que a tangente em (x_0, y_0) é $x_0^{-1/3}x + y_0^{-1/3}y = a^{2/3}$. Utilize essa equação para mostrar que o segmento da reta tangente entre os eixos tem comprimento constante a; assim, um segmento de comprimento a com suas extremidades deslizando ao longo dos eixos sempre tangencia a curva.

Seção 3.5

39. Calcule y'' se

   (a) $y = (1 + 3x)^{1/3}$;   (b) $y = \dfrac{x}{\sqrt{x+1}}$;

   (c) $y = x^{4/5}$;   (d) $y = x^3\sqrt{x} - 7x$;

   (e) $y = \sqrt{x} + \dfrac{1}{\sqrt{x}}$;   (f) $y = (x^2 + 4)^{5/2}$.

40. Determine uma fórmula geral para $y^{(n)}$ se

   (a) $y = \dfrac{1}{1 - 2x}$;   (b) $y = \dfrac{1}{a + bx}$.

41. Mostre que
$$\frac{d^n}{dx^n}\left[\frac{1}{x(1-x)}\right] = n!\left[\frac{(-1)^n}{x^{n+1}} + \frac{1}{(1-x)^{n+1}}\right].$$

42. Considere a função $f(x)$ definida por

$$f(x) = \begin{cases} x^2 & \text{se } x \geq 0, \\ -x^2 & \text{se } x < 0. \end{cases}$$

Esboce o gráfico, mostre que $f'(x) = 2|x|$ e conclua que $f''(0)$ não existe.

43. Para cada uma das seguintes funções, calcule $f'''(x)$ e, em seguida, o limite

$$\lim_{\Delta x \to 0} \frac{f(x + 2\Delta x) - 2f(x + \Delta x) + f(x)}{(\Delta x)^2},$$

observando que são iguais:

(a) $f(x) = x^3$;   (b) $f(x) = 1/x$.

44. Resolva o Problema 43 substituindo o limite dado por

$$\lim_{\Delta x \to 0} \frac{f(x + \Delta x) - 2f(x) + f(x - \Delta x)}{(\Delta x)^2}.$$

CAPÍTULO

4

APLICAÇÕES DE DERIVADAS

4.1. FUNÇÕES CRESCENTES E DECRESCENTES. MÁXIMOS E MÍNIMOS

Neste capítulo começamos a justificar o esforço que despendemos para aprender a calcular derivadas.

Nossas primeiras aplicações baseiam-se na interpretação da derivada como sendo o coeficiente angular da reta tangente a uma curva num ponto. O objetivo desse trabalho é dar condições para usarmos a derivada como ferramenta com o fim de descobrir rapidamente os aspectos mais importantes de uma função e esboçar seu gráfico. A arte de esboçar gráficos é essencial nas ciências físicas. É também uma das habilidades mais úteis que o Cálculo pode fornecer para os que necessitam da Matemática em seus estudos de Economia, Biologia ou Psicologia.

Dizemos que uma função $f(x)$ é *crescente* num certo intervalo do eixo x se, nesse intervalo, $x_1 < x_2$ implica $f(x_1) < f(x_2)$. Em linguagem geométrica, isto significa que o gráfico é ascendente quando o ponto que o traça se move da esquerda para a direita. Analogamente, a função é dita *decrescente* (o gráfico é descendente) se $x_1 < x_2$ implica $f(x_1) > f(x_2)$. Esses conceitos estão ilustrados na Fig. 4.1.

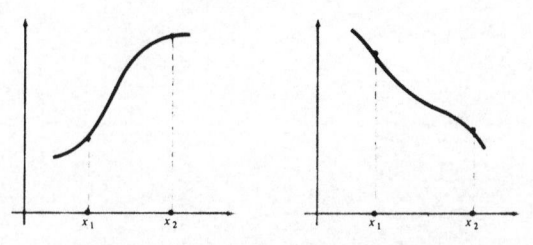

Figura 4.1 Funções crescente e decrescente.

Para esboçarmos o gráfico de uma função, é importante conhecermos os intervalos em que ela é crescente e aqueles em que é decrescente. O sinal da derivada nos dá essa informação:

Uma função $f(x)$ é crescente nos intervalos em que $f'(x) > 0$ e é decrescente nos intervalos em que $f'(x) < 0$.

Isto é geometricamente evidente se lembrarmos que uma reta aponta para cima, à direita, se seu coeficiente angular for positivo; e, para baixo, à direita, se seu coeficiente angular for negativo (Fig. 4.2).

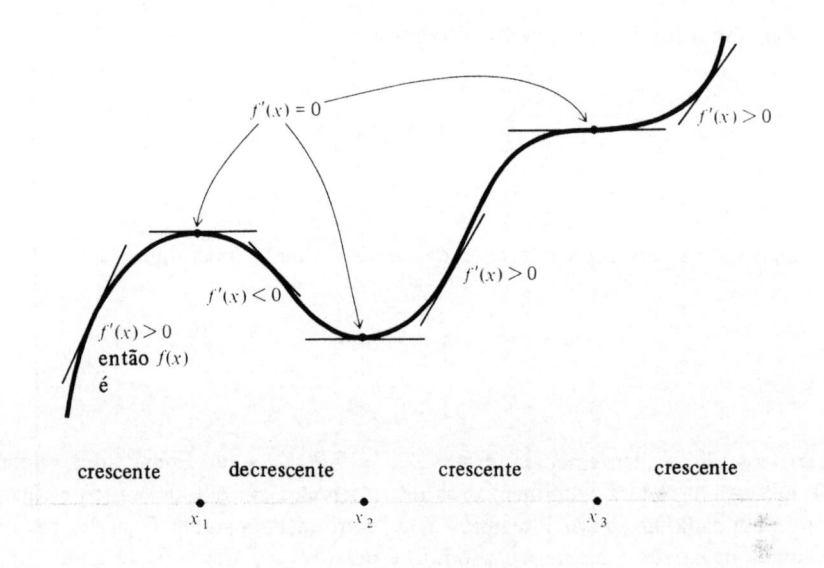

Figura 4.2

É claro que uma curva lisa só pode se transformar de crescente em decrescente passando por um pico onde o coeficiente angular da reta tangente é zero. Analogamente, ela só pode mudar de decrescente para crescente passando por uma depressão onde o coeficiente angular da reta tangente é zero. Nesses pontos temos um *valor máximo* ou *mínimo* (relativos) da função. Localizamos esses pontos determinando inicialmente os *pontos críticos* da função, que são as soluções da equação $f'(x) = 0$, isto é, forçamos a tangente a ser horizontal igualando a zero a derivada da função. Depois resolvemos a equação $f'(x) = 0$ descobrindo suas raízes. Na Fig. 4.2 os pontos críticos são x_1, x_2, x_3 e os correspondentes *valores críticos* são os valores da função nesses pontos, isto é, $f(x_1), f(x_2), f(x_3)$.

É importante compreender que um valor crítico não é necessariamente um ponto de máximo ou de mínimo (isto é mostrado por $f(x_3)$ na Fig. 4.2). No ponto crítico x_3 o gráfico não passa por um pico nem por uma depressão, mas simplesmente se achata momentaneamente entre dois intervalos, em cada um dos quais a derivada é positiva.

Devemos salientar que estamos discutindo os chamados valores máximo ou mínimo *relativos* (ou *locais*). Esses são valores que são máximos ou mínimos quando comparados somente com pontos vizinhos sobre essa curva. Na Fig. 4.2, por exemplo, $f(x_1)$ é um máximo, embora haja muitos pontos com cota maior sobre a curva, à direita. Estando interessados no máximo *absoluto* de uma função, devemos comparar esses máximos relativos entre si, determinando qual (se existir) é maior que qualquer outro valor assumido pela função.

Exemplo 1 Para esboçarmos o gráfico do polinômio

$$y = f(x) = 2x^3 - 3x^2 - 12x + 12,$$

começamos calculando a derivada e fatorando essa derivada tanto quanto possível:

$$f'(x) = 6x^2 - 6x - 12 = 6(x + 1)(x - 2).$$

Os pontos críticos são, evidentemente, $x = -1$ e $x = 2$, e os correspondentes valores críticos são $y = 19$ e $y = -8$. Agora examinamos os três intervalos em que os pontos críticos dividem o eixo x, pois em cada um desses intervalos $f'(x)$ tem sinal constante. Quando $x < -1$, $x + 1$ e $x - 2$ são ambos negativos e assim seu produto é positivo e $f'(x) > 0$. Quando $-1 < x < 2$, $x + 1$ é positivo e $x - 2$ é negativo e assim seu produto é negativo e $f'(x) < 0$. Quando $x > 2$, $x + 1$ e $x - 2$ são ambos positivos e assim seu produto é positivo e $f'(x) > 0$. Esses resultados estão mostrados na Fig. 4.3, onde as retas inclinadas dão uma sugestão esquemática da direção do gráfico em cada intervalo.

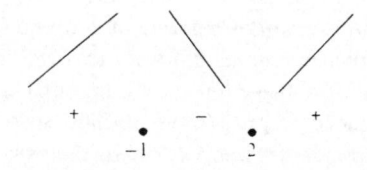

Figura 4.3

Na Fig. 4.4 assinalamos os pontos $(-1, 19)$ e $(2, -8)$ e esboçamos uma curva lisa passando por eles, usando a informação da Fig. 4.3 dada pelo sinal da derivada; isto é, $f(x)$ é crescente quando $x < -1$, decrescente quando $-1 < x < 2$ e crescente quando $x > 2$. Observe que na Fig. 4.4

usamos unidades diferentes de comprimento nos dois eixos, por motivo de conveniência, para desenhar uma figura de tamanho razoável*.

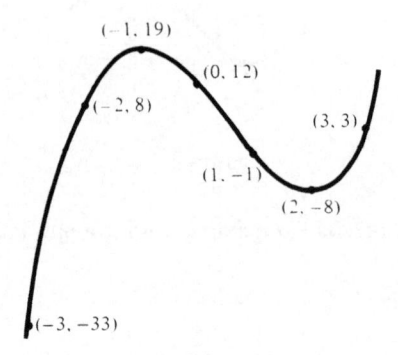

Figura 4.4

É claro que nossa função tem um máximo em $x = -1$ e um mínimo em $x = 2$, e também que não existe máximo ou mínimo absolutos. As raízes de uma função são sempre um auxiliar valioso para o esboço da curva quando elas podem ser encontradas. Encontrá-las, no entanto, pode ser bastante difícil. Assinalemos alguns pontos adicionais na Fig. 4.4 para sugerir que as raízes dessa função particular são aproximadamente −2,2, 0,9 e 2,9. Na realidade, nós, às vezes, esboçamos o gráfico de uma função para que possamos determinar a localização aproximada de suas raízes, exatamente como fizemos aqui. Este é um primeiro passo no cálculo desses zeros, com qualquer grau desejado de precisão. Na Seção 4.6 descrevemos um método-padrão para conduzir esses cálculos.

Exemplo 2 A função racional

$$y = \frac{x}{x^2 + 1}$$

foi discutida no Exemplo 6 da Seção 1.8 e lá explicamos por que o gráfico tem a forma que tem (Fig. 4.5).

---

* A idéia básica de um gráfico como auxiliar visual destacando a natureza qualitativa da função não requer o uso de unidades iguais sobre os dois eixos. Somente quando trabalhamos com certos aspectos quantitativos da geometria do plano, tais como distâncias entre pontos, áreas de regiões ou ângulos entre retas, é que necessitamos usar as mesmas unidades em ambos os eixos.

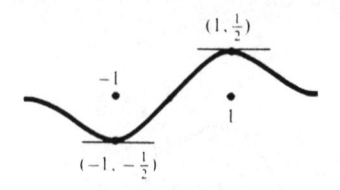

Figura 4.5

Para determinar a localização precisa do máximo e do mínimo indicados, calculamos a derivada da função e a igualamos a zero:

$$y' = \frac{(x^2 + 1) \cdot 1 - x \cdot 2x}{(x^2 + 1)^2} = \frac{1 - x^2}{(x^2 + 1)^2} = 0.$$

As raízes dessa equação (os pontos críticos) são $x = 1$ e $x = -1$ e assim o máximo e o mínimo ocorrem em $x = 1$ e $x = -1$, respectivamente. Os valores máximo e mínimo são $y = \frac{1}{2}$ e $y = -\frac{1}{2}$. Com esses fatos e nossa determinação inicial da forma global do gráfico, é óbvio que essa função cresce no intervalo $-1 < x < 1$ decresce em $x < -1$ e em $x > 1$. No entanto, essas conclusões podem também ser tiradas diretamente do sinal da derivada, que é claramente positivo em $-1 < x < 1$ e negativo em $x < -1$ e $x > 1$.

Esses exemplos, assim como a experiência já acumulada, sugerem algumas regras informais que serão úteis no esboço do gráfico de uma função $f(x)$. Se possível, devemos determinar

1. Os pontos críticos de $f(x)$.
2. Os valores críticos de $f(x)$.
3. O sinal de $f'(x)$ entre os pontos críticos.
4. As raízes de $f(x)$.
5. O comportamento de $f(x)$ quando $x \to \infty$ e quando $x \to -\infty$.
6. O comportamento de $f(x)$ perto dos pontos em que a função não está definida.

Entretanto, talvez a regra mais importante de todas seja esta: *Não seja escravo de qualquer regra; seja flexível e use o bom senso.* Lembre-se do velho provérbio húngaro: "Todas as idéias fixas estão erradas, inclusive esta".

Observação 1 Os máximos e mínimos podem ocorrer de três maneiras que não foram cobertas pela discussão precedente: nas *extremidades*, *cúspides* e *quinas*. Como exemplos consideramos as três funções

$$y = \sqrt{1-x^2}, \qquad y = x^{2/3}, \qquad y = 1 - \sqrt{x^2} = 1 - |x|.$$

Seus gráficos são mostrados na Fig. 4.6.

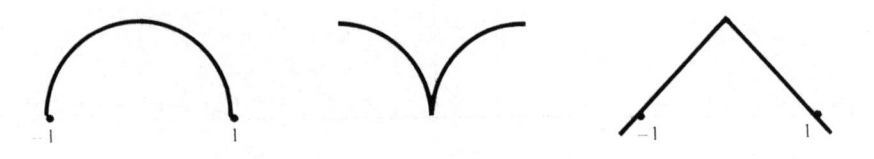

Figura 4.6 Extremidades, cúspides e quinas.

A primeira função tem como domínio o intervalo $-1 \leqslant x \leqslant 1$ e em suas extremidades assume valores mínimos que não são descobertos igualando-se a derivada a zero. A segunda função tem um mínimo em $x = 0$, que é um cúspide, porque sua derivada

$$y' = \tfrac{2}{3} x^{-1/3} = \frac{2}{3 \sqrt[3]{x}}$$

é negativa à esquerda de 0 e positiva à direita de 0, e tem uma descontinuidade infinita em 0. A terceira função tem um máximo em $x = 0$ e esse máximo chama-se uma *quina* por motivos óbvios. Ao procurar os máximos e mínimos de funções, iguale a derivada a zero, sem dúvida, mas faça-o cuidadosamente, levando em conta, além disso, essas três possibilidades.

Observação 2 Entre outras coisas, os matemáticos são céticos profissionais. Por um lado, eles estão aptos a destruir argumentos confusos e a acreditar somente naquelas afirmações que consideram impossíveis de se duvidar, na esperança de que a última certeza irá recompensar seus esforços. Nossas afirmações acerca das funções crescentes e decrescentes e máximos e mínimos têm suporte apenas em argumentos de plausibilidade geométrica. As afirmações são verdadeiras, mas esses argumentos estão muito distantes de ser provas que satisfaçam um matemático. No entanto, este livro é para estudantes, não para matemáticos, e assim tentamos não prolongar o assunto desnecessariamente com problemas teóricos. Nosso principal interesse é mais com o uso dos instrumentos que com os instrumentos por si só. Os estudantes que tiverem curiosidade sobre tais aspectos estão convidados a consultar os Apêndices B.3 e B.4.

Problemas

Esboce os gráficos da seguintes funções, utilizando a primeira derivada e os métodos dessa seção; em particular, determine os intervalos em que cada função é crescente e aqueles em que é decrescente e localize todos os valores máximos ou mínimos que existirem.

1. $y = x^2 - 2x$.
2. $y = 2 + x - x^2$.
3. $y = x^2 - 6x + 9$.
4. $y = x^2 - 4x + 5$.
5. $y = 2x^3 - 3x^2 + 1$.
6. $y = x^3 - 3x^2 + 3x - 1$.
7. $y = x^3 - x$.
8. $y = x^4 - 2x^2 + 1$.
9. $y = 3x^4 + 4x^3$.
10. $y = 3x^5 - 20x^3$.
11. $y = x + \dfrac{1}{x}$.
12. $y = 2x + \dfrac{1}{x^2}$.
13. $y = \dfrac{1}{x^2 + x}$.
14. $y = \dfrac{x}{(x-1)^2}$.
15. $y = x\sqrt{3-x}$.
16. $y = 5x^{2/3} - x^{5/3}$.

17. A função $f(x) = x^3 + x - 1$, sendo um polinômio de 3º grau, corta o eixo x (por quê?) e portanto tem pelo menos uma raiz. Examinando $f'(x)$, mostre que essa função tem somente uma raiz. Mostre analogamente que $f(x) = 2x^5 + 5x^3 + 3x - 17$ tem uma e somente uma raiz.

18. Considere a função $y = x^m (1-x)^n$, onde m e n são inteiros positivos, e mostre que:

    (a) se m é par, y tem um mínimo em $x = 0$;

    (b) se n é par, y tem um mínimo em $x = 1$;

    (c) y tem um máximo em $x = m/(m+n)$ independente de m e n serem pares ou não.

19. Esboce o gráfico de uma função $f(x)$ definida para $x > 0$ e tendo as propriedades: $f(1) = 0$ e $f'(x) = \dfrac{1}{x}$ (para todo $x > 0$).

20. Esboce o gráfico de uma função $f(x)$ com as propriedades $f'(x)<0$ para $x<2$ e $f'(x)>0$ para $x > 2$:

   (a) se $f'(x)$ é contínua em $x = 2$;

   (b) se $f'(x) \to -1$ quando $x \to 2^-$ e $f'(x) \to 1$ quando $x \to 2^+$.

21. Em cada caso, esboce o gráfico de uma função com todas as propriedades citadas:

   (a) $f(1)=1$, $f'(x)>0$ para $x<1$, $f'(x)<0$ para $x>1$;

   (b) $f(-1)=2$ e $f(2)=-1$, $f'(x)>0$ para $x<-1$ e $x>2$, $f'(x)<0$ para $-1<x<2$;

   (c) $f(-1)=1$ e $f'(-1)=0$, $f'(x)<0$ para $x<-1$ e $-1<x<2$, $f'(x)>0$ para $x > 2$;

   (d) $f'(x) < 0$ para $-2 < x < 0$ e $x > 1$, $f'(x) > 0$ para $x < -2$ e $0 < x < 1$, $f'(-2)=f'(0)=0$, $f'(1)$ não existe.

22. Construa uma fórmula de uma função $f(x)$ com um máximo em $x = -2$ e um mínimo em $x = 1$.

4.2. CONCAVIDADE E PONTOS DE INFLEXÃO

Um dos aspectos mais marcantes de um gráfico é o sentido em que ele se curva. O gráfico da Fig. 4.7, à esquerda, se curva para cima quando o ponto que o traça se move da esquerda para a direita, e o gráfico à direita se curva para baixo. O sinal da segunda derivada nos dá essa informação.

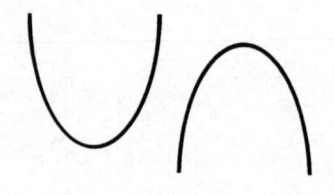

Figura 4.7

Uma segunda derivada positiva, $f''(x) > 0$, indica que o coeficiente angular $f'(x)$ é uma função crescente de x. Isto significa que a tangente à curva gira no sentido anti-horário quando nos movemos ao longo da curva, da esquerda para a direita, como é mostrado no lado esquerdo da Fig. 4.8.

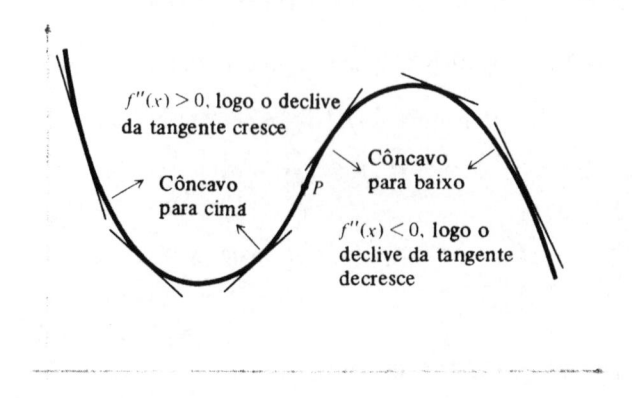

Figura 4.8

A curva é dita *côncava para cima*. Tal curva está acima de sua tangente, exceto no ponto de tangência. Analogamente, se a segunda derivada é negativa, $f''(x) < 0$, então o coeficiente angular $f'(x)$ é uma função decrescente e a tangente à curva gira no sentido horário quando nos movemos para a direita (veja o lado direito da Fig. 4.8). Nessas circunstâncias a curva é *côncava para baixo*; ela fica abaixo de sua tangente, exceto no ponto de tangência.

A maioria das curvas é côncava para cima em alguns intervalos e côncava para baixo em outros. Um ponto como P na Fig. 4.8, no qual o sentido da concavidade muda, chama-se um *ponto de inflexão*. Se $f''(x)$ é contínua e tem sinais opostos em cada lado de P, deve-se anular no próprio P. A busca de pontos de inflexão é basicamente uma questão de resolver a equação $f''(x) = 0$ e conferir o sentido de concavidade em ambos os lados de cada raiz.

Exemplo 1 Investigue a função

$$y = f(x) = 2x^3 - 12x^2 + 18x - 2$$

quanto à concavidade e pontos de inflexão.
Calculamos

$$f'(x) = 6x^2 - 24x + 18 = 6(x-1)(x-3)$$

e

$$f''(x) = 12x - 24 = 12(x-2).$$

Os pontos críticos [as raízes de $f'(x) = 0$] são naturalmente $x = 1$ e $x = 3$, e os valores críticos correspondentes são $y = 6$ e $y = -2$. Temos um possível ponto de inflexão em $x = 2$, pois esta é a única raiz de $f''(x) = 0$. É evidente que $f''(x)$ é negativa para $x < 2$ e positiva para $x > 2$, e assim o gráfico é côncavo para baixo à esquerda de $x = 2$ e côncavo para cima a sua direita. Isto revela que temos realmente um ponto de inflexão em $x = 2$, como está indicado na Fig. 4.9

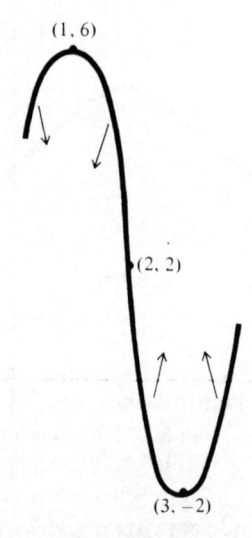

Figura 4.9

Exemplo 2 A função racional

$$y = \frac{1}{x^2 + 1}$$

é muito fácil de ter seu gráfico esboçado por inspeção se notarmos os seguintes fatos: é simétrica em relação ao eixo y; seus valores são todos positivos; tem um máximo em $x = 0$ porque aí temos o denominador mínimo; $y \to 0$ quando $|x| \to \infty$. É portanto intuitivamente claro que o gráfico tem a forma mostrada na Fig. 4.10. Há evidentemente dois pontos de inflexão e a única questão é: qual a sua localização exata? Para descobrir isto, calculamos

$$y' = \frac{-2x}{(x^2 + 1)^2}$$

e

$$y'' = \frac{(x^2 + 1)^2 \cdot (-2) + 2x \cdot 2(x^2 + 1) \cdot 2x}{(x^2 + 1)^4}$$

$$= \frac{(x^2 + 1) \cdot (-2) + 8x^2}{(x^2 + 1)^3} = \frac{2(3x^2 - 1)}{(x^2 + 1)^3}.$$

Igualando y'' a zero e resolvendo, temos $x = \pm 1/\sqrt{3}$, que são os pontos de inflexão. Podemos testar nossa primeira impressão sobre o sentido de concavidade em várias partes da curva, como é mostrado na Fig. 4.10, observando que $y'' < 0$ quando $x^2 < \frac{1}{3}$ e $y'' > 0$ quando $x^2 > \frac{1}{3}$. Esses fatos revelam que o gráfico é côncavo para baixo no intervalo $-1/\sqrt{3} < x < 1/\sqrt{3}$ e côncavo para cima nos intervalos $x < -1/\sqrt{3}$ ou $x > 1/\sqrt{3}$.

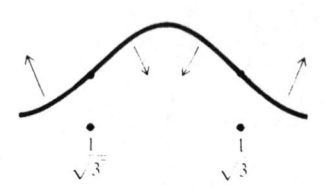

Figura 4.10

Observação 1 Como tentamos sugerir nesses exemplos, saber que $f''(x_0) = 0$ não é suficiente para garantir que $x = x_0$ seja um ponto de inflexão. Devemos também saber que o gráfico é côncavo para cima num lado de x_0 e côncavo para baixo no outro. A função mais simples que mostra essa dificuldade é $y = f(x) = x^4$ (Fig. 4.11). Aqui $f'(x) = 4x^3$ e $f''(x) = 12x^2$ e assim $f''(x) = 0$ em $x = 0$. No entanto, $f''(x)$ é obviamente positiva em ambos os lados do ponto $x = 0$ e, portanto, como já sabemos tendo em vista o gráfico, esse ponto corresponde a um mínimo e não é um ponto de inflexão.

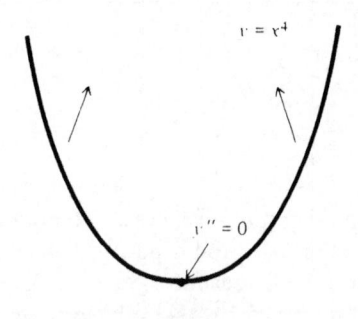

Figura 4.11

A função $y = x^5 - 5x^4$ é um exemplo mais complicado do mesmo fenômeno. Aqui

$$y' = 5x^4 - 20x^3 \quad \text{e} \quad y'' = 20x^3 - 60x^2 = 20x^2(x - 3).$$

As raízes de $y'' = 0$ são $x = 0$ e $x = 3$. No entanto, y'' não muda de sinal em $x = 0$ e, assim, o único ponto de inflexão é $x = 3$. O gráfico é côncavo para baixo à esquerda desse ponto e côncavo para cima a sua direita.

Observação 2 O gráfico de $y = x^{1/3} = \sqrt[3]{x}$ é fácil de ser esboçado e tem obviamente um ponto de inflexão em $x = 0$ (Fig. 4.12). Podemos também descobrir esse fato analisando a segunda derivada. Temos

$$y' = \tfrac{1}{3}x^{-2/3}$$

e

$$y'' = -\tfrac{2}{9}x^{-5/3} = \frac{-2}{9\sqrt[3]{x^5}},$$

assim y'' é positiva se $x < 0$ e negativa se $x > 0$, e não é definida em $x = 0$. Na procura dos pontos de inflexão, devemos portanto considerar não só pontos em que $y'' = 0$ mas também pontos (se existirem) em que y'' não existe.

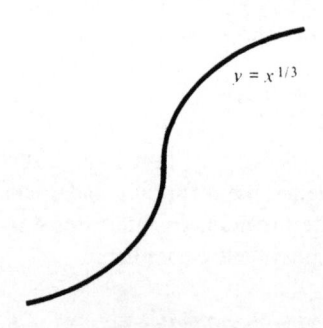

Figura 4.12

Observação 3 No chamado *teste da segunda derivada* – que formulamos informalmente com o auxílio da Fig. 4.13 – o sinal da segunda derivada é usado para decidir se um ponto crítico é ponto de máximo ou de mínimo. Esse teste, às vezes é útil, mas sua importância é, com freqüência, exagerada. Veremos nas próximas duas seções que, na maioria dos problemas aplicados, é fácil a partir do contexto decidir se estamos em presença de um ponto de máximo ou de mínimo sem nenhum teste.

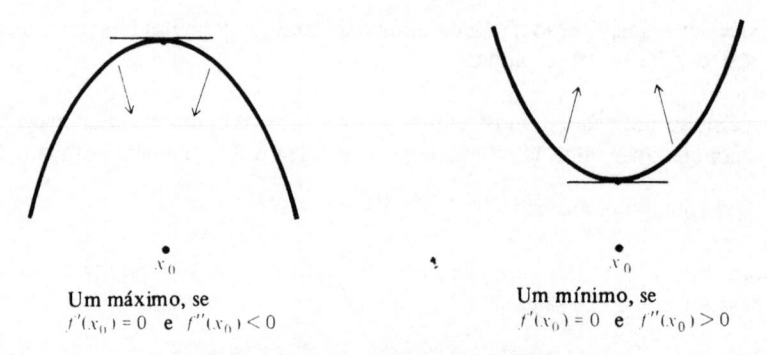

Um máximo, se
$f'(x_0) = 0$ e $f''(x_0) < 0$

Um mínimo, se
$f'(x_0) = 0$ e $f''(x_0) > 0$

Figura 4.13 O teste da segunda derivada.

Problemas

Para cada uma das seguintes funções, localize os pontos de inflexão, determine os intervalos em que a curva é côncava para cima e aqueles em que é côncava para baixo e faça um esboço.

1. $y = (x - a)^3 + b$.
2. $y = x^3 - 6x^2$.
3. $y = x^3 + 3x^2 + 4$.
4. $y = 2x^3 + 3x^2 - 12x$.
5. $y = x^4 + 2x^3 + 1$.
6. $y = x^4 - 6x^2$.
7. $y = x^4 - 2x^3$.
8. $y = 3x^5 - 5x^4$.
9. $y = \dfrac{9}{x^2 + 9}$.
10. $y = \dfrac{ax}{x^2 + b^2}$ $(a, b > 0)$.
11. $y = \dfrac{4x^2}{x^2 + 3}$.
12. $y = \dfrac{12}{x^2} - \dfrac{12}{x}$.
13. $y = x - \dfrac{1}{x}$.

14. Em cada item deste problema, use a fórmula dada para a segunda derivada de uma função para localizar os pontos de inflexão, os intervalos em que o gráfico é côncavo para cima e os intervalos em que a concavidade é para baixo:

   (a) $y'' = 8x^2 + 32x$;
   (b) $y'' = 15x^3 + 39x$;
   (c) $y'' = 3x^4 - 27x^2$;
   (d) $y'' = (x + 2)(x^2 - 4)$.

15. Esboce o gráfico de uma função $f(x)$ definida para todo x tal que

   (a) $f(x) > 0, f'(x) > 0$, e $f''(x) > 0$;
   (b) $f'(x) < 0$ e $f''(x) < 0$.

16. É possível que uma função $f(x)$ definida para todo x tenha as três propriedades $f(x) > 0$, $f'(x) < 0$ e $f''(x) < 0$? Explique.

17. (a) Fazendo um esboço, mostre que $y = x^2 + a/x$ tem um mínimo, mas não um máximo para qualquer valor da constante a. Verifique o fato também por meio de cálculo.

   (b) Determine o ponto de inflexão de $y = x^2 - 8/x$.

18. Partindo de $x^2 + y^2 = a^2$, calcule d^2y/dx^2 por derivação implícita e mostre por que seu sinal deve ser oposto ao sinal de y.

19. Ache o valor de a que faz $y = x^3 - ax^2 + 1$ ter um ponto de inflexão em $x = 1$.

20. Ache a e b tais que $y = a\sqrt{x} + b/\sqrt{x}$ tenha $(1, 4)$ como um ponto de inflexão.

21. Seja k um número positivo $\neq 1$. Mostre que a parte da curva $y = x^k$ no primeiro quadrante é

   (a) côncava para cima se $k > 1$;

   (b) côncava para baixo se $k < 1$.

22. Seja k um número positivo $\neq 1$ e $y = x^k - kx$. Mostre que:

   (a) se $k < 1$, y tem um máximo em $x = 1$;

   (b) se $k > 1$, y tem um mínimo em $x = 1$.

23. Mostre que o gráfico de uma função quadrática $y = ax^2 + bx + c$ não tem ponto de inflexão. Dê uma condição para que o gráfico seja (a) côncavo para cima; (b) côncavo para baixo.

24. Mostre que a curva cúbica genérica $y = ax^3 + bx^2 + cx + d$ tem um único ponto de inflexão e três formas possíveis, conforme seja $b^2 > 3ac$, $b^2 = 3ac$ ou $b^2 < 3ac$. Esboce essas formas.

25. Em cada um dos seguintes itens, esboce o gráfico de uma função com todas as propriedades enunciadas:

   (a) $f(0) = 2$, $f(2) = 0$, $f'(0) = f'(2) = 0$, $f'(x) > 0$ para $|x - 1| > 1$, $f'(x) < 0$ para $|x - 1| < 1$, $f''(x) < 0$ para $x < 1$, $f''(x) > 0$ para $x > 1$;

   (b) $f(-2) = 6, f(1) = 2, f(3) = 4, f'(1) = f'(3) = 0, f'(x) < 0$ para $|x - 2| > 1, f'(x) > 0$ para $|x - 2| < 1, f''(x) < 0$ para $x > 2$ ou $|x + 1| < 1, f''(x) > 0$ para $|x - 1| < 1$ ou $x < -2$;

   (c) $f(0) = 0$, $f(2) = f(-2) = 1$, $f'(0) = 0$, $f'(x) > 0$ para $x > 0$, $f'(x) < 0$ para $x < 0$, $f''(x) > 0$ para $|x| < 2$, $f''(x) < 0$ para $|x| > 2$, $\lim_{x \to \infty} f(x) = 2$, $\lim_{x \to -\infty} f(x) = 2$;

   (d) $f(2) = 4$, $f'(x) > 0$ para $x < 2$, $f'(x) < 0$ para $x > 2$, $f''(x) > 0$ para $x \neq 2$, $\lim_{x \to 2} |f'(x)| = \infty$, $\lim_{x \to \infty} f(x) = 2$, $\lim_{x \to -\infty} f(x) = 2$.

4.3 PROBLEMAS DE APLICAÇÕES DE MÁXIMOS E MÍNIMOS

Dentre as aplicações mais notáveis do Cálculo estão aquelas em que se buscam os valores máximo ou mínimo de funções.

O dia-a-dia está cheio de tais problemas e é natural que os matemáticos e outras pessoas os considerem interessantes e importantes. Um homem de negócios procura maximizar lucros e minimizar custos. Um engenheiro ao projetar um novo automóvel deseja maximizar a eficiência. Um piloto de linha aérea tenta minimizar o tempo de vôo e o consumo de combustível. Em ciência, nós, muitas vezes, achamos que a natureza age de maneira a maximizar ou minimizar uma certa quantidade. Por exemplo, um raio de luz atravessa um sistema de lentes ao longo de uma trajetória que minimiza o tempo total de percurso; um fio flexível suspenso assume uma forma que minimiza a energia potencial em virtude da gravidade.

Sempre que utilizamos palavras como o *maior*, o *menor*, o *máximo*, o *mínimo*, o *melhor* e assim por diante, é razoável conjecturar que alguma espécie de problema de máximo ou mínimo está por perto. Quando esse problema puder ser expresso em termos de variáveis e funções – o que nem sempre é possível –, os métodos do Cálculo estarão disponíveis para nos ajudar a compreendê-lo e resolvê-lo.

Muitos de nossos exemplos e problemas abordam idéias geométricas porque os valores máximo e mínimo aparecem, muitas vezes, com vigor particular em contextos geométricos. Para estar preparado para enfrentar esses problemas, os estudantes devem ter certeza de que conhecem as fórmulas de áreas e volumes dadas na Fig. 1.24 do Capítulo 1.

Começamos com um exemplo bastante simples sobre números.

Exemplo 1 Achar dois números positivos cuja soma é 16 e cujo produto é o máximo possível.

Solução Sejam x e y dois números positivos variáveis cuja soma é 16:

$$x + y = 16. \tag{1}$$

Procuramos valores particulares de x e y que maximizem o produto

$$P = xy. \tag{2}$$

A dificuldade inicial é que P depende de duas variáveis, e o nosso cálculo de derivadas trabalha somente com funções de uma única variável independente.
A equação (1) permite-nos superar essa dificuldade. Permite também expressar y em termos de x, $y = 16 - x$ e, com isso, expressar P como uma função apenas de x,

$$P = x(16 - x) = 16x - x^2. \tag{3}$$

Na Fig. 4.14 damos um esboço grosseiro do gráfico de (3).

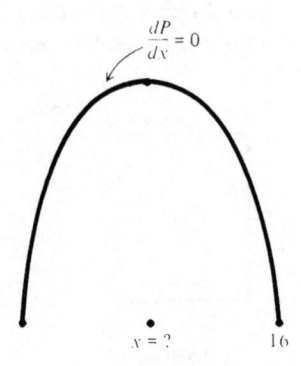

$$\frac{dP}{dx} = 0$$

$x = ?$ 16

Figura 4.14

Nosso objetivo é dar ênfase visual aos seguintes fatos óbvios sobre essa função: $P = 0$ para $x = 0$ e para $x = 16$; $P > 0$ para $0 < x < 16$ e, portanto, o ponto de maior cota (onde P tem seu valor máximo) caracteriza-se pela condição $dP/dx = 0$, pois essa condição significa que a tangente ao gráfico é horizontal. Para resolver o problema, calculamos essa derivada a partir de (3),

$$\frac{dP}{dx} = 16 - 2x,$$

e igualamos essa derivada a zero,

$$16 - 2x = 0.$$

Temos que $x = 8$ é a solução dessa equação. Este é o valor de x que maximiza P. Por (1), o valor correspondente de y é também 8. É bastante claro (Fig. 4.14) que $x = 8$ realmente maximiza P, mas se desejarmos verificar isto, podemos fazê-lo calculando a segunda derivada,

$$\frac{d^2P}{dx^2} = -2,$$

e recordando que uma segunda derivada negativa implica que a curva seja côncava para baixo e, portanto, que temos um máximo — conclusão que já sabíamos. O problema correlato de tornar o produto P tão pequeno quanto possível, dentro das restrições estabelecidas, não tem solução, pois a restrição de que x e y são números positivos significa que x deve pertencer ao intervalo aberto $0 < x < 16$, e essa parte do gráfico não tem ponto com cota menor.

Exemplo 2 Um jardim retangular de $50\,m^2$ de área deve ser protegido contra animais. Se um lado do jardim já está protegido por uma parede de celeiro, quais as dimensões da cerca de menor comprimento?

Solução Começamos desenhando um esboço e introduzindo uma notação conveniente para tratarmos com a área do jardim e o comprimento total da cerca. (Fig. 4.15).

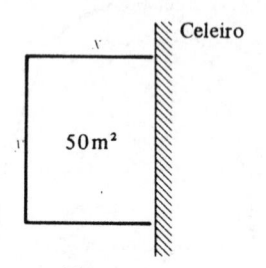

Figura 4.15

Denotamos por L o comprimento da cerca. Queremos minimizar

$$L = 2x + y \qquad (4)$$

sujeito à restrição

$$xy = 50. \qquad (5)$$

Utilizando (5), podemos escrever L como uma função apenas de x,

$$L = 2x + \frac{50}{x}. \qquad (6)$$

Um rápido esboço (Fig. 4.16) ajuda-nos a visualizar essa função e a sentirmo-nos à vontade para lidar com suas propriedades, especialmente com o fato de que ela tem um mínimo e não máximo (estamos interessados apenas em valores positivos de x).

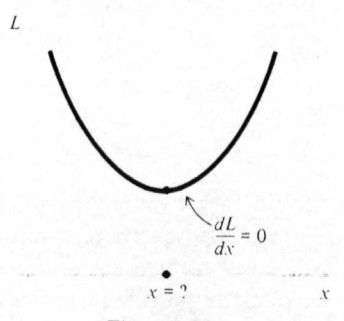

Figura 4.16

Os passos seguintes são: calcular a derivada de (6),

$$\frac{dL}{dx} = 2 - \frac{50}{x^2},$$

igualar essa derivada a zero e resolver a seguinte equação:

$$2 - \frac{50}{x^2} = 0, \quad x^2 = 25, \quad x = 5.$$

(Ignoramos a raiz $x = -5$ pela razão exposta.) Por (5), o valor correspondente de y é $y = 10$; logo o jardim com a menor cerca tem 5 metros de largura e 10 metros de comprimento.

Exemplo 3 Determine as dimensões do retângulo de maior área que pode ser inscrito num semicírculo de raio a.

Solução Tomamos nosso semicírculo como sendo limitado pela metade superior da circunferência $x^2 + y^2 = a^2$ (Fig. 4.17, à esquerda). Nossa notação está pronta: devemos maximizar

$$A = 2xy \tag{7}$$

com a restrição de que

$$x^2 + y^2 = a^2. \tag{8}$$

Como (8) acarreta $y = \sqrt{a^2 - x^2} = (a^2 - x^2)^{1/2}$, (7) torna-se

$$A = 2x(a^2 - x^2)^{1/2}. \tag{9}$$

É claro que x está no intervalo $0 < x < a$. À direita da Fig. 4.17 imaginamos os casos extremos: quando x está próximo de 0, o retângulo é alto e fino; quando x está próximo de a, ele é baixo e largo. Em cada caso, a área é pequena, assim, em alguma posição intermediária, devemos ter uma área máxima. Para localizar esse máximo, calculamos dA/dx a partir de (9), igualamos a zero e resolvemos:

$$2x \cdot \tfrac{1}{2}(a^2 - x^2)^{-1/2} \cdot (-2x) + 2(a^2 - x^2)^{1/2} = 0, \quad \frac{x^2}{\sqrt{a^2 - x^2}} = \sqrt{a^2 - x^2},$$

$$x^2 = a^2 - x^2, \quad 2x^2 = a^2, \quad x = \frac{a}{\sqrt{2}} = \tfrac{1}{2}\sqrt{2}\,a.$$

Como $y = \sqrt{a^2 - x^2}$, vemos que o valor correspondente de y é também $\frac{1}{2}\sqrt{2}a$ e, assim, as dimensões do maior retângulo inscrito são $2x = \sqrt{2}a$ e $y = \frac{1}{2}\sqrt{2}a$ sendo que esse retângulo tem como base o dobro da altura.

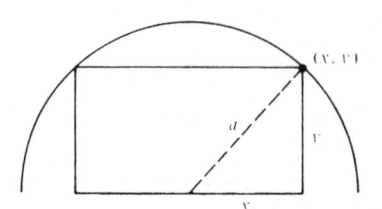

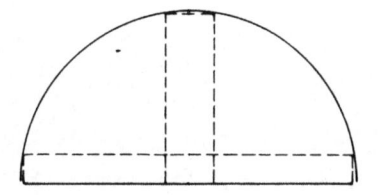

Figura 4.17

Há um modo mais eficiente de resolver esse problema se não nos interessarmos pelas reais dimensões do maior retângulo e sim somente pela sua forma. O primeiro passo é notar que (8) determina y como função implícita de x; sendo assim a derivação implícita com respeito a x conduz a

$$2x + 2y\frac{dy}{dx} = 0 \quad \text{ou} \quad \frac{dy}{dx} = -\frac{x}{y}. \tag{10}$$

A seguir, derivando (7) com respeito a x e usando o fato de que $dA/dx = 0$ no ponto de máximo, obtemos

$$2x\frac{dy}{dx} + 2y = 0 \quad \text{ou} \quad x\frac{dy}{dx} + y = 0. \tag{11}$$

Quando (10) é substituída em (11), o resultado é

$$x\left(-\frac{x}{y}\right) + y = 0, \quad -x^2 + y^2 = 0, \quad y^2 = x^2, \quad \text{ou} \quad y = x,$$

onde a última equação expressa a forma do retângulo com a maior área. Podemos também descrever essa forma dizendo que a razão entre a altura do retângulo e a base é

$$\frac{y}{2x} = \frac{x}{2x} = \frac{1}{2}.$$

Exemplo 4 Um arame de comprimento L é cortado em dois pedaços, sendo um dobrado em forma de quadrado e o outro em forma de círculo. Como devemos cortar o arame para que a soma das áreas englobadas pelos dois pedaços seja: (a) máxima? (b) mínima?

Solução Denotando por x o lado do quadrado e r o raio do círculo, como ilustrado à esquerda da Fig. 4.18,

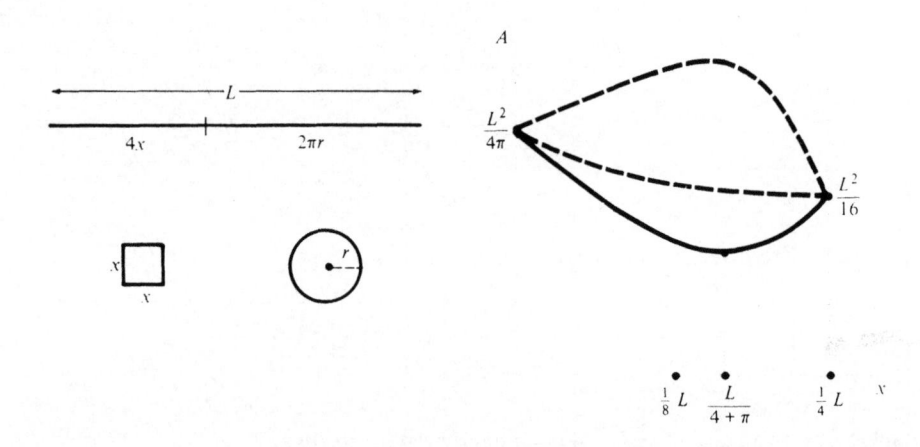

Figura 4.18

a soma das áreas será

$$A = x^2 + \pi r^2, \qquad (12)$$

onde x e r são relacionados por

$$4x + 2\pi r = L. \qquad (13)$$

Resolvemos (13) para r em termos de x,

$$r = \frac{1}{2\pi}(L - 4x),$$

e usamos essa expressão para exprimirmos A em termos apenas de x,

$$A = x^2 + \pi \cdot \frac{1}{4\pi^2}(L - 4x)^2$$

$$= x^2 + \frac{1}{4\pi}(L - 4x)^2. \qquad (14)$$

Para resolver o problema, devemos compreender muito bem o comportamento dessa função no intervalo $0 \leqslant x \leqslant \frac{1}{4}L$. Seus valores em $x = 0$ e $x = \frac{1}{4}L$ são, é claro, $L^2/4\pi$ e $L^2/16$, e o primeiro desses valores é o maior. Isto está indicado à direita da Fig. 4.18, junto com três formas possíveis do gráfico. Decidimos qual forma é correta examinando as derivadas de (14). Primeiro,

$$\frac{dA}{dx} = 2x + \frac{1}{4\pi} \cdot 2(L - 4x) \cdot (-4)$$

$$= 2x - \frac{2}{\pi}(L - 4x).$$

Igualando a zero e resolvendo a equação resultante, temos

$$x - \frac{1}{\pi}(L - 4x) = 0, \qquad \pi x = L - 4x, \qquad x = \frac{L}{4 + \pi}.$$

Esse número está entre $\frac{1}{8}L$ e $\frac{1}{4}L$. A segunda derivada é positiva,

$$\frac{d^2A}{dx^2} = 2 + \frac{8}{\pi} > 0,$$

e portanto o gráfico é côncavo para cima. As duas possibilidades superiores na figura são eliminadas e concluímos que o gráfico tem a aparência da curva inferior. Essas conclusões sobre o gráfico permitem-nos completar a solução do problema, como se segue.

Para maximizar A, devemos escolher $x = 0$ e usar o arame para o círculo. Insistindo-se em que o arame deva ser realmente cortado, então (a) não tem resposta; não importa quão pequeno seja o arame utilizado para o quadrado, sempre podemos aumentar a área total utilizando ainda menos arame destinado ao quadrado.

Para (b) a área total é minimizada quando $x = L/(4 + \pi)$. Portanto, o comprimento do arame usado para o quadrado é $4x = 4L/(4 + \pi)$ e o comprimento usado para o círculo é

$$L - 4x = L - \frac{4L}{4 + \pi} = \frac{\pi L}{4 + \pi}.$$

Notamos também que a área mínima é atingida quando o diâmetro da circunferência é igual ao lado do quadrado, pois

$$2r = \frac{1}{\pi}(L - 4x) = \frac{1}{\pi} \cdot \frac{\pi L}{4 + \pi} = \frac{L}{4 + \pi}.$$

Exemplo 5 Ao preço de Cz$ 1,50 um vendedor ambulante pode vender 500 unidades de uma certa mercadoria que custa 70 centavos cada. Para cada centavo que o vendedor abaixa no preço, a quantidade vendida pode aumentar de 25. Que preço de venda maximizará o lucro?

Solução Façamos x denotar o número de unidades monetárias que o vendedor abaixa no preço; o lucro na venda de cada mercadoria será $80 - x$ centavos, e a quantidade vendida será $500 + 25x$. O lucro total é, portanto (em cruzados),

$$P = (80 - x)(500 + 25x) = 40.000 + 1500x - 25x^2.$$

Maximizamos essa função igualando sua derivada a zero e resolvendo a equação resultante

$$\frac{dP}{dx} = 1500 - 50x, \quad 1500 - 50x = 0, \quad 50x = 1500, \quad x = 30.$$

O preço de venda mais vantajoso é, portanto, Cz$ 120,00.

Como vimos por meio desses exemplos, as técnicas matemáticas exigidas na maioria dos problemas de máximo e mínimo são relativamente simples. A parte mais difícil de tais problemas é usualmente "colocá-los" em forma conveniente. Esta é a parte de pensamento e análise do problema que se contrapõe à parte computacional. Enfatizamos esse aspecto porque é claro que o Cálculo não parece ter muito valor como ferramenta para as ciências, a menos que se aprenda a compreender o problema e a traduzir suas palavras em linguagem matemática apropriada. "Problemas em palavras" ou "problemas em historinhas" servem para ajudar os estudantes a desenvolver essa habilidade criticamente importante.

Nenhuma regra de resolução de problemas funciona realmente porque os ingredientes essenciais são imaginação e inteligência. Entretanto, as sugestões gerais seguintes podem ajudar. Elas não garantem sucesso, mas sem elas não é possível progredir.

1. Quando geometria estiver envolvida — como ocorre freqüentemente — faça um esboço cuidadoso de tamanho razoável. Trabalhe com a configuração geral. Por exemplo, se um problema trata de um triângulo genérico, não se confunda desenhando um triângulo que pareça um triângulo retângulo ou isósceles. Não seja apresssado nem descuidado. Você espera que seu esboço seja uma fonte de idéias frutíferas; portanto, trate-o com respeito.

2. Coloque cuidadosamente os dados na sua figura, certificando-se de que você captou quais são as quantidades constantes e quais podem variar.

3. Esteja a par das relações geométricas entre as quantidades em sua figura, especialmente aquelas que envolvem triângulos retângulos e triângulos semelhantes. Anote essas relações e utilize-as quando for necessário.

4. Sendo Q a quantidade a ser maximizada ou minimizada, tente expressá-la como função de uma única variável. Faça um rápido esboço do gráfico dessa função num intervalo adequado; faça pequenos experimentos de pensamento nos quais você visualize os casos extremos e utilize derivadas para descobrir os detalhes.

Problemas

1. Determine o número positivo tal que a diferença entre ele e seu quadrado seja a maior possível. Por que você pode esperar que esse número esteja no intervalo aberto (0, 1)?

2. Exprima o número 18 como soma de dois números positivos de tal modo que o produto do primeiro pelo quadrado do segundo seja tão grande quanto possível.

3. Mostre que o retângulo de área máxima para um dado perímetro é um quadrado*.

4. Mostre que o retângulo com o menor perímetro para uma dada área é um quadrado.

5. Mostre que o quadrado tem a maior área dentre todos os retângulos inscritos numa dada circunferência $x^2 + y^2 = a^2$.

6. Maximizando o perímetro em vez da área no Problema 5, mostre que a solução é ainda um quadrado.

7. Uma estrada Leste-Oeste e outra Norte-Sul interceptam-se num ponto O. Uma estrada diagonal deve ser construída de um ponto A, a leste de O, até um ponto B, ao norte de O, passando através de uma cidade C, que está a a km a leste e b km ao norte de O. Ache a razão entre OA e OB quando a área do triângulo OAB for a menor possível. Mostre que essa área mínima é atingida quando C é o ponto médio do segmento AB.

8. Um certo cartaz deverá ter 600 cm² para a mensagem impressa; deve ter 7,5 cm de margem no topo e na base e uma margem de 5 cm em cada lado. Determine as dimensões totais do cartaz para que a quantidade de papel usada seja a mínima.

9. Uma livraria pode receber da editora o livreto *Rituais de Paquera do Universitário* a um custo de Cz$ 40,00 o exemplar. A gerente da livraria estima que pode vender 180 exemplares a um preço de Cz$ 100,00 e que cada redução de 5 cruzados no preço fará aumentar 30 cópias nas vendas. Qual deve ser o preço do livro para maximizar o lucro total da livraria?

---

* Este foi o primeiro problema de máximos e mínimos resolvido pelos métodos do Cálculo (por Fermat, por volta de 1629).

10. Uma nova agência bancária deverá ter o piso com uma área de $315\,m^2$. Deve ser um retângulo com três paredes de tijolos e uma frente de vidro decorativo. O vidro custa 1,8 vezes o preço da parede de tijolos por metro linear. Quais as dimensões do edifício que minimizarão o custo de material das paredes e da frente?

11. Ao meio-dia, um barco A está a 50 milhas ao norte de um barco B, dirigindo-se para o Sul a 16 mi/h. O barco B está indo para Oeste a 12 mi/h. Em que instante eles ficarão o mais próximo possível e qual é a distância mínima entre eles?

12. Exprima o número 8 como a soma de dois números não-negativos de tal modo que a soma do quadrado do primeiro com o cubo do segundo seja a menor possível. Resolva também o problema para que essa soma seja máxima.

13. Ache dois números positivos cujo produto é 16 e cuja soma é mínima.

14. Um triângulo de base b e altura h tem ângulos agudos na base. Um retângulo está inscrito no triângulo com um lado sobre a base do triângulo. Mostre que o maior retângulo nessas condições tem base $b/2$ e altura $h/2$, de sorte que sua área é a metade da área do triângulo.

15. Ache a área do maior retângulo com a base inferior sobre o eixo x e os vértices superiores na parábola $y = 27 - x^2$.

16. Um triângulo isósceles tem seu vértice na origem, sua base é paralela ao eixo x acima dele e os vértices da base estão na parábola $9y = 27 - x^2$. Calcule a área do maior triângulo nessas condições.

17. Um retângulo tem área de $32\,cm^2$. Quais são suas dimensões se a distância de um vértice ao ponto médio de um lado não-adjacente é a menor possível?

18. O custo por hora para mover um pequeno barco é proporcional ao cubo de sua velocidade. Ache a velocidade com a qual ele deve se mover contra uma corrente de a milhas por hora para minimizar o custo de uma viagem contra a corrente percorrendo uma distância de b milhas.

19. Uma janela tem a forma de um retângulo com um semicírculo no topo. Se o perímetro total é fixo, determine as proporções da janela (isto é, a razão entre a altura da janela e a base) que permitirá máxima iluminação.

20. Resolva o problema anterior no caso em que a parte semicircular é feita de vidro opaco, que deixa passar, por unidade de área, metade da luminosidade que atravessa o vidro transparente da parte retangular.

21. Uma calha deve ser feita de três pranchas de madeira, cada uma com 1 m de largura. Se a seção transversal tem a forma de um trapézio, a que distância devem estar as bordas superiores das pranchas laterais para dar à calha a máxima capacidade de transporte?

22. Resolva o Problema 21 para o caso em que há uma prancha de 30 cm e duas pranchas de 15 cm.

23. A resistência de uma viga de madeira retangular é proporcional a sua largura e ao cubo de sua altura*. Determine as proporções (razão entre a altura e a largura) da maior viga que pode ser cortada de um dado tronco cilíndrico.

24. Dentre todos os triângulos isósceles com perímetro fixo, mostre que o triângulo de maior área é eqüilátero.

25. Um triângulo isósceles está inscrito na circunferência $x^2 + y^2 = a^2$ tendo sua base paralela ao eixo x e um vértice no ponto $(0,a)$. Ache a altura do triângulo com área máxima e mostre que o triângulo é eqüilátero. (Você pode mostrar só com raciocínio geométrico que o maior triângulo inscrito na circunferência é necessariamente eqüilátero?)

26. Um arame de comprimento L deve ser cortado em dois pedaços, um para formar um quadrado e outro para formar um triângulo eqüilátero. Como se deve cortar o arame para que a soma das áreas cercadas pelos dois pedaços seja (a) máxima? (b) mínima? Mostre que no caso (b) o lado do quadrado é 2/3 da altura do triângulo.

*27. Um homem de 6 pés de altura deseja construir uma estufa de plantas de comprimento L e largura de 18 pés contra a parede externa de sua casa, colocando um vidro inclinado medindo y do chão à parede (Fig. 4.19).

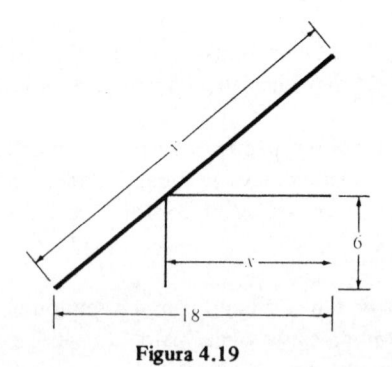

Figura 4.19

Ele considera útil o espaço na estufa até o ponto em que pode ficar de pé sem bater a cabeça. Sendo o custo de construir o teto proporcional a y, ache o coeficiente angular do teto que minimiza o custo por metro quadrado de espaço útil.
Sugestão: observe que a condição equivale a minimizar y/x.

---

* Isto significa que sendo x a largura e y a altura, a resistência S é dada pela fórmula $S = cxy^3$, onde c é uma constante de proporcionalidade.

*28. Uma cerca de a metros de altura está a b metros de uma parede. Ache o comprimento da menor escada que vai do chão à parede se apoiando no topo da cerca.

*29. Um corredor de largura a forma um ângulo reto com um segundo corredor de largura b. Uma barra longa, fina e pesada deve ser empurrada do piso do primeiro corredor para o segundo. Qual o comprimento da maior barra que pode passar a esquina?

*30. Uma longa folha de papel tem largura de a unidades. Um canto do papel é dobrado sobre si mesmo (Fig. 4.20).

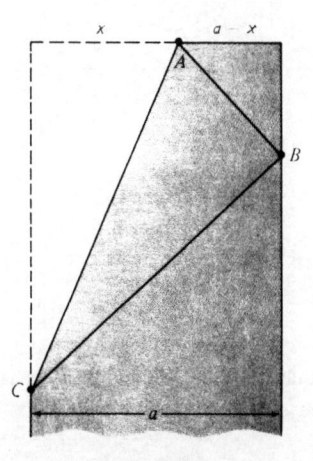

Figura 4.20

Ache o valor de x que minimize (a) a área do triângulo ABC; (b) o comprimento da dobra AC.

4.4 MAIS PROBLEMAS DE MÁXIMOS E MÍNIMOS. REFLEXÃO E REFRAÇÃO

Continuamos a desenvolver as idéias básicas da Seção 4.3 por meio de novos exemplos.

Exemplo 1   Um fabricante de latas cilíndricas de conservas recebe um pedido muito grande de latas com determinado volume V_0. Quais as dimensões que minimizarão a área total da superfície de uma lata como esta e, portanto, a quantidade de metal necessário para fabricá-la?

Solução   Sendo r e h o raio da base e a altura de uma lata cilíndrica (Fig. 4.21, à esquerda), seu volume é

$$V_0 = \pi r^2 h \qquad (1)$$

e a área da superfície total é

$$A = 2\pi r^2 + 2\pi rh. \tag{2}$$

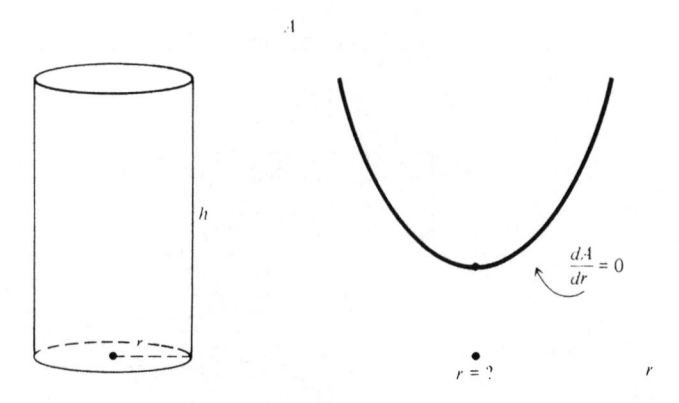

Figura 4.21

Devemos minimizar A, que é uma função de duas variáveis, notando que a equação (1) relaciona essas variáveis. Logo, resolvemos (1) para h, $h = V_0/\pi r^2$ e substituímos em (2) para expressar A como função só de r,

$$A = 2\pi r^2 + 2\pi r \cdot \frac{V_0}{\pi r^2}$$

$$= 2\pi r^2 + \frac{2V_0}{r}. \tag{3}$$

O gráfico dessa função (Fig. 4.21, à direita) mostra que A é grande quando r é pequeno ou grande, com um mínimo em algum ponto intermediário. Como sabemos, para descobrir a localização precisa desse mínimo, derivamos (3), igualamos a derivada a zero e resolvemos,

$$\frac{dA}{dr} = 4\pi r - \frac{2V_0}{r^2}, \quad 4\pi r - \frac{2V_0}{r^2} = 0, \quad 4\pi r^3 = 2V_0,$$

$$2\pi r^3 = V_0. \tag{4}$$

As dimensões reais da lata em questão podem ser obtidas bastando resolver a equação (4) para r e depois utilizar esse valor para calcular h,

$$r = \sqrt[3]{\frac{V_0}{2\pi}}, \quad h = \frac{V_0}{\pi r^2} = \frac{V_0}{\pi}\left(\frac{2\pi}{V_0}\right)^{2/3} = 2\sqrt[3]{\frac{V_0}{2\pi}}.$$

Note-se que $h = 2r$. Caso estivéssemos interessados principalmente nas proporções, poderíamos substituir V_0 em (4) por $\pi r^2 h$ e obter imediatamente

$$2\pi r^3 = \pi r^2 h \quad \text{ou} \quad 2r = h.$$

Do ponto de vista de diminuir os custos da matéria-prima, esse resultado revela que a "melhor" proporção para uma lata cilíndrica é aquela em que a altura é igual ao diâmetro da base.

Exemplo 2 Determine a razão entre a altura e o diâmetro da base do cilindro de máximo volume que pode ser inscrito numa esfera de raio R.

Solução Esboçando o desenho de um cilindro inscrito na esfera e colocando os dados (Fig. 4.2, à esquerda), vemos que

$$V = 2\pi x^2 y \tag{5}$$

onde

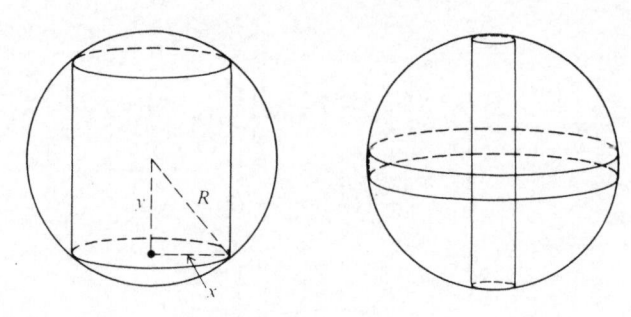

$$x^2 + y^2 = R^2. \tag{6}$$

Figura 4.22

Visualizando os casos extremos (Fig. 4.22, à direita), vemos que V é pequeno quando x está perto de zero e também quando x está perto de R, e assim entre esses extremos existe uma posição de volume máximo. Para achá-la, substituímos o valor de x^2 de (6) em (5),

$$V = 2\pi y(R^2 - y^2) = 2\pi(R^2 y - y^3),$$

obtendo-se em seguida

$$\frac{dV}{dy} = 2\pi(R^2 - 3y^2).$$

Igualando essa derivada a zero para achar y e daí usando (6) para achar x, temos

$$y = \frac{R}{\sqrt{3}} \quad \text{e} \quad x = \sqrt{R^2 - \tfrac{1}{3}R^2} = \frac{\sqrt{2}}{\sqrt{3}} R.$$

A razão entre a altura e o diâmetro da base do maior cilindro é, portanto,

$$\frac{2y}{2x} = \frac{y}{x} = \frac{1}{\sqrt{2}} = \frac{1}{2}\sqrt{2}.$$

Esse resultado pode ser obtido de modo mais eficiente pelo método da derivação implícita. Considerando-se x a variável independente, sendo y função de x e então, derivando-se (6) e igualando a zero, teremos

$$2x + 2y \frac{dy}{dx} = 0 \quad \text{ou} \quad \frac{dy}{dx} = -\frac{x}{y}.$$

De (5) temos que

$$\frac{dV}{dx} = 2\pi \left(x^2 \frac{dy}{dx} + 2xy \right) = 2\pi \left[x^2 \left(-\frac{x}{y} \right) + 2xy \right]$$

$$= 2\pi \left(\frac{-x^3 + 2xy^2}{y} \right) = \frac{2\pi x}{y} (2y^2 - x^2).$$

Portanto, segue-se que $dV/dx = 0$ quando

$$2y^2 = x^2 \quad \text{ou} \quad \frac{y}{x} = \frac{1}{\sqrt{2}} = \frac{1}{2}\sqrt{2}.$$

Exemplo 3 Um raio de luz parte de um ponto a a um ponto P sobre um espelho plano, sendo então refletido e passando por um ponto B (Fig. 4.23). Medidas acuradas mostram que o raio incidente e o raio refletido formam ângulos iguais com o espelho: $\alpha = \beta$.

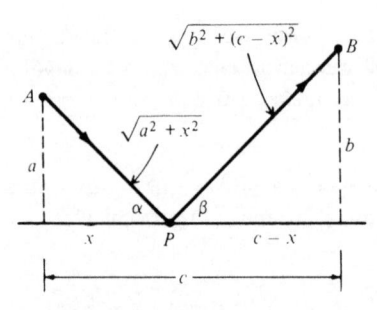

Figura 4.23 Reflexão da luz.

Suponha que o raio de luz segue o caminho mais curto de A a B passando pelo espelho e prove essa lei de reflexão mostrando que o caminho APB é mais curto quando $\alpha = \beta$.

Solução Consideremos que o ponto P assuma várias posições no espelho, sendo cada posição determinada por um valor de x. Desejamos considerar o comprimento L do percurso como uma função de x. A partir da Fig. 4.23, fica claro que essa função tem a seguinte expressão:

$$L = \sqrt{a^2 + x^2} + \sqrt{b^2 + (c-x)^2}$$
$$= (a^2 + x^2)^{1/2} + [b^2 + (c-x)^2]^{1/2}.$$

A derivação nos dá

$$\frac{dL}{dx} = \tfrac{1}{2}(a^2 + x^2)^{-1/2} \cdot (2x) + \tfrac{1}{2}[b^2 + (c-x)^2]^{-1/2} \cdot 2(c-x) \cdot (-1)$$
$$= \frac{x}{\sqrt{a^2 + x^2}} - \frac{c-x}{\sqrt{b^2 + (c-x)^2}}. \tag{7}$$

Minimizamos L ao igualar essa derivada a zero, obtendo

$$\frac{x}{\sqrt{a^2 + x^2}} = \frac{c-x}{\sqrt{b^2 + (c-x)^2}}, \tag{8}$$

e essa equação pode ser colocada sob a forma seguinte:

$$\frac{\sqrt{a^2 + x^2}}{x} = \frac{\sqrt{b^2 + (c-x)^2}}{c-x}, \qquad \sqrt{\left(\frac{a}{x}\right)^2 + 1} = \sqrt{\left(\frac{b}{c-x}\right)^2 + 1},$$

$$\frac{a}{x} = \frac{b}{c-x}.$$

Na última equação podemos facilmente isolar x. Todavia, não há necessidade disto, pois a equação como está revela o que queremos saber: para os ângulos α e β nos dois triângulos retângulos mostrados na figura, as razões entre o lado oposto e o lado adjacente são iguais e assim α e β são iguais.

É razoavelmente claro em bases intuitivas que minimizamos L. Se desejarmos verificar usando o teste da segunda derivada, utilizamos (7) para calcular

$$\frac{d^2L}{dx^2} = \frac{a^2}{(a^2 + x^2)^{3/2}} + \frac{b^2}{[b^2 + (c - x)^2]^{3/2}}$$

(omitimos os detalhes do cálculo) e tudo o que resta é observar que essa quantidade é positiva.

Observação 1 O raciocínio do Exemplo 3 pode ser simplificado aproveitando noções da trigonometria; a definição de co-seno de um ângulo agudo positivo A. Esse ângulo A pode ser encarado como um dos ângulos agudos de um triângulo retângulo (Fig. 4.24). Então, por definição,

$$\cos A = \frac{b}{c} = \frac{\text{lado adjacente}}{\text{hipotenusa}}.$$

Usando essa relação, a condição de minimização (8) pode ser escrita como

$$\cos \alpha = \cos \beta,$$

e assim $\alpha = \beta$.

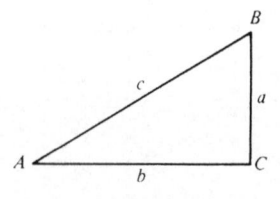

Figura 4.24

Lembramos também a definição de seno de A, que usaremos no exemplo seguinte,

$$\operatorname{sen} A = \frac{a}{c} = \frac{\text{lado oposto}}{\text{hipotenusa}}.$$

Observação 2 A lei de reflexão discutida no Exemplo 3 já era conhecida pelos gregos da Antigüidade. No entanto, o fato de que um raio de luz refletido segue o caminho mais curto foi descoberto muito mais tarde por Heron de Alexandria, no século I d.C. A demonstração geométrica de Heron é simples, porém engenhosa. O argumento é o seguinte: sejam A e B os mesmos pontos do problema (Fig. 4.25) e seja B' a imagem especular de B. A superfície do espelho é o plano bissetor de BB'. O segmento AB' intercepta o espelho num ponto P e este é o ponto onde um raio de luz é refletido ao passar de A para B, pois então $\alpha = \gamma$ e $\gamma = \beta$ e assim $\alpha = \beta$. O percurso total é $AP + PB = AP + PB' = AB'$. O percurso de A a B, passando por qualquer outro ponto P' do espelho, é $AP' + P'B = AP' + P'B'$, que é maior que o terceiro lado do triângulo $AP'B'$, o lado AB'.

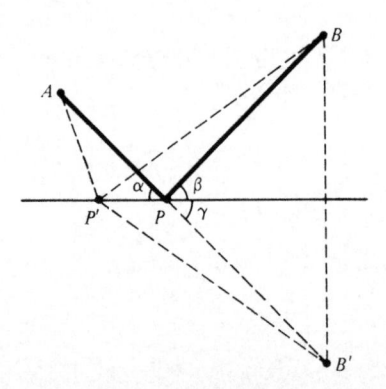

Figura 4.25

Isto mostra que o percurso real de A a B do raio de luz refletido no espelho é o menor possível.

Exemplo 4 O raio de luz refletido que acabamos de discutir tem o percurso em um único meio a uma velocidade constante. No entanto, em meios diferentes (ar, água, vidro), a luz tem velocidades diferentes. Se um raio de luz passa do ar para a água (Fig. 4.26), ele é refratado passando a uma direção mais próxima da perpendicular à interface. O percurso APB, nitidamente, não é mais o caminho mais curto de A a B. Que lei determina esse percurso?

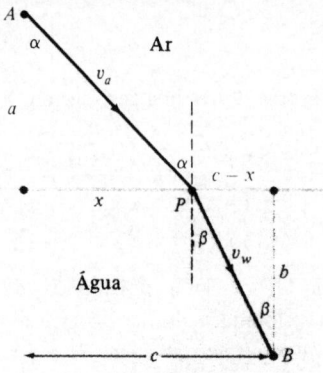

Figura 4.26 Refração da luz.

Em 1621 o cientista holandês Snell descobriu empiricamente que o caminho real do raio de luz é o que satisfaz a relação

$$\frac{\operatorname{sen} \alpha}{\operatorname{sen} \beta} = \text{constante}, \tag{9}$$

onde essa constante é independente das posições de A e B. Esse fato é chamado *Lei de Refração de Snell*. Prove a Lei de Snell, partindo do pressuposto de que o raio percorre um caminho de A a B de modo a minimizar o tempo total de percurso.

Solução Se a velocidade da luz no ar é v_a e na água é v_w, então o tempo total de percurso T é o tempo no ar mais o tempo na água,

$$T = \frac{\sqrt{a^2 + x^2}}{v_a} + \frac{\sqrt{b^2 + (c-x)^2}}{v_w}$$

$$= \frac{1}{v_a}(a^2 + x^2)^{1/2} + \frac{1}{v_w}[b^2 + (c-x)^2]^{1/2}.$$

Se calcularmos a derivada dessa função e observarmos o seu significado em termos da Fig. 4.26, obteremos

$$\frac{dT}{dx} = \frac{1}{v_a} \frac{x}{\sqrt{a^2 + x^2}} - \frac{1}{v_w} \frac{c-x}{\sqrt{b^2 + (c-x)^2}}$$

$$= \frac{\operatorname{sen} \alpha}{v_a} - \frac{\operatorname{sen} \beta}{v_w}. \tag{10}$$

Para obter o T mínimo igualamos essa derivada a zero, obtendo

$$\frac{\operatorname{sen} \alpha}{v_a} = \frac{\operatorname{sen} \beta}{v_w} \quad \text{ou} \quad \frac{\operatorname{sen} \alpha}{\operatorname{sen} \beta} = \frac{v_a}{v_w}. \tag{11}$$

Esta é a forma mais reveladora da Lei de Snell, porque nos dá o significado físico da constante à direita de (9): é a razão entre a velocidade da luz no ar e a velocidade (menor) da luz na água. Essa constante chama-se *índice de refração* da água. Se a água dessa experiência for substituída por qualquer outro meio translúcido, tal como álcool, glicerina ou vidro, então a constante terá um valor numérico diferente: o índice de refração do meio em questão.

Como no Exemplo 3, podemos verificar que a configuração (11) realmente minimiza T calculando a segunda derivada e observando que esta é positiva:

$$\frac{d^2T}{dx^2} = \frac{1}{v_a} \frac{a^2}{(a^2+x^2)^{3/2}} + \frac{1}{v_w} \frac{b^2}{[b^2+(c-x)^2]^{3/2}} > 0.$$

Mas há um outro método que vale a pena mencionar. Começamos observando que dT/dx, dado por (10), é uma diferença de dois termos. Quando x cresce de 0 a c, o 1º termo, (sen α)/v_a, cresce de 0 para algum valor positivo. O 2º termo, (sen β)/v_w, decresce de algum valor positivo para 0. Isto mostra que dT/dx é negativo em $x = 0$ e cresce para um valor positivo em $x = c$. O valor mínimo de T ocorre, portanto, no único x para o qual $dT/dx = 0$ e esta é precisamente a configuração descrita por (11).

Observação 3 As idéias do Exemplo 4 foram descobertas em 1657 pelo grande matemático francês Fermat, e por essa razão a afirmação de que um raio de luz atravessa um sistema óptico percorrendo o caminho que minimiza seu tempo total de percurso chama-se *princípio do tempo mínimo de Fermat*. (Deve ser notado que quando um raio de luz percorre um único meio uniforme, "caminho mais curto" é equivalente a "tempo mínimo", e assim o Exemplo 3 recai no mesmo princípio.) Durante os dois séculos seguintes, as idéias de Fermat estimularam um amplo desenvolvimento da teoria geral de máximos e mínimos, levando primeiro à criação por Euler do Cálculo Variacional e, depois, ao princípio da mínima ação, de Hamilton, que se tornou um dos princípios unificadores mais profundos da Física. Euler expressou seu entusiasmo com as seguintes palavras memoráveis: "Como a estrutura do mundo é a mais perfeita e foi estabelecida pelo mais sábio Criador, tudo que ocorre nesse mundo tem alguma razão de máximo ou mínimo".

Problemas

1. Uma caixa retangular fechada com base quadrada deve ser feita de madeira compensada. Sendo dado o volume, ache a forma (razão entre a altura e o lado da base) que minimiza a quantidade de madeira compensada necessária.

2. Resolva o Problema 1 considerando que a caixa é aberta em cima.

3. Ache o raio do cilindro de volume máximo que pode ser inscrito num cone de altura H e raio de base R.

4. Ache a altura do cone de máximo volume que pode ser inscrito numa esfera de raio R.

5. Uma peça quadrada de lata com 24 cm de lado deve ser transformada numa caixa aberta em cima, retirando-se um pequeno quadrado de cada canto e dobrando-se as abas para formar os lados. De que tamanho devemos cortar o quadrado de cada canto para que o volume da caixa seja máximo?

6. Resolva o Problema 5 no caso em que a dada peça de lata seja um retângulo de 15 cm por 24 cm.

7. Uma lata cilíndrica sem tampa deve ser feita a partir de uma chapa metálica com peso especificado. Ache a razão entre a altura e o diâmetro da base quando o volume da lata é máximo.

8. Um tanque cilíndrico sem tampa deve ter um volume especificado. Se o custo do material usado para a base é três vezes maior que o custo daquele usado para a lateral encurvada, ache a razão entre a altura e o diâmetro da base para a qual o custo total é mínimo.

9. Faça um esboço razoavelmente bom do gráfico de $y = \sqrt{x}$ e marque o ponto que parece estar mais próximo do ponto $(\frac{3}{2}, 0)$. Calcule então as coordenadas desse ponto mais próximo. Sugestão: minimize o quadrado da distância do ponto $(\frac{3}{2}, 0)$ ao ponto $(x, \sqrt{x})$.

10. Generalize o Problema 9 achando o ponto sobre o gráfico de $y = \sqrt{x}$ que está mais próximo do ponto $(a, 0)$ para $a > 0$ qualquer.

11. Um espião é deixado por um submarino para ser embarcado em um bote a 2 milhas de um ponto P numa praia reta com direção Norte-Sul. Ele precisa chegar a uma casa na praia a 6 milhas ao norte de P. Remando ele percorre 3 mi/h e, andando, 5 mi/h. Sua intenção é remar em direção a um certo ponto ao norte de P e depois andar o resto do caminho.

    (a) A que distância ao norte de P ele deve desembarcar para chegar à casa no menor tempo possível?

    (b) Qual a duração da viagem?

    (c) Quanto tempo a mais ele gastará se remar diretamente a P e depois andar para a casa?

12. Mostre que a resposta da parte (a) do Problema 11 não se altera se a casa estiver a 8 milhas ao norte de P.

13. Se o bote do Problema 11 estiver munido de um pequeno motor que permite uma velocidade de 5 mi/h, então é óbvio, por bom senso, que a rota mais rápida é a percorrida exclusivamente de bote. Qual a menor velocidade em que tal rota continue sendo a mais rápida?

*14. A intensidade de iluminação num ponto P a partir de uma fonte de luz é diretamente proporcional à potência da fonte e inversamente proporcional ao quadrado da distância de P à fonte. Duas fontes de luz de potências a e b estão a uma distância L entre si. Que ponto do segmento de reta que liga essas fontes recebe a menor iluminação global? Se a é oito vezes maior que b, qual a localização desse ponto? (Admita que a intensidade de iluminação em qualquer ponto é a soma das intensidades das duas fontes.)

*15. Duas cidades A e B estão no mesmo lado de uma rodovia reta. A distância entre elas é c e suas distâncias à rodovia são a e b. Mostre que o comprimento do menor percurso de A à rodovia e depois a B é $\sqrt{c^2 + 4ab}$.

(a) Usando cálculo;

(b) Sem cálculo. (Sugestão: introduza a "imagem especular" de B no outro lado da rodovia.)

16. Calcule a menor distância na vertical entre as curvas $y = 16x^2$ e $y = -1/x^2$.

17. Um triângulo isósceles está circunscrito a um círculo de raio R. Se x é a altura do triângulo, mostre que sua área A é mínima quando $x = 3R$. Sugestão: minimize A^2.

18. Se a figura do Problema 17 for girada ao redor da altura do triângulo, o resultado é um cone circunscrito a uma esfera de raio R. Mostre que o volume do cone é mínimo quando $x = 4R$ e que esse volume mínimo é o dobro do volume da esfera.

19. Um silo tem parede cilíndrica, piso plano circular e teto hemisférico. Para um dado volume, ache a razão entre a altura total e o diâmetro da base que minimiza a área da superfície total.

20. No Problema 19, se o custo de construção por metro quadrado de teto hemisférico é o dobro do custo da parede e do piso, ache a razão da altura total pelo diâmetro da base que minimiza o custo total de construção.

21. Qual o menor valor da constante a para o qual a desigualdade $ax + 1/x \geq 2\sqrt{2}$ é válida para todos os números positivos x?

*22. Existe uma refinaria num ponto A à beira de uma rodovia e um reservatório de petróleo num ponto B que pode ser alcançado viajando 5 km na rodovia até um ponto C e depois 12 km através do campo, perpendicularmente à rodovia. Para se construir um oleoduto de A a B, sabe-se que ele custará k vezes mais por quilômetro através do campo do que ao longo da rodovia, devido a dificuldades do terreno. O oleoduto será construído ou direto de A a B ou ao longo da rodovia até um ponto P, no caminho em direção a C e depois através do campo até B, tendo-se como critério o preço mais barato. Decida qual o traçado mais barato (a) se $k = 3$; (b) se $k = 2$. (c) Qual é o maior valor de k para o qual é mais barato construir o oleoduto diretamente de A a B?

23. Um anel circular de raio a está uniformemente carregado de eletricidade, sendo Q a carga total. A força exercida por essa carga sobre uma carga unitária localizada a uma distância x do centro do anel, numa direção perpendicular ao plano do anel, é dada por $F = Qx\,(x^2 + a^2)^{-3/2}$. Esboce o gráfico dessa função e determine o valor de x que maximiza F.

24. Um buraco cilíndrico de raio x é feito numa esfera de raio R de tal modo que o eixo do buraco passa pelo centro da esfera. Determine o valor de x que maximiza a área da superfície completa do sólido restante. Sugestão: a área de um segmento de altura h de uma esfera de raio R é $2\pi Rh$.

*25. Seja dada a soma das áreas das superfícies de um cubo e de uma esfera. Qual a razão entre a aresta do cubo e o diâmetro da esfera para que (a) a soma de seus volumes seja máxima? (b) a soma de seus volumes seja mínima?

*26. Considere duas esferas de raios 1 e 2 cujos centros distam 6 unidades entre si. Em que ponto da reta que une os centros um observador poderá ver a maior área de superfície total? (Veja a sugestão para o Problema 24.)

*27. Determine o ponto da parábola $y = x^2$ mais próximo do ponto $(6, 3)$.

4.5. TAXAS RELACIONADAS

À medida que um tanque vai recebendo água, o nível de água sobe. Para descrever a velocidade com que o nível da água sobe, usamos a taxa de variação do nível da água ou, de modo equivalente, a taxa de variação da profundidade. Denotando-se a profundidade por h e sendo t o tempo medido a partir de um momento conveniente, a derivada dh/dt fornece a taxa de variação da profundidade. Além disso, o volume V de água no tanque também está mudando e dV/dt é sua taxa de variação.

Analogamente, toda quantidade física ou geométrica que varia com o tempo é *função do tempo*, digamos $Q = Q(t)$ e sua derivada dQ/dt é a *taxa de variação da quantidade*. Os problemas que vamos considerar agora estão baseados em que, se duas quantidades variáveis estiverem relacionadas entre si, então suas taxas de variação também o estarão.

Exemplo 1 Um grande balão esférico de borracha está sendo cheio de gás a uma taxa constante de 8 m³/min. Calcule com que velocidade o raio r do balão cresce (a) quando $r = 2$ m; (b) quando $r = 4$ m.

Solução O volume do balão (Fig. 4.27) é dado pela fórmula

$$V = \tfrac{4}{3}\pi r^3. \tag{1}$$

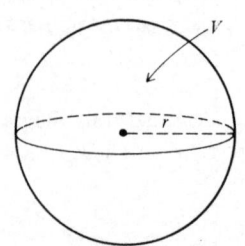

Figura 4.27

Temos que $dV/dt = 8$ e precisamos achar dr/dt para dois valores específicos de r. É essencial compreender o que está por trás dessa situação, ou seja, o fato de que V e r são ambas variáveis dependentes, tendo o tempo t como variável independente subjacente. Com isto em mente, é natural introduzir as taxas de variação de V e r, derivando (1) com relação a t,

$$\frac{dV}{dt} = \tfrac{4}{3}\pi \cdot 3r^2 \frac{dr}{dt} = 4\pi r^2 \frac{dr}{dt}, \qquad (2) \qquad (2)$$

onde a regra da cadeia foi aplicada. Segue-se de (2) que

$$\frac{dr}{dt} = \frac{1}{4\pi r^2} \frac{dV}{dt} = \frac{2}{\pi r^2},$$

pois $dV/dt = 8$. No caso (a), temos, portanto,

$$\frac{dr}{dt} = \frac{1}{2\pi} \cong 0{,}16 \text{ m/min},$$

e no caso (b),

$$\frac{dr}{dt} = \frac{1}{8\pi} \cong 0{,}04 \text{ m/min}.$$

Essas conclusões confirmam nossa intuição de que se o volume do balão crescer a uma taxa constante, o raio aumentará cada vez mais devagar na medida em que o volume seja maior.

Exemplo 2 Uma escada de 13 m está apoiada em uma parede. A base da escada está sendo empurrada no sentido contrário ao da parede, a uma taxa constante de 6 m/min. Qual a velocidade com a qual o topo da escada se move para baixo, encostado à parede, quando a base da escada está a 5 m da parede?

Solução A primeira coisa a fazer é desenhar um diagrama da situação e colocar os dados, tomando o cuidado de usar letras para representar as quantidades que estão variando (Fig. 4.28).

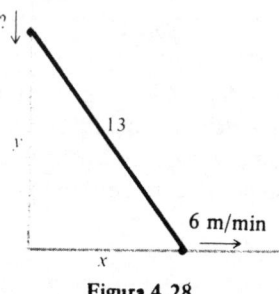

Figura 4.28

Usando a figura, podemos clarear nossas idéias, assinalando o que é conhecido e o que estamos procurando:

$$\frac{dx}{dt} = 6, \quad -\frac{dy}{dt} = ? \quad \text{quando } x = 5.$$

(O uso do sinal negativo aqui pode ser melhor entendido pensando em dy/dt como a taxa com que y está crescendo, e $-dy/dt$ como a taxa com que y está decrescendo. O problema pede o segundo caso.) Grosso modo, conhecemos uma derivada em relação ao tempo e queremos achar a outra. Logo, procuramos uma equação ligando x e y da qual possamos obter uma segunda equação relacionando suas taxas de variação. É claro pela figura que nosso ponto de partida deve ser o fato de que

$$x^2 + y^2 = 169. \tag{3}$$

Derivando essa expressão com relação a t, obtemos

$$2x\frac{dx}{dt} + 2y\frac{dy}{dt} = 0 \quad \text{ou} \quad \frac{dy}{dt} = -\frac{x}{y}\frac{dx}{dt} \quad \text{ou} \quad -\frac{dy}{dt} = \frac{x}{y}\frac{dx}{dt},$$

e portanto

$$-\frac{dy}{dt} = \frac{6x}{y}, \tag{4}$$

visto que $dx/dt = 6$. Finalmente, a equação (3) revela que $y = 12$ quando $x = 5$; logo, (4) nos leva a concluir que

$$-\frac{dy}{dt} = \frac{6 \cdot 5}{12} = 2\tfrac{1}{2} \text{ m/min quando } x = 5.$$

Advertência: não substitua os valores $x = 5, y = 12$ precipitadamente. A essência do problema é o fato de que x e y são variáveis; se nós as fixamos a valores específicos muito cedo, como na Fig. 4.29, tornamos impossível compreender ou resolver o problema.

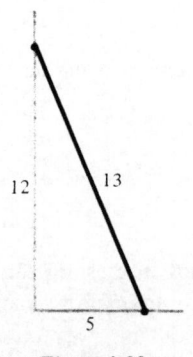

Figura 4.29

Em outras palavras, conserve a fluidez da situação até o último momento possível.

Exemplo 3 Um tanque em forma de cone com o vértice para baixo mede 12 m de altura e tem no topo um diâmetro de 12 m. Bombea-se água à taxa de 4 m³/min. Ache a taxa com que o nível da água sobe (a) quando a água tem 2 m de profundidade e (b) quando a água tem 8 m de profundidade.

Solução Como no exemplo anterior, começamos desenhando e colocando os dados num diagrama (Fig. 4.30), com o propósito de visualizar a situação e estabelecer a notação. Nosso passo seguinte é usar essa notação para fixar, como se segue, o que é dado e o que estamos procurando:

$$\frac{dV}{dt} = 4, \quad \frac{dx}{dt} = ? \text{ quando } x = 2 \text{ e } x = 8.$$

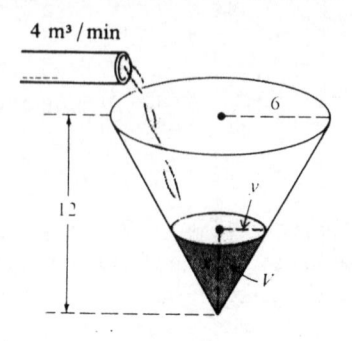

Figura 4.30

O volume variável da água no tanque tem a forma de um cone; logo, nosso ponto de partida é a fórmula

$$V = \tfrac{1}{3}\pi y^2 x. \tag{5}$$

As únicas variáveis dependentes que nos interessam são V e x; logo, queremos eliminar a variável supérflua y. Da Fig. 4.30, usando triângulos semelhantes, vemos que

$$\frac{y}{x} = \frac{6}{12} = \frac{1}{2} \quad \text{ou} \quad y = \tfrac{1}{2}x, \tag{6}$$

e, substituindo em (5), obtemos

$$V = \frac{\pi}{12} x^3. \tag{7}$$

Estamos agora em condições de introduzir as taxas de variação derivando (7) com relação a t, o que leva a

$$\frac{dV}{dt} = \frac{\pi}{4} x^2 \frac{dx}{dt} \tag{8}$$

ou

$$\frac{dx}{dt} = \frac{4}{\pi x^2} \frac{dV}{dt} = \frac{16}{\pi x^2},$$

visto que $dV/dt = 4$. Dessa fórmula obtemos, para $x = 2$,

$$\frac{dx}{dt} = \frac{4}{\pi} \cong 1{,}27 \text{ m/min}$$

e, para $x = 8$,

$$\frac{dx}{dt} = \frac{1}{4\pi} \cong 0{,}08 \text{ m/min},$$

e a solução está completa.

Vale a pena observar que o uso explícito da fórmula (5) pode ser evitado usando-se, em vez disso, o fato de que

$$\frac{dV}{dt} = \pi y^2 \frac{dx}{dt}. \tag{9}$$

Vemos por essa fórmula que a taxa de variação do volume é igual à área da superfície livre vezes a taxa de variação da profundidade. Assim, a afirmação é verdadeira, não importando a forma do tanque. Substituindo (6) em (9) obtemos (8) e prosseguimos como anteriormente.

Resumindo as lições desses exemplos: ao resolver um problema envolvendo taxas de variação, normalmente é uma boa idéia começar fazendo um esboço cuidadoso da situação em consideração. A seguir, colocam-se no esboço todas as quantidades numéricas que permanecem fixas no decorrer de todo o problema. Então, denotam-se com letras quaisquer as quantidades — variáveis dependentes — que variam com o tempo e procura-se uma relação geométrica ou física entre essas variáveis. Finalmente, deriva-se em relação ao tempo t para se obter uma relação entre as várias taxas de variação e usa-se a relação obtida para determinar a taxa desconhecida pedida pelo problema.

Problemas

1. Uma pedra lançada numa lagoa provoca uma série de ondulações concêntricas. Se o raio r da onda exterior cresce uniformemente à taxa de 1,8 m/s, determine a taxa com que a área de água perturbada está crescendo (a) quando $r = 3$ m e (b) quando $r = 6$ m.

2. Uma grande bola de neve esférica está se derretendo à taxa de $0,06\pi$ m^3/h. No momento em que está com 76 cm de diâmetro, determine (a) a velocidade com que o raio está variando e (b) a velocidade com que a área da superfície está variando.

3. Despeja-se areia sobre um monte em forma de cone à taxa constante de 1,4 m^3/min. As forças de atrito na areia são tais que a altura do monte é sempre igual ao raio de sua base. Com que velocidade a altura do monte aumenta quando ele tem 1,5 m de altura?

4. Uma jovem com 1,60 m de altura está correndo à velocidade de 3,6 m/s e passa embaixo de uma lâmpada num poste a 6 m acima do solo. Encontre a velocidade com que o topo de sua sombra se move quando ela está (a) a 6 m depois da lâmpada e (b) a 15 m depois da lâmpada.

5. No Problema 4, encontre a velocidade com que o comprimento da sombra da jovem aumenta em cada um dos momentos citados.

6. Uma lâmpada está no topo de um poste de 24 m de altura. Uma bola é largada da mesma altura de um ponto situado a 6 m de distância da lâmpada. Encontre a velocidade com que a sombra da bola se move no chão (a) 1 segundo depois de largada a bola e (b) 2 segundos depois. (Pressuponha que a bola cai $s = 4,9\ t^2$ metros em t segundos.)

7. Uma mulher levanta um balde de cimento para uma plataforma situada a 12 m acima de sua cabeça por meio de um cabo de 24 m de comprimento que passa por uma roldana na plataforma. Ela segura firmemente a extremidade da corda ao nível da cabeça e caminha a 1,5 m/s de modo a se afastar da plataforma. Com que velocidade o balde está sendo levantado quando ela está a 9 m do ponto diretamente abaixo da roldana?

8. Um menino empina um papagaio a 24 m de altura e o vento sopra horizontalmente distanciando-o do menino a 6 m/s. Com que velocidade o menino solta a linha quando o papagaio está 30 m longe dele?

9. Um barco está sendo puxado para o cais por meio de um cabo com uma extremidade atada na proa do barco e a outra passando através de um anel fixo no cais num ponto situado a 1,5 m acima do nível da proa do barco. Se o cabo está sendo puxado a uma taxa de 1,2 m/s, com que velocidade o barco se move na água quando já foram puxados 3,9 m de cabo?

10. Uma vala com 3 m de comprimento tem seção transversal na forma de triângulo eqüilátero com 0,6 m de lado. A água está sendo bombeada para a vala a uma taxa de 0,6 m^3/min. Com que velocidade o nível da água sobe quando a água está com 0,3 m de profundidade?

11. Se uma bolinha de naftalina evapora a uma taxa proporcional à área de sua superfície, mostre que o seu raio decresce a uma taxa constante.

12. Um ponto se move na circunferência $x^2 + y^2 = a^2$ de tal modo que a componente x de sua velocidade é $dx/dt = -y$. Ache dy/dt e determine se o sentido do movimento é horário ou anti-horário.

13. Um carro que viaja a 96 km/h numa estrada reta passa sob um balão de ar que está subindo a 32 km/h. Se o balão está a 1,6 km acima da terra quando o carro está diretamente embaixo dele, com que velocidade a distância entre o carro e o balão estará crescendo 1 minuto depois?

14. A maioria dos gases obedece à Lei de Boyle: numa amostra de gás mantida a uma temperatura constante enquanto está sendo comprimida por um pistão num cilindro, sua pressão p e seu volume V estão relacionados pela equação $pV = c$, onde c é uma constante. Ache dp/dt em termos de p e dV/dt.

15. Num certo instante, uma amostra de gás que obedece à Lei de Boyle ocupa um volume de 1000 in^3 a uma pressão de 10 lb/in^2. Se esse gás está sendo comprimido isotermicamente à taxa de 12 in^3/min, ache a taxa com que a pressão está crescendo no instante em que o volume é 600 in^3.

*16. Uma escada com 6 m de comprimento está apoiada em uma parede de 3,6 m de altura, num ponto abaixo de sua extremidade. Sua base está sendo puxada de modo a se afastar da parede a uma taxa constante de 1,5 m/min. Ache a velocidade com que o topo da escada está se aproximando do chão (a) quando ele está a 1,5 m do topo da parede e (b) quando atinge o topo da parede.

17. Um chapéu de festa em forma de cone, feito de papelão, tem 10 cm de raio e 30 cm de altura. Quando está cheio de cerveja, vaza à taxa de 65 cm^3/min. A que taxa o nível de cerveja cai (a) quando a cerveja tem 15 cm de profundidade? (b) quando o chapéu está metade vazio?

18. Um vaso hemisférico de 20 cm de raio está sendo enchido de água a uma taxa constante. Se o nível da água sobe a uma taxa de 0,75 cm/s no instante em que a profundidade da água é 15 cm, ache a velocidade com que a água está fluindo para dentro do vaso (a) usando o fato de que um segmento de esfera tem volume

$$V = \pi h^2 \left(a - \frac{h}{3}\right),$$

onde a é o raio da esfera e h é a altura do segmento;
(b) usando o fato de que se V é o volume da água no instante t, então

$$\frac{dV}{dt} = \pi r^2 \frac{dh}{dt},$$

onde r é o raio da superfície e h é a profundidade.

19. Despeja-se água num vaso hemisférico de raio 7,5 cm a uma taxa de 16 cm³/s. Com que velocidade o nível da água sobe quando a profundidade da água é 2,5 cm?

*20. No Problema 19, suponha que o vaso contenha uma bola de chumbo com 5 cm de diâmetro e ache com que velocidade o nível da água sobe quando a metade da bola está submersa.

4.6 (OPCIONAL) MÉTODO DE NEWTON PARA RESOLVER EQUAÇÕES

Considere a equação cúbica

$$x^3 - 3x - 5 = 0. \tag{1}$$

É possível resolver essa equação por métodos exatos; isto é, por fórmulas que conduzem a uma solução em termos de radicais no mesmo sentido em que a fórmula

$$x = \frac{-b \pm \sqrt{b^2 - 4ac}}{2a}$$

dá as soluções exatas da equação quadrática $ax^2 + bx + c = 0$. No entanto, se precisamos de uma solução numérica de (1) que seja precisa a menos de algumas casas decimais, então é mais conveniente achar essa solução pelo método de aproximação, a ser descrito aqui, do que tentar encontrar a solução exata. Além disso, embora existam fórmulas que levam a soluções exatas em termos de radicais para equações de graus 2, 3 e 4, sabe-se que é impossível resolver a equação geral de grau maior ou igual a 5 em termos de radicais. Portanto, para resolver uma equação do 5º grau como $x^5 - 3x^2 + 9x - 11 = 0$, seríamos forçados a usar um método de aproximação, pois nenhum outro método é disponível.

Retornando à equação (1), denotando $x^3 - 3x - 5$ por $f(x)$, poderemos calcular facilmente os seguintes valores:

$$f(-2) = -7, \quad f(-1) = -3, \quad f(0) = -5, \quad f(1) = -7, \quad f(2) = -3, \quad f(3) = 13.$$

O par de valores $f(2) = -3$ e $f(3) = 13$ sugere que, quando x varia continuamente de $x = 2$ a $x = 3$, $f(x)$ varia continuamente de -3 a 13 e que, conseqüentemente, existe algum valor intermediário de x em que $f(x) = 0$. Isto é verdade, mas, ainda que seja intuitivamente óbvio, é muito difícil dar uma demonstração rigorosa. Não pretendemos dar tal demonstração aqui, mas, em vez disso, vamos supor que, se uma função contínua $f(x)$ tem valores $f(a)$ e $f(b)$ com sinais opostos, então existe pelo menos uma raiz da equação $f(x) = 0$ entre a e b. Assim (1) tem uma raiz entre $x = 2$ e $x = 3$ e podemos tomar um desses números como uma primeira aproximação da raiz. A aproximação $x = 2$ é a melhor escolha, pois -3 está mais próximo de 0 que 13.

Suponhamos agora, generalizando, que temos uma primeira aproximação $x = x_1$ de uma raiz r da equação $f(x) = 0$. Essa raiz é um ponto em que a curva $y = f(x)$ atravessa o eixo x (Fig. 4.31).

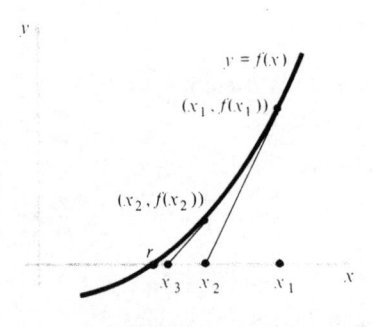

Figura 4.31

A idéia do método de Newton é usar a reta tangente à curva no ponto $x = x_1$ tomando-o como ponto de partida para uma melhor aproximação $x = x_2$. Começando com a aproximação $x = x_1$, desenhamos a reta tangente à curva no ponto $(x_1, f(x_1))$. Essa reta intercepta o eixo x no ponto $x = x_2$, que, em geral, é uma melhor aproximação do que x_1. Repetindo esse processo, usamos a reta tangente em $(x_2, f(x_2))$ para obter o ponto $x = x_3$, que é uma aproximação ainda melhor. A Fig. 4.31 ilustra a idéia como procedimento geométrico, mas para aplicá-la nos cálculos precisamos de uma fórmula. Essa fórmula é obtida facilmente como se segue.

O coeficiente angular da primeira tangente é $f'(x_1)$. Se considerarmos essa reta como sendo determinada pelos pontos $(x_2, 0)$ e $(x_1, f(x_1))$, então o coeficiente angular será também

$$\frac{0 - f(x_1)}{x_2 - x_1}, \quad \text{logo} \quad \frac{0 - f(x_1)}{x_2 - x_1} = f'(x_1).$$

Essa equação leva a

$$-f(x_1) = (x_2 - x_1)f'(x_1) \quad \text{ou} \quad x_2 - x_1 = -\frac{f(x_1)}{f'(x_1)},$$

logo,

$$x_2 = x_1 - \frac{f(x_1)}{f'(x_1)}. \tag{2}$$

Dessa maneira, partindo de nossa 1ª aproximação x_1 obteremos a 2ª aproximação x_2 por meio de (2); esta, por sua vez, leva a uma 3ª aproximação x_3, dada por

$$x_3 = x_2 - \frac{f(x_2)}{f'(x_2)};$$

e assim por diante indefinidamente.

Ao aplicar esse método à equação (1), temos

$$f(x) = x^3 - 3x - 5, \quad f'(x) = 3x^2 - 3, \quad x_1 = 2,$$
$$f(x_1) = -3, \quad f'(x_1) = 9, \quad x_2 = x_1 - \frac{f(x_1)}{f'(x_1)} = 2 - \frac{-3}{9} = 2\tfrac{1}{3}.$$

Usando decimais no próximo estágio, temos

$$x_3 = x_2 - \frac{f(x_2)}{f'(x_2)} \cong 2{,}33 - \frac{0{,}66}{13{,}29} \cong 2{,}28,$$

arredondando para duas casas decimais.

Para impedir que nossos cálculos fiquem por demais penosos, nos satisfaremos com duas casas decimais de precisão. Quando duas aproximações sucessivas forem iguais em suas duas primeiras casas decimais, consideraremos o fato como uma evidência de termos chegado ao resultado com tal precisão. Por exemplo, no caso da equação (1), obtivemos 2,28 como uma aproximação da raiz após duas aplicações de (2). Uma outra aplicação de (2) leva de 2,28 ao mesmo número 2,28. Concluímos portanto que 2,28 é uma raiz da equação (1), que é precisa em duas casas decimais.

O método de Newton não se restringe à solução de equações polinomiais como (1), mas também pode ser aplicado a qualquer equação contendo funções cujas derivadas podemos calcular. Entretanto, por simplicidade, nos problemas dados aqui concentramos nossa atenção nos polinômios.

Observação 1 Em alguns casos, a seqüência das aproximações produzida pelo método de Newton pode deixar de convergir para a raiz procurada. Por exemplo, a Fig. 4.32 mostra uma função para a qual a aproximação x_1 leva a x_2 e x_2 leva de volta a x_1, de modo que as repetições do processo não nos levam mais perto da raiz que as aproximações originais. Exemplos específicos desse comportamento são dados nos problemas. A teoria matemática explicitando as condições nas quais se garante que o método de Newton seja bem-sucedido pode ser encontrada em livros de cálculo numérico.

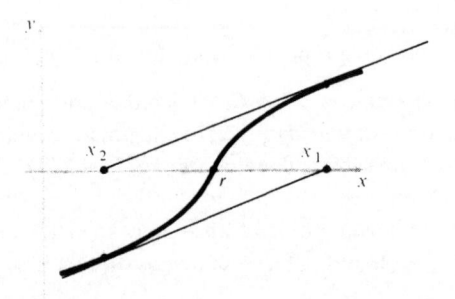

Figura 4.32

Observação 2 A propriedade "intuitivamente óbvia" das funções contínuas mencionada no segundo parágrafo está provada no Apêndice B.3.

Problemas

1. Esboçando o gráfico de $y = f(x) = x^3 - 3x - 5$, mostre que a equação (1) tem somente uma raiz real. Sugestão: use a derivada $f'(x) = 3x^2 - 3 = 3(x^2 - 1)$ para localizar os máximos e mínimos da função e saber onde é crescente e decrescente.

2. (a) Mostre que $x^3 + 3x^2 - 6 = 0$ tem somente uma raiz real e calcule-a com duas casas decimais de precisão.

   (b) Mostre que $x^3 + 3x = 8$ tem somente uma raiz real e calcule-a com duas casas decimais de precisaõ.

3. Use o método de Newton para calcular a raiz positiva de $x^2 + x - 1 = 0$ com duas casas decimais de precisão.

4. Calcule $\sqrt{5}$ com duas casas decimais de precisão, resolvendo a equação $x^2 - 5 = 0$ e use esse resultado na fórmula quadrática para conferir a resposta do Problema 3.

5. Use o método de Newton para calcular $\sqrt[3]{10}$ com duas casas decimais de precisão.

6. Considere uma cápsula esférica de 1 cm de espessura cujo volume é igual ao volume do espaço oco dentro dela. Use o método de Newton para calcular o raio externo da cápsula com duas casas decimais de precisão.

*7. Uma bóia esférica oca de raio 2 m tem densidade específica $\frac{1}{4}$, de modo que flutua na água deslocando $\frac{1}{4}$ de seu próprio volume. Mostre que a profundidade x à qual fica submersa é uma raiz da equação $x^3 - 6x^2 + 8 = 0$ e use o método de Newton para calcular essa raiz com duas casas decimais de precisão. Sugestão: o volume de um segmento esférico de altura h retirado de uma esfera de raio r é $\pi h^2 (r - h/3)$.

8. Suponha que por sorte nossa primeira aproximação x_1 venha a ser a raiz da equação $f(x) = 0$ que estamos procurando. O que podemos dizer sobre $x_2, x_3, ...$?

9. Mostre que a função $y = f(x)$ definida por

$$f(x) = \begin{cases} \sqrt{x-r} & x \geq r, \\ -\sqrt{r-x} & x \leq r, \end{cases}$$

tem a propriedade ilustrada na Fig. 4.32; isto é, para todo número positivo a, se $x_1 = r + a$, então $x_2 = r - a$, e se $x_1 = r - a$, então $x_2 = r + a$.

10. Mostre que o método de Newton aplicado à função $y = f(x) = \sqrt[3]{x}$ leva a $x_2 = 2x_1$ e é, portanto, inútil para achar x tal que $f(x) = 0$. Esboce essa situação.

11. No Exemplo 1 da Seção 4.1, vimos a partir do gráfico que a função $y = f(x) = 2x^3 - 3x^2 + -12x + 12$ tem raízes positivas perto de $x = 0,9$ e $x = 2,9$. Use o método de Newton para calcular essas raízes com duas casas decimais de precisão.

4.7 (OPCIONAL) APLICAÇÕES À ECONOMIA E NEGÓCIOS

Ainda que o Cálculo tenha mais de três séculos e suas aplicações iniciais tenham sido sempre às ciências físicas, ele vem encontrando novas aplicações em outros campos. Nessa seção examinaremos algumas das maneiras simples de utilizar as derivadas em Teoria Econômica e Administração de Empresas, onde freqüentemente decisões difíceis e importantes devem ser tomadas com referência a níveis de produção, custos, preços, estoques e muitas outras grandezas passíveis de tratamento matemático.

Provavelmente a função de interesse primeira para um fabricante seja a *função custo;* isto é, o custo total $C(x)$ para produzir x unidades de um bem. Poderíamos pensar, por exemplo, em uma companhia de açúcar que gasta $C(x)$ cruzados para produzir x toneladas de açúcar refinado a partir da cana-de-açúcar cultivada pelos fazendeiros locais. Muitas componentes entram no custo total. Algumas, como despesas de capital para a construção e compra de maquinaria, são fixas e não dependem de x. Outras, como salários e custo de matéria-prima são, grosso modo, proporcionais à quantidade produzida x. Se fosse só isto, então, a função custo teria a forma bem simples

$$C(x) = a + bx, \qquad (1)$$

onde a é o custo fixo e b é o custo corrente constante por unidade produzida.

Mas isto não é tudo: a maioria das funções custo não é tão simples como esta. O ponto essencial reside em que está presente uma restrição temporal e que $C(x)$ é o custo de produzir x unidades do produto *num dado intervalo de tempo*, digamos uma semana. Haverá então um custo fixo de a cruzados por semana, como antes, mas a parte variável do custo provavelmente irá crescer mais que proporcionalmente a x, quando aumentar a produção semanal x devido às horas extraordinárias, à necessidade de usar maquinaria mais velha, que quebra com maior freqüência, e a outros fatores de ineficácia que surgem com o esforço de elevar a produção a níveis mais altos. A função custo poderia ter então a forma

$$C(x) = a + bx + cx^2, \qquad (2)$$

ou ser uma função ainda mais complicada que esta. A natureza geral de uma tal função custo é sugerida na Fig. 4.33.

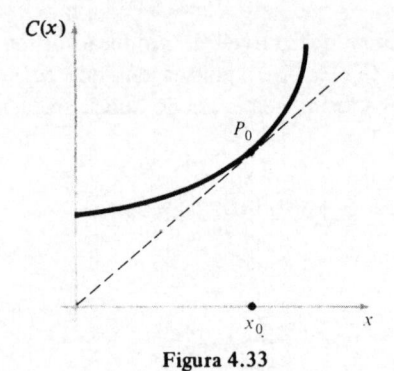

Figura 4.33

Um homem de negócios, que enfrenta a decisão de aumentar ou não a produção, tem de saber a velocidade com que os custos de produção estão aumentando. Essa velocidade é simplesmente a taxa de variação de C em relação a x, que é a derivada dC/dx. Os economistas chamam essa derivada de *custo marginal*. Essa terminologia é (ou pensa-se que é) apropriada pela seguinte razão: o nível de produção é geralmente um número grande comparado com 1, e assim a variação da produção x para $x + 1$ é um aumento pequeno ou "marginal" e

$$\frac{dC}{dx} \cong \frac{C(x+1) - C(x)}{1} = C(x+1) - C(x),$$

como se vê na Fig. 4.34.

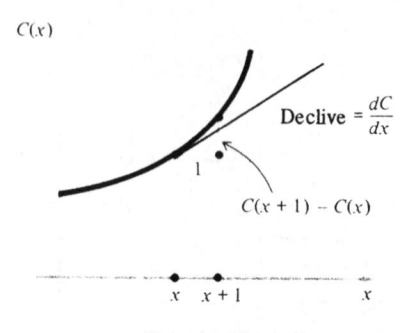

Figura 4.34

Assim o custo marginal dC/dx pode ser encarado como "o custo extra para produzir uma unidade a mais", sendo esta a definição de custo marginal adotada pelos economistas que preferem não usar cálculo. O significado dessa idéia pode ser visto na parte superior da Fig. 4.33, onde a declividade crescente da curva reflete o fato de que o custo marginal cresce a valores muito altos quando o fabricante força a capacidade produtiva.

As seguintes observações ilustram o modo pelo qual podemos usar o conceito de custo marginal na teoria econômica.

É razoável o ponto de vista de que o nível de produção ótimo para um fabricante é aquele que minimiza o custo médio $C(x)/x$. Nos pontos em que esse custo médio tem um valor mínimo, a derivada deve se anular e assim, pela regra do quociente, temos

$$\frac{xC'(x) - C(x)}{x^2} = 0$$

ou

$$C'(x) = \frac{C(x)}{x}. \tag{3}$$

Essa conclusão é resumida dizendo-se que: *no pico da eficiência operacional, o custo marginal é igual ao custo médio*. A equação (3) tem uma interpretação geométrica interessante para a função custo, mostrada na Fig. 4.33: no nível de produção $x = x_0$ em que a condição (3) é satisfeita, a reta que liga a origem ao ponto $P_0 = (x_0, C(x_0))$ é tangente ao gráfico de $C(x)$, ou, equivalentemente, a reta tangente nesse ponto passa pela origem. Vale a pena observar que nem todas as funções custo têm algum ponto com a propriedade mostrada para P_0. Por exemplo, não existe um tal ponto sobre o gráfico da função custo (1). Alguns teóricos em Economia acreditam que a própria existência do capitalismo competitivo depende de que as funções custo de produção capitalista tenham essa propriedade.

É claro que é importante para um fabricante conhecer tudo sobre a função custo, mas isto não é suficiente. O objetivo global do fabricante é realizar lucro e isto depende, em grande medida, de quantas unidades x de um produto podem ser vendidas a um dado preço p. Presume-se que quanto maior o preço p, menor a procura (ou demanda) x; logo, a *curva de procura* (Fig. 4.35, à esquerda) mostra x como uma função decrescente de p.

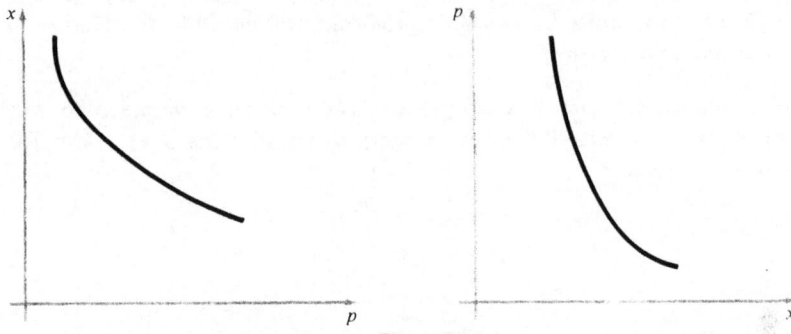

Figura 4.35

A natureza da curva de procura depende do produto, sendo relativamente plana (ou *inelástica*) para pão e óleo de motor, pois as pessoas necessitam comprá-los sem levar muito em conta o preço. Essa curva é relativamente acentuada (ou *elástica*) para doces, pois eles não são uma necessidade básica, porém mais pessoas compram doces quando o preço é baixo. Por motivo de conveniência, ao comparar a curva de demanda e a função custo, os economistas, em geral, trocam os eixos e consideram p como função de x, $p = p(x)$ (Fig. 4.35, à direita). Essa função é denominada *função demanda*.

A receita $R(x)$ do fabricante é a renda total considerada como função da produção x, e a receita marginal $R'(x)$ pode ser encarada como a receita extra gerada ao se produzir uma unidade a mais. Como o *lucro P(x)* é a renda menos as despesas, temos

$$P(x) = R(x) - C(x). \tag{4}$$

Um fabricante perderá dinheiro quando a produção for muito baixa por causa dos custos fixos. Perderá também quando a produção for muito alta por causa dos altos custos marginais. A menos que o fabricante possa operar com lucro em algum nível de produção intermediário, o negócio irá à falência. Logo, podemos admitir que a curva do lucro tenha o aspecto da Fig. 4.36.

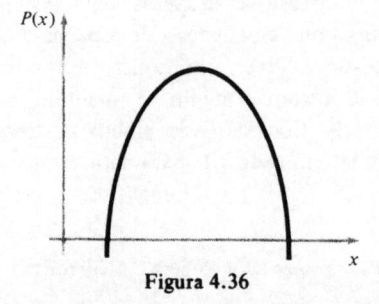

Figura 4.36

Ao derivarmos a função lucro (4) obtemos:

$$P'(x) = R'(x) - C'(x).$$

Como $P'(x) = 0$ no ponto mais alto da curva de lucro, obtemos a segunda regra básica da Economia: *o lucro é maximizado quando a produção está ajustada de modo a que a receita marginal seja igual ao custo marginal.*

Quando x unidades de um bem são produzidas e vendidas a um preço de $p(x)$ unidades monetárias por unidade, a receita $R(x)$ é evidentemente o produto de $p(x)$ por x, $R(x) = xp(x)$, e podemos escrever (4) como

$$P(x) = xp(x) - C(x). \qquad (5)$$

Se tanto a função demanda $p(x)$ como a função custo $C(x)$ são conhecidas, poderemos usar (5) para calcular o valor de x que maximiza os lucros. Tendo em vista (5), fica claro que esse valor de x não precisa ser o valor que minimiza o custo médio: este depende somente da função custo $C(x)$. Ou seja, o lucro depende dos caprichos do mercado, mas a eficácia é essencialmente um assunto interno.

Essa discussão sugere várias maneiras de utilizar as derivadas em Economia. A contribuição de maior influência no século XX foi, talvez, a *Teoria Geral do Emprego, do Juro e da Moeda,* de Keynes, caracterizada como "um deserto sem fim de economia, álgebra e abstração com desperdícios de cálculo diferencial e somente em pequenos trechos um oásis de prosa deliciosamente refrescante"*. Isto pode parecer algo exagerado, no entanto a impressão geral é válida: a Economia moderna faz amplo uso de várias partes da Matemática, especialmente do Cálculo.

A seguir consideraremos um problema típico e importante de Administração de Empresas, na área do controle de estoque. Chama-se *problema do lote ideal.*

Exemplo Uma grande loja de departamentos vende um total anual de N unidades de um certo artigo — digamos geladeiras — a uma taxa constante durante o ano. Os artigos adquiridos do distribuidor num único pedido são entregues em um único lote. Se a loja encomenda todas as N unidades, que são entregues no início do ano, ela evita os *custos de novas encomendas,* como o tempo de serviços de escritório e despesas de transporte. No entanto fica sujeita a *custos de manutenção* mais altos com a ocupação de espaços nos depósitos, seguro etc. Note-se que o estoque médio durante o ano é $N/2$, um número relativamente grande. Por outro lado, se faz uma encomenda por dia, o estoque médio se mantém baixo, mas os custos de novas encomendas tornam-se substanciais. Considerando ambos os tipos de custo, determine quantas unidades x a loja deve encomendar em cada lote para minimizar o custo total $C(x)$.

---

* Capítulo IX de *The Worldly Philosophers,* por Robert L. Heilbroner.

Solução Com x unidades por lote, haverá N/x encomendas por ano. Supomos que o custo de encomenda consiste em uma parte fixa F (tempo de serviços de escritório, artigos de escritório, correio, despesas de recepção etc.) mais o custo da encomenda em si, Sx, que é proporcional ao tamanho da encomenda. O custo total de cada encomenda é, então:

$$(F + Sx)\frac{N}{x} = \frac{FN}{x} + SN,$$

que, é claro, cresce quando o tamanho do lote x decresce. Além do mais supomos que o custo anual total de transporte e manutenção de uma única unidade é uma constante W que pode ser determinada pelo setor de contabilidade. Como o estoque médio é $x/2$ quando o tamanho do lote é x, o custo total anual de manutenção é

$$W \cdot \frac{x}{2},$$

que cresce quando x cresce. O custo conjunto é, portanto:

$$C(x) = \frac{W}{2} \cdot x + \frac{FN}{x} + SN,$$

e o gráfico dessa função tem, como é fácil de ver, a forma indicada na Fig. 4.37.

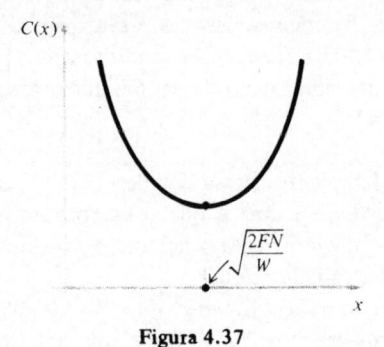

Figura 4.37

Para minizar esse custo total, temos somente de igualar a derivada a zero e resolver a equação resultante:

$$\frac{dC}{dx} = \frac{W}{2} - \frac{FN}{x^2} = 0,$$

e assim o tamanho de lote ideal é $x = \sqrt{2FN/W}$.

Devemos ter presente que a loja poderia fazer a encomenda pelo menos uma vez ao ano, independente de outras considerações. Nesse caso, ela não encomendaria mais que N unidades por vez e teríamos a restrição $x \leqslant N$. Se N é maior que $\sqrt{2FN/W}$, então vemos, pela figura, que essa restrição não tem nenhum efeito, mas se N é menor que $\sqrt{2FN/W}$, o custo é minimizado ao se encomendar N unidades em cada lote, uma vez ao ano. O tamanho do lote ideal será, portanto, o menor dos números N, $\sqrt{2FN/W}$.

Se N é maior que $\sqrt{2FN/W}$, então o tamanho do lote ideal é $\sqrt{2FN/W}$, que é proporcional a $\sqrt{N}$. Por aí se vê que, se N quadruplica, o tamanho do lote ideal dobra e, portanto, a freqüência de novas encomendas deve também dobrar para satisfazer o novo nível de demanda. Isto é mais econômico que simplesmente quadruplicar o tamanho da encomenda e manter a mesma freqüência.

Problemas

1. Esboce, em sistemas de coordenadas separados, o gráfico do custo médio $C(x)/x$ para cada uma das funções custo (1) e (2). Observe que o primeiro gráfico não tem ponto de mínimo, mas o segundo tem. Junte ao segundo o esboço de um gráfico do custo marginal $C'(x)$ com a devida atenção para a conclusão (3). No caso de (2), calcule o nível de produção $x = x_0$ que minimiza o custo médio e verifique (3) achando os valores de $C'(x_0)$ e $C(x_0)/x_0$.

2. Uma economista, ao estudar uma certa empresa de utensílios, descobre que o custo geral envolvido em negociar x batedeiras elétricas por semana é $560 + 240x$ cruzados e que, em cada semana, $x = 30 - 5p$ batedeiras são vendidas a um preço de varejo de p cruzados cada uma. A que preço de varejo deve ela aconselhar o proprietário a colocar o produto a fim de obter o maior lucro?

3. (a) Suponha que um fabricante possa vender x bicicletas por ano ao preço de $p = 3000 - 0{,}1x$ cruzados cada uma e que o custo para ele produzir x bicicletas seja $C(x) = 600.000 + 750x$ cruzados. Para obter lucro máximo, qual deve ser sua produção e a que preço ele deve vender cada bicicleta?
   (b) Se o Governo cobra do fabricante um imposto de 250 cruzados por cada bicicleta comercializada e os outros aspectos da situação não se alteram, qual parcela do imposto ele mesmo deve absorver e qual deve repassar aos consumidores para continuar tendo lucro máximo?

4. Se a receita marginal de produzir x unidades de um certo bem é $40 - \dfrac{1}{60}x^2$ cruzados por unidade e o custo marginal é $10 + \dfrac{1}{60}x^2$ cruzados por unidade, quantas unidades devem ser produzidas para maximizar o lucro?

5. Considere um ponto arbitrário (p, x) na curva de demanda (Fig. 4.35, à esquerda). Se p aumenta de uma pequena quantidade Δp e se $-\Delta x$ é o correspondente decréscimo em x, então a razão entre a percentagem de decréscimo em x e a percentagem de acréscimo em p é

$$\frac{100(-\Delta x/x)}{100(\Delta p/p)} = -\frac{p}{x}\frac{\Delta x}{\Delta p},$$

e a *elasticidade de demanda* $E(p)$ é

$$E(p) = \lim_{\Delta p \to 0} \left(-\frac{p}{x}\frac{\Delta x}{\Delta p} \right) = -\frac{p}{x}\frac{dx}{dp}.$$

Essa função positiva é um instrumento útil de análise econômica, pois ela mede o grau de resposta da demanda x frente a variações no preço p.

(a) Se $E(p) < 1$, mostre que a receita $R = px$ aumenta ao aumentar o preço.

(b) Se $E(p) > 1$, mostre que a receita aumenta se aumenta a demanda (ou, de modo equivalente, se o preço diminui).

(c) Estabeleça a fórmula

$$\frac{dR}{dp} = x[1 - E(p)],$$

e use-a para deduzir que $E(p) = 1$ no ponto da curva de demanda em que a receita é máxima.

(d) Mostre que $E(p)$ é uma constante ao longo das curvas de demanda da forma $x = ap^{-b}$, onde a e b são constantes positivas.

6. A proprietária de um restaurante considera que os seus fregueses bebem 540 caixas de um certo vinho por ano. Os gastos de encomenda são 10 cruzados e os custos de transporte são 3 cruzados por caixa por ano. Quantas caixas ela deve encomendar de cada vez?

7. Um impressor concordou em imprimir 135.000 cópias de um pequeno cartão de propaganda. Ele gasta 12 cruzados por hora com o funcionamento da prensa, que produz 600 impressões por hora. Em cada impressão são impressos n cartões, onde n é o número de eletrotipos (cópias metálicas de coleção de tipos) usados na impressão. Cada eletrotipo custa para ele 3 cruzados. Quantos eletrotipos deve ele usar em sua prensa para minimizar o custo do trabalho?

8. Uma fábrica de plásticos recebe uma encomenda de N unidades de um certo item. Muitas máquinas estão disponíveis, cada uma das quais podendo produzir n unidades do item por hora. O custo de preparar uma única máquina para produzir esse item particular é p cruzados. Uma vez que as máquinas estejam preparadas, a produção é totalmente automática e pode ser efetuada por um supervisor habilitado, ganhando W cruzados por hora.

(a) Quantas máquinas devem ser utilizadas para minimizar os custos de produção?

(b) Mostre que, quando os custos de produção são mínimos, o custo de preparar as máquinas é igual ao salário do supervisor.

Problemas Suplementares do Capítulo 4

Seção 4.1

Esboce os gráficos das seguintes funções, usando a primeira derivada e os métodos da Seção 4.1; em particular, determine os intervalos de crescimento e de decrescimento de cada função e localize os possíveis valores máximos e mínimos.

1. $y = \frac{1}{3}x^3 - \frac{1}{2}x^2 - 2x + \frac{4}{3}$.
2. $y = x^3 + 6x^2 + 12x + 8$.
3. $y = -x^3 + 3x + 2$.
4. $y = x^3 + 3x - 2$.
5. $y = x^4 - 6x^2 + 8x$.
6. $y = (x + 2)^3(x - 4)^3$.
7. $y = x^4 - 4x^3 + 16$.
8. $y = 3x^5 - 10x^3 + 15x + 3$.
9. $y = x^2(x + 1)^2$.
10. $y = x^3(x - 1)^2$.
11. $y = x^2(4 - x^2)$.
12. $y = \dfrac{x^3}{x+1}$.
13. $y = \dfrac{x}{(x+1)^2}$.
14. $y = \frac{16}{3}x^3 + \dfrac{1}{x}$.
15. $y = \dfrac{4(x^2 - 1)}{x^4}$.

16. $y = \dfrac{4(x-1)}{x^2}$.

17. $y = x^2 + \dfrac{16}{x^2}$.

18. $y = \dfrac{4-2x}{1-x}$.

19. $y = \dfrac{5x^2+2}{x^2+1}$.

20. $y = \dfrac{5x^2 - 20x + 21}{x^2 - 4x + 5}$.

21. $y = x^2(x-4)^{2/3}$.

22. $y = \sqrt{x} + \dfrac{2}{\sqrt{x}} - 2\sqrt{2}$.

Seção 4.2

Para cada uma das seguintes funções, localize os pontos de inflexão, determine os intervalos de concavidade para cima e os de concavidade para baixo e esboce o gráfico.

23. $y = x^3 + x$.
24. $y = x^3 + 3x^2 + 6x + 7$.
25. $y = x^3 - 12x + 2$.
26. $y = x^4 - 2x^2$.
27. $y = x^4 + 4x^3$.
28. $y = (x+2)(x-2)^3$.
29. $y = x^4 - 4x^3 - 2x^2 + 12x - 1$.
30. $y = \dfrac{x}{\sqrt{x^2+1}}$.

*31. $y = \dfrac{x^3}{x^2 + 3a^2}$ $(a > 0)$.

*32. $y = \dfrac{1}{x^3 + 1}$.

33. $y = \dfrac{5}{3x^4 + 5}$.

34. $y = \dfrac{x^3}{(x-1)^2}$.

35. $y = \dfrac{8}{x^3} - \dfrac{2}{x}$.

36. $y = \dfrac{6}{x} + \dfrac{6}{x^2}$.

37. Em cada parte deste problema, use a fórmula dada para a segunda derivada de uma função a fim de localizar os pontos de inflexão, os intervalos de concavidade para cima e os de concavidade para baixo:

   (a) $y'' = x^2(x-1)(x-2)^2$;
   (b) $y'' = (x^2+2)(x+2)^2(x-1)(x-2)$;
   (c) $y'' = x(x-1)(x^2-4)(x-3)$.

38. Se $f(x) = (x-a)(x-b)(x-c)$, determine a coordenada x do ponto de inflexão. Sugestão: veja o Problema Suplementar 22 do Capítulo 3.

39. Ache os valores de a de modo que a função $f(x) = ax^2 + 1/x^2$ tenha um ponto de inflexão em $x = 1$.

*40. Considere a curva cúbica genérica

$$y = ax^3 + bx^2 + cx + d.$$

   (a) Mostre que ela tem um único ponto de inflexão,

$$I = \left(-\frac{b}{3a}, k\right), \quad \text{onde} \quad k = \frac{2b^3}{27a^2} - \frac{bc}{3a} + d.$$

   (b) Mostre que ela tem um ponto de máximo e um ponto de mínimo se e somente se

$$b^2 - 3ac > 0.$$

   (c) Quando a curva tem um ponto de máximo P e um ponto de mínimo Q, mostre que a abscissa (coordenada x) de I é a média aritmética das abscissas de P e Q. Sugestão: lembre-se da fórmula da soma das raízes de uma equação quadrática em termos de seus coeficientes.

   (d) A parte (c) sugere que nossa curva cúbica genérica deve ser simétrica com relação a seu ponto de inflexão I. Prove isto (1) introduzindo novos eixos X e Y por meio de

$$X = x + \frac{b}{3a} \quad \text{e} \quad Y = y - k,$$

de modo que a origem do sistema XY seja o ponto I; (2) mostrando que a equação da nossa curva no sistema XY é

$$Y = aX\left(X^2 - \frac{b^2 - 3ac}{3a^2}\right);$$

e (3) observando que essa equação transformada é simétrica com relação à origem do sistema XY.

Seção 4.3

41. Ache o número positivo que é maior que seu cubo o máximo possível.

42. Ache dois números positivos x e y tais que sua soma seja 30 e o produto xy^4 seja máximo.

43. Ache dois números positivos x e y tais que sua soma seja 56 e o produto $x^3 y^5$ seja máximo.

44. (Generalização dos problemas anteriores.) Sejam m e n inteiros positivos dados. Se x e y são números positivos tais que $x + y = S$, onde S é uma constante, mostre que o valor máximo do produto $P = x^m y^n$ é atingido quando

$$x = \frac{mS}{m+n} \quad \text{e} \quad y = \frac{nS}{m+n}.$$

*45. Exprima o número 18 como soma de dois números positivos de tal modo que a soma do quadrado do primeiro com a quarta potência do segundo seja mínima.

46. Ache o número positivo tal que a soma de seu cubo com 48 vezes o inverso de seu quadrado seja mínima.

47. A soma de três números positivos é 15. O dobro do primeiro mais três vezes o segundo mais quatro vezes o terceiro é 45. Escolha esses números de modo que o produto dos três seja máximo.

*48. (Generalização do Problema 6 da Seção 4.3.) Considere um retângulo, com lados $2x$ e $2y$, inscrito numa dada circunferência $x^2 + y^2 = a^2$ e seja n um número positivo. Queremos achar o retângulo que maximize a quantidade $z = x^n + y^n$. Se $n = 2$, é claro que z tem o valor constante a^z para todos os retângulos. Se $n < 2$, mostre que o quadrado maximiza z, e se $n > 2$, mostre que z é maximizado por um retângulo degenerado no qual x ou y é zero.

49. Mostre que, de todos os triângulos com uma dada base e um dado perímetro, aquele que tem a maior área é o isósceles. Sugestão: use a fórmula de Heron para a área,

$$A = \sqrt{s(s - a)(s - b)(s - c)},$$

onde a, b e c são os lados e s é o semiperímetro (metade do perímetro).

50. Mostre que, de todos os triângulos com uma dada base e uma dada área, aquele que tem o menor perímetro é isósceles. Sugestão: a base estando apoiada no eixo x, sendo dividida ao meio pela origem, e estando o terceiro vértice (x, h) a uma altura fixa acima do eixo x, então o triângulo é isósceles se $x = 0$.

51. Se a e b são constantes positivas, a região entre a parábola $a^2 y = a^2 b - 4bx^2$ e o eixo x é um segmento parabólico de base a e altura b. Determine a base e a altura do retângulo de maior área com a base inferior apoiada no eixo x e com os vértices superiores na parábola.

52. Um círculo de raio a é dividido em dois segmentos por uma reta L que está a uma distância b do centro. O retângulo de maior área possível está inscrito no menor desses segmentos. A que distância do centro está o lado desse retângulo que é oposto à reta L?

*53. Duas cercas retas se encontram num ponto, mas não necessariamente em ângulos retos. Um poste está situado na região angular entre elas. Um curral triangular é formado construindo-se uma nova cerca reta passando por esse poste. Mostre que o triângulo formado terá área mínima quando o poste estiver no centro da nova cerca. (Note que isto generaliza o resultado do Problema 7 da Seção 4.3.).

*54. Uma reta que passa por um ponto fixo (a, b) do primeiro quadrante intercepta o eixo x em A e o eixo y em B. Mostre que os valores mínimos de AB e $OA + OB$ são

$$(a^{2/3} + b^{2/3})^{3/2} \quad \text{e} \quad (\sqrt{a} + \sqrt{b})^2.$$

*55. (Generalização do Exemplo 4 e do Problema 26 da Seção 4.3.) Primeiro observe que áreas de figuras semelhantes são proporcionais aos quadrados das correspondentes medidas lineares, como na Fig. 4.38, onde

$$A = c_1 p^2 = c_2 d^2 = c_3 x^2 = c_4 y^2$$

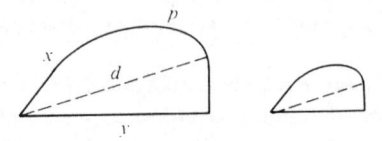

Figura 4.38

para constantes adequadas c_1, c_2, c_3, c_4. No caso, p é o perímetro, d é o diâmetro – o comprimento da maior corda – e x e y são os comprimentos dos segmentos indicados. As constantes c_1, c_2, c_3, c_4, evidentemente, são as áreas quando $p = 1, d = 1, x = 1, y = 1$. Agora corte um arame de comprimento L em dois pedaços e use esses pedaços como os perímetros p e P de figuras de duas formas especificadas (Fig. 4.39)

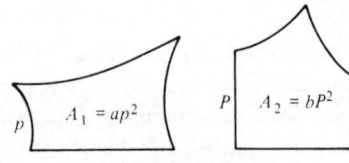

Figura 4.39

de modo que $p + P = L$. Então, a soma das áreas é

$$A = A_1 + A_2 = ap^2 + bP^2 = ap^2 + b(L-p)^2,$$

onde $0 \leqslant p \leqslant L$ (permitimos que um dos perímetros seja zero). Mostre que:
(a) a área conjunta mínima é $abL^2/(a+b)$, correspondente a

$$p = \frac{b}{a+b} L \quad \text{e} \quad P = \frac{a}{a+b} L;$$

(b) a área conjunta máxima é a maior das áreas de uma figura só, aL^2 ou bL^2, correspondente a $p = L$ e $p = 0$.

Verifique também que essas conclusões contêm como casos particulares os resultados do Exemplo 4 e do Problema 26 da Seção 4.3.

56. Uma página impressa deve ter A centímetros quadrados de matéria impressa, sendo exigido que tenha margens laterais de largura a centímetros e margens no topo e na base de largura b centímetros. Ache o comprimento das linhas impressas se a página é planejada para usar o menor papel.

57. Para uma certa página impressa, as larguras das quatro margens (possivelmente diferentes entre si) e a área da matéria impressa são especificadas. Mostre que, para exigirmos o menor papel, a página toda deve ser semelhante ao retângulo da matéria impressa.

58. A janela de um quarto tem a forma de um retângulo sobre o qual há um triângulo eqüilátero. Se o perímetro total é fixo, determine as proporções da janela (isto é, a razão entre a altura da janela e sua base) que possibilitem a maior luminosidade.

59. Uma longa faixa de metal com 8 cm de largura deve ser transformada numa calha virando para cima dois lados em ângulos retos com relação à base. Se a calha deve ter capacidade máxima, quantos centímetros devemos virar para cima nos lados?

60. Quer-se construir um campo de esporte na forma de um retângulo com uma parte semicircular em cada extremidade. O perímetro deve ser uma pista de corrida de comprimento dado. Determine as proporções do campo que darão à parte retangular a maior área possível.

61. Um fazendeiro deseja usar 5 acres de terra ao longo de um rio reto para construir 6 pequenos cercados com uma cerca paralela ao rio e 7 cercas perpendiculares a ele. Mostre que, se a quantidade total de arame deve ser minimizada, então a cerca paralela deve ser tão comprida quanto todas as outras juntas.

62. Um fabricante de automóveis estima que pode vender 5.000 carros por mês ao preço de Cz$ 40.000,00 cada e que pode vender 500 a mais por mês para cada decréscimo de Cz$ 1.000,00 no preço.

    (a) Qual o preço por carro que trará a maior renda bruta?

    (b) Se cada carro custa Cz$ 16.000,00 para ser fabricado, que preço trará o maior lucro total?

63. Um fabricante de facas estima que seus custos de produção semanal são dados pela fórmula $C = 9500 + 8x + 0,00025x^2$, onde x é o número de facas fabricadas por semana.* O departamento de vendas estima que, estabelecendo em y o preço de venda, $x = 13000 - 500y$ facas podem ser vendidas**. Quantas facas devem ser fabricadas por semana e qual deve ser o preço de venda a fim de obter lucro máximo?

*64. O custo de combustível para fazer navegar um grande barco a vapor de roda de pás, a uma velocidade de v km por hora através de água calma, é $v^3/24$ cruzados por hora. Outros custos — salários, seguro etc. — são 108 cruzados por hora. Qual a velocidade mais econômica para uma certa viagem contra uma corrente de 2 milhas por hora?

---

*   As despesas gerais são de Cz$ 9.500,00 por semana; o custo da mão-de-obra e materiais é de Cz$ 8,00 por faca; e o termo $0,00025x^2$, que é pequeno a menos que x seja muito grande, revela que, com efeito, a fábrica tem um tamanho fixo e perde eficiência ao produzir em excesso.

** Essa fórmula diz que são esperados 5.000 vendas a um preço de Cz$ 16,00, com uma perda de 500 vendas para cada acréscimo de Cz$ 1,00 no preço.

65. Um fazendeiro que cria gado de corte tem um rebanho de 200 animais em seus currais, cada um deles pesando 270 kg. O custo diário de manutenção de um animal é Cz$ 8,00. Os animais estão ganhando peso a uma taxa de 3,6 kg/dia. O preço de mercado é hoje Cz$ 28/kg, mas está caindo 10 centavos por dia. Quantos dias deve o fazendeiro esperar a fim de vender seus animais com lucro máximo?

66. Uma estimativa do valor numérico de uma certa quantidade deve ser determinada a partir de n medidas $x_1, x_2, ..., x_n$. A estimativa pelo método dos *mínimos quadrados* é o número x que minimiza a soma dos quadrados

$$S = (x - x_1)^2 + (x - x_2)^2 + \cdots + (x - x_n)^2.$$

Mostre que a estimativa dos mínimos quadrados é a média aritmética das medidas

$$x = \frac{x_1 + x_2 + \cdots + x_n}{n}.$$

67. No momento em que uma mulher começa a correr por uma ponte de 90 m, um homem numa canoa passa bem embaixo do centro da ponte. A mulher está com uma velocidade de 2,7 m/s é o homem, 3,6 m/s.

    (a) Qual a menor distância medida sobre o rio entre a mulher e o homem?

    (b) No caso em que a ponte tenha uma altura de 86 m, qual a menor *distância* entre a mulher e o homem?

Seção 4.4

68. Determine a altura do cilindro de área lateral máxima que pode ser inscrito numa esfera de raio R. Mostre que essa área lateral máxima é a metade da área da superfície da esfera.

69. Um cilindro é gerado ao se girar um retângulo de um dado perímetro ao redor de um dos lados. Qual é a forma (razão entre a altura e o diâmetro da base) do cilindro de volume máximo?

*70. O cone de menor volume possível está circunscrito em um dado hemisfério. Qual a razão de sua altura pelo diâmetro de sua base?

71. Se o volume de um cone é fixo, que forma (razão entre a altura e o diâmetro da base) minimiza a área da superfície total?

72. Uma pirâmide tem base quadrada e quatro faces triangulares com igual inclinação. Se a área total da base e das faces é dada, mostre que o volume é máximo quando a altura é $\sqrt{2}$ vezes a aresta da base.

73. Um cilindro é gerado girando-se um retângulo ao redor do eixo x, onde a base do retângulo está apoiada. Seus vértices superiores estão sobre a curva $y = x/(x^2 + 1)$. Qual o maior volume que tal cilindro pode ter?

74. (Um problema de Kepler.) Considere um cilindro com uma distância fixa D dada do centro de uma geratriz ao ponto mais distante do cilindro em relação ao centro considerado. Para esse cilindro ter o maior volume possível, qual deve ser a razão entre sua altura e o diâmetro da base?

75. Um sólido é formado retirando-se cavidades hemisféricas das extremidades de um cilindro. Se a área da superfície total desse sólido é dada, ache a forma do cilindro (razão entre a altura e o diâmetro da base) que maximiza o volume do sólido.

76. Um cone dado tem altura H e raio de base R. Um segundo cone é inscrito no primeiro com vértice no centro da base do primeiro e base paralela à base do cone dado. Ache a altura do segundo cone para que seu volume seja máximo.

77. Latas cilíndricas fechadas devem ser feitas com um volume especificado. Não há desperdício envolvido em cortar a chapa de metal que formará a superfície lateral, mas as tampas devem ser cortadas de uma peça quadrada de metal e as sobras, desprezadas. Ache a razão entre a altura e o diâmetro da base que minimiza o custo da chapa de metal.

78. Um certo tanque é um cilindro com extremidades hemisféricas. Para uma dada área de superfície total, descreva a forma do tanque de volume máximo.

79. Um retângulo de lata cujos lados são a e b deve ser transformado numa caixa aberta no topo, cortando-se um quadrado de cada canto e dobrando as abas para cima para formar os lados. De que tamanho deve ser cortado um quadrado de cada canto para que o volume da caixa atinja o seu máximo?

80. Um aquário deve ter 1,2 m de altura e um volume de 2,5 m³. As partes laterais e a de trás devem ser feitas de ardósia; e a frente, de vidro reforçado especial, que custa, por metro quadrado, 1,75 vezes mais que a ardósia. Quais devem ser as dimensões do aquário para minimizar o custo de materiais?

81. Um papel de filtro circular de raio a deve ser transformado num filtro cônico dobrando um setor circular. Ache a razão entre o raio e a profundidade do filtro de capacidade máxima.

82. Uma estrutura de abajur cilíndrico deve ser feita de uma peça de arame com 6 m de comprimento. A estrutura é formada por duas circunferências iguais, quatro arames unindo o círculo inferior ao superior e dois arames diametrais no círculo superior. Ache a altura e o raio que maximizará o volume do cilindro.

83. Uma caixa com tampa deve ser feita de uma folha quadrada de cartolina com 45 cm de lado, cortando-se ao longo das linhas pontilhadas (Fig. 4.40). A cartolina é então dobrada para cima para formar a base sendo que as paredes e a aba são dobradas para formar a tampa. Quais as dimensões da caixa de volume máximo?

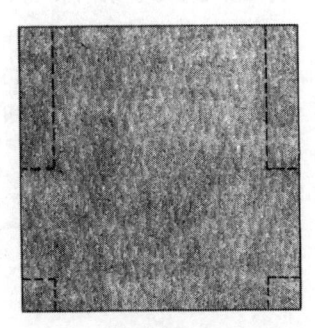

Figura 4.40

84. Num dia calmo, a medida da poluição atmosférica em um ponto decorrente da existência de uma cidade próxima, é diretamente proporcional à população da cidade e inversamente proporcional à distância do ponto à cidade. Um guarda florestal aposentado deseja começar um reflorestamento em algum lugar numa rodovia entre duas cidades que distam entre si 60 km. A primeira cidade é quatro vezes maior que a segunda. Onde deve o guarda florestal localizar seu viveiro para minimizar o efeito da poluição sobre suas árvores?

85. O eixo x é a margem sul de um lago onde há uma pequena ilha no ponto (a, b) do primeiro quadrante. Uma mulher pode correr r metros por segundo ao longo da margem e nadar s metros por segundo, $r > s$. Se ela deseja alcançar a ilha o mais rapidamente possível, a partir da origem, que distância deve correr antes de começar a nadar?

86. Duas torres que distam entre si 30 metros têm alturas de 30 m e 70 m, respectivamente. Um arame tenso, atado ao topo de cada torre, está preso ao solo entre as torres. A que distância da torre menor o arame deverá estar preso ao solo para que seu comprimento total seja mínimo? (Você pode resolver esse problema sem cálculo?)

87. Ache a equação da circunferência com centro na origem que é internamente tangente à parábola

$$8y = 48 - x^2.$$

88. Esboce a curva $y = x^2 + 16$ e ache o ponto sobre ela que está mais próximo do ponto $(6, 0)$.

89. Determine o ponto sobre a parábola $y^2 = 3x$ que está mais próximo do ponto $(4, 1)$.

90. Que pontos sobre a curva $x^2y = 16$ são mais próximos da origem?

91. Para que pontos da circunferência $x^2 + y^2 = 25$ a soma das distâncias a $(2, 0)$ e $(-2, 0)$ é mínima?

92. Seja $P = (x, y)$ um ponto móvel sobre a reta $ax + by + c = 0$ e seja $P_0 = (x_0, y_0)$ um ponto fixo fora dessa reta.

    (a) Se s é a distância de P_0 a P, utilize os métodos de cálculo para mostrar que s^2 (e portanto s) é um mínimo quando PP_0 é perpendicular à reta dada.

    (b) Mostre que a distância mínima é

    $$\frac{|ax_0 + by_0 + c|}{\sqrt{a^2 + b^2}}.$$

93. Um gráfico liso que não passa pela origem sempre tem um ponto (x_0, y_0) que é mais próximo da origem*. Se esse ponto não é uma extremidade, mostre que a reta que liga a origem a (x_0, y_0) é perpendicular à tangente ao gráfico nesse ponto.

94. Se a, b e c são constantes positivas, mostre que $ax + b/x \geqslant c$ para todos os números positivos x se e somente se $4ab \geqslant c^2$.

95. Se a, b e c são constantes positivas, mostre que $ax^2 + b/x \geqslant c$ para todos os números positivos x se e somente se $27ab^2 \geqslant 4c^3$.

96. Considere a função quadrática geral $f(x) = ax^2 + bx + c$, com $a > 0$. Calculando o valor mínimo dessa função, mostre que $f(x) \geqslant 0$ para todo x se e somente se $b^2 - 4ac \leqslant 0$.

97. Aplicando a idéia do Problema 96 à função

    $$f(x) = (a_1 x + b_1)^2 + (a_2 x + b_2)^2 + \cdots + (a_n x + b_n)^2,$$

    estabeleça a desigualdade de Schwarz:

    $$|a_1 b_1 + \cdots + a_n b_n| \leq (a_1^2 + \cdots + a_n^2)^{1/2} (b_1^2 + \cdots + b_n^2)^{1/2}.$$

---

* Para os propósitos desse problema, interprete a frase "gráfico liso" como significando o gráfico de uma função $y = f(x)$ definida para todo x ou sobre um intervalo fechado $a \leqslant x \leqslant b$, cuja derivada $f'(x)$ existe em todos os pontos interiores de seu domínio.

Mostre também que a igualdade vale se e somente se existe um número x tal que $b_i = -a_i x$ para todo $i = 1, 2, ..., n$.

Seção 4.5

98. Um bloco cúbico de gelo está derretendo a uma taxa de $96 \text{ cm}^3/\text{min}$. Com que velocidade a área da superfície varia quando sua aresta tem 30 cm?

99. Uma lâmpada está no solo a 15 m de um edifício. Um homem de 1,8 m de altura anda a partir da luz em direção ao edifício a 1,2 m/s. Ache a velocidade com que o comprimento de sua sombra sobre o edifício diminui (a) quando ele está a 12 m do edifício; (b) quando está a 9 m do edifício.

100. Dois aviões estão voando para Oeste em percursos paralelos distantes entre si 9 mi. Um deles voa a 425 mi/h e o outro a 500 mi/h. Com que velocidade diminui a distância entre os aviões quando o avião mais lento está 12 mi mais para Oeste que o avião mais rápido?

101. Um reservatório em forma de cone com seu vértice para baixo tem 2,4 m de altura e 1,2 m de diâmetro no topo. Ele está cheio de água, mas a água está escoando por um buraco na base a uma taxa de $2{,}83 \times 10^{-2} \text{ m}^3$. Determine a taxa em que o nível da água diminui quando o reservatório está 7/8 vazio.

102. Suponha que de um buraco na base de um reservatório está esguichando água a uma velocidade proporcional à raiz quadrada da profundidade y da água no reservatório. Se o reservatório tem a forma de um cone com o vértice para baixo, mostre que a taxa de variação da profundidade é

$$\frac{dy}{dt} = -\frac{c}{y^{3/2}},$$

onde c é uma constante positiva.

103. Água está sendo bombeada para um reservatório cilíndrico aberto no topo de raio 1,5 m a uma taxa de $17 \times 10^{-2} \text{ m}^3/\text{min}$. Ao mesmo tempo, está escoando água de um buraco na base do reservatório a uma taxa de $0{,}06\sqrt{y} \text{ m}^3/\text{min}$, onde y é a profundidade da água no reservatório. Que altura deve ter o reservatório para que o nível da água se estabilize antes de esvaziar?

104. Um reservatório retangular longo tem um painel deslizante de espessura 1,2 m (veja a Fig. 4.41) que o divide em dois reservatórios ajustáveis.

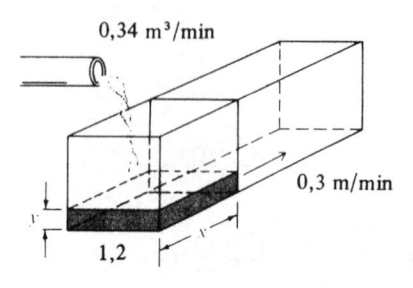

Figura 4.41

Está sendo despejada água no compartimento da esquerda a uma taxa de 0,34 m³/min. Ao mesmo tempo, o painel é movido uniformemente para a direita a uma taxa de 0,3 m/min. Em cada uma das seguintes situações, determine se o nível da água está subindo ou descendo e com que velocidade: (a) o compartimento da esquerda contém 4,08 m³ de água e tem de comprimento 2,7 m; (b) o compartimento da esquerda contém 4,08 m³ de água e tem de comprimento 5,4 m.

105. De um petroleiro quebrado vaza um grande volume V de óleo num mar calmo. Após a turbulência inicial ter acabado, o petróleo se expande num contorno circular de raio r e espessura uniforme h, onde r cresce e h decresce de um modo determinado pela viscosidade e flutuabilidade do óleo. Experiências de laboratório sugerem que a espessura é inversamente proporcional à raiz quadrada do tempo decorrido: $h = c/\sqrt{t}$. Mostre que a taxa dr/dt com que o petróleo se expande é inversamente proporcional a $t^{3/4}$.

106. Um fio de raio 0,25 cm está sendo enrolado a uma taxa de 6,5 cm/s para formar uma bola. Se supusermos que a bola permanece esférica e é inteiramente compacta, sem espaços vazios, ache a taxa com que o raio cresce quando ele está com 5 cm.

107. Uma linha está sendo desenrolada a uma taxa de a cm por segundo de um carretel de raio r cm. A parte desenrolada da linha tem comprimento x cm e é esticada, de modo a ficar tensa, num segmento PT tangente ao carretel no ponto T. Ache a taxa de crescimento da distância y do eixo do carretel ao ponto P na extremidade do fio.

108. Os meteorologistas têm interesse na expansão adiabática de grandes massas de ar, em que as temperaturas podem variar, mas nenhum calor é adicionado ou retirado. A lei de transformação adiabática para o ar é $pV^{1,4} = c$, onde p é a pressão, V é o volume e c é uma constante. O volume de uma certa câmara de ar isolada está decrescendo uniformemente a uma taxa de $2,83 \times 10^{-2}$ m³. Determine a velocidade com que a pressão cai no instante em que ela é 45 N/cm² e o volume é 37×10^{-2} m³.

109. Se um foguete pesa 1000 libras na superfície da Terra, então ele pesa

$$W = \frac{1000}{(1 + r/4000)^2} \text{ libras}$$

quando está a r milhas acima da superfície da Terra. Se o foguete está subindo a uma velocidade de 1,25 mi/min, com que velocidade ele perde peso quando sua altitude é 1000 mi?

110. Está sendo despejado trigo sobre uma pilha a uma taxa constante de 1 m³/min. Se a pilha tem sempre a forma de um cone cuja altura é a metade do raio da base, com que taxa a altura aumenta quando o diâmetro da pilha é 3,6 m?

111. Despeja-se pedregulho numa pilha, formando um cone. Se o raio da base cresce a uma taxa de 3 m/min e a altura cresce a uma taxa de 1 m/min, com que velocidade cresce o volume da pilha quando a altura é 4 m?

112. Uma corda move-se através de um círculo de raio 1,5 m mantendo as extremidades na circunferência à taxa de 1,2 m/min. Com que velocidade o comprimento da corda cresce quando ela está a $\frac{4}{5}$ do caminho por meio do círculo?

113. Um ponto se move ao longo da parábola $x^2 = 4py$ de tal modo que sua projeção sobre o eixo x tem velocidade constante. Mostre que sua projeção sobre o eixo y tem aceleração constante.

114. Dois pontos A e B estão se movendo ao longo do eixo x e do eixo y, respectivamente, de tal modo que a distância k da origem à reta suporte do segmento AB permanece constante. Se A está se movendo de modo a se afastar de O a uma taxa de $4k$ unidades por minuto, ache com que velocidade OB varia e determine se está aumentando ou diminuindo no instante em que $OA = 3k$.

115. Um lado de um retângulo está crescendo a uma taxa de 17 cm/min e o outro lado está decrescendo a uma taxa de 5 cm/min. Num certo instante, os comprimentos desses dois lados são 10 cm e 7 cm, respectivamente. A área do retângulo está crescendo ou decrescendo naquele instante? Com que velocidade?

116. Dois círculos concêntricos estão se expandindo. Num certo momento, designado por $t = 0$, o raio interno é 2 m e o raio externo é 10 m; para $t > 0$ esses raios estão crescendo a taxas fixas de 4 m/min e 3 m/min, respectivamente. Se A é a área entre as circunferências, quando A terá seu valor máximo?

*117. Duas esferas concêntricas estão se expandindo. No instante $t = 0$, os raios interno e externo r e R têm os valores r_0 e R_0 metros, respectivamente. Para $t > 0$, esses raios crescem com taxas uniformes de a e b metros por minuto respectivamente, onde $a > b > ar_0^2/R_0^2$. Sendo V o volume entre as esferas, quando ele terá seu valor máximo?

Seção 4.6

118. Mostre que cada uma das seguintes equações tem somente uma raiz real e calcule-a com duas casas decimais exatas:

    (a) $x^3 + 5x - 2 = 0$;   (b) $x^3 + 2x - 4 = 0$

119. Calcule cada uma das seguintes expressões com duas casas decimais de precisão:

    (a) $\sqrt{11}$;   (b) $\sqrt[3]{6{,}9}$;   (c) $\sqrt[4]{19}$

120. Sejam a um dado número positivo e x_1 um número positivo que aproxima $\sqrt{a}$.

    (a) Mostre que o método de Newton aplicado à equação $x^2 - a = 0$ dá $x_2 = 1/2(x_1 + a/x_1)$ como aproximação seguinte.

    (b) Se $x_1 \neq \sqrt{a}$, mostre que a aproximação $1/2(x_1 + a/x_1)$ é maior que $\sqrt{a}$, independentemente de x_1 ser maior ou menor que $\sqrt{a}$.
Sugestão: mostre que a desigualdade $1/2(x_1 + a/x_1) > \sqrt{a}$ é equivalente a $(\sqrt{x_1} - \sqrt{a/x_1})^2 > 0$.

    (c) Se a aproximação x_1 é muito grande, isto é, se $x_1 > \sqrt{a}$, mostre que $1/2(x_1 + a/x_1)$ é uma aproximação melhor no sentido de que

$$\frac{1}{2}\left(x_1 + \frac{a}{x_1}\right) - \sqrt{a} < x_1 - \sqrt{a}.$$

    (d) Suponha que a aproximação x_1 é muito pequena, isto é, $x_1 < \sqrt{a}$, mas é grande o suficiente de modo que $x_1 > 1/3\sqrt{a}$. Mostre que $1/2(x_1 + a/x_1)$ é uma aproximação melhor no sentido de que

$$\frac{1}{2}\left(x_1 + \frac{a}{x_1}\right) - \sqrt{a} < \sqrt{a} - x_1.$$

Sugestão: mostre que essa desigualdade é equivalente a

$$x_1 + a/x_1 - 2\sqrt{a} < 2\sqrt{a} - 2x_1,$$

$$3x_1 - 4\sqrt{a} + a/x_1 < 0 \text{ e}$$

$$\frac{(3x_1 - \sqrt{a})(x_1 - \sqrt{a})}{x_1} < 0.$$

121. Se a é um dado número positivo e $\sqrt[3]{a}$ é calculada, aplicando o método de Newton à equação $x^3 - a = 0$, mostre que

$$x_2 = \frac{1}{3}\left(2x_1 + \frac{a}{x_1^2}\right).$$

122. Considere uma cápsula esférica com 30 cm de espessura cujo volume seja o dobro do volume do espaço oco dentro dela. Use o método de Newton para calcular o raio externo da cápsula com precisão de duas casas decimais.

*123. Um copo de papel em forma de cone tem 10 cm de diâmetro e 10 cm de profundidade. Seu vértice é empurrado para cima e para dentro (Fig. 4.42). Que distância sua ponta penetra no espaço interno do copo se o novo volume é 4/5 do volume original?

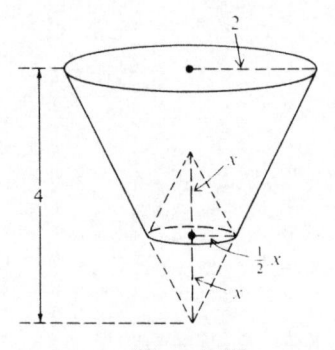

Figura 4.42

Seção 4.7

124. Um negociante de carros estrangeiros sabe que o custo de importação e de venda de x carros por ano é $C(x) = 56000 + 3500x - 0,01x^2$ dólares. Sua experiência diz que ele pode vender $x = 40000 - 10p$ carros a p dólares cada carro.

   (a) Quantos carros deve importar para obter lucro máximo?

   (b) Qual deve ser o preço de venda de cada carro?

   (c) Qual é seu lucro máximo?

125. Se a demanda x de um certo bem é função linear decrescente do preço p, mostre que a receita marginal é também linear e decrescente.

126. Um fabricante de lavadoras compra 3000 motores elétricos por ano para instalar em suas máquinas. Ele gasta Cz$ 100,00 para fazer uma encomenda; o custo de armazenamento de um motor durante um ano é Cz$ 2,40. Quantos motores deve ele pedir por vez e quantas vezes?

*127. O gerente de propaganda de uma loja de departamentos descobre que colocando um anúncio em qualquer dia do jornal vespertino ele pode aumentar suas vendas diárias de utensílios domésticos a Cz$ 3.000,00 no dia seguinte à publicação do anúncio. A seguir as vendas decaem Cz$ 50,00 por dia até um nível de Cz$ 2.000,00 ou até a publicação de novo anúncio, o que ocorrer primeiro. Cada publicação de anúncio custa Cz$ 400,00. Qual deve ser a freqüência da publicação da propaganda para maximizar o lucro?

CAPÍTULO

5

INTEGRAIS INDEFINIDAS E EQUAÇÕES DIFERENCIAIS

5.1 INTRODUÇÃO

Nosso trabalho nos capítulos precedentes tratou do *problema das tangentes* tal como foi descrito na Seção 2.1 – dada uma curva, achar o coeficiente angular de sua tangente ou, de modo equivalente, dada uma função, achar sua derivada.

Além de iniciar o estudo intensivo de derivadas, Newton e Leibniz descobriram também que muitos problemas de geometria e física dependem de "derivação para trás" ou "antiderivação". Este é, às vezes, chamado *problema inverso das tangentes:* dada a derivada de uma função, achar a própria função.

Neste capítulo trabalhamos com as mesmas regras de derivação, como no Capítulo 3. No entanto, aqui essas regras são usadas no sentido contrário e levam em particular à "integração" de polinômios. Mesmo esses procedimentos relativamente simples têm algumas notáveis aplicações, que serão discutidas na Seção 5.5.

5.2. A NOTAÇÃO DE DIFERENCIAIS

Como sabemos, a definição de derivada $f'(x)$ de uma função $y = f(x)$ pode ser enunciada como se segue:

$$f'(x) = \lim_{\Delta x \to 0} \frac{\Delta y}{\Delta x}. \tag{1}$$

Aqui se subentende que Δx é uma variação não-nula na variável independente x e que $\Delta y = f(x + \Delta x) - f(x)$ é a correspondente variação em y. Na Seção 2.3 introduzimos a notação equivalente

$$\frac{dy}{dx} \qquad (2)$$

para essa derivada e enfatizamos que (2) é simplesmente um símbolo e não uma fração. No entanto, é certamente verdadeiro que (2) parece uma fração e, em algumas circunstâncias, até funciona como tal. O exemplo mais importante disto é a regra da cadeia,

$$\frac{dy}{du}\frac{du}{dx} = \frac{dy}{\cancel{du}}\frac{\cancel{du}}{dx} = \frac{dy}{dx},$$

onde a fórmula correta para a derivada de uma função composta é obtida cancelando-se como se as derivadas fossem frações.

Nosso propósito presente é dar significados individuais aos pedaços de (2), ou seja, a dy e dx, de tal modo que seu quociente seja de fato a derivada $f'(x)$. É impossível explicar nossas razões para fazer isto antecipadamente, basta dizer que esse artifício notacional é um prelúdio necessário aos poderosos métodos computacionais introduzidos neste capítulo — integração por substituição e solução de certas equações diferenciais por separação de variáveis.

Começamos considerando o caso particular em que y é uma função linear de x:

$$y = mx + b. \qquad (3)$$

Seja $P = (x, y)$ um ponto dessa reta (Fig. 5.1).

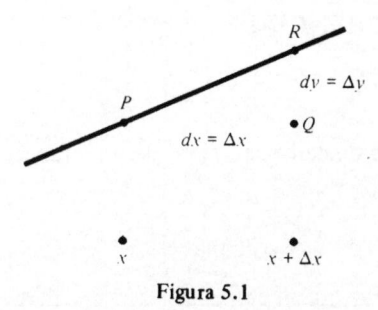

Figura 5.1

Se a x é dado um incremento Δx e se o correspondente incremento em y é Δy, então o coeficiente angular da reta (3) é

$$m = \frac{\text{variação em } y}{\text{variação em } x} = \frac{\Delta y}{\Delta x},$$

e assim

$$\Delta y = m \, \Delta x. \tag{4}$$

Quando trabalhamos dessa maneira com incrementos ao longo de uma reta, denotâmo-los pelos símbolos dx e dy de modo que

$$dx = \Delta x \quad \text{e} \quad dy = \Delta y,$$

e os chamamos de *diferenciais*. Com essa notação, (4) torna-se

$$dy = m \, dx. \tag{5}$$

Agora considere uma função arbitrária

$$y = f(x), \tag{6}$$

e suponha que essa função tenha derivada em x. Se P é o ponto correspondente no gráfico (Fig. 5.2), então a tangente em P é a reta PR com coeficiente angular $m = f'(x)$. Por *diferenciais* dx e dy que surgem a partir da expressão (6) queremos significar os incrementos nas variáveis x e y que estão associados com essa reta tangente. Mais precisamente, a diferencial dx da variável independente x é qualquer incremento Δx em x, ou seja,

$$dx = \Delta x; \tag{7}$$

e a diferencial dy da variável dependente y é o correspondente incremento em y ao longo da *reta tangente*, ou seja,

$$dy = f'(x) \, dx. \tag{8}$$

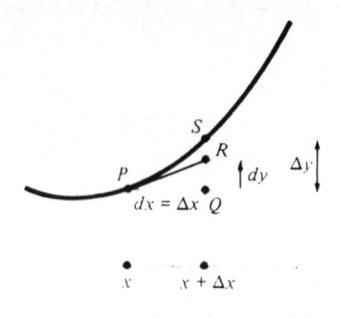

Figura 5.2

Assim, como mostra a Fig. 5.2, se $dx = \Delta x = PQ$ é qualquer variação em x, então $\Delta y = QS$ e $dy = QR$ são as variações correspondentes em y ao longo da curva e ao longo da reta tangente, respectivamente. Observamos que (8) se reduz a (5) quando $f(x) = mx + b$.

Se $dx \neq 0$, então podemos dividir (8) por dx e obter

$$\frac{dy}{dx} = f'(x). \tag{9}$$

Até esse ponto, a equação (9) tem sido trivialmente verdadeira, porque os dois membros têm sido meramente duas maneiras diferentes de escrever a mesma coisa, ou seja, a derivada da função $y = f(x)$. O novo aspecto de (9) em nossa presente discussão é que agora o símbolo de Leibniz à esquerda não só parece mas é de fato uma fração,

$$\frac{dy}{dx} = \frac{\text{diferencial de } y}{\text{diferencial de } x}.$$

A notação de Leibniz para as derivadas torna particularmente fácil produzir a fórmula diferencial (8), quando a função $y = f(x)$ é dada, calculando-se a derivada e multiplicando por dx. O cálculo na primeira coluna dá o padrão geral,

$$y = f(x) \qquad y = x^2$$
$$\frac{dy}{dx} = f'(x) \qquad \frac{dy}{dx} = 2x$$
$$dy = f'(x)\,dx \qquad dy = 2x\,dx,$$

e o cálculo na segunda coluna mostra como funciona para o caso especial $y = x^2$. Uma pequena experiência com o uso da notação nos faz compreender que podemos ir diretamente de $y = x^2$

para a fórmula $dy = 2x\, dx$ sem nos importarmos em escrever o passo intermediário $dy/dx = 2x$. Convém, muitas vezes, escrever $df(x)$ em vez de dy. Assim, por exemplo,

$$d(x^2) = 2x\, dx, \qquad d(5x^4) = 20x^3\, dx, \qquad d\left(\frac{1}{x}\right) = \left(-\frac{1}{x^2}\right) dx = -\frac{dx}{x^2}.$$

Nossas regras gerais de cálculo de derivadas podem agora ser dadas em úteis formulações equivalentes na notação de diferenciais. Por exemplo, se multiplicarmos na regra do produto

$$\frac{d}{dx}(uv) = u\frac{dv}{dx} + v\frac{du}{dx}$$

ambos os membros por dx, teremos a regra da diferencial do produto,

$$d(uv) = u\, dv + v\, du.$$

Segue-se uma lista básica, escrita de duas maneiras:

$$\frac{d}{dx}c = 0, \qquad\qquad dc = 0; \qquad\qquad (10)$$

$$\frac{d}{dx}x^n = nx^{n-1}, \qquad\qquad d(x^n) = nx^{n-1}\, dx; \qquad\qquad (11)$$

$$\frac{d}{dx}(cu) = c\frac{du}{dx}, \qquad\qquad d(cu) = c\, du; \qquad\qquad (12)$$

$$\frac{d}{dx}(u + v) = \frac{du}{dx} + \frac{dv}{dx}, \qquad\qquad d(u + v) = du + dv; \qquad\qquad (13)$$

$$\frac{d}{dx}(uv) = u\frac{dv}{dx} + v\frac{du}{dx}, \qquad\qquad d(uv) = u\, dv + v\, du; \qquad\qquad (14)$$

$$\frac{d}{dx}\left(\frac{u}{v}\right) = \frac{v\, du/dx - u\, dv/dx}{v^2}, \qquad\qquad d\left(\frac{u}{v}\right) = \frac{v\, du - u\, dv}{v^2}; \qquad\qquad (15)$$

$$\frac{d}{dx}u^n = nu^{n-1}\frac{du}{dx}, \qquad\qquad d(u^n) = nu^{n-1}\, du. \qquad\qquad (16)$$

As fórmulas diferenciais (11) e (16) parecem as mesmas, exceto pelas letras utilizadas, mas suas conotações são bem diferentes. Em (11) pensamos em x como a variável independente e em (16) pensamos em u como alguma função não-especificada de x. Esse ponto é ilustrado pelos cálculos

$$d(x^4) = 4x^3\, dx$$

e
$$d(x^2 + 1)^4 = 4(x^2 + 1)^3 \, d(x^2 + 1)$$
$$= 4(x^2 + 1)^3 \cdot 2x \, dx$$
$$= 8x(x^2 + 1)^3 \, dx.$$

A fim de adquirir familiaridade com a notação diferencial, devemos praticar o uso dessas fórmulas.

Exemplo 1 Se $y = x^4 + 3x^2 + 7$, calcule dy.

Solução Um modo de fazer isto é achar a derivada

$$\frac{dy}{dx} = 4x^3 + 6x,$$

e multiplicar por dx:

$$dy = (4x^3 + 6x) \, dx.$$

Podemos também utilizar as fórmulas diferenciais (10) a (13):

$$dy = d(x^4 + 3x^2 + 7) = d(x^4) + 3d(x^2) + d(7)$$
$$= 4x^3 \, dx + 3 \cdot 2x \, dx + 0$$
$$= (4x^3 + 6x) \, dx.$$

Enfatizamos que uma diferencial no membro esquerdo de uma equação exige que o membro direito também contenha uma diferencial. Assim nunca escrevemos $dy = 4x^3$, mas, em vez disso, $dy = 4x^3 dx$.

Exemplo 2 Para achar $d(x^2/\sqrt{x^2 + 1})$, usamos a fórmula diferencial (15):

$$d\left(\frac{x^2}{\sqrt{x^2 + 1}}\right) = \frac{\sqrt{x^2 + 1} \, d(x^2) - x^2 \, d(\sqrt{x^2 + 1})}{x^2 + 1}.$$

Mas $d(x^2) = 2x \, dx$ e

$$d(\sqrt{x^2+1}) = d[(x^2+1)^{1/2}] = \frac{1}{2}(x^2+1)^{-1/2} \cdot 2x\,dx = \frac{x\,dx}{\sqrt{x^2+1}},$$

assim

$$d\left(\frac{x^2}{\sqrt{x^2+1}}\right) = \frac{\sqrt{x^2+1} \cdot 2x\,dx - x^3\,dx/\sqrt{x^2+1}}{x^2+1} = \frac{x^3+2x}{(x^2+1)^{3/2}}\,dx.$$

O método das diferenciais é útil, em particular, na derivação implícita.

Exemplo 3 Suponha que y seja uma função de x derivável e que satisfaça a equação $x^2y^3 - 2xy + 5 = 0$. Use diferenciais para achar uma expressão para dy/dx.

Solução Calculando a diferencial de cada termo da equação, usando as regras do produto, potência e constante, temos

$$x^2 \cdot 3y^2\,dy + y^3 \cdot 2x\,dx - 2x\,dy - 2y\,dx = 0.$$

Juntamos agora à esquerda os termos contendo dy e à direita os termos contendo dx,

$$(3x^2y^2 - 2x)\,dy = (2y - 2xy^3)\,dx,$$

e isto conduz ao nosso resultado:

$$\frac{dy}{dx} = \frac{2y - 2xy^3}{3x^2y^2 - 2x}.$$

A maioria das pessoas que utilizam rotineiramente o cálculo como um instrumento de trabalho pensa em diferenciais como quantidades muito pequenas, embora as definições não contenham tais requisitos. Há diversas razões para isto. Uma delas pode ser vista na Fig. 5.2, que mostra que a reta tangente à curva se confunde com a curva próximo do ponto de tangência. Isto significa que, quando dx é pequeno, a curva é virtualmente indistinguível de sua tangente e, portanto, a diferencial dy, que é comparativamente fácil de calcular, dá uma boa aproximação do incremento exato Δy, que pode ser mais difícil de calcular.

Exemplo 4 Para ver como essa idéia funciona num caso simples, seja x o lado de um quadrado e $y = x^2$ a sua área. Se cada lado aumenta de uma quantidade pequena Δx (Fig. 5.3), então o incremento da área é

$$\Delta y = (x + \Delta x)^2 - x^2 = 2x\,\Delta x + \Delta x^2.$$

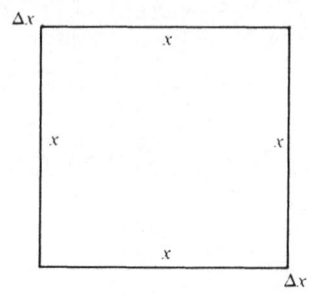

Figura 5.3

O termo $2x\Delta x$ é a soma das áreas dos dois retângulos da borda da Fig. 5.3, e o termo Δx^2 é a área do pequeno quadrado no canto superior direito. Como x é a variável independente e, portanto, $dx = \Delta x$, temos

$$dy = 2x\, dx = 2x\, \Delta x,$$

e é claro que esta é uma boa aproximação do incremento exato Δy, quando Δx é pequeno comparado com x.

Observação 1 Na discussão precedente, as diferenciais foram definidas de maneiras diferentes para variáveis independentes e dependentes. É portanto desejável verificar que a fórmula fundamental (8) permanece válida mesmo que x não seja a variável independente, mas, em vez disso, depende de alguma outra variável t. Para verificar isto, suponha que

$$y = f(x) \quad \text{onde} \quad x = g(t).$$

Então y é também uma função de t,

$$y = f(g(t)) = F(t),$$

e a regra da cadeia garante que

$$\frac{dy}{dt} = \frac{dy}{dx} \frac{dx}{dt},$$

ou, de modo equivalente,

$$F'(t) = f'(g(t))g'(t). \tag{17}$$

Nessa situação, onde x e y são ambas variáveis dependentes e t é a variável independente, as diferenciais dx e dy são definidas por

$$dx = g'(t)\, dt \quad \text{e} \quad dy = F'(t)\, dt.$$

Mas (17) permite-nos escrever

$$dy = F'(t)\, dt = f'(g(t))g'(t)\, dt = f'(x)\, dx,$$

que é (8). Assim, $y = f(x)$ implica que $dy = f'(x)dx$ em todos os casos, não importando se x é independente ou dependente de alguma outra variável t.

Observação 2 *Os mitos leibnizianos a respeito de curvas e diferenciais.* O conceito moderno de limite não aparece até o começo do século XIX, e assim nenhuma definição de derivada parecida com a equação (1) era possível para Leibniz ou seus sucessores imediatos. Quais eram as primeiras idéias sobre a natureza das derivadas e diferenciais?

A maior parte do pensamento matemático produtivo do período estava baseada em uma ou outra forma da noção de "infinitamente pequeno". A atitude de Leibniz diante da equação

$$\frac{dy}{dx} = \lim_{\Delta x \to 0} \frac{\Delta y}{\Delta x}$$

teria sido essencialmente a seguinte: como x tende a zero, ambos Δy e Δx tornam-se "infinitamente pequenos" ou conjuntamente "infinitesimais". Portanto é razoável pensar no limite dy/dx como o quociente de duas quantidades infinitesimais, denotadas por dy e dx e chamadas "diferenciais". Na imaginação de Leibniz, um *infinitésimo* era uma espécie particular de número que não era nulo e ainda era menor que qualquer outro número.

Havia também uma versão geométrica dessas idéias, onde uma curva era pensada como consistindo em um número infinito de segmentos de reta infinitamente pequenos (Fig. 5.4).

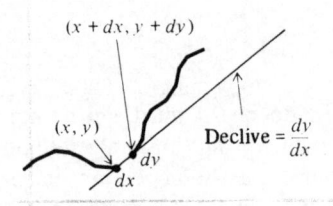

Figura 5.4 O mito de Leibniz.

Uma tangente era uma reta contendo um desses minúsculos segmentos. Para determinar o coeficiente angular da tangente num ponto (x, y), movemos uma distância infinitesimal ao longo da curva até um ponto $(x + dx, y + dy)$ e observamos que o coeficiente angular do segmento infinitesimal é o quociente dy/dx.

Acreditamos que Leibniz tenha introduzido as diferenciais dx e dy para denotar correspondentes variações infinitesimais nas variáveis x e y. Para ter uma idéia de como essas diferenciais eram usadas, suponha que as variáveis x e y sejam relacionadas pela equação

$$y = x^2. \tag{18}$$

Leibniz, então, substituiria x e y por $x + dx$ e $y + dy$ para obter

$$y + dy = (x + dx)^2 = x^2 + 2x\, dx + dx^2,$$

que, em vista de (18), nos dá

$$dy = 2x\, dx + dx^2. \tag{19}$$

Nesse estágio, Leibniz simplesmente descartaria o termo dx^2 e chegaria a nossa fórmula familiar

$$dy = 2x\, dx, \tag{20}$$

que, após a divisão por dx, toma sua forma fracionária

$$\frac{dy}{dx} = 2x. \tag{21}$$

Ele justificaria esse passo argumentando que o quadrado de um número infinitamente pequeno é "infinitamente infinitamente pequeno" ou "um infinitésimo de ordem superior", e assim inteiramente desprezível. Para Leibniz, a derivada era um quociente genuíno, um quociente de infinitésimos, como foi calculado na fórmula (21) e ilustrado na Fig. 5.4, e sua forma de cálculo veio a ser largamente conhecida como "cálculo infinitesimal".

Pode ser instrutivo comparar esse uso leibniziano de infinitésimos com a abordagem moderna baseada em limites. Dessa forma, com a função $y = x^2$, se Δx é uma dada variação não-nula de x e Δy é a correspondente variação em y, então, por um cálculo essencialmente o mesmo, obtemos

$$\Delta y = 2x \, \Delta x + \Delta x^2.$$

Em vez de descartarmos o termo Δx^2, na abordagem moderna, o dividimos por Δx, para obter o quociente $\Delta y/\Delta x$, e depois definimos a derivada como sendo o limite desse quociente quando Δx tende a zero,

$$\frac{dy}{dx} = \lim_{\Delta x \to 0} \frac{\Delta y}{\Delta x} = \lim_{\Delta x \to 0} (2x + \Delta x) = 2x.$$

Isto produz a fórmula (21) de um modo que substitui o uso de infinitésimos por um cálculo de limites.

As idéias de Leibniz funcionaram efetivamente, de maneira quase miraculosa, e dominaram o desenvolvimento do Cálculo e das Ciências Físicas por quase 150 anos. No entanto essas idéias eram falhas, já que os infinitésimos, no sentido descrito acima, claramente não existem, pois não existe tal coisa como um número positivo que é menor que todos os outros números positivos. Por todo esse período de mais de um século, o enorme sucesso do Cálculo como instrumento de resolução de problemas era óbvio para todos, e ninguém ainda era capaz de dar uma explicação logicamente aceitável do que *era* o Cálculo. A névoa que obscurecia seus conceitos fundamentais foi finalmente dissipada no começo do século XX pela teoria clássica dos limites. Afortunadamente, os primeiros matemáticos do período moderno – o próprio Leibniz, os Bernoullis, Euler, Lagrange – tiveram profundos sentimentos intuitivos para o que era razoável e correto nos problemas que estudaram. Embora seus argumentos muitas vezes não fossem rigorosos do ponto de vista moderno, esses pioneiros raramente se perdiam em suas conclusões.

Se um mito é uma expressão dissimulada, condensada e simbólica de uma verdade mais complicada e talvez parcialmente oculta, então a Matemática tem seus mitos exatamente como a História e a Literatura. As diferenciais de Leibniz foram eliminadas do "Cálculo oficial" pela teoria dos limites, contudo, elas permanecem como uma parte viva da mitologia do assunto*.

---

*   Deve-se acrescentar que um conceito logicamente aceitável de infinitésimo foi construído na década de 60 pelo matemático americano Abraham Robinson (veja seu livro *Non-Standard Analysis*, North-Holland Publishing Co., Amsterdam, 1966, especialmente as Seções 1.1 e 10.1). Enquanto o trabalho de Robinson tem grande interesse para lógicos e matemáticos, suas idéias dependem da lógica matemática e da teoria abstrata dos conjuntos, e não parece ter muita influência no ensino ou aprendizagem do Cálculo.

Problemas

Use as regras das diferenciais para calcular as seguintes:

1. $d(7x^9 - 3x^5 + 34)$.
2. $d(\sqrt{1 - x^2})$.
3. $d(x^2\sqrt{1 - x^2})$.
4. $d\left(\dfrac{x-2}{x+3}\right)$.
5. $d(\sqrt{4x - x^2})$.
6. $d\left(\dfrac{x}{\sqrt{a^2 + x^2}}\right)$.
7. $d(3x^{2/3} + 10x^{1/5} - 17x)$.
8. $d\left[\dfrac{(1 - 2x)^3}{3 - 4x}\right]$.
9. $d(x^2\sqrt{3x + 2})$.
10. $d(\sqrt{x + \sqrt{x + 1}})$.

Em cada um dos seguintes casos, suponha que y seja uma função derivável de x que satisfaz a equação dada e use o método das diferenciais para achar uma expressão para dy/dx. Ache também a derivada dx/dy, supondo que x é uma função diferenciável de y.

11. $16y^3 = 9x^2$.
12. $\sqrt{x} + \sqrt{y} = 4$.
13. $x^3 - 3x^2y + y^3 = 1$.
14. $x^2 + xy - 2y^2 - 3x + 4y + 6 = 0$.

15. Ache dy/dx, dado que

$$y = \frac{3u - 1}{u^2 - u} \quad \text{e} \quad u = (x^3 + 2)^5.$$

16. Ache dy/dx, dado que

$$y = \frac{u + 1}{u - 1}, \quad u = \frac{v^3 + 6v - 2}{\sqrt{v - 1}}, \quad v = x^4 + 5x^2 - 3.$$

17. Ache dy/dx, dado que

$$y^4 - 2u^3 + 3y + 5 = 0, \quad x^3 - u^2 + 2\sqrt{u} - 6 = 0.$$

18. Considere um círculo de raio r e área $A = \pi r^2$. Se o raio cresce de uma quantidade pequena Δr, ache o incremento ΔA e a diferencial dA. Desenhe um esboço como na Fig. 5.3 e observe que ΔA é a área de uma estreita coroa circular fina entre dois círculos concêntricos. Use o fato de que o círculo interno tem circunferência $2\pi r$ para compreender geometricamente por que dA é uma boa aproximação de ΔA.

19. Uma esfera de raio r tem volume $V = \frac{4}{3}\pi r^3$ e área de superfície $A = 4\pi r^2$. Se o raio cresce de uma pequena quantidade Δr, ache ΔV e dV. No espírito do Problema 18, compreenda geometricamente por que dV é uma boa aproximação de ΔV.

20. Uma capa de tinta de espessura 0,5 mm é aplicada nas faces de um cubo cuja aresta mede 250 mm, produzindo, com isto, um cubo um pouco maior. Use diferenciais para achar aproximadamente o número de milímetros cúbicos de tinta usada. Ache também a quantidade exata usada, calculando volumes antes e depois da pintura.

5.3 INTEGRAIS INDEFINIDAS. INTEGRAÇÃO POR SUBSTITUIÇÃO

Se $y = F(x)$ é uma função cuja derivada é conhecida, digamos, por exemplo,

$$\frac{d}{dx}F(x) = 2x, \tag{1}$$

podemos descobrir qual a função $F(x)$? Não é preciso muita imaginação para conseguir uma função com essa propriedade, ou seja, $F(x) = x^2$. Além disso, como acrescentar um termo constante não muda a derivada, cada uma das funções

$$x^2 + 1, \quad x^2 - \sqrt{3}, \quad x^2 + 5\pi,$$

e mais geralmente

$$x^2 + c,$$

onde c é uma constante qualquer, tem também a propriedade (1). Há outras? A resposta é *não*, e sua justificativa baseia-se no seguinte princípio:

Se F(x) *e* G(x) *são duas funções tendo a mesma derivada* f(x) *num certo intervalo, então* G(x) *difere de* F(x) *por uma constante, isto é, existe uma constante* c *com a propriedade de que*

$$G(x) = F(x) + c$$

para todo x *no intervalo.*

Para ver por que essa afirmação é verdadeira, notemos que a derivada da diferença $G(x) - F(x)$ é igual a zero no intervalo considerado,

$$\frac{d}{dx}[G(x) - F(x)] = \frac{d}{dx}G(x) - \frac{d}{dx}F(x) = f(x) - f(x) = 0.$$

Segue-se agora que essa diferença deve ter um valor constante c, e assim

$$G(x) - F(x) = c \quad \text{ou} \quad G(x) = F(x) + c,$$

que é o que queríamos estabelecer*.

Esse princípio permite-nos concluir que toda solução da equação (1) deve ter a forma $x^2 + c$ para alguma constante c.

O problema que acabamos de discutir envolveu a descoberta de uma função desconhecida cuja derivada é conhecida. Se $f(x)$ é dada, então a função $F(x)$ tal que

$$\frac{d}{dx}F(x) = f(x) \qquad (2)$$

chama-se uma *antiderivada* (ou *primitiva*) de $f(x)$, e o processo de achar $F(x)$ a partir de $f(x)$ é a *antiderivação* (ou *primitivação*). Vimos que $f(x)$ não precisa ter uma antiderivada única, mas se pudermos achar uma antiderivada $F(x)$, então todas as outras terão a forma

$$F(x) + c$$

---

* O passo crucial nesse raciocínio pode ser expresso de diversas maneiras diferentes: por exemplo, se a taxa de variação de uma função é nula, então a função não pode variar e, portanto, deve ser constante, ou, de modo equivalente, se toda reta tangente ao gráfico é horizontal, então o gráfico não pode nem subir nem descer e, portanto, deve ser uma reta horizontal. A base teórica para essa inferência será examinada com mais profundidade no Apêndice B.4.

para vários valores da constante c. Por exemplo, $\frac{1}{3} x^3$ é uma antiderivada de x^2 e a fórmula

$$\tfrac{1}{3}x^3 + c$$

inclui todas as possíveis antiderivadas de x^2.

Por motivos históricos, uma antiderivada de $f(x)$ é usualmente chamada de uma *integral* de $f(x)$, e a antiderivação chama-se *integração*. A notação-padrão para uma integral de $f(x)$ é

$$\int f(x)\,dx, \tag{3}$$

que se lê "a integral de $f(x)\,dx$". A equação

$$\int f(x)\,dx = F(x)$$

é, portanto, cómpletamente equivalente a (2). A função $f(x)$ chama-se *integrando*. O símbolo "S alongado" em (3) chama-se *sinal de integral*, e foi introduzido por Leibniz nos primórdios do Cálculo. Sua origem ficará clara no capítulo seguinte.

Para ilustrar uma questão de costume observamos que as fórmulas

$$\int x^2\,dx = \tfrac{1}{3}x^3 \quad \text{e} \quad \int x^2\,dx = \tfrac{1}{3}x^3 + c \tag{4}$$

estão ambas corretas, mas a primeira dá uma integral enquanto a segunda dá todas as possíveis integrais. Por essa razão, a integral (3) é usualmente chamada *integral indefinida*, em contraste com as integrais definidas, que serão discutidas no capítulo seguinte. A constante c na segunda fórmula de (4) chama-se *constante de integração* e é freqüentemente referida como uma constante "arbitrária". Nossa discussão prévia mostra que, para determinar todas as integrais de uma dada função $f(x)$, basta achar uma integral por qualquer método que seja — cálculo, adivinhação inteligente ou perguntando para um colega que sabe — e depois adicionar uma constante arbitrária no fim.

Toda derivada que tenhamos alguma vez calculado pode ser invertida e reescrita como uma integral. Em particular, a regra da potência

$$\frac{d}{dx} x^n = nx^{n-1} \quad \text{torna-se} \quad \int nx^{n-1}\,dx = x^n.$$

Para nosso objetivo presente, a fórmula

$$\frac{d}{dx} \frac{x^{n+1}}{n+1} = x^n$$

é uma versão mais adequada da regra da potência. Isto nos dá a forma da integral que memorizaremos e usaremos,

$$\int x^n \, dx = \frac{x^{n+1}}{n+1}, \quad n \neq -1. \tag{5}$$

Em palavras: *para integrar uma potência, some ao expoente uma unidade e divida a nova potência pelo novo expoente.*

Exemplo 1 As seguintes integrais são casos particulares de (5):

$$\int x^3 \, dx = \frac{x^4}{4} = \frac{1}{4} x^4, \quad \int x^{572} \, dx = \frac{x^{573}}{573} = \frac{1}{573} x^{573},$$

$$\int \frac{dx}{x^5} = \int x^{-5} \, dx = \frac{x^{-4}}{-4} = -\frac{1}{4x^4},$$

$$\int \sqrt{x} \, dx = \int x^{1/2} \, dx = \frac{x^{3/2}}{\frac{3}{2}} = \frac{2}{3} x^{3/2}.$$

O leitor notará que, quando $n = -1$, o segundo membro de (5) tem denominador zero e, portanto, não tem significado. O tratamento desse caso, isto é, a determinação da integral

$$\int \frac{dx}{x},$$

é uma das partes mais importantes e fascinantes do Cálculo. Voltaremos a esse problema no Capítulo 8.

As seguintes regras suplementares são também versões um tanto disfarçadas de fatos familiares acerca de derivadas:

$$\int cf(x) \, dx = c \int f(x) \, dx \tag{6}$$

e

$$\int [f(x) + g(x)] \, dx = \int f(x) \, dx + \int g(x) \, dx. \tag{7}$$

A primeira diz que uma constante pode ser movida de um lado do sinal de integral para outro. É importante compreender que isto não se aplica aos fatores variáveis, como pode ser visto pelo fato de que

$$\int x^2\, dx \neq x \int x\, dx.$$

A fórmula (7) diz que a integral de uma soma é a soma das integrais separadas. Isto se aplica a qualquer número finito de termos.

Para verificar (6) e (7), basta notar que elas são equivalentes às fórmulas de derivação

$$\frac{d}{dx} cF(x) = c\frac{d}{dx} F(x)$$

e

$$\frac{d}{dx}[F(x) + G(x)] = \frac{d}{dx} F(x) + \frac{d}{dx} G(x),$$

onde $(d/dx)F(x) = f(x)$ e $(d/dx)G(x) = g(x)$.

Exemplo 2 Quando as regras (5), (6) e (7) são combinadas, elas nos permitem integrar qualquer polinômio. Por exemplo,

$$\int (3x^4 + 6x^2)\, dx = 3\int x^4\, dx + 6 \int x^2\, dx$$

$$= \tfrac{3}{5}x^5 + 2x^3 + c$$

e

$$\int (5 - 2x^5 + 3x^{11})\, dx = 5\int dx - 2\int x^5\, dx + 3\int x^{11}\, dx$$

$$= 5x - \tfrac{1}{3}x^6 + \tfrac{1}{4}x^{12} + c.$$

Observe que $\int dx = \int 1\, dx = x$. Em cada um desses cálculos, uma constante arbitrária é adicionada no fim, de modo a incluir todas as integrais possíveis.

Exemplo 3 Podemos integrar também muitas funções não-polinomiais, que podem ser expressas como combinação linear de potências:

$$\int \sqrt[3]{x^2}\, dx = \int x^{2/3}\, dx = \tfrac{3}{5}x^{5/3} + c;$$

$$\int \frac{2x^3 - x^2 - 2}{x^2}\, dx = \int (2x - 1 - 2x^{-2})\, dx$$

$$= x^2 - x + \frac{2}{x} + c;$$

$$\int \frac{5x^{1/3} - 2x^{-1/3}}{\sqrt{x}}\, dx = \int (5x^{-1/6} - 2x^{-5/6})\, dx$$

$$= 6x^{5/6} - 12x^{1/6} + c.$$

A fórmula

$$\int u^n\, du = \frac{u^{n+1}}{n+1}, \qquad n \neq -1, \tag{3}$$

parece ser uma variação trivial de (5) na qual a letra x é substituída por u. No entanto, pensemos em u como alguma função $f(x)$ de x e tomemos du seriamente como a diferencial de u, de modo que

$$u = f(x)$$

e

$$du = f'(x)\, dx.$$

Então a equação (8) torna-se

$$\int [f(x)]^n f'(x)\, dx = \frac{[f(x)]^{n+1}}{n+1}, \qquad n \neq -1, \tag{9}$$

que é uma ampla generalização de (5).

Exemplo 4 Na prática, usualmente exploramos essa idéia por uma mudança explícita de variável, a fim de reduzir uma dada integral a uma integral da forma simples (8). Por exemplo, no caso de

$$\int (3x^2 - 1)^{1/3} 4x\, dx,$$

notamos que a diferencial da expressão entre parênteses é $6x\,dx$, que é diferente de $4x\,dx$ apenas por um fator constante, e assim escrevemos

$$u = 3x^2 - 1,$$
$$du = 6x\,dx,$$
$$x\,dx = \tfrac{1}{6}du.$$

Isto nos permite traduzir a integral dada da notação x para a notação u, como se segue:

$$\int (3x^2 - 1)^{1/3} 4x\,dx = \int u^{1/3} \cdot 4 \cdot \tfrac{1}{6}\,du = \tfrac{2}{3} \int u^{1/3}\,du$$
$$= \tfrac{2}{3} \cdot \tfrac{3}{4} u^{4/3} + c = \tfrac{1}{2} u^{4/3} + c;$$

e voltando à notação x, obtemos nosso resultado:

$$\int (3x^2 - 1)^{1/3} 4x\,dx = \tfrac{1}{2}(3x^2 - 1)^{4/3} + c.$$

Esse método chama-se *integração por substituição,* porque depende de uma substituição ou mudança de variável para simplificar o problema. Como sugere a fórmula (9), o sucesso do método depende de ter uma integral em que uma parte do integrando seja essencialmente a derivada de uma outra parte onde "essencialmente" significa "exceto por um fator constante".

Observação 1 A integral do Exemplo 4 foi deliberadamente construída de modo que o método da substituição funcione. Para enfatizar esse ponto, observamos que a integral semelhante

$$\int (3x^2 - 1)^{1/3}\,dx \qquad (10)$$

parece ser "mais simples" que a do Exemplo 4, mas é realmente muito mais difícil. Se tentamos a substituição que funcionou antes, chegamos a

$$\int (3x^2 - 1)^{1/3}\,dx = \int u^{1/3} \cdot \frac{du}{6x},$$

e não há nenhum modo prático de se livrar do x no denominador. Num capítulo posterior estudaremos métodos mais profundos que terão sucesso nesse tipo de problema, mas, por enquanto, nada mais há a fazer.

Observação 2 Muitos estudantes são tentados a integrar (10) escrevendo

$$\int (3x^2 - 1)^{1/3} \, dx = \frac{(3x^2 - 1)^{4/3}}{4/3} = \frac{3}{4}(3x^2 - 1)^{4/3} + c, \tag{11}$$

o que é incorreto. Para ver isto, lembre-se de que no cálculo de integrais podemos sempre conferir nosso trabalho bem facilmente, pois, se temos dúvida de uma integral de uma função $f(x)$, podemos testá-la calculando sua derivada para ver se o resultado é realmente igual a $f(x)$. É claro que (11) não passa por esse teste, pois a derivada do segundo membro é

$$\frac{3}{4} \cdot \frac{4}{3}(3x^2 - 1)^{1/3} \cdot 6x = (3x^2 - 1)^{1/3} 6x,$$

que não é o integrando de (10).

Problemas

Calcule as integrais seguintes. Não se esqueça de incluir a constante de integração em cada resposta.

1. $\int (x + 1) \, dx$.
2. $\int (3x - 2) \, dx$.
3. $\int (x^2 + x^3 + x^4) \, dx$.
4. $\int x^7 \, dx$.
5. $\int \frac{dx}{\sqrt{x}}$.
6. $\int (3x^2 + 2x + 1) \, dx$.
7. $\int x^{3/4} \, dx$.
8. $\int x^2(x^2 - 1) \, dx$.
9. $\int \frac{dx}{\sqrt[3]{x}}$.
10. $\int (600x - 6x^5) \, dx$.
11. $\int \left(\sqrt{x} - \frac{1}{\sqrt{x}} \right) dx$.
12. $\int (2x - 7) \, dx$.
13. $\int \frac{3 + 2x}{\sqrt{x}} \, dx$.
14. $\int \sqrt{3 + 4x} \, dx$.
15. $\int \sqrt{3x^2 + 1} \, x \, dx$.
16. $\int \frac{dx}{(2x - 3)^2}$.
17. $\int x^2(1 - 4x^3)^{1/5} \, dx$.
18. $\int \frac{x \, dx}{\sqrt{5 - 4x^2}}$.
19. $\int x^{2/3}(2 - x^{5/3})^{-5} \, dx$.
20. $\int \frac{(1 + \sqrt{x})^{1/4}}{\sqrt{x}} \, dx$.
21. $\int \frac{(2 + 3x) \, dx}{\sqrt{1 + 4x + 3x^2}}$.
22. $\int \sqrt{x^2 + x^4} \, dx$.

23. Integre $\int (x^3)^4 \cdot 3x^2\, dx$ como $\int u^4\, du$ e também como $\int 3x^{14}\, dx$ e compare os resultados.

24. Integre $\int (x^3 + 1)^2 \cdot 3x^2\, dx$ como $\int u^2\, du$ e também fazendo a multiplicação e compare os resultados.

25. Ache a integral de $3x^2$ que toma o valor 10 quando $x = 2$. Sugestão: como toda integral de $3x^2$ tem a forma $y = x^3 + c$, ache o valor de c que torna $y = 10$ quando $x = 2$.

26. Ache a integral $F(x)$ de $\sqrt{x}$ com a propriedade de que $F(9) = 9$.

5.4 EQUAÇÕES DIFERENCIAIS. SEPARAÇÃO DE VARIÁVEIS

Vimos que a equação

$$\int f(x)\, dx = F(x) \tag{1}$$

é equivalente a

$$\frac{d}{dx} F(x) = f(x). \tag{2}$$

Essa afirmação pode ser interpretada de duas maneiras.

(a) De acordo com a explicação da Seção 5.3, podemos pensar no símbolo

$$\int \cdots dx$$

como operando sobre a função $f(x)$ para produzir sua integral ou antiderivada $F(x)$. Desse ponto de vista, o sinal de integral e o dx aparecem juntos como partes de um único símbolo. O sinal de integral especifica a operação de integração, e o único papel de dx é contar-nos que x é a "variável de integração".

(b) Uma segunda interpretação é sugerida pelo nosso tratamento do Exemplo 4, da Seção 5.3. Escrevamos (2) na forma

$$dF(x) = f(x)\,dx,$$

de modo que $f(x)dx$ é explicitamente encarada como a diferencial de $F(x)$. Se agora tomarmos dx em (1) em seu valor nominal como a diferencial de x, então o sinal de integral em (1) age sobre a diferencial de uma função, ou seja, sobre $f(x)dx$ e produz a próxima função. Assim, o símbolo $\int$ para a integração (sem considerar o dx como parte do símbolo) significa a operação que é a inversa da operação denotada pelo símbolo d.

Usaremos ambas as interpretações. No entanto, a segunda é particularmente conveniente, não só pelos procedimentos reais utilizados no cálculo de integrais mas também pela resolução de certas equações diferenciais simples.

Uma *equação diferencial* é uma equação que envolve uma função incógnita e uma ou mais de suas derivadas. A *ordem* de tal equação é a ordem da maior derivada que ocorre nela.

No processo de integração estivemos resolvendo equações diferenciais de primeira ordem da forma

$$\frac{dy}{dx} = f(x),$$

onde $f(x)$ é uma dada função. Assim, a equação

$$\frac{dy}{dx} = 3x^2 \quad \text{é equivalente a} \quad dy = 3x^2\,dx, \tag{3}$$

e integramos para obter a solução

$$\int dy = \int 3x^2\,dx \quad \text{ou} \quad y = x^3 + c. \tag{4}$$

Observe que aparece uma constante de integração em ambos os membros,

$$y + c_1 = x^3 + c_2,$$

mas isto pode ser escrito como $y = x^3 + (c_2 - c_1)$ e não há perda de generalidade se substituirmos $c_2 - c_1$ por c. Conseqüentemente basta adicionar uma constante de integração apenas num membro, como fizemos em (4).

Podemos também manipular equações diferenciais mais complicadas. Achemos y se

$$\frac{dy}{dx} = -2xy^2. \tag{5}$$

Se desprezarmos a solução óbvia $y = 0$, a equação (5) pode ser escrita como

$$-\frac{dy}{y^2} = 2x\,dx.$$

A integração agora nos dá

$$\frac{1}{y} = x^2 + c$$

ou

$$y = \frac{1}{x^2 + c}. \tag{6}$$

Esta é chamada *solução geral* de (5), e escolhas diferentes de c dão *soluções particulares* diferentes.

Estamos capacitados a resolver a equação (5) pelo método da *separação de variáveis*, isto é, por isolamento dos y dos x e integração. Em geral, se uma equação diferencial pode ser escrita na forma

$$g(y)\,dy = f(x)\,dx,$$

com suas variáveis separadas e se podemos efetuar as integrações, então temos a solução

$$\int g(y)\,dy = \int f(x)\,dx + c. \tag{7}$$

Devemos notar que só em casos muitos especiais as variáveis podem ser separadas dessa maneira. Por exemplo, a equação diferencial

$$\frac{dy}{dx} = \frac{x+y}{x-y} \qquad (8)$$

não pode ser resolvida por esse método.

Cada uma das soluções (4) e (6) das equações (3) e (5) consiste em uma família de curvas correspondentes a vários valores da constante c. Essas famílias são mostradas nas Figs. 5.5 e 5.6.

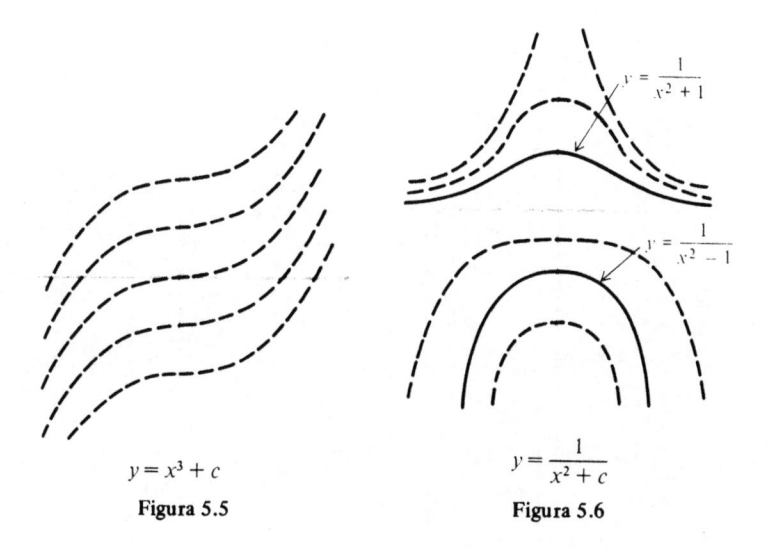

$y = x^3 + c$
Figura 5.5

$y = \dfrac{1}{x^2 + c}$
Figura 5.6

As constantes arbitrárias que aparecem na solução geral de uma equação de primeira ordem podem ser determinadas dando, como uma *condição inicial*, o valor da função incógnita $y = y(x)$ num único valor de x, digamos $y = y_0$ quando $x = x_0$. Em linguagem geométrica, uma condição inicial significa que se exige que a curva-solução passe por um ponto especificado do plano. Assim, na Fig. 5.6 as curvas (em traço contínuo) superior e inferior correspondem às condições iniciais

$$y = 1 \text{ quando } x = 0 \text{ e } y = -1 \text{ quando } x = 0,$$

respectivamente. Veremos na próxima seção que essa terminologia é aconselhável particularmente nos problemas mecânicos, onde o tempo é a variável independente e as posições iniciais ou velocidades iniciais dos corpos móveis são especificados.

Nos problemas que acabamos de discutir, a equação (7) foi facilmente resolvida para y levando-nos à solução da equação diferencial dada como uma família de *funções*. Convém, muitas vezes, não destacar esse ponto e aceitar uma família de *equações* como a solução geral, sem procurar funções explicitamente exibidas. Ilustramos esse ponto achando a curva mais geral cuja normal em cada ponto passa pela origem e também a curva particular com essa propriedade e que passa pelo ponto (2, 3).

A normal *OP* tem coeficiente angular y/x (veja Fig. 5.7), e o coeficiente angular da tangente é seu inverso negativo; assim nossa equação diferencial é

$$\frac{dy}{dx} = -\frac{x}{y}. \tag{9}$$

Separando as variáveis, temos $y\,dy = -x\,dx$ e, integrando, temos

$$\frac{1}{2}y^2 = -\frac{1}{2}x^2 + c.$$

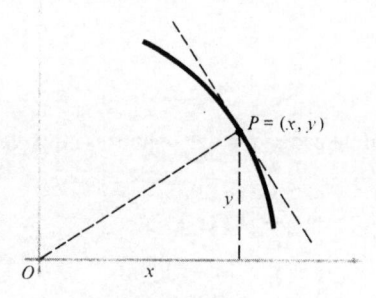

Figura 5.7

Se pusermos $r^2 = 2c$, a solução geral de (9) toma a forma mais nítida

$$x^2 + y^2 = r^2.$$

Esta é a família de todas as circunferências com centro na origem, como o leitor pode ter previsto. Colocando $x = 2$ e $y = 3$, achamos que $r^2 = 13$, e assim

$$x^2 + y^2 = 13$$

é a solução particular de (9) que passa pelo ponto (2, 3). É claro que é mais razoável deixar essa solução como está do que insistir em isolar o y.

Observação 1 Por direito, as equações diferenciais deveriam talvez ser chamadas *equações a derivadas*. No entanto, como vimos na Seção 5.2, nos primórdios do Cálculo as diferenciais eram os conceitos primitivos e as derivadas eram secundárias, e assim o termo apareceu de modo natural. Em qualquer caso, tem sido um uso padronizado por centenas de anos e ninguém sonharia em mudá-lo agora.

Observação 2 A descrição matemática de um processo físico (ou biológico ou químico) é usualmente dada em termos de funções que mostram como as quantidades envolvidas variam com o tempo. Quando conhecemos uma tal função, podemos achar sua taxa de variação calculando sua derivada. No entanto, muitas vezes nos defrontamos com o problema inverso de achar uma função incógnita a partir de uma dada informação acerca de sua taxa de variação. Essa informação se expressa visualmente na forma de uma equação envolvendo derivadas da função incógnita. Essas equações diferenciais aparecem tão freqüentemente nos problemas científicos que seu estudo constitui-se um dos ramos principais da Matemática. Continuaremos com algumas aplicações importantes desse assunto na próxima seção e voltaremos a ele sempre que for conveniente.

Problemas

Determine a solução geral de cada uma das seguintes equações diferenciais:

1. $\dfrac{dy}{dx} = 6x^2 + 4x - 5$.

2. $\dfrac{dy}{dx} = (3x + 1)^3$.

3. $\dfrac{dy}{dx} = 24x^3 + 18x^2 - 8x + 3$.

4. $\dfrac{dy}{dx} = 2\sqrt{y}$.

5. $\dfrac{dy}{dx} = \dfrac{x + \sqrt{x}}{y - \sqrt{y}}$.

6. $\dfrac{dy}{dx} = \sqrt[3]{\dfrac{y}{x}}$.

7. $\dfrac{dy}{dx} = \dfrac{1}{x^2} + x$.

Ache a solução particular de cada uma das seguintes equações diferenciais que satisfaz a condição inicial dada:

8. $\dfrac{dy}{dx} = 10x + 5$, $y = 15$ quando $x = 0$.

9. $\dfrac{dy}{dx} = 2xy^2$, $y = 1$ quando $x = 2$.

10. $\dfrac{dy}{dx} = \dfrac{x}{y}$, $y = 3$ quando $x = 2$.

11. $y\dfrac{dy}{dx} = x(y^4 + 2y^2 + 1)$, $y = 1$ quando $x = 4$.

12. $\dfrac{dy}{dx} = \dfrac{5 + 3x^2}{2 + 2y}$, $y = 2$ quando $x = -2$.

13. $\dfrac{dy}{dx} = \sqrt{xy}$, $y = 64$ quando $x = 9$.

Nos Problemas de 14 a 19, verifique que a função dada é uma solução da equação diferencial correspondente para todas as escolhas das constantes A e B.

14. $y = x + Ax^2$, $x\dfrac{dy}{dx} = 2y - x$.

15. $y = Ax + x^3$, $x\dfrac{dy}{dx} = y + 2x^3$.

16. $y = x + A\sqrt{x^2 + 1}$, $(x^2 + 1)\dfrac{dy}{dx} = xy + 1$.

17. $y = Ax + \sqrt{x^2 + 1}$, $x\dfrac{dy}{dx} = y - \dfrac{1}{\sqrt{x^2 + 1}}$.

18. $y = Ax + \dfrac{B}{x}$, $x^2\dfrac{d^2y}{dx^2} + x\dfrac{dy}{dx} - y = 0$.

19. $y = Ax + Bx^2$, $x^2\dfrac{d^2y}{dx^2} - 2x\dfrac{dy}{dx} + 2y = 0$.

20. Numa certa região bárbara, duas tribos vizinhas têm-se odiado desde os tempos primitivos. Sendo povos bárbaros, seus poderes de crença são fortes e uma solene praga rogada pelo curandeiro da primeira tribo enlouquece os membros da segunda tribo conduzindo-os ao assasssínio e suicídio. Se a taxa de variação da população P da segunda tribo é $-\sqrt{P}$ pessoas por semana e se a população é 676 quando a praga é rogada, quando eles estarão todos mortos?

5.5 MOVIMENTO SOB A GRAVIDADE. VELOCIDADE DE ESCAPE E BURACOS NEGROS

Grande parte da inspiração original para o desenvolvimento do Cálculo proveio da ciência da Mecânica, e esses dois assuntos continuaram inseparavelmente ligados até hoje. A Mecânica repousa sobre certos princípios básicos que foram primeiramente formulados por Newton. O enunciado desses princípios requer o conceito de derivada, e veremos nesta seção que suas aplicações dependem da integração e solução de equações diferenciais.

O *movimento retilíneo* é um movimento ao longo de uma reta. Em contraste, o movimento ao longo de uma trajetória curva chama-se, às vezes, *movimento curvilíneo*. Nosso objetivo agora é estudar o movimento retilíneo de uma única *partícula*, isto é, de um ponto em que imaginamos estar concentrado um corpo de massa m. Ao discutir o movimento de objetos físicos, tais como carros, balas, pedras em queda livre etc., muitas vezes ignoramos a forma e o tamanho dos objetos e pensamos neles como se fossem partículas.

A posição de nossa partícula está completamente determinada por sua coordenada s com respeito a um sistema de coordenadas sobre a reta convenientemente escolhido (Fig. 5.8).

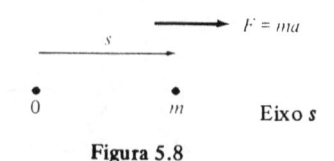

Figura 5.8

Como a partícula se move, s é uma função do tempo t, medida a partir de algum instante inicial conveniente $t = 0$. Simbolizamos isto escrevendo $s = s(t)$. Como sabemos da discussão da Seção 2.4, a *velocidade* v da partícula é a taxa de variação de sua posição,

$$v = \frac{ds}{dt},$$

e o módulo da velocidade é o valor absoluto da velocidade.

Em geral, a velocidade de uma partícula móvel varia com o tempo, e a aceleração a é a taxa de variação da velocidade,

$$a = \frac{dv}{dt} = \frac{d}{dt}\left(\frac{ds}{dt}\right) = \frac{d^2s}{dt^2}.$$

Esta é positiva ou negativa conforme v seja crescente ou decrescente.

A hipótese básica da Mecânica newtoniana é que se requer força para variar a velocidade, isto é, a aceleração é causada por alguma força. O conceito de força se origina na sensação subjetiva de esforço que experimentamos quando mudamos a velocidade de um objeto físico; por exemplo, quando empurramos um carro enguiçado ou atiramos uma pedra. No caso do movimento retilíneo, supomos que podemos exprimir uma força por um número, que é positivo ou negativo conforme a força aja no sentido positivo ou negativo.

A *Segunda Lei de Movimento de Newton* estabelece que a aceleração de uma partícula é diretamente proporcional à força F que atua nela e inversamente proporcional a sua massa m,

$$a = \frac{F}{m}, \tag{1}$$

ou, de modo equivalente,

$$F = ma. \tag{2}$$

As unidades de medida para essas quantidades são sempre escolhidas de modo que a constante de proporcionalidade na equação (1) tenha o valor 1, como é mostrado.

Assim, se a força é dobrada, então, por (1), a aceleração resultante é também dobrada; e se a massa é dobrada, a aceleração é reduzida à metade. Nesse contexto, a massa de um corpo pode ser interpretada como sua capacidade de resistir à aceleração*.

De um ponto de vista, a equação (2) pode ser considerada simplesmente como uma definição de força, pois o segundo membro da equação é uma quantidade que pode ser calculada, medindo-se a massa e observando o movimento, e isto determina a força. Por outro lado, a força F é freqüentemente conhecida antes, por considerações físicas bastante simples. A aparentemente inocente equação $F = ma$ torna-se então a equação diferencial de segunda ordem

$$m \frac{d^2s}{dt^2} = F. \qquad (3)$$

Essa equação tem profundas conseqüências, pois, em princípio, podemos determinar a posição da partícula em qualquer instante t, resolvendo (3) com condições iniciais apropriadas**.

Exemplo 1 Achar o movimento de uma pedra de massa m que é largada de um ponto acima da superfície da Terra.

Solução O exemplo mais importante de força conhecida é a familiar "força da gravidade". Da evidência experimental direta, sabemos que a força da gravidade agindo sobre a pedra (isto é, o *peso* da pedra) está dirigida para baixo e tem grandeza $F = mg$, onde g é a constante de aceleração devido à gravidade perto da superfície da Terra ($g = 9{,}80$ m/s^2, aproximadamente). Se s é a posição da pedra medida ao longo de um eixo vertical, com o sentido positivo apontando para baixo e a origem na posição inicial da pedra (Fig. 5.9), então a equação (3) é

$$m \frac{d^2s}{dt^2} = mg \quad \text{ou} \quad \frac{d^2s}{dt^2} = g.$$

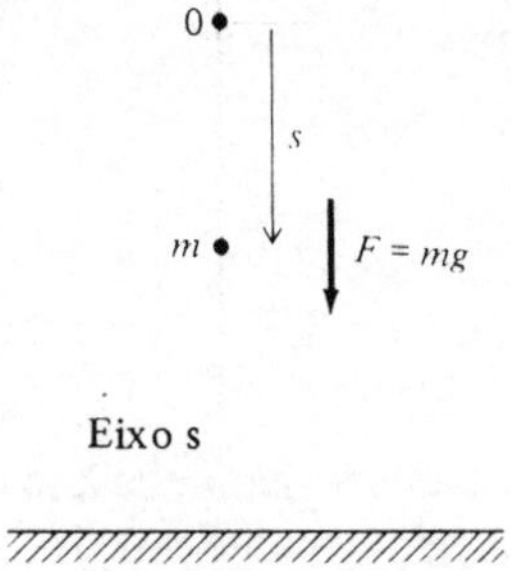

Eixo s

Figura 5.9

---

* A Primeira Lei de Movimento de Newton garante que se nenhuma força age sobre a partícula, então sua velocidade não se altera, isto é, sua aceleração é nula. É claro que este é um caso particular de (1).

** O impacto intelectual da lei de Newton $F = ma$ nos séculos XVII e XVIII foi maior que $E = mc^2$ de Einstein no século XX.

Integrando essa equação duas vezes, obtemos

$$v = \frac{ds}{dt} = gt + c_1, \qquad (4)$$

$$s = \tfrac{1}{2}gt^2 + c_1 t + c_2, \qquad (5)$$

onde c_1 e c_2 são constantes de integração. Como a pedra é "largada" (isto é, solta com velocidade inicial nula) no instante $t = 0$ do ponto escolhido como origem, então as condições iniciais são

$$v = 0 \text{ e } s = 0 \text{ quando } t = 0.$$

A condição $v = 0$ quando $t = 0$ acarreta $c_1 = 0$, e $s = 0$ quando $t = 0$ acarreta $c_2 = 0$. Temos, portanto,

$$v = gt, \qquad (6)$$

$$s = \tfrac{1}{2}gt^2, \qquad (7)$$

pelo menos até a pedra atingir o solo. Se mudamos essa situação e exigimos que a pedra seja lançada para baixo com uma velocidade inicial v_0, da posição inicial $s = s_0$ no instante $t = 0$, então as condições iniciais são

$$v = v_0 \text{ e } s = s_0 \text{ quando } t = 0,$$

e (4) e (5) tornam-se

$$v = gt + v_0,$$
$$s = \tfrac{1}{2}gt^2 + v_0 t + s_0.$$

Devemos esclarecer que nessa discussão ignoramos o efeito da resistência do ar e supusemos que a única força agindo sobre a pedra que cai fosse a da gravidade. É possível tomar a resistência do ar em consideração, mas, nesse caso, a equação (3) torna-se complicada demais para ser tratada aqui. Voltaremos a esse tópico no Capítulo 8.

Observamos também que se a distância é medida em metros e o tempo em segundos, de modo que g tem o valor numérico 9,8, então (6) e (7) tornam-se

$$v = 9{,}8\,t \text{ e } s = 4{,}9t^2.$$

Integrais indefinidas e equações diferenciais 249

É claro, pela primeira dessas equações, que a velocidade da pedra cresce 9,8 m/s durante cada segundo de queda, e naturalmente é este o significado da afirmação de que a aceleração devido à gravidade é 9,8 metros por segundo por segundo (m/s^2).

Exemplo 2 Uma pedra é atirada para cima com uma velocidade inicial de 39,2 m/s do alto de um edifício de 98 m de altura. Expresse sua altura em relação ao solo como uma função do tempo. Ache a altura máxima que a pedra atinge. Admitindo que a pedra não toque no edifício em sua queda, quanto tempo leva para chegar ao solo? Qual sua velocidade no instante em que chega ao solo?

Solução Colocamos o eixo s com a origem no solo e o sentido para cima (Fig. 5.10).

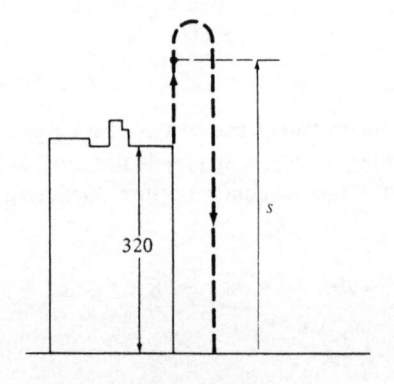

Figura 5.10

Como a força da gravidade está dirigida para baixo, e pela equação (2) a força e a aceleração têm o mesmo sinal, a aceleração da pedra é dada por

$$a = \frac{d^2s}{dt^2} = -9,8. \tag{8}$$

Integrando essa equação temos

$$v = \frac{ds}{dt} = -9,8t + c_1,$$

e usando a condição inicial $v = 39,2$ m/s quando $t = 0$, temos

$$v = \frac{ds}{dt} = -9,8t + 39,2. \tag{9}$$

Uma segunda integração resulta em

$$s = -4{,}9t^2 + 39{,}2t + c_2,$$

e como $s = 98$ quando $t = 0$, obtemos

$$s = -4{,}9t^2 + 39{,}2t + 98, \qquad (10)$$

que fornece a altura da pedra acima do solo em qualquer instante.

Para achar a altura máxima atingida pela pedra, escrevemos (9) na forma

$$v = -9{,}8(t - 4).$$

Isto nos diz que para $t < 4$ a velocidade é positiva, e assim a pedra está se movendo para cima. Quando $t = 4$, a velocidade é nula e a pedra está parada por um instante. Para $t > 4$, a velocidade é negativa e a pedra está caindo. Logo, achamos a altura máxima pondo $t = 4$ na equação (10). Isto nos dá

$$s = -4{,}9 \cdot 16 + 39{,}2 \cdot 4 + 98 = -78{,}4 + 156{,}8 + 98 = 176{,}4$$

como a altura máxima.

A pedra atinge o solo quando $s = 0$. Usando a equação (10) vemos que isto nos leva à seqüência de equações equivalentes

$$-4{,}9t^2 + 39{,}2t + 98 = 0,$$
$$-4{,}9(t^2 - 8t - 20) = 0,$$
$$(t - 10)(t + 2) = 0.$$

Assim, $s = 0$ quando $t = 10$ ou $t = -2$. A segunda resposta não tem sentido nas circunstâncias e pode ser descartada. Portanto a pedra atinge o solo 10 segundos após ser atirada.

Para achar a velocidade da pedra no instante em que atinge o solo, colocamos $t = 10$ na equação (9):

$$v = -9{,}8 \cdot 10 + 39{,}2 = -98 + 39{,}2 = -58{,}8.$$

A velocidade nesse instante é, portanto, $-58{,}8$ m/s, e o sinal de menos nos diz que a pedra está se movendo para baixo. O seu módulo é 58,8 m/s.

Nesses exemplos tratamos a aceleração da gravidade como se fora uma constante. Isto é razoável para corpos móveis que ficam bem próximos da superfície da Terra. No entanto, para estudar o movimento de um corpo que se move para fora da Terra no espaço, devemos levar em conta que a força da gravidade varia inversamente com o quadrado da distância da Terra.

Exemplo 3 Suponha que um foguete seja disparado para cima com velocidade inicial v_0 e depois disso se mova sem posterior gasto de energia. Para valores grandes de v_0, ele sobe bastante antes de chegar ao repouso e cair de volta à Terra. Qual deve ser v_0 para que o foguete jamais chegue ao repouso e por causa disso escape completamente da atração gravitacional da Terra?

Solução De acordo com a Lei de Gravitação de Newton, duas partículas quaisquer de matéria no universo se atraem com uma força que é conjuntamente proporcional a suas massas e inversamente proporcional ao quadrado da distância entre elas. Na situação presente (veja a Fig. 5.11),

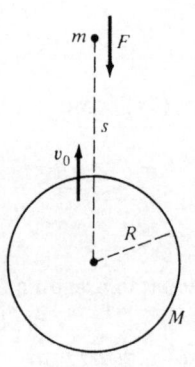

Figura 5.11

o que significa que a força F que atrai o foguete para a Terra é dada pela Lei dos Inversos dos Quadrados

$$F = -G\frac{Mm}{s^2},$$

onde G é uma constante positiva, M e m são as massas da Terra e do foguete e s é a distância do foguete ao centro da Terra*.

---

* Pode ser provado — e o será no Capítulo 17, Volume II — que a atração gravitacional exercida pela Terra sobre o foguete é a mesma que seria exercida por uma partícula de massa M localizada no centro da Terra.

Começamos nossa análise detalhada do problema observando que nesse caso a Segunda Lei de Movimento de Newton $F = ma$ torna-se

$$m\frac{d^2s}{dt^2} = -G\frac{Mm}{s^2},$$

e assim

$$\frac{d^2s}{dt^2} = -\frac{GM}{s^2}. \tag{11}$$

Para começar, isto nos diz que o movimento do foguete não depende da própria massa do foguete. Podemos pôr as constantes aqui de uma forma mais conveniente notando que a aceleração d^2s/dt^2 tem o valor $-g$ quando $s = R$, onde R é o raio da Terra. Isto nos dá

$$-g = -\frac{GM}{R^2} \quad \text{ou} \quad GM = gR^2;$$

e como $d^2s/dt^2 = dv/dt$ podemos escrever (11) como

$$\frac{dv}{dt} = -\frac{gR^2}{s^2}. \tag{12}$$

Nosso próximo passo é eliminar t dessa equação usando a regra da cadeia para escrever

$$\frac{dv}{dt} = \frac{dv}{ds}\frac{ds}{dt} = \frac{dv}{ds}v.$$

A equação (12) torna-se agora

$$v\frac{dv}{ds} = -\frac{gR^2}{s^2}.$$

Separando as variáveis e integrando, obtemos

$$\int v\, dv = gR^2 \int -\frac{ds}{s^2}$$

ou

$$\tfrac{1}{2}v^2 = \frac{gR^2}{s} + c. \tag{13}$$

Para calcular a constante de integração c, usamos a condição inicial $v = v_0$ quando $s = R$, e assim

$$\tfrac{1}{2}v_0^2 = gR + c$$

e

$$c = \tfrac{1}{2}v_0^2 - gR.$$

Com esse valor de c, a equação (13) torna-se

$$\tfrac{1}{2}v^2 = \frac{gR^2}{s} + (\tfrac{1}{2}v_0^2 - gR). \tag{14}$$

Nossa conclusão final emerge de (14) como se segue: para o foguete escapar da Terra, ele deve mover-se de tal modo que $\dfrac{1}{2}v^2$ seja sempre positivo, pois, se $\dfrac{1}{2}v^2$ se anula, o foguete pára e então cai de volta à Terra. Mas o primeiro termo à direita de (14) evidentemente tende a zero quando s cresce. Portanto, para garantir que $\dfrac{1}{2}v^2$ seja positivo, não importa quão grande seja s, devemos ter $\dfrac{1}{2}v_0^2 - gR \geqslant 0$. Isto é equivalente a $v_0^2 \geqslant 2gR$ ou $v_0 \geqslant \sqrt{2gR}$. A quantidade $\sqrt{2gR}$ é usualmente conhecida como a *velocidade de escape* da Terra. Podemos estimar facilmente seu valor usando as aproximações $g \cong 9,8$ m/s² e $R \cong 6,37 \times 10^6$ m:

$$\sqrt{2gR} \cong \sqrt{2 \cdot 9,8 \text{ m/s}^2 \cdot 6,37 \cdot 10^6 \text{ m}}$$
$$\cong 1,13 \cdot 10^4 \text{ m/s}.$$

Observação 1 Exatamente da mesma maneira como neste exemplo, a quantidade $\sqrt{2g'R'}$ é a velocidade de escape em qualquer planeta, satélite ou estrela, onde R' e g' são o raio e a aceleração devida à gravidade na superfície. Se o raio de tal corpo diminui enquanto a massa não muda, a velocidade de escape na superfície cresce. Por quê?

Observação 2 A maioria das estrelas normais é mantida em seu estado gasoso em virtude da pressão de radiação de dentro, que é gerada pela queima de combustível nuclear. Quando o combustível nuclear se distribui, a estrela sofre um colapso gravitacional transformando-se numa esfera muito menor com essencialmente a mesma massa. A matéria comprimida e degenerada dessas estrelas que caíram em colapso podem sustentar dois tipos de equilíbrio, dependendo da massa da estrela. *Anãs brancas* são as que resultam quando a massa é menor que cerca de 1,3 massas solares, e *estrelas de nêutrons* aparecem quando a massa está entre 1,3 e 2 massas solares. Para estrelas mais pesadas não é possível o equilíbrio, e o colapso continua até que a velocidade de escape na superfície atinja a velocidade da luz. Estrelas em colapso desse tipo são completamente invisíveis, pois não lhes escapa nenhuma radiação. Estes são os chamados *buracos negros*.

Problemas

1. No Exemplo 2, quanto tempo, após a pedra ser lançada, ela está na altura do teto do edifício em sua viagem de volta? Qual sua velocidade naquele instante?

2. No Exemplo 2, se a pedra fosse simplesmente largada do alto do edifício, o que seria s como função do tempo? Quanto tempo duraria a queda da pedra?

3. No Exemplo 2, a origem do eixo s está ao nível do chão. Se a origem estivesse colocada no teto do edifício, quais seriam as fórmulas para v e s que corresponderiam a (9) e (10)?

4. Uma bola é lançada para cima, do topo de um penhasco de 29,4 m de altura, com uma velocidade inicial de 19,6 m/s. Ache a altura máxima da bola com relação ao solo. Admitindo que a bola não bata no penhasco em seu caminho de volta, quanto tempo leva para atingir o solo?

5. Uma maleta de lastros cai acidentalmente de um balão que está estacionado a uma altitude de 4900 m. Quanto tempo leva para a maleta atingir o chão?

6. Com que velocidade deve ser lançada para cima uma flecha a fim de que retorne a seu ponto de partida 10 segundos depois? Que altura máxima ela alcança?

7. Um menino no topo de um penhasco de 90 m atira uma pedra diretamente para baixo e esta atinge o solo 3,25 segundos depois. Com que velocidade o menino atirou a pedra?

8. Uma mulher que está numa ponte atira uma pedra diretamente para cima. Exatamente 5 segundos depois a pedra passa pela mulher, na descida, e, 1 segundo após, ela atinge a água. Ache a velocidade inicial da pedra e a altura da ponte em relação ao nível da água.

9. Uma pedra é largada do alto de um edifício de 78 m de altura. Dois segundos depois uma outra pedra é atirada do alto do mesmo edifício, para baixo, com velocidade inicial v_0 m/s. Se ambas as pedras atingem o solo ao mesmo tempo, qual é v_0?

10. Quanto tempo demora um trem para parar se, viajando a 144 km/h, tem uma aceleração constante negativa de 4 m/s^2? Qual a distância que o trem percorre nesse intervalo de tempo?

11. Um homem, que está no solo, atira uma pedra diretamente para cima. Desprezando a altura do homem, ache a altura máxima da pedra em termos da velocidade inicial v_0. Qual o menor valor de v_0 que torna possível a pedra cair no telhado de uma casa de 44 m de altura?

12. Na superfície da Lua a aceleração devido à gravidade é aproximadamente 1/6 daquela na superfície da Terra. Se uma pessoa na Terra pode pular com velocidade inicial suficiente para subir 152,4 cm, que altura, com a mesma velocidade, ela alcança na Lua?

13. A Lei de Gravitação de Newton implica que a aceleração devido à gravidade na superfície de um planeta (por exemplo, a Lua) é diretamente proporcional à massa do planeta e inversamente proporcional ao quadrado do raio.

   (a) Se g_L denota a aceleração devido à gravidade da Lua, use o fato de que a Lua tem aproximadamente 3/11 do raio e 1/81 da massa da Terra para mostrar que g_L é aproximadamente $g/6$.

   (b) Use a parte (a) para mostrar que a velocidade de escape para a Lua é aproximadamente 2,4 km/s.

14. Mostre que o ponto entre a Terra e a Lua onde os dois astros exercem forças gravitacionais iguais, mas opostas, sobre uma partícula está a 9/10 do caminho do centro da Terra ao centro da Lua.

Problemas Suplementares do Capítulo 5

Seção 5.3

Calcule as seguintes integrais (não se esqueça de incluir a constante de integração em cada resposta):

1. $\int (3x^4 - 7x^3 + 10)\, dx$.

2. $\int \dfrac{dx}{\sqrt[3]{x^4}}$.

3. $\int \dfrac{x^3 - 3x^2 + x - 2\sqrt{x}}{x}\, dx$.

4. $\int \left(x + \dfrac{1}{x}\right)^2 dx$.

5. $\int x(x+1)^2\, dx$.
6. $\int (x+3)(x^2-1)\, dx$.
7. $\int (51x^2 - 108x^3)\, dx$.

8. $\int \dfrac{x^3 + 2}{x^2}\, dx$.

9. $\int (2 - \sqrt{x})(3 + \sqrt{x})\, dx$.
10. $\int \sqrt{x}\,(7x^2 - 5x + 3)\, dx$.
11. $\int \sqrt{2 - 3x}\, dx$.
12. $\int (3 + 7x^2)^9 5x\, dx$.

13. $\int (5x+2)^{164} dx$.
14. $\int (3-4x)^{3/4} dx$.
15. $\int \dfrac{5x\, dx}{\sqrt{1+x^2}}$.
16. $\int \sqrt{3x^2-2}\, x\, dx$.
17. $\int \dfrac{x^2\, dx}{\sqrt{2x^3-1}}$.
18. $\int \dfrac{dx}{\sqrt[3]{(7x+3)^2}}$.
19. $\int \dfrac{(x-1)\, dx}{\sqrt[3]{x^2-2x+3}}$.
20. $\int \dfrac{dx}{x\sqrt{3x}}$.
21. $\int \dfrac{x\, dx}{\sqrt[3]{(2-x^2)^2}}$.
22. $\int \dfrac{x\, dx}{\sqrt{(x^2-4)^3}}$.
23. $\int \left(1+\dfrac{1}{x}\right)^2 \dfrac{dx}{x^2}$.
24. $\int \dfrac{x^2\, dx}{(2+3x^3)^3}$.
25. $\int (x^2+2x+1)^{2/3}\, dx$.
26. $\int x\sqrt[3]{1+x^2}\, dx$.
27. $\int x\sqrt[3]{1+x}\, dx$.
28. $\int \dfrac{\sqrt{2x^6+x^4}}{x}\, dx$.
29. $\int (x^3+x+32)^{9/2}(3x^2+1)\, dx$.
30. $\int (x^2+1)^7 x^3\, dx$.
31. $\int (x^3-1)^{1/3} x^5\, dx$.

Seção 5.4

32. Ache a solução geral de cada uma das seguintes equações diferenciais:

    (a) $\dfrac{dy}{dx} = 2y^2(4x^3+4x^{-3})$;

    (b) $\dfrac{dy}{dx} = \sqrt{(x^2-x^{-2})^2+4}$.

33. Ache a solução particular indicada de cada uma das seguintes equações diferenciais:

   (a) $\dfrac{dy}{dx} = \dfrac{x(1+y^2)^2}{y(1+x^2)^2}$, $y = 1$ quando $x = 2$;

   (b) $\dfrac{dy}{dx} = \sqrt{xy - 4x - y + 4}$, $y = 8$ quando $x = 5$.

34. A equação $x^2 = 4py$ representa a família de todas as parábolas com vértice na origem e tendo como eixo o eixo y. Ache a família das curvas que interceptam as parábolas dessa família em ângulos retos. Sugestão: mostre primeiro que o coeficiente angular da tangente em todo ponto $(x, y)\,(y \neq 0)$ sobre cada parábola da família dada é $2y/x$.

35. Resolva o Problema 34 se a família de curvas é dada por $xy = c$.

36. Ache y como uma função de x se $dy/dx + y/x = 0$.

37. A equação (8) na Seção 5.4 pode ser escrita como

$$\frac{dy}{dx} = \frac{1 + y/x}{1 - y/x},$$

e isto sugere a substituição $z = y/x$. Use essa idéia para substituir y por z como a variável dependente e mostre que as variáveis podem ser separadas na equação diferencial resultante. Note que as integrações necessárias estão além de nossa capacidade no presente estágio.

Seção 5.5

38. Uma bola é atirada verticalmente para cima com uma velocidade inicial de 24 m/s, do teto de um edifício de 122,5 m de altura. Ache a distância s do solo até a bola t segundos depois. Se a bola não cai sobre o edifício em sua descida, quanto tempo leva para atingir o solo?

39. (a) Um projétil é disparado para baixo, com uma velocidade de 122,5 m/s, de um avião a 6.125 m acima do oceano. Desprezando a resistência do ar, quanto tempo leva para que o projétil atinja a água e qual a velocidade no momento do impacto?

    (b) Se o projétil é simplesmente largado do avião, quanto tempo leva para cair e qual sua velocidade no impacto?

40. Mostre que uma pedra lançada do solo diretamente para cima leva exatamente o mesmo tempo para atingir o ponto máximo que para cair desse ponto ao solo. Como está relacionada a velocidade com a qual ela atinge o solo com sua velocidade inicial?

41. Uma bola é largada de uma janela que está a 19,6 m do solo. No mesmo instante uma outra bola é atirada diretamente para baixo de uma janela a 79,6 m acima do solo. Se ambas as bolas atingem o solo ao mesmo tempo, qual a velocidade inicial da segunda bola?

42. Um automóvel está viajando em linha reta com uma velocidade de v_0 metros por segundo. O motorista breca de repente e o carro pára em T segundos após percorrer S metros. Se o breque produz uma aceleração constante negativa de $-a_0$ m/s^2, ache as fórmulas para T e S em termos de v_0 e a_0.

43. Um astronauta está na borda de um penhasco e larga uma pedra. Ele observa que a pedra leva 4 s para chegar ao fundo. Na Terra, o penhasco teria 78,4 m de altura. Qual a altura do penhasco (a) se o astronauta está na Lua, onde a aceleração devido à gravidade é aproximadamente 1,67 m/s^2? (b) se ele está em Júpiter, onde a aceleração devido à gravidade é aproximadamente 25,9 m/s^2?

44. Os resultados do Problema 13 da Seção 5.5 são dados na segunda coluna da seguinte tabela:

	Terra	Lua	Júpiter	Saturno	Sol
Massa (Terra = 1)	1	$\frac{1}{81}$	317	95	332.000
Raio (km)	6.370	1.720	71.400	60.500	694.600
Aceleração da gravidade	g	g/6	2,6 g	1,2 g	29 g
Velocidade de escape (km/s)	11,3	2,4	61,2	37	644

Verifique as aproximações grosseiras dadas nas 3ª e 4ª linhas para Júpiter, Saturno e Sol.

45. Se o Sol pudesse ser concentrado numa esfera menor com a mesma massa, qual seria uma estimativa do valor de seu raio para que a velocidade de escape em sua superfície fosse igual à velocidade da luz (aproximadamente 300.000 km/s)?

CAPÍTULO

6

INTEGRAIS DEFINIDAS

6.1 INTRODUÇÃO

No início do Capítulo 2 descrevemos o Cálculo como o estudo de métodos para determinar duas quantidades importantes associadas a curvas, ou seja:

1. Coeficientes angulares de retas tangentes a curvas; e

2. Áreas de regiões delimitadas por curvas.

Naturalmente essa descrição dá uma visão simplista do assunto, pois enfatiza o Cálculo como um instrumento a serviço da Geometria e não diz nada sobre seu papel indispensável no estudo das Ciências. Todavia, ela ilustra a divisão tradicional do Cálculo em duas partes distintas: o Cálculo diferencial, que trata de coeficientes angulares de retas tangentes e o Cálculo integral, que trata de áreas.

O problema das áreas foi de grande interesse para os gregos da Antiguidade. Tinham grande conhecimento acerca de áreas de triângulos, círculos e configurações relacionadas, mas qualquer outra figura apresentava um novo e usualmente insolúvel problema. Arquimedes aplicava uma técnica denominada *método da exaustão* para calcular a área de um segmento de parábola e também para calcular algumas outras quantidades geométricas particulares. Mas por quase dois mil anos esse punhado de cálculos de Arquimedes ficou sendo a realização isolada de um grande gênio, não igualada por outros. Entretanto, nos meados do século XVII, vários pensadores europeus — mais destacadamente Fermat e Pascal — passaram a usar o método de Arquimedes, no desenvolvimento de seus trabalhos. Mais tarde, Newton e Leibniz mostraram que se uma quantidade pode ser calculada por exaustão, então pode também ser calculada muito mais facilmente com o uso de antiderivadas. Esse importante resultado é denominado Teorema Fundamental do Cálculo, e é indubitavelmente (como já dissemos antes) o fato isolado mais importante de toda a Matemática.

Este é o percurso que seguimos no presente capítulo. Como os cálculos parecerão desempenhar uma parte proeminente em nosso trabalho, salientamos a necessidade dos estudantes terem em mente que as idéias subjacentes são mais importantes que os cálculos.

6.2 O PROBLEMAS DAS ÁREAS

Todo retângulo e todo triângulo têm um número associado que se chama *área*. A área de um retângulo define-se como sendo o produto de sua base pela altura, e a área de um triângulo é a metade do produto da base pela altura (Fig. 6.1). Como um polígono pode sempre ser decomposto em triângulos (Fig. 6.2), sua área é a soma das áreas desses triângulos.

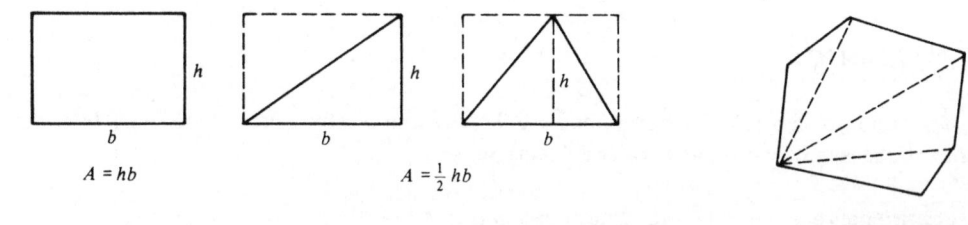

Figura 6.1

Figura 6.2

O círculo é uma figura mais complicada. Os gregos resolveram o problema de achar sua área de uma maneira muito natural. Primeiro eles aproximaram essa área, inscrevendo um quadrado (Fig. 6.3). Depois eles melhoraram a aproximação, passo a passo, dobrando e redobrando o número de lados, isto é, inscrevendo um octógono regular, depois um polígono regular de 16 lados e assim por diante. As áreas desses polígonos inscritos evidentemente se aproximam da área exata do círculo com uma precisão cada vez melhor.

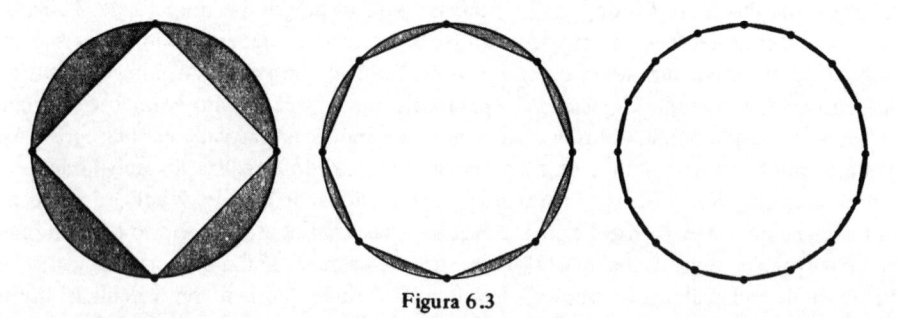

Figura 6.3

Essa idéia leva à fórmula familiar

$$A = \pi r^2 \tag{1}$$

para a área A de um círculo em termos de seu raio r. Os detalhes do raciocínio são como se segue. Suponha que o círculo tenha inscrito nele um polígono regular com um número grande de lados (Fig. 6.4). Cada um dos pequenos triângulos isósceles mostrados na figura tem área $\frac{1}{2} hb$, e a soma dessas áreas é igual à área do polígono, que é uma aproximação da área do círculo. Se p denota o perímetro do polígono, então podemos ver que

$$A_{\text{polígono}} = \tfrac{1}{2}hb + \tfrac{1}{2}hb + \cdots + \tfrac{1}{2}hb$$
$$= \tfrac{1}{2}h(b + b + \cdots + b) = \tfrac{1}{2}hp.$$

Seja c o comprimento da circunferência de raio r, isto é, $c = 2\pi r$ pela definição de π*. Como o número de lados do polígono cresce, h tende a r (em símbolos, $h \to r$), $p \to c$ e, portanto,

$$A_{\text{polígono}} = \tfrac{1}{2}hp \to \tfrac{1}{2}rc = \tfrac{1}{2}r(2\pi r) = \pi r^2,$$

o que demonstra (1).

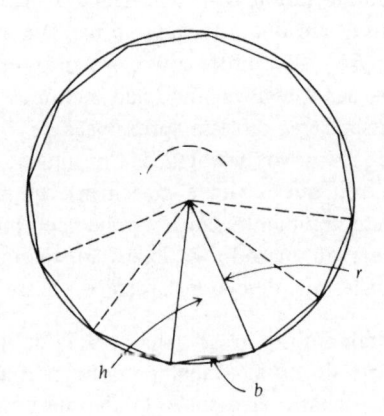

Figura 6.4

A frase "método da exaustão" é evidentemente uma boa descrição desse processo, porque a área do círculo é "exaurida" pelas áreas dos polígonos inscritos.

Examinamos a seguir o procedimento utilizado por Arquimedes para calcular a área de um segmento parabólico, isto é, a área da parte da parábola na Fig. 6.5 delimitada pela corda arbitrária AB e pelo arco $ADCEB$.

---

*   Isto é, π é definido como sendo a razão de comprimento da circunferência pelo diâmetro; assim $\pi = c/2r$ e, portanto, $c = 2\pi r$.

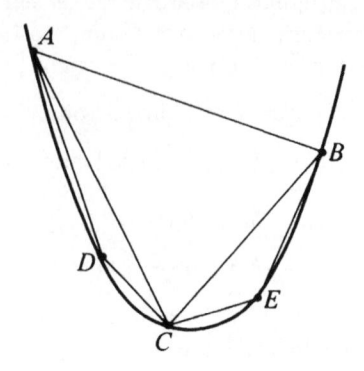

Figura 6.5

Não há nenhum modo conveniente para inscrever polígonos regulares nessa figura, tanto assim que Arquimedes utilizou triângulos em vez disso. Sua primeira aproximação foi o triângulo ABC, onde o vértice C é escolhido como o ponto em que a tangente à parábola é paralela a AB. Sua segunda aproximação foi obtida juntando-se ao triângulo ABC os dois triângulos ACD e BCE, onde o vértice D é o ponto em que a tangente é paralela a AC e o vértice E é o ponto em que a tangente é paralela a BC. Para obter a terceira aproximação, ele inscreveu triângulos da mesma maneira em cada uma das 4 regiões ainda não incluídas (uma delas é a que está entre o arco CE e a corda CE); assim, essa terceira aproximação é a soma das áreas dos triângulos ABC, ACD e BCE com as dos 4 novos triângulos. Continuando esse processo até "exaurir" o segmento parabólico, ele mostrou que a área é exatamente quatro terços da área do primeiro triângulo ABC. Os detalhes desse argumento são um pouco complicados e, como nosso interesse aqui está principalmente na idéia do método da exaustão, damos esses detalhes no Apêndice A.1 do Volume II, para os estudantes que desejarem prosseguir nesse assunto.

O problema geral que enfrentamos é o de achar a área de uma região com uma fronteira curva. No entanto, a maior parte de nosso trabalho se concentrará num caso particular desse problema geral de área – ou seja, achar a área sob o gráfico de uma função $y = f(x)$ entre duas retas verticais $x = a$ e $x = b$, como na Fig. 6.6.

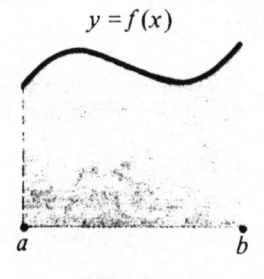

Figura 6.6

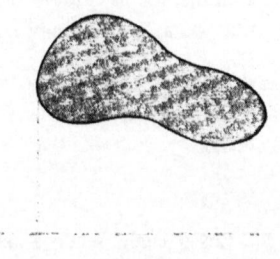

Figura 6.7

Tal região tem uma fronteira que é curva somente ao longo da parte superior e é, portanto, mais fácil de ser analisada. Um conhecimento desse caso particular é, muitas vezes, suficiente para tratar de regiões mais complicadas. Para compreender como isto é possível, observe na Fig. 6.7 que a área de uma região cuja fronteira toda seja curva pode, com freqüência, ser obtida subtraindo-se a área da figura limitada pela parte inferior da fronteira da área sob a parte superior da fronteira, sendo que cada uma dessas regiões é do tipo particular mostrado na Fig. 6.6.

A partir da Seção 6.4 denotaremos a área de uma região do tipo mostrado na Fig. 6.6 pelo símbolo-padrão

$$\int_a^b f(x)\,dx, \qquad (2)$$

que se lê "a integral definida de a a b de $f(x)\,dx$". O motivo para essa notação ficará claro na Seção 6.4. No momento, entretanto, alertamos antecipadamente os estudantes para que não confundam a integral definida (2) com a integral indefinida (ou antiderivada)

$$\int f(x)\,dx \qquad (3)$$

introduzida no Capítulo 5. Embora essas duas integrais tenham o mesmo nome de família e se pareçam muito, elas são entidades totalmente diferentes: a integral definida (2) é um número, e a integral indefinida (3) é uma função (ou uma família de funções).

À primeira vista poderia parecer que o problema de calcular áreas é um assunto de Geometria e nada mais — interessante para os matemáticos, talvez, mas sem aplicações práticas no mundo real fora da Matemática. Este não é o caso, absolutamente. Ficará claro no próximo capítulo que muitos conceitos importantes e problemas da Física e Engenharia dependem exatamente das mesmas idéias utilizadas para o cálculo de áreas. Como exemplos mencionemos os conceitos de trabalho e energia em Física e também o problema de Engenharia de achar a força total agindo numa barragem em virtude da pressão da água no reservatório. Calcular áreas é, portanto, muito mais que um jogo executado pelos matemáticos para sua própria diversão. Todavia, para esclarecer melhor, concentraremos nossa atenção neste capítulo no problema do cálculo da área, e no Capítulo 7 daremos amostras da imensa gama de aplicações da idéia subjacente.

Observação Como matéria de interesse histórico, parece que o primeiro a calcular a área exata de uma figura delimitada por curvas foi Hipócrates de Chios, o mais famoso matemático grego do século V a.C. Para compreender o que ele fez, considere o círculo da Fig. 6.8, com os pontos A, B, C e D nas extremidades dos diâmetros horizontal e vertical.

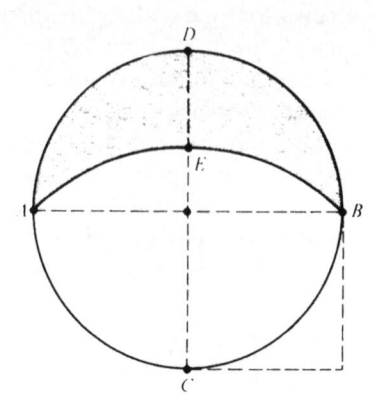

Figura 6.8 Quadrando a lúnula.

Usando C como centro, descreva o arco circular AEB unindo A e B. A figura em forma de lua crescente (ou minguante) limitada pelos arcos ADB e AEB chama-se uma *lúnula de Hipócrates*, em homenagem àquele que fez a notável descoberta de que sua área é exatamente igual à área do quadrado (sombreado), cujo lado é o raio do círculo. Assim, Hipócrates "quadrou a lúnula", embora fosse incapaz de quadrar o próprio círculo. Os detalhes de sua prova são dados no Apêndice A.2 do Volume II.

6.3 A NOTAÇÃO SIGMA E ALGUMAS SOMAS ESPECIAIS

A fim de tornar clara a nossa discussão sobre integrais definidas na próxima seção, introduzimos aqui uma notação matemática padrão usada para abreviar grandes somas. Esta é a chamada "notação sigma", porque utiliza a letra grega Σ (sigma). No alfabeto grego a letra Σ corresponde à nossa letra S, que é a primeira letra da palavra *soma*. Isto nos ajuda a lembrar o propósito da notação sigma, que é o de sugerir a idéia de somatório ou adição.

Assim, se $a_1, a_2 ..., a_n$ são números dados, sua soma é denotada por

$$\sum_{k=1}^{n} a_k. \qquad (1)$$

Esse símbolo lê-se "a soma de a_k, k de 1 a n". A idéia condensada em (1) é a de que estamos anotando cada um dos números a_k quando o índice k varia de 1 a n (ou seja, $a_1, a_2, ..., a_n$) e depois adicionando todos esses números:

$$\sum_{k=1}^{n} a_k = a_1 + a_2 + \cdots + a_n.$$

Escrevemos $k = 1$ abaixo de Σ em (1) e n acima para dizer que a soma começa com o termo a_1 e termina com o termo a_n. A letra k usada como índice aqui chama-se *índice de somatório*. Qualquer outra letra (i ou j, por exemplo) serviria para o mesmo propósito.

Damos alguns exemplos específicos da notação sigma:

$$\sum_{k=1}^{3} \frac{k}{k^2+1} = \frac{1}{1^2+1} + \frac{2}{2^2+1} + \frac{3}{3^2+1};$$

$$\sum_{k=1}^{4} (-1)^{k+1} \frac{1}{k^2} = \frac{1}{1^2} - \frac{1}{2^2} + \frac{1}{3^2} - \frac{1}{4^2};$$

$$\sum_{k=1}^{n} k = 1 + 2 + \cdots + n;$$

$$\sum_{k=1}^{n} 2k = 2 + 4 + \cdots + 2n;$$

$$\sum_{k=1}^{n} (2k-1) = 1 + 3 + \cdots + (2n-1).$$

As três últimas somas são evidentemente a soma dos n primeiros inteiros positivos, a soma dos n primeiros números pares e a soma dos n primeiros números ímpares.

Seguem algumas fórmulas da álgebra elementar que serão necessárias na seção seguinte:

$$\sum_{k=1}^{n} k = 1 + 2 + \cdots + n = \frac{n(n+1)}{2}; \tag{2}$$

$$\sum_{k=1}^{n} k^2 = 1^2 + 2^2 + \cdots + n^2 = \frac{n(n+1)(2n+1)}{6}; \tag{3}$$

$$\sum_{k=1}^{n} k^3 = 1^3 + 2^3 + \cdots + n^3 = \left[\frac{n(n+1)}{2}\right]^2. \tag{4}$$

Essas fórmulas são usualmente demonstradas pelo método da indução matemática. No entanto, um modo fácil de demonstrar (2) é escrever a soma uma vez na ordem crescente e depois, novamente, na ordem inversa:

$$s = 1 + 2 + \cdots + n,$$
$$s = n + (n-1) + \cdots + 1.$$

Somando-se essas equações membro a membro e notando que a soma de cada coluna do segundo membro vale $n+1$ e que existem n colunas, temos $2s = n(n+1)$, de onde se segue (2) imediatamente.

Há ainda uma outra maneira de demonstrar (2) que é bom conhecer, porque ela pode ser facilmente adaptada para obter (3) e (4) e outras fórmulas do mesmo tipo. Depende do fato simples que $(k + 1)^2 = k^2 + 2k + 1$ ou, de modo equivalente,

$$(k + 1)^2 - k^2 = 2k + 1. \tag{5}$$

Se fazemos $k = 1, 2, \ldots, n$ em (5) e escrevemos essas equações uma abaixo da outra, obtemos

$$2^2 - 1^2 = 2 \cdot 1 + 1,$$
$$3^2 - 2^2 = 2 \cdot 2 + 1,$$
$$\cdots$$
$$(n + 1)^2 - n^2 = 2 \cdot n + 1.$$

Quando essas equações são somadas, com a devida atenção para os cancelamentos à esquerda, o resultado fica

$$(n + 1)^2 - 1^2 = 2 \left(\sum_{k=1}^{n} k \right) + n;$$

e resolvendo a equação para a soma entre parênteses, chegamos a (2):

$$\sum_{k=1}^{n} k = \tfrac{1}{2}[(n + 1)^2 - 1^2 - n] = \tfrac{1}{2}[n^2 + n]$$
$$= \frac{n(n + 1)}{2}.$$

Problemas

1. Ache o valor numérico de

   (a) $\sum_{i=1}^{5} i^2$; (b) $\sum_{j=1}^{5} 2^j$; (c) $\sum_{k=50}^{53} k$.

2. Utilize a notação sigma para escrever

   (a) $3 + 9 + 27 + 81$;
   (b) $3 - 5 + 7 - 9 + 11 - 13$;
   (c) $\tfrac{1}{3} + \tfrac{1}{10} + \tfrac{1}{13} + \cdots + \tfrac{1}{43}$.

3. Prove a fórmula (3) utilizando a expansão $(k + 1)^3 = k^3 + 3k^2 + 3k + 1$ e o método sugerido no texto.

4. Prove a fórmula (4) analogamente, utilizando a expansão

$$(k + 1)^4 = k^4 + 4k^3 + 6k^2 + 4k + 1.$$

5. Use (2), (3) e (4) para encontrar fórmulas fechadas [(2), (3) e (4) são fechadas] para a soma dos $n - 1$ primeiros (em vez dos n primeiros) inteiros positivos, quadrados e cubos:

   (a) $1 + 2 + \cdots + (n - 1) = ?$
   (b) $1^2 + 2^2 + \cdots + (n - 1)^2 = ?$
   (c) $1^3 + 2^3 + \cdots + (n - 1)^3 = ?$

6. Utilize o método sugerido no texto para descobrir e provar fórmulas fechadas para

   (a) $1^4 + 2^4 + \ldots + n^4$; (b) $1^5 + 2^5 + \ldots + n^5$.

6.4 A ÁREA SOB UMA CURVA. INTEGRAIS DEFINIDAS

Começamos enunciando o seguinte problema: seja $y = f(x)$ uma função não-negativa definida num intervalo fechado $a \leqslant x \leqslant b$, conforme a Fig. 6.9. Calcular a área da região sombreada na figura, isto é, a área da região sob o gráfico acima do eixo x e entre as retas verticais $x = a$ e $x = b$.

Figura 6.9

Intervalos fechados como o mencionado aqui ocorrerão com bastante freqüência em nossa discussão, e assim utilizaremos a notação abreviada $[a, b]$. E também as funções mencionadas serão, em sua maioria, contínuas em $[a, b]$. O leitor recordará que isto significa o seguinte: do ponto de vista intuitivo, o gráfico da função consiste em um único pedaço, sem saltos ou buracos, e, mais precisamente, para cada ponto c de $[a, b]$ devemos ter

$$\lim_{x \to c} f(x) = f(c).$$

Uma função como esta tem diversas propriedades básicas que desejamos explicitar: é limitada, no sentido de que existe uma constante K tal que $|f(x)| \leqslant K$ para todo x de $[a, b]$, e assume valores máximo e mínimo, no sentido de que o gráfico tem um ponto mais alto e um ponto mais baixo*.

Voltemos à Fig. 6.9 com a hipótese básica de que a função $y = f(x)$ é contínua em $[a, b]$. Como achar a área da região sombreada? Se levamos em consideração a natureza dessa região, isto é, o fato de que somente a parte superior é curva, então o método de exaustão sugere o seguinte procedimento de aproximação: considere n um inteiro positivo e divida o intervalo $[a, b]$ em n subintervalos iguais. Usando cada subintervalo como base, construa o retângulo mais alto que fica inteiramente sob o gráfico. Anote a soma s_n das áreas desses retângulos. Essa soma aproxima a área sob o gráfico, e a aproximação é melhorada tomando-se valores maiores de n ou, de modo equivalente, dividindo-se $[a, b]$ num número maior de subintervalos menores. Finalmente, calcule a área exata sob o gráfico achando o valor-limite ao qual tendem as somas aproximadoras s_n quando n tende a infinito:

$$\text{área da região} = \lim_{n \to \infty} s_n. \qquad (1)$$

O efeito desse procedimento é sugerido na Fig. 6.10.

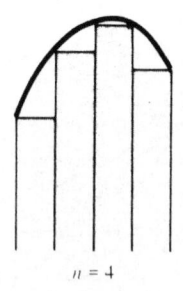

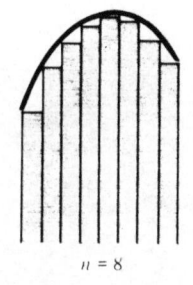

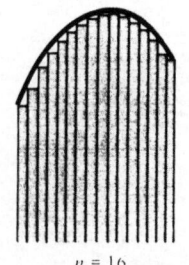

Figura 6.10 Aproximando a área.

---

* Provas rigorosas desses fatos são dadas no Apêndice B.3.

Descrevemos agora essa idéia com maior precisão introduzindo uma notação conveniente.

De novo, seja n um inteiro positivo e divida o intervalo $[a, b]$ em n subintervalos inserindo $n - 1$ pontos de divisão, igualmente espaçados, $x_1, x_2, \ldots, x_{n-1}$ entre a e b. Se denotarmos a por x_0 e b por x_n, então as extremidades desses intervalos serão

$$a = x_0 < x_1 < x_2 < \cdots < x_{n-1} < x_n = b, \qquad (2)$$

e os próprios subintervalos serão

$$[x_0, x_1], [x_1, x_2], \ldots, [x_{n-1}, x_n]. \qquad (3)$$

Denotamos o comprimento do k-ésimo subintervalo por Δx_k de modo que

$$\Delta x_k = x_k - x_{k-1}. \qquad (4)$$

Como os subintervalos são iguais em comprimento, é claro que $\Delta x_k = (b - a)/n$. Denote por m_k o valor mínimo de $f(x)$ no subintervalo $[x_{k-1}, x_k]$. Então, esse valor mínimo é assumido em algum ponto $\bar{x}_k$ desse subintervalo:

$$f(\bar{x}_k) = m_k, \qquad x_{k-1} \leq \bar{x}_k \leq x_k.$$

Para a curva particular mostrada na Fig. 6.11, é fácil ver que $\bar{x}_k$ é a extremidade esquerda do subintervalo quando a curva está subindo e a extremidade direita quando está descendo. Como a área de cada retângulo inscrito é o produto de sua altura pela base, a soma aproximadora s_n das áreas de todos esses retângulos é, claramente,

$$s_n = f(\bar{x}_1)\,\Delta x_1 + f(\bar{x}_2)\,\Delta x_2 + \cdots + f(\bar{x}_k)\,\Delta x_k + \cdots + f(\bar{x}_n)\,\Delta x_n.$$

Se usarmos a notação sigma para abreviar essa soma, teremos

$$s_n = \sum_{k=1}^{n} f(\bar{x}_k)\,\Delta x_k, \qquad (5)$$

e (1) é escrita como

$$\text{área da região} = \lim_{n \to \infty} \sum_{k=1}^{n} f(\bar{x}_k)\,\Delta x_k. \qquad (6)$$

270 Cálculo com Geometria Analítica

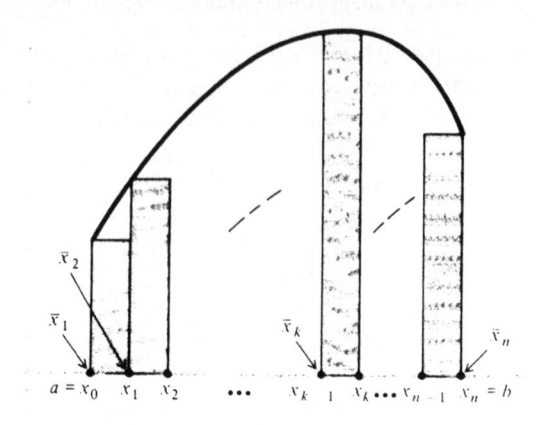

Figura 6.11 Usando somas superiores.

Essa fórmula está correta, mas, de vários pontos de vista, é inconveniente e indevidamente restritiva. Vamos ampliar seu alcance e aprofundar seu significado numa série de observações.

Observação 1 Não é necessário que os subintervalos (3) sejam iguais em comprimento De fato, a teoria subjacente é bastante simplificada se essa restrição é removida. Permitimos portanto que os subintervalos (3) sejam *iguais* ou *desiguais* em comprimento, e assim os incrementos (4) podem ser diferentes entre si. Na fórmula (6), agora, não é mais suficiente que n tenda a infinito; devemos exigir também que o comprimento do maior dos subintervalos tenda a zero. Como essa condição inclui a anterior, substituímos (6) por

$$\text{área da região} = \lim_{\max \Delta x_k \to 0} \sum_{k=1}^{n} f(\bar{x}_k)\, \Delta x_k, \qquad (7)$$

onde $\max \Delta x_k$ denota o comprimento do maior subintervalo.

Observação 2 A soma (5) chama-se uma *soma inferior*, porque ela usa retângulos inscritos e aproxima a área da região por baixo (valores inferiores). Podemos também aproximar a área por cima, como se segue. Grosso modo, usamos agora cada subintervalo como base e construímos o menor retângulo cujo topo fica inteiramente acima da curva nesse subintervalo.

Para exprimir isto em símbolos, denote por M_k o valor máximo de $f(x)$ no k-ésimo subintervalo $[x_{k-1}, x_k]$. Como antes, esse valor máximo é assumido em algum ponto $\bar{\bar{x}}_k$ do subintervalo:

$$f(\bar{\bar{x}}_k) = M_k, \qquad x_{k-1} \leq \bar{\bar{x}}_k \leq x_k.$$

A soma das áreas dos retângulos circunscritos é, portanto,

$$S_n = \sum_{k=1}^{n} f(\bar{\bar{x}}_k)\, \Delta x_k. \tag{8}$$

Esta é chamada uma *soma superior*, porque aproxima a área da região por valores superiores, como é mostrado na Fig. 6.12.

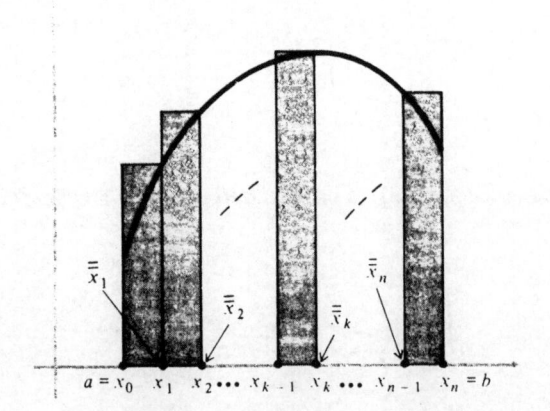

Figura 6.12 Usando somas superiores.

A intuição geométrica nos diz que a área de nossa região pode ser obtida também como o limite de somas superiores, e assim temos

$$\text{área da região} = \lim_{\max \Delta x_k \to 0} \sum_{k=1}^{n} f(\bar{\bar{x}}_k)\, \Delta x_k. \tag{9}$$

Entretanto, completamente fora da intuição – que, às vezes, é enganadora – há um teorema da Matemática pura provando que para toda função contínua ambos os limites em (7) e (9) existem e têm o mesmo valor. Os detalhes são dados no Apêndice B.5.

Além disso, se x_k^* é tomado como sendo *qualquer* ponto do k-ésimo subintervalo $[x_{k-1}, x_k]$, então temos claramente que

$$s_n \leq \sum_{k=1}^{n} f(x_k^*)\, \Delta x_k \leq S_n.$$

Segue-se, portanto, do teorema acima mencionado, que ambas (7) e (9) podem ser substituídas pela fórmula

$$\text{área da região} = \lim_{\max \Delta x_k \to 0} \sum_{k=1}^{n} f(x_k^*) \Delta x_k, \qquad (10)$$

onde a única restrição imposta sobre x_k^* é que $x_{k-1} \leq x_k^* \leq x_k$.

Observação 3 O limite em (10) é simbolizado pela notação-padrão de Leibniz

$$\int_a^b f(x)\, dx, \qquad (11)$$

que se lê (como dissemos na Seção 6.2) "a *integral definida* de a a b de $f(x)\, dx$". Se adotarmos a notação (11),

$$\int_a^b f(x)\, dx = \lim_{\max \Delta x_k \to 0} \sum_{k=1}^{n} f(x_k^*) \Delta x_k, \qquad (12)$$

então o símbolo à esquerda tem a intenção de relembrar-nos da parte correspondente da soma aproximadora à direita. O *sinal de integral* $\int$ é uma letra S alongada, como em "soma", escolhida por causa da semelhança entre uma integral definida e uma soma de pequenas quantidades; a passagem ao limite em (12) é sugerida substituindo a letra Σ pelo símbolo $\int$. Além disso, o símbolo usual Δ para um incremento é substituído pela letra d, para lembrar-nos dessa operação-limite, exatamente como na notação de Leibniz dy/dx para a derivada. Os números a e b juntos do sinal de integral chamam-se *limites inferior e superior de integração**. Os limites de integração estão sempre presentes numa integral definida e ajudam-nos a distingui-la da integral indefinida

$$\int f(x)\, dx.$$

---

* Aqui a palavra "limite" não tem nada a ver com os conceitos de limite que são a base do Cálculo. Ela é usada no sentido cotidiano livre significando "extremidade", "borda" ou "fronteira". Os limites de integração dizem-nos onde a integração começa e onde termina; eles especificam as "extremidades" esquerda (inferior) e direita (superior) da região.

A função $f(x)$ em (11) chama-se *integrando* – o que está sendo integrado –, e a variável x é a *variável de integração*. O papel de dx como uma importante componente intuitiva de integrais definidas ficará mais claro no próximo capítulo.

Observação 4 Nessa discussão adotamos a atitude ingênua mas razoável de que a área da região sob o gráfico certamente existe e que tudo que temos de fazer é inventar um método para calculá-la. No entanto, o seguinte exemplo mostra que a situação nem sempre é tão simples.

Considere a função $f(x)$ definida sobre $[0, 1]$ por

$$f(x) = \begin{cases} 0 & \text{se } x \text{ é racional,} \\ 1 & \text{se } x \text{ é irracional.} \end{cases}$$

O gráfico é sugerido na Fig. 6.13, e a própria natureza descontínua dessa função é determinada pelo fato de que existe pelo menos um número irracional entre cada par de racionais e existe pelo menos um número racional entre cada par de irracionais. Qual a área da região sob o gráfico? É bem fácil ver que toda soma inferior é 0 e toda soma superior é 1, e assim a área calculada por (7) é 0 e a área calculada por (9) é 1. Além disso, o limite em (12) não existe. Tem o conceito de área algum significado numa situação como esta?

Figura 6.13

Esse exemplo bizarro sugere a seguinte abordagem indireta, porém mais lógica para o problema da área. Se temos uma função não-negativa limitada $f(x)$ definida mas não necessariamente contínua em $[a, b]$, iniciamos examinando o limite dado em (12). Se esse limite existe, então definimos seu valor como sendo a *área* da região sob o gráfico e dizemos que a função $f(x)$ é *integrável* sobre $[a, b]$. E, se esse limite não existe, então não tem sentido falar da área da região. Quase todas as funções que encontramos na prática são contínuas, e o teorema mencionado na Observação 2 garante que toda função contínua é integrável, e assim não nos preocuparemos com questões mais refinadas nesse nosso texto. Contudo, essas questões são interessantes e importantes do ponto de vista da teoria do Cálculo, e os estudantes devem estar cônscios delas mesmo que tenhamos optado por não as enfatizar.

A integral definida da maneira como foi abordada é, às vezes, chamada *integral de Riemann*, em homenagem ao grande matemático do século XIX Bernhard Riemann, que foi o primeiro a propor uma discussão rigorosa das integrais de funções descontínuas.

6.5 O CÁLCULO DE ÁREAS COMO LIMITES

Os conceitos discutidos na Seção 6.4 sugerem um procedimento para o cálculo de áreas. Examinaremos agora como esse procedimento funciona em alguns casos específicos.

Exemplo 1 Considere a função $y = f(x) = x$, no intervalo $[0, b]$. A região sob esse gráfico (Fig. 6.14) é um triângulo com altura b e base b; logo, sua área é obviamente $b^2/2$. No entanto, interessa-nos verificar que o processo de limite dá o mesmo resultado.

Seja n um inteiro positivo e divida o intervalo $[0, b]$ em n subintervalos iguais por meio de $n - 1$ pontos igualmente espaçados

$$x_1 = \frac{b}{n}, \quad x_2 = \frac{2b}{n}, \quad \ldots, \quad x_{n-1} = \frac{(n-1)b}{n}. \tag{1}$$

As bases dos retângulos são $\Delta x_k = b/n$ e, se usamos somas superiores, como é mostrado na Fig. 6.14, então as alturas dos retângulos são

$$f(x_1) = \frac{b}{n}, \quad f(x_2) = \frac{2b}{n}, \quad \ldots, \quad f(x_n) = \frac{nb}{n},$$

e temos

$$S_n = \left(\frac{b}{n}\right)\left(\frac{b}{n}\right) + \left(\frac{2b}{n}\right)\left(\frac{b}{n}\right) + \cdots + \left(\frac{nb}{n}\right)\left(\frac{b}{n}\right)$$
$$= \frac{b^2}{n^2}(1 + 2 + \cdots + n).$$

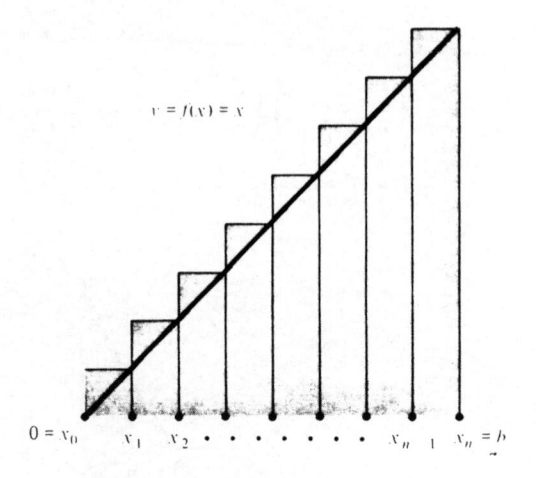

Figura 6.14

Usando a fórmula (2) da Seção 6.3, podemos escrever isto como

$$S_n = \frac{b^2}{n^2} \cdot \frac{n(n+1)}{2} = \frac{b^2}{2} \cdot \frac{n}{n} \cdot \frac{n+1}{n} = \frac{b^2}{2}\left(1 + \frac{1}{n}\right).$$

Portanto, concluímos que

$$\text{área da região} = \lim_{n \to \infty} S_n = \lim_{n \to \infty} \frac{b^2}{2}\left(1 + \frac{1}{n}\right) = \frac{b^2}{2},$$

conforme esperávamos. Na notação de integrais definidas, esse resultado é dado por

$$\int_0^b x \, dx = \frac{b^2}{2}. \tag{2}$$

Nesse exemplo optamos por utilizar subintervalos iguais e somas superiores. Não há obrigatoriedade para fazer essas escolhas; nosso motivo foi somente tornar simples os cálculos tanto quanto possível.

Exemplo 2 Considere agora $y = f(x) = x^2$ no intervalo $[0, b]$, como é mostrado na Fig. 6.15. Seja n um inteiro positivo e divida, novamente, o intervalo $[0, b]$ em n subintervalos iguais de comprimento $\Delta x_k = b/n$, utilizando os pontos de divisão (1). Agora utilizamos somas superiores S_n, e assim as alturas dos retângulos sucessivos são

$$f(x_1) = \left(\frac{b}{n}\right)^2, \quad f(x_2) = \left(\frac{2b}{n}\right)^2, \quad \ldots, \quad f(x_n) = \left(\frac{nb}{n}\right)^2,$$

e temos

$$S_n = \left(\frac{b}{n}\right)^2\left(\frac{b}{n}\right) + \left(\frac{2b}{n}\right)^2\left(\frac{b}{n}\right) + \cdots + \left(\frac{nb}{n}\right)^2\left(\frac{b}{n}\right)$$

$$= \frac{b^3}{n^3}(1^2 + 2^2 + \cdots + n^2).$$

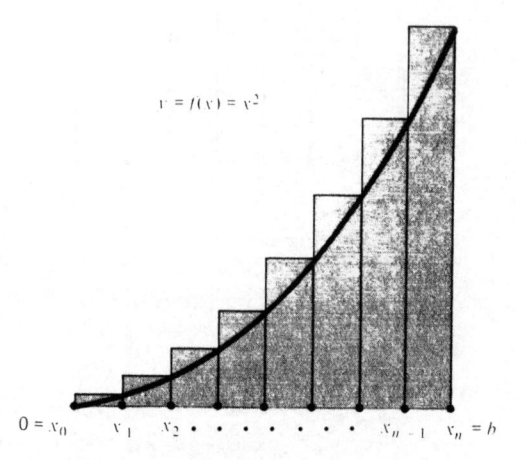

Figura 6.15

Dessa vez usamos a fórmula (3) da Seção 6.3 para escrever

$$S_n = \frac{b^3}{n^3} \cdot \frac{n(n+1)(2n+1)}{6} = \frac{b^3}{6} \cdot \frac{n}{n} \cdot \frac{n+1}{n} \cdot \frac{2n+1}{n}$$

$$= \frac{b^3}{6}\left(1 + \frac{1}{n}\right)\left(2 + \frac{1}{n}\right).$$

Quando $n \to \infty$, isto leva certamente a

$$\text{área da região} = \lim_{n \to \infty} S_n = \frac{b^3}{3},$$

ou, de modo equivalente,

$$\int_0^b x^2 \, dx = \frac{b^3}{3}. \tag{3}$$

Esse cálculo fornece um resultado que *não* sabíamos de antemão.

No Problema 1 pedimos aos estudantes para mostrar da mesma maneira que

$$\int_0^b x^3 \, dx = \frac{b^4}{4}. \tag{4}$$

É natural conjecturar a partir de (2), (3) e (4) que a fórmula

$$\int_0^b x^n \, dx = \frac{b^{n+1}}{n+1} \tag{5}$$

seja provavelmente verdadeira para *todos* os inteiros positivos $n = 1, 2, 3, \ldots$ A validade de (5) foi estabelecida para os casos $n = 3, 4, \ldots, 9$ pelo matemático italiano Cavalieri em 1635 e 1647, mas seus métodos geométricos laboriosos soçobraram em $n = 10$. Alguns anos mais tarde Fermat descobriu um belo argumento que prova (5) para todos os inteiros positivos. Esse argumento está algo fora de nosso propósito principal, e assim damos os detalhes no Apêndice A.2.

Problemas

1. Use somas superiores para mostrar que a área sob o gráfico de $y = x^3$ no intervalo $[0, b]$ é $b^4/4$.

2. Ache a área sob o gráfico de $y = x$ no intervalo $[0, b]$ utilizando somas inferiores em vez das somas superiores do Exemplo 1.

3. Ache a área sob o gráfico de $y = x^2$ no intervalo $[0, b]$ utilizando somas inferiores em vez das somas superiores do Exemplo 2.

4. Resolva o Problema 1 utilizando somas inferiores em vez de somas superiores.

5. Como sabemos, toda parábola com vértice na origem que se abre para cima tem uma equação da forma $y = ax^2$, $a > 0$. É fácil ver, a partir do Exemplo 2, que

$$\int_0^b ax^2 \, dx = a\frac{b^3}{3}.$$

Use isto para provar o Teorema de Arquimedes enunciado na Seção 6.2 para o caso particular em que a corda AB é perpendicular ao eixo da parábola.

6.6 O TEOREMA FUNDAMENTAL DO CÁLCULO

Como nossa principal realização até agora neste capítulo, formulamos uma definição um tanto quanto complicada da integral definida de uma função contínua como o limite de somas aproximadoras,

$$\int_a^b f(x)\, dx = \lim_{\max \Delta x_k \to 0} \sum_{k=1}^n f(x_k^*)\, \Delta x_k. \tag{1}$$

Consideramos também diversos exemplos do uso dessa definição no cálculo dos valores de algumas integrais simples, tais como

$$\int_0^b x\, dx = \frac{b^2}{2}, \quad \int_0^b x^2\, dx = \frac{b^3}{3}, \quad \text{e} \quad \int_0^b x^3\, dx = \frac{b^4}{4}. \tag{2}$$

Esses cálculos tiveram dois propósitos: enfatizar a natureza essencial da integral dando aos estudantes uma experiência direta com somas aproximadoras e também mostrar as limitações severas desse método como instrumento prático para calcular integrais. Assim, por exemplo, como podemos usar possivelmente limites de somas para achar os valores numéricos de integrais complicadas tais como

$$\int_0^1 \frac{x^4\, dx}{\sqrt[3]{7+x^5}} \quad \text{e} \quad \int_1^2 \left(1 + \frac{1}{x}\right)^4 \frac{dx}{x^2}? \tag{3}$$

Isto, é claro, está fora de questão; e daqui vamos para onde? É evidentemente necessário um método de calcular integrais muito mais eficiente e poderoso, e esse método nós encontramos nas idéias de Newton e Leibniz.

A abordagem de Newton-Leibniz do problema de calcular a integral (1) depende de uma idéia que parece paradoxal a princípio. A fim de resolver esse problema, o substituímos por um problema aparentemente mais difícil. Em vez de pedir a área *fixada* à esquerda na Fig. 6.16, pedimos a área *variável* produzida quando a extremidade direita é considerada móvel, de modo que a área seja uma função de x, como é sugerido pela Fig. 6.16b.

(a) (b)

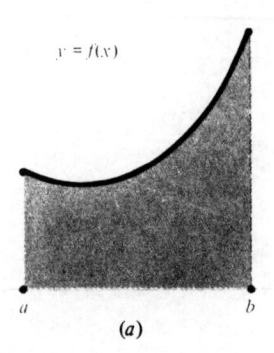

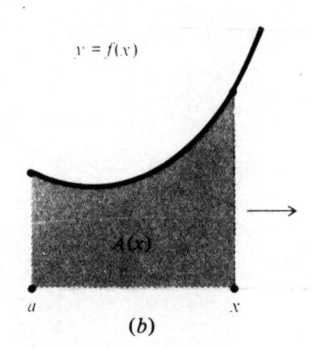

Figura 6.16

Se essa função área é denotada por $A(x)$, então é claro que $A(a) = 0$ e $A(b)$ é a área da figura dada em 6.16a. Nossa meta é achar uma fórmula explícita para $A(x)$ e, então, determinar a área desejada, fazendo $x = b$. Há vários passos nesse processo, que consideraremos separadamente para torná-lo mais claro.

Passo 1 Começamos estabelecendo o fato crucial de que

$$\frac{dA}{dx} = f(x). \qquad (4)$$

Isto diz que *a taxa de variação da área* A *com relação a* x *é igual ao comprimento do lado direito da região.* Para provar essa asserção, devemos apelar para a definição de derivada:

$$\frac{dA}{dx} = \lim_{\Delta x \to 0} \frac{A(x + \Delta x) - A(x)}{\Delta x}.$$

Agora $A(x)$ é a área sob o gráfico entre a e x e $A(x + \Delta x)$ é a área entre a e $x + \Delta x$. Logo, $A(x + \Delta x) - A(x)$ é a área entre x e $x + \Delta x$ (veja a região sombreada na Fig. 6.17). É fácil ver que essa área é exatamente igual à área de um retângulo com a mesma base cuja altura é $f(\bar{x})$, onde $\bar{x}$ é um ponto convenientemente escolhido entre x e $x + \Delta x$*.

---

* Quando essa afirmação é expressa em linguagem formal, chama-se *Primeiro Teorema do Valor Médio do Cálculo Integral.*

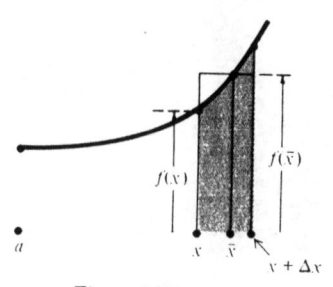

Figura 6.17

Isto nos permite completar a prova de (4) como se segue:

$$\frac{dA}{dx} = \lim_{\Delta x \to 0} \frac{A(x + \Delta x) - A(x)}{\Delta x} = \lim_{\Delta x \to 0} \frac{f(\bar{x}) \Delta x}{\Delta x}$$
$$= \lim_{\Delta x \to 0} f(\bar{x}) = f(x),$$

pois $f(x)$ é contínua. Para explicar a última passagem aqui com mais detalhes, esclarecemos que $\Delta x \to 0$ é equivalente a $x + \Delta x \to x$; como $\bar{x}$ é tomado entre x e $x + \Delta x$, temos também que $\bar{x} \to x$ e a continuidade da função nos conduz à conclusão que $f(\bar{x}) \to f(x)$.

Passo 2 A equação (2) possibilita atingirmos a meta de achar uma fórmula para a função área $A(x)$. O raciocínio segue o seguinte caminho. Por (4), $A(x)$ é uma das antiderivadas de $f(x)$. Mas, se $F(x)$ é qualquer antiderivada de $f(x)$, então sabemos, pelo Capítulo 5, que

$$A(x) = F(x) + c \tag{5}$$

para algum valor da constante c. Para determinar c, pomos $x = a$ em (5) e obtemos $A(a) = F(a) + c$; mas, como $A(a) = 0$, isto leva a $c = -F(a)$. Portanto,

$$A(x) = F(x) - F(a) \tag{6}$$

que é a fórmula desejada.

Passo 3 Tudo que resta é observar que

$$\int_a^b f(x)\,dx = A(b) = F(b) - F(a),$$

por (6) e pelo significado de $A(x)$.

Resumimos nossas conclusões estabelecendo formalmente o Teorema Fundamental do Cálculo:

Se f(x) *é contínua sobre um intervalo fechado* [a, b] *e se* F(x) *é qualquer antiderivada de* f(x), *isto é,* $(d/dx)F(x) = f(x)$, *ou, de maneira equivalente,*

$$\int f(x)\, dx = F(x), \tag{7}$$

então

$$\int_a^b f(x)\, dx = F(b) - F(a). \tag{8}$$

Esse teorema transforma o difícil problema de calcular integrais definidas por meio de cálculo de limites de somas num problema muito mais fácil de encontrar antiderivadas. Portanto, para achar o valor de $\int_a^b f(x)\, dx$ não temos mais de pensar acerca de somas sob qualquer condição; simplesmente achamos uma antiderivada $F(x)$, da maneira que pudermos — por inspeção, cálculo de rotina, cálculo engenhoso ou procurando num livro —, e depois calculamos o número $F(b) - F(a)$.

Por exemplo, na Seção 6.5 usamos uma boa porção de engenhosidade algébrica para obter as fórmulas (2). Agora, com a ajuda do Teorema Fundamental, vemos essas fórmulas como conseqüências óbvias dos seguintes fatos simples:

$$\int x\, dx = \frac{x^2}{2}, \quad \int x^2\, dx = \frac{x^3}{3}, \quad \text{e} \quad \int x^3\, dx = \frac{x^4}{4}.$$

Mais geralmente, para todo expoente $n > 0$ temos

$$\int_a^b x^n\, dx = \frac{b^{n+1}}{n+1} - \frac{a^{n+1}}{n+1}, \quad \text{porque} \quad \int x^n\, dx = \frac{x^{n+1}}{n+1}.$$

Observação 1 No processo de trabalhar os problemas, convém muitas vezes usar o *símbolo de colchete,*

$$F(x)\Big]_a^b = F(b) - F(a), \tag{9}$$

que se lê "$F(x)$ colchete a,b". Esse símbolo significa exatamente o que (9) diz: para achar seu valor, escrevemos o valor de $F(x)$ quando x tem o valor superior b e subtraímos o valor de $F(x)$ quando x tem o valor inferior a. Por exemplo, $x^2\,]_3^4 = 4^2 - 3^2 = 16 - 9 = 7$. Utilizando essa notação podemos escrever (8) na forma

$$\int_a^b f(x)\,dx = F(x)\bigg]_a^b.$$

Observação 2 Deve ficar claro a partir dessa discussão que *qualquer* antiderivada de $f(x)$ servirá em (8). No caso de os estudantes ficarem em dúvida quanto a isto, devem se lembrar de que se $F(x)$ é uma antiderivada, então qualquer outra antiderivada pode ser obtida adicionando-se uma conveniente constante c para formar $F(x) + c$; e como

$$F(x) + c\bigg]_a^b = [F(b) + c] - [F(a) + c] = F(b) - F(a),$$

a constante arbitrária c não tem efeito sobre o resultado. Podemos portanto ignorar as constantes de integração quando estamos achando antiderivadas com o propósito de calcular integrais definidas.

Exemplo 1 Calcular cada uma das seguintes integrais definidas:

(a) $\int_{-1}^{2} x^4\,dx$;   (b) $\int_{1}^{16} \dfrac{dx}{\sqrt{x}}$;   (c) $\int_{8}^{27} \sqrt[3]{x}\,dx$;   (d) $\int_{13}^{14} (x - 13)^{10}\,dx$.

Solução Em cada caso é fácil achar uma antiderivada por inspeção:

(a) $\int_{-1}^{2} x^4\,dx = \dfrac{1}{5}x^5\bigg]_{-1}^{2} = \dfrac{1}{5}[32 - (-1)] = \dfrac{33}{5}$;

(b) $\int_{1}^{16} \dfrac{dx}{\sqrt{x}} = 2\sqrt{x}\bigg]_{1}^{16} = 2(4 - 1) = 6$;

(c) $\int_{8}^{27} \sqrt[3]{x}\,dx = \dfrac{3}{4}x^{4/3}\bigg]_{8}^{27} = \dfrac{3}{4}(81 - 16) = \dfrac{195}{4}$;

(d) $\int_{13}^{14} (x - 13)^{10}\,dx = \dfrac{1}{11}(x - 13)^{11}\bigg]_{13}^{14} = \dfrac{1}{11}(1 - 0) = \dfrac{1}{11}$.

O Téorema Fundamental do Cálculo estabelece uma forte conexão entre integrais definidas e antiderivadas. Essa conexão tornou costumeiro utilizar o sinal de integral para denotar uma antiderivada, como em (7), e substituir a palavra "antiderivada" pelo termo "integral indefinida". O leitor está familiarizado com esse uso desde o Capítulo 5. Desse ponto em diante retiraremos, muitas vezes, o adjetivo (indefinida, definida) e usaremos a palavra "integral" para nos referirmos tanto à função (7) como ao número (8), contando com a percepção do leitor para saber no contexto do que se está falando. Como ajuda infalível para se saber qual é qual, enfatizamos o fato de que uma integral definida tem sempre limites de integração ligados nela e que uma integral indefinida nunca tem tais limites.

Da nossa experiência no Capítulo 5 sabemos, ou podemos calcular, muitas integrais indefinidas; logo muitas integrais definidas estão agora ao nosso alcance. Em particular, as integrais definidas (3) não são de modo algum difíceis de calcular, como veremos agora.

Exemplo 2 Calcular

$$\int_0^1 \frac{x^4 \, dx}{\sqrt[3]{7 + x^5}}.$$

Solução Consideramos inicialmente o problema de achar a integral indefinida. A substituição indicada leva a

$$\int \frac{x^4 \, dx}{\sqrt[3]{7 + x^5}} = \int (7 + x^5)^{-1/3} x^4 \, dx = \int u^{-1/3} \left(\frac{1}{5} \, du \right) = \frac{1}{5} \int u^{-1/3} \, du$$

$$u = 7 + x^5 \qquad\qquad = \frac{1}{5} \cdot \frac{3}{2} u^{2/3}$$

$$du = 5x^4 \, dx \qquad\qquad = \frac{3}{10} (7 + x^5)^{2/3}.$$

Agora, usando o Teorema Fundamental, temos

$$\int_0^1 \frac{x^4 \, dx}{\sqrt[3]{7 + x^5}} = \frac{3}{10} (7 + x^5)^{2/3} \bigg]_0^1 = \frac{3}{10} (4 - 7^{2/3}) = \frac{3}{10} (4 - \sqrt[3]{49}).$$

Exemplo 3 Calcular

$$\int_1^2 \left(1 + \frac{1}{x}\right)^4 \frac{dx}{x^2}.$$

Solução   Aqui temos

$$\int \left(1 + \frac{1}{x}\right)^4 \frac{dx}{x^2} = \int u^4(-du) = -\frac{1}{5} u^5$$

$$u = 1 + \frac{1}{x} \qquad\qquad = -\frac{1}{5}\left(1 + \frac{1}{x}\right)^5.$$

$$du = -\frac{dx}{x^2}$$

O Teorema Fundamental agora nos dá

$$\int_1^2 \left(1 + \frac{1}{x}\right)^4 \frac{dx}{x^2} = -\frac{1}{5}\left(1 + \frac{1}{x}\right)^5 \bigg]_1^2$$

$$= -\frac{1}{5}\left(\frac{243}{32} - 32\right) = \frac{781}{160}.$$

Observação 3   A Newton e Leibniz é creditada a descoberta do Cálculo, quase ao mesmo tempo, mas independentemente um do outro, ainda que os conceitos de derivada como coeficiente angular da tangente e a integral definida como área sob uma curva fossem familiares a muitos pensadores que os precederam. Nessas circunstâncias, por que se dá a Newton e a Leibniz a parte do leão com respeito ao crédito da criação desse novo ramo da Matemática que exerce um papel tão central na ascensão da ciência como a feição dominante da civilização ocidental? Muito se deve ao fato de que eles foram os principais descobridores do Teorema Fundamental do Cálculo. Eles e somente eles compreenderam sua importância e começaram a construir a necessária maquinaria de suporte e também aplicaram-no, com sucesso espetacular, aos problemas da Ciência e Geometria.

Contudo, os historiadores de Ciência foram buscar as raízes do Teorema Fundamental nos trabalhos geométricos mais antigos elaborados por Barrow e Pascal, cujos escritos são sabidos terem influenciado Newton e Leibniz. Como disse Newton em um de seus raros momentos de autodepreciação — ele não era um homem modesto — "Se eu pude ver mais longe, é porque estava apoiado em ombros de gigantes". Um desses gigantes foi Fermat, que certamente conhecia a fórmula da área enunciada na Fig. 6.18.

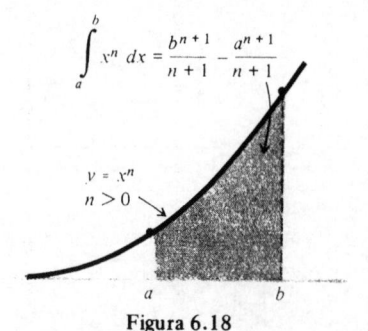

$$\int_a^b x^n \, dx = \frac{b^{n+1}}{n+1} - \frac{a^{n+1}}{n+1}$$

$y = x^n$
$n > 0$

Figura 6.18

Isto sugere que ele deveria também ter conhecido o próprio Teorema Fundamental, que está a um passo da fórmula. Mas, infelizmente ele não o notou.

Problemas

Um esboço é uma parte necessária da solução de quase todos os problemas que envolvem uma quantidade geométrica, e os estudantes devem ter por hábito desenhá-lo. Se desenharmos com um razoável cuidado (mas não excessivo), um tal esboço pode nos ajudar a evitar erros, lembrando-nos do que estamos fazendo e, freqüentemente, funcionando como uma preciosa fonte de idéias.

1. Use integração para calcular a área do triângulo delimitado pela reta $y = 2x$, o eixo x e a reta $x = 3$. Confira sua resposta com geometria elementar.

2. Use integração para calcular a área do triângulo delimitado pelos eixos e pela reta $3x + 2y = 6$. Confira sua resposta com geometria elementar.

3. Calcule a área entre cada parábola e o eixo x:

    (a) $x^2 + y = 4$; (b) $4x^2 + 9y = 36$;
    (c) $4x^2 + 12y = 24x$.

4. Cada uma das seguintes curvas tem um arco acima do eixo x. Calcule a área da região sob o arco.

    (a) $y = -x^3 + 4x$.   (b) $y = x^3 - 9x$.
    (c) $y = 2x^2 - x^3$.   (d) $y = x^4 - 6x^2 + 8$.
    (e) $y = x^3 - 5x^2 + 2x + 8$.

5. Calcule a área delimitada pela curva dada, o eixo x e as retas verticais dadas.

    (a) $y = x^2, x = -2$ e $x = 3$;   (b) $y = x^3, x = 0$ e $x = 2$;
    (c) $y = 3x^2 + x + 2, x = 1$ e $x = 2$;   (d) $y = x^2 - 3x, x = -3$ e $x = -1$;
    (e) $y = 2x + \dfrac{1}{x^2}, x = 1$ e $x = 3$; (f) $y = \dfrac{1}{\sqrt{x+3}}, x = 1$ e $x = 6$;
    (g) $y = 3x^2 + 2, x = 0$ e $x = 3$;   (h) $y = 2x + 3, x = 0$ e $x = 3$;
    (i) $y = \sqrt{2x + 3}, x = -1$ e $x = 3$;
                                                    (j) $y = \dfrac{1}{\sqrt{2x+3}}, x = -1$ e $x = 3$;
    (k) $y = \dfrac{1}{(2x + 3)^2}, x = -1$ e $x = 3$.

6. Se n é positivo, então

$$\int_{-1}^{1} x^n \, dx = \left. \frac{x^{n+1}}{n+1} \right]_{-1}^{1}.$$

Esse cálculo é incorreto se n é um número negativo $\neq -1$?

7. Calcule o valor de cada integral definida.

(a) $\int_{-1/3}^{2/3} \frac{dx}{\sqrt{3x+2}}$;

(b) $\int_{0}^{1} (2x+3) \, dx$;

(c) $\int_{-1}^{0} 7x^6 \, dx$;

(d) $\int_{1}^{4} \sqrt{x} \, dx$;

(e) $\int_{0}^{2} \sqrt{4x+1} \, dx$;

(f) $\int_{-1}^{2} (x+1)^2 \, dx$;

(g) $\int_{2a}^{3a} \frac{x \, dx}{(x^2 - a^2)^2}$;

(h) $\int_{0}^{2b} \frac{x \, dx}{\sqrt{x^2 + b^2}}$;

(i) $\int_{0}^{1} (x - x^2) \, dx$;

(j) $\int_{-1}^{2} (1+x)(2-x) \, dx$;

(k) $\int_{0}^{a} (a^2 x - x^3) \, dx$;

(l) $\int_{0}^{1} (x+1)^9 \, dx$;

(m) $\int_{0}^{b} (\sqrt{b} - \sqrt{x})^2 \, dx$;

(n) $\int_{0}^{1} x^2(1 - x^2) \, dx$;

(o) $\int_{0}^{1} x^2(1 - x)^2 \, dx$;

(p) $\int_{1}^{2} \left(x + \frac{1}{x} \right)^2 dx$.

6.7 PROPRIEDADES DAS INTEGRAIS DEFINIDAS

Áreas Algébricas e Geométricas

Nas seções anteriores consideramos a área da região sob a curva $y = f(x)$ entre $x = a$ e $x = b$ e duas hipóteses foram mais ou menos explicitadas: (1) $f(x) \geq 0$ em todo o intervalo e (2) $a < b$. No entanto, a fórmula que dá a integral definida como o limite de somas aproximadoras, ou seja,

$$\int_{a}^{b} f(x) \, dx = \lim_{\max \Delta x_k \to 0} \sum_{k=1}^{n} f(x_k^*) \, \Delta x_k, \tag{1}$$

é independente dessas hipóteses.

Por exemplo, suponha que a curva esteja abaixo do eixo x, como é mostrado na Fig. 6.19a.

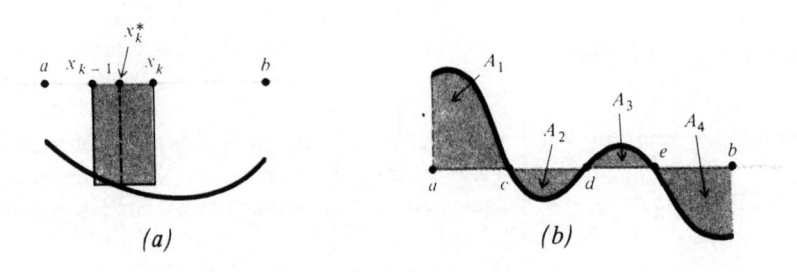

(a) *(b)*

Figura 6.19

Nesse caso, hesitaríamos em falar de região "sob a curva", mas podemos certamente descrevê-la como a região "limitada pela curva e o eixo x, entre $x = a$ e $x = b$". Cada termo da soma (1) é obviamente negativo, pois $f(x_k^*) < 0$. Portanto, $f(x_k^*) \triangle x_k$ é o oposto da área do retângulo sombreado; logo a integral é o oposto da área da região e, conseqüentemente,

$$\text{área da região} = -\int_a^b f(x)\, dx.$$

Analogamente, se a curva está parcialmente acima do eixo x e parcialmente abaixo, como é mostrado na Fig. 6.19b, então a integral (1) pode ser encarada como uma soma de termos positivos e negativos, correspondendo a partes da região que estão acima e abaixo do eixo x:

$$\int_a^b f(x)\, dx = A_1 - A_2 + A_3 - A_4, \tag{2}$$

onde as áreas A_1, A_2, A_3 e A_4 são entendidas como sendo positivas. A integral (2) é, muitas vezes, chamada *área algébrica* da região delimitada pela curva e o eixo x, porque ela compreende áreas da região acima do eixo x com um sinal positivo e áreas da região abaixo do eixo x com um sinal negativo*. A área real da região delimitada pela curva e o eixo x, com cada parte contada como um número positivo, chama-se *área geométrica*:

$$A_1 + A_2 + A_3 + A_4 = \int_a^c - \int_c^d + \int_d^e - \int_e^b. \tag{3}$$

---

* A discussão na Seção 6.6, levando ao Teorema Fundamental do Cálculo, estende-se, sem mudança essencial, para integrais desse tipo. Uma prova do Teorema Fundamental baseada em idéias inteiramente diferentes é dada no Apêndice B.6.

Para calcular a área geométrica, devemos esboçar o gráfico, localizar os pontos de interseção e calcular cada integral de (3) separadamente, de modo que possam ser combinadas com os sinais corretos.

Miscelânea de Propriedades

Se retiramos a condição $a < b$ e, em vez disto, supomos que $a > b$, podemos ainda reter a definição puramente numérica (1) para a integral definida. A única mudança é que ao percorrermos o intervalo de a a b os incrementos Δx_k são negativos. Isto leva à equação

$$\int_a^b f(x)\,dx = -\int_b^a f(x)\,dx, \tag{4}$$

que é válida para quaisquer números a e $b (a \neq b)$. Além disso, como (4) diz que a troca nos limites de integração muda o sinal da integral, é natural tomar a equação

$$\int_a^a f(x)\,dx = 0 \tag{5}$$

como verdadeira.

Se $a < b$, e se c é um número qualquer entre a e b, é fácil ver a partir de (1) que

$$\int_a^b f(x)\,dx = \int_a^c f(x)\,dx + \int_c^b f(x)\,dx. \tag{6}$$

As propriedades (4) e (5) permitem-nos concluir que (6) é verdadeira para quaisquer 3 números a, b e c, não importando a relação que há entre eles.

Listamos diversas propriedades suplementares de integrais definidas, que se seguem de maneira rotineira da definição (1).

$$\int_a^b cf(x)\,dx = c\int_a^b f(x)\,dx; \tag{7}$$

$$\int_a^b [f(x) + g(x)]\,dx = \int_a^b f(x)\,dx + \int_a^b g(x)\,dx; \tag{8}$$

Se $f(x) \leq g(x)$ sobre $[a, b]$, então $\int_a^b f(x)\,dx \leq \int_a^b g(x)\,dx.$ \quad (9)

Em palavras, a propriedade (7) diz que um fator constante pode ser colocado para fora do sinal de integral e (8) diz que a integral de uma soma é a soma das integrais separadas.

Limites de Integração Variáveis

Utilizamos x como "a variável de integração" ao escrever a integral definida

$$\int_a^b f(x)\, dx. \qquad (10)$$

Entretanto, (10) é um número fixo cujo valor não depende de qual letra seja usada para essa variável. Em vez de (10), poderíamos igualmente ter escrito

$$\int_a^b f(t)\, dt, \qquad \int_a^b f(u)\, du,$$

ou qualquer expressão semelhante, e o significado seria o mesmo. As letras usadas dessa maneira são muitas vezes chamadas *variáveis falsas* ou *mudas*.

Na maioria das situações não importa que letras sejam usadas, contanto que as idéias estejam claramente compreendidas. No entanto, desejamos construir uma nova função $F(x)$, integrando uma dada função $f(x)$ de um limite inferior fixado a um limite superior *variável*, como em

$$F(x) = \int_a^x f(x)\, dx. \qquad (11)$$

É evidente que esse uso pode causar confusão, pois a letra x é usada com dois significados diferentes à direita: como limite superior de integração e como variável falsa. Por essa razão, é costume escrever (11) na forma

$$F(x) = \int_a^x f(t)\, dt, \qquad (12)$$

com t sendo usado como variável de integração no lugar de x.

A função $F(x)$ definida por (12) tem duas propriedades que a tornam importante. Primeiro, ela existe sempre que o integrando seja contínuo no intervalo entre a e x. Segundo, provamos na Seção 6.6 que a derivada dessa função é simplesmente o valor do integrando no limite superior:

$$\frac{d}{dx} F(x) = \frac{d}{dx} \int_a^x f(t)\, dt = f(x). \tag{13}$$

Isto nos dá uma solução teórica satisfatória para o problema de achar uma integral indefinida para uma dada função contínua $f(x)$. Na prática pode ser muito difícil, ou mesmo impossível, calcular

$$\int f(x)\, dx = F(x)$$

em qualquer forma reconhecível envolvendo funções familiares. Mas, mesmo que não possamos achar uma fórmula para $F(x)$, é pelo menos consolador saber que, em princípio, uma integral indefinida existe, ou seja, a função definida por (12).

Exemplo 1 O problema de achar uma fórmula explícita para a integral indefinida

$$\int \frac{dx}{\sqrt[3]{x^{10}+1}} = F(x)$$

está agora, e estará sempre, fora de nosso alcance. Entretanto, se não exigimos uma fórmula explícita mas apenas uma função bem definida, então

$$F(x) = \int_0^x \frac{dt}{\sqrt[3]{t^{10}+1}}$$

servirá.

Exemplo 2 Tentemos calcular

$$\frac{d}{dx}\left(\int_0^x \frac{dt}{1+t^2} \right).$$

Nesse estágio de nosso trabalho não temos meios de realizar a integração para achar uma fórmula para a função entre parênteses de modo que essa função possa ser derivada. Mas isto não importa. Por (13), temos imediatamente

$$\frac{d}{dx}\left(\int_0^x \frac{dt}{1+t^2}\right) = \frac{1}{1+x^2},$$

e assim não é necessária nenhuma integração.

Problemas

1. Em cada um dos seguintes casos, calcule a área geométrica da região limitada pelo eixo x e as curvas dadas:

   (a) $y = 3x - x^2$, $x = 1$, $x = 4$;
   (b) $y = x^2 - 2x$, $x = 1$, $x = 4$;
   (c) $y = 4 + 4x^3$, $x = -2$, $x = 1$;
   (d) $y = x - \frac{8}{x^2}$, $x = 1$, $x = 4$.

2. Calcule a área limitada pelos eixos e a curva dada:

   (a) $y = \sqrt{4 - x}$;   (b) $\sqrt{x} + \sqrt{y} = \sqrt{a}$.

3. Calcule a área limitada por $y^2 = x^3$ e $x = 4$.

4. Calcule a área englobada pelo laço de $y^2 = x(x - 4)^2$.

5. Se $a < c < b$ e $f(x) \geq 0$ sobre $[a, b]$, desenhe uma figura adequada e explique por que a equação (6) é uma relação óbvia entre áreas.

6. Se $f(x) \geq 0$ sobre $[a, b]$ e $c > 0$, desenhe uma figura adequada e explique por que a equação (7) é uma afirmação óbvia acerca de áreas. Faça o mesmo para as equações (8) e (9) se ambas $f(x)$ e $g(x)$ são não-negativas sobre $[a, b]$.

7. Se $f(x)$ é uma função par, isto é, se $f(-x) = f(x)$, mostre geometricamente ou de outro modo que

$$\int_{-a}^{a} f(x)\,dx = 2\int_{0}^{a} f(x)\,dx.$$

8. Verifique a equação no Problema 7 calculando as seguintes integrais de funções pares:

$$\int_{-2}^{2} x^2\,dx \quad \text{e} \quad \int_{-19}^{19} (1 + x^{24})\,dx.$$

9. Se $f(x)$ é uma função *ímpar*, isto é, $f(-x) = -f(x)$, mostre geometricamente ou de outro modo que

$$\int_{-a}^{a} f(x)\,dx = 0.$$

10. Verifique a equação do Problema 9 calculando as seguintes integrais de funções ímpares:

$$\int_{-2}^{2} x^5\,dx \quad \text{e} \quad \int_{-7}^{7} \frac{x\,dx}{\sqrt{x^2 + 11}}.$$

11. O gráfico de $y = x^2$, $x \geq 0$, pode ser considerado como sendo o gráfico de $x = \sqrt{y}$, $y \geq 0$. Mostre por geometria que isto implica a validade da equação

$$\int_{0}^{a} x^2\,dx + \int_{0}^{a} \sqrt{y}\,dy = a^3, \quad a > 0.$$

Confira isto calculando as integrais.

12. Generalize o Problema 11 achando e conferindo uma equação semelhante para $y = x^n$, onde n é qualquer número positivo.

13. Use a conhecida área do círculo para achar o valor da integral

$$\int_{-a}^{a} \sqrt{a^2 - x^2}\, dx.$$

14. O gráfico da equação

$$\frac{x^2}{a^2} + \frac{y^2}{b^2} = 1, \quad a > b > 0,$$

chama-se uma *elipse*. Esboce-o e use o resultado do Problema 13 para achar a área limitada por esse gráfico.

15. Mostre que

(a) $\dfrac{d}{dx} \displaystyle\int_x^b f(t)\, dt = -f(x)$;

(b) $\dfrac{d}{dx} \displaystyle\int_a^{u(x)} f(t)\, dt = f(u(x)) \dfrac{du}{dx}$.

16. Em cada caso, calcule a derivada indicada:

(a) $\dfrac{d}{dx} \displaystyle\int_1^{x+2} \dfrac{dt}{t}$;

(b) $\dfrac{d}{dx} \displaystyle\int_{2x}^{5} t^3\, dt$;

(c) $\dfrac{d}{dx} \displaystyle\int_1^{x} \dfrac{dt}{1+t}$;

(d) $\dfrac{d}{dx} \displaystyle\int_x^{1} \dfrac{dt}{1+t^4}$;

(e) $\dfrac{d}{dx} \displaystyle\int_1^{x^2} \dfrac{dt}{\sqrt{t} + \sqrt{t+1}}$.

Problemas Suplementares do Capítulo 6

Seção 6.5

1. Mostre que

$$\int_0^b \sqrt{x}\, dx = \tfrac{2}{3} b^{3/2}$$

tomando $x_k = k^2 b/n^2$ e $x_k^* = x_k$ na fórmula (12) da Seção 6.4. Observe que esse problema ilustra o cálculo de uma integral como limite utilizando subintervalos de comprimentos diferentes.

*2. Mostre que

$$\int_1^b \frac{1}{x^2}\, dx = 1 - \frac{1}{b}$$

usando subintervalos iguais e tomando $x_k^* = \sqrt{x_{k-1} x_k}$ na fórmula (12) da Seção 6.4. Observe que $x_{k-1} < x_k^* < x_k$ pelo Problema 9 da Seção 1.2. Sugestão: será necessário utilizar uma variação da idéia por trás da fórmula

$$\frac{1}{1 \cdot 2} + \frac{1}{2 \cdot 3} + \frac{1}{3 \cdot 4} + \cdots + \frac{1}{n(n+1)}$$

$$= \left(\frac{1}{1} - \frac{1}{2}\right) + \left(\frac{1}{2} - \frac{1}{3}\right) + \left(\frac{1}{3} - \frac{1}{4}\right) + \cdots$$

$$+ \left(\frac{1}{n} - \frac{1}{n+1}\right) = 1 - \frac{1}{n+1}.$$

3. Mostre que

$$\int_1^b \frac{1}{\sqrt{x}}\, dx = 2(\sqrt{b} - 1)$$

usando subintervalos iguais e tomando

$$x_k^* = \frac{x_{k-1} + x_k + 2\sqrt{x_{k-1} x_k}}{4} = \left(\frac{\sqrt{x_{k-1}} + \sqrt{x_k}}{2}\right)^2$$

na fórmula (12) da Seção 6.4.

Seção 6.6

4. Calcule a área entre cada parábola e o eixo x.

   (a) $x^2 + 3y = 9$; (b) $3x^2 + 4y = 48$;
   (c) $x^2 + 4x + 2y = 0$.

5. A parte da curva $b^2 y = 4h(bx - x^2)$ que fica acima do eixo x forma um arco parabólico com altura h e base b. Esboce o gráfico e confira essas afirmações. Use integração para mostrar que a área sob esse arco é igual a dois terços da área do retângulo com a mesma altura e base.

6. Cada curva seguinte tem um arco acima do eixo x. Ache a área sob esse arco.

   (a) $y = 10 - x - 2x^2$.   (b) $y = -x^3 - 4x^2 - 4x$.
   (c) $y = x^3 + 2x^2 - 8x$. (d) $y = x^4 - 6x^2 + 9$.
   (e) $y = x\sqrt{1-x}$.

7. Ache a área limitada pela curva dada, o eixo x e as retas verticais dadas.

   (a) $y = x^2 + 2x + 1, x = -1$ e $x = 1$;
   (b) $y = \sqrt{x+2}, x = 2$ e $x = 7$;
   (c) $y = \sqrt[3]{3-x}, x = -5$ e $x = 3$;
   (d) $y = x\sqrt{5-x^2}, x = 0$ e $x = \sqrt{5}$;
   (e) $y = \dfrac{x}{(x^2+1)^2}, x = 0$ e $x = 3$.

8. Calcule o valor de cada integral definida.

   (a) $\displaystyle\int_0^1 x(x^2 + 2)^3 \, dx$;

   (b) $\displaystyle\int_{-1}^0 3x^2(3 + x^3)^2 \, dx$;

   (c) $\displaystyle\int_0^a x\sqrt{a^2 - x^2} \, dx$;

   (d) $\displaystyle\int_0^a x\sqrt{a^2 + x^2} \, dx$;

   (e) $\displaystyle\int_{-2}^4 (8 - 4x + x^2) \, dx$;

   (f) $\displaystyle\int_8^{27} (2x^{-2/3} + 8x^{1/3}) \, dx$;

   (g) $\displaystyle\int_0^1 \sqrt{9 - 8x} \, dx$;

   (h) $\displaystyle\int_2^3 \dfrac{dx}{(3x-5)^{5/2}}$;

   (i) $\displaystyle\int_0^{\sqrt{3}} \dfrac{x \, dx}{\sqrt{4-x^2}}$;

   (j) $\displaystyle\int_0^2 \sqrt{1+x^3} \, x^2 \, dx$;

   (k) $\displaystyle\int_0^b (b^{2/3} - x^{2/3})^3 \, dx$.

Seção 6.7

9. Em cada um dos seguintes casos, calcule a área geométrica da região limitada pelo eixo x e as curvas dadas:

   (a) $y = 6 - 3x^2$, $x = 0$, $x = 2$;
   (b) $y = x^2 + 2x$, $x = -3$, $x = 0$;
   (c) $y = x^2 - x - 2$, $x = 1$, $x = 3$;
   (d) $y = x^3 - 3x$; $x = -2$, $x = 3$.

10. Em cada um dos seguintes casos, calcule ambas as áreas algébrica e geométrica da região limitada pelo eixo x e as curvas dadas:

    (a) $y = 3x^5 - x^3$, $x = -1$, $x = 1$;
    (b) $y = (x^2 - 4)(9 - x^2)$.

11. Calcule

    (a) $\dfrac{d}{dx} \displaystyle\int_0^{x^4} \dfrac{dt}{1+t}$;   (b) $\dfrac{d}{dx} \displaystyle\int_1^{1+x^2} \dfrac{dt}{t}$;

    (c) $\dfrac{d}{dx} \displaystyle\int_0^{x^3} \dfrac{dt}{\sqrt{3t+7}}$;   (d) $\dfrac{d}{dx} \displaystyle\int_0^{x^3} \dfrac{t\, dt}{\sqrt{1+t^2}}$.

12. Verifique os resultados obtidos nos itens (c) e (d) do Problema 11 calculando realmente a integral e derivando depois.

13. Mostre que

    $$\dfrac{d}{dx} \int_{u_1(x)}^{u_2(x)} f(t)\, dt = f(u_2(x)) \dfrac{du_2}{dx} - f(u_1(x)) \dfrac{du_1}{dx}.$$

14. Calcule

    (a) $\dfrac{d}{dx} \displaystyle\int_{x^2}^{x^3} \dfrac{dt}{t}$;

    (b) $\dfrac{d}{dx} \displaystyle\int_{1-x}^{1+x} \dfrac{1+t}{t}\, dt$;

    (c) $\dfrac{d}{dx} \left[\displaystyle\int_1^{x^3} \sqrt[4]{t^3+1}\, dt + \displaystyle\int_{x^3}^{5} \sqrt[4]{t^3+1}\, dt \right]$.

CAPÍTULO

7

APLICAÇÕES DA INTEGRAÇÃO

7.1 INTRODUÇÃO. O SIGNIFICADO INTUITIVO DA INTEGRAÇÃO

No Capítulo 6 atingimos dois objetivos principais. Primeiro, aproximamos a área sob uma dada curva por certas somas e encontramos a área exata, tomando o limite dessas somas. E, segundo, aprendemos a calcular o valor numérico desse limite utilizando o método muito mais poderoso fornecido pelo Teorema Fundamental do Cálculo. Quase todo o conteúdo do Capítulo 6 pode ser condensado na seguinte afirmação: se $f(x)$ é contínua em $[a, b]$, então

$$\lim_{\max \Delta x_k \to 0} \sum_{k=1}^{n} f(x_k^*) \Delta x_k = \int_a^b f(x)\, dx$$
$$= F(x) \Big]_a^b = F(b) - F(a), \qquad (1)$$

onde $F(x)$ é uma integral indefinida qualquer de $f(x)$.

Há muitas outras quantidades na Geometria e na Física que podem ser tratadas essencialmente da mesma maneira. Entre elas estão os volumes, os comprimentos de arco, as áreas de superfície e quantidades físicas básicas, tais como o trabalho realizado por uma força variável agindo ao longo de um segmento de reta. Em cada caso, o processo é o mesmo: um intervalo de variável independente é dividido em pequenos subintervalos, a quantidade em questão é aproximada por certas somas correspondentes e o limite dessas somas fornece o valor exato da quantidade na forma de uma integral definida, que é então calculada por meio do Teorema Fundamental.

Uma vez que já vimos os detalhes desse processo de limite de somas efetuadas para a área sob uma curva, como foi feito no Capítulo 6, seria desnecessário e monótono revê-los a cada nova quantidade que encontrarmos. A notação necessária para isto é complicada e repetitiva e na verdade impede a compreensão intuitiva do que desejamos cultivar.

Com esse espírito, voltamos rapidamente à Fig. 7.1 e consideramos a maneira fácil e intuitiva de construir a integral definida em (1).

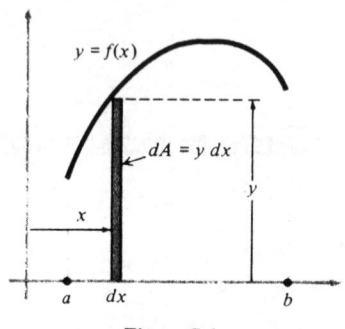

Figura 7.1

Pensamos na área sob a curva como sendo composta de uma grande quantidade de faixas retangulares verticais finas. A faixa típica mostrada na figura tem altura y e largura dx e, portanto, área

$$dA = y\,dx = f(x)\,dx, \qquad (2)$$

pois $y = f(x)$. Essa área chama-se *elemento diferencial de área* ou simplesmente *elemento de área*. Localiza-se numa posição arbitrária dentro da região e essa posição é especificada por um valor de x entre a e b. Agora pensamos na área total A da região como o resultado de adicionar esses elementos de área dA quando nossa faixa típica varre toda a região. Esse ato de adição ou somatório pode ser simbolizado por

$$A = \int dA. \qquad (3)$$

Como o elemento de área varre toda a região quando x cresce de a a b, podemos expressar a idéia em (3), com maior precisão, escrevendo

$$A = \int dA = \int y\,dx = \int_a^b f(x)\,dx. \qquad (4)$$

Obtemos uma integral definida de verdade apenas no último passo em (4), onde a variável e os limites de integração tornam-se visivelmente presentes. Dessa maneira, passamos por cima dos detalhes confusos e estabelecemos a integral definida para a área, diretamente, sem ter de pensar em limites de somas.

Desse ponto de vista, a integração é o ato de calcular o todo de uma quantidade cortando-a numa grande quantidade de pedaços convenientemente pequenos e depois adicionando esses pedaços. É essa abordagem intuitiva leibniziana ao processo de integração que temos a intenção de ilustrar e reforçar nas seções seguintes.

7.2 A ÁREA ENTRE DUAS CURVAS

Suponha que sejam dadas duas curvas $y = f(x)$ e $y = g(x)$, como é mostrado na Fig. 7.2, com pontos de interseção em $x = a$ e $x = b$ e com a primeira curva acima da segunda no intervalo $[a, b]$. Ao estabelecer uma integral para a área entre essas curvas, é natural utilizar faixas verticais finas, como está indicado.

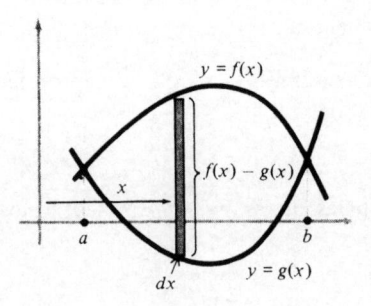

Figura 7.2

A altura de uma tal faixa é a distância $f(x) - g(x)$ da curva inferior à curva superior e sua base é dx. O elemento de área é, então,

$$dA = [f(x) - g(x)]\, dx,$$

e a área total é

$$A = \int dA = \int_a^b [f(x) - g(x)]\, dx. \tag{1}$$

Integramos do menor limite de integração a ao maior b, de modo que o incremento (ou diferencial) dx seja positivo. Devemos assinalar também que a e b são os valores de x para os quais as duas funções têm o mesmo valor y, isto é, são as soluções da equação $f(x) = g(x)$.

Recomendamos aos estudantes que não fiquem satisfeitos com a mera memorização da fórmula (1) e aplicação mecânica aos problemas de área. Nosso objetivo é o domínio de um método, e esse objetivo é melhor servido ao pensar geometricamente e construir a fórmula necessária a partir do nada para cada problema individual. O método se aplica igualmente bem para se achar áreas utilizando faixas horizontais finas, o que, às vezes, é mais conveniente. Nesse caso, a largura de uma faixa típica será dy e a área total será encontrada integrando com respeito a y.

Como ajuda aos estudantes, damos um esboço dos passos que devem ser seguidos para se achar uma área por integração.

Passo 1 Esboçar a região cuja área quer se determinar. Anotar no esboço as equações das curvas-limite e achar seus pontos de interseção.

Passo 2 Decidir se vão ser utilizadas faixas verticais com largura dx ou faixas horizontais com largura dy e desenhar uma faixa típica no esboço.

Passo 3 Olhando o esboço e usando as equações das curvas-limite, anotar a área dA da faixa típica como o produto do comprimento pela largura. Expressar dA inteiramente em termos da variável (x ou y) que aparece na largura.

Passo 4 Integrar dA entre os limites x ou y apropriados, sendo que esses limites são encontrados examinando-se o esboço.

Exemplo 1 A região limitada pelas curvas $y = x^2$ e $y = 4$ é mostrada na Fig. 7.3.

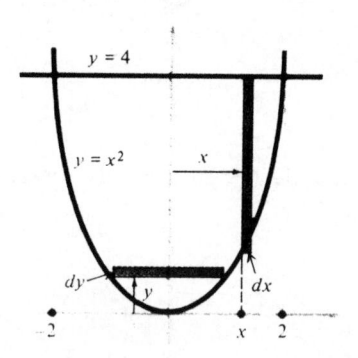

Figura 7.3

Se usarmos faixas verticais, então o comprimento de nossa faixa típica é $4 - x^2$ e sua área é $dA = (4 - x^2)dx$. A área total da região é

$$\int_{-2}^{2} (4 - x^2)\, dx = 4x - \tfrac{1}{3}x^3 \Big]_{-2}^{2}$$
$$= (8 - \tfrac{8}{3}) - (-8 + \tfrac{8}{3}) = \tfrac{32}{3}.$$

Recomendamos aos estudantes que usem a simetria sempre que possível a fim de simplificar os cálculos. Nesse caso, a simetria esquerda-direita da figura sugere que integremos somente de $x = 0$ a $x = 2$ para achar a área da metade direita e daí dobrar o resultado para obter a área total:

$$2 \int_0^2 (4 - x^2)\, dx = 2(4x - \tfrac{1}{3}x^3)\Big]_0^2 = 2(8 - \tfrac{8}{3}) = \tfrac{32}{3}.$$

Como esses cálculos mostram, é, às vezes, vantajoso (apenas uma pequena vantagem nesse caso) ter 0 como um dos limites de integração.

Se decidirmos usar faixas horizontais, então o comprimento da faixa é o valor de x (em termos de y) na extremidade direita menos o valor de x na extremidade esquerda. Isto dá $\sqrt{y} - (-\sqrt{y})$ e assim $dA = [\sqrt{y} - (-\sqrt{y})]\, dy = 2\sqrt{y}\, dy$ e a área total é

$$\int_0^4 2\sqrt{y}\, dy = \tfrac{4}{3} y^{3/2}\Big]_0^4 = \tfrac{32}{3}.$$

A resposta é a mesma, o que não é surpreendente, mas não deixa de ser confortante.

Enfatizamos uma vez mais como é importante um bom esboço para compreender e efetuar esses procedimentos.

Exemplo 2 A região limitada pelas curvas $y = 3 - x^2$ e $y = x + 1$ é mostrada na Fig. 7.4.

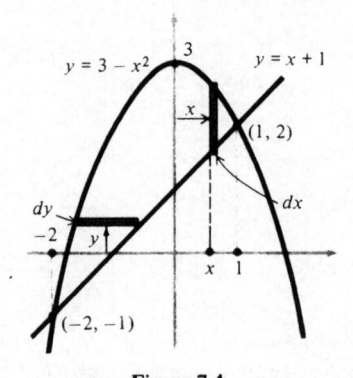

Figura 7.4

Achamos onde as curvas se interceptam resolvendo simultaneamente as equações. Fazemos isto igualando os y, o que dá

$$3 - x^2 = x + 1,$$
$$x^2 + x - 2 = 0,$$
$$(x + 2)(x - 1) = 0,$$
$$x = -2, 1.$$

Os pontos de interseção são então $(-2, -1)$ e $(1, 2)$. O comprimento da faixa vertical indicada é $(3 - x^2) - (x + 1) = 2 - x^2 - x$; logo, a área da região é encontrada integrando o elemento de área quando x vai de -2 a 1,

$$\int_{-2}^{1} (2 - x^2 - x)\, dx = (2x - \tfrac{1}{3}x^3 - \tfrac{1}{2}x^2)\Big]_{-2}^{1}$$
$$= (2 - \tfrac{1}{3} - \tfrac{1}{2}) - (-4 + \tfrac{8}{3} - 2) = 4\tfrac{1}{2}.$$

Não convém usar faixas horizontais nesse problema, pois uma faixa horizontal obviamente vai da metade esquerda da parábola até a reta se $y < 2$, e da metade esquerda da parábola até sua metade direita se $y > 2$.

Problemas

Nos Problemas de 1 a 9 esboce as curvas e calcule as áreas das regiões que elas delimitam.

1. $y = x^2, y = 2x$.
2. $y = x^2, x = y^2$.
3. $y = x^2 + 2, y = 4 - x^2$.
4. $y = 4x^3 + 3x^2 + 2, y = 2$.
5. $y = x^2 - 2x, y = 3$.
6. $y = x^3 - 3x, y = x\ (x \geq 0)$.
7. $y = x^4 - 4x^2, y = -4$.
8. $y = x^3 - 4x, y = 5x\ (x \geq 0)$.
*9. $y = 2x + \dfrac{9}{x^2}, y = -2x + 13$.

10. Calcule a área no Exemplo 2 integrando com respeito a y, primeiro com um integrando de $y = -1$ a $y = 2$ e depois com outro integrando de $y = 2$ a $y = 3$.

11. Calcule de duas maneiras a área sob $y = x^2$ de $x = 0$ a $x = 4$.

12. Calcule de duas maneiras a área sob $y = x^3$ de $x = 0$ a $x = 2$.

13. Calcule a área limitada por

    (a) o eixo x e $y = x^2 - x^3$;

    (b) o eixo y e $x = 2y - y^2$.

14. A área entre $x = y^2$ e $x = 4$ é dividida em duas partes iguais pela reta $x = a$. Determine a

*15. Calcule a área entre $y = x^3$ e sua tangente em $x = 1$.

16. Calcule a área acima do eixo x limitada por $y = 1/x^2$, $x = 1$ e $x = b$, onde b é algum número maior que 1. O resultado dependerá de b. O que acontece com essa área quando $b \to \infty$?

17. Resolva o Problema 16, substituindo $y = 1/x^2$ por $y = 1/\sqrt{x}$.

18. Resolva o Problema 16, substituindo $y = 1/x^2$ por $1/x^p$, onde p é um número positivo dado maior que 1. O que acontece quando p é um número positivo menor que 1?

7.3 VOLUMES: O MÉTODO DO DISCO

Se a região sob uma curva $y = f(x)$ entre $x = a$ e $x = b$ gira ao redor do eixo x, ela gera uma figura tridimensional chamada *sólido de revolução*. A forma simétrica desse sólido facilita o cálculo de seu volume.

A situação é ilustrada na Fig. 7.5.

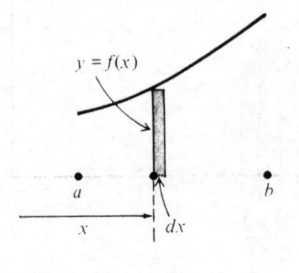

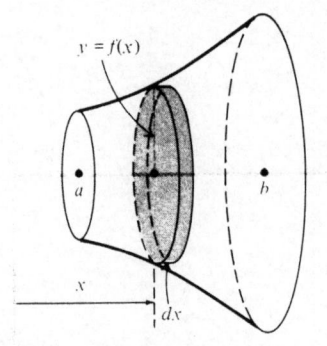

Figura 7.5

À esquerda mostramos a própria região, junto com uma típica faixa vertical fina de largura dx, cuja base está no eixo x. Quando a região é girada ao redor do eixo x, essa faixa gera um disco circular fino com a forma de uma moeda, como se mostra à direita, com raio $y = f(x)$ e espessura dx. O volume desse disco é o nosso *elemento de volume* dV. Como o disco é um cilindro, seu volume é obviamente a área da face circular vezes a espessura,

$$dV = \pi y^2 \, dx = \pi f(x)^2 \, dx. \tag{1}$$

Imaginemos agora que o sólido de revolução seja preenchido com um número muito grande de discos muito finos como este, de modo que o volume total seja a soma de todos os elementos de volume quando nosso disco típico varre todo o sólido, da esquerda para a direita, isto é, quando x cresce de a a b:

$$V = \int dV = \int \pi y^2 \, dx = \int_a^b \pi f(x)^2 \, dx. \tag{2}$$

Esta é uma outra fórmula fundamental que os estudantes *não* devem memorizar. Em vez disso, é muito melhor compreendê-la em termos da fórmula do volume de um cilindro, tornando a memorização desnecessária.

Os estudantes podem ter a impressão de que a fórmula (2) não pode dar o volume *exato* do sólido, porque não se leva em conta o volume das pequenas "cascas" ao redor do lado de fora do disco na Fig. 7.5. Entretanto, exatamente como no cálculo de áreas, o pequeno erro aparente, visível na figura – devido ao fato de usar discos em vez das fatias reais – desaparece como conseqüência do processo-limite que faz parte do significado do sinal de integral. Podemos portanto calcular volumes usando a fórmula (2) e ter total confiança de que nossos resultados serão exatamente corretos e não meras aproximações.

Exemplo 1 Uma esfera pode ser encarada como um sólido de revolução gerado ao girar um semicírculo ao redor de seu diâmetro (Fig. 7.6).

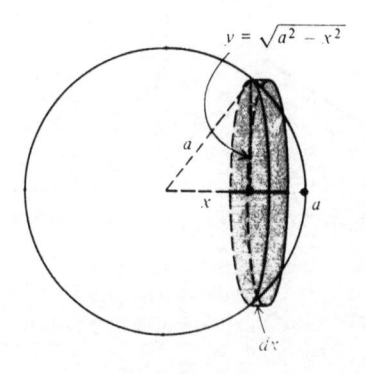

Figura 7.6

Se a equação do semicírculo é $x^2 + y^2 = a^2$, $y \geq 0$, então $y = \sqrt{a^2 - x^2}$ e o elemento de volume é

$$dV = \pi y^2 \, dx = \pi(a^2 - x^2) \, dx.$$

Usando a simetria esquerda-direita da esfera, podemos determinar seu volume total integrando dV de $x = 0$ a $x = a$ e multiplicando por 2:

$$V = 2 \int_0^a \pi(a^2 - x^2) \, dx = 2\pi(a^2 x - \tfrac{1}{3}x^3) \Big]_0^a$$
$$= \tfrac{4}{3}\pi a^3. \tag{3}$$

Esse resultado confirma a bem conhecida (mas pouco entendida) fórmula da Geometria elementar. Se integramos dV somente de $x = a - h$ a $x = a$, obtemos a fórmula do volume de um segmento de esfera de espessura h,

$$V = \int_{a-h}^{a} \pi(a^2 - x^2) \, dx = \pi(a^2 x - \tfrac{1}{3}x^3) \Big]_{a-h}^{a}$$
$$= \pi\{\tfrac{2}{3}a^3 - [a^2(a - h) - \tfrac{1}{3}(a - h)^3]\}$$
$$= \pi h^2(a - \tfrac{1}{3}h),$$

após alguma simplificação algébrica. Devemos notar que essa fórmula reduz-se a (3) quando $h = 2a$.

Exemplo 2 Uma outra fórmula importante da Geometria elementar estabelece que um cone de altura h e raio de base r tem volume $V = 1/3 \pi r^2 h$; ou, o que é equivalente, o volume é um terço do volume do cilindro circunscrito. Para obter essa fórmula por integração, e por esse meio compreender a origem do fator $1/3$, pensamos no cone como o sólido de revolução gerado ao girar o triângulo retângulo mostrado no primeiro quadrante da Fig. 7.7 ao redor de sua base. A hipotenusa desse triângulo é obviamente parte da reta $y = (r/h)x$; logo, o elemento de volume é

$$dV = \pi y^2 \, dx = \frac{\pi r^2}{h^2} x^2 \, dx.$$

Obtemos agora o volume total integrando dV de $x = 0$ a $x = h$,

$$V = \int_0^h \frac{\pi r^2}{h^2} x^2 \, dx = \frac{\pi r^2}{h^2} \cdot \frac{1}{3} x^3 \Big]_0^h = \tfrac{1}{3}\pi r^2 h.$$

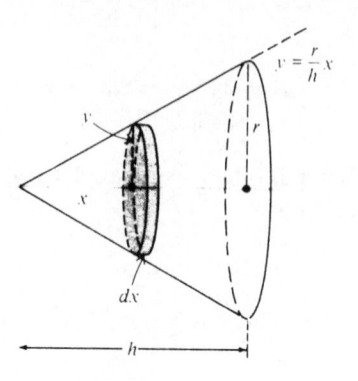

Figura 7.7

Por motivos óbvios, o método desses exemplos é usualmente denominado *método do disco*. Podemos aplicar a mesma idéia a sólidos de outros tipos, em que o elemento de volume não seja necessariamente um disco circular. Suponha que cada seção transversal de um sólido feita por um plano perpendicular a uma certa reta seja um triângulo ou quadrado ou alguma figura geométrica cuja área seja fácil de calcular. Então, nosso elemento de volume dV é o produto dessa área pela espessura de uma faixa fina, e podemos calcular o volume total do sólido pelo *método das fatias móveis*.

Exemplo 3 Corta-se uma cunha a partir da base de um cilindro de raio a com um plano que passa por um diâmetro da base e é inclinado de um ângulo de 45º com relação à base. Para achar o volume dessa cunha fazemos primeiro um esboço cuidadoso (Fig. 7.8).

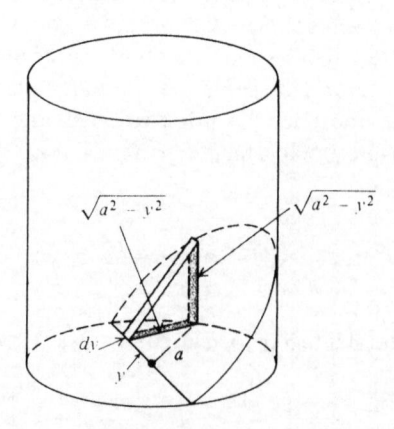

Figura 7.8

Uma fatia perpendicular à aresta da cunha, como é mostrado, tem uma face triangular. Usando a notação estabelecida na figura, vemos que o volume dessa fatia é

$$dV = \tfrac{1}{2}\sqrt{a^2 - y^2} \cdot \sqrt{a^2 - y^2}\, dy$$
$$= \tfrac{1}{2}(a^2 - y^2)\, dy;$$

logo, o volume da cunha é

$$V = 2 \int_0^a \tfrac{1}{2}(a^2 - y^2)\, dy = a^2 y - \tfrac{1}{3} y^3 \Big]_0^a$$
$$= \tfrac{2}{3} a^3.$$

Uma fatia vertical paralela ao eixo da cunha tem evidentemente uma face retangular (os estudantes devem fazer seu próprio esboço). Se x é a distância da aresta a essa fatia, então é fácil ver que dessa vez o elemento de volume é

$$dV = 2x\sqrt{a^2 - x^2}\, dx,$$

e, portanto,

$$V = \int_0^a 2x\sqrt{a^2 - x^2}\, dx$$
$$= -\tfrac{2}{3}(a^2 - x^2)^{3/2} \Big]_0^a = \tfrac{2}{3} a^3,$$

como antes.

Observação 1 Daremos agora uma pequena variação do método do disco, que é muitas vezes útil e necessária para muitos dos problemas do fim desta seção. Suponha que a faixa a ser girada em torno de um eixo esteja separada desse eixo por uma certa distância, conforme sugere a Fig. 7.9.

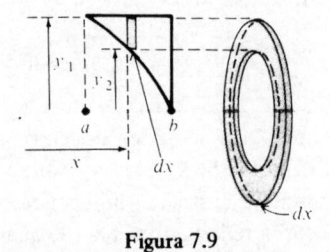

Figura 7.9

Nesse caso, o elemento de volume gerado pela faixa é um disco com um buraco – o que pode ser descrito como uma *arruela*. (Essa arruela foi deslocada à direita da figura anterior, para melhor clareza.) O volume dessa arruela é o volume do disco menos o volume do buraco,

$$dV = \pi(y_1^2 - y_2^2)\,dx.$$

O volume total do sólido de revolução é, portanto,

$$V = \int dV = \int_a^b \pi(y_1^2 - y_2^2)\,dx,$$

onde y_1 e y_2, os raios externo e interno da arruela, são determinados como funções de x a partir das condições dadas no problema. Esse procedimento de calcular volumes chama-se, naturalmente, *método da arruela*. Ele se aplica aos sólidos de revolução que têm espaços vazios internamente.

Observação 2 A fórmula (3) do volume da esfera foi descoberta por Arquimedes, no século III a.C. O método empregado por ele era uma forma primitiva muito bonita e engenhosa de integração. Os detalhes são dados no Apêndice A.3.

Problemas

1. Calcule o volume do sólido de revolução gerado quando a região limitada pelas curvas dadas gira ao redor do eixo x:

   (a) $y = \sqrt{x}$, $y = 0$, $x = 4$;
   (b) $y = 2x - x^2$, $y = 0$;
   (c) $y^3 = x$, $y = 0$, $x = 1$;
   (d) $y = x$, $y = 1$, $x = 0$;
   (e) $x = 2y - y^2$, $x = 0$;
   (f) $x^{2/3} + y^{2/3} = a^{2/3}$, primeiro quadrante.

2. O Problema 14 da Seção 6.7 trata da elipse

$$\frac{x^2}{a^2} + \frac{y^2}{b^2} = 1, \quad a > b > 0.$$

Se a região limitada pela elipse gira ao redor do eixo x, o sólido resultante chama-se *elipsóide alongado*. Ache seu volume. [Se $a < b$, o sólido chama-se *elipsóide achatado*. Observe que a fórmula do volume é a mesma, independente de como a e b estão relacionadas entre si, e também que ela se reduz à fórmula (3) quando $b = a$.]

3. A seção transversal horizontal de uma certa pirâmide a uma distância x a partir do vértice é um quadrado de lado $(b/h)x$, onde h é a altura da pirâmide e b é o lado da base. Mostre que o volume da pirâmide é um terço da área da base vezes a altura.

4. Um sólido em forma de chifre é gerado por um círculo móvel perpendicular ao eixo y cujo diâmetro variável está no plano xy e compreendido entre as curvas $y = 27x^3$ a $y = x^3$. Calcule o volume desse sólido entre $y = 0$ e $y = 8$.

5. O quadrado limitado pelos eixos cartesianos e pelas retas $x = 2$, $y = 2$ é cortado em duas regiões pela curva $y^2 = 2x$. Mostre que essas regiões geram volumes iguais quando giradas ao redor do eixo x.

6. As duas regiões descritas no Problema 5 são giradas ao redor da reta $x = 2$. Calcule os volumes gerados.

7. Uma tenda é feita com uma lona que é esticada desde uma base circular de raio a até uma semicircunferência vertical de metal, fixada à base nas extremidades de um diâmetro. Calcule o volume dessa tenda.

8. A base de um sólido é um quadrante de um círculo de raio a. Cada seção transversal perpendicular a uma aresta da base é um semicírculo cujo diâmetro está na base. Calcule o volume.

9. A base de um certo sólido é o círculo $x^2 + y^2 = a^2$. Cada plano interseciona o sólido numa seção transversal quadrada com um lado na base do sólido. Calcule seu volume.

10. Se a região limitada pela parábola $y = H - (H/R^2)x^2$ e o eixo x é girado ao redor do eixo y, o sólido resultante com forma de bala (revólver) é um segmento de um paraboloide de revolução com altura H e raio de base R. Mostre que seu volume é igual à metade do volume do cilindro circunscrito.

11. Se a circunferência $(x - b)^2 + y^2 = a^2 (0 < a < b)$ gira ao redor do eixo y, gera-se um sólido com forma de rosquinha, chamado *toro*. Calcule o volume desse toro pelo método da arruela. Sugestão: se necessário use o resultado do Problema 13 da Seção 6.7. (Observe o fato notável de que o volume do toro é o produto da área do círculo pela distância percorrida pelo seu centro, quando gira ao redor do eixo y.)

12. Calcule o volume do sólido formado ao girar a região limitada pela curva $x^2 + y^4 = 1$ ao redor de (a) o eixo x, (b) o eixo y.

13. A base de um certo sólido é um triângulo eqüilátero de lado a, com um vértice na origem e uma altura ao longo do eixo x. Cada plano perpendicular ao eixo x interseciona o sólido numa seção transversal quadrada, com um lado na base do sólido. Calcule o volume.

14. Cada plano perpendicular ao eixo x interseciona um certo sólido numa seção transversal circular cujo diâmetro está no plano xy e estende-se de $x^2 = 4y$ a $y^2 = 4x$. O sólido fica entre os pontos de interseção dessas curvas. Calcule seu volume.

15. A base de um certo sólido é a região limitada pela parábola $x^2 = 4y$ e a reta $y = 9$, e cada seção transversal perpendicular ao eixo y é um quadrado com um lado na base. Se um plano perpendicular ao eixo y corta o sólido na metade, qual sua distância à origem?

*16. Dois grandes círculos que estão em planos perpendiculares entre si são desenhados sobre uma esfera de madeira de raio a. Parte da esfera é então retirada de tal modo que cada seção transversal do sólido restante, que é perpendicular ao diâmetro comum dos dois grandes círculos, é um quadrado cujos vértices estão nesses círculos. Calcule o volume desse sólido.

*17. Os eixos de dois cilindros, cada um de raio a, interceptam-se formando ângulos retos. Calcule o volume comum. Sugestão: considere seções transversais paralelas ao plano dos dois eixos.

18. Considere a região no primeiro quadrante sob a curva $x^2 y^3 = 1$ e à direita de $x = 1$. Integrando de $x = 1$ a $x = b$ e depois fazendo $b \to \infty$, mostre que a área dessa região é infinita, mas que, se girarmos essa região em torno do eixo x, obtemos um volume finito.

7.4 VOLUMES: O MÉTODO DA CASCA

Existe um outro método para achar volumes que é, com freqüência, mais conveniente que aqueles descritos na Seção 7.3.

Para compreender esse método, considere a região dada na Fig. 7.10a,

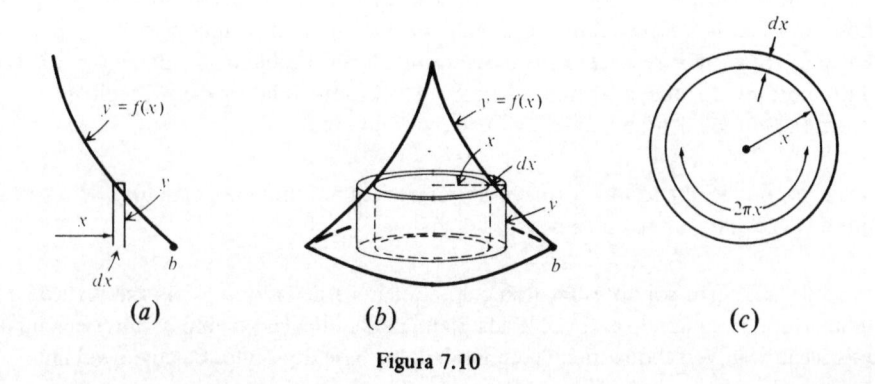

(a)   (b)   (c)

Figura 7.10

isto é, a região do primeiro quadrante limitada pelos eixos e pela curva indicada $y = f(x)$. Se essa região é girada ao redor do eixo x, então a faixa vertical fina gera um disco,e podemos calcular o volume total do sólido adicionando (ou integrando) os volumes desses discos de $x = 0$ a $x = b$. Este é, naturalmente, o método descrito na Seção 7.3. No entanto, se a região gira ao redor do eixo y, como na Fig. 7.10b, então obtemos um sólido de revolução inteiramente diferente, e a faixa vertical gera uma casca cilíndrica de espessura fina. Essa casca pode ser pensada como uma lata de refrigerante cuja tampa e base foram removidas ou também como um tubo de cartão de espessura fina. Seu volume dV é essencialmente a área da superfície interna ($2\pi xy$) vezes a espessura da parede (dx), logo

$$dV = 2\pi xy \, dx. \tag{1}$$

Como o raio x dessa casca cresce de $x = 0$ a $x = b$, podemos ver pela Fig. 7.10b que a série resultante de cascas concêntricas preenche o sólido de revolução, do eixo para fora, da mesma forma como as camadas concêntricas de uma cebola preenchem a cebola, do centro para fora. O volume total desse sólido é, portanto, a soma — ou integral — dos elementos de volume dV,

$$V = \int dV = \int 2\pi xy \, dx = \int_0^b 2\pi x f(x) \, dx, \tag{2}$$

pois $y = f(x)$. Em princípio, esse volume V pode ser também encontrado usando discos horizontais estreitos; no entanto, isto pode tornar-se difícil, pois a equação dada $y = f(x)$ teria de ser resolvida para x em termos de y.

Exatamente como nas outras aplicações de integração, as fórmulas (1) e (2) dão uma expressão simples de um processo complexo, que envolve limites de somas (como é usual, omitimos os detalhes desse processo, a bem da clareza).

Sugerimos também, como é comum, que os estudantes sejam sábios para não memorizar a fórmula (2). Essa fórmula é algo similar à fórmula correspondente do método do disco, e os estudantes que tentarem memorizá-las e usá-las sem pensar no seu significado certamente irão confundi-las e fracassar. É melhor esboçar uma figura e construir (1) diretamente da evidência visível dessa figura, e depois formar (2) para a integração. Essa abordagem tem também a vantagem adicional de que não estamos atados a nenhuma notação particular e podemos facilmente adaptar a idéia básica a sólidos de revolução ao redor de vários eixos.

Exemplo 1 No Exemplo 1 da Seção 7.3 calculamos o volume de uma esfera pelo método do disco. Agora resolveremos o mesmo problema pelo método da casca (veja a Fig. 7.11).

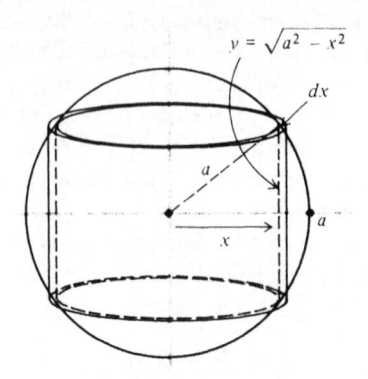

Figura 7.11

O volume da casca mostrada na figura é

$$dV = 2\pi x (2y)\, dx$$
$$= 4\pi x \sqrt{a^2 - x^2}\, dx.$$

O volume da esfera é, portanto,

$$V = 4\pi \int_0^a x\sqrt{a^2 - x^2}\, dx = 4\pi(-\tfrac{1}{3})(a^2 - x^2)^{3/2} \Big]_0^a$$
$$= -\frac{4\pi}{3}(a^2 - x^2)^{3/2} \Big]_0^a = \tfrac{4}{3}\pi a^3.$$

Associado a isto, podemos considerar o problema relacionado: se um buraco circular vertical de diâmetro a é feito passando pelo centro da esfera, calcule o volume restante. Para isto é claro que basta integrar dV quando o raio x da casca varia desde $x = a/2$ até $x = a$, logo

$$V = 4\pi \int_{a/2}^a x\sqrt{a^2 - x^2}\, dx = -\frac{4\pi}{3}(a^2 - x^2)^{3/2} \Big]_{a/2}^a$$
$$= \frac{4\pi}{3}\left(\frac{3}{4}a^2\right)^{3/2} = \frac{4\pi}{3}\left(\frac{3\sqrt{3}}{8}a^3\right) = \frac{\sqrt{3}}{2}\pi a^3.$$

Esse problema pode ser resolvido pelo método da arruela, mas o método da casca é muito mais conveniente.

Exemplo 2 A região do primeiro quadrante acima de $y = x^2$ e abaixo de $y = 2 - x^2$ é girada ao redor do eixo y (Fig. 7.12).

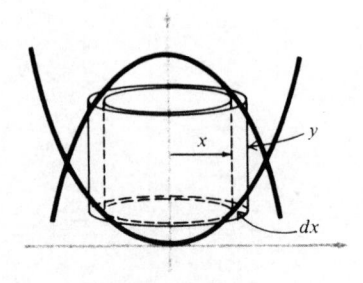

Figura 7.12

Para calcular o volume pelo método da casca, observamos que a altura da casca elementar é $y = (2 - x^2) - x^2 = 2 - 2x^2$, logo

$$dV = 2\pi xy\, dx = 2\pi x(2 - 2x^2)\, dx$$
$$= 4\pi(x - x^3)\, dx;$$

e visto que as curvas se interceptam em $x = \pm 1$, temos

$$V = 4\pi \int_0^1 (x - x^3)\, dx$$
$$= 4\pi(\tfrac{1}{2}x^2 - \tfrac{1}{4}x^4)\Big]_0^1 = \pi.$$

Observe que, se pretendemos resolver esse problema pelo método do disco, então é necessário calcular duas integrais separadas — uma referente ao volume abaixo dos pontos de interseção das duas curvas e a outra referente ao volume acima.

Problemas

1. Resolva o problema da esfera com o buraco cavado através dela (Exemplo 1) pelo método da arruela.

2. Resolva o problema do Exemplo 2 pelo método do disco.

Nos Problemas de 3 a 8 esboce a região limitada pelas curvas dadas e utilize o método da casca para calcular o volume do sólido gerado ao girar a região ao redor do eixo dado.

3. $y = \sqrt{x}$, $x = 4$, $y = 0$; o eixo y.

4. $x^2 = 4y$, $y = 4$; o eixo x.

5. $y = x^3$, $x = 3$, $y = 0$; o eixo y.

6. $x = y^2$, $x^2 = 8y$; o eixo x.

7. $y = \dfrac{1}{x}$, $x = a$, $x = b$ ($0 < a < b$), $y = 0$; o eixo y.

8. $y = x^2$, $y = \dfrac{1}{4}(3x^2 + 1)$; o eixo y.

9. A região limitada por $y = x/\sqrt{x^3 + 8}$, o eixo x e a reta $x = 2$ é girada ao redor do eixo y. Calcule o volume do sólido gerado dessa maneira. (Observe que o método da arruela não é prático nesse problema.)

10. Um buraco de raio $\sqrt{3}$ é cavado através do centro de uma esfera de raio 2. Calcule o volume removido.

11. Considere a região no primeiro quadrante limitada por $y = 4 - x^2$ e os eixos.

    (a) Use ambos os métodos, o do disco e o da casca, para calcular o volume do sólido gerado quando essa região é girada ao redor do eixo y.

    *(b) Use ambos os métodos para calcular o volume do sólido gerado quando essa região é girada ao redor do eixo x.

12. Sejam r e h números positivos. A região limitada pela reta $x/r + y/r = 1$ e os eixos é girada ao redor do eixo y. Utilize o método da casca para obter a fórmula conhecida do volume de um cone.

13. Um anel esférico é o sólido que permanece após a perfuração de um buraco através do centro de uma esfera sólida. Se a esfera tem raio a e o anel tem altura h, prove o fato notável de que o volume do anel depende de h, mas não de a.

14. A parábola $a^2 y = bx^2$, $0 \leqslant y \leqslant b$, é girada ao redor do eixo y. Utilize o método da casca para mostrar que o volume do parabolóide resultante é a metade do volume do cilindro com a mesma altura e base.

15. A região no primeiro quadrante acima de $y = 3x^2$ e abaixo de $y = 4 - 6x^2$ é girada ao redor do eixo y. Calcule o volume do sólido gerado dessa maneira.

7.5 COMPRIMENTO DE ARCO

Um *arco* é a parte de uma curva que está entre dois pontos especificados, A e B, como na Fig. 7.13, à esquerda.

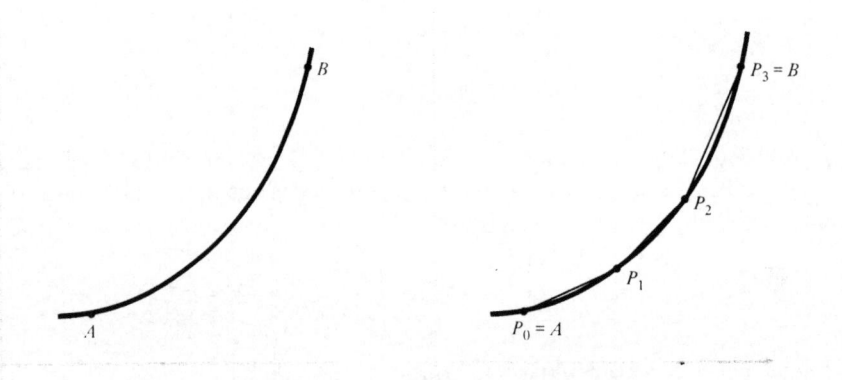

Figura 7.13

Fisicamente, o comprimento de um arco é um conceito muito simples. Matematicamente, é algo um pouco mais complicado. Do ponto de vista físico, nós simplesmente esticamos um pedaço de fio ajustando-o à curva de A a B, marcamos os pontos correspondentes a A e B, endireitamos o fio e medimos seu comprimento com uma régua.

Esse processo pode ser realizado por meio de um procedimento de aproximação que se presta a um tratamento matemático, como se segue. Divida o arco AB em n partes, utilizando os pontos $P_0 = A$, P_1, P_2, ..., $P_n = B$, coloque alfinetes nesses pontos e estique o fio em trajetórias retas curtas de cada alfinete ao próximo. Ilustramos essa idéia à direita da Fig. 7.13 com $n = 3$. O comprimento desse fio entre A e B é evidentemente mais curto que o arco, pois uma linha reta é a menor distância entre dois pontos. No entanto, se tomamos valores cada vez maiores de n e, ao mesmo tempo, exigimos que os alfinetes sejam colocados cada vez mais próximos, entre si, então o comprimento do fio deve tender ao comprimento do arco. Expressamos agora essa idéia em linguagem matemática e deduzimos um método prático para calcular o comprimento de arco por integração.

Vamos assumir que o arco em discussão seja o gráfico de uma função contínua $y = f(x)$ para $a \leqslant x \leqslant b$. Dividimos o intervalo $[a, b]$ em n subintervalos utilizando os pontos $x_0 = a$, x_1, ..., x_{k-1}, x_k, ..., $x_n = b$, como se mostra na Fig. 7.14.

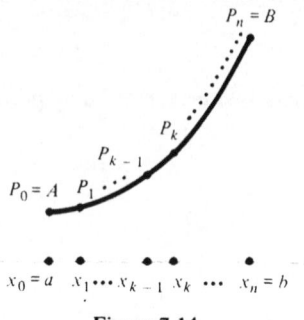

Figura 7.14

Seja P_k o ponto (x_k, y_k) onde $y_k = f(x_k)$. O comprimento total da poligonal $P_0P_1 \ldots P_{k-1}P_k \ldots P_n$ é a soma dos comprimentos das cordas que ligam cada ponto ao próximo. Se escrevemos

$$\Delta x_k = x_k - x_{k-1} \quad \text{e} \quad \Delta y_k = y_k - y_{k-1}, \quad k = 1, 2, \ldots, n,$$

então é claro que, pelo Teorema de Pitágoras, temos

$$\text{comprimento da } k\text{-ésima corda} = \sqrt{(\Delta x_k)^2 + (\Delta y_k)^2}$$

$$= \sqrt{1 + \left(\frac{\Delta y_k}{\Delta x_k}\right)^2} \, \Delta x_k. \tag{1}$$

Agora supomos que $y = f(x)$ não é apenas contínua, mas também derivável. Isto nos permite substituir a razão, que está dentro do radical e que é o coeficiente angular da corda que une P_{k-1} a P_k, pelo valor da derivada em algum ponto x_k^* entre x_{k-1} e x_k:

$$\frac{\Delta y_k}{\Delta x_k} = f'(x_k^*), \qquad x_{k-1} < x_k^* < x_k.$$

A justificativa desse passo está no fato de que a corda é paralela à tangente em algum ponto da curva entre P_{k-1} e P_k*. Isto nos permite escrever (1) como

$$\text{comprimento da } k\text{-ésima corda } = \sqrt{1 + [f'(x_k^*)]^2} \, \Delta x_k,$$

logo, o comprimento total da trajetória poligonal é

$$\sum_{k=1}^{n} \sqrt{1 + [f'(x_k^*)]^2} \, \Delta x_k. \tag{2}$$

---

* Essa asserção bastante plausível chama-se *Teorema do Valor Médio*. Esse teorema é uma das pedras angulares da Teoria do Cálculo e é abordado e provado no Apêndice B.4.

Agora obtemos nossa conclusão tomando o limite dessas somas quando n tende a infinito e o comprimento do maior subintervalo tende a zero:

$$\text{comprimento do arco } AB = \lim_{\max \Delta x_k \to 0} \sum_{k=1}^{n} \sqrt{1 + [f'(x_k^*)]^2}\, \Delta x_k$$

$$= \int_a^b \sqrt{1 + [f'(x)]^2}\, dx, \tag{3}$$

desde que $f'(x)$ seja contínua para que essa integral exista.

À primeira vista, a fórmula (3) pode parecer bastante difícil de memorizar. No entanto, se usarmos a notação de Leibniz dy/dx em vez de $f'(x)$, então a seguinte abordagem intuitiva tornará essa fórmula muito mais fácil de compreender e memorizar. Denotemos por s o comprimento de arco variável, de A até um ponto variável sobre a curva, como se mostra na Fig. 7.15

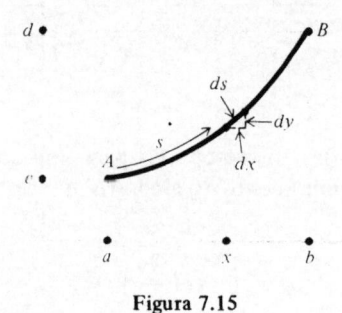

Figura 7.15

Permitamos a s crescer de uma pequena quantidade ds, de modo que ds seja o elemento diferencial de comprimento de arco e sejam dx e dy as mudanças correspondentes em x e y. Pensamos em ds como tão pequeno que essa parte da curva é virtualmente reta e, portanto, ds é a hipotenusa de um triângulo retângulo fino chamado *triângulo diferencial*. Para esse triângulo, o Teorema de Pitágoras diz que

$$ds^2 = dx^2 + dy^2, \tag{4}$$

e essa equação simples é a fonte de todo saber no cálculo de comprimentos de arco*. Se isolarmos ds em (4), depois fatorarmos dx e o removermos do radical, teremos, evidentemente.

$$ds = \sqrt{dx^2 + dy^2}$$
$$= \sqrt{\left(1 + \frac{dy^2}{dx^2}\right) dx^2} = \sqrt{1 + \left(\frac{dy}{dx}\right)^2} \, dx. \tag{5}$$

Nós agora tocamos no tema básico deste capítulo e salientamos que o comprimento total do arco AB pode ser pensado como a soma – ou integral – de todos os elementos de arco ds quando ds percorre a curva desde A até B. Em vista de (5), isto acarreta.

$$\text{comprimento de arco } AB = \int ds = \int_a^b \sqrt{1 + \left(\frac{dy}{dx}\right)^2} \, dx, \tag{6}$$

que é (3). Essa fórmula nos diz que x é a variável de integração e que y deve ser tratada como uma função de x. No entanto, às vezes é mais conveniente tratar x como uma função de y. Nesse caso, substituímos (5) por

$$ds = \sqrt{dx^2 + dy^2}$$
$$= \sqrt{\left(\frac{dx^2}{dy^2} + 1\right) dy^2} = \sqrt{\left(\frac{dx}{dy}\right)^2 + 1} \, dy, \tag{7}$$

que se obtém por fatoração de dy em vez de dx para fora do radical. Com y como a variável de integração, a integral para o comprimento do arco AB é

$$\int ds = \int_c^d \sqrt{\left(\frac{dx}{dy}\right)^2 + 1} \, dy, \tag{8}$$

que, às vezes, é mais fácil de calcular do que (6).

A maioria dos matemáticos lembra das fórmulas (6) e (8) não as memorizando como estão, mas, em vez disso, iniciando por (4) e realizando mentalmente as manipulações simples de (5) e (7). Desse modo, o conjunto todo de idéias fica quase impossível de esquecer.

---

*   Os parênteses são usualmente omitidos ao escrever quadrados de diferenciais. Assim ds^2 significa $(ds)^2$ e não $d(s^2)$ etc.

Exemplo   Calcule o comprimento da curva $y^2 = 4x^3$ entre os pontos $(0, 0)$ e $(2, 4\sqrt{2})$.

Solução   Essa curva é mostrada na Fig. 7.16 e o arco em questão é a parte da curva indicada no primeiro quadrante.

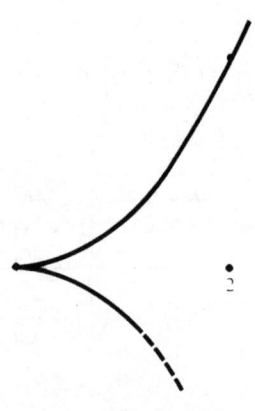

Figura 7.16

Se isolarmos y teremos

$$y = 2x^{3/2}, \quad \text{logo} \quad \frac{dy}{dx} = 3x^{1/2}.$$

A fórmula (6) nos dá agora

$$\text{comprimento de arco} = \int_0^2 \sqrt{1 + 9x}\, dx = \frac{1}{9}\int_0^2 (1 + 9x)^{1/2}\, 9dx$$

$$= \tfrac{1}{9} \cdot \tfrac{2}{3}(1 + 9x)^{3/2}\Big]_0^2 = \tfrac{2}{27}(19\sqrt{19} - 1).$$

Esse cálculo deve servir como advertência, pois, quando tentamos encontrar o comprimento de arco de uma curva familiar qualquer, quase sempre é impossível calcular a integral resultante. Nesse estágio devemos escolher nossos problemas cuidadosamente a fim de que as integrais sejam calculáveis. Devemos estar avisados também da necessidade urgente de mais técnicas de integração. Preencher essa necessidade é o principal propósito dos próximos três capítulos.

Observação 1   É possível dar exemplo de uma curva contínua $y = f(x), a \leqslant x \leqslant b$, que não tem comprimento definido. Esse fato bastante surpreendente sugere que a teoria subjacente do comprimento de arco é mais complicada que parece. Na discussão precedente achamos necessário assumir que a função $y = f(x)$ tem uma derivada contínua. Tal curva chama-se *curva lisa* e a palavra "arco" restringe-se usualmente à parte de uma curva com essa propriedade. Uma curva lisa é, muitas vezes, descrita geometricamente dizendo-se que ela admite tangente em todos os seus pontos.

Observação 2 Os estudantes podem ter a impressão de que as equações (4) e (5) – que são equivalentes entre si – são apenas aproximadamente corretas, porque o triângulo diferencial na Fig. 7.15 é apenas um "quase triângulo" cuja "hipotenusa" não é nem mesmo um segmento de reta. Mas este não é o caso. Essas equações são totalmente corretas, como mostra o seguinte argumento. Sabemos que (3) é válida, logo o comprimento de arco s na Fig. 7.15 pode ser escrito como

$$s = \int_a^x \sqrt{1 + [f'(t)]^2}\, dt,$$

usando t como a variável de integração. É claro que s é uma função do limite superior x, e se calcularmos a derivada dessa função usando a fórmula (13) da Seção 6.7 obteremos

$$\frac{ds}{dx} = \sqrt{1 + [f'(x)]^2} = \sqrt{1 + \left(\frac{dy}{dx}\right)^2},$$

que é equivalente a (5).

Problemas

Nos Problemas de 1 a 8 calcule o comprimento do arco especificado em cada curva dada.

1. $y^2 = x^3$ entre $(0,0)$ e $(4,8)$.

2. $y = \frac{1}{4}x^4 + \frac{1}{8x^2}$, $1 \leq x \leq 2$.

3. $y = \frac{1}{3}x^3 + \frac{1}{4x}$, $1 \leq x \leq 3$.

4. $y = \frac{1}{3}\sqrt{x}(3 - x)$, $0 \leq x \leq 3$.

5. $x = \frac{1}{2}y^3 + \frac{1}{6y}$, $1 \leq y \leq 3$.

6. $y = \frac{5}{12}x^{6/5} - \frac{5}{8}x^{4/5}$, $1 \leq x \leq 32$.

7. $y = \frac{1}{3}(2 + x^2)^{3/2}$, $0 \leq x \leq 3$.

8. $y = \frac{2}{3}(1 + x^2)^{3/2}$, $0 \leq x \leq 3$.

9. Sejam A, B, C constantes positivas. Mostre que o comprimento de um arco da curva $y = A(B + Cx^2)^{3/2}$ pode ser calculado por meio de uma integral que não envolva raiz quadrada se:

   (a) $A = \dfrac{2}{3}$ e $B^2 C = 1$, e nesse caso a curva é $y(2/3B^3)(B^3 + x^2)^{3/2}$.

   (b) $B = 2$ e $3A\sqrt{C} = 1$, e nesse caso a curva é $y = (1/3\sqrt{C})(2 + Cx^2)^{3/2}$.

   Mostre que cada uma dessas curvas inclui os Problemas 7 e 8 como casos particulares.

10. A curva $x^{2/3} + y^{2/3} = a^{2/3}$ chama-se *astróide* ou *hipociclóide de quatro cúspides*. Esboce-a e calcule seu comprimento total.

11. Se $0 < a < b$ e n é igual a 1 ou -1, mostre que o comprimento de y,

$$y = \frac{x^{n+1}}{n+1} + \frac{1}{4(n-1)} \cdot \frac{1}{x^{n-1}}$$

    entre $x = a$ e $x = b$ pode ser calculado por meio de uma integral que não envolve raiz quadrada. Observe que os Problemas 2 e 3 são casos particulares desse resultado.

12. Em cada caso, estabeleça a integral do comprimento de arco, mas não tente calculá-la (tais cálculos estão além de nossa capacidade no presente estágio):

    (a) $y = \sqrt{x}$, $1 \leq x \leq 4$;
    (b) $y = x^2$, $0 \leq x \leq 1$;
    (c) $y = x^3$, $0 \leq x \leq 1$;
    (d) a parte de $y = -x^2 + 4x - 3$ que está acima do eixo x.

7.6 A ÁREA DE UMA SUPERFÍCIE DE REVOLUÇÃO

Vamos considerar uma curva lisa que esteja acima do eixo x, como na Fig. 7.19a. Quando essa curva é girada ao redor do eixo x, ela gera uma *superfície de revolução*. Nosso problema é o de calcular a área de tal superfície.

Por motivos que ficarão claros posteriormente, começamos considerando uma superfície de revolução muito simples, a parte lateral curva de um cone cuja base tem o raio r e cuja geratriz é L. Se cortarmos esse cone desde o vértice até a base, ao longo de uma geratriz, e o planificarmos, como se mostra na Fig. 7.17, então obteremos um setor circular de raio L cujo arco tem comprimento $2\pi r$ e a área lateral A do cone é igual à área desse setor. É geometricamente claro que a razão da área do setor pela área completa do círculo é igual à razão do comprimento do arco pelo comprimento total da circunferência, isto é,

$$\frac{A}{\pi L^2} = \frac{2\pi r}{2\pi L}, \quad \text{logo} \quad A = \pi r L.$$

A superfície lateral do cone pode evidentemente ser encarada como a superfície de revolução obtida quando uma geratriz gira em torno do eixo. Se a fórmula é escrita como

$$A = L \cdot 2\pi(\tfrac{1}{2}r),$$

então vemos que a área lateral de um cone é igual ao produto do comprimento da geratriz pela distância percorrida pelo ponto médio em sua revolução ao redor do eixo.

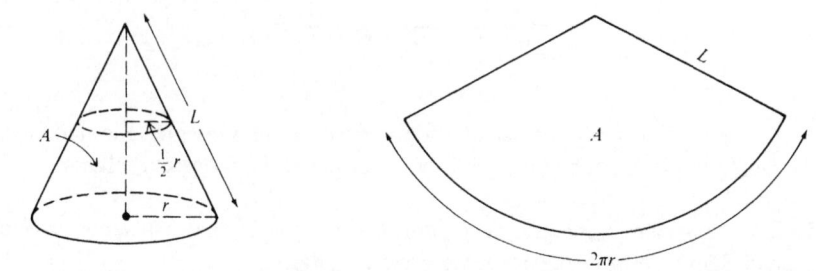

Figura 7.17

A seguir generalizamos um pouco e determinamos a área da superfície de revolução gerada quando um segmento de reta de comprimento L gira ao redor de um eixo a uma distância r de seu ponto médio*. Essa área é a área lateral de um tronco de cone, como se mostra na Fig. 7.18.

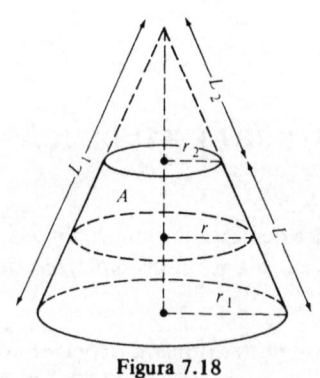

Figura 7.18

---

*   No caso de um cone, uma extremidade do segmento está sobre o eixo e forma o vértice do cone.

Se denotamos essa área por A, então A é a diferença entre as áreas laterais dos dois cones na figura. Logo

$$A = \pi r_1 L_1 - \pi r_2 L_2 = \pi(r_1 L_1 - r_2 L_2).$$

Por semelhança de triângulos, é claro que

$$\frac{L_2}{r_2} = \frac{L_1}{r_1} \quad \text{ou} \quad r_1 L_2 = r_2 L_1.$$

Isto nos permite escrever A na forma

$$A = \pi(r_1 L_1 - r_1 L_2 + r_2 L_1 - r_2 L_2) = \pi[r_1(L_1 - L_2) + r_2(L_1 - L_2)]$$
$$= \pi(L_1 - L_2)(r_1 + r_2) = (L_1 - L_2) \cdot 2\pi \left(\frac{r_1 + r_2}{2}\right) = L \cdot 2\pi r.$$

Portanto concluímos que também nesse caso a área da superfície de revolução é igual ao produto do comprimento do segmento pela distância percorrida pelo ponto médio em sua revolução ao redor do eixo.

Agora aplicaremos essas idéias ao problema geral de área enunciado no início desta seção. Nossa abordagem será intuitiva e geométrica.

Começamos aproximando a curva lisa $y = f(x)$ por um caminho poligonal consistindo em vários segmentos de reta curtos ligando pontos vizinhos da curva, como é mostrado na Fig. 7.19.

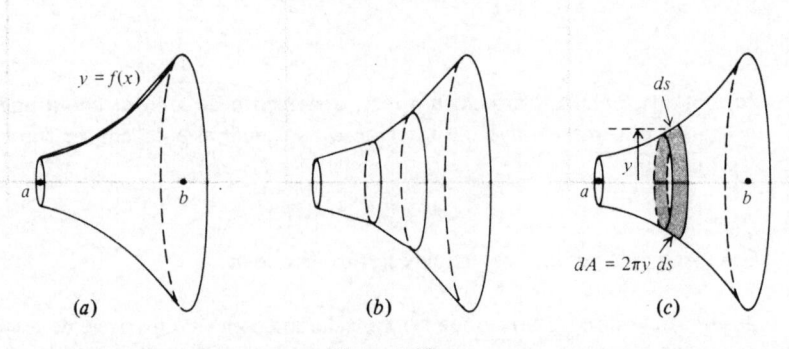

Figura 7.19

A superfície gerada ao girar a curva ao redor do eixo x terá aproximadamente a mesma área que a superfície gerada girando esse caminho poligonal ao redor do eixo x (Fig. 7.19, no centro). Essa última superfície é evidentemente constituída de muitos pedaços, cada um dos quais tendo a forma de um tronco de cone. A situação sugere a idéia fundamental ilustrada na Fig. 7.19b. Se o elemento de arco de comprimento ds é girado ao redor do eixo x, então ele gera uma espécie de tira fina de área dA (Fig. 7.19c), e se o ponto médio de ds está a uma distância y do eixo x, o que dissemos acima significa que

$$dA = 2\pi y\, ds = 2\pi y \sqrt{1 + \left(\frac{dy}{dx}\right)^2}\, dx.$$

Obtemos a área total A da superfície tomando a soma — ou a integral — de todos os elementos de área dA quando dA varre toda a superfície,

$$A = \int dA = \int 2\pi y\, ds = \int_a^b 2\pi y \sqrt{1 + \left(\frac{dy}{dx}\right)^2}\, dx,$$

onde y é suposto conhecido como uma função de x [$y = f(x)$]. Se, em vez disso, escolhermos girar a curva ao redor do eixo y e desse modo gerarmos uma superfície de revolução inteiramente diferente, da mesma maneira sua área será dada por

$$A = \int 2\pi x\, ds.$$

A idéia subjacente em ambas as fórmulas pode ser expressa escrevendo

$$A = \int 2\pi\, (\text{raio de revolução})\, ds.$$

Ao usar essa fórmula para realizar um cálculo real, o elemento de arco de comprimento ds deve ser escrito em termos de uma variável de integração conveniente e devem ser fornecidos limites de integração apropriados.

Exemplo Calcular a área de uma superfície esférica de raio a.

Solução A superfície dessa esfera pode ser considerada como a superfície de revolução gerada ao girar a semicircunferência $y = \sqrt{a^2 - x^2}$ ao redor do eixo x (Fig. 7.20).

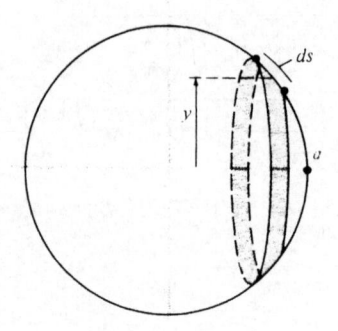

Figura 7.20

Como

$$\frac{dy}{dx} = \frac{d}{dx}(a^2 - x^2)^{1/2} = \frac{-x}{\sqrt{a^2 - x^2}},$$

podemos utilizar a simetria esquerda-direita da figura e escrever

$$A = \int 2\pi y \, ds = 2 \int_0^a 2\pi y \sqrt{1 + \left(\frac{dy}{dx}\right)^2} \, dx$$

$$= 4\pi \int_0^a \sqrt{a^2 - x^2} \sqrt{1 + \frac{x^2}{a^2 - x^2}} \, dx$$

$$= 4\pi \int_0^a a \, dx = 4\pi a^2.$$

Também é possível utilizar y como a variável de integração. O cálculo é um pouco complicado, mas pode ser instrutivo para os estudantes verem como funciona. Como $x = \sqrt{a^2 - y^2}$ no primeiro quadrante, temos

$$\frac{dx}{dy} = \frac{d}{dy}(a^2 - y^2)^{1/2} = \frac{-y}{\sqrt{a^2 - y^2}},$$

e portanto

$$A = \int 2\pi y \, ds = 2 \int_0^a 2\pi y \sqrt{\left(\frac{dx}{dy}\right)^2 + 1} \, dy$$

$$= 4\pi \int_0^a y \sqrt{\frac{y^2}{a^2 - y^2} + 1} \, dy = 4\pi a \int_0^a \frac{y \, dy}{\sqrt{a^2 - y^2}}$$

$$= 4\pi a(-\tfrac{1}{2}) \int_0^a (a^2 - y^2)^{-1/2}(-2y \, dy) = 4\pi a(-\tfrac{1}{2}) 2\sqrt{a^2 - y^2} \Big]_0^a$$

$$= 4\pi a^2,$$

como antes.

Observação Além de descobrir o volume de uma esfera, Arquimedes encontrou também a área de sua superfície por meio de um lance de discernimento brilhante que liga as duas quantidades. Sua idéia foi dividir a esfera sólida em um grande número de pequenas "pirâmides", como se segue. Imagine que a superfície de nossa esfera de raio a seja dividida em vários "triângulos" minúsculos, como está sugerido na Fig. 7.21.

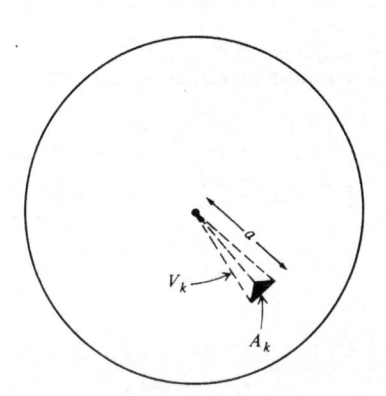

Figura 7.21

Naturalmente, essas pequenas figuras não são realmente triângulos, visto que não há linhas retas na superfície de uma esfera. No entanto, elas são tão pequenas que cada figura é aproximadamente plana e são aproximadamente triângulos. Suponha que cada "triângulo" seja usado como base de uma "pirâmide" de altura a cujo vértice é o centro da esfera. Se A_k é a área da base de nossa "pirâmide" minúscula e V_k é seu volume, para $k = 1, 2, ..., n$, então sabemos que $V_k = \frac{1}{3} A_k a$.

(O fato de o volume de uma pirâmide triangular ser um terço da área da base vezes a altura foi descoberto por Demócrito, dois séculos antes de Arquimides.) Somando essas equações para $k = 1, 2, ..., n$, obtemos

$$\sum_{k=1}^{n} V_k = \sum_{k=1}^{n} \tfrac{1}{3}A_k a = \frac{1}{3}\left(\sum_{k=1}^{n} A_k\right)a.$$

Como todas as nossas "pirâmides" preenchem a esfera sólida, essa fórmula nos diz que o volume V e a área da superfície A da esfera estão relacionados pela equação

$$V = \tfrac{1}{3}Aa.$$

Mas agora a descoberta de Arquimedes de que $V = \tfrac{4}{3}\pi a^3$ permite-nos escrever essa equação na forma

$$\tfrac{4}{3}\pi a^3 = \tfrac{1}{3}Aa,$$

logo,

$$A = 4\pi a^2,$$

exatamente como no exemplo.

Problemas

Nos Problemas de 1 a 6 calcule a área da superfície de revolução gerada ao girar o arco dado ao redor do eixo indicado.

1. $y = \dfrac{1}{4}x^4 + \dfrac{1}{8x^2}$, $1 \leq x \leq 2$, o eixo y.
2. $y = \tfrac{1}{3}\sqrt{x}(3-x)$, $0 \leq x \leq 3$, o eixo x.
3. $y = \tfrac{1}{3}(2 + x^2)^{3/2}$, $0 \leq x \leq 2$, o eixo y.
4. $y = x^2$, $0 \leq x \leq 2$, o eixo y.
5. $y = x^3$, $0 \leq x \leq 1$, o eixo x.
6. $y = 2\sqrt{x}$, $2 \leq x \leq 8$, o eixo x.

7. O arco da parábola $x^2 = 4py$ entre $(0,0)$ e $(2p, p)$ é girado ao redor do eixo y. Calcule a área da superfície de revolução (a) integrando com relação a x; e (b) integrando com relação a y.

8. O laço de $9y^2 = x(3 - x)^2$ é girado ao redor do eixo y. Calcule a área da superfície gerada dessa maneira.

9. Calcule a área da superfície gerada ao girar o astróide (ou hipociclóide de quatro cúspides) $x^{2/3} + y^{2/3} = a^{2/3}$ ao redor do eixo y.

10. Considere um cilindro circunscrito a uma esfera de raio a. Considere também dois planos perpendiculares ao eixo do cilindro interceptando a esfera. Se esses planos estão a uma distância h entre si, mostre que a área da zona que fica entre eles sobre a esfera é $2\pi ah$. (É um fato notável que esse valor é igual à área entre esses planos na superfície lateral do cilindro. Observe também que, se $h = 2a$, esse resultado conduz à fórmula da área total da superfície da esfera.)

7.7 FORÇA HIDROSTÁTICA

Nas seções anteriores deste capítulo vimos como podemos usar a integração para responder a muitas questões naturais que aparecem na Geometria. Nas duas próximas seções consideramos diversas aplicações à Física e Engenharia. As aplicações desse tipo exigem usualmente, além do conhecimento matemático pertinente, uma razoável compreensão dos princípios científicos básicos envolvidos. Nos problemas que estudamos, esses princípios científicos são muito simples — tão simples que mesmo os estudantes sem prévia experiência devem ser capazes de compreendê-los facilmente. O principal tema de nosso trabalho continua sendo a idéia de que o todo de uma quantidade pode ser calculado dividindo-o em muitos pedaços adequados e somando-os por meio de integração.

Nesta seção fazemos uma rápida excursão na ciência da *Hidrostática*, que estuda o comportamento de líquidos em repouso. Em particular, calculamos a força exercida contra as paredes de um recipiente aberto pela água em repouso dentro do mesmo. Os recipientes que consideramos podem ser qualquer coisa, desde um pequeno aquário até uma gigantesca represa.

Se um reservatório com uma base retangular e lados verticais tem água até uma profundidade h (Fig. 7.22), então a força exercida sobre a base é igual ao peso da água contida no reservatório.

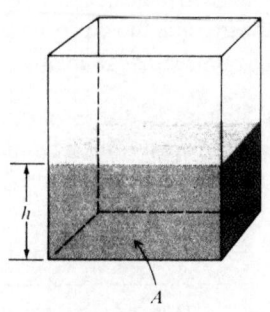

Figura 7.22

Se A é a área da base, essa força é dada pela fórmula

$$F = whA, \qquad (1)$$

onde w é a densidade da água, que é aproximadamente 10^3 kg/m^3. Obviamente é necessário que as unidades de medida em (1) sejam compatíveis. Em nosso trabalho medimos h em metros, A em metros quadrados e w em quilogramas por metro cúbico. A força é então expressa em quilogramas.

Se dividimos (1) por A, então a quantidade resultante

$$p = wh \qquad (2)$$

é a *pressão* ou *força por unidade de área* exercida pela água sobre a base do reservatório. A pressão a uma dada profundidade h abaixo da superfície pode, portanto, ser pensada como o peso de uma coluna de água com h unidades de altura que repousa sobre uma base horizontal cuja área tem 1 unidade ao quadrado. A fórmula (2) é bastante notável, pois estabelece que a pressão é proporcional apenas à profundidade e que o tamanho e a forma do reservatório são completamente irrelevantes. Por exemplo, a uma profundidade de 1,2 m numa piscina, a pressão é a mesma que a uma profundidade de 1,2 m num lago (ou seja, 1.200 kg/m^2), não importando a forma do lago; e assim achamos a mesma pressão no fundo de um tubo de vidro vertical com 2 cm de diâmetro se tampamos a base com uma rolha e enchemos o tubo de 1,2 m com água. Além disso pode se verificar experimentalmente que, em qualquer ponto de um líquido, a pressão é a mesma em todas as direções. Isto significa que uma lâmina submersa tem a mesma pressão em cada face. Se uma dada superfície é mergulhada horizontalmente, verticalmente ou formando um ângulo qualquer, a pressão é sempre normal (perpendicular) a cada face da superfície.

A fim de calcular a força total exercida pela água contra a base do reservatório na Fig. 7.22, basta multiplicar a pressão na base pela área da base,

$$F = pA,$$

que é simplesmente a fórmula (1). É mais difícil calcular a força agindo numa das paredes, porque a pressão não é constante aí, mas aumenta quando a profundidade aumenta. Em vez de prosseguir nesse problema particular, consideramos uma situação mais geral.

Na Fig. 7.23 mostramos uma lâmina de forma não-especificada submersa verticalmente num recipiente com água. Para achar a força total exercida pela água contra uma face dessa lâmina imaginamos essa face dividida num grande número de faixas horizontais estreitas.

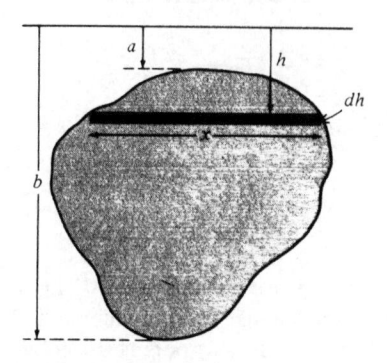

Figura 7.23

A faixa elementar mostrada na figura está a uma profundidade h abaixo da superfície. Sua largura dh é tão pequena comparada com h que a pressão é essencialmente constante sobre toda a faixa e tem o valor $p = wh$. A área da faixa é $dA = x\,dh$ — assim o *elemento de força dF* agindo na faixa é dado por

$$dF = p\,dA = wh \cdot x\,dh.$$

A força total F agindo na face inteira da lâmina é agora obtida integrando esses elementos de força quando a faixa elementar percorre toda a lâmina, desde o topo até a base,

$$F = \int dF = \int_a^b wh \cdot x\,dh. \tag{3}$$

A fim de realizar a integração indicada num problema específico é necessário conhecer x como uma função de h e isto é determinado geometricamente a partir da forma da lâmina. Como nas seções anteriores deste capítulo, é melhor compreender e aplicar as idéias usadas na construção da fórmula (3) que tentar memorizar mais uma fórmula e utilizá-la sem pensar. Repetimos a idéia central do método: são usadas faixas horizontais estreitas porque a pressão pode ser tratada como se fosse constante sobre toda a faixa, e a força agindo nessa faixa é então simplesmente a pressão vezes a área.

Aplicações da integração 331

Exemplo 1 Uma comporta vertical de uma represa tem a forma de um quadrado de 1,2 m de lado, a aresta superior estando a 0,6 m abaixo da superfície da água (Fig. 7.24). Calcule a força total que essa comporta deve sofrer.

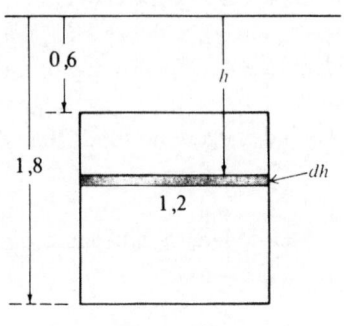

Figura 7.24

Solução Nesse caso, $x = 1,2$ e h vai de 0,6 a 1,8; logo,

$$F = \int_{0,6}^{1,8} wh \cdot 1,2\, dh = 0,6\, wh^2 \Big]_{0,6}^{1,8} = 0,6\, w \cdot 2,88 \cong 1,7 \text{ ton.}$$

Exemplo 2 Um canal triangular de 10 m de largura máxima e 6 m de profundidade (Fig. 7.25).

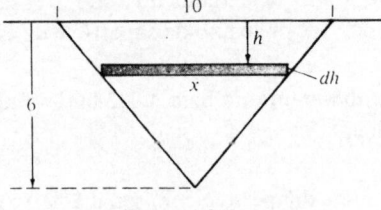

Figura 7.25

Se esse canal for represado, calcule a força da água na comporta quando a represa estiver cheia.

Solução Por semelhança de triângulos, vemos que

$$\frac{x}{10} = \frac{6-h}{6}, \quad \text{então} \quad x = \tfrac{5}{3}(6-h).$$

Como h vai de 0 a 6, temos

$$F = \int_0^6 wh \cdot \tfrac{5}{3}(6-h)\, dh = \tfrac{5}{3}w(3h^2 - \tfrac{1}{3}h^3)\Big]_0^6$$
$$= 60w = 60 \text{ ton.}$$

Problemas

Nos Problemas de 1 a 4 é assumido que a comporta de uma represa é vertical e tem a forma enunciada. Em cada caso calcule a força total contra a comporta.

1. Um retângulo com 45 m de largura e 4 m de altura; profundidade da água: 3 m.

2. Um trapézio isósceles com 60 m de largura no topo, 30 m de largura na base e 6 m de altura; reservatório cheio de água.

3. Um triângulo isósceles com 18 m de largura no topo e 6 m de altura; reservatório cheio de água.

4. Um trapézio isósceles com 27 m no topo, 18 m na base e 6 m de altura; profundidade da água: 4 m.

Nos Problemas de 5 a 8 é assumido que uma comporta vertical na face de uma represa tem a forma descrita. Em cada caso calcule a força total da água contra a comporta.

5. Um triângulo com 1,2 m de largura no topo e 1,5 m de altura, com a aresta superior 0,3 m abaixo da superfície da água.

6. Um trapézio isósceles de 1,8 m de largura no topo, 2,4 m de largura na base e 1,8 m de altura, com a aresta superior 1,2 m abaixo da superfície da água.

7. Um triângulo com 1,2 m de largura na base e 1,2 m de altura, com o vértice superior 0,6 m abaixo da superfície da água.

8. Um semicírculo com 1,2 m de diâmetro e com seu diâmetro na superfície da água.

9. Um barril cilíndrico com 1,2 m de altura e 0,9 m de diâmetro está de pé e cheio até a metade com óleo, que pesa 800 kg. Qual a força total do óleo nas paredes laterais do barril?

10. Se o barril do Problema 9 está deitado, qual a força do óleo nas extremidades?

11. Uma comporta retangular de uma barragem vertical tem 1,5 m de largura e 1,8 m de altura. Calcule a força nessa comporta quando o nível da água está 2,4 m acima de seu topo. Quanto deve aumentar o nível da água para dobrar a força?

12. As extremidades verticais de uma calha de água são triângulos isósceles com base de 0,9 m e altura de 0,6 m. Calcule a força numa extremidade quando a calha está cheia de água.

13. A extremidade de uma piscina é um retângulo inclinado de 45° com relação ao solo. Se a aresta na superfície tem 3,6 m de comprimento e as arestas submersas têm 3 m de largura, calcule a força que a água exerce sobre esse retângulo.

*14. Um reservatório retangular contém dois líquidos imiscíveis cujas densidades são w_1 e w_2, onde $w_1 < w_2$. Em um lado do reservatório há uma janela quadrada com $0,9\sqrt{2}$ m de lado, sendo uma das diagonais vertical, o vértice a 0,3 m abaixo da superfície, com a outra diagonal na fronteira entre os dois líquidos. Calcule a força exercida pelos líquidos sobre a janela.

7.8 TRABALHO E ENERGIA

É uma experiência comum, ao se mover um objeto contra uma força que age sobre ele, como, por exemplo, quando se levanta uma pedra pesada, a sensação de despender esforço ou realizar trabalho. Mesmo antes de definir o conceito físico de trabalho, estamos convencidos de que realizamos o dobro do trabalho para levantar uma pedra de 20 kg a certa altura do que para levantar uma pedra de 10 kg, e também que o trabalho realizado ao levantar uma pedra 3 m é três vezes o de levantá-la 1 m. Essas idéias indicam o caminho para nossa definição básica: se uma força constante F age por uma distância d, então o *trabalho* realizado durante esse processo é o produto da força pela distância percorrida:

$$W = F \cdot d. \qquad (1)$$

Subentende-se aqui que a força age no sentido do movimento.

Como sabemos, o "peso" de um objeto é a força com a qual esse objeto é atraído para a Terra pela gravidade. Para um dado objeto movendo-se na (ou perto da) superfície terrestre, essa força permanece essencialmente constante em grandeza e é sempre dirigida para o centro da Terra. Assim, se uma pedra que pesa 20 kg é erguida 3 m, a definição (1) nos diz que 60 J de trabalho foi realizado. E se um trator arrasta uma pedra grande 18 cm, aplicando uma força constante de 2 toneladas, então o trator realiza 360 J de trabalho.

Essa definição é satisfatória contanto que a força F seja constante. No entanto, muitas forças não permanecem constantes durante o processo de realizar trabalho. Em uma situação como esta, dividimos o processo em várias partes pequenas e calculamos o trabalho total, integrando os elementos de trabalho correspondentes a essas partes.

Essa idéia está ilustrada pela operação de esticar uma mola, como se segue:

Exemplo 1 Uma certa mola tem um comprimento natural de 16 cm. Quando ela é esticada x cm além do seu comprimento natural, a *Lei de Hooke* estabelece que a mola faz retroceder com uma força de restituição de $F = kx$ dinas, onde k é uma constante. A constante de proporcionalidade k chama-se *constante da mola* e pode ser encarada como uma medida da inflexibilidade da mola. Para a mola em discussão, 8 d de força são necessárias para mantê-la esticada 2 cm. Quanto trabalho é realizado para esticar essa mola de seu comprimento natural para um comprimento de 24 cm?

Solução Primeiro, o fato de que $F = 8$ quando $x = 2$ permite-nos determinar k. Temos $8 = K \cdot 2$ logo $k = 4$ e $F = 4x$. Para tornar claras nossas idéias, desenhamos a mola em sua condição não-esticada e também após ter sido esticada x cm (Fig. 7.26).

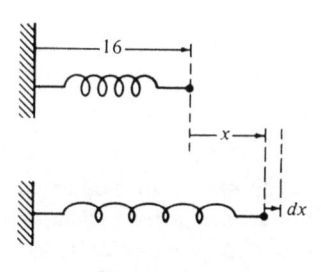

Figura 7.26

Agora, se imaginamos que a mola é esticada um comprimento adicional muito pequeno dx, então a força varia muito pouco nesse incremento de distância e pode ser tratada como essencialmente constante. O trabalho realizado pela força de tração da mola nesse incremento de distância é

$$dW = F\,dx = 4x\,dx, \qquad (2)$$

e o trabalho total realizado durante esse processo completo de esticamento é

$$W = \int dW = \int F\,dx = \int_0^8 4x\,dx = 2x^2 \Big]_0^8 = 128\text{ d},$$

pois x aumenta de 0 a 8 quando o comprimento da mola aumenta de 16 a 24.

De maneira análoga, podemos considerar o trabalho realizado por qualquer força variável que age numa dada direção quando seu ponto de aplicação se move nessa direção. Se pusermos coordenadas na linha de ação, introduzindo um eixo x, e se o ponto de aplicação da força variável $F(x)$ move-se de $x = a$ a $x = b$, então $dW = F(x)\,dx$ é o *elemento de trabalho* e

$$W = \int dW = \int_a^b F(x)\,dx \qquad (3)$$

dá o trabalho total realizado durante o processo. Essa fórmula pode ser tomada ou como uma definição ou como um método natural de calcular o trabalho, de acordo com a maneira descrita no Exemplo 1. Em nosso exemplo seguinte, a mesma idéia é aplicada a uma situação diferente.

Exemplo 2 De acordo com a Lei de Gravitação de Newton duas partículas quaisquer de massas M e m se atraem com uma força F cuja grandeza é diretamente proporcional ao produto das massas e inversamente proporcional ao quadrado da distância r entre elas,

$$F = G\frac{Mm}{r^2},$$

onde G chama-se *constante de gravitação*. Se M está fixado na origem, qual o trabalho exigido para mover m de $r = a$ a $r = b$, onde $a < b$?

Solução O elemento de trabalho é

$$dW = F\,dr = GMm\,\frac{dr}{r^2}, \qquad (4)$$

logo, o trabalho total é

$$W = \int dW = GMm \int_a^b \frac{dr}{r^2} = GMm\left(-\frac{1}{r}\right)\bigg]_a^b = GMm\left(\frac{1}{a} - \frac{1}{b}\right).$$

Se pensamos na posição final $r = b$ cada vez mais longe, de modo que $b \to \infty$, então o trabalho se aproxima do valor-limite GMm/a. Essa quantidade é o trabalho que deve ser realizado contra a força de atração para mover m de $r = a$ a uma distância infinita, isto é, para separar as massas completamente. Tal valor é o *potencial* das duas partículas.

Cada um dos exemplos anteriores trata de uma força variável agindo por uma distância dada. O exemplo seguinte é muito diferente. Ele envolve um processo em que as partes de um corpo — nesse caso, porções de água — são movidas por distâncias diferentes por uma força constante, e o trabalho total é calculado como a soma das várias porções de trabalho associadas com as várias partes.

Exemplo 3 Considere um reservatório cilíndrico de raio r e altura h cheio de água até uma profundidade D (Fig. 7.27).

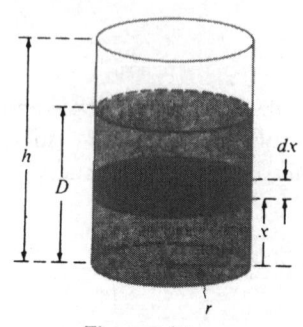

Figura 7.27

Qual o trabalho a ser realizado para bombear a água até a borda do reservatório? (Como é usual, denote a densidade da água por w.)

Solução A essência do problema é o fato de que cada porção de água deve ser erguida de sua posição inicial até a borda do tanque e descarregada. O trabalho realizado nesse processo é o mesmo para todas as porções que estão à mesma distância abaixo da borda. Isto sugere que consideremos toda a água localizada numa camada horizontal fina de espessura dx a uma altura x acima da base do reservatório, que escrevamos o elemento de trabalho dW necessário para erguer essa camada toda até a borda do reservatório e que calculemos o trabalho total da maneira usual, somando (ou integrando) esses elementos de trabalho quando x aumenta de 0 a D, de modo que a camada típica (elementar) assuma todas as posições possíveis. É claro, a partir da figura, que o volume da camada é $\pi r^2 dx$; logo, seu peso é $w\pi r^2 \, dx$ e o trabalho realizado para levantar essa camada a uma altura $h - x$ é

$$dW = w\pi r^2 \, dx \cdot (h - x). \tag{5}$$

O trabalho total para bombear toda a água é, portanto,

$$W = \int dW = w\pi r^2 \int_0^D (h - x) \, dx$$

$$= w\pi r^2 (hx - \tfrac{1}{2}x^2)\Big]_0^D = w\pi r^2 (hD - \tfrac{1}{2}D^2).$$

Repetimos: o ponto central do método é o fato de que todas as porções de água da camada típica estão essencialmente à mesma distância abaixo da borda do reservatório e podem, portanto, ser tratadas juntas no cálculo do trabalho.

Os estudantes devem observar que o uso da definição (1) de uma forma adequada é a chave para cada um desses exemplos. Especificamente, as fórmulas (2), (4) e (5) são simplesmente as versões de (1), que são apropriadas em cada caso.

Dedicamos o resto desta seção a uma breve discussão do importante conceito de energia.

Considere uma força variável F que age sobre uma partícula de massa m por uma dada distância ao longo de uma reta, que tomamos como o eixo x. Essa força não só realiza um trabalho mas também produz uma aceleração dv/dt à partícula, de acordo com a Segunda Lei de Movimento de Newton,

$$F = m\frac{dv}{dt}, \quad \text{onde } v = dx/dt. \tag{6}$$

Essa aceleração produzida pela força altera a velocidade v de m e, portanto, altera também sua *energia cinética* — ou energia devido ao movimento —, que é definida pela fórmula

$$\text{energia cinética } = \tfrac{1}{2}mv^2.$$

Estamos agora em posição de provar o seguinte teorema importante da Mecânica:

O trabalho realizado pela força F durante o processo descrito acima é igual à variação na energia cinética da partícula; e, em particular, se a partícula parte do repouso, então o trabalho realizado sobre ela é igual à energia cinética que recebe.

A prova é fácil. Começamos escrevendo (6) na forma

$$F = m\frac{dv}{dt} = m\frac{dv}{dx}\frac{dx}{dt} = mv\frac{dv}{dx}.$$

A fórmula (3) acarreta agora

$$W = \int_a^b F\,dx = \int_a^b mv\frac{dv}{dx}\,dx = \int_{v_a}^{v_b} mv\,dv$$

$$= \tfrac{1}{2}mv^2 \Big]_{v_a}^{v_b} = \tfrac{1}{2}mv_b^2 - \tfrac{1}{2}mv_a^2, \tag{7}$$

logo, o trabalho W é igual à variação da energia cinética, como foi enunciado.

Em certas situações físicas — mas não em todas — é possível introduzir o conceito de *energia potencial*. Por exemplo, se uma pedra é erguida do solo, dizemos que aumentamos sua energia potencial, pois, se largarmos a pedra e deixarmos que caia, a força da gravidade realizará um trabalho sobre a pedra e aumentará sua energia cinética. A energia potencial é com freqüência descrita livremente como a energia que um corpo possui em função de sua posição. Uma descrição melhor é dizer que a energia potencial de um corpo com respeito a uma dada força é uma medida da capacidade da força realizar trabalho sobre o corpo. Daremos uma definição, mas primeiro consideraremos dois exemplos que nos ajudarão a compreender seu significado.

Exemplo 4 Para uma partícula de massa m movendo-se sob a influência da aceleração constante g em virtude da gravidade perto da superfície da Terra, seu peso é mg e sua energia potencial V com respeito à força da gravidade é definida por $V = mgx$, onde x é uma coordenada dando a posição vertical da partícula. O eixo x é assumido como tendo seu sentido positivo para cima com a origem em qualquer posição conveniente. Mudando a localização da origem teremos, obviamente, uma mudança em V, mas isto não importa, pois o que vale acerca da energia potencial é não seu próprio valor, mas, em vez disso, o valor de dV/dx, que dá sua taxa de variação com respeito a x. Nesse caso, temos $-dV/dx = -mg$, que é a força da gravidade sobre m na direção x.

Exemplo 5 Como no Exemplo 2, consideramos uma partícula de massa m movendo-se no semi-eixo positivo x sob a influência da força de atração exercida por uma outra partícula colocada na origem, de modo que $F(x) = -c/x^2$, onde c é uma constante positiva. Aqui a energia potencial é definida por $V = -c/x$. Observe que este é o oposto do potencial definido no Exemplo 2 — é, portanto, o oposto do trabalho necessário para levar esse sistema físico simples ao estado de energia potencial zero, onde m está infinitamente afastado. Para nossos propósitos presentes, é mais importante observar que $-dV/dx = -c/x^2 = F(x)$.

Esses exemplos sugerem que, em circunstâncias adequadas, a energia potencial V associada a uma força $V(x)$ na direção do eixo x tem a propriedade de que $-dV/dx = F(x)$. Com essa idéia na cabeça, continuamos agora o exame da equação (7).

Ao utilizarmos a fórmula (3) para o cálculo de (7), assumimos tacitamente que a força F não-especificada é uma função contínua que depende só da coordenada x sobre o intervalo $a \leqslant x \leqslant b$, digamos $F = F(x)$. (Observe que uma força de atrito não tem essa propriedade, pois ela depende não só da localização da partícula m mas também do sentido em que está se movendo.) Pela discussão no fim da Seção 6.7, essa hipótese garante que existe uma função $V(x)$ tal que $dV/dx = -F(x)$. Podemos, portanto, calcular o trabalho W em (7), como se segue:

$$W = \int_a^b F(x)\,dx = \int_b^a -F(x)\,dx = V(x)\Big]_b^a$$

$$= V(a) - V(b). \tag{8}$$

Isto nos permite escrever (7) como

$$\tfrac{1}{2}mv_b^2 - \tfrac{1}{2}mv_a^2 = V(a) - V(b)$$

ou

$$\tfrac{1}{2}mv_b^2 + V(b) = \tfrac{1}{2}mv_a^2 + V(a). \tag{9}$$

No primeiro membro de (9) eliminamos o índice e substituímos $V(b)$ por $V(x)$ a fim de enfatizar que v e $V(x)$ são consideradas como sendo variáveis; e, no segundo membro, mantivemos v_a e $V(a)$ fixos. A equação (9) toma agora a forma

$$\tfrac{1}{2}mv^2 + V(x) = \tfrac{1}{2}mv_a^2 + V(a) = E, \tag{10}$$

onde a constante E chama-se *energia total* da partícula. A função $V(x)$ chama-se *energia potencial* da partícula e (10) estabelece que a soma da energia cinética com a energia potencial é constante. Esta é a Lei da Conservação da Energia, que é um dos princípios básicos da Física clássica.

Salientamos que a definição de $V(x)$ significa que essa função é determinada a menos de uma constante aditiva; logo, em qualquer situação específica, o estado de energia potencial nula pode ser escolhido convenientemente. Também os estudantes podem querer saber acerca do pequeno artifício com os sinais algébricos que têm lugar na definição de $V(x)$ e no cálculo de (8). O propósito disto é garantir o aparecimento dos sinais de mais em vez dos sinais de menos em (10), de modo que possam falar na soma das energias cinética e potencial como sendo constante em vez de sua diferença.

No Apêndice A.4 indicamos algumas das muitas maneiras como essas idéias têm sido alteradas na Física do século XX.

Problemas

1. Uma mola tem um comprimento natural de 25 cm e uma força de 54 N estica-a 1,5 cm. Calcule o trabalho realizado para esticar a mola de 25 cm a 45 cm.

2. Uma mola tem um comprimento natural de 25 cm e uma força de 202 N estica-a a 38 cm. Determine o trabalho para esticá-la de 38 cm a 48 cm.

3. Uma mola suportando um carro tem comprimento natural de 38 cm e uma força de 36.000 N comprime-a 1,5 cm. Determine o trabalho realizado para comprimi-la de 38 cm a 22 cm. (A Lei de Hooke é válida para molas comprimidas assim como para molas esticadas.)

4. Determine o comprimento natural de uma mola se o trabalho realizado para esticá-la de um comprimento 0,6 m para um comprimento de 0,9 m é um quarto do trabalho realizado para esticá-la de 0,9 m a 1,5m.

5. Um balde pesa 2,5 kg quando vazio e 29,5 kg quando cheio de areia. Porém há um buraco no balde e a areia vaza uniformemente a uma taxa tal que um terço da areia é perdido quando o balde é levantado 3 m. Calcule o trabalho realizado para levantar o balde a essa altura.

6. Um cabo de 30 m de comprimento, que pesa 6 kg/m, está pendurado em um guindaste. Qual o trabalho a ser realizado para içá-lo?

7. Resolva o Problema 6 se um peso de 1.350 N é atado à extremidade do cabo.

8. Um macaco de 2,5 kg está atado à extremidade de uma corrente de 9 m que pesa 0,3 kg/m. Ele sobe na corrente até o topo. Qual o trabalho que ele realiza?

9. Um gás numa câmara cilíndrica move um pistão por expansão e contração. Seja A a área da seção transversal do cilindro e sejam V e x o volume e o comprimento (Fig. 7.28).

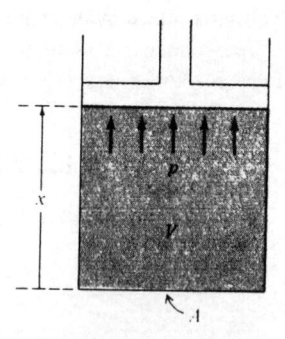

Figura 7.28

Se p é a pressão do gás, então a força que o gás exerce sobre o pistão é pA.

(a) Se o gás se expande de um volume V_1 para um volume V_2, mostre que o trabalho executado pelo gás sobre o pistão é

$$W = \int_{V_1}^{V_2} p\, dV.$$

(b) Se uma força é exercida sobre o pistão para comprimir o gás de um volume V_1 para um volume V_2, mostre que o trabalho realizado sobre o gás é

$$W = - \int_{V_1}^{V_2} p \, dV.$$

10. Se ar é comprimido ou expandido sem qualquer perda ou ganho de calor, mas com uma possível mudança de temperatura, temos a *Lei Adiabática dos Gases* $pV^{1,4} = c$, onde c é uma constante. Se um cilindro contém 0,004 m³ de ar a uma pressão de 9.800 kg/m², calcule o trabalho realizado pelo pistão sobre o ar ao comprimi-lo adiabaticamente a um volume de 0,0005 m³. (Se esse ar é comprimido suavemente de modo que ao calor gerado é permitido escapar e a temperatura permanece constante, a compressão se diz *isotérmica*. Nesse caso, a pressão e o volume são relacionados pela *Lei de Boyle* $pV = c$ e, ao tentar calcular o trabalho, somos levados a uma integral da forma $\int dV/V$, que está, por enquanto, fora do nosso alcance. Um dos principais propósitos do Capítulo 8 é capacitar-nos a trabalhar com integrais dessa espécie, que são importantes em muitas aplicações.)

11. Considere uma bóia cilíndrica de seção transversal com área 0,8 m² que está flutuando em pé na água, cuja densidade é $w = 10^3$ kg/m³. De acordo com o princípio de Arquimedes, um corpo flutuante sofre a ação de uma força para cima igual ao peso da água deslocada e, em estado de equilíbrio, essa força para cima se equilibra com a força para baixo, que age sobre o corpo por causa da gravidade.

    (a) Mostre que existe uma força para cima de $10^3(0,8x)$ kg agindo sobre a bóia quando ela é mantida x m abaixo de sua posição de equilíbrio.

    (b) Qual o trabalho realizado para empurrar a bóia 0,3 m abaixo de sua posição de equilíbrio?

*12. Uma bóia cônica que pesa B kg flutua aprumada na água com seu vértice a metros abaixo da superfície. Um guindaste numa doca ergue a bóia até o vértice roçar a superfície. Qual o trabalho realizado? Sugestão: quando o guindaste levanta a bóia x metros, a força requerida para mantê-la nessa posição é o peso da bóia menos a força para cima, em virtude da água ainda deslocada, e esta pode ser expressa como uma função de x.

13. Se uma bola de ferro é atraída a um ímã com uma força de $F = 15/x^2$ N quando a bola está x metros do ímã, calcule o trabalho realizado para empurrá-la no sentido contrário ao do ímã de um ponto onde $x = 2$ a um ponto onde $x = 6$.

14. De acordo com a Lei de Coulomb, dois elétrons se repelem com uma força que é inversamente proporcional ao quadrado da distância entre eles. Suponha que um elétron esteja mantido fixo na origem do eixo x. Calcule o trabalho realizado para mover um segundo elétron ao longo do eixo x de $x=2$ a $x=1$. De $x=a$ a $x=b$, onde $0<b<a$.

15. Se duas partículas de matéria de massas M e m estão a uma distância de a unidades entre si, qual o trabalho que deve ser realizado para duplicar a distância entre elas?

16. Se R é o raio da Terra (cerca de $6,37 \times 10^6$ m) e g é a aceleração por causa da gravidade na superfície da Terra, então a força de atração exercida pela Terra sobre um corpo de massa m é $F = mgR^2/r^2$, onde r é a distância de m ao centro da Terra. Se esse corpo pesa 45 kg na superfície da Terra, qual seu peso a uma altitude de $1,6 \times 10^6$ m? E a uma altitude de $6,37 \times 10^6$ m? Qual o trabalho exigido para levantá-lo da superfície até uma altitude de $1,6 \times 10^6$ m?

17. Generalize o Problema 16 calculando qual o trabalho que deve ser realizado por um foguete sobre um satélite de massa m para erguê-lo a uma altitude h acima da superfície terrestre.

18. Suponha que um buraco é perfurado reto através do centro da Terra e que um corpo de massa m é largado nesse buraco. Se o corpo cai, a força de atração exercida sobre ele pela Terra é $F = mgr/R$, onde r é a distância de m ao centro da Terra. (A razão por trás dessa lei de força ficará clara no Capítulo 17, Volume II.) Determine o trabalho realizado pela Terra ao puxar m da superfície para o centro.

19. Um buraco (tanque) cônico com 3 m de profundidade e 2,4 m de diâmetro na superfície está cheio de água. Calcule o trabalho realizado para bombear a água por cima de um muro de 3,6 m.

20. Calcule o trabalho realizado no Problema 19 se o tanque está inicialmente cheio só até uma profundidade de 1,5 m e se a água é bombeada exatamente até o topo do tanque sobre a borda.

21. Um reservatório esférico de raio a está no alto de uma torre que tem sua base a uma distância h acima do solo. Qual o trabalho necessário para encher o reservatório com água bombeada do nível do solo?

22. Um grande morro cônico de altura h é construído pelos escravos de uma monarquia oriental para comemorar uma vitória sobre os bárbaros. Se os escravos simplesmente acumulam material uniforme encontrado ao nível do solo e se o peso total do morro acabado é M, qual o trabalho que eles realizam?

23. Se uma mesma quantidade de trabalho realizado sobre duas partículas em repouso faz com que uma delas se mova duas vezes mais rápida que a outra, como estão relacionadas suas massas?

Problemas Suplementares do Capítulo 7

Seção 7.2

Nos Problemas de 1 a 13 esboce as curvas e calcule as áreas das regiões que elas delimitam.

1. $y = x^2$, $y = x$.
2. $x = 3y + y^2$, $x + y + 3 = 0$.
3. $y = x^4 - 2x^2$, $y = 2x^2$.
4. $y^2 = x^3$, $x = 4$.
5. $y = x^2 - 2x - 3$, $y = 2x + 2$.
*6. $y = \dfrac{2}{\sqrt{x+2}}$, $x + 3y - 5 = 0$.
7. $y = 6x - x^2$, $y = x$.
8. $y^2 = 4x$, $2x - y = 4$.
9. $y^2 = 2x$, $x - y = 4$.
10. $y = 4 - x^2$, $y = 4 - 4x$.
11. $y^2 = -4x + 4$, $y^2 = -2x + 4$.
12. $y = 9 - x^2$, $y = x^2$.
13. $y = 9 - x^2$, $(x + 3)^2 = -4y$.

14. Calcule toda a área englobada por $y^2 = 9x^2 - x^4$.

15. Calcule a área limitada por $y = x^2$, $y = 4$, $y = 2 - x$.

16. Calcule $c > 0$, de modo que a área limitada por $y = x^2 - c$ e $y = c - x^2$ seja igual a 9.

*17. Calcule a área da região no 2º quadrante limitada pelo eixo x e pelas parábolas $y = x^2$ e $y = \sqrt{x + 18}$.

*18. Calcule a área entre $4y = x^3$ e sua tangente em $x = -2$.

Seção 7.3

19. Calcule o volume do sólido de revolução gerado quando a região limitada pelas curvas dadas é girada ao redor do eixo x.

    (a) $y = 2 - x^2$, $y = 1$;
    (b) $y = 3x - x^2$, $y = x$;
    (c) $y^2 = 4x$, $y = x$;
    (d) $y = x^2 + 3$, $y = 4$;
    (e) $\sqrt{x} + \sqrt{y} = \sqrt{a}$, $x = 0$, $y = 0$.

20. Calcule o volume gerado ao girar a área delimitada por $x = y^2$ e $x = 4$ ao redor de

   (a) o eixo x;   (b) o eixo y;

   (c) a reta $y = 2$;   (d) a reta $x = 4$;

   (e) a reta $x = -1$.

21. Calcule o volume gerado ao girar a área delimitada por $x = 4y - y^2$ e $x = 0$ ao redor de

   (a) o eixo y;   (b) o eixo x.

22. Cada plano perpendicular ao eixo x intercepta um certo sólido numa seção transversal circular cujo diâmetro está no plano xy e estende-se de $y = x^2$ a $y = 8 - x^2$. O sólido está entre os pontos de interseção dessas curvas. Calcule seu volume.

23. A base de um certo sólido é a circunferência $x^2 + y^2 = a^2$. Cada plano perpendicular ao eixo x intercepta o sólido numa seção trasnversal, que é um triângulo retângulo isósceles com um lado na base do sólido. Calcule o volume.

24. A base de um certo sólido é a área limitada por $x^2 = 4ay$ e $y = a$. Cada seção transversal perpendicular ao eixo y é um triângulo eqüilátero com um lado estando na base. Calcule o volume do sólido.

25. Um plano, perpendicular ao eixo x e contendo uma circunferência de raio x^2, move-se de $x = a$ a $x = b$. Se o centro da circunferência se move ao longo de uma curva $y = f(x)$, calcule o volume do sólido que o círculo gera.

*26. Um sólido é gerado ao girar ao redor do eixo x a região limitada por uma curva $y = f(x)$, pelo eixo x e pelas retas $x = a$ e $x = b$. Seu volume é $\pi(b^3 - b^2 a)$ para todo $b > a$. Calcule $f(x)$.

27. Calcule o volume gerado ao girar a região limitada pelas curvas $x^2 = 4ay$, $y = a$, $x = 0$ ao redor de

   (a) o eixo y;   (b) o eixo x;   (c) a reta $y = a$.

28. Seja R uma região de área A num plano horizontal e suponha que R seja limitada por uma curva simples fechada C. Seja P um ponto cuja altura acima desse plano é h e forme um "cone" generalizado, desenhando segmentos ligando P aos pontos de C. Mostre que o volume desse cone é $V = \dfrac{1}{3} Ah$. Sugestão: se $A(x)$ é a área da seção transversal horizontal a uma altura x acima do plano, observe que $A(x) = [(h - x)^2 / h^2] A$.

29. Uma reta passa por um vértice de um quadrado de lado a e é perpendicular ao plano do quadrado. Quando esse vértice se move uma distância h ao longo da reta, o quadrado faz uma revolução completa com a reta como eixo. Calcule o volume do sólido em forma de parafuso gerado pelo quadrado. Qual o volume se o quadrado gira duas voltas completas enquanto se move à mesma distância ao longo da reta?

30. O quadrado limitado pelos eixos e pelas retas $x = 1$ e $y = 1$ é cortado em duas partes pela curva $y = x^n$, onde n é uma constante positiva. Determine o valor de n para que essas duas partes gerem volumes iguais quando giradas ao redor do eixo y.

*31. Dois cilindros oblíquos de mesma altura h têm um círculo de raio a como uma base inferior comum e suas bases superiores se tangenciam. Determine o volume comum.

Seção 7.4

Nos Problemas de 32 a 37 esboce a região limitada pelas curvas dadas e utilize o método da casca para achar o volume desse sólido gerado ao girar essa região ao redor do eixo dado.

32. $y = \sqrt[3]{x}, x = 8, y = 0$; o eixo y.
33. $x = y^2 - 4y, x = 0$; o eixo x.
34. $y = 5x - x^2, y = 0$; o eixo y.
35. $x = y^3 + 1, y + 2x = 2, y = 1$; o eixo x.
36. $y = x^2, y = x^3$; o eixo y.
37. $2x - y - 12, x - 2y = 3, x = 4$; o eixo y.

38. A região delimitada pelas curvas dadas é girada ao redor do eixo y. Calcule o volume do sólido de revolução utilizando o método da casca e o método da arruela.

   (a) $y = 4x - x^2, y = 0$.
   (b) $y = x^3, x = 2, y = 0$.

39. A região no 1º quadrante entre $y = 3x^2$ e $y = \dfrac{11}{4} x^2 + 1$ é girada ao redor do eixo y. Calcule o volume gerado dessa maneira.

40. A região delimitada por $y^2 = 4x$ e $y = x$ é girada ao redor do eixo x. Calcule o volume gerado dessa maneira (a) pelo método da casca e (b) pelo método da arruela.

*41. Considere o toro gerado ao girar a circunferência $(x-b)^2 + y^2 = a^2$ $(0 < a < b)$ ao redor do eixo y. Utilize o método da casca para mostrar que o volume desse toro é igual à área do círculo vezés a distância percorrida por seu centro durante a revolução. Sugestão: no momento certo, mude a variável de integração de x para $z = x - b$.

42. Calcule o volume gerado ao girar ao redor do eixo y a região delimitada por $y = (x-1)(x-2)(x-3)$ e o eixo x entre $x = 1$ e $x = 2$.

Seção 7.5

Nos Problemas de 43 a 49 calcule o comprimento do arco especificado da curva dada.

43. $9y^2 = 4x^3$ entre $(0,0)$ e $(3, 2\sqrt{3})$.

44. $y = \frac{1}{8}x^4 + \frac{1}{4x^2}$, $1 \le x \le 2$.

45. $y = \frac{1}{6}x^3 + \frac{1}{2x}$, $1 \le x \le 3$.

46. $x = \frac{1}{10}y^5 + \frac{1}{6y^3}$, $1 \le y \le 2$.

47. $y = \frac{1}{24}x^3 + \frac{2}{x}$, $2 \le x \le 4$.

48. $y = \frac{1}{3}\sqrt{x}(4x - 3)$, $1 \le x \le 9$.
49. $y = \frac{5}{48}(1 + 4x^{4/5})^{3/2}$, $1 \le x \le 32$.

50. Sejam A e B constantes positivas. Se $0 < a < b$, mostre que o problema de calcular o comprimento do arco da curva

$$y = Ax^3 + \frac{B}{x}$$

para $a \le x \le b$ leva à integral

$$\int_a^b (3Ax^2 + Bx^{-2})\, dx$$

se $AB = \frac{1}{12}$.

51. Sejam A e B constantes positivas. Se $0 < a < b$, determine uma condição simples relacionando A e B que torne possível calcular o comprimento do arco da curva

$$y = Ax^4 + \frac{B}{x^2}$$

entre $x = a$ e $x = b$ por meio de uma integral que não envolva uma raiz quadrada.

52. Resolva o Problema 51 para a curva

$$y = Ax^5 + \frac{B}{x^3}.$$

Seção 7.6

Nos Problemas de 53 a 55 calcule a área da superfície de revolução gerada ao girar o arco dado ao redor do eixo indicado.

53. $y = \frac{2}{3}(1 + x^2)^{3/2}$, $0 \leq x \leq 3$, o eixo y.
54. $y = \frac{2}{3}x^{3/2} - \frac{1}{2}x^{1/2}$, $0 \leq x \leq 4$, o eixo y.
55. $y = 2\sqrt{15 - x}$, $0 \leq x \leq 15$, o eixo x.

56. O laço de $18y^2 = x(6 - x)^2$ é girado ao redor do eixo x. Calcule a área da superfície gerada dessa maneira.

57. Esboce o gráfico de $8ay^2 = x^2(a^2 - x^2)$ e calcule a área da superfície gerada quando essa curva é girada ao redor do eixo x.

Seção 7.7

58. Calcule a força devido à pressão da água em uma comporta retangular com 3 m de largura e 2,4 m de profundidade, cujo lado superior está na superfície da água.

59. Calcule a força na metade inferior da comporta no Problema 58.

Nos Problemas 60 e 61 é assumido que uma comporta vertical na face de uma barragem tem a forma enunciada. Em cada caso, calcule a força total sobre a comporta.

60. Um triângulo com 1,8 m de largura e 1,2 m de altura, com o lado superior na superfície da água.

61. Um triângulo com base B e altura H, com seu vértice na superfície da água.

62. Uma comporta de canal retangular tem 9 m de largura. Quando a água está com 6 m de profundidade, qual a força da água na comporta?

63. Um leme tem a forma de um triângulo retângulo isósceles cujos lados iguais têm 0,6 m de comprimento. É submerso verticalmente na água com um dos lados iguais vertical e o outro horizontal e com o lado horizontal a 0,9 m abaixo da superfície e o vértice oposto a 0,3 m abaixo da superfície. Calcule a força da água numa face do leme.

64. Considerando que uma comporta retangular numa barragem tem 3 m de largura e 2,4 m de altura, calcule a força contra a comporta quando o nível da água está a 6 m acima de seu topo.

65. Suponha que a comporta do Problema 64 não possa resistir a uma força maior que 100 ton. Qual deve ser a altura da água acima do topo da comporta para quebrá-la?

*66. A extremidade vertical de um tonel é um segmento de parábola côncava para cima que tem 1,2 m até o topo e 2,4 m de profundidade. Qual a força contra essa extremidade quando o tonel está cheio de cerveja pesando 950 kg/m^3?

Seção 7.8

67. Uma força de 18 N estica uma mola de 0,15 m Qual o trabalho realizado ao esticá-la 0,9m?

68. Uma mola puxa com uma força de 31,5 N quando é esticada de seu comprimento natural de 30 cm para um comprimento de 32,5 cm. Qual o trabalho exigido para comprimi-la de um comprimento de 27,5 cm para um comprimento de 17,5 cm?

69. Mostre que o trabalho realizado ao esticar uma mola de comprimento natural L, de um comprimento a para um comprimento b ($L < a < b$), é igual à quantidade do esticamento $(b - a)$ vezes a tensão na mola quando seu comprimento é $\frac{1}{2}(a + b)$.

70. Um saco de areia é erguido à taxa constante de 0,9 m/s por 10 segundos. No início, o saco contém 45 kg de areia, mas a areia vaza à taxa de 2 kg/s. Qual o trabalho realizado para erguer o saco de areia?

71. Se um certo gás num cilindro obedece a uma lei adiabática do gás da forma $pV^{5/3} = c$ e se inicialmente ocupa 64 in^3 a uma pressão de 128 lb/in^2, calcule o trabalho que realiza no pistão ao expandir 8 vezes seu volume inicial.

72. Calcule o trabalho realizado para comprimir 29 m^3 de ar a uma pressão de 18 N/m^2 para 7 m^3 se o ar obedece à Lei Adiabática dos Gases $pV^{1,4} = c$.

73. Generalize o Problema 72 calculando o trabalho realizado ao comprimir ar do volume inicial V_1 e pressão p_1 para o volume V_2, assumindo a Lei Adiabática dos Gases $pV^{1,4} = c$.

*74. Uma bóia cônica que pesa B quilogramas flutua em pé na água com seu vértice a metros abaixo da superfície. Se o topo da bóia está $\frac{1}{3}a$ metros fora da água, qual o trabalho realizado ao empurrar a bóia para baixo até que seu topo (base do cone) esteja exatamente na superfície da água?

*75. Uma bóia esférica de raio a metros que pesa B quilogramas tem exatamente a densidade w da água, de modo que ela flutua quando seu topo toca a superfície. Um guindaste numa doca levanta a bóia até que saia da água. Qual o trabalho realizado?

76. Se dois elétrons são mantidos fixos nos pontos $x = 0$ e $x = -1$ sobre o eixo x, calcule o trabalho realizado ao mover um terceiro elétron ao longo do eixo x de $x = 4$ a $x = 1$.

77. Imagine um cabo de mina muito profunda estendendo-se até a metade do raio da Terra $D = \frac{1}{2}R$ (ignore todas as dificuldades práticas causadas pela constituição interna da Terra). Um objeto cujo peso é w na superfície é erguido da base da mina ao topo. Sob a hipótese de que o peso permanece constante durante o percurso, o trabalho realizado seria wD. Mostre que o trabalho realizado durante esse processo é realmente $\frac{3}{4}wD$, levando em conta o fato de que a força da gravidade abaixo da superfície da Terra é proporcional à distância de seu centro.

78. Um reservatório tem a forma do paraboloide de revolução obtido girando $y = x^2$ ($0 \leqslant x \leqslant \sqrt{5}$) ao redor do eixo y. Se ele está cheio de água, qual o trabalho exigido para esvaziá-lo, bombeando a água para fora?

79. Suponha que um barril cilíndrico de diâmetro 0,9 m e altura 1,5 m esteja com água a uma altura de 0,6 m e, depois, acima da água, com 0,6 m de óleo que pesa 800 kg/m^3. Calcule o trabalho realizado para bombear a água e o óleo por sobre a borda do barril.

80. Um reservatório hemisférico suspenso de raio 2,4 m está cheio de água. Se um buraco é feito na base circular, calcule o trabalho realizado pela gravidade para esvaziar o tanque.

81. Dois cabos estão pendurados lado a lado no teto de um ginásio. O primeiro é um cabo elástico de comprimento L e o segundo é inelástico e tem comprimento $2L$. Quando dois ginastas de mesmo peso descem por esses cabos, o peso do primeiro estica o cabo para um comprimento total de $2L$. Mostre que, quando os dois ginastas sobem de volta ao teto, o primeiro realiza somente $\frac{3}{4}$ do trabalho realizado pelo segundo.

CAPÍTULO

8

FUNÇÕES EXPONENCIAIS E LOGARÍTMICAS

8.1 INTRODUÇÃO

Nosso principal objetivo neste capítulo é aprender a trabalhar, com sucesso, com a integral indefinida

$$\int \frac{dx}{x}. \tag{1}$$

Como veremos, esse objetivo obriga-nos a estudar as particulares funções exponenciais e logarítmicas

$$y = e^x \quad \text{e} \quad y = \log_e x. \tag{2}$$

A letra e utilizada nessas funções denota o número mais importante da Matemática depois do π. Na forma decimal, é um decimal infinito aperiódico de cuja expansão se conhecem centenas de milhares de casas decimais. Os primeiros algarismos são

$$2{,}7182 \ldots$$

A verdadeira razão de nosso interesse é que a integral (1) e as funções (2) aparecem numa grande variedade de problemas que envolvem crescimento populacional, desintegração radiativa, velocidades de reações químicas, circuitos elétricos e muitos outros fenômenos da Física, Química, Biologia, Geologia e virtualmente qualquer ciência que utilize métodos quantitativos, incluindo Economia, Meteorologia, Oceanografia e até mesmo Arqueologia. Essa integral e essas funções são também indispensáveis em muitos ramos da Matemática pura.

A fim de alcançar uma compreensão clara de por que o número e e as funções (2) têm tanta importância, é desejável ampliar um pouco o contexto e considerar as funções exponenciais e logarítmicas mais gerais

$$y = a^x \qquad e \qquad y = \log_a x,$$

onde a é uma constante positiva $\neq 1$. É por aqui que começamos e, adotando esse enfoque, esperamos que fique perfeitamente claro que iremos utilizar e em lugar de a por uma questão de conveniência e simplicidade.

8.2 REVISÃO DE EXPOENTES E LOGARITMOS

Agora, por certo, os estudantes já têm habilidade de operar com expoentes e talvez com logaritmos definidos em termos de exponenciais. No entanto, revisaremos resumidamente as principais definições e fatos aproveitando a maneira pela qual aparecem no enfoque tradicional.

Consideramos expressões da forma a^x, onde $a > 0$ e x é um número real qualquer. É fácil explicar exatamente o que significa a^x quando x é um inteiro e pressupomos que os estudantes tenham noção dessa explicação. O que se segue é um breve lembrete:

$$\text{se } n > 0, \text{ então } a^n = a \cdot a \cdots a \, (n \text{ fatores}), \quad a^0 = 1, \quad a^{-n} = \frac{1}{a^n};$$

$a^m a^n = a^{m+n}$.   ex. $a^2 a^3 = (a \cdot a)(a \cdot a \cdot a) = a \cdot a \cdot a \cdot a \cdot a = a^5;$

$\dfrac{a^m}{a^n} = a^{m-n}$,   ex. $\dfrac{a^5}{a^3} = \dfrac{a \cdot a \cdot a \cdot a \cdot a}{a \cdot a \cdot a} = \dfrac{a \cdot a \cdot a}{a \cdot a \cdot a} \cdot \dfrac{a \cdot a}{1} = a \cdot a = a^2;$

$(a^m)^n = a^{mn}$,   ex. $(a^3)^2 = (a \cdot a \cdot a)(a \cdot a \cdot a) = a \cdot a \cdot a \cdot a \cdot a \cdot a = a^6.$

Na Seção 3.4 resumimos o significado de expoentes fracionários; repetimos aqui o essencial desse resumo. Se $r = p/q$ é uma fração irredutível com $q > 0$, então, por definição,

$$a^r = a^{p/q} = (\sqrt[q]{a})^p, \tag{1}$$

onde $\sqrt[q]{a}$ é o único número positivo cuja q-ésima potência é igual a a.

Se o expoente x for um número irracional, então aparecem as dificuldades que os estudantes podem não notar se não as mencionarmos. Por exemplo, o que significa a expressão $2^{\sqrt{2}}$? É claro que não faz sentido multiplicar 2 por ele mesmo $\sqrt{2}$ vezes. E também, como $\sqrt{2}$ não pode ser escrito como uma fração, a definição (1) é inútil. $2^{\sqrt{2}}$ é um número definido com um valor específico? A resposta é *sim*. Mas isto não é de modo algum óbvio. Um modo natural de agir é usar o fato de que todo número irracional pode ser aproximado tanto quanto se queira por números racionais. Podemos portanto definir a^x por meio de

$$a^x = \lim_{r \to x} a^r,$$

onde r tende a x assumindo valores racionais. Essa maneira de definir a^x quando x é irracional é satisfatória do ponto de vista lógico; no entanto, é uma tarefa longa e tediosa provar rigorosamente que tudo funciona como esperamos e que as leis familiares dos expoentes permanecem válidas. Deixamos de lado esses detalhes enfadonhos e simplesmente nos fixamos no resultado final, aceitando que as leis dos expoentes continuam a valer:

$$a^{x_1} a^{x_2} = a^{x_1+x_2}, \quad \frac{a^{x_1}}{a^{x_2}} = a^{x_1-x_2}, \quad (a^{x_1})^{x_2} = a^{x_1 x_2},$$

onde x_1 e x_2 são números reais arbitrários.

A próxima etapa natural nesse desenvolvimento é examinar as propriedades da *função exponencial geral* $y = a^x$. Aqui, de novo, enunciamos simplesmente os fatos importantes sem fazer qualquer tentativa de discutir os detalhes lógicos de como esses fatos possam ser estabelecidos. Como acima, pressupomos que a seja uma constante positiva e também que $a \neq 1$. O caso $a = 1$ não tem interesse, pois $1^x = 1$ para todo x. Vamos supor primeiro que $a > 1$. Então $y = a^x$ é uma função contínua de x; é crescente; seus valores são todos positivos e tem as propriedades

$$\lim_{x \to -\infty} a^x = 0 \quad \text{e} \quad \lim_{x \to \infty} a^x = \infty. \tag{2}$$

Para esboçar o gráfico, assinalamos o sistema cartesiano alguns pontos correspondentes a diversos valores inteiros de x, positivos e negativos, e daí ligamos esses pontos por uma curva suave (Fig. 8.1).

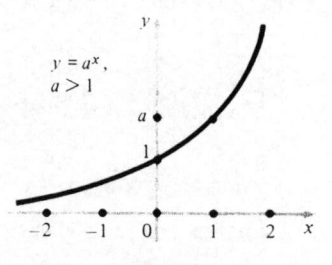

Figura 8.1

No caso em que $a < 1$, $y = a^x$ é uma função decrescente e seu gráfico tem a forma mostrada na Fig. 8.2.

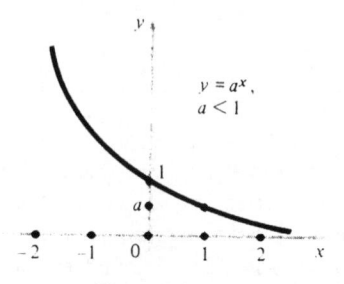

Figura 8.2

Tendo toda essa informação acerca de expoentes conhecida e assimilada, é muito fácil definir logaritmo e obter algumas de suas propriedades. Em termos dos mais primitivos, logaritmo é um expoente. Assim, do fato de que $100 = 10^2$ temos que 2 é o logaritmo de 100 na base 10 (escreve-se $2 = \log_{10} 100$); de $4 = 64^{1/3}$ dizemos que $1/3$ é o logaritmo de 4 na base 64 ($1/3 = \log_{64} 4$).

De maneira geral, as propriedades dos expoentes discutidas acima mostram nitidamente que se a é uma constante positiva $\neq 1$, então a cada x positivo corresponde um único y tal que $x = a^y$. Escrevemos na forma $y = \log_a x$ e o chamamos de *logaritmo de x na base a*. Conseqüentemente,

$$y = \log_a x \quad \text{tem o mesmo significado que} \quad x = a^y \tag{3}$$

no sentido de que qualquer uma das duas equações expressa uma mesma relação entre x e y. A primeira está escrita em uma forma resolvida para y e a segunda, em uma forma resolvida para x. Podemos enunciar o dito acima de maneira um pouco diferente dizendo que o símbolo "$\log_a$" foi criado com o objetivo específico de possibilitar resolver a equação $x = a^y$ em termos de y.

As propriedades básicas dos logaritmos são traduções diretas de propriedades correspondentes dos expoentes. Assim, se $x_1 = a^{y_1}$ e $x_2 = a^{y_2}$, então $x_1 x_2 = a^{y_1} a^{y_2} = a^{y_1 + y_2}$. Mas $y_1 = \log_a x_1$ e $y_2 = \log_a x_2$, logo temos

$$\log_a x_1 x_2 = \log_a x_1 + \log_a x_2.$$

Analogamente,

$$\log_a \frac{x_1}{x_2} = \log_a x_1 - \log_a x_2$$

e

$$\log_a x^b = b \log_a x,$$

onde b é um número real qualquer. Além disso, de (3) podemos concluir que

$$a^{\log_a x} = x \quad \text{e} \quad \log_a a^x = x.$$

Observamos também que os fatos particulares

$$\log_a 1 = 0 \quad \text{e} \quad \log_a a = 1, \ a \neq 1,$$

são equivalentes a $1 = a^0$ e $a = a^1$.

Ao estudar a *função logaritmo*

$$y = \log_a x, \tag{4}$$

pensamos conscientemente em x e y como variáveis em vez de simples números. Nosso ponto de partida é o fato de que (4) é equivalente a $x = a^y$. É claro a partir disso que x deve ser positivo a fim de que y exista, e assim (4) é definida somente para $x > 0$. O gráfico de (4) é fácil de se obter a partir do gráfico de $x = a^y$, trocando-se os eixos, como mostramos na Fig. 8.3 para o caso $a > 1$.

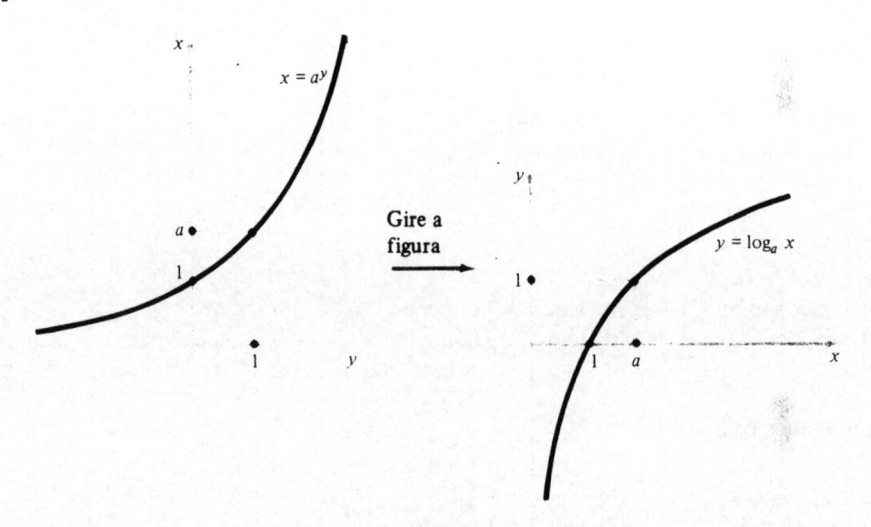

Figura 8.3

Nesse caso, $y = \log_a x$ é evidentemente uma função contínua crescente de x. Os aspectos dessa função que correspondem às propriedades (2) são

$$\lim_{x \to 0+} \log_a x = -\infty \quad \text{e} \quad \lim_{x \to \infty} \log_a x = \infty.$$

O logaritmo mais conveniente para cálculos numéricos reais é o logaritmo na base 10, chamado *logaritmo comum*. Os logaritmos comuns foram largamente usados por engenheiros, cientistas e estudantes. Tais usos diminuíram bastante em nossa época de computadores e calculadoras manuais. Entretanto, as mudanças tecnológicas modernas nos hábitos de calcular das pessoas não abalaram em nada a importância do logaritmo como *função*; ele permanece indispensável nas partes teóricas da Matemática e nas aplicações. São essas aplicações teóricas que nos interessam neste capítulo.

Problemas

1. Exprima em termos de logaritmos:

   (a) $4^2 = 16$; (b) $3^4 = 81$;
   (c) $81^{0,5} = 9$; (d) $32^{4/5} = 16$.

2. Exprima em termos de expoentes:

   (a) $\log_{10} 10 = 1$; (b) $\log_2 8 = 3$;
   (c) $\log_5 \frac{1}{25} = -2$; (d) $\log_6 216 = 3$.

3. Calcule:

   (a) $\log_{10} 10.000$; (b) $\log_2 64$;
   (c) $\log_{10} 0,0001$; (d) $\log_8 4$.

4. Resolva para x:

   (a) $\log_4 x = 3,5$; (b) $\log_8 x = \frac{2}{3}$;
   (c) $\log_3 x = 5$; (d) $\log_{32} x = 0,6$.

5. Determine a base a:

   (a) $\log_a 4 = 0,4$; (b) $\log_a 8 = -\frac{3}{4}$;
   (c) $\log_a 36 = 2$; (d) $\log_a 7 = \frac{1}{2}$.

6. Se $y = \log(x + \sqrt{x^2 - 1})$, mostre que $x = \frac{1}{2}(a^y + a^{-y})$.

7. Mostre que $\log_a(x + \sqrt{x^2 - 1}) = -\log_a(x - \sqrt{x^2 - 1})$.

8. A intensidade M de um terremoto medida na escala Richter é um número que varia de $M = 0$ até $M = 8,9$ para o maior terremoto conhecido. M é dada pela fórmula empírica

$$M = \frac{2}{3} \log_{10} \frac{E}{E_0},$$

onde E é a energia liberada no terremoto em kilowatt-hora e $E_0 = 7 \times 10^{-3}$ KWh.

(a) Quanta energia é liberada num terremoto de grandeza 6?

(b) Uma cidade com 300.000 habitantes utiliza cerca de 3×10^5 kilowatt-hora (KWh) de energia elétrica por dia. Se a energia de um terremoto pudesse ser de alguma forma transformada em energia elétrica, quantos dias de fornecimento de energia elétrica para essa cidade seriam produzidos pelo terremoto da questão (a)?

(c) O grande terremoto do Alasca (1964) teve uma grandeza de 8,4 na escala Richter. Responda a questão (b) para esse terremoto. Sugestão: $10^{3/5}$ é aproximadamente igual a 4.

9. Em química, o pH de uma solução é definido pela fórmula pH = $-\log_{10}[H^+]$, onde $[H^+]$ denota a concentração de íon de hidrogênio medida em moles por litro*. (Um mol – ou peso molecular grama – de uma substância contém 6×10^{23} moléculas da substância.) O valor de $[H^+]$ para a água pura é encontrado experimentalmente como sendo $1,00 \times 10^{-7}$.

(a) Qual o pH da água pura?

(b) Uma solução chama-se *ácida* ou *básica* (*alcalina*), conforme o valor de sua $[H^+]$ seja maior ou menor que a da água pura. Quais os pH que caracterizam as soluções ácidas e básicas?

8.3 O NÚMERO e E A FUNÇÃO $y = e^x$

O número e é definido com freqüência pelo limite

$$e = \lim_{n \to \infty} \left(1 + \frac{1}{n}\right)^n. \tag{1}$$

Essa definição tem a vantagem da brevidade, mas a desvantagem séria de não lançar qualquer luz sobre o significado de número tão importante. Preferimos definir e de um modo diferente, de forma a revelar tão claramente quanto possível o porquê desse número ser fundamental. Depois obteremos (1) simplesmente como uma dentre várias fórmulas explícitas para e que pode ser utilizada de muitas maneiras.

Nosso objetivo nesta seção é estudar uma função $y = f(x)$ que não se altera com a derivação:

$$\frac{d}{dx} f(x) = f(x). \tag{2}$$

---

* O símbolo pH é uma abreviação da expressão francesa *puis-sance d'Hydrogène* (potência de Hidrogênio).

Está longe de ser óbvio que tal função exista. Não contamos o caso trivial $f(x) = 0$. Como veremos, a função procurada será uma das funções exponenciais $y = a^x$ para $a > 1$. O significado central do número e pode ser agora enunciado como se segue: é o valor específico da base a para o qual a função $f(x) = a^x$ tem a propriedade (2). Dessa maneira compreendemos o objetivo a que serve o número e. No entanto, devemos ainda dar uma definição satisfatória e mostrar, tão simplesmente quanto possível, que essa definição alcançará o objetivo estabelecido.

Vamos calcular a derivada de $f(x) = a^x$ e ver o que acontece. Como é costume, ao derivar um novo tipo de função, lançamos mão da definição de derivada,

$$\frac{d}{dx} f(x) = \lim_{\Delta x \to 0} \frac{f(x + \Delta x) - f(x)}{\Delta x}.$$

Será conveniente denotarmos aqui o incremento em x pela letra h em vez do familiar Δx (Fig. 8.4).

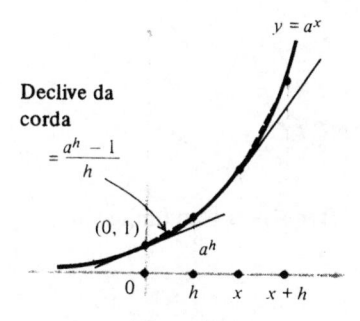

Figura 8.4

$$\frac{d}{dx} a^x = \lim_{h \to 0} \frac{a^{x+h} - a^x}{h} = \lim_{h \to 0} \frac{a^x a^h - a^x}{h}$$

$$= \lim_{h \to 0} \left(a^x \frac{a^h - 1}{h} \right) = a^x \left(\lim_{h \to 0} \frac{a^h - 1}{h} \right). \tag{3}$$

A Fig. 8.4 mostra que a quantidade entre parênteses no membro direito de (3) é o coeficiente angular da reta tangente à curva $y = a^x$ no ponto $(0, 1)$. Se esse coeficiente angular for igual a 1, o membro direito de (3) se reduzirá a a^x, e essa função particular a^x terá a propriedade (2). Isto nos leva a nossa definição: e é o valor específico da base a que produz esse resultado, isto é,

$$e \text{ é o número tal que } \lim_{h \to 0} \frac{e^h - 1}{h} = 1. \tag{4}$$

Podemos obter um discernimento considerável sobre a natureza do número e esboçando o gráfico de $y = a^x$ para os casos $a = 1,5$, $a = 2$, $a = 3$ e $a = 10$ (Fig. 8.5).

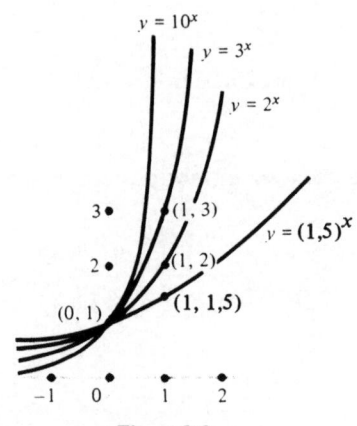

Figura 8.5

Essas curvas mostram que quando a base a cresce continuamente de números próximos de 1 para números maiores, o coeficiente angular da tangente a $y = a^x$ no ponto $(0, 1)$ cresce continuamente de valores próximos de 0 para valores maiores; assim esse coeficiente angular é exatamente igual a 1, para algum valor de a, $a > 1$. Esse valor é e; esperamos que os estudantes concordem que é geometricamente claro a partir dessas observações que e existe. A seguir, assinalamos os pontos correspondentes a $x = 1$ nas diferentes curvas, a fim de salientar que os coeficientes angulares das cordas que unem aqueles pontos a $(0, 1)$ são $1/2$, 1 e 2. Esta é uma evidência geométrica conclusiva de que a declividade da tangente em $(0, 1)$ é < 1 para os casos $a = 1,5$ e $a = 2$, e é > 1 para o caso $a = 3$; portanto e é certamente > 2 e provavelmente < 3.

Na Fig. 8.6 mostramos o gráfico de $y = e^x$ com a ênfase colocada em suas características definidoras: é o único membro da família das funções exponenciais $y = a^x$ $(a > 1)$ cuja reta tangente no ponto $(0, 1)$ tem declividade igual a 1.

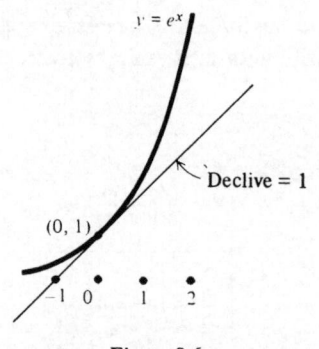

Figura 8.6

A função $y = e^x$ é, muitas vezes, considerada *a* função exponencial, para distingui-la de suas parentes menos importantes.

Podemos investigar o número e com maior precisão, notando que (4) revela que

$$\frac{e^h - 1}{h} \text{ é aproximadamente igual a 1}$$

e que essa aproximação torna-se cada vez melhor quando h tende a 0. Assim, por manipulações simples, obtemos

$$\frac{e^h - 1}{h} \cong 1, \quad e^h - 1 \cong h, \quad e^h \cong 1 + h, \quad e \cong (1 + h)^{1/h},$$

e, finalmente,

$$e = \lim_{h \to 0} (1 + h)^{1/h}. \tag{5}$$

Em palavras: e é o limite da soma de 1 mais um pequeno número elevada ao inverso do pequeno número, quando esse pequeno número tende a 0. Escrevendo $h = 1/n$, onde n é entendido como sendo um número inteiro positivo que $\to \infty$ quando $h \to 0$, (5) será então

$$e = \lim_{n \to \infty} \left(1 + \frac{1}{n}\right)^n,$$

que é (1). Essa fórmula nos dá o instrumento necessário para calcular com muita facilidade aproximações grosseiras de e, atribuindo a n valores crescentes e colocando os resultados em uma tabela.

n	$\left(1 + \frac{1}{n}\right)^n$
1	2
2	$\frac{9}{4} = 2\frac{1}{4} = 2{,}25$
3	$\frac{64}{27} = 2\frac{10}{27} = 2{,}370$
4	$\frac{625}{256} = 2\frac{113}{256} = 2{,}441$

No entanto, este é um processo lento e o valor de e foi calculado com grande precisão por outros métodos mais eficientes. Com 15 casas decimais temos

$$e = 2{,}718281828459045\ldots \text{*}$$

Muitas propriedades notáveis de e foram descobertas no decorrer dos séculos. Por exemplo, sabemos que e é irracional e, mais que isto, não é nem mesmo uma raiz de qualquer equação polinomial com coeficientes racionais.

No entanto, não devemos nos esquecer de nosso objetivo inicial nesta seção, que é o de estudar uma função que permanece inalterada com a derivação. Já demos até agora um bom início, no sentido de que entendemos o significado da afirmação e estabelecemos sua validade:

$$\frac{d}{dx} e^x = e^x. \qquad (6)$$

Uma afirmação equivalente é que $y = e^x$ satisfaz a equação diferencial

$$\frac{dy}{dx} = y.$$

Qualquer função $y = c\, e^x$ também satisfaz essa equação, pois

$$\frac{dy}{dx} = \frac{d}{dx}(ce^x) = c\frac{d}{dx} e^x = ce^x = y.$$

Além disso, afirmamos que estas são as *únicas* funções que são iguais a suas derivadas. Para provar isto, suponha que $y = f(x)$ seja qualquer função com essa propriedade, isto é, $f'(x) = f(x)$. Derivando a função formada por $f(x)/e^x$, obtemos:

$$\frac{d}{dx}\left[\frac{f(x)}{e^x}\right] = \frac{e^x f'(x) - f(x) e^x}{e^{2x}} = \frac{e^x f(x) - f(x) e^x}{e^{2x}} = 0.$$

---

* Muitas pessoas memorizam algumas casas decimais de e, agrupando os dígitos

$$2{,}7\ 1828\ 1828\ 45\ 90\ 45,$$

para visualizar. Dessa maneira o 1828 se repete seguido de 45, depois o dobro de 45 e novamente 45.

Isto implica que $f(x)/e^x = c$, onde c é constante; logo, $f(x) = ce^x$, como foi afirmado.

Pela regra da cadeia (6) se generaliza imediatamente para

$$\frac{d}{dx} e^u = \frac{de^u}{du} \frac{du}{dx} = e^u \frac{du}{dx}, \tag{7}$$

onde $u = u(x)$ é uma função qualquer derivável de x.

Exemplo 1 Em vista de (7), as seguintes derivadas são óbvias:

$$\frac{d}{dx} e^{4x} = 4e^{4x}, \quad \frac{d}{dx} e^{x^2} = 2xe^{x^2}, \quad \frac{d}{dx} e^{1/x} = \left(-\frac{1}{x^2}\right) e^{1/x}.$$

Escrevendo (7) na forma diferencial, $d(e^u) = e^u du$, e lembrando que a integração é a operação da diferenciação, obtemos a fórmula de integração

$$\int e^u \, du = e^u + c. \tag{8}$$

Exemplo 2 Para integrar $\int e^{5x} dx$, escrevemos

$$\int e^{5x} \, dx = \tfrac{1}{5} \int e^{5x} \, d(5x) = \tfrac{1}{5} e^{5x} + c,$$

onde $5x$ exerce o papel de u na fórmula (8). Esse problema é tão simples que não há necessidade de fazer uso explícito do método de substituição. Basta ter em mente o que (8) indica e fazer os ajustes necessários, como indicado.

Exemplo 3 A integral

$$\int \frac{9xe^{\sqrt{3x^2+2}} \, dx}{\sqrt{3x^2+2}}$$

é mais complicada. Nossa única esperança é que (8) nos ajude; logo, escrevemos

$$u = \sqrt{3x^2 + 2} = (3x^2 + 2)^{1/2}$$

e

$$du = \tfrac{1}{2}(3x^2 + 2)^{-1/2}\, 6x\, dx = \frac{3x\, dx}{\sqrt{3x^2 + 2}}.$$

Essa substituição (ou mudança de variável) permite-nos exprimir a integral dada de uma forma muito mais simples e, assim disso, terminar o cálculo:

$$\int \frac{9xe^{\sqrt{3x^2+2}}\, dx}{\sqrt{3x^2 + 2}} = 3\int e^u\, du = 3e^u + c = 3e^{\sqrt{3x^2+2}} + c.$$

Os estudantes devem observar que a aparência complicada da integral dada é apenas um disfarce ocultando o tipo relativamente mais simples mostrado em (8). Aprender a arte da integração é principalmente aprender a ver o tipo através do disfarce.

Exemplo 4 *Juros compostos continuamente.* Se P unidades monetárias são depositadas em um banco que paga uma taxa de juros de 8 por cento ao ano, compostos semestralmente, então, após t anos, o montante acumulado é

$$A = P(1 + 0{,}04)^{2t}.$$

De maneira geral, se a taxa de juros é $100x$ por cento ($x = 0{,}08$, quando se diz 8 por cento) e se esse juro é agregado ao capital n vezes ao ano, então após t anos o montante acumulado é

$$A = P\left(1 + \frac{x}{n}\right)^{nt}.$$

Se agora n é aumentado indefinidamente, de modo a fazer com que o juro seja composto com freqüência cada vez maior, então nos aproximamos do caso-limite de juros compostos continuamente. Para achar a fórmula de A nessas circunstâncias, observamos que (5) nos dá

$$\left(1 + \frac{x}{n}\right)^{nt} = \left[\left(1 + \frac{x}{n}\right)^{n/x}\right]^{xt} \to e^{xt},$$

e assim

$$A = Pe^{xt}. \tag{9}$$

O juro composto ordinário produz crescimento do capital em saltos no final de cada período. Em contraste com essa forma vemos, a partir de (9), que juros compostos continuamente produzem crescimento contínuo e regular de um tipo chamado *crescimento exponencial*. Nas Seções 8.5 e 8.6 discutiremos vários exemplos adicionais de crescimento exponencial que relatam fenômenos das ciências naturais.

Observação 1 A função e^x cresce muito rapidamente quando x cresce; de fato, ela cresce mais rapidamente que x^p qualquer que seja o expoente positivo p, não importando quão grande seja, no sentido de que

$$\lim_{x \to \infty} \frac{e^x}{x^p} = \infty.$$

Um esboço de demonstração para o caso em que p seja um inteiro positivo é dado nos Problemas Suplementares 18 a 20.

Observação 2 Deduzimos a existência dos limites (1) e (5) a partir da definição de e dada em (4). No entanto, essa definição é, ela mesma, de natureza altamente geométrica, e alguns matemáticos poderiam tender a não aceitar todo nosso enfoque dessas idéias por ser "raciocínio conduzido pela fé". Para apazigar tais críticos, e também para os eventuais estudantes que estejam interessados, damos uma demonstração independente da existência desses limites no Apêndice B.7.

Problemas

Nos Problemas de 1 a 10, calcule a derivada dy/dx da função dada.

1. $y = \frac{1}{2}(e^x + e^{-x})$.
2. $y = \frac{1}{2}(e^x - e^{-x})$.
3. $y = x^2 e^x$.
4. $y = x^2 e^{-x^2}$.
5. $y = e^{e^x}$.
6. $y = x^e + e^x$.
7. $y = \dfrac{ax - 1}{a^2} e^{ax}$.
8. $y = (3x + 1)e^{-3x}$.
9. $y = (2x^2 - 2x + 1)e^{2x}$.
10. $y = e^{1/x^2} + 1/e^{x^2}$.

Calcule as integrais nos Problemas de 11 a 16.

11. $\int e^{3x}\,dx$.

12. $\int xe^{-x^2}\,dx$.

13. $\int e^{(1/5)x}\,dx$.

14. $\int \dfrac{3dx}{e^{2x}}$.

15. $\int 6x^2 e^{x^3}\,dx$.

16. $\int \dfrac{e^{\sqrt{x}}\,dx}{\sqrt{x}}$.

17. Esboce o gráfico de cada uma das seguintes funções e determine os pontos de máximo, de mínimo e os pontos de inflexão:

   (a) $y = e^{-x^2}$;   (b) $y = xe^{x/3}$.

18. Determine a base do maior retângulo que repousa sobre o eixo x e tem os vértices superiores sobre a curva $y = e^{-x^2}$.

19. Esboce a curva $y = \dfrac{1}{2}(e^x + e^{-x})$ e calcule seu comprimento de $x = 0$ a $x = b$ ($b > 0$).

20. Gira-se o arco do Problema 19 ao redor do eixo x. Calcule a área da superfície de revolução gerada dessa maneira.

21. Uma partícula se move no eixo x de modo a que sua posição x no instante t seja dada por $x = Ae^{kt} + Be^{-kt}$, onde A, B e k são constantes. Mostre que a partícula se afasta da origem movida por uma força proporcional a sua distância da origem. Sugestão: utilize a Segunda Lei de Newton, $F = ma$.

22. Se a tangente a $y = e^x$ no ponto $x = x_0$ intercepta o eixo x em $x = x_1$, mostre que $x_0 - x_1 = 1$.

23. Esboce o gráfico de $y = e^{-x}$, calcule a área sob essa curva de $x = 0$ a $x = b$ ($b > 0$) e determine o limite ao qual tende essa área quando $b \to \infty$.

24. Verifique que $y = e^{-x}$ e $y = e^{2x}$ são ambas soluções da equação diferencial $y'' - y' - 2y = 0$.

25. Calcule os seguintes limites:

(a) $\lim\limits_{n\to\infty} \left(1 + \dfrac{1}{2n}\right)^{2n}$;

(b) $\lim\limits_{n\to\infty} \left(1 + \dfrac{1}{3n+1}\right)^{3n+1}$;

(c) $\lim\limits_{n\to\infty} \left(1 + \dfrac{1}{n^2}\right)^{n^2}$;

(d) $\lim\limits_{n\to\infty} \left(1 + \dfrac{1}{n}\right)^{2n}$;

(e) $\lim\limits_{n\to\infty} \left(1 + \dfrac{1}{2n}\right)^{n}$.

26. Utilize o argumento do Exemplo 4, para obter a fórmula

$$e^x = \lim_{n\to\infty} \left(1 + \frac{x}{n}\right)^n.$$

8.4 A FUNÇÃO LOGARITMO NATURAL $y = \ln x$

Os logaritmos na base 10 – logaritmos comuns – são, com freqüência, ensinados nos colégios, começando com a definição costumeira: para todo número real positivo x, $\log_{10} x$ é o número y para o qual $x = 10^y$. De maneira idêntica, para todo número positivo x, $\log_e x$ é o número y tal que $x = e^y$ (Fig. 8.7, à esquerda).

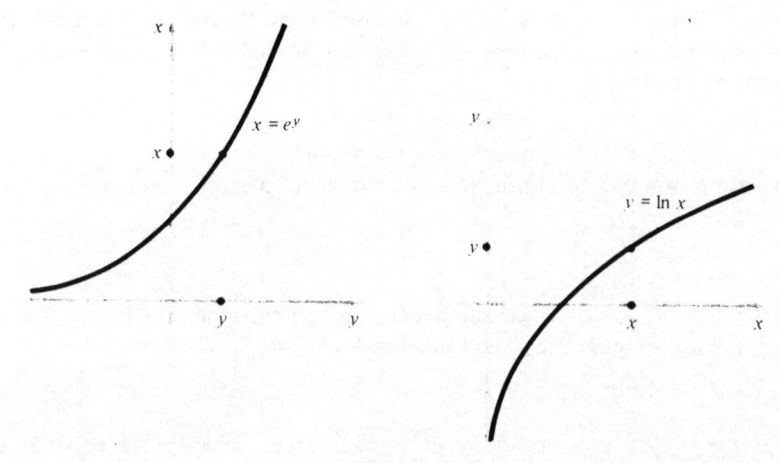

Figura 8.7

O número $\log_e x$ chama-se *logaritmo natural* de x, por motivos que ficarão claros na Observação 2. Em deferência à prática-padrão usamos a notação mais simples $\ln x$, para o logaritmo natural de x. Assim,

$$y = \ln x \text{ tem o mesmo significado que } x = e^y,$$

no sentido de que se trata de uma única equação; primeiro, escrita em forma resolvida para y e, depois, escrita em forma resolvida para x. O gráfico de $y = \ln x$ se obtém por simples giro do gráfico de $x = e^y$ ou pela troca das posições dos eixos (Fig. 8.7, à direita). Exatamente como na Seção 8.2, a função logaritmo natural $y = \ln x$ é definida somente para valores positivos de x e tem as seguintes propriedades familiares:

$$\ln x_1 x_2 = \ln x_1 + \ln x_2 \quad \text{e} \quad \ln \frac{x_1}{x_2} = \ln x_1 - \ln x_2;$$

$$\ln x^b = b \ln x;$$

$$e^{\ln x} = x \quad \text{e} \quad \ln e^x = x;$$

$$\lim_{x \to 0+} \ln x = -\infty \quad \text{e} \quad \lim_{x \to \infty} \ln x = \infty.$$

temos também: $\ln 1 = 0$ e $\ln e = 1$.

Podemos calcular a derivada dy/dx da função $y = \ln x$ muito facilmente, derivando $x = e^y$ implicitamente com relação a x:

$$1 = e^y \frac{dy}{dx}, \quad \text{assim} \quad \frac{dy}{dx} = \frac{1}{e^y} = \frac{1}{x}.$$

Isto nos dá a fórmula

$$\frac{d}{dx} \ln x = \frac{1}{x},$$

e temos imediatamente a extensão da regra da cadeia

$$\frac{d}{dx} \ln u = \frac{1}{u} \frac{du}{dx}, \qquad (1)$$

onde u é uma função qualquer de x.

Exemplo 1 Como aplicações diretas de (1), temos

$$\frac{d}{dx}\ln(3x+1) = \frac{1}{3x+1}\frac{d(3x+1)}{dx} = \frac{3}{3x+1},$$

$$\frac{d}{dx}\ln(1-x^2) = \frac{1}{1-x^2}\frac{d(1-x^2)}{dx} = \frac{-2x}{1-x^2},$$

$$\frac{d}{dx}\ln\left(\frac{3x}{2x+1}\right) = \frac{1}{[3x/(2x+1)]}\frac{(2x+1)\cdot 3 - 3x\cdot 2}{(2x+1)^2}$$

$$= \frac{1}{x(2x+1)}.$$

Salientamos que o último cálculo pode ser simplificado, escrevendo primeiro ln $[3x/(2x + 1)]$ = ln 3 + ln x − ln $(2x + 1)$, de modo que

$$\frac{d}{dx}\ln\left(\frac{3x}{2x+1}\right) = \frac{1}{x} - \frac{2}{2x+1} = \frac{1}{x(2x+1)}.$$

A versão diferencial de (1) é $d(\ln u) = du/u$, o que conduz imediatamente à principal fórmula deste capítulo,

$$\int \frac{du}{u} = \ln u + c. \qquad (2)$$

Subentende-se em (2) que u é positivo, pois somente nesse caso ln u tem sentido. Entretanto, é fácil ver que o integrando pode sempre ser escrito com um denominador positivo, por meio de um artifício com os sinais. Assim, se $u < 0$, podemos escrever

$$\int \frac{du}{u} = \int \frac{d(-u)}{-u} = \ln(-u) + c. \qquad (3)$$

Muitos autores cobrem todos os casos escrevendo (2) na forma

$$\int \frac{du}{u} = \ln|u| + c.$$

Entretanto, não faremos isto, já que muitas aplicações exigem uma rápida transição de logaritmos para exponenciais e a presença do sinal de valor absoluto interfere na suavidade da realização desse processo. Preferimos utilizar (2) como está e lembrar, como fizemos, que u deve ser positivo. Em situações em que u é negativo fazemos facilmente os pequenos ajustes indicados em (3).

Os estudantes recordarão que a fórmula fundamental da integração

$$\int u^n \, du = \frac{u^{n+1}}{n+1} + c, \qquad n \neq -1,$$

tinha uma exceção, ou seja, não vale para $n = -1$. A fórmula (2) preenche agora essa lacuna, pois ela revela que

$$\int u^{-1} \, du = \int \frac{du}{u} = \ln u + c.$$

Exemplo 2 As seguintes aplicações de (2) são fáceis de realizar por inspeção:

$$\int \frac{dx}{x+1} = \ln(x+1) + c,$$

$$\int \frac{dx}{1-2x} = -\frac{1}{2} \int \frac{-2dx}{1-2x} = -\frac{1}{2} \ln(1-2x) + c,$$

$$\int \frac{3x^3 \, dx}{x^4+1} = \frac{3}{4} \int \frac{4x^3 \, dx}{x^4+1} = \frac{3}{4} \ln(x^4+1) + c.$$

Em problemas mais complicados é desejável fazer uma substituição explícita ou uma mudança de variável, a fim de diminuir a possibilidade de aparecimento de erro acidental.

Na Seção 5.4 discutimos o método da separação de variáveis para resolver equações diferenciais. A equação

$$\frac{dy}{dx} = ky \tag{4}$$

é uma das mais simples e importantes à qual esse método pode ser aplicado. Damos aqui os detalhes desse procedimento porque essas mesmas idéias serão utilizadas com freqüência nas duas próximas seções e porque quanto mais cedo os estudantes se familiarizarem completamente com elas, melhor:

$$\frac{dy}{y} = k\,dx, \qquad \int \frac{dy}{y} = \int k\,dx, \qquad \ln y = kx + c_1,$$

$$y = e^{kx+c_1} = e^{c_1} e^{kx},$$

e finalmente

$$y = ce^{kx},$$

onde c é simplesmente uma notação mais conveniente para a constante e^{c_1}. De nosso ponto de vista, as funções exponencial e logarítmica encontram sua principal razão de ser na possibilidade que elas abrem para se resolver a equação diferencial (4) dessa maneira suave e direta. É também claro a partir dos cálculos feitos acima que essas funções andam juntas como as duas faces da mesma moeda; não se pode gastar um lado sem se gastar também o outro.

As próximas seções serão preenchidas com muitas aplicações da equação (4) a vários campos da ciência. Esperamos que os estudantes concordem que essas aplicações justificam plenamente a atenção que demos a essa equação diferencial e às funções que a resolvem.

Observação 1 Sabemos que $\ln x \to \infty$ quando $x \to \infty$. Essa propriedade do logaritmo é ilustrada à direita da Fig. 8.7. Entretanto, o gráfico de $y = \ln x$ sobe muito vagarosamente, pois é imagem refletida do gráfico de $x = e^y$, que cresce rapidamente. Para vermos o quão lentamente a função $y = \ln x$ cresce, basta notar que ela não atinge o nível $y = 10$ antes de $x = e^{10} \cong 22.000$. O fato de $\ln x$ crescer mais lentamente que x é visto por meio do uso de limites:

$$\lim_{x \to \infty} \frac{\ln x}{x} = 0. \tag{5}$$

Poderíamos tentar estimar mais precisamente quão lentamente cresce $\ln x$ comparando-a com uma função menor que x, digamos $\sqrt{x}$ ou $\sqrt[3]{x}$. O fato notável é que $\ln x$ cresce mais lentamente que *qualquer* potência positiva de x:

$$\lim_{x \to \infty} \frac{\ln x}{x^p} = 0, \tag{6}$$

onde p é uma constante positiva qualquer. As demonstrações de (5) e (6) serão indicadas no Problema 13 e no Problema Suplementar 26.

Observação 2   Mencionamos aqui uma outra maneira de ver — com clareza adicional — como o número e aparece em Cálculo, onde, para nossos objetivos, é definido como o limite

$$e = \lim_{h \to 0} (1 + h)^{1/h}. \tag{7}$$

A idéia é calcular a derivada de $\log_a x$ como se o estivéssemos fazendo pela primeira vez na História, com um espírito exploratório, sem qualquer pré-concepção do que a base a "deva" ser. Começamos aplicando a definição de derivada,

$$\frac{d}{dx} \log_a x = \lim_{\Delta x \to 0} \frac{\log_a (x + \Delta x) - \log_a x}{\Delta x}. \tag{8}$$

Nosso próximo passo é manipular a expressão antes de passarmos ao limite, buscando para ela uma forma mais adequada por meio da aplicação das propriedades de logaritmos discutidas na Seção 8.2

$$\frac{\log_a (x + \Delta x) - \log_a x}{\Delta x} = \frac{1}{\Delta x} \log_a \left(\frac{x + \Delta x}{x} \right)$$

$$= \frac{1}{\Delta x} \log_a \left(1 + \frac{\Delta x}{x} \right)$$

$$= \frac{1}{x} \frac{x}{\Delta x} \log_a \left(1 + \frac{\Delta x}{x} \right)$$

$$= \frac{1}{x} \log_a \left(1 + \frac{\Delta x}{x} \right)^{x/\Delta x}.$$

A definição (8) nos dá agora

$$\frac{d}{dx} \log_a x = \lim_{\Delta x \to 0} \left[\frac{1}{x} \log_a \left(1 + \frac{\Delta x}{x} \right)^{x/\Delta x} \right]$$

$$= \frac{1}{x} \lim_{\Delta x \to 0} \left[\log_a \left(1 + \frac{\Delta x}{x} \right)^{x/\Delta x} \right]$$

$$= \frac{1}{x} \log_a \left[\lim_{\Delta x \to 0} \left(1 + \frac{\Delta x}{x} \right)^{x/\Delta x} \right].$$

Mantendo nosso espírito de pesquisa teremos nossa atenção atraída para o limite característico que aparece aqui entre colchetes. É natural simplificar um pouco a estrutura desse limite pondo $h = \Delta x/x$ e reconhecer que $\Delta x \to 0$ é equivalente a $h \to 0$. Agora definimos uma nova constante matemática por meio do limite resultante (7) e obtemos imediatamente

$$\frac{d}{dx} \log_a x = \frac{1}{x} \log_a e. \tag{9}$$

Um dos propósitos permanentes no Cálculo — embora os estudantes possam achar difícil de acreditar — é tornar as fórmulas com as quais trabalhamos o mais simples possível. Como $\log_e e = 1$, é claro que (9) toma sua forma mais simples se a base a for escolhida como sendo o número e:

$$\frac{d}{dx} \log_e x = \frac{1}{x}. \tag{10}$$

A função $\log_e x$ (ou $\ln x$) chama-se logaritmo "natural" porque a fórmula (10) revela que ele é o logaritmo mais conveniente para se utilizar em Cálculo e suas aplicações.

As idéias aqui descritas são as desenvolvidas pelo grande matemático suíço Euler (pronuncia-se "óiler") para descobrir essencialmente tanto o número e como as funções $\ln x$ e e^x, no começo do século XVIII.

Observação 3 Os estudantes devem ser informados de que alguns autores definem a função $\ln x$ pela fórmula

$$\ln x = \int_1^x \frac{dt}{t}. \tag{11}$$

Esses autores estão então obrigados a deduzir todas as propriedades do logaritmo a partir das propriedades dessa integral. Também é necessário que se defina a função exponencial em termos do logaritmo e não de outra maneira. Esse enfoque das idéias expostas neste capítulo tem seus méritos do ponto de vista teórico. Entretanto, para a maioria dos estudantes, exponenciais vêm antes de logaritmos, tão naturalmente como o leite vem antes do queijo. Assim, independentemente de aspectos finos de lógica, é certo que parece perverso e não natural começar nosso assunto com (11) — embora isto possa provocar deleite para a alma de um matemático.

Problemas

1. Simplifique cada uma das seguintes expressões:

   (a) $e^{\ln 2}$;
   (b) $\ln e^3$;
   (c) $e^{-\ln x}$;
   (d) $\ln e^{1/x}$;
   (e) $\ln (1/e^x)$;
   (f) $e^{\ln (1/x)}$;
   (g) $e^{-\ln(1/x)}$;
   (h) $e^{\ln 3 + \ln x}$;
   (i) $\ln e^{\ln 1}$;
   (j) $\ln e \sqrt[3]{e}$;
   (k) $e^{\ln 4 - \ln 3}$;
   (l) $\ln (\ln e)$;
   (m) $e^{3\ln x + 2\ln y}$;
   (n) $e^{3\ln 2}$;
   (o) $e^{3 + \ln 2}$;
   (p) $e^{x + 2\ln x}$.

2. Calcule dy/dx em cada caso.

   (a) $y = \ln (3x + 2)$;
   (b) $y = \ln (x^2 + 1)$;
   (c) $y = \ln (e^x + 1)$;
   (d) $y = \ln (e^x)^3$;
   (e) $y = x \ln x - x$;
   (f) $y = \ln x^2$;
   (g) $y = (\ln x)^2$;
   (h) $y = \ln (3x^2 - 4x + 5)$;
   (i) $y = \dfrac{\ln x}{x}$;
   (j) $y = \ln (\ln x)$;
   (k) $y = \ln (x + \sqrt{x^2 + 1})$.

3. Calcule dy/dx em cada caso.

   (a) $\ln xy + 2x - 3y = 4$;
   (b) $\ln \dfrac{y}{x} - xy = 2$.

4. Calcule dy/dx em cada caso. Sempre que possível, utilize propriedades de logaritmos para simplificar a função antes de derivar. Veja (a) e (b).

   (a) $y = \ln (x\sqrt{x^2 + 1}) = \ln x + \frac{1}{2} \ln (x^2 + 1)$.
   (b) $y = \ln \sqrt{\dfrac{x-1}{x+1}} = \dfrac{1}{2} [\ln (x-1) - \ln (x+1)]$.
   (c) $y = \ln (3x - 2)^4$.
   (d) $y = \ln \left(\dfrac{2x+1}{x+2} \right)$.
   (e) $y = 3 \ln x^4$.
   (f) $y = \ln \dfrac{1}{x}$.
   (g) $y = 3 \ln 152x$.
   (h) $y = 5 \ln 21x + 4 \ln 37x$.
   (i) $y = \ln \sqrt[3]{x^6 + 1}$.
   (j) $y = \dfrac{1}{3} \ln \dfrac{x^3}{x^3 + 1}$.
   (k) $y = \ln [(3x - 7)^4(2x + 5)^3]$.

5. Calcule cada uma das seguintes integrais:

(a) $\int \dfrac{dx}{3x+1}$;

(b) $\int \dfrac{x\,dx}{3x^2+2}$;

(c) $\int \dfrac{3x^2+2}{x}\,dx$;

(d) $\int \dfrac{x+1}{x}\,dx$;

(e) $\int \dfrac{x\,dx}{x+1}$;

(f) $\int \dfrac{x\,dx}{x^2+1}$;

(g) $\int \dfrac{x\,dx}{3-2x^2}$;

(h) $\int \dfrac{(2x-1)\,dx}{x(x-1)}$;

(i) $\int \dfrac{\ln x\,dx}{x}$;

(j) $\int \dfrac{dx}{x\ln x}$;

(k) $\int \dfrac{dx}{\sqrt{x}(\sqrt{x}+1)}$;

(l) $\int \dfrac{e^x - e^{-x}}{e^x + e^{-x}}\,dx$.

6. Sendo c uma constante positiva, mostre que a equação $cx + \ln x = 0$ tem exatamente uma solução. Sugestão: esboce o gráfico de $y = cx + \ln x$ com especial atenção para o comportamento de dy/dx.

7. Mostre que a equação $x = \ln x$ não tem solução

(a) minimizando $y = x - \ln x$;

(b) geometricamente, considerando os gráficos de $y = x$ e $y = \ln x$.

8. Calcule o comprimento da curva $y = \dfrac{1}{2}x^2 - \dfrac{1}{4}\ln x$ entre $x = 1$ e $x = 8$.

9. Esboce o gráfico de $y = x^2 - 18\ln x$. Localize todos os pontos de máximo, de mínimo e de inflexão.

10. A região sob $y = e^{-x}$ de $x = 0$ a $x = \ln 3$ é girada ao redor do eixo x. Calcule o volume gerado dessa maneira.

11. A região sob $y = 1/\sqrt{x}$ de $x = 1$ a $x = 4$ é girada ao redor do eixo x. Calcule o volume gerado dessa maneira.

12. Mostre que a área sob $y = 1/x$ de $x = a$ a $x = b$ $(0 < a < b)$ é a mesma área sob essa curva de $x = ka$ a $x = kb$ para todo $k > 0$.

13. Prove que

$$\lim_{x\to\infty} \frac{\ln x}{x} = 0$$

mostrando, primeiro, que para $x > 1$

$$\ln x = \int_1^x \frac{dt}{t} \le \int_1^x \frac{dt}{\sqrt{t}} = 2(\sqrt{x} - 1).$$

Sugestão: compare os gráficos de $y = 1/t$ e $y = 1/\sqrt{t}$ para $t \ge 1$.

14. Utilize o resultado do Problema 13 para mostrar que

$$\lim_{x\to 0+} x \ln x = 0.$$

Sugestão: mude a variável para $u = 1/x$.

15. Utilize o resultado do Problema 14 para esboçar o gráfico de $y = x \ln x$ para todo $x > 0$. Localize seu mínimo e verifique que o gráfico é sempre côncavo para cima.

16. Esboce o gráfico de $y = (\ln x)/x$ para todo $x > 0$ e localize seu máximo e o ponto de inflexão.

17. A velocidade com que um sinal é transmitido ao longo de um cabo no fundo do oceano é proporcional a $x^2 \ln 1/x$, onde x é a razão entre o raio do núcleo do cabo e o raio de todo o cabo. Que valor de x maximiza a velocidade de transmissão?

18. A *derivação logarítmica* é uma técnica para calcular a derivada de uma função como

$$y = \sqrt[3]{(x+1)(x-2)(2x+7)},$$

que é muito complicada mas cujo logaritmo pode ser escrito numa forma mais simples:

$$\ln y = \tfrac{1}{3}[\ln(x+1) + \ln(x-2) + \ln(2x+7)].$$

Calcule dy/dx, derivando ambos os membros da equação implicitamente com relação a x.

19. Utilize o método do Problema 18 para determinar dy/dx nos seguintes casos:

(a) $y = \dfrac{e^x(x^2-1)}{\sqrt{6x-2}}$;   (b) $y = \sqrt[5]{\dfrac{x^2+3}{x+5}}$.

20. O método da derivação implícita (veja o Problema 18) pode também ser utilizado para derivar funções como $y = x^x$, onde tanto a base como o expoente são variáveis. Assim podemos escrever

$$\ln y = \ln x^x = x \ln x,$$

ou, de modo equivalente,

$$y = e^{x \ln x}.$$

Calcule dy/dx para ambas as equações e use essa derivada para determinar o valor mínimo de $y = x^x$ para $x > 0$. Esboce o gráfico.

21. Use o método do Problema 20 para calcular dy/dx nos seguintes casos:

(a) $y = x^{x^x}$;   (b) $y = \sqrt[x]{x} = x^{1/x}$.

Esboce o gráfico da função (b) e calcule seu valor máximo.

22. No Problema 21(b), o comportamento da função $y = \sqrt[x]{x}$ para x grande mostra que

$$\lim_{n \to \infty} \sqrt[n]{n} = 1.$$

Calcule os limites das seguintes expressões quando $n \to \infty$:

(a) $(\ln n)^{1/n}$;   (b) $(n \ln n)^{1/n}$;

(c) $\left(\dfrac{\ln n}{n}\right)^{1/n}$;   (d) $\left(\dfrac{n}{e^n}\right)^{1/n}$.

23. Obtenha a fórmula do limite $\lim_{x \to 0}(1+x)^{1/x} = e$ usando o fato de que

$$(1+x)^{1/x} = e^{\ln(1+x)/x} = e^{[\ln(1+x) - \ln 1]/x}.$$

24. Se a é um número positivo, mostre que

$$\lim_{x \to 0} \frac{a^x - 1}{x} = \ln a.$$

Sugestão: o limite é um valor de uma determinada derivada.

25. Mostre que

$$\lim_{n \to \infty} n(\sqrt[n]{a} - 1) = \ln a.$$

Sugestão: faça $x = 1/n$ no Problema 24.

8.5 APLICAÇÕES. CRESCIMENTO POPULACIONAL E DECAIMENTO RADIATIVO

Como enfatizamos na Seção 8.1, nosso principal objetivo neste capítulo é desenvolver o instrumental matemático necessário para tratar de uma variedade de aplicações. Esse instrumental já está pronto e chegou o momento de ver o que ele pode fazer.

Exemplo 1 *Crescimento populacional.* Considere uma cultura de bactérias, em laboratório, com alimento ilimitado e sem inimigos. Se $N = N(t)$ denota o número de bactérias presentes no instante t, é natural admitir que a taxa de variação de N é proporcional ao próprio N.[*] Se o número de bactérias presentes no início é N_0, e esse número dobra após 2 horas (o "tempo de duplicação"), qual será a população após 6 horas? Após t horas?

Solução Embora as bactérias sejam unidades não continuamente divisíveis, existem tantas presentes e são produzidas em intervalos de tempo tão minúsculos que é razoável tratar $N(t)$ como uma função contínua e mesmo derivável. A lei de crescimento admitida pode ser escrita:

$$\frac{dN}{dt} = kN \quad (k > 0), \tag{1}$$

---

[*] Resumidamente, esperamos o dobro de "nascimentos" em um dado intervalo curto de tempo quando dobramos o número de bactérias presentes.

ou, separando as variáveis,

$$\frac{dN}{N} = k\,dt.$$

Integrando, temos

$$\ln N = kt + c. \tag{2}$$

Para determinar o valor da constante de integração c, usamos o fato de que inicialmente (em $t = 0$) temos $N = N_0$. Assim, na equação (2) temos $\ln N_0 = 0 + c$ ou $c = \ln N_0$, e assim (2) fica

$$\ln N = kt + \ln N_0$$

ou

$$\ln N - \ln N_0 = kt, \quad \ln \frac{N}{N_0} = kt, \quad \frac{N}{N_0} = e^{kt},$$

e, portanto,

$$N = N_0 e^{kt}. \tag{3}$$

Para determinar k, usamos o fato de que a população dobra em 2 horas. Temos, então,

$$2N_0 = N_0 e^{2k}, \quad e^{2k} = 2, \quad 2k = \ln 2, \quad k = \tfrac{1}{2}\ln 2,$$

e assim (3) toma a forma

$$N = N_0 e^{(t \ln 2)/2}, \tag{4}$$

que dá a população após t horas. Finalmente, pondo $t = 6$ em (4), temos $N = N_0 e^{3 \ln 2} = N_0 e^{\ln 8} = 8N_0$, e assim a população se multiplica por 8 em 6 horas.

A situação que acabamos de descrever é um outro exemplo de *crescimento exponencial*. Esse tipo de crescimento se caracteriza por uma função da forma (3), onde a constante k é positiva.

Exemplo 2 *Decaimento radiativo.* Após 3 dias, 50 por cento de radiatividade produzida por uma explosão nuclear desaparece. Quanto tempo levará para que 99 por cento da radiatividade desapareça?

Solução Admitimos, por questão de simplicidade, que a radiatividade deve-se inteiramente a uma única substância radiativa. Essa substância sofre um *decaimento radiativo* transformando-se em substâncias não-radiativas por meio de desintegração espontânea de seus átomos a uma taxa constante, que é uma propriedade característica da própria substância. Cada desintegração é acompanhada por uma pequena explosão de radiação, e essas são detectadas e contadas pelos contadores Geiger. Não estamos interessados aqui na complexidade interna desses eventos notáveis mas apenas em que a taxa de variação da massa de nossa substância é negativa e proporcional, em cada instante, à massa da substância radiativa existente nesse instante*. Essa afirmação significa que, tomando-se por $x = x(t)$ a massa da substância radiativa no instante t, então

$$\frac{dx}{dt} = -kx \quad (k > 0), \tag{5}$$

onde o sinal de menos indica que x é decrescente com o tempo. A constante positiva chama-se *constante de taxa;* é claro que ela mede a velocidade do processo de decaimento. Como antes, separamos as variáveis e integramos,

$$\frac{dx}{x} = -k\, dt, \quad \ln x = -kt + c. \tag{6}$$

Considerando-se x_0 como a quantidade de substância existente imediatamente antes da explosão, de modo que $x = x_0$ quando $t = 0$, então vemos que $c = \ln x_0$ e assim (6) se torna

$$\ln x = -kt + \ln x_0$$

ou

$$\ln x - \ln x_0 = -kt, \quad \ln \frac{x}{x_0} = -kt, \quad \frac{x}{x_0} = e^{-kt},$$

e, conseqüentemente,

$$x = x_0 e^{-kt}. \tag{7}$$

---

* Assim, se a massa de nossa substância radiativa fosse duplicada, esperaríamos perder o dobro de átomos por desintegração num dado intervalo curto de tempo.

Pelo menos em princípio, x nunca é zero, porque a exponencial e^{-kt} jamais se anula. Portanto é impróprio falar de "vida total" de uma substância radiativa. Entretanto, é conveniente e costumeiro usar o conceito de meia-vida: a *meia-vida* de uma substância radiativa é o tempo que a substância leva para que sua massa decaia à metade da quantidade original (Fig. 8.8).

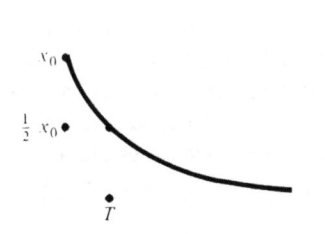

Figura 8.8

Denotando-se a meia-vida por T, então (7) conduz a $\frac{1}{2} x_0 = x_0 e^{-kT}$, e assim $e^{kT} = 2$ e

$$kT = \ln 2. \tag{8}$$

Essa equação relaciona a meia-vida com a constante de taxa k e possibilita a determinação de uma delas se a outra for conhecida.

No problema específico com o qual começamos, 50 por cento da radiatividade desaparece em 3 dias. Isto significa que a meia-vida da substância é 3 dias, e assim de (8) vemos que $3k = \ln 2$ ou $k = \frac{1}{3} \ln 2$. Nesse caso particular, (7) se torna

$$x = x_0 e^{-(t \ln 2)/3}.$$

O desaparecimento de 99 por cento da radiatividade significa que 1 por cento permanece e, portanto, $x = \frac{1}{100} x_0$. Isto acontece quando t satisfaz a equação

$$\tfrac{1}{100} x_0 = x_0 e^{-(t \ln 2)/3},$$

que é equivalente a

$$e^{(t \ln 2)/3} = 100 \quad \text{ou} \quad \frac{t \ln 2}{3} = \ln 100.$$

Finalmente, usando tabelas de logaritmos naturais (ou uma calculadora) achamos que

$$t = \frac{3 \ln 100}{\ln 2} = \frac{6 \ln 10}{\ln 2} \cong 20 \text{ dias}.$$

Deve ser compreendido que esse exemplo é bastante simplificado, porque uma explosão nuclear real produz muitos subprodutos radiativos diferentes com meias-vidas variando de uma fração de segundo a muitos anos. Assim, para o polônio 212 a meia-vida é 3 décimos-milionésimos de segundo; para o criptônio 91, 10 segundos, e essas substâncias desapareceriam quase imediatamente. Já para o estrôncio 90 com 28 anos de vida média, ele está presente durante décadas e contribui substancialmente para os perigos de contaminação nuclear*.

A situação que acabamos de discutir é um exemplo de *decaimento exponencial*. Essa frase se refere somente à forma da função (7) e à maneira pela qual a quantidade x diminui e não necessariamente à idéia de que uma ou outra coisa esteja se desintegrando.

Observação Os conceitos explicados no Exemplo 2 são a base de uma ferramenta científica cujo desenvolvimento é bem recente e que tem sido de grande significado para a Geologia e Arqueologia. Em essência, os elementos radiativos que ocorrem na natureza (com meias-vidas conhecidas) podem ser usados para atribuir datas a eventos que ocorreram há alguns milhares ou mesmo há alguns bilhões de anos. Por exemplo, o isótopo comum do urânio (urânio 238) decai em vários estágios chegando ao hélio e a um isótopo do chumbo (chumbo 206), com meia-vida de 4,5 bilhões de anos. Quando uma rocha contendo urânio está em estado fundido, como lava sendo lançada da cratera de um vulcão, o chumbo produzido pelo processo de decaimento é disperso pelas correntes de lava; mas depois que a pedra se solidifica, o chumbo é fixado no lugar e se acumula uniformemente lado a lado com o urânio. Um pedaço de granito pode ser analisado para se determinar a razão entre a massa de chumbo e a de urânio, e essa razão permite o cálculo de uma estimativa do tempo decorrido desde o momento em que o granito se cristalizou. São de uso corrente de diversos métodos de determinação de idade, envolvendo o decaimento do tório e dos isótopos de urânio nos vários isótopos de chumbo. Um outro método se baseia no decaimento de potássio em argônio, com uma meia-vida de 1,3 bilhão de anos; e ainda um outro, preferido para datar as rochas mais velhas, baseia-se no decaimento do rubídio em estrôncio, com uma meia-vida de 50 bilhões de anos. Esses estudos são complexos e suscetíveis de erros de diversas espécies, mas podem, com freqüência, ser contrapostos e são capazes de apontar datas confiáveis para muitos eventos em História geológica ligada à formação de rochas ígneas. Rochas de dezenas de milhões de anos são absolutamente jovens comparando-se com as idades mais comuns, que são de centenas de milhões de anos. As rochas mais velhas até agora descobertas têm mais de 3 bilhões de anos. É claro que este é um limite inferior da idade da crosta terrestre e assim da idade da própria Terra. Outras investigações, utilizando vários tipos de dados astronômicos, a determinação da idade de minerais em meteoritos e assim por diante têm sugerido uma idade provável para a Terra de cerca de 4,5 bilhões de anos.

Esses elementos radiativos decaem tão vagarosamente que os métodos de determinação da idade neles baseados não são adequados para datar eventos que ocorreram mais recentemente. Essa falha foi preenchida pela descoberta do radiocarbono, por Willard Libby, no fim de 1940.

---

*   Para os estudantes que nunca se depararam com esse assunto antes, o número que segue o nome de cada um dos elementos químicos mencionados é o *número de massa* (= número total de prótons e nêutrons no núcleo) do isótopo particular aí referido. Por exemplo, o estrôncio, como ocorre na natureza, tem quatro isótopos estáveis com números de massa (na ordem de sua abundância) 88, 86, 87 e 84. Vários isótopos instáveis são produzidos em reações nucleares, dos quais o estrôncio 90 é o mais conhecido.

O *radiocarbono* é um isótopo radiativo do carbono (carbono 14) com uma meia-vida de cerca de 5.600 anos. Por volta de 1950, Libby e seus colegas desenvolveram a técnica de *datação por radiocarbono*, que acrescentou um segundo ponteiro aos relógios geológicos para medir o tempo de movimentos lentos acima descritos e possibilitou datar eventos nos estágios posteriores à era glacial e alguns dos movimentos e atividades do homem pré-histórico. As contribuições dessa técnica à Geologia e à Arqueologia do Pleistoceno têm dado resultados espetaculares.

Em rápidas pinceladas, os fatos e princípios envolvidos são estes. O radiocarbono é produzido na camada superior da atmosfera pela ação de nêutrons do raio cósmico sobre o nitrogênio. É, então, oxidado a dióxido de carbono, que por sua vez é misturado pelos ventos com o dióxido de carbono não-radiativo já presente. Como o radiocarbono está constantemente sendo formado e se decompondo em nitrogênio, sua proporção com relação ao carbono ordinário na atmosfera já alcançou há muito tempo um estado de equilíbrio. Todas as plantas respiram o ar incorporando essa proporção de radiocarbono em seus tecidos, o mesmo ocorrendo com os animais que comem essas plantas. Essa proporção permanece constante durante o tempo em que a planta ou animal vive; no entanto, a quantidade existente no corpo desses seres no instante de sua morte continua sofrendo processo uniforme de decaimento. Assim, se um pedaço de madeira velha tem a metade da radiatividade de uma árvore viva, a árvore da qual foi tirado esse pedaço de madeira viveu há cerca de 5.600 anos. Se tem somente um quarto dessa radiatividade, viveu há aproximadamente 11.200 anos. Esse princípio fornece um método de datar qualquer objeto antigo de origem orgânica, como, por exemplo, a madeira, o carvão vegetal, uma fibra vegetal, carne, pele, osso ou chifre. A confiabilidade do método tem sido verificada aplicando-se ao cerne de árvores sequóias gigantes, cujos anéis de crescimento revelam 3.000 a 4.000 anos de vida, e à mobília de tumbas egípcias, cuja idade é também conhecida independentemente. Há dificuldades técnicas, mas atualmente considera-se que o método é capaz de precisão razoável, contanto que os períodos de tempo envolvidos não sejam muito grandes (acima de 50.000 anos).

A datação por radiocarbono tem sido aplicada a milhares de amostras e existem dúzias de laboratórios para executar esse trabalho. Entre as estimativas de idade mais interessantes ressaltamos as seguintes: estima-se que os invólucros de linho dos manuscritos do Mar Morto do Livro de Isaías, recentemente encontrados numa caverna na Palestina e admitidos como sendo do primeiro ou segundo século a.C. têm 1.917 ± 200 anos; o carvão vegetal da caverna de Lascaux, no sul da França, lugar de notáveis pinturas pré-históricas, teve sua idade estimada em 15.516 ± 900 anos; o carvão vegetal do monumento pré-históricas, em Stonehenge, no sul da Inglaterra, teve sua idade estimada em 3.798 ± 275 anos; o carvão vegetal de uma árvore queimada à época da explosão vulcânica que formou o Lago de Crater em Oregon teve sua idade estimada em 6.453 ± 250 anos. (Acampamentos de povos antigos em vários pontos do hemisfério ocidental têm sido datados usando-se pedaços de carvão vegetal, sandálias de fibra, fragmentos de ossos de bisão queimados e coisas afins. Os resultados sugerem que os seres humanos não haviam chegado ao Novo Mundo até cerca do período da última Idade Glacial, mais ou menos há 11.500 anos, quando o nível da água nos oceanos era substancialmente mais baixo do que agora e eles poderiam ter passado pelo Estreito de Bering da Sibéria ao Alasca*.

---

*   Libby ganhou o Prêmio Nobel de Química de 1960 pelo trabalho descrito aqui.

Problemas

1. As bactérias de uma certa cultura crescem de acordo com a lei $dN/dt = kN$. Se $N = 2.000$ no início e $N = 4.000$ quando $t = 3$, determine (a) o valor de N quando $t = 1$ e (b) o valor de t quando $N = 48.000$. Use tabelas ou uma calculadora.

2. Se a taxa de crescimento da população de uma cidade é 3% ao ano, qual seu fator de crescimento a cada 10 anos? Que crescimento percentual dobrará a população a cada 10 anos?

3. A população de Sleepyville é 5 vezes a de Boomtown. A primeira está crescendo a uma taxa de 2% ao ano, enquanto a segunda cresce a 10% ao ano. Daqui a quantos anos terão populações iguais?

4. Muitas vezes é admitido que 1/3 de acre de terra é necessário para fornecer alimento para uma pessoa. É também estimado que há 10 bilhões de acres de terra arável no mundo e, portanto, uma população máxima de 30 bilhões de pessoas pode ser sustentada se outras fontes de alimento não forem exploradas. A população total do mundo no início de 1970 era de 3,6 bilhões. Considerando-se que a população continua a crescer a uma taxa de 2% ao ano, quando será alcançada a população máxima? Qual será a população no ano 2.000?

5. A meia-vida do rádio é 1.620 anos. Que percentagem de uma dada quantidade de rádio não estará desintegrada após 100 anos?

6. Usa-se amplamente na radiologia médica cobalto 60, com uma meia-vida de 5,3 anos. Quanto tempo levará para que 90% de uma dada quantidade decaia?

7. Em uma certa reação química um composto C decompõe-se a uma taxa proporcional à quantidade de C que permanece. Sabe-se por experiências que 8 g de C diminuem para 4 g em 2 horas. Em que instante restará somente 1 g?

8. "Um louco e sua moeda são separados muito cedo." Um certo louco perde dinheiro no jogo a uma taxa (em unidades monetárias por hora) igual a um terço da quantidade que tem em qualquer instante dado. Quanto tempo levará para que perca a metade do dinheiro original?

9. Um tanque cilíndrico de raio 4 m e altura 10 m, com seu eixo vertical está cheio de água mas tem um pequeno buraco na base. Admitindo que a água esguicha para fora do buraco a uma velocidade proporcional à pressão na base do tanque e que um quinto da água escoa na primeira hora, ache uma fórmula para a profundidade da água que permanece no tanque após t horas.

10. De acordo com a *Lei de Absorção de Lambert*, a percentagem de raio incidente absorvida por uma camada fixa de material translúcido é proporcional à espessura da camada. Se a luz do Sol incidindo verticalmente na água do oceano tem sua intensidade reduzida à metade da intensidade inicial I_0 a uma profundidade de 10 m, mostre que a fórmula

$$I = I_0 e^{-(x \ln 2)/10}$$

dá a intensidade I numa profundidade de x metros.

11. De acordo com a *Lei de Resfriamento de Newton*, um corpo à temperatura T esfria-se a uma taxa proporcional à diferença entre T e a temperatura do ar adjacente. Uma panela de sopa fervendo a 100°C é levada a uma sala em que o ar está a 20°C e é deixada para esfriar. Após 1 hora sua temperatura é de 60°C. Quanto tempo adicional é necessário para que esfrie a 30°C?

12. Considere uma coluna de ar cuja seção transversal tem área igual a 1 cm², estendendo-se do nível do mar para cima até o "infinito". A pressão atmosférica p à altitude h acima do nível do mar é o peso do ar dessa coluna acima da altitude h. Admitindo que a densidade do ar seja proporcional à pressão (esta é uma conseqüência da Lei de Boyle $pV = k$ à temperatura constante), mostre que p satisfaz a equação diferencial

$$\frac{dp}{dh} = -cp,$$

onde c é uma constante positiva, e deduza que

$$p = p_0 e^{-ch},$$

onde p_0 é a pressão atmosférica ao nível do mar. Sugestão: se h aumenta de uma pequena quantidade dh e dp é a correspondente mudança em p (veja a Fig. 8.9), então $-dp$ é o peso do ar na pequena porção da coluna cuja altura é dh, e esse peso é a densidade vezes o volume; logo, $-dp = (cp)(1 \cdot dh)$.

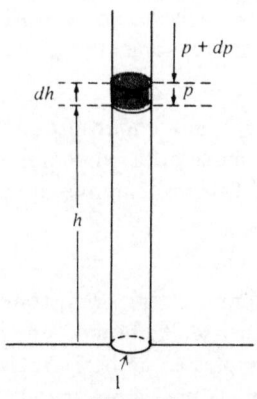

Figura 8.9

13. O radiocarbono em madeira viva decai à taxa de 15,30 desintegrações por minuto (dpm) por grama de carbono contido. Utilizando o tempo de 5.600 anos como a meia-vida do radiocarbono, estime a idade de cada um dos seguintes espécimes descobertos por arqueólogos e testados com radiatividade em 1950:

    (a) um pedaço de perna de cadeira do túmulo do rei Tutancamon, 10,14 dpm;

    (b) um pedaço de viga de uma casa construída na Babilônia durante o reinado de Hammurabi, 9,52 dpm;

    (c) excremento de uma preguiça gigante encontrada sob a superfície do solo dentro da Gysum Cave em Nevada, 4,17 dpm;

    (d) madeira encontrada em Leonard Roch Shelter em Nevada, 6,42 dpm.

14. Suponha que duas substâncias químicas em solução reagem entre si para formar um composto. Se a reação ocorre por meio da colisão e interação das moléculas das substâncias, então esperamos que a taxa de formação do composto seja proporcional ao número de colisões por unidade de tempo, que, por sua vez, é conjuntamente proporcional às quantidades das substâncias que restam para reagir. Uma reação química que procede dessa maneira chama-se *reação de segunda ordem,* e a lei de reação que enunciamos a seguir é, muitas vezes, conhecida como *Lei de Ação das Massas*.* Considere uma reação de segunda ordem em que x gramas do composto contêm ax gramas da primeira substância e bx gramas da segunda, onde $a + b = 1$. Se há aA gramas da primeira substância presentes inicialmente e bB gramas da segunda, então a Lei de Ação das Massas diz que

$$\frac{dx}{dt} = k(aA - ax)(bB - bx) = kab(A - x)(B - x).$$

Se $A \neq B$, mostre que

$$\frac{B(A - x)}{A(B - x)} = e^{kab(A - B)t} \tag{*}$$

fornece uma solução para a qual $x = 0$ quando $t = 0$**.

Sugestão: tome o logaritmo de ambos os membros e derive com relação a t.

---

*   Para uma reação de primeira ordem, veja o Problema 7.

**   No Capítulo 10 desenvolvemos um método para descobrir essa solução.

15. No Problema 14, calcule $\lim_{t \to \infty} x(t)$

    (a) resolvendo a equação (*) para x como uma função explícita de t e usando essa função;

    (b) simplesmente por inspeção da equação (*).

16. Uma chave de um circuito elétrico é fechada repentinamente, conectando uma bateria de voltagem E a uma resistência R e a indutância L em série (Fig. 8.10).

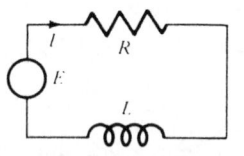

    Figura 8.10

    A bateria gera uma corrente variável $I = I(t)$ que percorre o circuito. Sabemos da Física elementar que a queda da voltagem através da resistência é RI e através da indutância é $L\, dI/dt$, e a soma dessas duas quedas de voltagem deve ser igual à voltagem aplicada E:

    $$L\frac{dI}{dt} + RI = E.*$$

    Separando as variáveis, integrando e usando o fato de que $I = 0$ quando $t = 0$, calcule a corrente I como uma função de t. Esboce o gráfico dessa função.

17. Considere uma dada quantidade de gás que sofre uma expansão ou compressão adiabática, o que significa que nenhum calor é ganho ou perdido durante o processo. O cientista francês Poisson mostrou em 1 823 que a pressão e o volume desse gás satisfazem a equação diferencial

    $$\frac{dp}{p} + \gamma \frac{dV}{V} = 0.$$

---

* Os estudantes que não estão familiarizados com circuitos elétricos podem achar útil pensar na corrente I como análoga à taxa de fluxo de água num tubo. A bateria faz o papel de uma bomba produzindo pressão (voltagem) que provoca o fluxo da água. A resistência é análoga ao atrito no tubo, que se opõe ao fluxo produzindo uma queda na pressão; e a indutância se opõe a qualquer mudança no fluxo produzindo uma queda na pressão se o fluxo estiver crescendo e um aumento na pressão se o fluxo estiver decrescendo.

onde γ é uma constante cujo valor depende de o gás ser monoatômico, diatômico etc. Integre essa equação para obter

$$pV^\gamma = c.$$

Esta é chamada *equação de Poisson para os gases* ou *lei adiabática dos gases* e é de importância fundamental em Meteorologia.

8.6 MAIS APLICAÇÕES. CRESCIMENTO POPULACIONAL INIBIDO ETC.

Como o leitor certamente está ciente, o problema de se analisar realisticamente o crescimento de uma população não foi adequadamente tratado no Exemplo 1 da Seção 8.3. A questão está em que a equação básica

$$\frac{dN}{dt} = kN \quad (k > 0)$$

descreve apenas uma situação ideal mais simples, na qual o impulso interno da população para se expandir é deixado completamente livre; não se leva em consideração nenhum dos fatores inibidores que limitam ao nível do possível o tamanho de uma população real. É óbvio, por exemplo, que a população humana da Terra jamais poderá se expandir atingindo o estágio em que haverá uma pequena fração de acre de terra arável por pessoa. Bem antes de se atingir esse ponto, no qual a superfície total da Terra seria um cortiço fervilhante, a taxa de crescimento populacional será empurrada para baixo, efeitos sociais, psicológicos e econômicos irão enfraquecer a taxa de natalidade e haverá também um acréscimo na taxa de mortalidade em virtude de inanição, doença e guerra, que são companheiras inseparáveis da superpopulação. No nosso próximo exemplo, tentamos reconhecer alguns desses fatores e desse modo espelhar a realidade com um pouco mais de fidelidade.

Exemplo 1 *Crescimento populacional inibido*. Considere uma pequena colônia de coelhos com população N_0 que está "estabelecida" no instante $t = 0$ em uma ilha coberta de grama onde eles não têm inimigos. Quando a população $N = N(t)$ é pequena, ela tende a crescer a uma taxa proporcional a si mesma; mas quando ela se torna grande, há uma competição cada vez maior pelo alimento e pelo espaço vital escassos, e N cresce a uma taxa menor. Se N_1 é a maior população que a ilha pode suportar e se a taxa de crescimento da população N é conjuntamente proporcional a N e a $(N_1 - N)$ de modo que

$$\frac{dN}{dt} = kN(N_1 - N) \qquad (k > 0), \tag{1}$$

determine N como função de t.

Solução Deve ser notado explicitamente que, no início, N cresce lentamente – isto é, dN/dt é pequeno – quando N é pequeno, e também quando N é grande mas próximo de N_1, pois então $N_1 - N$ será pequeno. Para resolver (1), separamos as variáveis e integramos

$$\int \frac{dN}{N(N_1 - N)} = \int k \, dt. \tag{2}$$

O cálculo da integral do segundo membro de (2) requer o tratamento algébrico facilmente verificável

$$\frac{1}{N(N_1 - N)} = \frac{1}{N_1}\left(\frac{1}{N} + \frac{1}{N_1 - N}\right). \tag{3}$$

Com o auxílio de (3), podemos escrever (2) na forma

$$\frac{1}{N_1}\left(\int \frac{dN}{N} + \int \frac{dN}{N_1 - N}\right) = \int k \, dt,$$

que acarreta

$$\frac{1}{N_1}[\ln N - \ln(N_1 - N)] = kt + c_1$$

ou

$$\frac{1}{N_1} \ln \frac{N}{N_1 - N} = kt + c_1.$$

Se multiplicarmos por N_1, temos

$$\ln \frac{N}{N_1 - N} = N_1 kt + c,$$

onde $c = N_1 c_1$. Como $N = N_0$ quando $t = 0$, vemos que $c = \ln[N_0/(N_1 - N_0)]$; logo, temos

$$\ln \frac{N}{N_1 - N} = N_1 kt + \ln \frac{N_0}{N_1 - N_0},$$

que é equivalente a

$$\frac{N}{N_1 - N} = \frac{N_0}{N_1 - N_0} e^{N_1 kt}.$$

Resolvemos essa equação para N escrevendo

$$N(N_1 - N_0) = N_0 N_1 e^{N_1 kt} - N N_0 e^{N_1 kt},$$
$$N[N_0 e^{N_1 kt} + (N_1 - N_0)] = N_0 N_1 e^{N_1 kt},$$

e

$$N = \frac{N_0 N_1 e^{N_1 kt}}{N_0 e^{N_1 kt} + (N_1 - N_0)}.$$

Podemos escrever essa expressão numa forma mais conveniente, multiplicando o numerador e o denominador da direita por $e^{-N_1 kt}$; e desse modo obter nosso resultado final:

$$N = \frac{N_0 N_1}{N_0 + (N_1 - N_0) e^{-N_1 kt}}. \tag{4}$$

Devemos observar que (4) dá $N = N_0$ quando $t = 0$ e também que $N \to N_1$ quando $t \to \infty$, como esperávamos. O gráfico de (4) é mostrado na Fig. 8.11.

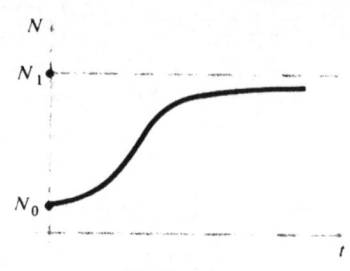

Figura 8.11

Em Ecologia e Biologia Matemática essa curva chama-se *curva do crescimento inibido* ou, às vezes, *curva com crescimento sigmóide*.

No Exemplo 1 da Seção 5.5 abordamos o problema idealizado de um corpo em queda livre, no qual ignoramos o efeito da resistência do ar e admitimos que a única força que agia sobre o corpo era a força da gravidade. Estamos agora em condições de melhorar nossa abordagem desse problema, levando em conta a resistência do ar.

Exemplo 2 *Corpo em queda com resistência do ar.* Considere uma pedra de massa m que é largada do repouso de uma grande altura na atmosfera terrestre. As únicas forças que atuam sobre a pedra são a atração gravitacional mg (onde g é a aceleração devido à gravidade, considerada constante) e uma força de retardamento devido à resistência do ar, que é considerada proporcional à velocidade v. Determine v como função do tempo t.

Solução Seja s a distância percorrida pela pedra em queda no instante t, v a velocidade $v = ds/dt$ e a a aceleração $a = dv/dt = d^2s/dt^2$. Há duas forças agindo sobre a pedra que cai; uma força para baixo mg, devido à gravidade, e uma força para cima kv, devido à resistência do ar, e k é uma constante positiva. A Segunda Lei do Movimento de Newton diz que a força resultante que age sobre a pedra em qualquer instante é igual ao produto de sua massa pela aceleração. Colocando nossas hipóteses, a equação $ma = F$ se torna

$$m \frac{dv}{dt} = mg - kv,$$

ou, dividindo por m,

$$\frac{dv}{dt} = g - cv, \tag{5}$$

onde $c = k/m$. Resolvemos (5) separando as variáveis e integrando. Obtemos

$$\int \frac{dv}{g-cv} = \int dt$$

ou

$$-\frac{1}{c} \ln(g-cv) = t + c_1;$$

e, mudando a notação das constantes, para uma notação familiar, essa equação fica sob a forma

$$\ln(g-cv) = -ct + c_2$$

ou

$$g - cv = c_3 e^{-ct}. \tag{6}$$

A condição inicial $v = 0$ quando $t = 0$ leva à conclusão de que $c_3 = g$; logo, (6) se torna

$$g - cv = g e^{-ct}$$

ou

$$v = \frac{g}{c}(1 - e^{-ct}). \tag{7}$$

Como c é positiva, essa fórmula mostra que $v \to g/c$ quando $t \to \infty$. É um fato surpreendente que a velocidade da pedra que cai não cresce indefinidamente, mas, em vez disso, se aproxima de um valor-limite finito. Esse valor-limite de v chama-se *velocidade-limite*. Derivando (7), obteremos a informação de que a aceleração é dada pela fórmula $a = g e^{-ct}$, logo $a \to 0$ quando $t \to \infty$. Do ponto de vista físico, isto significa que, quando o tempo passa, a resistência do ar tende a equilibrar a força da gravidade, de modo que a resultante das forças que agem sobre a pedra se aproxima de zero.

Nosso próximo exemplo é padrão para muitos problemas que envolvem misturas que variam continuamente.

Exemplo 3 *Mistura.* Salmoura contendo 0,9 kg de sal por galão flui num reservatório que contém inicialmente 200 galões de água com 45 kg de sal dissolvidos. Se a salmoura entra no reservatório à taxa de 10 gal/min e se a mistura (que é mantida uniforme por agitação) escoa à mesma taxa, quanto sal haverá no reservatório após 20 minutos? Após 100 minutos?

Solução Seja x o número de quilos de sal no reservatório após t minutos. A chave do raciocínio para solucionar esse problema é o seguinte fato:

taxa de variação de x = taxa com que o sal entra no reservatório − taxa com que o sal deixa o reservatório. (8)

É claro que o sal entra no reservatório à taxa de $0,9 \cdot 10 = 9$ kg/min. A concentração de sal em qualquer instante é $x/200$ kg/gal; logo, a taxa em que ele deixa o reservatório é $(x/200) \cdot 10 = x/20$ kg/min. Conseqüentemente, (8) torna-se

$$\frac{dx}{dt} = 9 - \frac{x}{20} = \frac{180 - x}{20}.$$

Pelo processo familiar de separar variáveis e integrar e usando a condição inicial $x = 100$ quando $t = 0$, obtemos

$$x = 180 - 135e^{-t/20}. \qquad (9)$$

(Os estudantes deverão verificar os cálculos omitidos.) Usando tabelas ou uma calculadora, achamos $x = 130,4$ quando $t = 20$ e $x = 179,1$ quando $t = 100$. É óbvio também [veja (9)] que $x \to 180$ quando $t \to \infty$.

Problemas

1. No Exemplo 1, qual a população quando sua taxa de crescimento é máxima?

2. Em uma experiência genética, 50 moscas de fruta são colocadas num frasco de vidro que comporta uma população máxima de 1.000 moscas. Se 30 dias mais tarde a população cresceu para 200 moscas, quando a população de moscas alcançará a metade da capacidade do frasco?

3. Seja x o número de pessoas numa comunidade com população total x_1 que ouviram um certo boato t dias depois de o mesmo ter sido lançado. O senso comum sugere que a taxa de crescimento de x, isto é, a velocidade com que esse boato se propaga pela comunidade, é proporcional à freqüência de contato entre aqueles que ouviram o boato e aqueles que não o ouviram, e essa freqüência, por sua vez, é conjuntamente proporcional ao número de pessoas que já ouviram o boato e o número de pessoas que não o ouviram. Isto nos leva à equação diferencial

$$\frac{dx}{dt} = cx(x_1 - x),$$

onde c é uma constante que expressa o nível de atividadde social. Se o boato é inicialmente divulgado por x_0 indivíduos ($x = x_0$ quando $t = 0$), determine x como função de t. Use essa função para mostrar que $x \to x_1$ quando $t \to \infty$. Esboce o gráfico.

4. Reelabore o Exemplo 2 sob a hipótese mais geral de que a velocidade inicial é v_0. Mostre que a velocidade final é ainda g/c e, portanto, não depende de v_0. Convença-se de que isto é razoável.

5. Uma lancha movendo-se em água calma sofre a resistência da água com uma força proporcional a sua velocidade v. Mostre que a velocidade t segundos após o motor ser desligado é dada pela fórmula $v = v_0 e^{-ct}$, onde c é uma constante e v_0 é a velocidade no instante em que o motor é desligado. Além disso, se s é a distância que a lancha percorre no tempo t, determine s como função de t e esboce o gráfico dessa função. Sugestão: use a Segunda Lei do Movimento de Newton.

6. Considere a situação descrita no Problema 5, com a diferença de que a força de resistência é proporcional ao quadrado da velocidade v. Determine v e s como funções de t e esboce o gráfico da última função.

7. O resultado do Problema 5 indica que a distância s se aproxima de um limite finito quando t cresce; mas, no Problema 6, essa distância torna-se infinita. Com a força de resistência parecendo ser maior no segundo caso, esperaríamos que a distância percorrida fosse menor que no primeiro. Explique essa aparente contradição.

8. Um reservatório contém inicialmente 400 galões de salmoura na qual estão dissolvidos 45 kg de sal. É colocada água pura no reservatório à taxa de 20 gal/min e a mistura (que é mantida uniforme por agitação) é drenada à mesma taxa. Quantos quilos de sal permanecem no reservatório após 30 minutos?

9. Reelabore o problema para o caso em que, em vez de água pura, salmoura contendo 0,045 kg de sal por galão é despejada no reservatório a 20 gal/min, sendo a mistura drenada à mesma taxa.

10. Uma cidade tem 5 bilhões de unidades monetárias em papel-moeda em circulação. Trinta milhões de unidades monetárias são levadas por dia aos bancos para depósito, e essa mesma quantia é retirada. Em virtude de uma mudança de regime, o Governo decidiu emitir outro tipo de cédula, e assim sempre que uma nota velha chega ao banco ela é destruída e substituída pela nova cédula. Quanto tempo levará para que 90% do papel-moeda em circulação seja substituído?

Problemas Suplementares do Capítulo 8

Seção 8.3

Nos Problemas de 1 a 6, calcule a derivada dy/dx da função dada.

1. $y = e^{\sqrt{1-x^2}}$.
2. $y = (1 - e^{3x})^2$.
3. $y = e^{x^2 - 2x + 1}$.
4. $y = (e^{4x} - 3)^3$.
5. $y = e^{\sqrt{x}} + \sqrt{e^x}$.
6. $y = \sqrt{e^{2x} + 2x}$.

Calcule as integrais dos Problemas 7 a 11

7. $\int e^{-3x}\, dx$.
8. $\int e^{ax+b}\, dx$.
9. $\int \dfrac{e^{1/x}\, dx}{x^2}$.
10. $\int \dfrac{4\, dx}{\sqrt{e^x}}$.
11. $\int \dfrac{e^x\, dx}{\sqrt{e^x + 1}}$.

*12. Calcule a área entre $y = e^x$ e a corda $y = ex - x + 1$.

13. Determine o ponto sobre o gráfico de $y = e^{ax}$ no qual a reta tangente passa pela origem.

14. Calcule os seguintes limites:

(a) $\lim\limits_{n \to \infty} \left(1 + \dfrac{1}{4n + 2}\right)^{4n+9}$;
(b) $\lim\limits_{n \to \infty} \left(1 + \dfrac{1}{n}\right)^{n-2}$;

(c) $\lim\limits_{n \to \infty} \left(1 + \dfrac{1}{n}\right)^{3n}$;
(d) $\lim\limits_{n \to \infty} \left(1 + \dfrac{1}{3n}\right)^{n}$;

(e) $\lim\limits_{n \to \infty} \left(1 + \dfrac{1}{2n^2}\right)^{2n}$.

15. Verifique que $y = e^{x^2}$ é uma solução da equação diferencial $y'' - 2xy' - 2y = 0$.

16. Verifique que $y = (e^{2x} - 1)/(e^{2x} + 1)$ é uma solução da equação diferencial $dy/dx = 1 - y^2$.

17. A região sob $y = e^x$ de $x = 0$ a $x = 3$ é girada ao redor do eixo x. Calcule o volume gerado dessa maneira.

*18. Prove que, para todo $x > 0$ e para todos os inteiros positivos n,

$$e^x > 1 + x + \frac{x^2}{2!} + \frac{x^3}{3!} + \cdots + \frac{x^n}{n!},$$

onde o símbolo $n!$ (leia-se "n fatorial") denota o produto $1 \cdot 2 \cdot 3 \cdots n$. Sugestão: como $e^t > 1$ para $t > 0$,

$$e^x = 1 + \int_0^x e^t \, dt > 1 + \int_0^x dt = 1 + x,$$

$$e^x = 1 + \int_0^x e^t \, dt > 1 + \int_0^x (1 + t) \, dt$$

$$= 1 + x + \frac{x^2}{2},$$

e assim por diante.

*19. Se n é um inteiro positivo qualquer, prove que $e^x > x^n$ para todos os valores suficientemente grandes de x. Sugestão: use o Problema 18, para $n + 1$.

*20. Prove que

$$\lim_{x \to \infty} \frac{e^x}{x^n} = \infty$$

para todo inteiro positivo n.

*21. Se n é um inteiro positivo, mostre que $y = x^n e^{-x}$ assume seu valor máximo em $x = n$, de modo que seus valores em $x = n - 1$ e $x = n + 1$ são menores que o máximo. Utilize esse fato para mostrar que

$$\left(\frac{n+1}{n}\right)^n < e < \left(\frac{n}{n-1}\right)^n;$$

e, por sua vez, utilize esse último resultado para mostrar que

$$\left(1 + \frac{1}{n}\right)^n < e < \left(1 + \frac{1}{n}\right)^{n+1}$$

para todo n. Quando $n = 5$, a segunda desigualdade implica que $e < 3$. Verifique!

Seção 8.4

22. Calcule dy/dx em cada caso.

    (a) $y = x \ln x^2 - 2x$;   (b) $y = \frac{1}{2} \ln (x^2 + 2x)$;
    (c) $y = x^2 \ln x$;   (d) $y = \ln (5x^4 - 7x^3 + 3)$;

    (e) $y = \dfrac{\ln x}{x^2}$;   (f) $y = \ln x^5$;

    (g) $y = (\ln x)^5$;   (h) $y = \dfrac{1}{\ln x}$;

    (i) $y = \sqrt{\ln x}$.

23. Calcule dy/dx em cada caso.

    (a) $3x - y^2 + \ln xy = 1$;

    (b) $x^2 + \ln \dfrac{x}{y} + 3y + 2 = 0$.

24. Calcule dy/dx em cada caso.

    (a) $y = \ln \sqrt{x}$;   (b) $y = \ln x \sqrt[3]{x}$;

    (c) $y = \ln \left(\dfrac{x^2 + 4}{2x + 3}\right)$;   (d) $y = \ln \sqrt{2x^3 - 4x}$;

    (e) $y = \ln (x + 1)^5$;   (f) $y = \ln (x^2 \sqrt{x^4 + 1})$;

    (g) $y = \ln \dfrac{x}{3 - 2x}$;   (h) $y = \ln \sqrt[3]{6x^2 + 3x}$;

    (i) $y = \ln \sqrt{\dfrac{4 + x^2}{4 - x^2}}$;   (j) $y = \ln \left(\dfrac{x}{1 + \sqrt{1 + x^2}}\right)$;

    (k) $y = x \sqrt{x^2 - 3} - 3 \ln (x + \sqrt{x^2 - 3})$;   (l) $y = -\dfrac{1}{2} \ln \left(\dfrac{2 + \sqrt{x^2 + 4}}{x}\right)$.

25. Calcule cada uma das seguintes integrais:

(a) $\int \dfrac{dx}{1+2x}$;

(b) $\int \dfrac{dx}{1-3x}$;

(c) $\int_0^1 \dfrac{x^2 \, dx}{2-x^3}$;

(d) $\int_0^3 \dfrac{x \, dx}{x^2+1}$;

(e) $\int_0^6 \dfrac{x \, dx}{x+3}$;

(f) $\int \dfrac{dx}{x\sqrt{\ln x}}$;

(g) $\int_0^8 \dfrac{x^{1/3} \, dx}{1+3x^{4/3}}$;

(h) $\int \dfrac{x \, dx}{1-x^2}$;

(i) $\int_0^2 \dfrac{\ln(x+1) \, dx}{x+1}$;

(j) $\int \dfrac{(2x-1) \, dx}{3x^2-3x+7}$;

(k) $\int \dfrac{e^x \, dx}{e^x+1}$;

(l) $\int \dfrac{(2x+3) \, dx}{(x+1)(x+2)}$;

(m) $\int \dfrac{(\ln x)^2 \, dx}{x}$;

(n) $\int \dfrac{\ln \sqrt{x} \, dx}{x}$;

(o) $\int \dfrac{\ln(\ln x) \, dx}{x \ln x}$;

(p) $\int \dfrac{1}{x} \ln\left(\dfrac{1}{x}\right) dx$.

26. Se p é uma constante positiva, mostre que

$$\lim_{x \to \infty} \dfrac{\ln x}{x^p} = 0.$$

Sugestão: substitua x por $y = x^p$.

27. Sendo a e b constantes positivas, mostre que

$$\lim_{x \to \infty} \dfrac{(\ln x)^a}{x^b} = 0.$$

28. No Problema 27, calcule o maior valor de

$$y = \dfrac{(\ln x)^a}{x^b} \quad \text{para } x \geq 1.$$

29. Para a constante positiva, calcule o comprimento da curva

$$y = \frac{x^2}{2a} - \frac{a}{4} \ln x$$

entre $x = 1$ e $x = 2$. Para que valor de a esse comprimento é máximo?

30. Se a e b são constantes positivas, calcule o comprimento da curva

$$\frac{y}{b} = \left(\frac{x}{a}\right)^2 - \frac{1}{8}\left(\frac{a^2}{b^2}\right)\ln\frac{x}{a}$$

de $x = a$ a $x = 3a$.

31. Use o fato de que $a = e^{\ln a}$ para calcular dy/dx nos seguintes casos:

(a) $y = 10^x$;
(b) $y = 3^x$;
(c) $y = \pi^x$;
(d) $y = 7^{3x}$;
(e) $y = 6^{x^2-2x}$;
(f) $y = 5^{\sqrt{x}}$.

32. Use a idéia do Problema 31 para calcular as seguintes integrais:

(a) $\int_0^1 2^x \, dx$;
(b) $\int_0^1 10^x \, dx$;
(c) $\int_1^{\sqrt{2}} x3^{-x^2} \, dx$;
(d) $\int_0^1 7^{2x-1} \, dx$;
(e) $\int 3^{-x} \, dx$;
(f) $\int x9^{2x^2} \, dx$;
(g) $\int_0^1 5^{-3x} \, dx$;
(h) $\int \frac{10^{\sqrt{x}} \, dx}{\sqrt{x}}$.

33. Esboce o gráfico de $y = x^2/5^x$ e localize seus pontos de máximo e dois pontos de inflexão.

34. (a) Ao mudar logaritmos de uma base a para outra base b, precisamos das equações $\log_b x = (\log_b a)(\log_a x)$ e $(\log_a b)(\log_b a) = 1$. Prove-as.

(b) Calcule $\int \dfrac{dx}{x \log_{10} x}$.

(c) Para cada escolha da constante $a > 1$, mostre que $y = (\log_a x)/x$ tem um máximo em $x = e$ e um ponto de inflexão em $x = e\sqrt{e}$. Esboce esse gráfico.

35. Calcule dy/dx se

(a) $y = (\ln x)^x$;
(b) $y = x^{\ln x}$;
(c) $y = (\ln x)^{\ln x}$;
(d) $y = x^{\sqrt{x}}$;
(e) $y = x^{\sqrt[3]{x}}$.

Seção 8.5

36. O número de bactérias numa cultura duplica a cada hora. Quanto tempo levará para que mil bactérias atinjam o número de um bilhão?

37. A população mundial, no início de 1970, era de 3,6 bilhões de habitantes. A massa da Terra é 6.586×10^8 toneladas. Considerando-se que a população mundial continue a crescer à taxa de 2% ao ano e que uma pessoa pese 54 kg em média, em que ano a soma das massas de todas as pessoas será igual à massa da Terra?

38. Césio 137 é utilizado na radiologia médica e industrial. Estime sua meia-vida se 20% se desintegram em 10 anos.

39. Numa certa reação química, uma substância S decompõe-se a uma taxa proporcional à quantidade de S não decomposta. Se 25 g dessa substância são reduzidos ao nível de 10 g em 4 horas, quando 21 g serão decompostos?

40. Um certo objeto esfria de 48,8°C a 35°C em meia hora quando envolvido por ar cuja temperatura é 21,1°C. Use a Lei de Resfriamento de Newton para determinar a temperatura no fim da meia hora seguinte.

41. Café é feito com água fervendo a 100°C e levado a uma sala cuja temperatura do ar é 22,2°C. Após 20 minutos, o café esfria para 37,7°C. Qual a sua temperatura após uma hora inteira?

42. Admitamos que a pressão atmosférica p esteja relacionada com a altitude h acima do nível do mar pela equação diferencial

$$\frac{dp}{dh} = -cp,$$

onde c é uma constante positiva. Se p é 10,3 N/m² ao nível do mar e 6,9 N/m² a 3048 m, determine a pressão atmosférica, no topo do Monte Everest, onde $h = 9144$ m.

43. Um foguete com massa total m está viajando com velocidade v numa região distante do espaço onde a força da gravidade é desprezível. Seu empuxo é fornecido pela queima de combustível apropriado e expulsão dos produtos da combustão a uma velocidade constante a relativa ao foguete. A massa m é portanto variável, e a Segunda Lei do Movimento de Newton é

$$F = \frac{d}{dt}(mv),$$

que nesse caso se torna

$$\left(-\frac{dm}{dt}\right)(a-v) = \frac{d}{dt}(mv).$$

(a) Mostre que $m\dfrac{dv}{dt} = -a\dfrac{dm}{dt}$.

(b) Use a parte (a) para mostrar que $\dfrac{dm}{dv} = -\dfrac{1}{a}m$.

(c) Use a parte (b) para mostrar que $m = m_0 e^{-v/a}$, considerando-se $v = 0$ e $m = m_0$ quando $t = 0$.

(d) É claro que a massa diminui quando o vôo prossegue; logo, a velocidade v cresce. Se m_1 é a massa do combustível inicial e $\bar{v}$ é a velocidade máxima, mostre que

$$\bar{v} = a \ln \frac{m_0}{m_0 - m_1}.$$

Observe que $m_0 - m_1$ é a chamada *massa estrutural* do foguete, isto é, sua massa excluindo-se o combustível.

44. A presença de um certo antibiótico destrói um tipo de bactéria a uma taxa proporcional ao número N de bactérias e à quantidade de antibiótico. Se o antibiótico não estivesse presente, as bactérias cresceriam a uma taxa proporcional a seu número. Admita que a quantidade de antibiótico é 0 quando $t = 0$ e aumenta a uma taxa constante. Construa' uma equação diferencial adequada para N, resolva a equação e esboce a solução.

45. Admita, por simplicidade, que o urânio 238 decai diretamente para chumbo 206, elemento cuja meia-vida é $T = 4{,}5$ bilhões de anos.

    (a) Se uma dada quantidade de rocha vulcânica recém-solidificada contém x_0 átomos de urânio e não contém chumbo, mostre que t anos mais tarde há $x = x_0 e^{-kt}$ átomos de urânio e $y = x_0(1 - e^{-kt})$ átomos de chumbo, onde $kT = \ln 2$.

    (b) Podendo medir a razão $r = y/x$ numa antiga rocha vulcânica e tendo fundamentos razoáveis para acreditar que todo o chumbo provém do urânio fixado na rocha quando da solidificação, podemos calcular a idade da rocha com um grau considerável de confiança. Mostre que essa idade é dada pela fórmula

$$t = \frac{1}{k} \ln(1+r) = \frac{T}{\ln 2} \ln(1+r) \cong \frac{Tr}{\ln 2},$$

   onde r é pequeno. Sugestão: examine o gráfico de $\ln(1+r)$ para valores pequenos de r.

    (c) Para certa rocha, determinou-se $r = 0{,}082$. Mostre que essa rocha pode ter cerca de 530 milhões de anos.

46. No ramo da Psicologia chamado *Psicofísica* é feita uma tentativa de estabelecer uma conexão quantitativa entre a sensação S experimentada por uma pessoa e o estímulo R que causa essa sensação, como na sensação de peso produzida por um objeto seguro na mão. Se uma pequena variação dR no estímulo, de R para $R + dR$, produz uma correspondente variação dS na sensação, então dS é proporcional a dR. Assim, se um objeto que seguramos em nossa mão é aumentado de 2,25 kg para 2,70 kg, sentimos muito mais essa diferença no peso do que quando aumentamos de 9,00 kg para 9,45 kg. A *Lei de Fechner-Weber* formulada inicialmente por E. H. Weber em 1834 e exposta com detalhes por G. T. Fechner em 1860 teve um papel substancial no início da Psicologia experimental com a influência de Wilhelm Wundt. Essa lei afirma que dS é proporcional não só à variação real dR do estímulo mas também a sua variação relativa

$$dS = k \frac{dR}{R}.$$

Determine S como função de R admitindo $S = 0$ para $R = 1$.

Seção 8.6

47. Uma epidemia de gripe ataca uma cidade e se alastra a uma taxa proporcional ao número de pessoas infectadas e ao número daquelas que não o estão. Se o número de pessoas afetadas cresce de 10% para 20% da população nos primeiros 10 dias, quantos dias mais serão necessários para que metade da população esteja atacada?

*48. As *equações de presa-predador de Volterra* descrevem uma comunidade ecológica da seguinte maneira: numa ilha com abundância de grama moram x coelhos (presa) e y raposas (predador). O número de encontros por unidade de tempo entre coelhos e raposas é proporcional ao produto xy de suas populações. O número de coelhos tende a aumentar numa taxa proporcional à quantidade presente e a diminuir numa taxa proporcional ao produto xy. O número de raposas tende a diminuir numa taxa proporcional a seu número e aumentar numa taxa proporcional a xy. Obtemos o sistema de equações diferenciais

$$\frac{dx}{dt} = ax - bxy, \qquad \frac{dy}{dt} = -cy + dxy,$$

onde a, b, c e d são constantes positivas.

(a) Mostre que $x = c/d$ e $y = a/b$ é uma solução do sistema. São as chamadas *populações de equilíbrio*.

(b) Mostre que toda solução $x = x(t)$, $y = y(t)$ satisfaz a equação $(x^c e^{-dx})(y^a e^{-by}) = k$, onde k é uma constante positiva. Sugestão: elimine dt do sistema por divisão, separe as variáveis e integre.

(c) Use a equação da parte (b) para mostrar que nem $x(t)$ nem $y(t)$ podem $\to \infty$ quando $t \to \infty$.

49. Considere um corpo com massa m em queda livre e admita que a força retardadora devido à resistência do ar seja proporcional ao quadrado da velocidade. Se a partir de uma posição o corpo cai do repouso, determine uma fórmula para a velocidade em termos da distância percorrida e calcule a velocidade final nesse caso. Sugestão:

$$dv/dt = (dv/ds)(ds/dt) = v\, dv/ds.$$

*50. Um torpedo está se movendo a uma velocidade de 60 km/h no instante em que acaba o combustível. Se a água oferece resistência ao movimento proporcional à velocidade v e se 1 km de percurso reduz v a 40 km/h, calcule a distância s que o torpedo se move em t horas e também a distância total que ele se move.

51. Salmoura contendo 0,45 kg de sal por galão é despejada a uma taxa de 10 gal/min num tanque contendo inicialmente 120 gal de água pura. Se a concentração é mantida uniforme por agitação e a mistura escoa à mesma taxa, quando o tanque conterá 18 kg de sal? Quando conterá 45 kg de sal?

52. Um reservatório grande contém inicialmente 20,25 kg de sal dissolvido em 50 gal de água. Água é despejada no reservatório a uma taxa de 3 gal/min, e a mistura (que é mantida uniforme por agitação) escoa a uma taxa de 2 gal/min. Quando o reservatório conterá 2,25 kg de sal? Quantos galões de água haverá no reservatório naquele instante?

53. Um aquário contém 10 gal de água poluída. Liga-se um filtro a esse aquário para drenar a água poluída à taxa de 5 gal/h, substituindo-a, à mesma taxa, por água pura. Quanto tempo levará para reduzir a poluição à metade do nível inicial?

CAPÍTULO

9

FUNÇÕES TRIGONOMÉTRICAS

9.1 REVISÃO DE TRIGONOMETRIA

Continuamos o programa iniciado no Capítulo 8 de estender o alcance de nosso trabalho para incluir classes de funções cada vez mais amplas. Trataremos agora das funções trigonométricas. Em Ciência, essas funções são ferramentas indispensáveis para o estudo de fenômenos periódicos de todas as espécies, abrangendo desde o movimento de vaivém do pêndulo de um relógio até a revolução dos planetas ao redor do Sol. E em Matemática — como veremos no Capítulo 10 — quase todos os métodos mais avançados de integração dependem fortemente das funções trigonométricas e de suas propriedades.

Pressupomos que os estudantes tenham estudado trigonometria no 2º grau. Todavia, independentemente da profundidade do aprendizado dos fatos básicos, eles são facilmente esquecidos, a menos que sejam necessitados e utilizados com muita freqüência. Dedicamos portanto esta seção para uma revisão da matéria desde o início. As fórmulas fundamentais são deduzidas nessa exposição, e são tão importantes para os propósitos do Cálculo que o leitor deve recordá-las ou aprendê-las sistemática e completamente. Mesmo que o tratamento que daremos seja resumido, é essencialmente auto-suficiente; estudantes aplicados que não tiveram experiência prévia com trigonometria serão capazes de progredir sem problemas com o estudo destas páginas.

Medida em Radianos

A unidade mais comum para medir ângulos é o grau (1 ângulo reto = 90 graus = 90º). Entretanto, a unidade-padrão para medida de ângulos no cálculo é o *radiano*. Um radiano é o ângulo que, colocado no centro de uma circunferência, subtende um arco cujo comprimento é igual ao raio (Fig. 9.1, à esquerda).

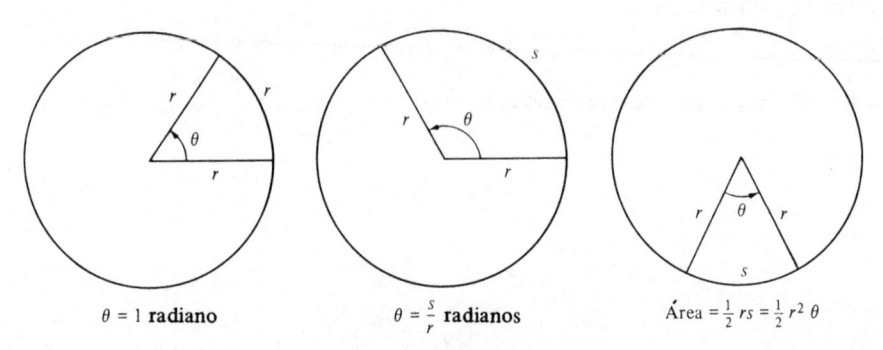

θ = 1 radiano $\quad\quad\quad$ $\theta = \dfrac{s}{r}$ radianos $\quad\quad\quad$ Área $=\tfrac{1}{2}rs = \tfrac{1}{2}r^2\theta$

Figura 9.1

Mais geralmente: o número de radianos num ângulo central arbitrário (Fig. 9.1, centro) é definido como sendo a razão entre o comprimento do arco subentendido e o raio, $\theta = s/r$, ou, de modo equivalente, um ângulo central de θ radianos subentende um arco cujo comprimento é θ vezes o raio, $s = \theta r$. Uma vez que a circunferência tem comprimento $c = 2\pi r$, um ângulo central completo de 360° é equivalente a $2\pi r/r = 2\pi$ radianos.
Assim,

$$2\pi \text{ radianos} = 360°, \quad\quad \pi \text{ radianos} = 180°,$$

$$1 \text{ radiano} = \frac{180}{\pi} \cong 57{,}296°, \quad\quad 1° = \frac{\pi}{180} \cong 0{,}0175 \text{ radianos}.$$

Além disso, 90° = $\pi/2$, 60° = $\pi/3$, 45° = $\pi/4$ e 30° = $\pi/6$, onde seguimos aqui a convenção de omitir a palavra "radiano" ao usar medida em radianos.

Assim como o cálculo de logaritmos se simplifica pelo uso da base e, o cálculo das funções trigonométricas é simplificado pelo uso da medida em radianos. Salientamos a razão específica disto na Seção 9.2. Em todo nosso trabalho usaremos medida em radianos de maneira rotineira e mencionaremos graus somente de passagem.

Às vezes é útil saber que a área A do setor circular cujo ângulo central é θ (Fig. 9.1, à direita) é dada pela fórmula

$$A = \tfrac{1}{2}rs = \tfrac{1}{2}r^2\theta,$$

pois $s = r\theta$. Isto é fácil de provar usando-se o fato de que a área do setor está para a área do círculo assim como o arco s está para o comprimento da circunferência:

$$\frac{A}{\pi r^2} = \frac{s}{2\pi r}, \quad \text{logo} \quad A = \frac{1}{2}rs.$$

E isto é fácil de ser lembrado pensando no setor como se fora um triângulo com altura r e base s.

As Funções Trigonométricas

Considere a circunferência de raio unitário com centro na origem do plano xy (Fig. 9.2).

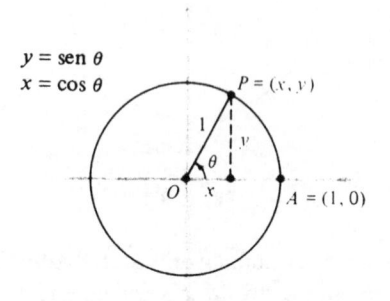

Figura 9.2

Sendo θ um número positivo, seja OP o raio que a partir da posição OA gira θ radianos no sentido anti-horário. Assim, $\theta = \pi$ produz a metade de uma volta e $\theta = 2\pi$ produz uma volta completa, ambas no sentido anti-horário. Se θ é negativo, OP gira $-\theta$ radianos no sentido horário. Veja a Fig. 9.3.

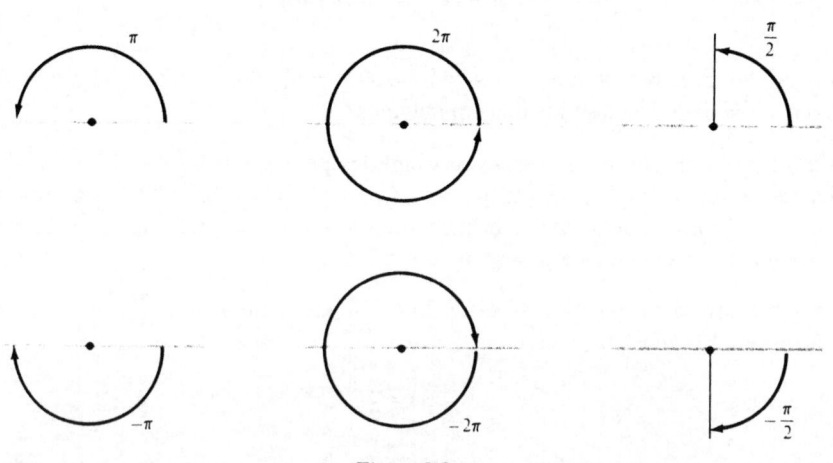

Figura 9.3

Dessa maneira, cada número real θ (positivo, negativo ou nulo) determina uma única posição OP na Fig. 9.2 e, portanto, um único ponto $P = (x, y)$ com a propriedade de que $x^2 + y^2 = 1$. O seno e o co-seno de θ são agora definidos por

$$\text{sen } \theta = y \quad \text{e} \quad \cos \theta = x.$$

É evidente, pela definição, que $-1 \leq \text{sen}\,\theta \leq 1$; analogamente, para $\cos\theta$; os sinais algébricos dessas quantidades dependem do quadrante em que está o ponto P. Para todo θ, é claro que os números θ e $\theta + 2\pi$ determinam o mesmo ponto P; logo,

$$\text{sen}\,(\theta + 2\pi) = \text{sen}\,\theta \quad \text{e} \quad \cos(\theta + 2\pi) = \cos\theta.$$

Assim, os valores de $\text{sen}\,\theta$ e $\cos\theta$ se repetem quando θ aumenta de 2π. Exprimimos essa propriedade de $\text{sen}\,\theta$ e $\cos\theta$ dizendo que essas funções são *periódicas* de *período* 2π.

As quatro funções trigonométricas restantes – a tangente, a co-tangente, a secante e a co-secante – são definidas por

$$\text{tg}\,\theta = \frac{y}{x}, \quad \text{cotg}\,\theta = \frac{x}{y}, \quad \sec\theta = \frac{1}{x}, \quad \text{cosec}\,\theta = \frac{1}{y}.$$

O seno e o co-seno são as funções básicas e as outras podem ser expressas em termos dessas duas [veja as identidades (1) a (4) abaixo].

Quando θ é um número positivo $< \pi/2$, as interpretações no triângulo retângulo do seno, co-seno e tangente são vistas na Fig. 9.4:

$$\text{sen}\,\theta = \frac{\text{lado oposto}}{\text{hipotenusa}} = \frac{a}{h},$$

$$\cos\theta = \frac{\text{lado adjacente}}{\text{hipotenusa}} = \frac{b}{h},$$

$$\text{tg}\,\theta = \frac{\text{lado oposto}}{\text{lado adjacente}} = \frac{a}{b}.$$

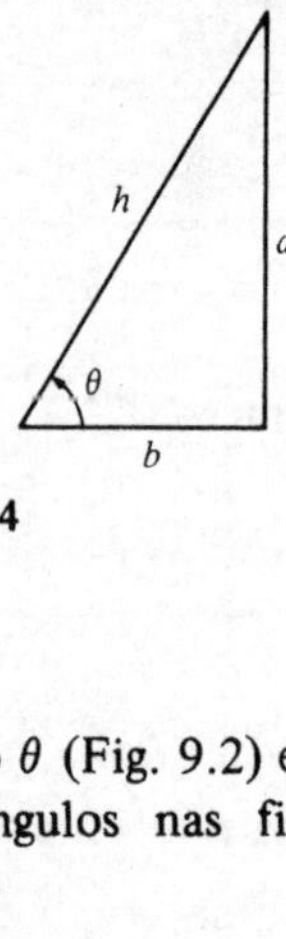

Figura 9.4

Desenhamos o triângulo retângulo com ângulo da base igual ao ângulo θ (Fig. 9.2) e a validade dessas afirmações se justifica pela semelhança entre os dois triângulos nas figuras (pois $\text{sen}\,\theta = y = y/1$ etc.) Nas formas equivalentes

$$a = h\,\text{sen}\,\theta, \quad b = h\cos\theta, \quad a = b\,\text{tg}\,\theta,$$

essas interpretações no triângulo retângulo têm muitas aplicações na Física e Geometria. Contudo, os propósitos do Cálculo exigem que θ seja uma variável real com domínio irrestrito e, por essa razão, as definições na circunferência unitária são preferíveis.

Identidades

Diversas relações simples entre nossas funções são conseqüências diretas das definições:

$$\operatorname{tg} \theta = \frac{\operatorname{sen} \theta}{\cos \theta}, \qquad (1)$$

$$\operatorname{cotg} \theta = \frac{\cos \theta}{\operatorname{sen} \theta}, \qquad (2)$$

$$\sec \theta = \frac{1}{\cos \theta}, \qquad (3)$$

$$\operatorname{cosec} \theta = \frac{1}{\operatorname{sen} \theta}, \qquad (4)$$

$$\operatorname{tg} \theta = \frac{1}{\operatorname{cotg} \theta}, \qquad (5)$$

Ao todo há 21 identidades fundamentais que expressam as principais propriedades das funções trigonométricas e constituem-se no âmago do assunto. Essas identidades caem em diversos grupos, naturais, e são portanto mais fáceis de se lembrar do que poderíamos esperar. Ressaltamos essa divisão em grupos cercando-os.

As identidades seguintes estabelecem o efeito da substituição de θ por $-\theta$. Tendo-se em vista a Fig. 9.5 e o fato óbvio de que as extremidades dos dois raios estão na mesma vertical para todos os valores de θ, temos imediatamente as duas primeiras identidades

$$\operatorname{sen}(-\theta) = -\operatorname{sen} \theta, \qquad (6)$$

$$\cos(-\theta) = \cos \theta, \qquad (7)$$

$$\operatorname{tg}(-\theta) = -\operatorname{tg} \theta. \qquad (8)$$

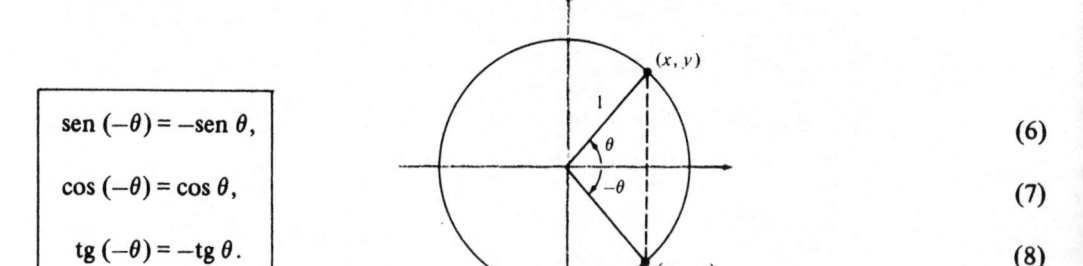

Figura 9.5

A terceira segue-se facilmente de (1), combinada com (6) e (7)*.

O próximo grupo consiste em três versões equivalentes da equação $x^2 + y^2 = 1$. Antes de enunciá-las devemos explicar que os símbolos $\operatorname{sen}^2 \theta$ e $\cos^2 \theta$ são notações-padrão para $(\operatorname{sen} \theta)^2$ e $(\cos \theta)^2$. Se escrevemos $x^2 + y^2 = 1$ na forma $y^2 + x^2 = 1$, então isto acarreta a primeira das identidades.

---

* É claro que há identidades semelhantes para a co-tangente, secante e co-secante. Entretanto, são pouco significativas, e, de acordo com nosso propósito de apresentar uma versão resumida da Trigonometria, as ignoramos.

$$\text{sen}^2\,\theta + \cos^2\,\theta = 1, \tag{9}$$

$$\text{tg}^2\,\theta + 1 = \sec^2\,\theta, \tag{10}$$

$$1 + \cot\!g^2\,\theta = \text{cosec}^2\,\theta. \tag{11}$$

A segunda e a terceira identidades desse grupo são obtidas dividindo-se (9), respectivamente, por $\cos^2\theta$ e por $\text{sen}^2\theta$. Por motivos óbvios, as seguintes fórmulas são chamadas *fórmulas de adição*:

$$\text{sen}\,(\theta + \phi) = \text{sen}\,\theta\,\cos\,\phi + \cos\,\theta\,\text{sen}\,\phi, \tag{12}$$

$$\cos\,(\theta + \phi) = \cos\,\theta\,\cos\,\phi - \text{sen}\,\theta\,\text{sen}\,\phi, \tag{13}$$

$$\text{tg}\,(\theta + \phi) = \frac{\text{tg}\,\theta + \text{tg}\,\phi}{1 - \text{tg}\,\theta\,\text{tg}\,\phi}. \tag{14}$$

Indicamos no Problema 10 um método para provar a primeira dessas fórmulas; a terceira vem das duas primeiras por argumento direto. Escrevemos

$$\text{tg}\,(\theta + \phi) = \frac{\text{sen}\,(\theta + \phi)}{\cos\,(\theta + \phi)} = \frac{\text{sen}\,\theta\,\cos\,\phi + \cos\,\theta\,\text{sen}\,\phi}{\cos\,\theta\,\cos\,\phi - \text{sen}\,\theta\,\text{sen}\,\phi}.$$

Dividindo o numerador e o denominador do 2º membro por $\cos\theta\cos\phi$, obtemos

$$\text{tg}\,(\theta + \phi) = \frac{\text{sen}\,\theta/\cos\,\theta + \text{sen}\,\phi/\cos\,\phi}{1 - (\text{sen}\,\theta/\cos\,\theta)(\text{sen}\,\phi/\cos\,\phi)},$$

que é essencialmente (14). As correspondentes *fórmulas de subtração* são

$$\text{sen}\,(\theta - \phi) = \text{sen}\,\theta\,\cos\,\phi - \cos\,\theta\,\text{sen}\,\phi, \tag{15}$$

$$\cos\,(\theta - \phi) = \cos\,\theta\,\cos\,\phi + \text{sen}\,\theta\,\text{sen}\,\phi, \tag{16}$$

$$\text{tg}\,(\theta - \phi) = \frac{\text{tg}\,\theta - \text{tg}\,\phi}{1 + \text{tg}\,\theta\,\text{tg}\,\phi}. \tag{17}$$

Estas seguem-se diretamente das fórmulas de adição trocando ϕ por $-\phi$ e usando (6), (7) e (8).

As fórmulas do *ângulo duplo* são

$$\text{sen } 2\theta = 2 \text{ sen } \theta \cos \theta, \qquad (18)$$
$$\cos 2\theta = \cos^2 \theta - \text{sen}^2 \theta. \qquad (19)$$

Estes são os casos particulares de (12) e (13) obtidos trocando ϕ por θ. (Há também uma fórmula óbvia do ângulo duplo para a tangente; mas esta é de menor importância e vamos omiti-la.)

As fórmulas do *ângulo-metade* são

$$2 \cos^2 \theta = 1 + \cos 2\theta, \qquad (20)$$
$$2 \text{ sen}^2 \theta = 1 - \cos 2\theta.$$

Estas são fáceis de provar escrevendo (9) e (19):

$$\cos^2 \theta + \text{sen}^2 \theta = 1,$$
$$\cos^2 \theta - \text{sen}^2 \theta = \cos 2\theta.$$

A soma membro a membro conduz a (20) e a subtração conduz a (21).

Valores

Tendo sempre presentes as definições de sen θ, cos θ e tg θ, há diversos valores de θ do 1º quadrante para os quais os valores exatos dessas funções são fáceis de achar. Tudo que é necessário é lembrar do Teorema de Pitágoras e olhar cuidadosamente as três partes da Fig. 9.6:

$$\text{sen } \frac{\pi}{6} = \frac{1}{2} \qquad \text{sen } \frac{\pi}{4} = \frac{1}{2}\sqrt{2} \qquad \text{sen } \frac{\pi}{3} = \frac{1}{2}\sqrt{3}$$

$$\cos \frac{\pi}{6} = \frac{1}{2}\sqrt{3} \qquad \cos \frac{\pi}{4} = \frac{1}{2}\sqrt{2} \qquad \cos \frac{\pi}{3} = \frac{1}{2}$$

$$\text{tg } \frac{\pi}{6} = \frac{\frac{1}{2}}{\frac{1}{2}\sqrt{3}} = \frac{1}{3}\sqrt{3} \qquad \text{tg } \frac{\pi}{4} = 1 \qquad \text{tg } \frac{\pi}{3} = \frac{\frac{1}{2}\sqrt{3}}{\frac{1}{2}} = \sqrt{3}$$

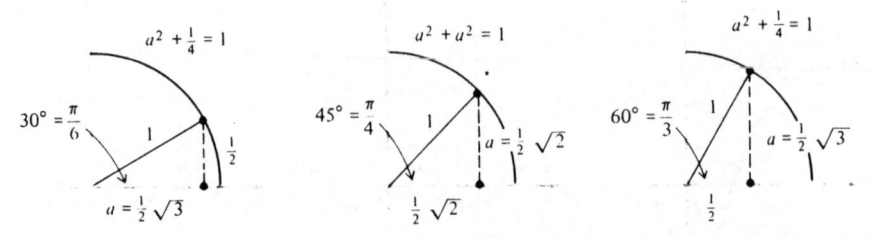

Figura 9.6

Além disso, uma olhada na Fig. 9.2 com OP em várias posições nos dá informação semelhante para os casos $\theta = 0, \pi/2, 3\pi/2$ e 2π (o sinal * significa que a quantidade não está definida):

$$\text{sen } 0 = 0 \qquad \text{sen}\frac{\pi}{2} = 1 \qquad \text{sen } \pi = 0 \qquad \text{sen}\frac{3\pi}{2} = -1 \qquad \text{sen } 2\pi = 0$$

$$\cos 0 = 1 \qquad \cos\frac{\pi}{2} = 0 \qquad \cos \pi = -1 \qquad \cos\frac{3\pi}{2} = 0 \qquad \cos 2\pi = 1$$

$$\text{tg } 0 = 0 \qquad \text{tg}\frac{\pi}{2} = * \qquad \text{tg } \pi = 0 \qquad \text{tg}\frac{3\pi}{2} = * \qquad \text{tg } 2\pi = 0$$

No nosso trabalho posterior, fatos dessa natureza serão, muitas vezes, necessários com resposta momentânea. Eles são melhor aprendidos não por esforço de memorização, mas por um ato de compreensão – conhecendo as definições das funções trigonométricas e visualizando (ou esboçando rapidamente) figuras apropriadas. Enfatizamos também a maneira pela qual os sinais algébricos variam de um quadrante para outro. Os resultados são óbvios, tanto pelas definições como pela Fig. 9.2, e são especificados na seguinte tabela:

Quadrante	1	2	3	4
sen θ	+	+	−	−
cos θ	+	−	−	+
tg θ	+	−	+	−

Gráficos

O gráfico de sen θ é fácil de ser esboçado tendo em vista a Fig. 9.2 e seguindo o modo pelo qual y varia quando θ cresce de 0 a 2π, isto é, quando o raio faz uma volta completa no sentido anti-horário. É claro que sen θ começa no 0, cresce para 1, decresce para 0, decresce ainda mais para −1 e cresce para 0. Isto dá um ciclo completo de sen θ (Fig. 9.7, à esquerda).

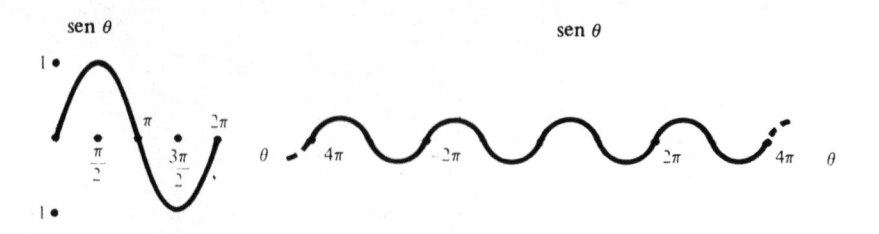

Figura 9.7

O gráfico completo (Fig. 9.7, à direita) consiste em infinitas repetições desse ciclo, à direita e à esquerda de zero. O gráfico de $\cos\theta$ pode ser esboçado essencialmente da mesma maneira (Fig. 9.8), sendo a principal diferença a de que $\cos\theta$ começa em 1, decresce para 0, decresce posteriormente para -1, cresce para 0 e cresce depois para 1.

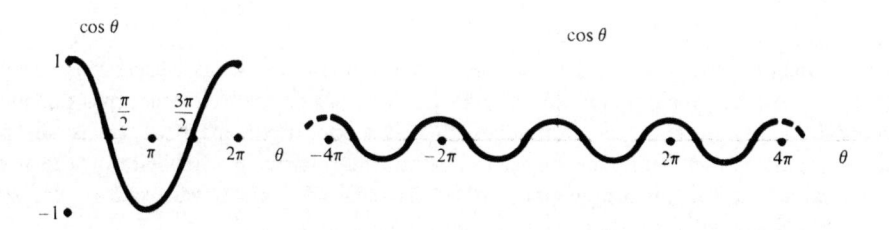

Figura 9.8

O gráfico de $\text{tg}\,\theta$ é bem diferente dos gráficos de $\text{sen}\,\theta$ e de $\cos\theta$. Salientamos que $\text{tg}\,\theta$ é periódica com período π:

$$\text{tg}\,(\theta + \pi) = \frac{\text{sen}\,(\theta + \pi)}{\cos(\theta + \pi)} = \frac{-\text{sen}\,\theta}{-\cos\theta} = \text{tg}\,\theta.$$

Isto nos permite ter facilmente o quadro completo de valores de $\text{tg}\,\theta$, visualizando a razão y/x (Fig. 9.2) e permitindo a θ crescer de $-\pi/2$ a $\pi/2$. O resultado é a curva central (Fig. 9.9). O gráfico completo de $\text{tg}\,\theta$ consiste em infinitas repetições dessa curva, à direita e à esquerda. O fato de que $\text{tg}\,\theta \to \infty$ quando $\theta \to \pi/2$ (pela esquerda) é, muitas vezes, vagamente expresso, escrevendo-se $\text{tg}\,\pi/2 = \infty$.

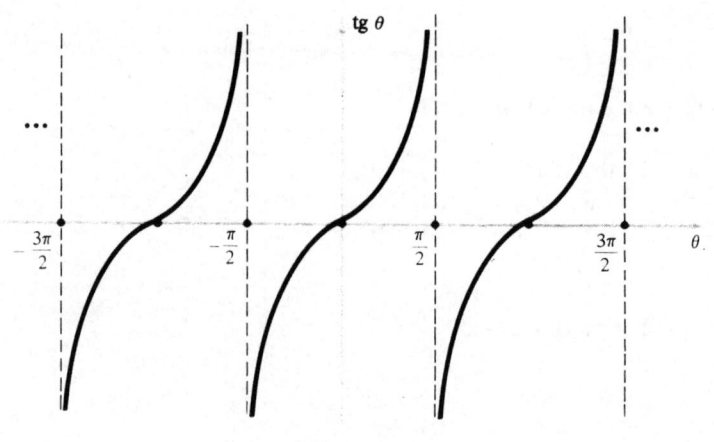

Figura 9.9

Lei dos Co-senos

Essa lei é um instrumento útil numa variedade de situações em Matemática e Física. Ela dá o valor do terceiro lado de um triângulo (Fig. 9.10) em termos de dois lados dados a e b e do ângulo por eles formado θ:

$$c^2 = a^2 + b^2 - 2ab \cos \theta.$$

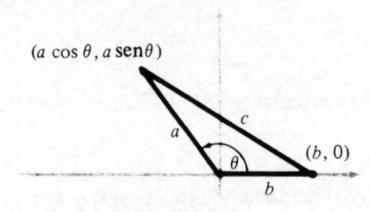

Figura 9.10

A prova fica rotineira colocando-se o triângulo no plano xy, como se mostra na figura, e aplicando-se a fórmula da distância para os vértices $(a \cos \theta, a \operatorname{sen} \theta)$ e $(b, 0)$. O quadrado do lado c é evidentemente

$$\begin{aligned} c^2 &= (a \cos \theta - b)^2 + (a \operatorname{sen} \theta - 0)^2 \\ &= a^2(\cos^2 \theta + \operatorname{sen}^2 \theta) + b^2 - 2ab \cos \theta \\ &= a^2 + b^2 - 2ab \cos \theta, \end{aligned}$$

e a prova está completa. Uma aplicação importante da Lei dos Co-senos é dada no Problema 10, onde ela é utilizada para provar a identidade (16) e conseqüentemente as identidades (12) e (13).

Problemas

1. Converta de graus para radianos:

   (a) 15°;   (b) 105°;   (c) 120°;
   (d) 75°;   (e) 150°;   (f) 135°;
   (g) 225°;   (h) 210°;   (i) 630°;
   (j) 900°.

2. Converta de radianos para graus:

   (a) $5\pi/3$;   (b) $7\pi/6$;   (c) $2\pi/9$;
   (d) $3\pi/2$;   (e) $4\pi/3$;   (f) 3π;
   (g) $7\pi/15$;   (h) $\pi/36$;   (i) $\pi/5$;
   (j) $25\pi/3$.

3. Um jardim decorativo deve ter a forma de um setor circular de raio r e ângulo central θ. estando o perímetro fixado de início, que valor de θ maximizará a área do jardim?

4. Ache os valores de sen θ, cos θ e tg θ quando θ é igual a

   (a) $-\pi/6$;   (b) $3\pi/4$;   (c) $4\pi/3$;
   (d) $-5\pi/4$;   (e) $2\pi/3$;   (f) 17π;
   (g) -102π.

5. A base de um triângulo isósceles é 10. Expresse sua área A como função do ângulo do vértice θ.

6. A altura de um triângulo isósceles é h. Expresse seu perímetro p em função do ângulo da base θ.

7. Expresse a altura H de um mastro em termos do comprimento L de sua sombra e do ângulo de elevação do Sol.

8. Um caçador está sentado numa plataforma construída numa árvore a 30 metros do chão. Ele vê um tigre sob um ângulo de 30° abaixo da horizontal. A que distância está o tigre?

9. Esboce o gráfico de
   (a) sen 2θ (Sugestão: essa curva perfaz um ciclo completo quando 2θ cresce de 0 a 2π.);
   (b) 3 sen 2θ;   (c) sen 4θ;
   (d) sen $\frac{1}{2}\theta$;   (e) 2 cos 3θ.

10. Neste problema esboçamos um método para provar as identidades (12) e (13), estabelecendo primeiro (16). A Fig. 9.11 mostra a circunferência de raio unitário com dois ângulos arbitrários θ e ϕ e seus correspondentes pontos $P_\theta = (\cos \theta, \text{sen } \theta)$ e $P_\phi = (\cos \phi, \text{sen } \phi)$.

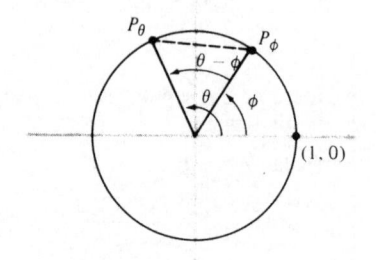

Figura 9.11

(a) Calcule o quadrado da distância entre esses pontos de duas maneiras: usando a fórmula da distância e a lei dos co-senos, provando assim a identidade (16):

$$\cos(\theta - \phi) = \cos \theta \cos \phi + \text{sen } \theta \text{ sen } \phi.$$

(b) Use a parte (a) para provar a identidade (13):

$$\cos(\theta + \phi) = \cos \theta \cos \phi - \text{sen } \theta \text{ sen } \phi.$$

(c) Use a parte (a) para mostrar que $\cos(\pi/2 - \phi) = \text{sen } \phi$.

(d) Use a parte (c) para mostra que $\text{sen}(\pi/2 - \phi) = \cos \phi$. (Sugestão: troque ϕ por $\pi/2 \quad \phi$.)

(e) Use as partes (a), (c) e (d) para provar a identidade (12):

$$\text{sen}(\theta + \phi) = \text{sen } \theta \cos \phi + \cos \theta \text{ sen } \phi.$$

Sugestão: $\text{sen}(\theta + \phi) = \cos[\pi/2 - (\theta + \phi)] = \cos[(\pi/2 - \theta) - \phi] = \cdots$.

11. Deduza fórmulas para $\text{sen } 3\theta$ em termos de $\text{sen } \theta$ e para $\cos 3\theta$ em termos de $\cos \theta$.

12. Deduza uma fórmula para $\cos 4\theta$ em termos de $\cos \theta$.

13. Deduza uma fórmula para $\text{sen } 4\theta$ em termos de $\text{sen } \theta$ e $\cos \theta$.

14. Se a e b são constantes quaisquer, mostre que existem constantes A e B com a propriedade de que $a \operatorname{sen} \theta + b \cos \theta$ pode ser escrita na forma $A \operatorname{sen}(\theta + B)$.

15. Calcule sen 15° usando

   (a) $15° = 45° - 30°$;   (b) $15° = \frac{1}{2}(30°)$.

16. Calcule todas as soluções de cada uma das seguintes equações:

   (a) $\operatorname{sen} 3\theta = \frac{1}{2}\sqrt{2}$;   (b) $\cos \frac{1}{2}\theta = -1$;
   (c) $\operatorname{sen} 5\theta = -\frac{1}{2}$.

17. Mostre que

   (a) $\operatorname{sen} \theta \operatorname{sen} \phi = \frac{1}{2}[\cos(\theta - \phi) - \cos(\theta + \phi)]$;
   (b) $\cos \theta \cos \phi = \frac{1}{2}[\cos(\theta - \phi) + \cos(\theta + \phi)]$;
   (c) $\operatorname{sen} \theta \cos \phi = \frac{1}{2}[\operatorname{sen}(\theta + \phi) + \operatorname{sen}(\theta - \phi)]$.

18. Mostre que

   (a) $\operatorname{sen} \theta + \operatorname{sen} \phi = 2 \operatorname{sen}\left(\dfrac{\theta + \phi}{2}\right) \cos\left(\dfrac{\theta - \phi}{2}\right)$;

   (b) $\operatorname{sen} \theta - \operatorname{sen} \phi = 2 \cos\left(\dfrac{\theta + \phi}{2}\right) \operatorname{sen}\left(\dfrac{\theta - \phi}{2}\right)$;

   (c) $\cos \theta + \cos \phi = 2 \cos\left(\dfrac{\theta + \phi}{2}\right) \cos\left(\dfrac{\theta - \phi}{2}\right)$;

   (d) $\cos \theta - \cos \phi = -2 \operatorname{sen}\left(\dfrac{\theta + \phi}{2}\right) \operatorname{sen}\left(\dfrac{\theta - \phi}{2}\right)$.

   Sugestão: essas identidades podem ser estabalecidas laboriosamente, trabalhando a partir dos 2ºs membros para os 1ºs membros ou, facilmente, com um uso engenhoso do Problema 17.

19. Esboce o gráfico das funções

   (a) $y = \operatorname{sen} \dfrac{1}{x}$;   (b) $y = x \operatorname{sen} \dfrac{1}{x}$;

   (c) $y = x^2 \operatorname{sen} \dfrac{1}{x}$.

   Observe particularmente que nenhuma dessas funções está definida em $x = 0$.

20. No Problema 19, complete a definição de cada uma das funções, especificando que $y = 0$ quando $x = 0$. Com essas mudanças mostre que no ponto $x = 0$ a função (a) é descontínua, a função (b) é contínua, mas não é derivável, e a função (c) é derivável.

21. Se um lado e o ângulo oposto de um triângulo são fixados, e os outros dois lados são variáveis, use a Lei dos Co-senos para mostrar que a área é máxima quando o triângulo é isósceles. (Você pode provar isto usando só geometria?)

22. Uma xícara de papel, em forma de cone, é formada a partir de uma folha circular de papel, cortando um setor circular e unindo as arestas da peça restante. Qual deve ser o ângulo central do setor para maximizar o volume da xícara?

23. Uma lâmpada está pendurada acima do centro de uma mesa circular cujo raio é 1 m. A iluminação em qualquer ponto sobre a mesa é diretamente proporcional ao seno do ângulo formado entre a mesa e o raio de luz incidente naquele ponto; a iluminação é também inversamente proporcional ao quadrado da distância do ponto de incidência à fonte de luz. A que altura deve ser pendurada a lâmpada para maximizar a iluminação na borda da mesa?

24. Uma bola esférica pesada é baixada cuidadosamente num copo cheio de vinho, em forma de cone, cuja profundidade é a e cujo ângulo gerador (entre o eixo e uma geratriz) é α. Mostre que o transbordamento máximo ocorre quando o raio da bola é

$$\frac{a \operatorname{sen} \alpha}{\operatorname{sen} \alpha + \cos 2\alpha}.$$

9.2 AS DERIVADAS DO SENO E DO CO-SENO

O tratamento de cálculo dado às funções trigonométricas começa com duas das fórmulas mais importantes de toda a Matemática:

$$\frac{d}{dx} \operatorname{sen} x = \cos x \tag{1}$$

e

$$\frac{d}{dx} \cos x = -\operatorname{sen} x. \tag{2}$$

Enfatizamos que a letra x usada aqui é simplesmente uma variável real ordinária, como em qualquer função $y = f(x)$, e se é a medida de um ângulo, então é sempre entendida como sendo em radianos.

As fórmulas (1) e (2) podem ser provadas aplicando-se diretamente a definição de derivada

$$\frac{d}{dx} f(x) = \lim_{\Delta x \to 0} \frac{f(x + \Delta x) - f(x)}{\Delta x}. \qquad (3)$$

Para realizar esses cálculos, verifica-se que precisamos conhecer os seguintes dois limites especiais:

$$\lim_{\theta \to 0} \frac{\operatorname{sen} \theta}{\theta} = 1 \qquad (4)$$

e

$$\lim_{\theta \to 0} \frac{1 - \cos \theta}{\theta} = 0. \qquad (5)$$

A validade dessas afirmações pode ser compreendida diretamente da Geometria, pensando-se em θ como um ângulo pequeno e olhando-se a circunferência unitária (Fig. 9.12, à esquerda), onde utilizando-se as definições dadas na seção anterior teremos que $PQ = \operatorname{sen} \theta$, $PR = \theta$ e $QR = 1 - \cos \theta$.

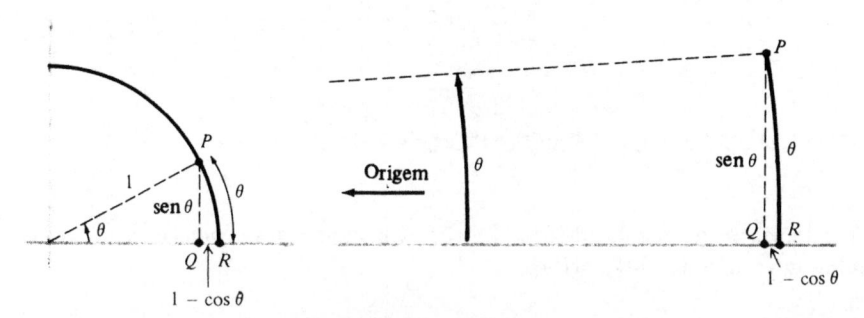

Figura 9.12

É fácil ver que a razão $(\operatorname{sen} \theta)/\theta = PQ/PR$ é < 1, próxima de 1 e evidentemente tende a 1 quando θ tende a 0. Esse comportamento da razão $(\operatorname{sen} \theta)/\theta$ é mais enfatizado pela versão ampliada de parte da figura, mostrada à direita na Fig. 9.12; onde θ é muito pequeno e a origem está a vários metros para a esquerda. O mesmo tipo de "prova por inspeção" pode também ser aplicada a (5). Dessa vez a figura revela que a razão $(1 - \cos \theta)/\theta = QR/PR$ é um número pequeno, que evidentemente tende a zero quando θ tende a 0. Para os estudantes que desejam detalhes adicionais e talvez argumentos mais convincentes, continuaremos essa discussão na Observação 2. Por enquanto prosseguimos com as provas de (1) e (2), usando os limites (4) e (5).

Para estabelecer a fórmula (1), aplicamos (3) à função $f(x) = \text{sen } x$,

$$\frac{d}{dx}\text{sen } x = \lim_{\Delta x \to 0} \frac{\text{sen}(x + \Delta x) - \text{sen } x}{\Delta x}.$$

Como $\text{sen}(x + \Delta x) = \text{sen } x \cos \Delta x + \cos x \text{ sen } \Delta x$, usamos um pequeno artifício e escrevemos

$$\frac{d}{dx}\text{sen } x = \lim_{\Delta x \to 0} \frac{\text{sen } x \cos \Delta x + \cos x \text{ sen } \Delta x - \text{sen } x}{\Delta x}$$

$$= \lim_{\Delta x \to 0} \left[\cos x \left(\frac{\text{sen } \Delta x}{\Delta x} \right) - \text{sen } x \left(\frac{1 - \cos \Delta x}{\Delta x} \right) \right].$$

Usando (4) e (5) com θ substituído por Δx, obtemos

$$\frac{d}{dx}\text{sen } x = (\cos x) \cdot 1 - (\text{sen } x) \cdot 0 = \cos x,$$

o que conclui a prova de (1). Para provar a fórmula (2), começamos com

$$\frac{d}{dx}\cos x = \lim_{\Delta x \to 0} \frac{\cos(x + \Delta x) - \cos x}{\Delta x}.$$

Como $\cos(x + \Delta x) = \cos x \cos \Delta x - \text{sen } x \text{ sen } \Delta x$, temos

$$\frac{d}{dx}\cos x = \lim_{\Delta x \to 0} \frac{\cos x \cos \Delta x - \text{sen } x \text{ sen } \Delta x - \cos x}{\Delta x}$$

$$= \lim_{\Delta x \to 0} \left[-\text{sen } x \left(\frac{\text{sen } \Delta x}{\Delta x} \right) - \cos x \left(\frac{1 - \cos \Delta x}{\Delta x} \right) \right]$$

$$= (-\text{sen } x) \cdot 1 - (\cos x) \cdot 0 = -\text{sen } x,$$

e a prova de (2) está completa. As fórmulas de adição para o seno e co-seno exercem obviamente papéis essenciais nesses argumentos e esta é sua principal aplicação matemática.

Agora generalizamos (1) e (2) por meio da regra da cadeia e obtemos as fórmulas extremamente úteis

$$\frac{d}{dx}\text{sen } u = \cos u \frac{du}{dx} \tag{6}$$

e

$$\frac{d}{dx}\cos u = -\text{sen } u \frac{du}{dx}. \qquad (7)$$

Como de hábito, u é qualquer função derivável de x.

Exemplo 1 Calcule a derivada de cada uma das seguintes funções:

(a) $y = \text{sen } 5x$;   (b) $y = \text{sen } \sqrt{x}$;   (c) $y = \cos(2 - 3x^4)$.

Solução   Para (a) usamos (6) com $u = 5x$; logo,

$$\frac{dy}{dx} = \cos 5x \frac{d}{dx}(5x) = 5 \cos 5x.$$

Para (b), $u = \sqrt{x} = x^{1/2}$; logo,

$$\frac{dy}{dx} = \cos \sqrt{x} \frac{d}{dx}(x^{1/2}) = \frac{1}{2\sqrt{x}} \cos \sqrt{x}.$$

Para (c) usamos (7) com $u = 2 - 3x^4$; logo,

$$\frac{dy}{dx} = -\text{sen}(2 - 3x^4) \frac{d}{dx}(2 - 3x^4) = 12x^3 \text{sen}(2 - 3x^4).$$

Os estudantes devem aprender a utilizar as fórmulas (6) e (7) em combinação com todas as regras anteriores de derivação. Em relação a isto, é necessário lembrar a notação-padrão para potências de funções trigonométricas: $\text{sen}^n x$ significa $(\text{sen } x)^n$. Há uma exceção a este uso, pois $(\text{sen } x)^{-1}$ *jamais* se escreve $\text{sen}^{-1} x$; esta última expressão é reservada exclusivamente para a função inversa do seno, discutida na Seção 9.5.

Exemplo 2 Calcule a derivada das seguintes funções:

(a) $y = \text{sen}^3 4x$;   (b) $y = e^{\cos x}$;
(c) $y = \ln(\text{sen } x)$;   (d) $y = \text{sen}(\ln x)$.

Solução

(a) $\dfrac{dy}{dx} = 3(\operatorname{sen} 4x)^2 \dfrac{d}{dx}(\operatorname{sen} 4x) = 3(\operatorname{sen} 4x)^2(\cos 4x) \cdot 4$

$\phantom{\dfrac{dy}{dx}} = 12 \operatorname{sen}^2 4x \cos 4x.$

(b) $\dfrac{dy}{dx} = e^{\cos x} \dfrac{d}{dx}(\cos x) = -\operatorname{sen} x \, e^{\cos x}.$

(c) $\dfrac{dy}{dx} = \dfrac{1}{\operatorname{sen} x} \dfrac{d}{dx}(\operatorname{sen} x) = \dfrac{\cos x}{\operatorname{sen} x} = \operatorname{cotg} x.$

(d) $\dfrac{dy}{dx} = \cos(\ln x) \dfrac{d}{dx}(\ln x) = \dfrac{\cos(\ln x)}{x}.$

Exemplo 3 Mostre que $(d/dx)(1/3 \cos^3 x - \cos x) = \operatorname{sen}^3 x.$

Solução

$$\dfrac{d}{dx}\left(\dfrac{1}{3}\cos^3 x - \cos x\right) = \dfrac{1}{3} \cdot 3 \cos^2 x \, (-\operatorname{sen} x) + \operatorname{sen} x$$

$$= \operatorname{sen} x \, (1 - \cos^2 x) = \operatorname{sen}^3 x.$$

Observação 1 Estamos agora em condições de explicar por que se prefere a medida em radianos à medida em graus quando se trabalha com as funções trigonométricas no cálculo. Denotamos por $\operatorname{sen} x^0$ e $\cos x^0$ o seno e o co-seno de um ângulo com x graus. Sabemos que x graus equivalem a $\pi x/180$ radianos. Logo

$$\operatorname{sen} x^\circ = \operatorname{sen} \dfrac{\pi x}{180}.$$

Pela fórmula (6)

$$\dfrac{d}{dx} \operatorname{sen} x^\circ = \dfrac{d}{dx} \operatorname{sen} \dfrac{\pi x}{180} = \dfrac{\pi}{180} \cos \dfrac{\pi x}{180}$$

ou

$$\dfrac{d}{dx} \operatorname{sen} x^\circ = \dfrac{\pi}{180} \cos x^\circ.$$

Utilizamos medida em radianos, de modo rotineiro, em cálculo pela sua simplicidade, a fim de evitar a ocorrência repetida do fator de transtorno $\pi/180$.

Observação 2 Se o limite (4) foi solidamente estabelecido de algum modo, então o limite (5) pode ser tirado como conseqüência dele. Temos

$$\lim_{\theta \to 0} \frac{1 - \cos \theta}{\theta} = \lim_{\theta \to 0} \left(\frac{1 - \cos \theta}{\theta} \cdot \frac{1 + \cos \theta}{1 + \cos \theta} \right)$$

$$= \lim_{\theta \to 0} \frac{1 - \cos^2 \theta}{\theta(1 + \cos \theta)}$$

$$= \lim_{\theta \to 0} \frac{\text{sen}^2 \theta}{\theta(1 + \cos \theta)}$$

$$= \lim_{\theta \to 0} \frac{\text{sen } \theta}{\theta} \cdot \frac{\text{sen } \theta}{1 + \cos \theta}$$

$$= \left(\lim_{\theta \to 0} \frac{\text{sen } \theta}{\theta} \right) \left(\lim_{\theta \to 0} \frac{\text{sen } \theta}{1 + \cos \theta} \right)$$

$$= 1 \cdot \frac{0}{1 + 1} = 0,$$

pois sen $\theta \to 0$ e cos $\theta \to 1$ quando $\theta \to 0$.

Voltemos ao problema de provar (4). Primeiro observamos que podemos considerar só valores positivos de θ, pois se trocarmos θ por $-\theta$ temos $\text{sen}(-\theta)/(-\theta) = (-\text{sen } \theta)/(-\theta) = (\text{sen } \theta)/\theta$ e o valor da fração $(\text{sen } \theta)/\theta$ fica inalterado.

Um método de provar (4) repousa na seguinte premissa. Sejam P e Q dois pontos próximos sobre a circunferência unitária (Fig. 9.13) e sejam $\overline{PQ}$ e $\widehat{PQ}$ comprimentos da corda e do arco que unem esses pontos. Então a razão do comprimento da corda pelo comprimento do arco evidentemente tende a 1 quando os dois pontos se movem juntos:

$$\frac{\text{comprimento da corda } \overline{PQ}}{\text{comprimento do arco } \widehat{PQ}} \to 1 \quad \text{quando } \widehat{PQ} \to 0.$$

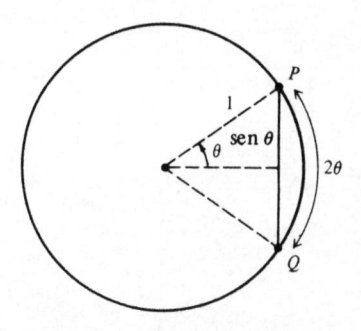

Figura 9.13

Com a notação da figura, essa afirmação geométrica é equivalente a

$$\frac{2 \operatorname{sen} \theta}{2\theta} = \frac{\operatorname{sen} \theta}{\theta} \to 1 \quad \text{quando} \quad 2\theta \to 0 \quad \text{ou} \quad \theta \to 0,$$

e esse resultado é (4). Há outras maneiras de provar (4), mas esta é tão direta quanto qualquer outra. Corresponde ao argumento dado anteriormente, mas um pouco mais detalhado, de modo que a natureza do raciocínio é mais nitidamente visível.

Observação 3 Apenas para ilustração, mencionamos uma outra aplicação do limite (4). Esse limite pode ser utilizado para provar a *fórmula de Vieta*, a primeira (1593) expressão numérica teoricamente exata envolvendo π:

$$\frac{2}{\pi} = \frac{\sqrt{2}}{2} \cdot \frac{\sqrt{2 + \sqrt{2}}}{2} \cdot \frac{\sqrt{2 + \sqrt{2 + \sqrt{2}}}}{2} \cdots$$

(As reticências significam o chamado "produto infinito" cujos fatores seguem o padrão indicado.) Para nós, essa fórmula notável é apenas uma curiosidade e não tem conseqüência para nosso trabalho futuro, e assim damos sua prova no Apêndice A.5.

Problemas

Em cada um dos seguintes problemas (de 1 a 18) calcule a derivada dy/dx da função dada.

1. $y = \operatorname{sen}(3x - 2)$.

2. $y = \cos(1 - 7x)$.

3. $y = 3 \operatorname{sen} 16x$.

4. $y = \operatorname{sen}^2 x$.

5. $y = \operatorname{sen} x^2$.

6. $y = \operatorname{sen}^2 6x$.

7. $y = 5 \operatorname{sen} 3x + 3 \cos 5x$.

8. $y = \operatorname{sen}^2 x + \cos^2 x$.

9. $y = x \operatorname{sen} x$.

10. $y = x^3 \operatorname{sen} 3x$.

11. $y = \operatorname{sen}^2 3x \cos^2 3x$.

12. $y = \cos^4 x - \operatorname{sen}^4 x$.

13. $y = \dfrac{1}{5} \operatorname{sen}^5 x - \dfrac{2}{3} \operatorname{sen}^3 x + \operatorname{sen} x$.

14. $y = \operatorname{sen}(\operatorname{sen} x)$.

15. $y = e^{2x} \operatorname{sen} 3x$.

16. $y = \operatorname{sen}(\ln x^2)$.

17. $y = \ln(\cos x)$.

18. $y = e^{x^2 + \operatorname{sen} x}$.

19. Sendo a uma constante positiva, verifique que $y = c_1 \operatorname{sen} ax + c_2 \cos ax$ é uma solução da equação diferencial

$$\frac{d^2y}{dx^2} + a^2 y = 0$$

para qualquer escolha arbitrária das constantes c_1 e c_2. (Nos problemas suplementares esboçamos uma prova do fato importante de que toda solução dessa equação diferencial tem a forma acima. Por essa razão, $y = c_1 \operatorname{sen} ax + c_2 \cos ax$ chama-se *solução geral* da equação diferencial.)

20. Mostre que $(d/dx) \cos x = -\operatorname{sen} x$ usando a identidade $\cos x = \operatorname{sen}(\pi/2 - x)$ e a fórmula (6).

21. Determine o ângulo com que a curva $y = \dfrac{1}{3} \operatorname{sen} 3x$ atravessa o eixo x.

22. Esboce o gráfico de $y = \operatorname{sen} x + \cos x$ no intervalo $0 \leq x \leq 2\pi$ e determine a altura máxima dessa curva acima do eixo x.

23. Determine a altura máxima da curva $y = 4 \operatorname{sen} x - 3 \cos x$ acima do eixo x.

24. Obtenha a segunda das seguintes identidades derivando a primeira: sen $2x = 2$ sen x cos x, cos $3x = 4$ cos $3x - 3$ cos x.

25. Obtenha a segunda das seguintes identidades derivando a primeira: sen $3x = 3$ sen $x - 4$ sen$^3 x$, cos $3x = 4$ cos $3x - 3$ cos x.

26. Obtenha a segunda das seguintes identidades derivando a primeira com relação a uma das variáveis, conservando fixa a outra:

    sen $(x + y) = $ sen x cos $y + $ cos x sen y;
    cos $(x + y) = $ cos x cos $y - $ sen x sen y.

27. Mostre que $y = $ sen x e $y = $ tg x têm a mesma reta tangente em $x = 0$.

28. Mostre que a função $y = x + $ sen x $(x \geq 0)$ não tem máximo nem mínimo, embora tenha muitos pontos em que $dy/dx = 0$. Esboce o gráfico.

29. Um polígono regular com n lados está inscrito num círculo de raio r.

    (a) Mostre que o perímetro desse polígono é $p_n = 2nr$ sen (π/n).

    (b) Calcule $\lim_{n \to \infty} p_n$ e verifique, usando geometria elementar, que sua resposta está correta.

30. Se a, b, c são constantes com $ab \neq 0$, mostre que o gráfico de $y = a$ sen $(bx + c)$ é sempre côncavo com relação ao eixo x e que seus pontos de inflexão são os pontos em que ele corta o eixo x.

31. Esboce o gráfico de $y = $ sen x e $y = $ sen $2x$ num mesmo sistema de coordenadas. Essas curvas têm muitos pontos de interseção. Ache a menor coordenada positiva x de tais pontos e calcule o ângulo agudo com que as curvas se interceptam nesse ponto. Sugestão: veja a identidade (17) da Seção 9.1.

32. As funções $f(x) = $ sen x e $g(x) = $ cos x têm as seguintes propriedades:

    (a) $f'(x) = g(x)$; (b) $g'(x) = -f(x)$; (c) $f(0) = 0$; (d) $g(0) = 1$.

    Se $F(x)$ e $G(x)$ são um par qualquer de funções com as mesmas propriedades, prove que $F(x) = $ sen x e $G(x) = $ cos x. Sugestão: mostre que

    $$[F(x) - f(x)]^2 + [G(x) - g(x)]^2 = \text{constante}$$

    e determine o valor dessa constante. Este problema tem significado muito notável: as funções sen x e cos x ficam *completamente descritas* pelas propriedades (a) a (d) e, portanto, a natureza total dessas funções – tudo que já é conhecido sobre elas ou mesmo que venha a ser conhecido – está implicitamente contido nessas quatro propriedades simples.

Em cada um dos problemas (33 a 43) calcule o valor do limite indicado.

33. $\lim\limits_{x \to 0} \dfrac{\operatorname{tg} x}{x}$.

34. $\lim\limits_{x \to 0} \dfrac{\operatorname{sen} 3x}{x}$.

35. $\lim\limits_{x \to 0} \dfrac{\operatorname{tg} x}{\operatorname{sen} x}$.

36. $\lim\limits_{x \to 0} \dfrac{\operatorname{sen} 3x}{\operatorname{sen} 5x}$.

37. $\lim\limits_{x \to 0} \operatorname{tg} 3x \operatorname{cosec} 6x$.

38. $\lim\limits_{x \to 0} \dfrac{1 - \cos x}{x^2}$.

39. $\lim\limits_{x \to \infty} x \operatorname{sen} \dfrac{1}{x}$.

40. $\lim\limits_{x \to \infty} 3x \operatorname{tg} \dfrac{\pi}{x}$.

41. $\lim\limits_{x \to 0} \dfrac{2x^2 + 2x}{\operatorname{sen} 2x}$.

42. $\lim\limits_{x \to 0} \operatorname{sen} 3x \operatorname{cotg} 5x$.

43. $\lim\limits_{x \to \pi/2} \dfrac{\cos x}{x - \pi/2}$.

9.3 AS INTEGRAIS DO SENO E DO CO-SENO. O PROBLEMA DA AGULHA

As versões diferenciais das fórmulas (7) e (6) da seção anterior são

$$d(\cos u) = -\operatorname{sen} u \, du \quad \text{e} \quad d(\operatorname{sen} u) = \cos u \, du.$$

Estas produzem imediatamente as fórmulas de integração

$$\int \operatorname{sen} u \, du = -\cos u + c \qquad (1)$$

e

$$\int \cos u \, du = \operatorname{sen} u + c. \qquad (2)$$

Exemplo 1 Calcule $\int \cos 5x \, dx$.

Solução Seja $u = 5x$. Então $du = 5 \, dx$, $dx = \dfrac{1}{5} du$ e a fórmula (2) nos dá

$$\int \cos 5x \, dx = \int \cos u \cdot (\tfrac{1}{5} \, du) = \tfrac{1}{5} \int \cos u \, du$$
$$= \tfrac{1}{5} \operatorname{sen} u + c = \tfrac{1}{5} \operatorname{sen} 5x + c.$$

Após praticar um pouco ficará fácil para os estudantes fazerem essa espécie de substituição mentalmente. De fato, podemos dispensar completamente a nova variável u e reduzir essa solução à seguintes etapas simples:

$$\int \cos 5x \, dx = \tfrac{1}{5} \int \cos 5x \, d(5x) = \tfrac{1}{5} \operatorname{sen} 5x + c.$$

Exemplo 2 Calcule $\int 7x \operatorname{sen}(2 - 9x^2) \, dx$.

Solução Seja $u = 2 - 9x^2$. Então, $du = -18x \, dx$, $x \, dx = -\dfrac{1}{18} du$ e

$$\int 7x \operatorname{sen}(2 - 9x^2) \, dx = \int 7 \operatorname{sen} u \cdot (-\tfrac{1}{18} du)$$
$$= -\tfrac{7}{18} \int \operatorname{sen} u \, du$$
$$= \tfrac{7}{18} \cos u + c = \tfrac{7}{18} \cos(2 - 9x^2) + c.$$

Aqui a variável auxiliar u exerce um papel importante em nosso trabalho. Ela não só enfatiza a necessidade de se aplicar a fórmula (1) mas também nos ajuda a observar atentamente os diversos coeficientes e sinais algébricos que aparecem no cálculo — e portanto ajuda-nos a evitar enganos.

Exemplo 3 Calcule a integral definida

$$\int_{\pi/6}^{\pi/4} \frac{\cos 2x \, dx}{\operatorname{sen}^3 2x}.$$

Solução Começamos achando a integral indefinida. Como $d(\operatorname{sen} 2x) = 2 \cos 2x \, dx$, fazemos $u = \operatorname{sen} 2x$. Isto nos dá $du = 2 \cos 2x \, dx$, logo,

$$\int \frac{\cos 2x \, dx}{\operatorname{sen}^3 2x} = \int \frac{\tfrac{1}{2} du}{u^3} = \frac{1}{2} \int u^{-3} \, du = -\frac{1}{4} u^{-2} = -\frac{1}{4 \operatorname{sen}^2 2x}.$$

Lembramos ao estudante que a constante de integração pode ser sempre ignorada no cálculo de integrais definidas e, por essa razão, não nos importamos em escrevê-la aqui. O Teorema Fundamental do Cálculo permite-nos agora completar a resolução escrevendo

$$\int_{\pi/6}^{\pi/4} \frac{\cos 2x\, dx}{\operatorname{sen}^3 2x} = -\frac{1}{4\operatorname{sen}^2 2x}\Big]_{\pi/6}^{\pi/4} = -\frac{1}{4} - \left(-\frac{1}{3}\right) = \frac{1}{12}.$$

No exemplo seguinte abordaremos uma aplicação desses métodos a um famoso problema de probabilidade que foi inventado pelo cientista francês Buffon, no início do século XVIII.

Exemplo 4 *O problema da agulha de Buffon.* Uma agulha de 4 cm de comprimento é jogada ao acaso num assoalho feito de tábuas de 4 cm de largura. Qual a probabilidade de que a agulha caia atravessando uma das junções?

Solução Começamos com uma breve digressão para explicar o uso que fazemos da palavra "probabilidade". Em Matemática essa palavra significa uma medida numérica da possibilidade de um certo evento acontecer. Por exemplo, considere o retângulo mostrado à esquerda da Fig. 9.14, em que uma parte da figura está sombreada. Um ponto é escolhido ao acaso nesse retângulo, fazendo, por exemplo, o retângulo de alvo e atirando, com os olhos vendados, um dardo. A probabilidade de que o ponto escolhido esteja na parte sombreada é $\frac{1}{4}$. Admitimos aqui que é tão provável escolher um ponto determinado como outro qualquer. O número 1/4 expressa o fato de que a proporção de pontos da parte sombreada entre todos os pontos do retângulo é $\frac{1}{4}$. No segundo retângulo, a probabilidade de se escolher um ponto na parte sombreada é $\frac{1}{8}$ e, no terceiro retângulo, é $\frac{3}{8}$. Tomamos como evidente por si mesmo que a probabilidade de se escolher um ponto na parte sombreada é igual à razão da área sombreada pela área total.

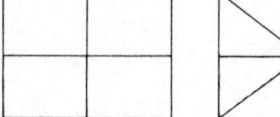

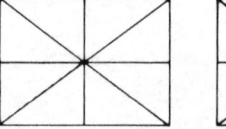

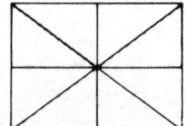

Figura 9.14

Retornemos agora ao problema da agulha. Descrevemos a posição em que a agulha cai no assoalho pelas duas variáveis x e θ (Fig. 9.15); x é a distância OP do ponto médio 0 da agulha à junção mais próxima e θ é o menor ângulo entre OP e a agulha. Um lançamento da agulha corresponde a uma escolha aleatória das variáveis x e θ nos intervalos

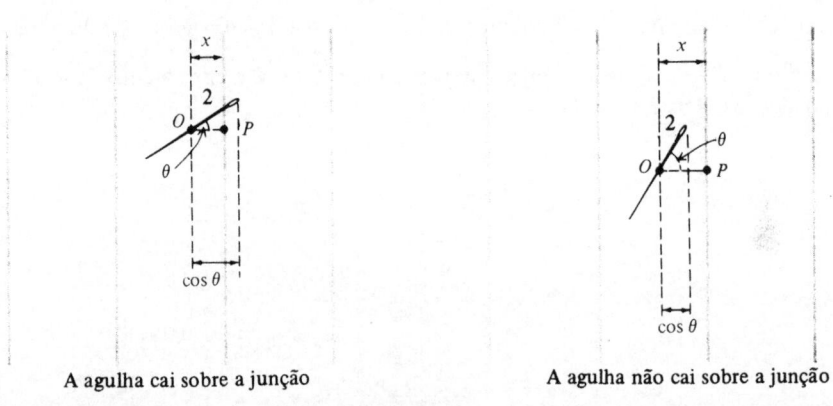

$$0 \leqslant x \leqslant 2 \quad \text{e} \quad 0 \leqslant \theta \leqslant \frac{\pi}{2}, \tag{3}$$

A agulha cai sobre a junção   A agulha não cai sobre a junção

Figura 9.15

e esta, por sua vez, corresponde a uma escolha aleatória de um ponto do retângulo mostrado na Fig. 9.16.

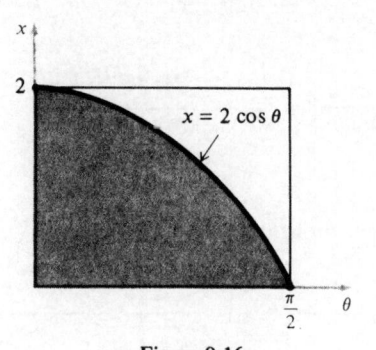

Figura 9.16

Além disso, uma inspeção acurada da Fig. 9.15 mostra que o evento em que estamos interessados, ou seja, a queda da agulha atravessando uma junção, corresponde à desigualdade

$$x < \cos \theta. \tag{4}$$

Essa desigualdade descreve a região sombreada da Fig. 9.16 sob o gráfico de $x = 2\cos\theta$. Portanto, concluímos que a probabilidade de a agulha cair atravessando uma junção é igual à seguinte razão de áreas:

$$\frac{\text{área sob a curva}}{\text{área do retângulo}} = \frac{\int_0^{\pi/2} 2\cos\theta\, d\theta}{2\,\pi/2} = \frac{1}{\pi/2} = \frac{2}{\pi}, \tag{5}$$

que é um pouco menor que $\frac{2}{3}$. Podemos estender imediatamente esse cálculo para a situação mais geral em que d é a distância entre junções adjacentes e o comprimento da agulha é $L \leq d$. As desigualdades (3) são substituídas por

$$0 \leq x \leq \frac{1}{2}d \quad e \quad 0 \leq \theta \leq \frac{\pi}{2},$$

e (4) torna-se

$$x < \tfrac{1}{2}L\, \cos\theta.$$

Nesse caso é fácil ver que a probabilidade de a agulha cair atravessando uma junção é

$$\frac{\text{área sob a curva}}{\text{área do retângulo}} = \frac{\int_0^{\pi/2} \tfrac{1}{2}L\cos\theta\, d\theta}{(\tfrac{1}{2}d)(\pi/2)} = \frac{2L}{\pi d}. \tag{6}$$

(Os estudantes devem desenhar seu próprio esboço (análogo à Fig. 9.16) para esse caso e observar o motivo da restrição $L \leq d$.)

Observação Tiramos essas conclusões sobre a probabilidade de sucesso na experiência da agulha fazendo somente um raciocínio puro, sem qualquer apelo a repetição dos lançamentos. Entretanto, a abordagem tipo "seqüência de tentativas" do conceito de probabilidade tem algumas implicações interessantes para o probelma da agulha. No caso de uma agulha de 4 cm e tábuas de assoalho de 4 cm de largura, realizemos, de fato, a experiência de lançar a agulha sobre o assoalho, um grande número de vezes, digamos n vezes, onde $n = 100$ ou $n = 1.000$, dependendo da capacidade de tolerar aborrecimento. Realizemos também uma contagem cuidadosa do número k de vezes em que a agulha cai atravessando uma junção. Então, a probabilidade abstrata de que a agulha caia atravessando uma junção em qualquer lançamento deve ser bem aproximada pela razão k/n e essa aproximação deve melhorar quando n crescer. Grosso modo, isto significa que

$$\lim_{n\to\infty} \frac{k}{n} = \frac{2}{\pi},$$

logo, devemos ter

$$\frac{k}{n} \cong \frac{2}{\pi};$$

e, resolvendo essa equação aproximada para π, temos

$$\pi \cong \frac{2n}{k}$$

para valores grandes de n. Portanto, em princípio, isto nos fornece um método experimental de calcular π. No entanto, esse método, de fato, não permite muita precisão, por causa dos erros inerentes presentes em todas as medições. Abordaremos métodos práticos de calcular π, com precisão muito grande, no Capítulo 13 do Volume II.

Problemas

Calcule as integrais indefinidas dos Problemas de 1 a 20.

1. $\int \text{sen}\, 5x \, dx$.
2. $\int \cos(2x - 5) \, dx$.
3. $\int \text{sen}(1 - 9x) \, dx$.
4. $\int (3 \cos 2x - 2 \,\text{sen}\, 3x) \, dx$.
5. $\int 2 \,\text{sen}\, x \cos x \, dx$.
6. $\int \cos^2 x \,\text{sen}\, x \, dx$.
7. $\int \text{sen}^3 2x \cos 2x \, dx$.
8. $\int \text{sen}\, x \cos x \, (\text{sen}\, x + \cos x) \, dx$.
9. $\int \text{sen}^7 \tfrac{1}{2}x \cos \tfrac{1}{2} x \, dx$.
10. $\int 4x \,\text{sen}\, x^2 \, dx$.
11. $\displaystyle\int \frac{\text{sen}\, \sqrt{x}\, dx}{\sqrt{x}}$.
12. $\displaystyle\int \frac{\cos(\ln x)\, dx}{x}$.
13. $\int \cos(\text{sen}\, 2x) \cos 2x \, dx$.
14. $\displaystyle\int \frac{\cos x \, dx}{\text{sen}^2 x}$.
15. $\displaystyle\int \frac{\text{sen}\,[(2x - 1)/3]\, dx}{\cos^2[(2x - 1)/3]}$.
16. $\displaystyle\int \frac{\cos x \, dx}{\text{sen}\, x}$.
17. $\displaystyle\int \frac{\text{sen}\, x \, dx}{\cos x}$.
18. $\displaystyle\int \frac{\cos 3x \, dx}{\sqrt{\text{sen}\, 3x}}$.
19. $\int (2x + 1) \cos(x^2 + x) \, dx$.
20. $\int (x + \cos x)^4 (1 - \text{sen}\, x) \, dx$.

Calcule as integrais definidas dos Problemas de 21 a 24.

21. $\int_0^{\pi/5} \operatorname{sen} 5x\, dx.$ 22. $\int_{-\pi/6}^{2\pi/3} \cos 3x\, dx.$

23. $\int_{\pi/4}^{\pi/2} \dfrac{\cos x\, dx}{\operatorname{sen}^2 x}.$ 24. $\int_0^{\sqrt{\pi}} x \cos x^2\, dx.$

25. Calcule a área sob um arco de $y = \operatorname{sen} 3x$.

26. No primeiro quadrante, o eixo y e as curvas $y = \operatorname{sen} x$ e $y = \cos x$ delimitam uma região "em forma triangular". Determine sua área.

27. Calcule a área sob um arco de $y = 3\cos 2x$.

28. Calcule a área sob um arco de $y = 6 \operatorname{sen} \dfrac{1}{2}x$ e acima da reta $y = 3$.

29. Calcule o volume gerado ao girar, ao redor do eixo x, a região sob $y = \operatorname{sen} x$ e entre $x = 0$ e $x = \pi$. Sugestão: lembre-se da fórmula do ângulo metade $2 \operatorname{sen}^2 x = 1 - \cos 2x$.

30. Considere a região entre $y = \operatorname{sen} x$ e o eixo x para $0 \leqslant x \leqslant \pi/2$. Para que constante c a reta $x = c$ divide essa região em duas partes de áreas iguais?

31. Antecipe os resultados da seção seguinte deduzindo as seguintes fórmulas de derivação:

$$\frac{d}{dx} \operatorname{tg} x = \sec^2 x;$$

$$\frac{d}{dx} \operatorname{cotg} x = -\operatorname{cosec}^2 x;$$

$$\frac{d}{dx} \sec x = \sec x\, \operatorname{tg} x;$$

$$\frac{dx}{dx} \operatorname{cosec} x = -\operatorname{cosec} x\, \operatorname{cotg} x.$$

Sugestão: exprima cada função em termos de $\operatorname{sen} x$ e $\cos x$.

32. Obtenha as seguintes fórmulas de integração a partir das fórmulas de derivação do Problema 31:

$$\int \sec^2 x\, dx = \operatorname{tg} x + c;$$

$$\int \operatorname{cosec}^2 x\, dx = -\operatorname{cotg} x + c;$$

$$\int \sec x\, \operatorname{tg} x\, dx = \sec x + c;$$

$$\int \operatorname{cosec} x\, \operatorname{cotg} x\, dx = -\operatorname{cosec} x + c.$$

9.4 AS DERIVADAS DAS OUTRAS QUATRO FUNÇÕES

Os resultados do Problema 31 da Seção 9.3 permitem completar nossa lista de fórmulas de derivação das funções trigonométricas:

$$\frac{d}{dx} \operatorname{tg} u = \sec^2 u\, \frac{du}{dx}; \tag{1}$$

$$\frac{d}{dx} \operatorname{cotg} u = -\operatorname{cosec}^2 u\, \frac{du}{dx}; \tag{2}$$

$$\frac{d}{dx} \sec u = \sec u\, \operatorname{tg} u\, \frac{du}{dx}; \tag{3}$$

$$\frac{d}{dx} \operatorname{cosec} u = -\operatorname{cosec} u\, \operatorname{cotg} u\, \frac{du}{dx}. \tag{4}$$

Essas fórmulas são bastante fáceis de recordar notando que a derivada de cada co-função (cotg, cosec) pode ser obtida da derivada da função correspondente (tg, sec) por (a) inserção de um sinal de menos e (b) substituição de cada função por sua co-função. Assim a fórmula (2) é obtida a partir da fórmula (1), inserindo um sinal de menos, substituindo tg u por cotg u e sec u por cosec u. Em vista dessa regra, basta memorizar as fórmulas (1) e (3), pois a regra produz imediatamente as outras duas.

Exemplo 1 Calcule dy/dx se $y = \operatorname{tg}^3 4x$.

Solução Como $y = \operatorname{tg}^3 4x = (\operatorname{tg} 4x)^3$, a regra da potência dá

$$\frac{dy}{dx} = 3(\operatorname{tg} 4x)^2 \cdot \frac{d}{dx} \operatorname{tg} 4x.$$

Pela fórmula (1) com $u = 4x$,

$$\frac{d}{dx} \operatorname{tg} 4x = (\sec^2 4x)(4),$$

e juntando os vários pedaços, obtemos

$$\frac{dy}{dx} = 12 \operatorname{tg}^2 4x \sec^2 4x.$$

Exemplo 2 Calcule dy/dx se $y = \operatorname{cotg}(1 - 3x)$.

Solução Pela fórmula (2), com $u = 1 - 3x$,

$$\frac{dy}{dx} = -\operatorname{cosec}^2 (1 - 3x) \cdot (-3) = 3 \operatorname{cosec}^2 (1 - 3x).$$

As fórmulas de derivação de (1) a (4) produzem imediatamente quatro novas fórmulas de integração:

$$\int \sec^2 u \, du = \operatorname{tg} u + c; \qquad (5)$$

$$\int \operatorname{cosec}^2 u \, du = -\operatorname{cotg} u + c; \qquad (6)$$

$$\int \sec u \operatorname{tg} u \, du = \sec u + c; \qquad (7)$$

$$\int \operatorname{cosec} u \operatorname{cotg} u \, du = -\operatorname{cosec} u + c. \qquad (8)$$

Exemplo 3 Calcule $\int \sec 3x \operatorname{tg} 3x \, dx$.

Solução Esta nos lembra a fórmula (7), com $u = 3x$; logo, escrevemos

$$\int \sec 3x \operatorname{tg} 3x \, dx = \frac{1}{3} \int \sec 3x \operatorname{tg} 3x \, d(3x) = \frac{1}{3} \sec 3x + c.$$

Neste problema, a estrutura da integral é suficientemente clara, de modo que não há necessidade real de fazer uma mudança explícita de variável.

Exemplo 4 Calcule $\int 3x \sec^2 x^2 \, dx$.

Solução Esta nos lembra a fórmula (5), com $u = x^2$. Como $du = 2x \, dx$ e $x \, dx = \frac{1}{2} du$, temos

$$\int 3x \sec^2 x^2 \, dx = 3 \int \sec^2 u \cdot \left(\frac{1}{2} du\right) = \frac{3}{2} \int \sec^2 u \, du$$

$$= \frac{3}{2} \operatorname{tg} u + c = \frac{3}{2} \operatorname{tg} x^2 + c.$$

Aqui usamos a variável auxiliar u como seguro contra erros. Depois de os estudantes adquirirem um pouco de experiência com problemas desse tipo, preferirão efetuar a integração diretamente, por inspeção.

Exemplo 5 Calcule $\int \operatorname{tg}^2 2x \, dx$.

Solução Essa integral não se parece com nenhuma das que vimos até agora. No entanto, a identidade trigonométrica $\operatorname{tg}^2 2x + 1 = \sec^2 2x$ liga nosso problema com a fórmula (5). Uma vez notado esse fato, escrevemos, facilmente,

$$\int \operatorname{tg}^2 2x \, dx = \int (\sec^2 2x - 1) \, dx = \int \sec^2 2x \, dx - \int dx$$

$$= \frac{1}{2} \int \sec^2 2x \, d(2x) - \int dx = \frac{1}{2} \operatorname{tg} 2x - x + c.$$

Problemas

Em cada um dos seguintes problemas (de 1 a 12) calcule dy/dx.

1. $y = \operatorname{tg} 4x^2$.
2. $y = \operatorname{cotg} 4x$.
3. $y = \operatorname{tg}^2 (\operatorname{sen} x)$.
4. $y = 3 \operatorname{cotg} (1 - x^3)$.
5. $y = \sec^2 x - \operatorname{tg}^2 x$.
6. $y = 2 \sec 3x$.
7. $y = 4 \operatorname{cosec} (-6x)$.
8. $y = (\operatorname{cotg} x + \operatorname{cosec} x)^2$.
9. $y = \sqrt{\operatorname{cosec} 2x}$.
10. $y = \operatorname{cotg} (\cos x)$.
11. $y = e^{\operatorname{tg} x}$.
12. $y = \ln (\operatorname{cosec} x)$.

Calcule a integral em cada um dos seguintes problemas (de 13 a 20).

13. $\int \operatorname{cosec}^2 6x\, dx.$
14. $\int_0^{\pi/8} \sec^2 2x\, dx.$

15. $\int \dfrac{dx}{\operatorname{sen}^2 2x}.$
16. $\int \sec^2 \dfrac{1}{3} x\, dx.$

17. $\int \operatorname{tg}^4 x \sec^2 x\, dx.$
18. $\int_0^{\pi/6} \sec 2x\, \operatorname{tg} 2x\, dx.$

19. $\int \operatorname{cotg} 7x \operatorname{cosec} 7x\, dx.$
20. $\int \sec^7 x\, \operatorname{tg} x\, dx.$

21. Calcule a área limitada pela curva $y = \operatorname{tg} x \sec^2 x$, o eixo x e a reta $x = \pi/4$.

22. Calcule a área, no 1º quadrante, limitada por $y = \sec^2 x$, $y = 8 \cos x$ e o eixo y.

23. Calcule a área, no 1º quadrante, limitada por $y = \sec^2 x$, $y = 2 \operatorname{tg}^2 x$ e o eixo y.

24. A região limitada pela curva $y = \operatorname{tg} x$, o eixo x e a reta $x = \pi/3$ é girada ao redor do eixo x. Calcule o volume do sólido de revolução gerado dessa maneira.

25. Esboce o gráfico da função $y = \operatorname{tg} x + \operatorname{cotg} x$ no intervalo $0 < x < \pi/2$ e determine seu valor mínimo.

26. Resolva o Problema 25 sem cálculo, usando a identidade

$$\operatorname{tg} x + \operatorname{cotg} x = \dfrac{2}{\operatorname{sen} 2x}.$$

*27. Esboce o gráfico da função $y = 8 \operatorname{cosec} x - 4 \operatorname{cotg} x$ no intervalo $0 < x \leq \pi/2$ e determine seu valor mínimo. Existe ponto de inflexão?

*28. O problema clássico do corredor (Problema 29 da Seção 4.3) pode ser expresso da seguinte maneira. Se dois corredores de larguras a e b se encontram em ângulos retos (Fig. 9.17), então o comprimento da vareta mais comprida que pode passar, em posição horizontal, em torno da esquina, é o comprimento do segmento de reta mais curto colocado como está na figura. Calcule esse comprimento usando o ângulo θ como variável independente.

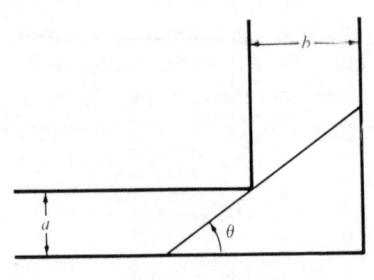

Figura 9.17

29. Uma lâmpada que está a 6 km da margem reta de uma praia faz 4 rotações por minuto. Com que velocidade o foco de luz está se movendo ao longo da praia no instante em que o feixe de luz faz um ângulo de 30° com a margem da praia?

*30. Um cabo com um anel numa extremidade é enlaçado sobre dois pinos numa reta horizontal. A extremidade livre é passada através do anel e tem um peso suspenso a ele, de modo que o cabo é mantido tenso. Se o cabo desliza livremente através do anel e sobre os pinos, então o peso descerá tanto quanto possível, a fim de minimizar sua energia potencial. Determine o ângulo formado na parte mais baixa do laço.

9.5 AS FUNÇÕES TRIGONOMÉTRICAS INVERSAS

Nossa atenção, nesta seção, estará focalizada nas duas fórmulas de integração

$$\int \frac{dx}{\sqrt{1-x^2}} = \text{arc sen } x \qquad (1)$$

e

$$\int \frac{dx}{1+x^2} = \text{arc tg } x. \qquad (2)$$

As funções não-familiares nos 2ºs membros dessas equações serão totalmente explanadas abaixo. Elas são chamadas *funções trigonométricas inversas* expressamente criadas para permitir o cálculo das integrais dos 1ºs membros. Essas funções têm outras aplicações, mas este é seu objetivo primeiro, a principal justificativa de sua existência.

Antes de começarmos com a descrição cuidadosa e ordenada dessas funções, faremos uma breve pausa para compreender, não com rigor, como elas surgem. A dificuldade com a integral no 1º membro de (1) é provocada pela expressão complicada $\sqrt{1-x^2}$ no denominador. Se considerarmos esse obstáculo por um momento, a quantidade sob o radical $1-x^2$ pode nos fazer pensar na expressão trigonométrica $1-\text{sen}^2\,\theta$, que, é claro, é igual a $\cos^2\theta$. Assim, com a substituição

$$x = \text{sen}\,\theta, \qquad (3)$$

teremos $\sqrt{1-x^2} = \sqrt{1-\text{sen}^2\theta} = \sqrt{\cos^2\theta} = \cos\theta$ e o sinal de raiz quadrada desaparece. Mas temos também $dx = \cos\theta\,d\theta$; logo, podemos desembaraçar nossa laboriosa integral como se segue:

$$\int \frac{dx}{\sqrt{1-x^2}} = \int \frac{\cos\theta\,d\theta}{\cos\theta} = \int d\theta = \theta. \qquad (4)$$

Resolve-se (3) para θ em termos de x escrevendo-se $\theta = \text{arc sen}\,x$; logo, (4) implica (1). Uma análise análoga pode ser aplicada a (2), mas essas observações são talvez suficientes para compreender como as funções trigonométricas aparecem: elas nos são impostas pela necessidade de calcular certas integrais. Agora vamos aos detalhes que tornam essas funções dignas de respeito.

A Função Arco Seno

Sabemos que $\text{sen}\,\pi/6 = 1/2$. Assim, se nos pedirem para achar um ângulo (medido em radianos) cujo seno seja $1/2$, podemos responder imediatamente que esse ângulo é $\pi/6$. Estamos também cientes de que há muitos outros ângulos com essa propriedade.

Como acabamos de ver, é necessário em cálculo ter um símbolo para denotar um ângulo cujo seno é um dado número x. Há dois desses símbolos em uso corrente,

$$\text{sen}^{-1}x \quad \text{e} \quad \text{arc sen}\,x.$$

Essas notações são completamente equivalentes e podem ser utilizadas uma no lugar da outra, embora nos restrinjamos à segunda. A primeira lê-se "o seno inverso de x" e a segunda, "o arco seno de x". Ambas significam "um ângulo cujo seno é x". É essencial compreender que no símbolo $\text{sen}^{-1}x$ o -1 *não é* um expoente, e portanto $\text{sen}^{-1}x$ *jamais* significa $1/(\text{sen}\,x)$. Discutimos a razão dessa notação aparentemente estranha na Observação 2.

Essas idéias podem ser resumidas como se segue. As fórmulas

$$x = \operatorname{sen} y \quad \text{e} \quad y = \operatorname{arc sen} x$$

significam exatamente a mesma coisa, pela mesma razão que

$$x = 3y \quad \text{e} \quad y = \frac{1}{3}x$$

significam exatamente a mesma coisa. Em cada caso, a equação se escreve, primeiro, numa forma resolvida para x e depois (a mesma equação!) numa forma resolvida para y.

A fim de esboçar o gráfico de $y = \operatorname{arc sen} x$, basta esboçar $x = \operatorname{sen} y$ com y tratado como a variável independente — sobre o eixo horizontal — e depois girar a figura retornando os eixos às posições costumeiras (Fig. 9.18).

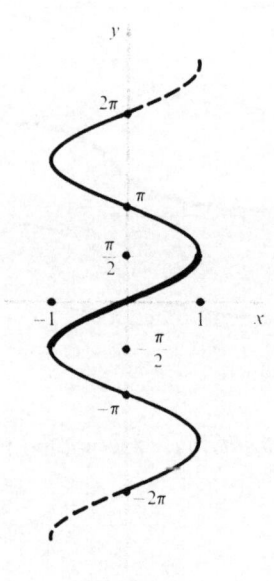

Figura 9.18

Fica claro que y existe somente quando x está no intervalo $-1 \leqslant x \leqslant 1$. No entanto, para todo x nessas condições, existem infinitos y correspondentes e essa situação não pode ser permitida se $y = \operatorname{arc sen} x$ deve ser considerada uma função. (Recorde que uma função é univalente por definição.) Eliminamos essa dificuldade por meio de um acordo universalmente aceito: os únicos valores de $y = \operatorname{arc sen} x$ que consideramos são aqueles que estão no intervalo $-\pi/2 \leqslant y \leqslant \pi/2$ e essa restrição é, daqui em diante, parte do significado do símbolo $y = \operatorname{arc sen} x$. O gráfico dessa função $y = \operatorname{arc sen} x$ (agora é realmente uma função, por causa da restrição que acabamos de impor) é a porção com traço mais forte da curva na Fig. 9.18.

A Função Arco Tangente

A função $y = \text{arc tg } x$ (a outra notação usada é $y = \text{tg}^{-1} x$) é definida essencialmente do mesmo modo:

$$y = \text{arc tg } x \quad \text{significa} \quad x = \text{tg } y \quad \text{e} \quad -\frac{\pi}{2} < y < \frac{\pi}{2}.$$

O símbolo arc tg x lê-se "o arco tangente de x" e significa "o ângulo (no intervalo especificado) cuja tangente é x". O gráfico da função $y = \text{arc tg } x$ é a curva, em traços fortes, da Fig. 9.19.

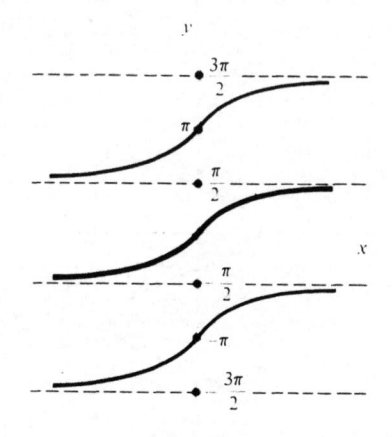

Figura 9.19

Agora calculamos a derivada dy/dx da função $y = \text{arc sen } x$, a partir do cálculo da derivada de

$$x = \text{sen } y,$$

implicitamente com relação a x. O resultado é

$$1 = \cos y \frac{dy}{dx},$$

logo,

$$\frac{dy}{dx} = \frac{1}{\cos y} = \frac{1}{\sqrt{1 - \text{sen}^2 y}} = \frac{1}{\sqrt{1 - x^2}}.$$

Escolhemos a raiz quadrada positiva porque $y = \text{arc sen } x$ é nitidamente uma função crescente (veja a Fig. 9.18). Esse resultado pode ser escrito na forma

$$\frac{d}{dx} \text{arc sen } x = \frac{1}{\sqrt{1-x^2}}, \qquad (5)$$

onde $-1 < x < 1$. Exatamente da mesma maneira calculamos a derivada de $y = \text{arc tg } x$, a partir do cálculo da derivada de

$$x = \text{tg } y,$$

implicitamente com relação a x. Isto nos dá

$$1 = \sec^2 y \, \frac{dy}{dx},$$

logo,

$$\frac{dy}{dx} = \frac{1}{\sec^2 y} = \frac{1}{1 + \text{tg}^2 y} = \frac{1}{1 + x^2}.$$

Temos, portanto,

$$\frac{d}{dx} \text{arc tg } x = \frac{1}{1+x^2} \qquad (6)$$

para todo x.

As fórmulas (5) e (6) são as que conduzem às principais ferramentas desta seção. Primeiro, temos as extensões da regra da cadeia para essas fórmulas, que ampliam grandemente o seu alcance:

$$\frac{d}{dx} \text{arc sen } u = \frac{1}{\sqrt{1-u^2}} \frac{du}{dx} \qquad (7)$$

e

$$\frac{d}{dx} \text{arc tg } u = \frac{1}{1+u^2} \frac{du}{dx}. \qquad (8)$$

Como é usual, u é compreendida como sendo qualquer função derivável de x.

Exemplo 1 Calcule dy/dx para cada uma das seguintes funções:

(a) $y = \text{arc sen } 4x$; (b) $y = \text{arc sen } x^3$; (c) $y = \dfrac{1}{3} \text{arc tg}(3x - 5)$.

Solução   Para (a) utilizamos (7) com $u = 4x$; logo,

$$\frac{dy}{dx} = \frac{1}{\sqrt{1-(4x)^2}} \frac{d}{dx}(4x) = \frac{4}{\sqrt{1-16x^2}}.$$

Para (b) utilizamos (7) com $u = x^3$; logo,

$$\frac{dy}{dx} = \frac{1}{\sqrt{1-(x^3)^2}} \frac{d}{dx}(x^3) = \frac{3x^2}{\sqrt{1-x^6}}.$$

Para (c) utilizamos (8) com $u = 3x - 5$; logo,

$$\frac{dy}{dx} = \frac{1}{3} \frac{1}{1+(3x-5)^2} \frac{d}{dx}(3x-5) = \frac{1}{1+(3x-5)^2}.$$

São muito importantes para nosso trabalho futuro as fórmulas de integração equivalentes a (7) e (8):

$$\int \frac{du}{\sqrt{1-u^2}} = \text{arc sen } u + c \qquad (9)$$

e

$$\int \frac{du}{1+u^2} = \text{arc tg } u + c. \qquad (10)$$

Essas fórmulas são instrumentos indispensáveis para o cálculo integral e por si só justificam amplamente o estudo da Trigonometria.

Exemplo 2 Calcule cada uma das seguintes integrais:

(a) $\int \dfrac{dx}{\sqrt{1-9x^2}}$; (b) $\int \dfrac{dx}{1+25x^2}$; (c) $\int \dfrac{5x^2\,dx}{1+4x^6}$.

Solução (a) Ponha $u = 3x$. Então $du = 3dx$ e por (9)

$$\int \frac{dx}{\sqrt{1-9x^2}} = \int \frac{\frac{1}{3}\,du}{\sqrt{1-u^2}} = \frac{1}{3}\text{ arc sen }u + c = \frac{1}{3}\text{ arc sen }3x + c.$$

(b) Ponha $u = 5x$. Então $du = 5dx$ e por (10)

$$\int \frac{dx}{1+25x^2} = \int \frac{\frac{1}{5}\,du}{1+u^2} = \frac{1}{5}\text{ arc tg }u + c = \frac{1}{5}\text{ arc tg }5x + c.$$

(c) Para iniciar devemos notar aqui que $4x^6 = (2x^3)^2$. Isto sugere colocar $u = 2x^3$. Então $du = 6x^2\,dx$ e por (10)

$$\int \frac{5x^2\,dx}{1+4x^6} = 5\int \frac{\frac{1}{6}du}{1+u^2} = \frac{5}{6}\text{ arc tg }u + c = \frac{5}{6}\text{ arc tg }2x^3 + c.$$

O aspecto crucial dessa integral é, evidentemente, a presença de x^2 no numerador, pois sem esse fator o método que usamos não funcionaria.

Observação 1 Como os estudantes devem estar suspeitando, quatro outras funções trigonométricas inversas podem ser definidas caso desejemos. Entretanto, essas funções não são realmente necessárias para o propósito de integração. Podemos ilustrar esse ponto observando que se $u > 0$, então

$$\int \frac{du}{u\sqrt{u^2-1}} = \int \frac{du}{u\sqrt{u^2(1-1/u^2)}} = \int \frac{du}{u^2\sqrt{1-(1/u)^2}}$$

$$= -\int \frac{d(1/u)}{\sqrt{1-(1/u)^2}} = -\text{arc sen }\frac{1}{u} + c.$$

(Se $u < 0$, o fator u^2 sob o radical na 2ª etapa sai do radical como $-u$.) Essa integral é de tipo padrão que muitos autores integram usando a inversa da secante — que esse cálculo mostra ser supérfluo. O ponto principal é que o arco seno e o arco tangente são suficientes para todos os nossos propósitos no cálculo de integrais. Portanto, por motivos de simplicidade, ignoramos as outras funções trigonométricas inversas (a notação arc cos x só será utilizada por conveniência para designar o ângulo entre 0 e π cujo co-seno é x, onde x é um número entre 1 e -1.)

Observação 2 Suponha que uma variável x seja uma função de outra variável y (Fig. 9.20, à esquerda). Nesse caso, não só y (num certo intervalo) determina um único x mas também cada x determina um único y. Assim y é também uma função de x. Se dada função é escrita $x = f(y)$, então a segunda função, chamada *função inversa* da primeira, é denotada pelo símbolo $y = f^{-1}(x)$ (lê-se "f inversa de x"). O gráfico de $y = f^{-1}(x)$ é simplesmente o gráfico de $x = f(y)$ girado (Fig. 9.20, à direita), de modo que os eixos retornem às suas posições normais. Assim quando duas funções são relacionadas dessa maneira, cada uma delas desfaz o que a outra faz, no sentido de que

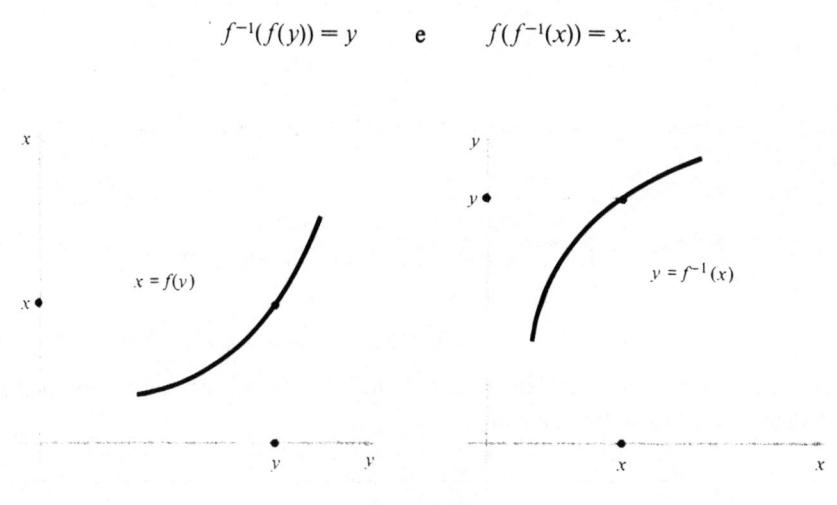

$$f^{-1}(f(y)) = y \quad \text{e} \quad f(f^{-1}(x)) = x.$$

Figura 9.20

É essa relação recíproca a sugerida pela palavra "inversa" e pelo símbolo "f^{-1}". Encontramos funções inversas no Capítulo 8 e também nesta seção, mas não temos nenhuma necessidade especial de desenvolver detalhadamente o assunto. Salientamos, no entanto, que toda função crescente ou decrescente $x = f(y)$ tem obviamente uma inversa, e pode-se provar que, se uma função tem uma derivada não-nula num ponto, então a inversa também tem e

$$\frac{dy}{dx} = \frac{1}{dx/dy}.$$

Aqui, de novo — como no caso da regra da cadeia —, temos uma situação em que a notação fracionária de Leibniz para as derivadas sugere fortemente um verdadeiro teorema na aparência de uma simples manipulação de diferenciais.

Observação 3 A fórmula (10) conduz bem rapidamente (embora de modo não-rigoroso) à famosa fórmula de Leibniz

$$\frac{\pi}{4} = 1 - \frac{1}{3} + \frac{1}{5} - \frac{1}{7} + \cdots, \qquad (11)$$

que liga o número π com os números ímpares 1, 3, 5, 7, ... Para vermos essa ligação, começamos com a fórmula de álgebra elementar para a soma de uma série geométrica

$$1 + r + r^2 + r^3 + \cdots = \frac{1}{1-r}. \qquad (12)$$

(O leitor recorda que essa fórmula é válida para $|r| < 1$, mas aqui não daremos atenção a esses detalhes.) Substituindo em (12) r por $-t^2$ e mudando a posição do 1º, temos

$$\frac{1}{1+t^2} = 1 - t^2 + t^4 - t^6 + \cdots. \qquad (13)$$

Aplicamos agora (10) para obter

$$\text{arc tg } x = \int_0^x \frac{dt}{1+t^2} = \int_0^x [1 - t^2 + t^4 - t^6 + \cdots] \, dt$$

$$= x - \frac{x^3}{3} + \frac{x^5}{5} - \frac{x^7}{7} + \cdots,$$

que leva à fórmula de Leibniz (11) para $x = 1$. Essas idéias e a legitimidade desses procedimentos serão estudadas com muito mais cuidado nos Capítulos 13 e 14. Os estudantes que desejam aprender agora que (11) é de fato correta encontrarão a prova rigorosa no Apêndice A.4 do Volume II.

Problemas

1. Dado que $\theta = \text{arc sen}\,(-\frac{1}{2})$, calcule $\cos\theta$, $\text{tg}\,\theta$, $\text{cotg}\,\theta$, $\sec\theta$, $\text{cosec}\,\theta$.

2. Dado que $\theta = \text{arc tg}\,\sqrt{3}$, calcule $\text{sen}\,\theta$, $\cos\theta$, $\text{cotg}\,\theta$, $\sec\theta$, $\text{cosec}\,\theta$.

3. Calcule o valor de cada uma das seguintes expressões:

   (a) $\text{arc sen}\,1 - \text{arc sen}\,(-1)$;

   (b) $\text{arc tg}\,1 - \text{arc tg}\,(-1)$;

   (c) $\text{sen}\,(\text{arc sen}\,0{,}123)$;

   (d) $\cos(\text{arc sen}\,0{,}6)$;

   (e) $\text{sen}\,(2\,\text{arc sen}\,0{,}6)$;

   (f) $\text{arc tg}\,(\text{tg}\,\pi/7)$;

   (g) $\text{arc sen}\,(\text{sen}\,5\pi/6)$;

   (h) $\text{arc tg}\,(\text{tg}\,[-3\pi/4])$.

Calcule dy/dx em cada um dos seguintes problemas (de 4 a 13).

4. $y = \text{arc sen}\,\frac{1}{2}x$.

5. $y = \frac{1}{5}\,\text{arc tg}\,\frac{1}{5}x$.

6. $y = \frac{1}{2}\,\text{arc tg}\,x^2$.

7. $y = \text{arc sen}\,\frac{x-1}{x+1}$.

8. $y = \text{arc tg}\,\frac{x-1}{x+1}$.

9. $y = x\,\text{arc sen}\,x + \sqrt{1-x^2}$.

10. $y = x\,\text{arc tg}\,x - \ln\sqrt{1+x^2}$.

11. $y = x(\text{arc sen}\,x)^2 - 2x + 2\sqrt{1-x^2}\,\text{arc sen}\,x$.

12. $y = \frac{1}{2}\,(\text{arc sen}\,x + x\sqrt{1-x^2})$.

13. $y = \text{arc tg}\,\frac{4\,\text{sen}\,x}{3+5\cos x}$.

14. Sendo a uma constante positiva, mostre que

$$\int \frac{du}{\sqrt{a^2-u^2}} = \text{arc sen}\,\frac{u}{a} + c$$

e

$$\int \frac{du}{a^2 + u^2} = \frac{1}{a} \text{ arc tg } \frac{u}{a} + c.$$

Essas generalizações simples das fórmulas (9) e (10) são, muitas vezes, mais convenientes nas aplicações.

Calcule as integrais dos seguintes problemas (de 15 a 25).

15. $\int_0^{1/2} \frac{dx}{\sqrt{1-x^2}}.$ 16. $\int_{-1}^1 \frac{dx}{1+x^2}.$

17. $\int \frac{dx}{\sqrt{1-4x^2}}.$ 18. $\int \frac{dx}{1+3x^2}.$

19. $\int_0^{1/2} \frac{dx}{1+4x^2}.$ 20. $\int \frac{x\,dx}{1+4x^4}.$

21. $\int \frac{dx}{\sqrt{9-4x^2}}.$ 22. $\int \frac{dx}{\sqrt{16-9x^2}}.$

23. $\int \frac{dx}{4+9x^2}.$ 24. $\int_{\sqrt{2}}^2 \frac{dx}{x\sqrt{x^2-1}}.$

25. $\int_{-2}^{-\sqrt{2}} \frac{dx}{x\sqrt{x^2-1}}.$

26. Um quadro está pendurado numa parede com sua base a centímetros acima do nível do olho de um observador. Se o quadro tem b centímetros de altura e o observador está de pé a x centímetros da parede, mostre que o ângulo θ subentendido pelo quadro é dado pela fórmula

$$\theta = \text{arc tg } \frac{a+b}{x} - \text{arc tg } \frac{a}{x}.$$

Que valor de x maximiza esse ângulo?

27. Os pontos $(1, 2)$ e $(2, 1)$ do 1º quadrante são unidos por dois segmentos a um ponto $(0, y)$ no eixo y, onde $y < 3$. θ denota o ângulo entre esses segmentos. Qual o maior valor que θ pode ter?

28. Um balão é solto ao nível do olho e sobe 5 m/s. Um observador a 50 m olha o balão subir. Com que rapidez o ângulo de elevação está crescendo 6 segundos após o momento da soltura?

29. O topo de uma escada de 5 m está deslizando por uma parede. Quando a base da escada está a 3 m da parede, está deslizando com velocidade de 1 m/s. (a) Qual o ângulo entre a parede e a escada naquele momento? (b) Com que velocidade o ângulo está crescendo naquele momento?

30. Esboce a curva $y = 1/(1 + x^2)$. Calcule a área da região sob essa curva entre $x = 0$ e $x = b$, onde b é uma constante positiva. Calcule o limite dessa área quando $b \to \infty$.

31. Faça um comentário sobre a legitimidade da fórmula

$$\int_0^3 \frac{dx}{\sqrt{1-x^2}} = \text{arc sen } 3.$$

32. Esboce a curva $y = 1/\sqrt{1-x^2}$ no intervalo $0 \leqslant x < 1$. Calcule a área sob a curva entre $x = 0$ e $x = b$ onde $0 < b < 1$. Calcule o limite dessa área quando $b \to 1$.

9.6 MOVIMENTO HARMÔNICO SIMPLES. O PÊNDULO

A maioria das pessoas compreende que o som é vibração e por si só essa razão dá ao estudo de vibrações uma parte importante da ciência. Mas vibrações – ou oscilações ou ondas ou fenômenos periódicos em geral – são de âmbito muito mais amplo. Elas aparecem em muitos contextos tendo pouco a ver com som. Por exemplo, em conexão com ondas de rádio, ondas de luz, correntes elétricas alternadas, vibração de átomos em cristais etc. O estudo de vibrações nesse sentido mais amplo é obviamente um dos temas fundamentais da Física e, em qualquer desses estudos, senos e co-senos desempenham um papel central.

Um dos tipos mais simples de vibração ocorre quando um objeto ou ponto se move para frente e para trás ao longo de uma reta (o eixo x) de tal modo que sua aceleração é sempre proporcional a sua posição e é orientada no sentido oposto ao movimento:

$$\frac{d^2x}{dt^2} = -kx, \quad k > 0. \tag{1}$$

Um movimento dessa natureza chama-se *movimento harmônico simples*. Para enfatizar que a constante k é positiva, é costume escrever $k = a^2$ com $a > 0$. A equação diferencial (1) toma então a forma

$$\frac{d^2x}{dt^2} + a^2x = 0. \tag{2}$$

É fácil ver que toda função da forma

$$x = A \,\text{sen}(at + b), \quad A \neq 0, \tag{3}$$

satisfaz a equação (2)*.

Simplesmente calculamos

$$\frac{dx}{dt} = Aa \cos(at+b) \quad \text{e} \quad \frac{d^2x}{dt^2} = -Aa^2 \,\text{sen}\,(at+b) = -a^2 x,$$

e observamos que

$$\frac{d^2x}{dt^2} + a^2 x = 0.$$

É igualmente verdadeiro, embora não tão fácil de ver, que toda solução não-trivial de (2) pode ser escrita na forma (3). Demonstraremos esse fato nas Observações 1 e 2, mas até lá vamos admitir que seja válido.

Como a função sen$(at + b)$ oscila entre -1 e 1, a função (3) oscila entre $-|A|$ e $|A|$. O número $|A|$ chama-se *amplitude* do movimento (Fig. 9.21).

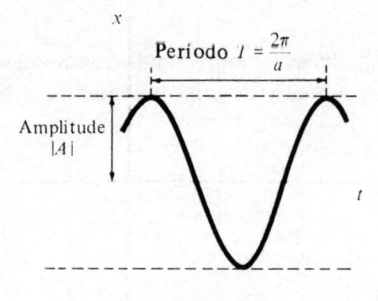

Figura 9.21

---

* Acrescentamos a condição $A \neq 0$ para evitar o caso trivial em que x é identicamente nulo e conseqüentemente não há movimento.

Além disso, como o seno é periódico de período 2π, $\text{sen}(at+b)$ é periódico com período $2\pi/a$, pois esta é a quantidade com que t deve crescer para $at + b$ crescer de 2π. Esse número $T = 2\pi/a$ chama-se *período* do movimento e é o tempo exigido para a realização de um ciclo completo. Medindo t em segundos, então o número f de ciclos por segundo satisfaz a equação $fT = 1$ e é portanto o inverso do período,

$$f = \frac{1}{T} = \frac{a}{2\pi}.$$

Esse número chama-se *freqüência* do movimento.

Uma outra forma equivalente e útil da solução geral (3) é

$$x = A \cos(at + b). \qquad (4)$$

Isto é fácil de ver pelo fato de que b em (3) é uma constante arbitrária e pode, portanto, ser substituída pela constante igualmente arbitrária $b + \pi/2$. Obtemos

$$x = A \operatorname{sen}\left(at + b + \frac{\pi}{2}\right) = A \cos(at + b),$$

pois $\text{sen}(\theta + \pi/2) = \cos\theta$.

Há duas interpretações principais do movimento harmônico simples, uma geométrica e outra física.

O significado geométrico pode ser compreendido considerando-se um ponto P que se move com velocidade angular constante ao redor de uma circunferência de raio A (Fig. 9.22).

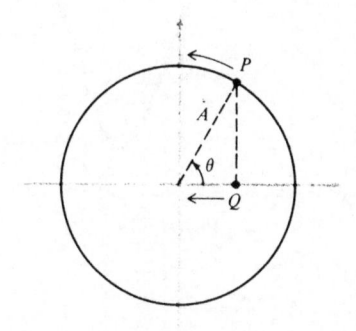

Figura 9.22

Se essa velocidade angular constante é denotada por a, então

$$\frac{d\theta}{dt} = a \quad \text{e, portanto,} \quad \theta = at + b,$$

onde b é o valor de θ quando $t = 0$. Se Q é a projeção de P sobre o eixo x, então sua coordenada x é

$$x = A \cos \theta = A \cos (at + b).$$

A fórmula mostra que Q se move para trás e para frente ao longo do eixo x num movimento harmônico simples quando P se move uniformemente ao redor da circunferência num movimento circular uniforme. Todo movimento harmônico simples pode ser visualizado dessa maneira.

O significado físico aparece quando pensamos na equação (1) como descrição do movimento de um corpo de massa m e não simplesmente de um ponto. A Segunda Lei de Movimento de Newton diz que $F = ma$; logo, a equação (1) torna-se

$$\frac{1}{m} F = -kx \quad \text{ou} \quad F = -kmx.$$

Uma força F desse tipo chama-se *força de restauração*, pois sua grandeza é proporcional ao deslocamento x e sempre age no sentido de fazer o corpo retornar à posição de equilíbrio $x = 0$. Discutiremos essa idéia mais completamente em nossos dois primeiros exemplos.

Exemplo 1 Considere um carrinho de massa m preso a uma parede por meio de uma mola (Fig. 9.23).

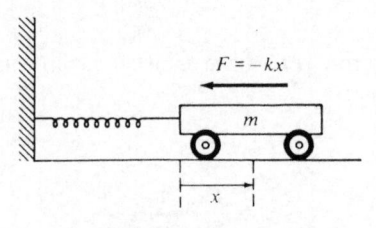

Figura 9.23

A mola não exerce força quando o carrinho está em posição de equilíbrio $x = 0$. Se o carrinho for tirado do equilíbrio para uma posição x, então a mola passará a exercer uma força de restauração $F = -kx$, onde k é uma constante positiva cuja grandeza é uma medida da resistência da mola (veja o Exemplo 1 da Seção 7.8). Suponha que o carrinho seja puxado para fora até uma posição $x = x_0$ e largado sem qualquer velocidade inicial no instante $t = 0$. Discuta seu movimento subseqüente se o atrito e a resistência do ar são desprezíveis.

Solução Estamos admitindo que a única força que age sobre o carrinho é a força de restauração $F = -kx$; logo, pela Segunda Lei de Movimento de Newton, temos

$$m \frac{d^2x}{dt^2} = -kx \quad \text{ou} \quad \frac{d^2x}{dt^2} + \frac{k}{m} x = 0.$$

Convém escrever essa equação sob a forma

$$\frac{d^2x}{dt^2} + a^2 x = 0,$$

onde $a = \sqrt{k/m}$. A forma da solução geral que preferimos aqui é

$$x = c_1 \operatorname{sen} at + c_2 \cos at, \tag{5}$$

que pode ser obtida expandindo (3) ou (4). As condições iniciais

$$x = x_0 \quad \text{e} \quad v = \frac{dx}{dt} = 0 \quad \text{quando} \quad t = 0$$

implicam $c_2 = x_0$ e $c_1 = 0$; logo, (5) torna-se

$$x = x_0 \cos at.$$

É claro, a partir disso, que o carrinho se move num movimento harmônico simples com período $T = 2\pi/a = 2\pi \sqrt{m/k}$ e freqüência

$$f = \frac{1}{T} = \frac{1}{2\pi} \sqrt{\frac{k}{m}}. \tag{6}$$

Vemos, a partir de (6), que a freqüência dessa vibração cresce com o aumento do coeficiente de restauração k da mola e decresce com o aumento da massa m do carrinho, como poderíamos esperar usando nosso senso comum.

Exemplo 2 Suponha que um túnel seja escavado reto através do centro da Terra de um lado a outro e que um corpo de massa m seja largado nesse túnel. Admitindo, como de hábito, que a Terra é uma esfera perfeita de densidade uniforme e raio R de cerca de 6.400 km, o efeito da gravidade é tal que o corpo é atraído para o centro da Terra com uma força proporcional a sua distância x do centro (Fig. 9.24)*.

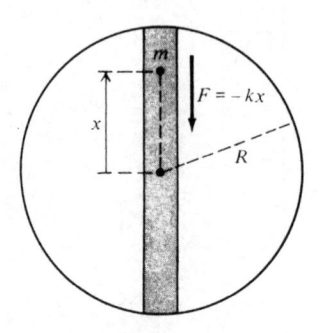

Figura 9.24

Mostre que o corpo atravessa o túnel de uma extremidade a outra, voltando novamente para trás num movimento harmônico simples, e calcule o período desse movimento.

Solução É claro que $F = -kx$ para uma constante conveniente k. Para determinar o valor dessa constante utilizamos o fato de que $F = -mg$ na superfície da Terra, onde $x = R$. Logo

$$-mg = -kR \quad \text{ou} \quad k = \frac{mg}{R}.$$

A Segunda Lei de Movimento de Newton toma, portanto, a forma

$$m\frac{d^2x}{dt^2} = -\frac{mg}{R}x \quad \text{ou} \quad \frac{d^2x}{dt^2} + \frac{g}{R}x = 0.$$

Nenhuma discussão adicional é necessária para concluir que este é um movimento harmônico simples com período $2\pi\sqrt{R/g}$. Uma seqüência de cálculos aproximados fáceis dá

$$2\pi\sqrt{\frac{R}{g}} \cong 6,3\sqrt{\frac{6,4 \times 10^6}{9,8}} \ s \cong 5091 \ s \cong 85 \ \text{min}.$$

O período é naturalmente o tempo total exigido para uma viagem de ida e volta pelo túnel ao outro lado da Terra. Uma viagem só de ida gastaria somente cerca de 45 minutos, e a jornada até o centro da Terra leva somente cerca de 22 minutos.

---

* A justificativa para essa lei de força será dada no Capítulo 17, Volume II, em conexão com integrais triplas em coordenadas esféricas.

Exemplo 3 Um pêndulo é um prumo (um peso) suspenso na extremidade de uma corda leve deixado mover-se para frente e para trás sob a ação da gravidade. Como de hábito, idealizamos a situação e consideramos uma partícula de massa m na extremidade de uma corda sem peso de comprimento L (Fig. 9.25).

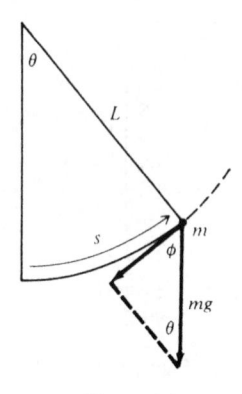

Figura 9.25

Calcule o período desse pêndulo sob a hipótese de que suas oscilações são pequenas.

Solução A força da gravidade exercida no prumo para baixo é mg. Sua componente na direção tangente à trajetória é $mg \cos \phi = mg \, \text{sen} \, \theta$. Como $s = L\theta$, a aceleração tangencial do prumo é

$$\frac{d^2s}{dt^2} = \frac{d^2(L\theta)}{dt^2} = L \frac{d^2\theta}{dt^2},$$

e a **Segunda Lei de Movimento** de Newton do prumo ao longo de sua trajetória circular é

$$mL \frac{d^2\theta}{dt^2} = -mg \, \text{sen} \, \theta \quad \text{ou} \quad \frac{d^2\theta}{dt^2} + \frac{g}{L} \, \text{sen} \, \theta = 0. \tag{7}$$

A presença de sen θ torna essa equação diferencial impossível de resolver, e o movimento não é harmônico simples. Entretanto, para pequenas oscilações, recordamos que sen θ é aproximadamente igual a θ; logo, (7) torna-se (aproximadamente)

$$\frac{d^2\theta}{dt^2} + \frac{g}{L} \theta = 0.$$

Essa equação revela que o movimento angular é aproximadamente harmônico simples com período $2\pi\sqrt{L/g}$. Analisando essas idéias mais detalhadamente, verifica-se que o período dessa oscilação depende realmente da amplitude do movimento e esta é a fonte do chamado "erro circular" nos relógios de pêndulo.

Observação 1 Voltamos ao problema de provar que (3) é, de fato, a solução geral de (2). Pelo Problema 19 da Seção 9.2, sabemos que toda solução não-trivial de (2) tem a forma

$$x = c_1 \operatorname{sen} at + c_2 \cos at, \tag{8}$$

onde as constantes c_1 e c_2 não são ambas nulas. Para escrever (8) na forma (3), começamos pondo $A = \sqrt{c_1^2 + c_2^2}$. Então, o ponto $(c_1/A, c_2/A)$ é um ponto da circunferência unitária e, portanto, existe um ângulo b tal que

$$\cos b = \frac{c_1}{A} \quad \text{e} \quad \operatorname{sen} b = \frac{c_2}{A}.$$

Essas equações agora nos permitem escrever (8) como

$$x = A(\operatorname{sen} at \cos b + \cos at \operatorname{sen} b)$$
$$= A \operatorname{sen}(at + b),$$

pela fórmula do seno da soma de ângulos.

Observação 2 É também possível obter (3) diretamente de (2). Escrevemos

$$\frac{d^2x}{dt^2} = \frac{dv}{dt} = \frac{dv}{dx}\frac{dx}{dt} = v\frac{dv}{dx}, \tag{9}$$

então (2) torna-se

$$v\frac{dv}{dx} + a^2x = 0 \quad \text{ou} \quad v\,dv + a^2x\,dx = 0,$$

e integrando temos

$$v^2 + a^2x^2 = \text{constante} \quad \text{ou} \quad v^2 + a^2x^2 = a^2A^2,$$

onde A é o valor positivo de x para o qual $v = 0$. Teremos

$$\frac{dx}{dt} = v = \pm a\sqrt{A^2 - x^2} \quad \text{ou} \quad \frac{dx}{\sqrt{A^2 - x^2}} = \pm a\,dt,$$

onde a escolha do sinal aqui depende de a velocidade v ser positiva ou negativa no momento. Supomos, por exemplo, que $v > 0$ e integramos de novo para obter

$$\text{arc sen } \frac{x}{A} = at + b \quad \text{ou} \quad \frac{x}{A} = \text{sen}(at + b),$$

logo

$$x = A \text{ sen}(at + b),$$

que é (3).

Problemas

1. Em cada um dos seguintes movimentos, calcule a amplitude e o período, reescrevendo-o na forma $x = A \text{ sen}(at + b)$.

    (a) $x = 5 \text{ sen } t - 5 \cos t$;
    (b) $x = \sqrt{3} \cos 3t - \text{sen } 3t$;
    (c) $x = \text{sen } t + \cos t$;
    (d) $x = 2\sqrt{3} \text{ sen } 2t - 2 \cos 2t$.

2. Em qualquer movimento harmônico simples da forma (3), mostre que a velocidade v está relacionada com a posição x pela equação

    $$v^2 = a^2(A^2 - x^2).$$

    Deduza que a velocidade (em módulo) é maior quando o corpo passa por sua posição de equilíbrio e é zero nas extremidades do intervalo, quando o corpo muda o sentido de seu movimento.

3. No Exemplo 1, suponha que para a mola ser esticada 7,5 cm é necessária uma força de 27 N. Sabendo-se que o peso do carrinho é 54 N, que é puxado para fora 10 cm de sua posição de equilíbrio e que leva uma pancada de repente na direção da posição de equilíbrio com uma velocidade inicial de 90 cm/s, calcule a amplitude e o período do movimento harmônico simples resultante. Sugestão: recorde que a massa é o peso dividido por g.

4. Um corpo em movimento harmônico simples passa por sua posição de equilíbrio em $t = 0, 1, 2, \ldots$ Determine uma função de posição da forma (3) sabendo-se que $v = dx/dt = -3$ quando $t = 0$.

5. Suponha que um túnel reto seja escavado através da Terra entre dois pontos quaisquer da superfície. Constroem-se trilhos nesse túnel. Desprezando o atrito, um trem colocado no túnel numa extremidade move-se através da Terra, pelo próprio peso, pára na outra extremidade e retorna. Mostre que o tempo gasto para uma viagem completa é o mesmo para todos os túneis desse tipo e estime seu valor.

*6. Uma bóia esférica de raio r flutua meio submersa na água. Afundando-a um pouco, o princípio de Arquimedes garante que ela estará sujeita a uma força de reação igual ao peso da água deslocada. Depois de afundada solta-se a bóia que balança para cima e para baixo. Mostre que, no caso em que o atrito da água for desprezível, o movimento será harmônico simples e determine seu período.

7. Pessoas que fabricam relógios antigos têm um interesse profissional em pêndulos que levam 1 segundo por oscilação, tendo portanto um período de 2 segundos. Estime o comprimento de um tal pêndulo.

9.7 AS FUNÇÕES HIPERBÓLICAS

Há certas combinações simples de funções exponenciais que ocorrem ocasionalmente em aplicações e que receberam o nome de *funções hiperbólicas*. Os seno e co-seno hiperbólicos são definidos por

$$\operatorname{senh} x = \tfrac{1}{2}(e^x - e^{-x}) \quad \text{e} \quad \cosh x = \tfrac{1}{2}(e^x + e^{-x}).$$

Há também tangente, co-tangente, secante e co-secante hiperbólicas.

Essas funções satisfazem muitas identidades que são muito semelhantes às identidades correspondentes satisfeitas pelas funções trigonométricas, como, por exemplo,

$$\cosh^2 x - \operatorname{senh}^2 x = 1.$$

Suas propriedades de derivação e integração são também semelhantes àquelas das funções trigonométricas, como vemos pelas fórmulas

$$\frac{d}{dx} \operatorname{senh} x = \cosh x \quad \text{e} \quad \frac{d}{dx} \cosh x = \operatorname{senh} x.$$

No entanto, uma das propriedades mais importantes das funções trigonométricas – a da periodicidade – não ocorre para nenhuma função hiperbólica.

Mencionamos essas funções porque os estudantes devem pelo menos saber que elas existem e por causa de sua analogia com as funções trigonométricas. Entretanto não faremos uso delas em qualquer parte de nosso trabalho.

Problemas Suplementares do Capítulo 9

Seção 9.2

Em cada um dos seguintes problemas (de 1 a 18), calcule a derivada dy/dx da função dada:

1. $y = \operatorname{sen}(1 - 9x)$.
2. $y = 7\cos(7x - 13)$.
3. $y = \cos^2 x$.
4. $y = \cos x^2$.
5. $y = \cos^2 5x$.
6. $y = 5\operatorname{sen}(1 - 18x)$.
7. $y = \cos^2 3x - \operatorname{sen}^2 3x$.
8. $y = \cos^2 9x + \operatorname{sen}^2 9x$.
9. $y = x^2 \cos x$.
10. $y = \dfrac{\operatorname{sen} x}{x}$.
11. $y = x \operatorname{sen} x + \cos x$.
12. $y = \sqrt{1 + \operatorname{sen} 2x}$.
13. $y = \cos(\cos x)$.
14. $y = e^{\operatorname{sen}^2 x}$.
15. $y = \cos(\operatorname{sen} x)$.
16. $y = \ln(x \operatorname{sen} x)$.
17. $y = \operatorname{sen}(e^{\ln x})$.
18. $y = \ln[\operatorname{sen}(\ln x)]$.

19. Considere a equação diferencial

$$\frac{d^2 y}{dx^2} + a^2 y = 0,$$

onde a é uma constante positiva. Use as seguintes etapas para provar que toda solução dessa equação tem a forma

$$y = c_1 \operatorname{sen} ax + c_2 \cos ax$$

para uma escolha conveniente das constantes c_1 e c_2.

(a) Se $y = g(s)$ e $y = h(x)$ são soluções, mostre que toda combinação linear $y = c_1 g(x) + c_2 h(x)$ é também uma solução.

(b) Se $y = f(x)$ é uma solução, mostre que

$$a^2[f(x)]^2 + [f'(x)]^2 = \text{constante}.$$

Deduza que, se $y = f(x)$ é uma solução tal que $f(0) = f'(0) = 0$, então $f(x) = 0$ para todo x.

(c) Se $y = f(x)$ é uma solução qualquer, mostre que

$$f(x) = c_1 \operatorname{sen} ax + c_2 \cos ax$$

para uma escolha conveniente das constantes c_1 e c_2. Sugestão: aplique a parte (b) a

$$f(x) - \frac{1}{a} f'(0) \operatorname{sen} ax - f(0) \cos ax.$$

20. Use o Problema 18(b) da Seção 9.1 para dar uma outra prova da fórmula $(d/dx) \operatorname{sen} x = \cos x$.

21. Dê uma outra prova do limite (4) da Seção 9.2, passando pelas seguintes etapas: se θ é um ângulo positivo pequeno ($0 < \theta < \pi/2$) na circunferência unitária (Fig. 9.26), então

    (a) área do $\triangle OPQ$ < área do setor OPQ < área do $\triangle OQR$;

    (b) $\frac{1}{2} \operatorname{sen} \theta < \frac{1}{2} \theta < \frac{1}{2} \operatorname{tg} \theta$;

    (c) $1 < \dfrac{\theta}{\operatorname{sen} \theta} < \dfrac{1}{\cos \theta}$;

    (d) $1 > \dfrac{\operatorname{sen} \theta}{\theta} > \cos \theta$.

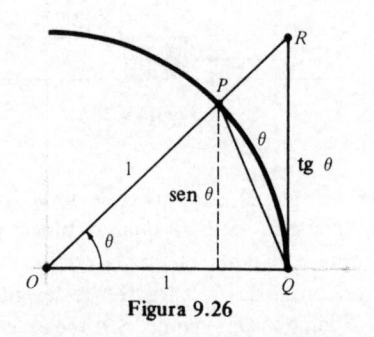

Figura 9.26

*22. A Fig. 9.27 mostra o mecanismo de um pistão (que se move para frente e para trás num cilindro) preso num ponto P a uma haste de ligação de comprimento b, que, por sua vez, está ligada a um ponto Q de uma circunferência de raio a com centro em O, que gira em torno de seu centro.

(a) Calcule dy/dx, a velocidade do pistão, em termos de $d\theta/dt$, que é a velocidade angular do eixo que passa pelo centro da circunferência.

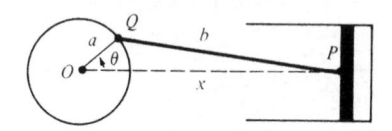

Figura 9.27

Sugestão: use a Lei dos Co-senos.

(b) Se a velocidade angular do eixo é denotada pelo símbolo ω, mostre que a velocidade do pistão é $\omega \cdot OR$, onde R é o ponto em que a reta PQ intercepta a reta que passa por O e é perpendicular a OP.

*23. Um dado círculo fixo tem raio a. Um segundo círculo tem seu centro no círculo dado e o arco da segunda circunferência que está dentro do círculo dado tem comprimento s. Mostre que s tem seu valor máximo quando um ângulo conveniente θ satisfaz a equação $\cotg \theta = \theta$.

24. Um bloco pesado de peso W deve ser arrastado ao longo de uma mesa plana por uma força F cuja linha de ação é inclinada de um ângulo θ com relação à linha de movimento (Fig. 9.28).

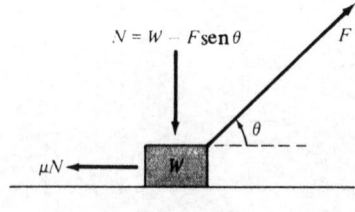

Figura 9.28

O movimento sofre uma resistência por meio de uma força de atrito, μN, proporcional à força normal $N = W - F \sen \theta$ com a qual o bloco pressiona perpendicularmente a superfície da mesa (μ é uma constante chamada coeficiente de atrito). O bloco se move quando a componente horizontal de F, para frente, é igual à resistência do atrito, isto é, quando $F \cos \theta = \mu(W - F \sen \theta)$. Determine a direção e a grandeza da menor força F que moverá o bloco.

Em cada um dos seguintes problemas (de 25 a 36) calcule o valor do limite indicado.

25. $\lim_{x\to 0} \dfrac{\operatorname{tg}^3 x}{x^2}$.

26. $\lim_{x\to 0} \dfrac{\operatorname{sen} x}{2x}$.

27. $\lim_{x\to \pi} \dfrac{\operatorname{sen} x}{\pi - x}$.

28. $\lim_{x\to 0} \dfrac{\operatorname{sen}^2 x}{x}$.

29. $\lim_{x\to 0} \dfrac{x + \operatorname{tg} x}{\operatorname{sen} x}$.

30. $\lim_{x\to 0} \dfrac{\operatorname{tg} 3x}{4x}$.

31. $\lim_{x\to 0} \dfrac{2x}{\operatorname{sen} 3x}$.

32. $\lim_{x\to 0} x \operatorname{cotg} 3x$.

33. $\lim_{x\to 0} \dfrac{\operatorname{sen} 2x}{3x^2 + x}$.

34. $\lim_{x\to 0} x \operatorname{cosec} \sqrt{3x}$.

35. $\lim_{x\to 2} \dfrac{\cos \pi/x}{x - 2}$.

36. $\lim_{x\to \pi} \dfrac{\operatorname{sen} 2x}{\pi - x}$.

Seção 9.3

Calcule as integrais indefinidas nos Problemas de 37 a 54.

37. $\int \cos 3x\, dx$.
38. $\int \operatorname{sen}(7x + 1)\, dx$.
39. $\int \cos(1 - \tfrac{1}{2}x)\, dx$.
40. $\int \cos^2 7x \operatorname{sen} 7x\, dx$.
41. $\int \operatorname{sen}^5 3x \cos 3x\, dx$.
42. $\int \cos^2 \tfrac{1}{3}x \operatorname{sen} \tfrac{1}{3}x\, dx$.
43. $\int (2 - \cos^2 3x) \operatorname{sen} 3x\, dx$.
44. $\int 3 \operatorname{sen} x \operatorname{sen} 2x\, dx$.
45. $\int x^2 \cos x^3\, dx$.
46. $\int \sqrt{x} \operatorname{sen} x^{3/2}\, dx$.
47. $\int \operatorname{sen}(\cos 2x) \operatorname{sen} 2x\, dx$.
48. $\int \sqrt{\cos 2x} \operatorname{sen} 2x\, dx$.
49. $\int \dfrac{\cos 4x\, dx}{\operatorname{sen}^2 4x}$.
50. $\int \dfrac{\operatorname{sen} x\, dx}{\cos^5 x}$.
51. $\int \dfrac{\operatorname{sen} x\, dx}{(3 + 2\cos x)^2}$.
52. $\int \sqrt{1 + \operatorname{sen} 2x} \cos 2x\, dx$.
53. $\int \dfrac{\cos 5x\, dx}{\sqrt{7 - \operatorname{sen} 5x}}$.
54. $\int (1 + 4 \operatorname{sen} 8x)^7 \cos 8x\, dx$.

Calcule as integrais definidas nos Problemas de 55 a 58.

55. $\int_0^{\pi/14} \cos 7x\, dx$.
56. $\int_0^{\pi/18} \operatorname{sen} 6x\, dx$.
57. $\int_0^{\pi/6} \dfrac{\operatorname{sen} 2x\, dx}{\cos^2 2x}$.
58. $\int_0^{\sqrt[5]{\pi}} 10\, x^4 \operatorname{sen} x^5\, dx$.

59. Calcule a área limitada por $y = \operatorname{sen} x$ e $y = \cos x$ entre os primeiros dois valores positivos de x para os quais essas curvas se interceptam.

60. Calcule a área limitada por $y = 1 - \cos 2x$ e $y = \cos x - 1$ entre $x = 0$ e $x = 2\pi$.

61. Calcule a área limitada por $y = 4 - 3 \operatorname{sen} 2x$ e $y = 2 \cos 5x - 3$ entre $x = 0$ e $x = 3\pi$.

62. Mostre que, se m e n são inteiros positivos, então

$$\int_0^{2\pi} \operatorname{sen} mx \operatorname{sen} nx \, dx = \begin{cases} 0 & \text{se } m \neq n \\ \pi & \text{se } m = n, \end{cases}$$

$$\int_0^{2\pi} \cos mx \cos nx \, dx = \begin{cases} 0 & \text{se } m \neq n \\ \pi & \text{se } m = n, \end{cases}$$

$$\int_0^{2\pi} \operatorname{sen} mx \cos nx \, dx = 0.$$

Sugestão: veja o Problema 17 da Seção 9.1. (Esses fatos são muito importantes na teoria das séries de Fourier, que é uma das partes mais úteis da Matemática do ponto de vista das aplicações à ciência.)

*63. Neste problema pedimos aos estudantes para deduzir a fórmula

$$\int_a^b \operatorname{sen} x \, dx = \cos a - \cos b \qquad (*)$$

diretamente da definição de integral, por limite, sem fazer qualquer uso do Teorema Fundamental do Cálculo.

(a) Mostre que

$$\operatorname{sen} x + \operatorname{sen} 2x + \cdots + \operatorname{sen} nx$$
$$= \frac{\cos \tfrac{1}{2} x - \cos (n + \tfrac{1}{2}) x}{2 \operatorname{sen} \tfrac{1}{2} x}.$$

Sugestão: anote a identidade $2 \operatorname{sen} \theta \operatorname{sen} \phi = \cos(\theta - \phi) - \cos(\theta + \phi)$ para os n casos em que o par (θ, ϕ) é tomado como sendo $(x, \frac{1}{2}x)$, $(2x, \frac{1}{2}x), \ldots, (nx, \frac{1}{2}x)$ e adicione.

(b) Para $b > 0$, obtemos a definição, por limite, da integral:

$$\int_0^b \operatorname{sen} x \, dx = \lim_{n \to \infty} \sum_{k=1}^n \left(\operatorname{sen} \frac{kb}{n}\right) \cdot \frac{b}{n}$$

$$= \lim_{n \to \infty} \frac{b}{n} \sum_{k=1}^n \operatorname{sen} \frac{kb}{n}.$$

Use a parte (a) com $x = b/n$ para mostrar que o valor desse limite é $1 - \cos b$.

(c) Use um simples argumento de área para mostrar que o resultado da parte (b) é também válido para os casos $b = 0$ e $b < 0$.

(d) Use as partes (b) e (c) para deduzir (*).

*64. Deduza a fórmula

$$\int_a^b \cos x \, dx = \operatorname{sen} b - \operatorname{sen} a \qquad (**)$$

seguindo uma linha de raciocínio análoga àquela seguida para solucionar o Problema 63.

65. Dê uma outra prova da fórmula (**) do Problema 64 usando o seguinte raciocínio: se o gráfico de $y = \cos x$ é movido uma distância $\pi/2$ para a direita, ele é transladado para o gráfico de $y = \operatorname{sen} x$; a integral em (**), que representa a área entre a curva $y = \cos x$ e o eixo x de $x = a$ a $x = b$, pode, portanto, ser escrita como uma outra integral representando a área entre a curva $y = \operatorname{sen} x$ e o eixo x de $x = a + \pi/2$ a $x = b + \pi/2$.

Seção 9.4

Em cada um dos seguintes problemas (de 66 a 79), calcule dy/dx:

66. $y = \operatorname{cotg}(2 - 5x)$.
67. $y = 4 \operatorname{tg} 3x$.
68. $y = \frac{1}{4} \sec^4 x$.
69. $y = \sqrt{\operatorname{cotg} 2x}$.
70. $y = \operatorname{cosec}(1 - 2x)$.
71. $y = \sec^4 x - \operatorname{tg}^4 x$.
72. $y = 2x + \operatorname{tg} 2x$.
73. $y = \operatorname{cotg}^2 5x$.
74. $y = \sec^3 x$.
75. $y = x \operatorname{tg} \frac{1}{x}$.
76. $y = \operatorname{cotg}(\ln x)$.
77. $y = \sqrt{\sec \sqrt{x}}$.
78. $y = \operatorname{cosec}^3 x + \operatorname{cosec} x^3$.
79. $y = \operatorname{tg}(\operatorname{tg} x)$.

Calcule a integral em cada um dos seguintes problemas (de 80 a 87):

80. $\displaystyle\int \frac{dx}{\cos^2 5x}.$

81. $\int \operatorname{cosec} \tfrac{1}{3}x \operatorname{cotg} \tfrac{1}{3}x\, dx.$

82. $\displaystyle\int_{\pi/6}^{\pi/4} \operatorname{cosec}^2 x \operatorname{cotg} x\, dx.$

83. $\int \operatorname{cosec}^2 3x\, dx.$

84. $\int (2 + 5 \operatorname{tg} x)^7 \sec^2 x\, dx.$

85. $\int \operatorname{cosec}^4 x \operatorname{cotg} x\, dx.$

86. $\int \sqrt{\operatorname{cotg} x}\, \operatorname{cosec}^2 x\, dx.$

87. $\int \operatorname{cotg}^3 x \operatorname{cosec}^2 x\, dx.$

88. A região sob a curva $y = \sec x$ entre $x = 0$ e $x = \pi/4$ é girada ao redor do eixo x. Calcule o volume do sólido de revolução gerado dessa maneira.

89. Resolva o Problema 88 para a curva $y = \sec^2 x$.

90. Esboce o gráfico da função $y = \dfrac{1}{3} \operatorname{tg} 2x + \operatorname{cotg} 2x$ no intervalo $0 < x < \pi/4$ e calcule seu valor mínimo.

91. Um carro de corrida está se movendo num circuito circular a uma velocidade constante de 100 km/h. Há uma luz brilhante no centro do circuito e uma cerca reta tangente ao circuito num ponto T. Qual a velocidade com que a sombra do carro se move ao longo da cerca quando o carro está 1/8 de volta além do ponto T?

*92. O Problema 18 da Seção 4.4 solicitava que se mostrasse que o volume do menor cone que pode ser circunscrito numa dada esfera de raio a é exatamente o dobro do volume da esfera. Resolva esse problema por métodos trigonométricos, tomando o ângulo gerador de um cone circunscrito (metade do ângulo do vértice) como variável independente.

Seção 9.5

93. Calcule cada uma das seguintes expressões:

   (a) arc tg $(-\sqrt{3})$;

   (b) arc sen $\dfrac{1}{2}\sqrt{3}$;

   (c) 4 arc sen $(-\dfrac{1}{2}\sqrt{2}\,)$;

   (d) sen (arc sen 0,7);

   (e) arc sen (sen 0,7);

   (f) arc tg (tg $[-1]$);

   (g) arc sen (cos $\pi/6$).

94. Se a base b e a área A de um triângulo são dadas, utilize somente geometria para calcular os ângulos da base sabendo-se que o ângulo oposto à base tem o máximo valor.

Calcule dy/dx em cada um dos seguintes problemas (de 95 a 103):

95. $y = \text{arc sen } \dfrac{1}{5} x$.

96. $y = \dfrac{1}{2} \text{ arc tg} \dfrac{1}{2} x$.

97. $y = \dfrac{1}{5} \text{ arc tg } x^5$.

98. $y = \sqrt{x} - \text{arc tg } \sqrt{x}$.

99. $y = \text{arc tg } \sqrt{x^2 - 1}$.

100. $y = - \text{arc sen } \dfrac{1}{x}$.

101. $y = \text{arc tg } x + \ln \sqrt{1 + x^2}$.

102. $y = a \text{ arc sen } \dfrac{x}{a} + \sqrt{a^2 - x^2}$.

103. $y = \sqrt{x^2 - 1} - \text{arc tg } \sqrt{x^2 - 1}$.

Calcule as integrais nos seguintes problemas (de 104 a 112):

104. $\displaystyle\int_0^{\sqrt{3}} \dfrac{dx}{1 + x^2}$.

105. $\displaystyle\int_{-1/2}^{(1/2)\sqrt{3}} \dfrac{dx}{\sqrt{1 - x^2}}$.

106. $\displaystyle\int \dfrac{dx}{\sqrt{1 - 16x^2}}$.

107. $\displaystyle\int \dfrac{dx}{1 + 5x^2}$.

108. $\displaystyle\int_{1/\sqrt{3}}^{1} \dfrac{dx}{x\sqrt{4x^2 - 1}}$.

109. $\displaystyle\int \dfrac{dx}{\sqrt{25 - 4x^2}}$.

110. $\displaystyle\int \dfrac{dx}{49 + 36x^2}$.

111. $\displaystyle\int \dfrac{x^3 \, dx}{1 + x^8}$.

112. $\displaystyle\int \dfrac{15x^4 \, dx}{\sqrt{1 - x^{10}}}$.

113. Um cartaz é perpendicular a uma estrada reta e seu lado mais próximo está a 5,4 m da estrada. O cartaz tem 16,2 m de largura. Quando um motorista se aproxima do cartaz pela estrada, em que ponto ele vê o cartaz com o maior ângulo?

114. Um avião a uma altitude de 11,2 km com velocidade de 800 km/h está voando diretamente no sentido contrário ao de um observador no solo. Qual a taxa de variação do ângulo de elevação quando o avião está sobre um ponto a 6,4 km do observador?

115. Uma mulher está andando numa calçada com a velocidade de 1,8 m/s. Um farol de carro de polícia a 9 m da calçada segue-a quando ela anda. Qual a velocidade angular do farol quando a mulher está a 12 m do ponto sobre a calçada mais próximo da luz?

Seção 9.6

116. Com referência ao Exemplo 1, lembre-se das definições de energia cinética e potencial dadas na Seção 7.8.

    (a) Mostre que a energia potencial V do carro é $\frac{1}{2} kx^2$, onde é entendido que $V = 0$ quando $x = 0$.

    (b) Mostre diretamente, pela Segunda Lei de Movimento de Newton,

    $$m \frac{d^2x}{dt^2} = -kx,$$

    que a soma das energias cinética e potencial do carro é constante. Sugestão: use a equação (9) da Seção 9.6.

    (c) Expresse a energia total E do carro em termos de sua posição x_0 e velocidade universais v_0.

    (d) Expresse a energia total E do carro em termos da amplitude A e freqüência f da vibração.

117. Um bloco de madeira de 15 cm de lado e pesando 1,8 kg flutua na água. Se o bloco é afundado um pouco, e solto, calcule o período de sua oscilação admitindo que o atrito da água é desprezível. Sugestão: use |g| cm³ para a densidade da água.

118. Um corpo em movimento harmônico simples tem amplitude A e período T. Calcule sua velocidade máxima.

119. Calcule a amplitude e a freqüência do movimento harmônico simples $x = 3 \operatorname{sen} 2t + 4 \cos 2t$.

120. Se o período de um movimento harmônico simples é $2\pi/3$, determine uma função posição na forma (3) que satisfaça as condições $x = 1$ e $v = dx/dt = 3$ quando $t = 0$.

*121. Suponha que o pêndulo do Exemplo 3 seja puxado para um lado, distando da posição de equilíbrio de um ângulo α e solto. Use o princípio da conservação de energia para mostrar que o período T de oscilação é dado pela fórmula

$$T = 4\sqrt{\frac{L}{2g}} \int_0^\alpha \frac{d\theta}{\sqrt{\cos\theta - \cos\alpha}}.$$

CAPÍTULO

10

MÉTODOS DE INTEGRAÇÃO

10.1 INTRODUÇÃO. AS FÓRMULAS BÁSICAS

Começando com as constantes e as sete funções familiares x, e^x, $\ln x$, $\operatorname{sen} x$, $\cos x$, arc sen x e arc tg x e, partindo delas, construindo todas as combinações finitas possíveis dessas funções por meio das operações algébricas e do processo de formar uma função de função, geramos a classe das *funções elementares*. Assim,

$$\ln \left[\frac{\operatorname{arc \ tg} (x^2 + 35x^3)}{e^x + \operatorname{sen} \sqrt{x^3 + 1}} \right]$$

é uma função elementar. Essas funções são, com freqüência, ditas terem a *forma fechada*, pois elas podem ser anotadas em fórmulas explícitas envolvendo somente um número finito de funções familiares.

É claro que o problema de calcular a derivada de uma função elementar pode sempre ser resolvido por uma aplicação sistemática das regras desenvolvidas nos capítulos anteriores, e essa derivada é sempre uma função elementar. No entanto, o problema da integração — que é, em geral, muito mais importante — é bem diferente e não tem uma solução tão nítida.

Como sabemos, o problema de calcular a integral indefinida de uma função $f(x)$,

$$\int f(x) \, dx = F(x), \tag{1}$$

é equivalente a determinar uma função $F(x)$ tal que

$$\frac{d}{dx} F(x) = f(x). \tag{2}$$

É verdade que tivemos sucesso em integrar uma boa quantidade de funções elementares por inversão de fórmulas de derivação. Mas isto não nos leva muito longe, pois corresponde a um pouco mais que calcular a integral (1) sabendo, de antemão, a resposta (2).

O ponto principal é este: não existe nenhum procedimento sistemático que possa ser sempre aplicado a uma função elementar qualquer e levar, passo a passo, a uma resposta garantida em forma fechada. De fato, pode ser que nem haja uma tal resposta. Por exemplo, a função $f(x) = e^{-x^2}$ parece bastante simples, mas sua integral

$$\int e^{-x^2} dx \tag{3}$$

não se encontra na classe das funções elementares. Essa asserção é mais que simples constatação da incapacidade atual dos matemáticos de integrar (3). É a afirmação de um teorema profundo de que não existe nenhuma função elementar cuja derivada seja e^{-x^2}*. Retornaremos a esse assunto na Seção 10.8.

Mesmo que tudo isto pareça desencorajador, não deve sê-lo. Há muito mais coisas que podem ser feitas no caminho da integração do que sugerimos até agora, e é muito importante que os estudantes adquiram certas habilidades técnicas para efetuar integrações sempre que elas *sejam* possíveis. O fato de que a integração deve ser considerada mais como arte que como um processo sistemático a torna, na verdade, mais interessante que a derivação. É mais parecido com resolução

---

* Que não haja compreensão imperfeita. A integral indefinida (3) existe, pois a função $F(x)$ definida por

$$F(x) = \int_0^x e^{-t^2} dt$$

é uma função perfeitamente respeitável com a propriedade de que

$$\frac{d}{dx} F(x) = e^{-x^2}.$$

(Veja as equações (12) e (13) da Seção 6.7.) O que é provado é que não existe uma maneira de expressar $F(x)$ como função elementar.

de quebra-cabeças, pois há menos certeza e mais espaço para a engenhosidade individual. Muitos estudantes acham isto uma mudança agradável com relação às rotinas que tornam um tanto enfadonhas algumas partes da Matemática.

Como a integração é o inverso da derivação, nosso ponto de partida deve ser uma pequena tabela de padrões de integrais obtida invertendo as fórmulas de derivação dos capítulos anteriores. Tabelas muito mais extensas que a dada a seguir estão disponíveis em bibliotecas e, com a ajuda dessas tabelas, a maioria dos problemas deste capítulo pode ser resolvida por simples procura. No entanto, os estudantes devem compreender que, se seguirem tal caminho, irão frustrar o propósito pretendido de desenvolver suas próprias habilidades. Por esse motivo não faremos uso de tabelas de integrais além da pequena lista dada abaixo. Em vez disso, insistimos em que os estudantes concentrem seus esforços em ganhar uma compreensão clara dos vários métodos de integração e em aprender como aplicá-los.

Além do método da substituição, já familiar ao leitor, há três métodos principais de integração a serem estudados neste capítulo: redução a integrais trigonométricas; decomposição em frações parciais; e integração por partes. Esses métodos permitem-nos transformar uma dada integral de muitas maneiras. O objetivo dessas transformações é sempre quebrar a integral dada numa soma de partes mais simples, que podem ser integradas imediatamente por meio de fórmulas familiares. Os estudantes devem, portanto, estar certos de que tenham memorizado completamente todas as fórmulas básicas seguintes. Essas fórmulas devem ser tão bem aprendidas que, quando um de nós delas necessite, surjam na cabeça quase que involuntariamente, como o nome de um amigo

1. $\int u^n \, du = \dfrac{u^{n+1}}{n+1} + c \quad (n \neq -1)$

2. $\int \dfrac{du}{u} = \ln u + c$

3. $\int e^u \, du = e^u + c$

4. $\int \cos u \, du = \operatorname{sen} u + c$

5. $\int \operatorname{sen} u \, du = -\cos u + c$

6. $\int \sec^2 u \, du = \operatorname{tg} u + c$

7. $\int \operatorname{cosec}^2 u \, du = -\operatorname{cotg} u + c$

8. $\int \sec u \operatorname{tg} u \, du = \sec u + c$

9. $\int \operatorname{cosec} u \operatorname{cotg} u \, du = -\operatorname{cosec} u + c$

$$10 \quad \int \frac{du}{\sqrt{a^2 - u^2}} = \text{arc sen}\, \frac{u}{a} + c$$

$$11 \quad \int \frac{du}{a^2 + u^2} = \frac{1}{a}\, \text{arc tg}\, \frac{u}{a} + c$$

$$12 \quad \int \text{tg}\, u\, du = -\ln(\cos u) + c$$

$$13 \quad \int \text{cotg}\, u\, du = \ln(\text{sen}\, u) + c$$

$$14 \quad \int \sec u\, du = \ln(\sec u + \text{tg}\, u) + c$$

$$15 \quad \int \text{cosec}\, u\, du = -\ln(\text{cosec}\, u + \text{cotg}\, u) + c$$

As últimas quatro fórmulas são novas e completam nossa lista de integrais das seis funções trigonométricas. As fórmulas 12 e 13 podem ser encontradas por processo direto:

$$\int \text{tg}\, u\, du = \int \frac{\text{sen}\, u\, du}{\cos u} = -\int \frac{d(\cos u)}{\cos u} = -\ln(\cos u) + c$$

e

$$\int \text{cotg}\, u\, du = \int \frac{\cos u\, du}{\text{sen}\, u} = \int \frac{d(\text{sen}\, u)}{\text{sen}\, u} = \ln(\text{sen}\, u) + c.$$

Muitos acham que a maneira mais fácil de se lembrar dessas fórmulas é pensar nesse processo. A fórmula (14) pode ser encontrada com um truque engenhoso: se multiplicarmos o integrando por $1 = (\sec u + \text{tg}\, u)/(\sec u + \text{tg}\, u)$, então, obtemos

$$\int \sec u\, du = \int \frac{(\sec u + \text{tg}\, u) \sec u\, du}{\sec u + \text{tg}\, u} = \int \frac{(\sec^2 u + \sec u\, \text{tg}\, u)\, du}{\sec u + \text{tg}\, u}$$

$$= \int \frac{d(\sec u + \text{tg}\, u)}{\sec u + \text{tg}\, u} = \ln(\sec u + \text{tg}\, u) + c.$$

Um truque análogo produz a fórmula (15).

Repetimos: essas 15 fórmulas constituem o fundamento sobre o qual todo o capítulo repousa e elas devem ser memorizadas.

10.2 O MÉTODO DA SUBSTITUIÇÃO

No método da substituição introduzimos a variável auxiliar u como um novo símbolo para uma parte do integrando na esperança de que sua diferencial du vá responder por alguma outra parte e, por meio disso, reduzir a integral completa a uma forma facilmente reconhecível. O sucesso do uso desse método depende da escolha de uma substituição adequada, e esta, por sua vez, depende da capacidade de ver num relance qual parte do integrando é a derivada de alguma outra parte.

Daremos diversos exemplos para ajudar os estudantes a reverem o procedimento e para que se certifiquem de que o compreenderam completamente.

Exemplo 1 Calcule $\int x\, e^{-x^2}\, dx$.

Solução Se pusermos $u = -x^2$, então $du = -2x\, dx$, $x\, dx = -1/2\, du$ e

$$\int xe^{-x^2}\, dx = -\tfrac{1}{2} \int e^u\, du = -\tfrac{1}{2}e^u = -\tfrac{1}{2}e^{-x^2} + c.$$

Será notado que inserimos a constante de integração somente na última etapa. Rigorosamente falando, isto é incorreto; mas nós, de propósito, cometeremos esse pequeno erro a fim de evitar o atravancamento das etapas anteriores com repetidos c. Salientamos também que essa integral é fácil de ser calculada mesmo que a integral semelhante $\int e^{-x^2} dx$ seja impossível. A razão disso é obviamente a presença do fator x, que é essencialmente (isto é, a menos de um fator constante) a derivada da potência $-x^2$.

Exemplo 2 Calcule

$$\int \frac{\cos x\, dx}{\sqrt{1 + \operatorname{sen} x}}.$$

Solução Notamos aqui que $\cos x\, dx$ é a diferencial de $\operatorname{sen} x$ e também de $1 + \operatorname{sen} x$. Assim, se pusermos $u = 1 + \operatorname{sen} x$, $du = \cos x\, dx$ e

$$\int \frac{\cos x\, dx}{\sqrt{1 + \operatorname{sen} x}} = \int \frac{du}{\sqrt{u}} = \int u^{-1/2}\, du$$

$$= \frac{u^{1/2}}{\tfrac{1}{2}} = 2\sqrt{u} = 2\sqrt{1 + \operatorname{sen} x} + c.$$

Exemplo 3 Calcule

$$\int \frac{dx}{x \ln x}.$$

Solução O fato de que dx/x é a diferencial de $\ln x$ sugere a substituição $u = \ln x$; logo, $du = dx/x$ e

$$\int \frac{dx}{x \ln x} = \int \frac{du}{u} = \ln u = \ln (\ln x) + c.$$

Exemplo 4 Calcule

$$\int \frac{dx}{\sqrt{9 - 4x^2}}.$$

Solução Pomos $u = 2x$, de modo que $du = 2dx$ e

$$\int \frac{dx}{\sqrt{9 - 4x^2}} = \frac{1}{2} \int \frac{du}{\sqrt{9 - u^2}} = \frac{1}{2} \text{ arc sen } \frac{u}{3} = \frac{1}{2} \text{ arc sen } \frac{2x}{3} + c.$$

Exemplo 5 Calcule

$$\int \frac{x \, dx}{\sqrt{9 - 4x^2}}.$$

Solução Aqui o fato de que o x no numerador é essencialmente a derivada da expressão $9 - 4x^2$ que está dentro do radical sugere a substituição $u = 9 - 4x^2$. Então $du = 8x \, dx$ e

$$\int \frac{x \, dx}{\sqrt{9 - 4x^2}} = -\frac{1}{8} \int \frac{du}{\sqrt{u}} = -\frac{1}{8} \int u^{-1/2} \, du$$

$$= -\frac{1}{8} \frac{u^{1/2}}{\frac{1}{2}} = -\frac{1}{4} \sqrt{u} = -\frac{1}{4} \sqrt{9 - 4x^2} + c.$$

Em qualquer problema particular de integração a escolha da substituição é uma questão de tentativa e erro, guiada pela experiência. Se nossa primeira substituição não der certo, não devemos hesitar em descartá-la e tentar uma outra. O Exemplo 5 é semelhante em aparência ao Exemplo 4 e poderia ser pensado que a mesma substituição funcionasse de novo, mas, como vimos, é preciso uma substituição completamente diferente.

Podemos estabelecer a validade do método da substituição como se segue, mostrando que é, na realidade, a regra da cadeia para derivadas vista de forma inversa. A essência do método é a seguinte: começamos com uma integral complicada da forma

$$\int f[g(x)]g'(x)\,dx. \tag{1}$$

Se pusermos $u = g(x)$, então $du = g'(x)\,dx$, e a integral tomará a nova forma

$$\int f(u)\,du.$$

Se pudermos integrar essa nova integral, de modo que

$$\int f(u)\,du = F(u) + c, \tag{2}$$

então, como $u = g(x)$, devemos ser capazes de integrar (1), escrevendo

$$\int f[g(x)]g'(x)\,dx = F[g(x)] + c. \tag{3}$$

Tudo que é necessário para justificar nosso procedimento é notar que (3) é um resultado correto, por causa de

$$\frac{d}{dx}F[g(x)] = F'[g(x)]g'(x) = f[g(x)]g'(x)$$

pela regra da cadeia.

O método da substituição se aplica tanto a integrais definidas quanto a indefinidas. O requisito crucial é que os limites de integração devem ser convenientemente trocados quando é feita a substituição. Isto pode ser expresso como se segue:

$$\int_a^b f[g(x)]g'(x)\,dx = \int_c^d f(u)\,du,$$

onde $c = g(a)$ e $d = g(b)$. A prova utiliza (2) e (3) e duas aplicações do Teorema Fundamental do Cálculo,

$$\int_a^b f[g(x)]g'(x)\,dx = F[g(b)] - F[g(a)]$$

$$= F(d) - F(c) = \int_c^d f(u)\,du.$$

Assim, uma vez que a integral original é transformada numa integral mais simples na variável u, a avaliação numérica pode ser efetuada inteiramente em termos de u, desde que os limites de integração sejam também corretamente mudados.

Exemplo 6 Calcule

$$\int_0^{\pi/3} \frac{\operatorname{sen} x\,dx}{\cos^2 x}.$$

Solução Pomos $u = \cos x$, de modo que $du = -\operatorname{sen} x\,dx$. Observe que $u = 1$ quando $x = 0$ e $u = 1/2$ quando $x = \pi/3$. Trocando tanto a variável de integração como os limites de integração, obtemos

$$\int_0^{\pi/3} \frac{\operatorname{sen} x\,dx}{\cos^2 x} = \int_1^{1/2} \frac{-du}{u^2} = \frac{1}{u}\Big]_1^{1/2} = 2 - 1 = 1.$$

Essa técnica elimina a necessidade de voltar às variáveis originais para a avaliação numérica final.

Problemas

Calcule as seguintes integrais:

1. $\int \sqrt{3 - 2x}\,dx.$

2. $\int \frac{2x\,dx}{(4x^2 - 1)^2}.$

3. $\int \frac{\ln x\,dx}{x[1 + (\ln x)^2]}.$

4. $\int \cos x\, e^{\operatorname{sen} x}\,dx.$

5. $\int \operatorname{sen} 2x\,dx.$

6. $\int \frac{x\,dx}{\sqrt{16 - x^4}}.$

7. $\int \cotg(3x-1)\,dx.$

8. $\int \sen x \cos x\,dx.$

9. $\int x\sqrt{x^2+1}\,dx.$

10. $\int \dfrac{dx}{x+2}.$

11. $\int e^{5x}\,dx.$

12. $\int x\cos x^2\,dx.$

13. $\int \cosec^2(3x+2)\,dx.$

14. $\int \dfrac{dx}{x^2+16}.$

15. $\displaystyle\int_{-3}^{1} \dfrac{dx}{\sqrt{3-2x}}.$

16. $\int (x^3+1)^2\,dx.$

17. $\int \dfrac{\sen x\,dx}{\sqrt{1-\cos x}}.$

18. $\int \dfrac{(2x+1)\,dx}{x^2+x+2}.$

19. $\int \dfrac{e^{\arc tg x}}{1+x^2}\,dx.$

20. $\int \dfrac{\sen\sqrt{x}}{\sqrt{x}}\,dx.$

21. $\int \sec 5x\,\tg 5x\,dx.$

22. $\int \dfrac{dx}{x\sqrt{\ln x}}.$

23. $\int \dfrac{\ln x\,dx}{x}.$

24. $\int \dfrac{\sen x\,dx}{\cos^2 x}.$

25. $\displaystyle\int_{0}^{\pi/2} \dfrac{\cos x\,dx}{1+\sen x}.$

26. $\int \cos 3x\,dx.$

27. $\int \dfrac{e^x\,dx}{\sqrt{1-e^{2x}}}.$

28. $\int \dfrac{dx}{\cos 2x}.$

29. $\int \sen^2 x \cos x\,dx.$

30. $\displaystyle\int_{0}^{3} \tg^2 \tfrac{1}{3}x \sec^2 \tfrac{1}{3}x\,dx.$

31. $\int \dfrac{e^x\,dx}{1+e^x}.$

32. $\int \dfrac{\cos(\ln x)\,dx}{x}.$

33. $\int \tg 3x\,dx.$

34. $\int \dfrac{\sec^2 x\,dx}{\sqrt{1+\tg x}}.$

35. $\int \dfrac{4x\,dx}{\sqrt{x^2+1}}.$

36. $\int \dfrac{e^{\sqrt{x}}\,dx}{\sqrt{x}}.$

37. $\int \dfrac{e^x\,dx}{1+e^{2x}}.$

38. $\int \dfrac{\arc \sen x\,dx}{\sqrt{1-x^2}}.$

39. $\int (e^x+1)^6 e^x\,dx.$

40. $\int 6x^2 e^{-x^3}\,dx.$

41. $\int \sec^2 5x\,dx.$

42. $\int \cotg 4x\,dx.$

43. $\int \cosec 2x\,\cotg 2x\,dx.$

44. $\displaystyle\int_{2}^{3} \dfrac{2x\,dx}{x^2-3}.$

Calcule cada uma das seguintes integrais definidas fazendo uma substituição conveniente e mudando os limites de integração.

45. $\int_1^2 \frac{(2x+1)\,dx}{\sqrt{x^2+x+2}}$.

46. $\int_0^{\pi/4} \operatorname{tg}^2 x \sec^2 x\,dx$.

47. $\int_1^e \frac{\sqrt{\ln x}\,dx}{x}$.

48. $\int_0^{\pi/3} \sec^3 x \operatorname{tg} x\,dx$.

49. É fácil calcular cada uma das seguintes integrais para um valor particular de n. Ache esse valor e efetue a integração. Por exemplo, é fácil calcular $\int x^n \operatorname{sen} x^2\,dx$ para $n = 1$:

$$\int x \operatorname{sen} x^2\,dx = -\tfrac{1}{2}\cos x^2 + c.$$

(a) $\int x^n e^{x^4}\,dx$.
(b) $\int x^n \cos x^3\,dx$.
(c) $\int x^n \ln x\,dx$.
(d) $\int x^n \sec^2 \sqrt{x}\,dx$.

10.3 ALGUMAS INTEGRAIS TRIGONOMÉTRICAS

Nas duas seções seguintes abordaremos diversos métodos para reduzir uma dada integral a uma integral que envolva funções trigonométricas. Portanto, será útil ampliar nossa habilidade em calcular integrais trigonométricas.

Uma potência de uma função trigonométrica multiplicada por sua diferencial é fácil de ser integrada. Assim,

$$\int \operatorname{sen}^3 x \cos x\,dx = \int \operatorname{sen}^3 x\,d(\operatorname{sen} x) = \tfrac{1}{4}\operatorname{sen}^4 x + c$$

e

$$\int \operatorname{tg}^2 x \sec^2 x\,dx = \int \operatorname{tg}^2 x\,d(\operatorname{tg} x) = \tfrac{1}{3}\operatorname{tg}^3 x + c.$$

Outras integrais trigonométricas podem, com freqüência, ser reduzidas a problemas desse tipo, utilizando identidades trigonométricas adequadas.

Começamos considerando integrais da forma

$$\int \operatorname{sen}^m x \cos^n x \, dx, \qquad (1)$$

onde um dos expoentes é um inteiro positivo ímpar. Se n é ímpar, fatoramos $\cos x \, dx$, que é $d(\operatorname{sen} x)$; e como sobra uma potência par de $\cos x$ podemos usar a identidade $\cos^2 x = 1 - \operatorname{sen}^2 x$ para exprimir a parte restante do integrando inteiramente em termos de $\operatorname{sen} x$. E, se m é ímpar, fatoramos $\operatorname{sen} x \, dx$, que é $-d(\cos x)$, e usamos a identidade $\operatorname{sen}^2 x = 1 - \cos^2 x$ de maneira análoga. Os dois exemplos seguintes ilustram esse procedimento.

Exemplo 1

$$\int \operatorname{sen}^2 x \cos^3 x \, dx = \int \operatorname{sen}^2 x \cos^2 x \cos x \, dx$$
$$= \int \operatorname{sen}^2 x (1 - \operatorname{sen}^2 x) \, d(\operatorname{sen} x)$$
$$= \int (\operatorname{sen}^2 x - \operatorname{sen}^4 x) \, d(\operatorname{sen} x)$$
$$= \tfrac{1}{3} \operatorname{sen}^3 x - \tfrac{1}{5} \operatorname{sen}^5 x + c.$$

Exemplo 2

$$\int \operatorname{sen}^3 x \, dx = \int \operatorname{sen}^2 x \operatorname{sen} x \, dx$$
$$= -\int (1 - \cos^2 x) \, d(\cos x)$$
$$= -\cos x + \tfrac{1}{3} \cos^3 x + c.$$

Se um dos expoentes em (1) for um inteiro positivo ímpar muito grande, pode ser necessário usar o Teorema do Binômio de Newton, em tal caso, um uso explícito do método da substituição pode ser desejável, para efeito de clareza. Por exemplo, toda potência positiva ímpar de $\cos x$, seja grande ou pequena, tem a forma

$$\cos^{2n+1} x = \cos^{2n} x \cos x = (\cos^2 x)^n \cos x = (1 - \operatorname{sen}^2 x)^n \cos x,$$

onde n é um inteiro não-negativo. Se pusermos $u = \text{sen }x$ e $du = \cos x\, dx$, então

$$\int \cos^{2n+1} x\, dx = \int (1 - \text{sen}^2 x)^n \cos x\, dx$$

$$= \int (1 - u^2)^n\, du.$$

Se necessário, a expressão $(1 - u^2)^n$ pode ser expandida, aplicando-se o Teorema do Binômio de Newton, e o polinômio resultante em u é fácil de ser integrado, termo a termo.

Se ambos os expoentes em (1) são inteiros pares não-negativos, é necessário mudar a forma do integrando, utilizando as fórmulas do ângulo-metade

$$\cos^2 \theta = \tfrac{1}{2}(1 + \cos 2\theta) \quad \text{e} \quad \text{sen}^2 \theta = \tfrac{1}{2}(1 - \cos 2\theta). \tag{2}$$

Esperamos que os estudantes tenham memorizado completamente essas fórmulas importantes, mas, se foram esquecidas, podem ser facilmente recuperadas somando e subtraindo as identidades

$$\cos^2 \theta + \text{sen}^2 \theta = 1,$$
$$\cos^2 \theta - \text{sen}^2 \theta = \cos 2\theta.$$

A aplicação de (2) será mostrada nos exemplos seguintes.

Exemplo 3 A fórmula do ângulo-metade para o co-seno permite-nos escrever

$$\int \cos^2 x\, dx = \tfrac{1}{2} \int (1 + \cos 2x)\, dx = \tfrac{1}{2} \int dx + \tfrac{1}{2} \int \cos 2x\, dx$$

$$= \tfrac{1}{2}x + \tfrac{1}{4} \int \cos 2x\, d(2x) = \tfrac{1}{2}x + \tfrac{1}{4} \text{sen } 2x + c.$$

Desejando expressar esse resultado em termos da variável x (em vez de $2x$), usamos a fórmula do ângulo duplo $\text{sen } 2x = 2\text{sen } x \cos x$ e escrevemos

$$\int \cos^2 x\, dx = \tfrac{1}{2}x + \tfrac{1}{2} \text{sen } x \cos x + c.$$

Exemplo 4 Duas aplicações sucessivas da fórmula do ângulo-metade para o co-seno dão

$$\cos^4 x = (\cos^2 x)^2 = \tfrac{1}{4}(1 + \cos 2x)^2 = \tfrac{1}{4}(1 + 2\cos 2x + \cos^2 2x)$$
$$= \tfrac{1}{4}[1 + 2\cos 2x + \tfrac{1}{2}(1 + \cos 4x)]$$
$$= \tfrac{3}{8} + \tfrac{1}{2}\cos 2x + \tfrac{1}{8}\cos 4x.$$

Logo,

$$\int \cos^4 x \, dx = \tfrac{3}{8}x + \tfrac{1}{4}\operatorname{sen} 2x + \tfrac{1}{32}\operatorname{sen} 4x + c.$$

Como esses exemplos mostram, o valor das fórmulas do ângulo-metade (2) para esse trabalho está no fato de que elas nos permitem reduzir o expoente por um fator 1/2 às expensas de multiplicar o ângulo por 2, o que é uma considerável vantagem conseguida a um custo muito baixo.

Exemplo 5 Utilizando as duas fórmulas do ângulo-metade, temos

$$\int \operatorname{sen}^2 x \cos^2 x \, dx = \int \frac{1 - \cos 2x}{2} \cdot \frac{1 + \cos 2x}{2} \, dx$$
$$= \tfrac{1}{4}\int (1 - \cos^2 2x) \, dx = \tfrac{1}{4}\int [1 - \tfrac{1}{2}(1 + \cos 4x)] \, dx$$
$$= \tfrac{1}{8}\int dx - \tfrac{1}{8}\int \cos 4x \, dx = \tfrac{1}{8}x - \tfrac{1}{32}\operatorname{sen} 4x + c.$$

Também podemos achar essa integral combinando os resultados dos Exemplos 3 e 4:

$$\int \operatorname{sen}^2 x \cos^2 x \, dx = \int (1 - \cos^2 x) \cos^2 x \, dx$$
$$= \int \cos^2 x \, dx - \int \cos^4 x \, dx$$
$$= \tfrac{1}{2}x + \tfrac{1}{4}\operatorname{sen} 2x - \tfrac{3}{8}x - \tfrac{1}{4}\operatorname{sen} 2x - \tfrac{1}{32}\operatorname{sen} 4x$$
$$= \tfrac{1}{8}x - \tfrac{1}{32}\operatorname{sen} 4x + c.$$

A seguir consideramos integrais da forma

$$\int \operatorname{tg}^m x \sec^n x \, dx,$$

onde n é um inteiro positivo par ou m é um inteiro positivo ímpar. Nosso trabalho é baseado no fato de que $d(\text{tg } x) = \sec^2 x \, dx$ e $d(\sec x) = \sec x \, \text{tg} \, x \, dx$, além de explorarmos a identidade $\text{tg}^2 x + 1 = \sec^2 x$. Será suficiente um exemplo ilustrando cada caso para mostrar o método geral.

Exemplo 6

$$\int \text{tg}^4 x \sec^6 x \, dx = \int \text{tg}^4 x \sec^4 x \sec^2 x \, dx$$

$$= \int \text{tg}^4 x \, (\text{tg}^2 x + 1)^2 \, d(\text{tg } x)$$

$$= \int \text{tg}^4 x \, (\text{tg}^4 x + 2 \, \text{tg}^2 x + 1) \, d(\text{tg } x)$$

$$= \int (\text{tg}^8 x + 2 \, \text{tg}^6 x + \text{tg}^4 x) \, d(\text{tg } x)$$

$$= \tfrac{1}{9} \, \text{tg}^9 x + \tfrac{2}{7} \, \text{tg}^7 x + \tfrac{1}{5} \, \text{tg}^5 x + c.$$

Exemplo 7

$$\int \text{tg}^3 x \sec^5 x \, dx = \int \text{tg}^2 x \sec^4 x \sec x \, \text{tg} \, x \, dx$$

$$= \int (\sec^2 x - 1) \sec^4 x \, d(\sec x)$$

$$= \int (\sec^6 x - \sec^4 x) \, d(\sec x)$$

$$= \tfrac{1}{7} \sec^7 x - \tfrac{1}{5} \sec^5 x + c.$$

De maneira essencialmente idêntica podemos manipular integrais da forma

$$\int \text{cotg}^m x \, \text{cosec}^n x \, dx,$$

onde n é um inteiro positivo par ou m é um inteiro positivo ímpar. Nossos instrumentos nesses casos são as fórmulas $d(\text{cotg } x) = -\text{cosec}^2 x \, dx$ e $d(\text{cosec } x) = -\text{cosec } x \, \text{cotg } x \, dx$ e, quando necessário, usamos a identidade $1 + \text{cotg}^2 x = \text{cosec}^2 x$.

Uma outra abordagem frutífera às integrais trigonométricas é expressar cada função que aparece na integral em termos de senos e co-senos unicamente.

Exemplo 8 Já sabemos de nosso trabalho com derivadas que

$$\int \sec x \, \text{tg} \, x \, dx = \sec x + c.$$

No entanto, essa fórmula pode também ser obtida diretamente, escrevendo

$$\int \sec x \, \text{tg} \, x \, dx = \int \frac{1}{\cos x} \frac{\operatorname{sen} x}{\cos x} dx = \int \frac{\operatorname{sen} x \, dx}{\cos^2 x}.$$

Se agora fizermos $u = \cos x$, donde $du = -\operatorname{sen} x \, dx$, então temos

$$\int \sec x \, \text{tg} \, x \, dx = \int \frac{\operatorname{sen} x \, dx}{\cos^2 x}$$

$$= \int \frac{-du}{u^2} = \frac{1}{u} = \frac{1}{\cos x} = \sec x + c.$$

Problemas

Calcule cada uma das seguintes integrais:

1. $\int \operatorname{sen}^2 x \, dx.$
2. $\int \operatorname{sen}^4 x \, dx.$
3. $\int \cos^6 x \, dx.$
4. $\int \cos^2 3x \, dx.$
5. $\int \operatorname{sen}^3 x \cos^2 x \, dx.$
6. $\int \operatorname{sen}^2 x \cos^5 x \, dx.$
7. $\int \cos^3 x \, dx.$
8. $\int_0^{\pi/2} \operatorname{sen}^3 x \cos^3 x \, dx.$
9. $\int \sqrt{\operatorname{sen} x} \cos^3 x \, dx.$
10. $\int \operatorname{sen}^3 5x \cos 5x \, dx.$
11. $\int \operatorname{sen}^2 3x \cos^2 3x \, dx.$
12. $\int \frac{dx}{\operatorname{sen} x \cos x}.$
13. $\int_0^{\pi/4} \sec^4 x \, dx.$
14. $\int \frac{dx}{\cos^2 x}.$
15. $\int \text{tg}^5 x \sec^3 x \, dx.$
16. $\int \operatorname{cosec}^4 x \, dx.$
17. $\int \operatorname{cotg}^2 x \, dx.$
18. $\int \operatorname{cotg}^3 x \, dx.$
19. $\int \frac{dx}{\operatorname{sen}^2 4x}.$
20. $\int \operatorname{cotg}^2 5x \operatorname{cosec}^4 5x \, dx.$
21. $\int \frac{1 + \cos 2x}{\operatorname{sen}^2 2x} dx.$
22. $\int \text{tg}^2 x \cos x \, dx.$
23. $\int \operatorname{sen} 3x \operatorname{cotg} 3x \, dx.$

24. Calcule $\int \tg x\, dx$ (que já conhecemos) pelo método do Exemplo 7.

25. Use a identidade $\tg^2 x = \sec^2 x - 1$ para calcular

    (a) $\int \tg^2 x\, dx,$ $\int \tg^4 x\, dx,$ $\int \tg^6 x\, dx;$

    (b) $\int \tg^3 x\, dx,$ $\int \tg^5 x\, dx,$ $\int \tg^7 x\, dx.$

26. Sendo n um inteiro positivo qualquer ≥ 2, mostre que

    $$\int \tg^n x\, dx = \frac{\tg^{n-1} x}{n-1} - \int \tg^{n-2} x\, dx.$$

    Esta chama-se *fórmula de redução* porque ela reduz o problema de integrar $\tg^n x$ ao problema de integrar $\tg^{n-2} x$.

27. Calcule o volume do sólido de revolução gerado quando a região indicada sob cada uma das seguintes curvas é girada ao redor do eixo x:

    (a) $y = \sen x,\ 0 \leq x \leq \pi$;
    (b) $y = \sec x,\ 0 \leq x \leq \pi/4$;
    (c) $y = \tg 2x,\ 0 \leq x \leq \pi/8$;
    (d) $y = \cos^2 x,\ \pi/2 \leq x \leq \pi$.

28. Calcule o comprimento da curva $y = \ln(\cos x)$ entre $x = 0$ e $x = \pi/4$.

29. Calcule $\int \sec^3 x\, dx$ explorando a observação de que $\sec^3 x$ aparecerá obviamente na derivada de $\sec x\, \tg x$.

30. Calcule $\int \cosec^3 x\, dx$ adaptando as idéias sugeridas no Problema 29.

10.4 SUBSTITUIÇÕES TRIGONOMÉTRICAS

Uma integral que envolve uma das seguintes expressões radicais $\sqrt{a^2 - x^2}$, $\sqrt{a^2 + x^2}$ ou $\sqrt{x^2 - a^2}$ (onde a é uma constante positiva) pode, muitas vezes, ser transformada numa integral trigonométrica familiar, utilizando-se uma substituição trigonométrica adequada ou uma mudança de variável.

Há três casos que dependem das identidades trigonométricas.

$$1 - \operatorname{sen}^2 \theta = \cos^2 \theta, \tag{1}$$

$$1 + \operatorname{tg}^2 \theta = \sec^2 \theta, \tag{2}$$

$$\sec^2 \theta - 1 = \operatorname{tg}^2 \theta. \tag{3}$$

Se a integral dada envolver $\sqrt{a^2 - x^2}$, então mudamos da variável x para θ. Assim

$$x = a \operatorname{sen} \theta \quad \text{substitui} \quad \sqrt{a^2 - x^2} \quad \text{por} \quad a \cos \theta, \tag{4}$$

pois $a^2 - x^2 = a^2 - a^2 \operatorname{sen}^2\theta = a^2(1 - \operatorname{sen}^2\theta) = a^2 \cos^2\theta$. Analogamente, se a integral dada envolver $\sqrt{a^2 + x^2}$, então, pela identidade (2), vemos que

$$x = a \operatorname{tg} \theta \quad \text{substitui} \quad \sqrt{a^2 + x^2} \quad \text{por} \quad a \sec \theta, \tag{5}$$

pois $a^2 + x^2 = a^2 + a^2 \operatorname{tg}^2\theta = a^2(1 + \operatorname{tg}^2\theta) = a^2 \sec^2\theta$; finalmente, se envolver $\sqrt{x^2 - a^2}$, então, pela identidade (3), teremos que

$$x = a \sec \theta \quad \text{substitui} \quad \sqrt{x^2 - a^2} \quad \text{por} \quad a \operatorname{tg} \theta, \tag{6}$$

pois $x^2 - a^2 = a^2 \sec^2\theta - a^2 = a^2(\sec^2\theta - 1) = a^2 \operatorname{tg}^2\theta$. Ilustraremos esses procedimentos com exemplos.

Exemplo 1 Calcule

$$\int \frac{\sqrt{a^2 - x^2}}{x} dx.$$

Solução   Essa integral é do primeiro tipo, logo, escrevemos

$$x = a \operatorname{sen} \theta, \quad dx = a \cos \theta \, d\theta, \quad \sqrt{a^2 - x^2} = a \cos \theta.$$

Então

$$\int \frac{\sqrt{a^2-x^2}}{x} dx = \int \frac{a\cos\theta}{a\,\text{sen}\,\theta} a\cos\theta\, d\theta = a\int \frac{\cos^2\theta}{\text{sen}\,\theta} d\theta$$

$$= a\int \frac{1-\text{sen}^2\theta}{\text{sen}\,\theta} d\theta = a\int (\text{cosec}\,\theta - \text{sen}\,\theta)\, d\theta$$

$$= -a\ln(\text{cosec}\,\theta + \text{cotg}\,\theta) + a\cos\theta. \qquad (7)$$

Isto completa a integração e devemos agora escrever a resposta em termos da variável original x. Fazemos isto rapidamente e com facilidade desenhando um triângulo retângulo (Fig. 10.1)

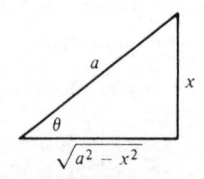

Figura 10.1

cujos lados são indicados da maneira mais simples, que seja consistente com a equação $x = a\,\text{sen}\,\theta$ ou $\text{sen}\,\theta = x/a$. Essa figura revela imediatamente que

$$\text{cosec}\,\theta = \frac{a}{x}, \qquad \text{cotg}\,\theta = \frac{\sqrt{a^2-x^2}}{x} \qquad \text{e} \qquad \cos\theta = \frac{\sqrt{a^2-x^2}}{a},$$

logo, por (7), temos

$$\int \frac{\sqrt{a^2-x^2}}{x} dx = \sqrt{a^2-x^2} - a\ln\left(\frac{a+\sqrt{a^2-x^2}}{x}\right) + c.$$

Exemplo 2 Calcule

$$\int \frac{dx}{\sqrt{a^2+x^2}}.$$

Solução Temos aqui uma integral do segundo tipo; logo, escrevemos

$$x = a\,\text{tg}\,\theta, \qquad dx = a\sec^2\theta\, d\theta, \qquad \sqrt{a^2+x^2} = a\sec\theta.$$

Isto leva a que

$$\int \frac{dx}{\sqrt{a^2+x^2}} = \int \frac{a \sec^2 \theta \, d\theta}{a \sec \theta} = \int \sec \theta \, d\theta$$

$$= \ln(\sec \theta + \operatorname{tg} \theta). \tag{8}$$

A equação de substituição $x = a \operatorname{tg} \theta$ ou $\operatorname{tg} \theta = x/a$ é desenhada na Fig. 10.2,

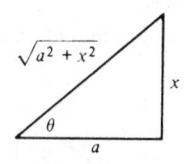

Figura 10.2

e dessa figura obtemos

$$\sec \theta = \frac{\sqrt{a^2+x^2}}{a} \quad \text{e} \quad \operatorname{tg} \theta = \frac{x}{a}.$$

Portanto, continuamos o cálculo em (8), escrevendo

$$\int \frac{dx}{\sqrt{a^2+x^2}} = \ln\left(\frac{\sqrt{a^2+x^2}+x}{a}\right) + c' \tag{9}$$

$$= \ln(\sqrt{a^2+x^2}+x) + c. \tag{10}$$

Os estudantes notarão, em virtude de

$$\ln\left(\frac{\sqrt{a^2+x^2}+x}{a}\right) = \ln(\sqrt{a^2+x^2}+x) - \ln a,$$

que a constante $-\ln a$ foi agrupada junto com a constante de integração c', e a quantidade $-\ln a + c'$ é então reescrita como c. Usualmente não nos importamos em fazer distinções notacionais entre uma constante de integração e outra, pois elas são completamente arbitrárias; mas a fizemos aqui, com o objetivo de tornar clara a transição de (9) para (10).

Exemplo 3 Calcule

$$\int \frac{\sqrt{x^2 - a^2}}{x} \, dx.$$

Solução Essa integral é do terceiro tipo; logo, escrevemos

$$x = a \sec \theta, \quad dx = a \sec \theta \, \text{tg} \, \theta \, d\theta, \quad \sqrt{x^2 - a^2} = a \, \text{tg} \, \theta.$$

Então

$$\int \frac{\sqrt{x^2 - a^2}}{x} \, dx = \int \frac{a \, \text{tg} \, \theta}{a \sec \theta} \, a \sec \theta \, \text{tg} \, \theta \, d\theta$$

$$= a \int \text{tg}^2 \theta \, d\theta = a \int (\sec^2 \theta - 1) \, d\theta$$

$$= a \, \text{tg} \, \theta - a\theta.$$

Nesse caso, nossa equação de substituição sec $\theta = x/a$ é desenhada na Fig. 10.3,

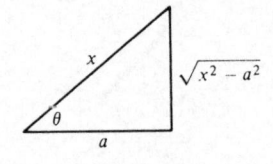

Figura 10.3

que revela que

$$\text{tg} \, \theta = \frac{\sqrt{x^2 - a^2}}{a} \quad \text{e} \quad \theta = \text{arc tg} \, \frac{\sqrt{x^2 - a^2}}{a}.$$

A integral desejada pode, portanto, ser escrita como

$$\int \frac{\sqrt{x^2 - a^2}}{x} \, dx = \sqrt{x^2 - a^2} - a \, \text{arc tg} \, \frac{\sqrt{x^2 - a^2}}{a} + c.$$

Há um aspecto nesses cálculos que não levamos em conta. Em (4) escrevemos tacitamente

$$\sqrt{1-\text{sen}^2\theta} = \cos\theta$$

sem conferir a exatidão do sinal algébrico. Isto foi feito com pouco cuidado, pois $\cos\theta$ é, às vezes, negativo e, às vezes, positivo. Entretanto, a variável θ, que nesse caso é arc sen x/a, é restrita ao intervalo $-\pi/2 \leq \theta \leq \pi/2$, e nesse intervalo $\cos\theta$ é não-negativo, como admitimos. Comentários análogos se aplicam para as substituições (5) e (6).

Exemplo 4 Como ilustração concreta do uso desses métodos, determinamos a equação da *tractriz*. Essa famosa curva pode ser definida como se segue: é a trajetória de um objeto arrastado ao longo de um plano horizontal por um fio de comprimento constante quando a outra extremidade do fio se move ao longo de uma reta do plano. (A palavra "tractriz" provém do latim *tractum*, significando draga.)

Suponha que o plano seja o plano xy e o objeto comece no ponto $(a,0)$ com a outra extremidade do fio na origem. Se esta se move para cima no eixo y (Fig. 10.4, à esquerda),

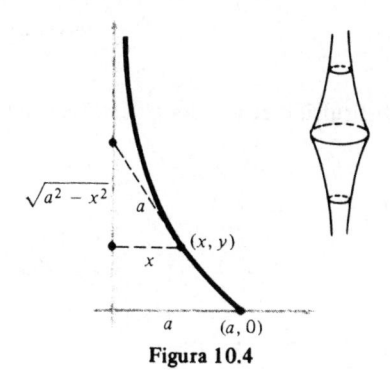

Figura 10.4

o fio será sempre tangente à curva, e o comprimento da tangente entre o eixo y e o ponto de contato será sempre igual a a. O coeficiente angular da tangente é portanto dado pela fórmula

$$\frac{dy}{dx} = -\frac{\sqrt{a^2-x^2}}{x};$$

separando as variáveis e usando o resultado do Exemplo 1, temos

$$y = -\int \frac{\sqrt{a^2-x^2}}{x}\,dx = a\ln\left(\frac{a+\sqrt{a^2-x^2}}{x}\right) - \sqrt{a^2-x^2} + c.$$

Como $y = 0$ quando $x = a$, vemos que $c = 0$; logo,

$$y = a \ln \left(\frac{a + \sqrt{a^2 - x^2}}{x} \right) - \sqrt{a^2 - x^2}$$

é a equação da tractriz, ou pelo menos da parte mostrada na figura.

Se a extremidade do fio move-se para baixo no eixo y, então uma outra parte da curva é gerada; e se essas duas partes são giradas ao redor do eixo y, a superfície resultante na forma de "corneta dupla" (Fig. 10.4, à direita) chama-se *pseudo-esfera*. No ramo da Matemática que trata da geometria das superfícies, a pseudo-esfera é um modelo para a versão de Lobachevsky de Geometria não-euclidiana. É uma superfície de curvatura constante negativa, e a soma dos ângulos de qualquer triângulo da superfície é menor que 180°.

Uma outra curva famosa cuja equação pode ser determinada por esses métodos de integração é a *catenária*, que é a curva formada por um cabo flexível pendurado entre dois pontos fixos. Os detalhes são um pouco complicados, e faremos a discussão no Apêndice A.6.

Aos procedimentos de substituição descritos nesta seção pode ser dada uma justificação geral ou uma prova semelhante à que foi dada na Seção 10.2. Os estudantes interessados em tais assuntos acharão os detalhes no Apêndice B.8.

Problemas

Calcule cada uma das seguintes integrais:

1. $\int \frac{\sqrt{a^2 - x^2}}{x^2} dx.$
2. $\int \frac{x^2 \, dx}{\sqrt{4 - x^2}}.$
3. $\int \frac{dx}{(a^2 + x^2)^2}.$
4. $\int \frac{dx}{x^2 \sqrt{a^2 + x^2}}.$
5. $\int \frac{x^3 \, dx}{\sqrt{9 - x^2}}.$
6. $\int \frac{dx}{x \sqrt{a^2 - x^2}}.$
7. $\int \frac{dx}{x \sqrt{a^2 + x^2}}.$
8. $\int \frac{dx}{x + x^3}.$
9. $\int \frac{dx}{\sqrt{x^2 - a^2}}.$
10. $\int \frac{dx}{x^3 \sqrt{x^2 - a^2}}.$
11. $\int \sqrt{a^2 + x^2} \, dx.$
12. $\int \frac{x^3 \, dx}{a^2 + x^2}.$
13. $\int \frac{dx}{a^2 - x^2}.$
14. $\int \frac{dx}{(a^2 - x^2)^{3/2}}.$
15. $\int \frac{\sqrt{a^2 + x^2}}{x} dx.$
16. $\int x^3 \sqrt{a^2 + x^2} \, dx.$
17. $\int \frac{\sqrt{x^2 - a^2}}{x^2} dx.$
18. $\int \frac{dx}{(x^2 - a^2)^{3/2}}.$
19. $\int x^2 \sqrt{a^2 - x^2} \, dx.$
20. $\int (1 - 4x^2)^{3/2} \, dx.$

As seguintes integrais seriam normalmente calculadas de modo diferente, mas, dessa vez, calcule-as utilizando substituições trigonométricas.

21. $\int \dfrac{x\,dx}{\sqrt{4-x^2}}.$ 22. $\int \dfrac{x\,dx}{(a^2-x^2)^{3/2}}.$

23. $\int \dfrac{dx}{a^2+x^2}.$ 24. $\int \dfrac{x\,dx}{4+x^2}.$

25. $\int x\sqrt{9-x^2}\,dx.$ 26. $\int \dfrac{dx}{\sqrt{a^2-x^2}}.$

27. $\int \dfrac{x\,dx}{\sqrt{9+x^2}}.$ 28. $\int \dfrac{x\,dx}{\sqrt{x^2-4}}.$

29. Use integração para mostrar que a área de um círculo de raio a é πa^2.

30. Num círculo de raio a, uma corda distando b unidades do centro corta uma fatia do círculo chamado *segmento*. Determine uma fórmula para a área desse segmento.

31. Se a circunferência $(x-b)^2 + y^2 = a^2$ $(0 < a < b)$ é girada ao redor do eixo y, o sólido de revolução resultante chama-se *toro* (veja o Problema 11 da Seção 7.3). Use o método da casca para calcular o volume desse toro.

32. Calcule o comprimento da parábola $y = x^2$ entre $x = 0$ e $x = 1$. Sugestão: use o resultado do Problema 29 da Seção 10.3.

33 Calcule o comprimento da curva $y = \ln x$ entre $x = 1$ e $x = \sqrt{8}$.

34. A região dada sob cada uma das seguintes curvas é girada ao redor do eixo x. Calcule o volume do sólido de revolução.

(a) $y = \dfrac{x^{3/2}}{\sqrt{x^2+4}}$ entre $x = 0$ e $x = 4$.

(b) $y = \dfrac{1}{x^2+1}$ entre $x = 0$ e $x = 1$.

(c) $y = \sqrt[4]{4-x^2}$ entre $x = 1$ e $x = 2$.

10.5 COMPLETANDO O QUADRADO

Na Seção 10.4 utilizamos substituições trigonométricas para calcular integrais contendo $\sqrt{a^2 - x^2}$, $\sqrt{a^2 + x^2}$ e $\sqrt{x^2 - a^2}$. (O caso $\sqrt{-a^2 - x^2}$ obviamente não tem interesse.) Pelo artifício algébrico de completar o quadrado, podemos estender esses métodos para integrais envolvendo polinômios quadráticos genéricos e suas raízes quadradas, isto é, expressões da forma $ax^2 + bx + c$ e $\sqrt{ax^2 + bx + c}$. Lembramos aos estudantes que o processo de completar o quadrado baseia-se no simples fato de que

$$(x + A)^2 = x^2 + 2Ax + A^2;$$

essa igualdade revela que o segundo membro é um quadrado perfeito (o quadrado de $x + A$), pois seu termo constante é o quadrado da metade do coeficiente de x.

Exemplo 1 Calcule

$$\int \frac{(x + 2)\, dx}{\sqrt{3 + 2x - x^2}}.$$

Solução Como o coeficiente do termo x^2 sob o radical é negativo, substituímos os termos contendo x entre parênteses precedido por um sinal de menos, deixando espaço para completar o quadrado,

$$3 + 2x - x^2 = 3 - (x^2 - 2x + \quad) = 4 - (x^2 - 2x + 1)$$
$$= 4 - (x - 1)^2 = a^2 - u^2,$$

onde $u = x - 1$ e $a = 2$. Como $x = u + 1$, temos $dx = du$ e $x + 2 = u + 3$ e, portanto,

$$\int \frac{(x + 2)\, dx}{\sqrt{3 + 2x - x^2}} = \int \frac{(u + 3)\, du}{\sqrt{a^2 - u^2}} = \int \frac{u\, du}{\sqrt{a^2 - u^2}} + 3 \int \frac{du}{\sqrt{a^2 - u^2}}$$
$$= -\sqrt{a^2 - u^2} + 3 \ \text{arc sen}\ \frac{u}{a}$$
$$= -\sqrt{3 + 2x - x^2} + 3 \ \text{arc sen}\ \left(\frac{x - 1}{2}\right) + c.$$

Exemplo 2 Calcule

$$\int \frac{dx}{x^2 + 2x + 10}.$$

Solução Completamos o quadrado nos termos contendo x e escrevemos

$$x^2 + 2x + 10 = (x^2 + 2x +) + 10 = (x^2 + 2x + 1) + 9$$
$$= (x + 1)^2 + 9 = u^2 + a^2,$$

onde $u = x + 1$ e $a = 3$. Agora temos $du = dx$ ou $dx = du$, logo

$$\int \frac{dx}{x^2 + 2x + 10} = \int \frac{du}{u^2 + a^2} = \frac{1}{a} \text{ arc tg } \frac{u}{a}$$
$$= \frac{1}{3} \text{ arc tg } \left(\frac{x+1}{3}\right) + c.$$

Exemplo 3 Calcule

$$\int \frac{x \, dx}{\sqrt{x^2 - 2x + 5}}.$$

Solução Escrevemos

$$x^2 - 2x + 5 = (x^2 - 2x +) + 5 = (x^2 - 2x + 1) + 4$$
$$= (x - 1)^2 + 4 = u^2 + a^2,$$

onde $u = x - 1$ e $a = 2$. Então $x = u + 1$, $dx = du$ e temos

$$\int \frac{x \, dx}{\sqrt{x^2 - 2x + 5}} = \int \frac{(u+1) \, du}{\sqrt{u^2 + a^2}} = \int \frac{u \, du}{\sqrt{u^2 + a^2}} + \int \frac{du}{\sqrt{u^2 + a^2}}.$$

A segunda integral aqui foi considerada no Exemplo 2 da Seção 10.4. Assim temos

$$\int \frac{du}{\sqrt{u^2 + a^2}} = \ln(u + \sqrt{u^2 + a^2}),$$

e, portanto,

$$\int \frac{x\,dx}{\sqrt{x^2-2x+5}} = \sqrt{u^2+a^2} + \ln(u+\sqrt{u^2+a^2})$$
$$= \sqrt{x^2-2x+5} + \ln(x-1+\sqrt{x^2-2x+5}) + c.$$

Exemplo 4 Calcule

$$\int \frac{dx}{\sqrt{x^2-4x-5}}.$$

Solução Aqui nós temos

$$x^2 - 4x - 5 = (x^2 - 4x +) - 5 = (x^2 - 4x + 4) - 9$$
$$= (x-2)^2 - 9 = u^2 - a^2,$$

onde $u = x - 2$ e $a = 3$. Usando o resultado do Problema 9 da Seção 10.4 (ou obtendo rapidamente a fórmula necessária por meio da mudança $u = a \sec \theta$) completamos o cálculo:

$$\int \frac{dx}{\sqrt{x^2-4x-5}} = \int \frac{du}{\sqrt{u^2-a^2}} = \ln(u+\sqrt{u^2-a^2})$$
$$= \ln(x-2+\sqrt{x^2-4x-5}) + c.$$

Se uma integral envolve a raiz quadrada de um polinômio de terceiro, quarto ou maior grau, então pode-se provar que não existe qualquer método geral para efetuar a integração. Abordaremos algumas integrais desse tipo na Seção 10.8.

Problemas

Calcule as seguintes integrais.

1. $\int \dfrac{dx}{\sqrt{2x-x^2}}.$
2. $\int \dfrac{dx}{\sqrt{5+4x-x^2}}.$
3. $\int \dfrac{dx}{x^2+4x+5}.$
4. $\int \dfrac{dx}{x^2-x+1}.$
5. $\int \dfrac{(x+1)\,dx}{\sqrt{2x-x^2}}.$
6. $\int \dfrac{(x+3)\,dx}{\sqrt{5+4x-x^2}}.$
7. $\int \dfrac{x^2\,dx}{\sqrt{6x-x^2}}.$
8. $\int \dfrac{(x-1)\,dx}{\sqrt{x^2+4x+5}}.$
9. $\int \dfrac{(x+7)\,dx}{x^2+2x+5}.$
10. $\int \dfrac{\sqrt{x^2+2x-3}}{x+1}\,dx.$
11. $\int \dfrac{dx}{\sqrt{x^2-2x-8}}.$
12. $\int \dfrac{dx}{\sqrt{5+3x-2x^2}}.$
13. $\int \dfrac{dx}{\sqrt{4x^2+4x+17}}.$
14. $\int \dfrac{(4x+3)\,dx}{(x^2-2x+2)^{3/2}}.$
15. $\int \dfrac{dx}{(x^2-2x-3)^{3/2}}.$
16. $\int \dfrac{dx}{(x+2)\sqrt{x^2+4x+3}}.$

10.6 O MÉTODO DAS FRAÇÕES PARCIAIS

Recordamos que uma função racional é um quociente de dois polinômios. Considerando-se que 1 pode ser denominador tal quociente, vemos que os próprios polinômios estão incluídos entre as funções racionais. Como sabemos, as funções racionais simples

$$2x+1, \quad \frac{1}{x^2}, \quad \frac{1}{x}, \quad \frac{x}{x^2+1}, \quad \text{e} \quad \frac{1}{x^2+1}$$

têm as seguintes integrais:

$$x^2+x, \quad -\frac{1}{x}, \quad \ln x, \quad \tfrac{1}{2}\ln(x^2+1), \quad \text{e} \quad \text{arc tg } x.$$

Nosso propósito nessa seção é descrever um procedimento sistemático para calcular a integral de qualquer função racional; descobriremos que essa integral pode sempre ser expressa em termos de polinômios, funções racionais, logaritmos e arco tangentes. A idéia básica é decompor uma dada função racional numa soma de frações simples (chamadas *frações parciais*), que podem ser integradas por métodos abordados anteriormente.

Uma função racional chama-se *própria* se o grau do numerador é menor que o grau do denominador. Caso contrário, ela se diz *imprópria*. Por exemplo,

$$\frac{x}{(x-1)(x+2)^2} \quad \text{e} \quad \frac{x^2+2}{x(x^2-9)}$$

são próprias, enquanto

$$\frac{x^4}{x^4-1} \quad \text{e} \quad \frac{2x^3-3x^2+2x-4}{x^2+4}$$

são impróprias. No caso em que a função a integrar seja uma função racional imprópria, é essencial começar fazendo divisões até obter um resto cujo grau é menor que o do denominador. Ilustraremos o procedimento com a segunda função imprópria apresentada como exemplo. A divisão resulta

$$\begin{array}{r} 2x - 3 \\ x^2+4 \overline{\smash{\big)} 2x^3 - 3x^2 + 2x - 4} \\ \underline{2x^3 + 8x } \\ -3x^2 - 6x - 4 \\ \underline{-3x^2 - 12} \\ -6x + 8 \end{array}$$

Resumindo: a função racional em questão pode ser escrita na forma

$$\frac{2x^3-3x^2+2x-4}{x^2+4} = 2x - 3 + \frac{-6x+8}{x^2+4}. \tag{1}$$

Aplicando esse processo, toda função racional imprópria $P(x)/Q(x)$ pode ser expressa como a soma entre um polinômio e uma função racional própria,

$$\frac{P(x)}{Q(x)} = \text{polinômio} + \frac{R(x)}{Q(x)}, \tag{2}$$

onde o grau de $R(x)$ é menor que o de $Q(x)$. No caso particular de (1), essa decomposição por meio de uma divisão permite-nos efetuar a integração bem facilmente, escrevendo

$$\int \frac{2x^3 - 3x^2 + 2x - 4}{x^2 + 4} dx = x^2 - 3x - 6 \int \frac{x\, dx}{x^2 + 4} + 8 \int \frac{dx}{x^2 + 4}$$

$$= x^2 - 3x - 3 \ln(x^2 + 4) + 4 \text{ arc tg } \frac{x}{2} + c.$$

No caso geral (2), essas observações revelam que podemos restringir nossa atenção às funções racionais próprias, pois a integração de polinômios é sempre fácil. Essa restrição é não só conveniente mas também necessária, pois as discussões seguintes aplicam-se *somente* às funções racionais próprias.

Em Álgebra elementar aprendemos como reduzir frações a um mesmo denominador. Agora devemos aprender como inverter esse processo e separar uma dada fração numa soma de frações tendo denominadores mais simples. Esse procedimento chama-se *decomposição em frações parciais*.

Exemplo 1 É claro que

$$\frac{3}{x-1} + \frac{2}{x+3} = \frac{3(x+3) + 2(x-1)}{(x-1)(x+3)} = \frac{5x+7}{(x-1)(x+3)}. \tag{3}$$

No processo inverso começamos com o segundo membro de (3) como nossa função racional dada e procuramos constantes A e B tais que

$$\frac{5x+7}{(x-1)(x+3)} = \frac{A}{x-1} + \frac{B}{x+3}. \tag{4}$$

(Com o objetivo de compreender o método, suponhamos, por um instante, que não saibamos que $A = 3$ e $B = 2$ funcionam.) Se eliminarmos as frações em (4), multiplicando por $(x-1)(x+3)$, temos

$$5x + 7 = A(x+3) + B(x-1) \tag{5}$$

ou

$$5x + 7 = (A+B)x + (3A - B). \tag{6}$$

Como (6) deve ser uma identidade em x, podemos achar A e B igualando os coeficientes de mesma potência de x. Obtemos um sistema de duas equações a duas incógnitas A e B,

$$\begin{cases} A + B = 5 \\ 3A - B = 7, \end{cases} \quad \text{cuja solução é} \quad A = 3, B = 2.$$

Há um outro modo conveniente de encontrar A e B, utilizando (5) diretamente. Como (5) deve valer para todo x, deve valer em particular para $x = 1$ (o que elimina B) e para $x = -3$ (o que elimina A). Resumidamente,

$$x = 1: \quad 5 + 7 = A(1 + 3) + 0, \quad 4A = 12, \quad A = 3;$$
$$x = -3: \quad -15 + 7 = 0 + B(-3 - 1), \quad -4B = -8, \quad B = 2.$$

Esse método é mais rápido que parece e pode ser efetuado por inspeção. Qualquer que seja o método que utilizemos para determinar A e B, (4) torna-se

$$\frac{5x + 7}{(x - 1)(x + 3)} = \frac{3}{x - 1} + \frac{2}{x + 3},$$

e esta é a decomposição da função racional do primeiro membro em frações parciais. Naturalmente, o propósito dessa decomposição é permitir-nos integrar a função dada,

$$\int \frac{5x + 7}{(x - 1)(x + 3)} dx = \int \left(\frac{3}{x - 1} + \frac{2}{x + 3} \right) dx$$
$$= 3 \ln (x - 1) + 2 \ln (x + 3) + c.$$

O tipo de expansão usada em (4) funciona da mesma maneira sob circunstâncias mais gerais, como se segue:

Seja $P(x)/Q(x)$ uma função racional própria cujo denominador é um polinômio de grau n. Se $Q(x)$ pode ser fatorado completamente em *fatores lineares distintos* $x - r_1, x - r_2, \ldots, x - r_n$, então existem n constantes $A_1, A_2, \ldots, A_n$ tais que

$$\frac{P(x)}{Q(x)} = \frac{A_1}{x - r_1} + \frac{A_2}{x - r_2} + \cdots + \frac{A_n}{x - r_n}. \tag{7}$$

As constantes dos numeradores podem ser determinadas por um dos métodos sugeridos no Exemplo 1; completando esse processo, a decomposição em frações parciais (7) fornece um modo fácil de integrar a função racional dada.

Exemplo 2 Calcule

$$\int \frac{6x^2 + 14x - 20}{x^3 - 4x} \, dx.$$

Solução Fatoramos o denominador escrevendo $x^3 - 4x = x(x^2 - 4) = x(x + 2)(x - 2)$. Portanto, temos uma decomposição da forma

$$\frac{6x^2 + 14x - 20}{x^3 - 4x} = \frac{6x^2 + 14x - 20}{x(x+2)(x-2)} = \frac{A}{x} + \frac{B}{x+2} + \frac{C}{x-2}, \tag{8}$$

onde A, B e C são constantes a determinar. Para determinar essas constantes, eliminamos as frações em (8), o que dá

$$6x^2 + 14x - 20 = A(x+2)(x-2) + Bx(x-2) + Cx(x+2).$$

Pondo $x = 0, -2, 2$ (este é o segundo método do Exemplo 1), vemos facilmente que $A = 5$, $B = -3$ e $C = 4$, logo, (8) se torna

$$\frac{6x^2 + 14x - 20}{x^3 - 4x} = \frac{5}{x} - \frac{3}{x+2} + \frac{4}{x-2}.$$

Temos portanto

$$\int \frac{6x^2 + 14x - 20}{x^3 - 4x} \, dx = 5 \ln x - 3 \ln (x+2) + 4 \ln (x-2) + c.$$

Teoricamente todo polinômio $Q(x)$ com coeficientes reais pode ser fatorado completamente em fatores lineares e quadráticos reais, alguns dos quais podem ser repetidos*.

---

* Essa afirmação é uma conseqüência do *Teorema Fundamental da Álgebra*, que é abordado na Seção 14.12 (Volume II).

Na prática, essa fatoração é difícil de ser efetuada para polinômios de grau maior ou igual a 3, exceto em casos particulares. Todavia, vamos admitir que isto esteja feito e vejamos como a decomposição (7) deve ser alterada, levando em conta as circunstâncias mais gerais que podem ocorrer.

Se um fator linear $x - r$ ocorre com multiplicidade m, então o correspondente termo $A/(x - r)$ na decomposição (7) deve ser substituído por uma soma da forma

$$\frac{B_1}{x-r} + \frac{B_2}{(x-r)^2} + \cdots + \frac{B_m}{(x-r)^m}.$$

Um fator quadrático $x^2 + bx + c$ de multiplicidade 1 dá origem a um único termo

$$\frac{Ax + B}{x^2 + bx + c},$$

se esse fator quadrático ocorre com multiplicidade m então origina uma soma da forma

$$\frac{A_1 x + B_1}{x^2 + bx + c} + \frac{A_2 x + B_2}{(x^2 + bx + c)^2} + \cdots + \frac{A_m x + B_m}{(x^2 + bx + c)^m}.$$

Assim completamos o assunto: a teoria garante que toda função racional própria pode ser expandida numa soma de frações parciais da maneira descrita acima*.

Exemplo 3 Calcule

$$\int \frac{3x^3 - 4x^2 - 3x + 2}{x^4 - x^2}\,dx.$$

Solução Temos

$$\frac{3x^3 - 4x^2 - 3x + 2}{x^4 - x^2} = \frac{3x^3 - 4x^2 - 3x + 2}{x^2(x+1)(x-1)}$$

$$= \frac{A}{x} + \frac{B}{x^2} + \frac{C}{x+1} + \frac{D}{x-1}.$$

---

*   Essa afirmação chama-se *Teorema das Frações Parciais* e será provada no Apêndice B.9. Os estudantes notarão que a descrição acima da decomposição em frações parciais pressupõe que o coeficiente da potência mais alta de x em $Q(x)$ é 1; isto sempre pode ser arranjado por um ajuste algébrico simples.

Eliminando as frações, temos a identidade

$$3x^3 - 4x^2 - 3x + 2 = Ax(x + 1)(x - 1) + B(x + 1)(x - 1)$$
$$+ Cx^2(x - 1) + Dx^2(x + 1).$$

Fazendo

$x = 0$:	temos	$2 = -B$,	$B = -2$;
$x = 1$:	temos	$-2 = 2D$,	$D = -1$;
$x = -1$:	temos	$-2 = -2C$,	$C = 1$.

Igualando os coeficientes de x^3, obtemos

$$3 = A + C + D, \quad \text{logo} \quad A = 3.$$

Nossa decomposição em frações parciais é, então,

$$\frac{3x^3 - 4x^2 - 3x + 2}{x^4 - x^2} = \frac{3}{x} - \frac{2}{x^2} + \frac{1}{x+1} - \frac{1}{x-1},$$

logo

$$\int \frac{3x^3 - 4x^2 - 3x + 2}{x^4 - x^2} \, dx = 3 \ln x + \frac{2}{x} + \ln(x + 1) - \ln(x - 1) + c.$$

Exemplo 4 Calcule

$$\int \frac{2x^3 + x^2 + 2x - 1}{x^4 - 1} \, dx.$$

Solução Temos

$$\frac{2x^3 + x^2 + 2x - 1}{x^4 - 1} = \frac{2x^3 + x^2 + 2x - 1}{(x+1)(x-1)(x^2+1)}$$
$$= \frac{A}{x+1} + \frac{B}{x-1} + \frac{Cx + D}{x^2 + 1},$$

logo

$$2x^3 + x^2 + 2x - 1 = A(x-1)(x^2+1) + B(x+1)(x^2+1)$$
$$+ Cx(x^2-1) + D(x^2-1).$$

Fazendo

$x = 1$:	temos	$4 = 4B$,	$B = 1$;
$x = -1$:	temos	$-4 = -4A$,	$A = 1$;
$x = 0$:	temos	$-1 = -A + B - D$,	$D = 1$.

Igualando os coeficientes de x^3, temos

$$2 = A + B + C, \quad \text{logo} \quad C = 0.$$

Portanto nossa decomposição em frações parciais é

$$\frac{2x^3 + x^2 + 2x - 1}{x^4 - 1} = \frac{1}{x+1} + \frac{1}{x-1} + \frac{1}{x^2+1},$$

logo

$$\int \frac{2x^3 + x^2 + 2x - 1}{x^4 - 1} dx = \ln(x+1) + \ln(x-1) + \text{arc tg } x + c.$$

Como comentário final, salientamos que todas as frações parciais que podem aparecer têm a forma

$$\frac{A}{(x-r)^n} \quad \text{ou} \quad \frac{Ax+B}{(x^2+bx+c)^n}, \quad n = 1, 2, 3, \ldots$$

Funções do primeiro tipo podem ser integradas usando a substituição $u = x - r$, e é claro que os resultados são sempre funções racionais ou logarítmicas. Uma função do segundo tipo na qual os polinômios quadráticos $x^2 + bx + c$ não têm fatores lineares, isto é, as raízes de $x^2 + bx + c = 0$ são completas, pode ser integrada completando o quadrado e fazendo uma substituição adequada. Quando isto é feito, temos integrais das formas

$$\int \frac{u \, du}{(u^2 + k^2)^n}, \quad \int \frac{du}{(u^2 + k^2)^n}.$$

A primeira destas é $1/2 \ln(u^2 + k^2)$ se $n = 1$ e $(u^2 + k^2)^{1-n}/2(1 - n)$ se $n > 1$. Quando $n = 1$, a segunda integral é dada pela fórmula

$$\int \frac{du}{u^2 + k^2} = \frac{1}{k} \text{ arc tg } \frac{u}{k}.$$

O caso $n > 1$ pode ser reduzido ao caso $n = 1$, por aplicação repetida da *fórmula de redução*

$$\int \frac{du}{(u^2 + k^2)^n} = \frac{1}{2k^2(n-1)} \cdot \frac{u}{(u^2 + k^2)^{n-1}} + \frac{2n - 3}{2k^2(n-1)} \int \frac{du}{(u^2 + k^2)^{n-1}}. \tag{9}$$

Enunciamos essa fórmula complicada com o propósito de mostrar que as únicas funções que surgem do procedimento de redução indicado são funções racionais e arco tangente. A própria fórmula pode ser verificada por derivação ou obtida pelos métodos da próxima seção.

Essa discussão mostra que a integral de qualquer função racional pode ser expressa em termos de polinômios, funções racionais, logaritmos e arco tangentes. O trabalho detalhado pode ser muito penoso, mas pelo menos o caminho que deve ser seguido é nitidamente visível.

Problemas

1. Expresse cada uma das seguintes funções racionais impróprias como soma de um polinômio e uma função racional própria e integre:

   (a) $\dfrac{x^2}{x - 1}$;   (b) $\dfrac{x^3}{3x + 2}$;   (c) $\dfrac{x^3}{x^2 + 1}$;

   (d) $\dfrac{x + 3}{x + 2}$;   (e) $\dfrac{x^2 - 1}{x^2 + 1}$.

Calcule cada uma das seguintes integrais:

2. $\displaystyle\int \frac{12x - 17}{(x - 1)(x - 2)} dx.$ 3. $\displaystyle\int \frac{14x - 12}{2x^2 - 2x - 12} dx.$

4. $\displaystyle\int \frac{10 - 2x}{x^2 + 5x} dx.$ 5. $\displaystyle\int \frac{2x + 21}{x^2 - 7x} dx.$

6. $\displaystyle\int \frac{9x^2 - 24x + 6}{x^3 - 5x^2 + 6x} dx.$ 7. $\displaystyle\int \frac{x^2 + 46x - 48}{x^3 + 5x^2 - 24x} dx.$

8. $\displaystyle\int \frac{16x^2 + 3x - 7}{x^3 - x}\, dx.$ 9. $\displaystyle\int \frac{4x^2 + 11x - 117}{x^3 + 10x^2 - 39x}\, dx.$

10. $\displaystyle\int \frac{6x^2 - 9x + 9}{x^3 - 3x^2}\, dx.$ 11. $\displaystyle\int \frac{-4x^2 - 5x - 3}{x^3 + 2x^2 + x}\, dx.$

12. $\displaystyle\int \frac{4x^2 + 2x + 4}{x^3 + 4x}\, dx.$ 13. $\displaystyle\int \frac{3x^2 - x + 4}{x^3 + 2x^2 + 2x}\, dx.$

14. Use frações parciais para obter a fórmula

$$\int \frac{dx}{a^2 - x^2} = \frac{1}{2a} \ln \frac{a+x}{a-x}.$$

Calcule também essa integral por substituição trigonométrica e verifique que as duas respostas coincidem.

15. Na Seção 10.1, a fórmula

$$\int \sec u\, du = \ln(\sec u + \mathrm{tg}\, u)$$

foi obtida com um truque. Deduza-a integrando

$$\int \frac{\cos u\, du}{1 - \mathrm{sen}^2 u}$$

por frações parciais.

16. Calcule

(a) $\displaystyle\int \frac{3\,\mathrm{sen}\,\theta\, d\theta}{\cos^2 \theta - \cos \theta - 2};$ (b) $\displaystyle\int \frac{5e^t\, dt}{e^{2t} + e^t - 6}.$

17 No Problema 14 da Seção 8.5 foi afirmado que a equação diferencial

$$\frac{dx}{dt} = kab(A - x)(B - x), \quad A \ne B,$$

tem

$$\frac{B(A-x)}{A(B-x)} = e^{kab(A-B)t}$$

como solução, tal que $x = 0$ quando $t = 0$. Determine essa solução usando frações parciais.

18. Verifique a fórmula de redução (9) derivando o primeiro termo da direita.

10.7 INTEGRAÇÃO POR PARTES

Quando escrevemos a fórmula da derivada de um produto (a regra do produto) na notação de diferencial, temos

$$d(uv) = u\,dv + v\,du \quad \text{ou} \quad u\,dv = d(uv) - v\,du,$$

e, por integração, obtemos

$$\int u\,dv = uv - \int v\,du. \qquad (1)$$

Essa fórmula fornece um método de calcular $\int u\,dv$ **no caso** em que a segunda integral $\int v\,du$ é mais fácil de calcular. O método chama-se *integração por partes* e, com freqüência, funciona quando todos os outros métodos falham.

Exemplo 1 Calcule

$$\int x \cos x\, dx.$$

Solução Fazendo

$$u = x, \quad dv = \cos x\, dx,$$

teremos

$$du = dx, \quad v = \operatorname{sen} x,$$

Aplicando (1), obtemos

$$\int x \cos x \, dx = x \operatorname{sen} x - \int \operatorname{sen} x \, dx.$$

Tivemos sorte, pois a integral da direita é fácil. Temos, portanto,

$$\int x \cos x \, dx = x \operatorname{sen} x + \cos x + c.$$

Vale a pena notar nesse exemplo que poderíamos ter escolhido u e dv de modo diferente. Se fizéssemos

$$u = \cos x, \qquad dv = x \, dx,$$

então $\qquad du = -\operatorname{sen} x \, dx, \qquad v = \tfrac{1}{2}x^2,$

e usando (1) obteríamos

$$\int x \cos x \, dx = \tfrac{1}{2}x^2 \cos x + \tfrac{1}{2} \int x^2 \operatorname{sen} x \, dx.$$

Essa equação está correta, mas é completamente inútil como meio de resolver nosso problema, pois a segunda integral é mais difícil que a primeira. Insistimos que os estudantes aprendam com a experiência e usem tentativa e erro tão inteligentemente quanto possível na escolha de u e dv. Os estudantes devem também se sentir livres para abandonar uma escolha que não parece funcionar e partir rapidamente para uma outra escolha que ofereça mais esperança de sucesso.

O método da integração por partes se aplica particularmente bem aos produtos de diferentes tipos de funções, tais como $x \cos x$ no Exemplo 1, que é um produto de um polinômio por uma função trigonométrica. Ao utilizar esse método, a diferencial dada deve ser pensada como um produto $u \cdot dv$. A parte chamada dv deve ser algo que possamos integrar, e a parte chamada u deve ser usualmente algo que é simplificado por derivação, como no nosso exemplo seguinte.

Exemplo 2 Calcule $\int \ln x \, dx$.

Solução Aqui nossa única escolha é

$$u = \ln x, \qquad dv = dx,$$

logo

$$du = \frac{dx}{x}, \qquad v = x,$$

e temos

$$\int \ln x\, dx = x \ln x - \int x\, \frac{dx}{x} = x \ln x - x + c.$$

Em alguns casos é necessário efetuar duas ou mais integrações por partes, sucessivamente.

Exemplo 3 Calcule $\int x^2 e^x\, dx$.

Solução Fazendo

$$u = x^2, \qquad dv = e^x\, dx,$$

então

$$du = 2x\, dx, \qquad v = e^x,$$

e (1) nos dá

$$\int x^2 e^x\, dx = x^2 e^x - 2 \int x e^x\, dx. \qquad (2)$$

Aqui a segunda integral é mais fácil que a primeira, e assim nos sentimos encorajados para continuar da mesma maneira. Quando integramos a segunda integral por partes, com

$$u = x, \qquad dv = e^x\, dx,$$

de modo que

$$du = dx, \qquad v = e^x,$$

então temos

$$\int x e^x\, dx = x e^x - \int e^x\, dx$$

$$= x e^x - e^x.$$

Quando esta é inserida em (2), nosso resultado final é

$$\int x^2 e^x \, dx = x^2 e^x - 2xe^x + 2e^x + c.$$

Às vezes acontece de a integral da qual partimos aparecer uma segunda vez durante a integração por partes e. nesse caso, com freqüência é possível isolar essa integral por álgebra elementar.

Exemplo 4 Calcule

$$\int e^x \cos x \, dx.$$

Solução Por conveniência denotamos essa integral por J. Se pusermos

$$u = e^x, \qquad dv = \cos x \, dx,$$

então

$$du = e^x \, dx, \qquad v = \operatorname{sen} x,$$

e a aplicação de (1) fornece

$$J = e^x \operatorname{sen} x - \int e^x \operatorname{sen} x \, dx. \tag{3}$$

Agora chegamos a uma parte interessante desse problema. Embora a nova integral não seja mais fácil que a anterior, verifica-se que é proveitoso aplicar o mesmo método para a nova integral. Assim, fazemos

$$u = e^x, \qquad du = \operatorname{sen} x \, dx,$$

de modo que

$$du = e^x \, dx, \qquad v = -\cos x,$$

e obtemos

$$\int e^x \operatorname{sen} x\, dx = -e^x \cos x + \int e^x \cos x\, dx. \quad (4)$$

A integral à direita é J, novamente; logo, podemos escrever (4) como

$$\int e^x \operatorname{sen} x\, dx = -e^x \cos x + J. \quad (5)$$

A despeito das aparências, não estamos num círculo vicioso, pois, substituindo (5) em (3), temos

$$J = e^x \operatorname{sen} x + e^x \cos x - J.$$

Agora é fácil isolar J, escrevendo

$$2J = e^x \operatorname{sen} x + e^x \cos x \quad \text{ou} \quad J = \tfrac{1}{2}(e^x \operatorname{sen} x + e^x \cos x),$$

e tudo que resta é acrescentar a constante de integração:

$$\int e^x \cos x\, dx = \tfrac{1}{2} e^x (\operatorname{sen} x + \cos x) + c.$$

O método desse exemplo é, muitas vezes, utilizado para fazer uma integral depender de uma integral mais simples do mesmo tipo e assim obter uma *fórmula de redução* conveniente cuja aplicação repetida leve ao cálculo da integral dada.

Exemplo 5 Determine uma fórmula de redução para

$$J_n = \int \operatorname{sen}^n x\, dx.$$

Solução Integramos por partes com

$$u = \operatorname{sen}^{n-1} x, \quad du = \operatorname{sen} x\, dx,$$

e assim

$$du = (n-1)\operatorname{sen}^{n-2} x \cos x\, dx, \quad v = -\cos x,$$

e, portanto,

$$J_n = -\text{sen}^{n-1} x \cos x + (n-1) \int \text{sen}^{n-2} x \cos^2 x \, dx$$

$$= -\text{sen}^{n-1} x \cos x + (n-1) \int \text{sen}^{n-2} x (1 - \text{sen}^2 x) \, dx$$

$$= -\text{sen}^{n-1} x \cos x + (n-1) \int \text{sen}^{n-2} x \, dx - (n-1) \int \text{sen}^n x \, dx$$

$$= -\text{sen}^{n-1} x \cos x + (n-1) J_{n-2} - (n-1) J_n.$$

Transpomos agora o termo envolvendo J_n e obtemos

$$nJ_n = -\text{sen}^{n-1} x \cos x + (n-1)J_{n-2},$$

de modo que

$$J_n = -\frac{1}{n} \text{sen}^{n-1} x \cos x + \frac{n-1}{n} J_{n-2},$$

ou, equivalentemente,

$$\int \text{sen}^n x \, dx = -\frac{1}{n} \text{sen}^{n-1} x \cos x + \frac{n-1}{n} \int \text{sen}^{n-2} x \, dx. \tag{6}$$

A fórmula de redução (6) permite-nos reduzir de 2 o expoente de sen x. Por aplicação repetida dessa fórmula podemos, portanto, reduzir finalmente J_n para J_0 ou J_1, conforme n seja par ou ímpar. Mas ambas integrais são fáceis de calcular:

$$J_0 = \int \text{sen}^0 x \, dx = \int dx = x \quad \text{e} \quad J_1 = \int \text{sen} \, x \, dx = -\cos x.$$

Por exemplo, com $n = 4$, temos

$$\int \text{sen}^4 x \, dx = -\tfrac{1}{4} \text{sen}^3 x \cos x + \tfrac{3}{4} \int \text{sen}^2 x \, dx,$$

e com $n = 2$,

$$\int \operatorname{sen}^2 x \, dx = -\tfrac{1}{2} \operatorname{sen} x \cos x + \tfrac{1}{2} \int dx$$

$$= -\tfrac{1}{2} \operatorname{sen} x \cos x + \tfrac{1}{2} x.$$

Portanto,

$$\int \operatorname{sen}^4 x \, dx = -\tfrac{1}{4} \operatorname{sen}^3 x \cos x + \tfrac{3}{4}(-\tfrac{1}{2} \operatorname{sen} x \cos x + \tfrac{1}{2} x)$$

$$= -\tfrac{1}{4} \operatorname{sen}^3 x \cos x - \tfrac{3}{8} \operatorname{sen} x \cos x + \tfrac{3}{8} x + c.$$

O mesmo resultado pode ser obtido por técnicas anteriores, dependendo do uso repetido das fórmulas do ângulo-metade, mas os métodos que acabamos de ver são mais eficientes para expoentes grandes. No nosso próximo exemplo ilustraremos uma outra maneira pela qual podemos usar a fórmula de redução (6).

Exemplo 6 Calcule

$$\int_0^{\pi/2} \operatorname{sen}^8 x \, dx.$$

Solução Por conveniência, escrevemos

$$I_n = \int_0^{\pi/2} \operatorname{sen}^n x \, dx.$$

Pela fórmula (6), temos

$$I_n = -\frac{1}{n} \operatorname{sen}^{n-1} x \cos x \Big]_0^{\pi/2} + \frac{n-1}{n} \int_0^{\pi/2} \operatorname{sen}^{n-2} x \, dx,$$

logo

$$I_n = \frac{n-1}{n} I_{n-2}.$$

Aplicamos essa fórmula para $n = 8$, depois repetimos para $n = 6, n = 4, n = 2$:

$$I_8 = \tfrac{7}{8}I_6 = \tfrac{7}{8} \cdot \tfrac{5}{6}I_4 = \tfrac{7}{8} \cdot \tfrac{5}{6} \cdot \tfrac{3}{4}I_2 = \tfrac{7}{8} \cdot \tfrac{5}{6} \cdot \tfrac{3}{4} \cdot \tfrac{1}{2}I_0.$$

Portanto,

$$\int_0^{\pi/2} \text{sen}^8 x\, dx = \frac{7}{8} \cdot \frac{5}{6} \cdot \frac{3}{4} \cdot \frac{1}{2} \int_0^{\pi/2} dx = \frac{7}{8} \cdot \frac{5}{6} \cdot \frac{3}{4} \cdot \frac{1}{2} \cdot \frac{\pi}{2} = \frac{35\pi}{256}.$$

Observação 1 A fórmula de redução (6) pode também ser usada para estabelecer uma das fórmulas mais fascinantes da Matemática, o *produto infinito de Wallis* para $\pi/2$:

$$\frac{\pi}{2} = \frac{2}{1} \cdot \frac{2}{3} \cdot \frac{4}{3} \cdot \frac{4}{5} \cdot \frac{6}{5} \cdot \frac{6}{7} \cdots.$$

Para os detalhes da prova, veja o Apêndice A.5 do Volume II.

Observação 2 Na Seção 9.5 apresentamos a *fórmula de Leibniz* para $\pi/4$:

$$\frac{\pi}{4} = 1 - \frac{1}{3} + \frac{1}{5} - \frac{1}{7} + \cdots.$$

Para os estudantes interessados em detalhes pouco conhecidos da história da Matemática, descrevemos no Apêndice A.6 do Volume II a maneira usada pelo próprio Leibniz para descobrir sua fórmula com uma aplicação muito engenhosa da integração por partes.

Problemas

Calcule cada uma das seguintes integrais pelo método da integração por partes:

1. $\int x \ln x \, dx.$
2. $\int \text{arc tg } x \, dx.$
3. $\int x \text{ arc tg } x \, dx.$
4. $\int x e^{ax} \, dx.$
5. $\int e^x \text{sen } x \, dx.$
6. $\int e^{ax} \cos bx \, dx.$
7. $\int \sqrt{1 - x^2} \, dx.$
8. $\int \text{arc sen } x \, dx.$

9. $\int x \text{ arc sen } x \, dx.$
10. $\int_0^{\pi/2} x \text{ sen } x \, dx.$

11. $\int x \cos (3x - 2) \, dx.$
12. $\int \frac{\text{arc tg } x}{x^2} \, dx.$

13. $\int x \sec^2 x \, dx$.
14. $\int \text{sen}(\ln x) \, dx$.
15. $\int \ln(a^2 + x^2) \, dx$.
16. $\int x^2 \ln(x+1) \, dx$.

17. $\int \dfrac{\ln x}{x} \, dx$.
18. $\int (\ln x)^2 \, dx$.

19. A região sob a curva $y = \cos x$ entre $x = 0$ e $x = \pi/2$ é girada ao redor do eixo y. Calcule o volume do sólido resultante.

20. Calcule $\int (\text{arc sen } x)^2 \, dx$. Sugestão: faça a substituição $y = \text{arc sen } x$.

21. Se $P(x)$ é um polinômio, mostre que

$$\int P(x) e^x \, dx = (P - P' + P'' - P''' + \cdots) e^x.$$

Nos dois problemas seguintes, deduza uma fórmula de redução e aplique-a ao(s) caso(s) particular(es) indicado(s).

22.
(a) $\displaystyle\int \cos^n x \, dx = \dfrac{1}{n} \text{sen } x \cos^{n-1} x + \dfrac{n-1}{n} \int \cos^{n-2} x \, dx$.

(b) $\displaystyle\int_0^{\pi/2} \cos^7 x \, dx$.

(c) $\displaystyle\int_0^{\pi/2} \cos^8 x \, dx$.

23. (a) $\int (\ln x)^n \, dx = x(\ln x)^n - n\int (\ln x)^{n-1} \, dx$.
(b) $\int (\ln x)^5 \, dx$.

24. A região sob a curva $y = \text{sen } x$ entre $x = 0$ e $x = \pi$ é girada ao redor do eixo y. Calcule o volume do sólido resultante (a) pelo método da casca, (b) pelo método da arruela.

25. A curva do Problema 25 é girada ao redor do eixo x. Calcule a área da superfície de revolução resultante.

10.8 (OPCIONAL) FUNÇÕES CUJAS INTEGRAIS NÃO PODEM SER EXPRESSAS COMO FUNÇÕES ELEMENTARES

Até aqui descrevemos todos os métodos-padrão de integração que se espera que o estudante conheça. Faltam algumas técnicas adicionais de menor importância, e duas delas serão resumidamente esboçadas nos problemas abaixo; mas, para a maioria dos objetivos práticos, alcançamos o fim dessa estrada particular.

Apesar dos muitos sucessos alcançados pelos métodos deste capítulo, certas integrais sempre resistiram a toda tentativa de expressá-las em termos de funções elementares, como, por exemplo,

$$\int e^{-x^2} dx, \qquad \int \frac{e^x}{x} dx, \qquad \int \cos x^2 dx,$$

$$\int \frac{dx}{\ln x}, \qquad \int \sqrt{\operatorname{sen} x} \, dx, \qquad \int \frac{\operatorname{sen} x}{x} dx.$$

Há também as chamadas integrais elípticas, das quais

$$\int \sqrt{1 - x^3} \, dx \qquad \text{e} \qquad \int \frac{dx}{\sqrt{1 - x^4}}$$

são exemplos*.

No século XIX, foi finalmente provado pelo grande matemático francês Liouville e seus discípulos que o problema de resolver essas integrais em termos de funções elementares não é meramente difícil – é, na verdade, impossível.

Toda a profundidade das idéias de Liouville não pode ser avaliada num curso de Cálculo. Todavia, é bem possível ter alguma impressão de como essas idéias funcionam sem necessariamente empreender um longo programa de estudo preliminar. Entre outras coisas, Liouville descobriu e provou o seguinte teorema:

Se $f(x)$ e $g(x)$ são funções racionais e $g(x)$ não é constante e se $\int f(x)e^{g(x)} dx$ é uma função elementar, então essa integral deve ter a forma

$$\int f(x)e^{g(x)} dx = R(x) \, e^{g(x)}$$

para alguma função racional $R(x)$.

---

* Em geral, uma integral elíptica é qualquer integral da forma $\int R(x, y)dx$, onde $R(x, y)$ é uma função racional de duas variáveis x, y e onde y é a raiz quadrada de um polinômio de 3º ou 4º grau em x. O nome "integral elíptica" é usado porque uma integral desse tipo aparece no problema de achar o comprimento de uma elipse.

Ilustramos o valor desse teorema usando-o para provar que a integral

$$\int \frac{e^x}{x} dx \qquad (1)$$

não é elementar (isto é, não pode ser expressa em termos de funções elementares). Suponha, ao contrário, que essa integral *seja* elementar. Então, pelo Teorema de Liouville, teremos que

$$\int \frac{e^x}{x} dx = R(x)e^x$$

para alguma função racional R. Mas isto significa que

$$\frac{e^x}{x} = \frac{d}{dx} R(x)e^x \quad \text{ou} \quad \frac{e^x}{x} = R(x)e^x + R'(x)e^x$$

logo,

$$\frac{1}{x} = R(x) + R'(x) \qquad (2)$$

Como $R(x)$ é racional, podemos escrevê-la na forma $R(x) = P(x)/Q(x)$, onde $P(x)$ e $Q(x)$ são polinômios sem fator comum. Sabemos que

$$R'(x) = \frac{Q(x)P'(x) - P(x)Q'(x)}{Q^2(x)},$$

logo, (2) fica sendo

$$\frac{1}{x} = \frac{P(x)}{Q(x)} - \frac{Q(x)P'(x) - P(x)Q'(x)}{Q^2(x)},$$

que é equivalente a

$$Q^2(x) = xP(x)Q(x) + x(Q(x)P'(x) - P(x)Q'(x))$$

ou

$$Q(x)(Q(x) - xP(x) - xP'(x)) = -xP(x)Q'(x). \qquad (3)$$

Nosso objetivo é chegar a uma contradição a partir de (3); fazemos da seguinte maneira: seja x^n a maior potência de x que pode ser fatorada do polinômio $Q(x)$, de modo que $Q(x) = x^n Q_1(x)$, onde $Q_1(x)$ é um polinômio tal que $Q_1(0) \neq 0$. Nós primeiro observamos que $n > 0$, pois, se $n = 0$, então $Q_1(0) = Q(0) \neq 0$, e teríamos que $x = 0$ reduz o 2º membro de (3) a zero, mas não o 1º membro, o que não pode ocorrer, pois (3) é uma identidade em x. Isto implica dois fatos que necessitamos a fim de obter nossa contradição final. Primeiro, $P(0) \neq 0$, pois $P(x)$ e $Q(x)$ não têm fator comum e, portanto, x não pode ser um fator de $P(x)$. Segundo, temos

$$Q'(x) = x^n Q_1'(x) + n x^{n-1} Q_1(x)$$
$$= x^{n-1} [x Q_1'(x) + n Q_1(x)];$$

e como o polinômio entre colchetes tem um valor não-nulo quando $x = 0$, sabemos que x^{n-1} é a maior potência de x que pode ser fatorada de $Q'(x)$. Esses dois fatos implicam que x^n é a maior potência de x que pode ser fatorada do polinômio do 2º membro de (3). No entanto x^{n+1} pode ser fatorada do 1º membro. Essa contradição leva-nos à conclusão de que (2) é impossível, logo, a integral (1) não é elementar.

Observação 1 Sabemos de nosso trabalho na Seção 6.7 que, para todo integrando contínuo, a integral definida

$$F(x) = \int_0^x f(t)\, dt \qquad (4)$$

existe e tem a propriedade de que

$$\frac{d}{dx} F(x) = f(x). \qquad (5)$$

Como (5) é equivalente a

$$\int f(x)\, dx = F(x),$$

vemos que a integral indefinida de toda função contínua existe. Entretanto, esse fato não tem nada a ver com o problema da possibilidade de a integral ser expressa em termos de funções elementares. Quando tal expressão não é possível, a fórmula (4) pode ser pensada como um método legítimo e, às vezes, útil de criar novas funções. Por exemplo, a função não-elementar de x definida por

$$\frac{1}{\sqrt{2\pi}} \int_0^x e^{-t^2/2}\, dt$$

tem aplicações importantes na teoria da probabilidade e, por essa razão, foi estudada e tabulada. Desse modo, adquiriu um certo "status" de "função conhecida".

Observação 2   É fácil ver que

$$\int \frac{e^x}{x} dx \quad \text{torna-se} \quad \int \frac{dt}{\ln t}$$

com a substituição $t = e^x$; para $x = \ln t$, $dx = dt/t$ e, portanto,

$$\int \frac{e^x}{x} dx = \int \frac{t}{\ln t} \frac{dt}{t} = \int \frac{dt}{\ln t}.$$

Como sabemos que a 1ª integral não é elementar, é claro que a 2ª integral também não será elementar. Vale a pena notar isto, pois a função de x definida por

$$\int_2^x \frac{dt}{\ln t} \tag{6}$$

tem grande importância na Teoria dos Números Primos e o comportamento dessa função para valores grandes de x tem sido estudado exaustivamente por mais de um século. [O limite inferior de integração em (6) foi escolhido como 2, a fim de evitar o ponto $t = 1$, onde $\ln t = 0$.]

Problemas

1. Considere uma integral da forma $\int R(\operatorname{sen} x, \cos x) \, dx$, onde o integrando é uma função racional de sen x e cos x. Mostre que a substituição

$$z = \operatorname{tg} \tfrac{1}{2} x$$

converte essa integral na integral de uma função racional de z, que pode, então, ser calculada com procedimentos de rotina. Sugestão: mostre que

$$\sec^2 \frac{1}{2} x = 1 + z^2, \quad \cos x = \cos 2 \left(\frac{1}{2} x\right) = \frac{1 - z^2}{1 + z^2},$$

$$\operatorname{sen} x = \frac{2z}{1 + z^2}, \quad \text{e} \quad dx = \frac{2dz}{1 + z^2}.$$

2. Use o método do Problema 1 para achar

   (a) $\displaystyle\int \frac{dx}{2 + \cos x}$;   (b) $\displaystyle\int \frac{\operatorname{sen} x \, dx}{2 + \operatorname{sen} x}$.

3. Use o método do Problema 1 para calcular

   (a) $\int \sec x \, dx$;   (b) $\int \operatorname{tg} x \, dx$.

   Expresse suas respostas na forma usual [isto é, $\ln(\sec x + \operatorname{tg} x)$ e $-\ln(\cos x)$].

4. Use o método do Problema 1 para obter as seguintes fórmulas:

   (a) $\displaystyle\int \frac{dx}{a + b \operatorname{sen} x} = \int \frac{2dz}{az^2 + 2bz + a}$;

   (b) $\displaystyle\int \frac{dx}{a + b \operatorname{sen} x + c \cos x} = \int \frac{2dz}{(a-c)z^2 + 2bz + (a+c)}$;

   (c) $\displaystyle\int \frac{\operatorname{sen} x \, dx}{1 + \operatorname{sen} x} = \int \frac{4z \, dz}{(1+z)^2(1+z^2)}$;

   (d) $\displaystyle\int \frac{\cos x \, dx}{1 + \cos x} = \int \frac{(1-z^2) \, dz}{1 + z^2}$.

Uma *substituição racionalizante* é uma mudança de variável que elimina radicais ou expoentes fracionários. Ache as seguintes integrais utilizando essa idéia:

5. $\displaystyle\int \frac{dx}{1 + \sqrt{x}}$. Sugestão: faça $u = \sqrt{x}$.

6. $\displaystyle\int \frac{\sqrt{x} + 1}{\sqrt{x} - 1} \, dx$.

7. $\displaystyle\int \frac{dx}{\sqrt{x} + \sqrt[3]{x}}$. Sugestão: faça $u = \sqrt[6]{x}$.

8. $\int \dfrac{3\sqrt{x}\,dx}{4(1+x^{3/4})}$.

9. $\int \dfrac{\sqrt{x}}{1+x}\,dx$.

10. $\int \dfrac{x^{2/3}}{1+x}\,dx$.

11. $\int \dfrac{\sqrt[4]{x}}{1+\sqrt{x}}\,dx$.

12. $\int \dfrac{dx}{x(1-\sqrt[4]{x})}$.

13. $\int \dfrac{\sqrt{x+2}}{x+3}\,dx$.

14. $\int \dfrac{\sqrt[3]{x+1}}{x}\,dx$.

15. A integral elíptica particular

$$\int \dfrac{du}{\sqrt{(1-u^2)(1-k^2u^2)}}$$

chama-se *integral elíptica de 1ª espécie*. Mostre que cada uma das seguintes integrais pode ser transformada nessa forma por meio da substituição indicada:

(a) $\int \dfrac{dx}{\sqrt{1-k^2\operatorname{sen}^2 x}} = \int \dfrac{du}{\sqrt{(1-u^2)(1-k^2u^2)}}$, $u=\operatorname{sen} x$;

(b) $\int \dfrac{dx}{\sqrt{\cos 2x}} = \int \dfrac{du}{\sqrt{(1-u^2)(1-2u^2)}}$, $u=\operatorname{sen} x$;

(c) $\int \dfrac{dx}{\sqrt{\cos x}} = 2\int \dfrac{du}{\sqrt{(1-u^2)(1-2u^2)}}$, $u=\operatorname{sen}\dfrac{1}{2}x$;

(d) $\int \dfrac{dx}{\sqrt{\cos x - \cos \alpha}} = \sqrt{2}\,k\int \dfrac{du}{\sqrt{(1-u^2)(1-k^2u^2)}}$, $u=\operatorname{sen}\dfrac{1}{2}x$ e $k=\operatorname{cosec}\dfrac{1}{2}\alpha$.

16. Considere a integral da parte (b) do Problema 15,

$$\int \dfrac{dx}{\sqrt{\cos 2x}} = \int \dfrac{dx}{\sqrt{1-2\operatorname{sen}^2 x}}.$$

Mostre que a substituição $u = \operatorname{tg} x$ transforma essa integral na integral elíptica particular

$$\int \frac{du}{\sqrt{1-u^4}}.$$

17. Se p e q são números racionais, mostre que a integral

$$\int x^p (1-x)^q \, dx \qquad (*)$$

é elementar em cada um dos seguintes casos:

(a) p é um inteiro (Sugestão: se $q = m/n$ com $n > 0$, faça $1 - n = u^n$.);

(b) q é um inteiro;

(c) $p + q$ é um inteiro [Sugestão:

$$\int x^p (1-x)^q \, dx = \int x^{p+q} \left(\frac{1-x}{x}\right)^q dx \bigg].$$

O matemático russo Chebyshev provou que estes são os únicos casos para os quais a integral (*) é elementar. Portanto,

$$\int \sqrt{x} \sqrt[3]{1-x} \, dx, \quad \int \sqrt[3]{x} \sqrt{1-x} \, dx, \quad \int \sqrt[3]{x-x^2} \, dx$$

não são elementares.

18. Use o Teorema de Chebyshev enunciado no Problema 17 para provar que nenhuma das seguintes integrais é elementar:

(a) $\int \sqrt{1-x^3} \, dx$;
(b) $\int \sqrt{1-x^4} \, dx$;
(c) $\int \sqrt{1-x^n} \, dx$, onde n é um inteiro qualquer > 2;
(d) $\int \dfrac{dx}{\sqrt{1-x^n}}$, onde n é um inteiro qualquer > 2;

19. Use o Problema 17 para provar que

   (a) $\int \sqrt{\operatorname{sen} x}\, dx$ não é elementar (Sugestão: faça $u = \operatorname{sen}^2 x$.);

   (b) $\int \operatorname{sen}^p x\, dx$, onde p é um número racional, é elementar se e somente se p é um inteiro;

   (c) $\int \operatorname{sen}^p x \cos^q x\, dx$, onde p e q são números racionais, é elementar se e somente se p ou q é um inteiro ímpar ou $p+q$ é um inteiro par.

10.9 (OPCIONAL) INTEGRAÇÃO NUMÉRICA

Do ponto de vista teórico, o principal valor do cálculo é intelectual — ajuda-nos a compreender as conexões subjacentes entre os fenômenos naturais. Entretanto, todos os que utilizam o cálculo como um instrumento prático na Ciência ou Engenharia devem enfrentar ocasionalmente a questão de como a teoria pode ser aplicada para produzir métodos úteis de efetuar cálculos numéricos reais.

Nesta seção, consideramos o problema de computar o valor numérico de uma integral definida

$$\int_a^b f(x)\, dx \qquad (1)$$

com qualquer grau desejado de precisão. A fim de encontrar o valor de (1) usando a fórmula

$$\int_a^b f(x)\, dx = F(b) - F(a), \qquad (2)$$

devemos ser capazes de achar a integral indefinida $F(x)$ e de calcular seus valores em $x = a$ e $x = b$. Quando isto não é possível, a fórmula (2) não tem uso prático. Essa abordagem falha inclusive para integrais aparentemente simples, tais como

$$\int_0^\pi \sqrt{\operatorname{sen} x}\, dx \qquad \text{e} \qquad \int_1^5 \frac{e^x}{x}\, dx,$$

pois não existem funções elementares cujas derivadas sejam $\sqrt{\operatorname{sen} x}$ e e^x/x (veja a Seção 10.8).

Nosso objetivo aqui é descrever dois métodos de computar o valor numérico de (1) tão acuradamente quanto desejarmos, com procedimentos simples que podem ser aplicados independentemente de podermos encontrar a expressão para a integral indefinida. As fórmulas que desenvolveremos usam somente aritmética simples e os valores de $f(x)$ num número finito de pontos do intervalo $[a, b]$. Em comparação com o uso das somas aproximadoras que são utilizadas na definição de integral (veja a Seção 6.4), as fórmulas desta seção são mais eficientes no sentido de que dão uma precisão muito melhor para a mesma quantidade de trabalho computacional.

A Regra do Trapézio

Seja o intervalo $[a, b]$ dividido em n partes iguais pelos pontos $x_0, x_1, ..., x_n$ de $x_0 = a$ a $x_n = b$. Sejam $y_0, y_1, ..., y_n$ os correspondentes valores de $y = f(x)$. Nós então aproximamos a área entre $f(x)$ e o eixo x, para $x_{k-1} \leq x \leq x_k$, pelo trapézio cuja aresta superior é o segmento que une os pontos (x_{k-1}, y_{k-1}) e (x_k, y_k) (Fig. 10.5).

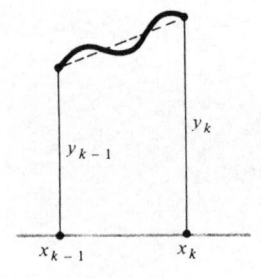

Figura 10.5

A área desse trapézio é, obviamente,

$$\tfrac{1}{2}(y_{k-1} + y_k)(x_k - x_{k-1}). \tag{3}$$

Se escrevermos

$$\Delta x = x_k - x_{k-1} = \frac{b-a}{n}, \tag{4}$$

e somarmos as expressões (3) para $k = 1, 2, ..., n$, teremos a fórmula para o valor aproximado da integral

$$\int_a^b f(x)\,dx \cong \left(\frac{1}{2} y_0 + y_1 + y_2 + \cdots + y_{n-1} + \frac{1}{2} y_n\right) \Delta x.$$

Cada um dos y, exceto o primeiro e o último, ocorrem duas vezes, e isto explica a diferença entre seus coeficientes e os demais. Essa fórmula chama-se regra do trapézio.

Exemplo 1 Use a regra do trapézio com $n = 4$ para calcular um valor aproximado da integral

$$\int_0^1 \sqrt{1-x^3}\,dx.$$

Aqui $y = f(x) = \sqrt{1-x^3}$ e $x_0 = 0$, $x_1 = 1/4$, $x_2 = 1/2$, $x_3 = 3/4$, $x_4 = 1$.

Podemos computar os y facilmente usando uma tabela de raízes quadradas:

$$y_0 = 1,$$
$$y_1 = \sqrt{\tfrac{63}{64}} = \sqrt{0{,}984} = 0{,}992,$$
$$y_2 = \sqrt{\tfrac{7}{8}} = \sqrt{0{,}875} = 0{,}935,$$
$$y_3 = \sqrt{\tfrac{37}{64}} = \sqrt{0{,}578} = 0{,}760,$$
$$y_4 = 0.$$

Pela regra do trapézio, temos, portanto,

$$\int_0^1 \sqrt{1-x^3}\,dx \cong \frac{1}{4}(0{,}500 + 0{,}992 + 0{,}935 + 0{,}760 + 0{,}000) = 0{,}797.$$

Regra de Simpson

Nosso segundo método baseia-se num artifício mais engenhoso que aproximar cada pedaço pequeno da curva por um segmento de reta. Desta vez aproximamos cada pedaço por uma parte de uma parábola que "se ajusta" à curva da maneira que iremos descrever.

Novamente dividimos o intervalo $[a, b]$ em n partes iguais, mas agora exigimos que n seja um inteiro *par*. Considere os três primeiros pontos x_0, x_1, x_2 e os correspondentes pontos sobre a curva $y = f(x)$ (Fig. 10.6).

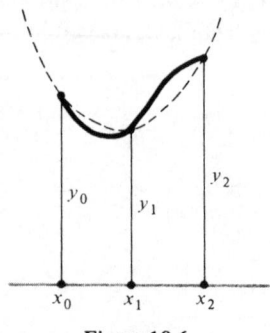

Figura 10.6

Se esses pontos não forem colineares, existirá uma única parábola com eixo vertical e que passa por todos esses três pontos. Para ver isto, lembre-se de que a equação de qualquer parábola com eixo vertical tem a forma $y = P(x)$, onde $P(x)$ é um polinômio quadrático, e observe que esse polinômio pode sempre ser escrito na forma

$$P(x) = a + b(x - x_1) + c(x - x_1)^2. \tag{5}$$

Escolhemos as constantes a, b, c para fazer com que a parábola passe pelos três pontos em consideração, como está indicado na figura. Três condições são necessárias:

Em $x = x_0$, $\quad a + b(x_0 - x_1) + c(x_0 - x_1)^2 = y_0;$ \hfill (6)

Em $x = x_1$, $\quad a = y_1;$

Em $x = x_2$, $\quad a + b(x_2 - x_1) + c(x_2 - x_1)^2 = y_2.$ \hfill (7)

Podemos isolar as constantes b e c nas equações (6) e (7). Entretanto, convém usar a definição (4) de Δx e o fato de que $a = y_1$ para escrever essas equações na forma

$$-b\,\Delta x + c\,\Delta x^2 = y_0 - y_1,$$

$$b\,\Delta x + c\,\Delta x^2 = y_2 - y_1,$$

das quais obtemos

$$2c\,\Delta x^2 = y_0 - 2y_1 + y_2. \tag{8}$$

Consideramos que a parábola (5) seja uma boa aproximação à curva $y = f(x)$ no intervalo $[x_0, x_1]$ e computamos essa parte da integral (1); portanto,

$$\int_{x_0}^{x_2} f(x)\, dx \cong \int_{x_0}^{x_2} [a + b(x - x_1) + c(x - x_1)^2]\, dx$$

$$= \left[ax + \tfrac{1}{2}b(x - x_1)^2 + \tfrac{1}{3}c(x - x_1)^3 \right]_{x_0}^{x_2}.$$

Expressando esse resultado em termos de Δx, obteremos

$$2a\,\Delta x + \tfrac{2}{3}c\,\Delta x^3.$$

Lembrando que $a = y_1$, podemos escrever (8) na forma

$$2y_1\,\Delta x + \tfrac{1}{3}(y_0 - 2y_1 + y_2)\,\Delta x = \tfrac{1}{3}(y_0 + 4y_1 + y_2)\,\Delta x.$$

O mesmo procedimento pode ser aplicado em cada um dos intervalos $[x_2, x_4]$, $[x_4, x_6]$, ... Somando os resultados chegamos à fórmula para o cálculo aproximado da integral

$$\int_a^b f(x)\, dx \cong \frac{1}{3}(y_0 + 4y_1 + 2y_2 + \cdots + 4y_{n-1} + y_n)\,\Delta x,$$

que se chama regra de Simpson. Salientamos especificamente a estrutura da expressão entre parênteses: y_0 e y_n ocorrem com coeficiente 1; os y com índices pares ocorrem com coeficiente 2; e os y com índices ímpares ocorrem com coeficiente 4.

Todo estudo sério de um método de cálculo aproximado deve incluir uma estimativa detalhada da grandeza do erro cometido, de modo que o conhecimento definido do nível de precisão atingido seja estimado. Não prosseguiremos aqui com esse assunto, mas simplesmente enunciaremos que o erro na regra de Simpson é sabido ser no máximo

$$\frac{M(b-a)}{180}\Delta x^4, \tag{9}$$

onde M é o valor máximo de $f^{(4)}(x)$ sobre $[a, b]$.

Exemplo 2 Use a regra de Simpson com $n = 4$ para calcular um valor aproximado para a integral

$$\int_0^2 \frac{dx}{1+x^4}.$$

Desta vez temos $x_0 = 0, x_1 = 1/2, x_2 = 1, x_3 = 3/2, x_4 = 2$. Uma simples tabela ajuda-nos a manter os cálculos em ordem:

$$y_0 = 1 \qquad\qquad y_0 = 1,000$$
$$y_1 = \tfrac{16}{17} = 0,941 \qquad 4y_1 = 3,764$$
$$y_2 = \tfrac{1}{2} = 0,500 \qquad 2y_2 = 1,000$$
$$y_3 = \tfrac{16}{97} = 0,165 \qquad 4y_3 = 0,660$$
$$y_4 = \tfrac{1}{17} = 0,059 \qquad y_4 = \underline{0,059}$$
$$\qquad\qquad\qquad\qquad\qquad 6,483$$

Pela regra de Simpson obteremos

$$\int_0^2 \frac{dx}{1+x^4} \cong \frac{1}{6}(6,483) = 1,081.$$

Os estudantes que possuem calculadoras e gostam de trabalhar com elas têm pouca oportunidade de desenvolver suas habilidades num curso de Cálculo, pois o Cálculo trata principalmente de idéias e muito pouco de cálculos numéricos. No entanto, os métodos e problemas desta seção fornecem uma profusão de matéria-prima para essas calculadoras ociosas.

Problemas

1. Obviamente

$$\int_0^1 \sqrt{x}\, dx = \frac{2}{3} = 0,666\ldots.$$

Calcule o valor dessa integral aproximadamente com $n = 4$ usando

(a) a regra do trapézio (lembre-se de que $\sqrt{2} = 1{,}414\ldots$ e $\sqrt{3} = 1{,}732\ldots$);

(b) a regra de Simpson.

Como as duas regras são igualmente fáceis de aplicar e a regra de Simpson é, em geral, mais precisa, a regra do trapézio é usada, raras vezes, em computações práticas.

2. Obviamente,

$$\int_0^\pi \operatorname{sen} x \, dx = 2.$$

Calcule o valor dessa integral aproximadamente usando a regra de Simpson com $n = 4$.

3. O valor exato de

$$\int_0^\pi \sqrt{\operatorname{sen} x} \, dx$$

não é conhecido. Ache um valor aproximado usando a regra de Simpson com $n = 4$.

4. O valor exato de

$$\int_1^5 \frac{e^x}{x} \, dx$$

não é conhecido. Use a regra de Simpson com $n = 4$ para achar um valor aproximado.

5. O valor exato de

$$\int_0^2 e^{-x^2} \, dx$$

não é conhecido, mas, com 10 casas decimais, é 0,8820810351. Calcule essa integral aproximadamente usando a regra de Simpson com $n = 4$.

6. Ache um valor aproximado de ln 2 usando o fato de que

$$\ln 2 = \int_1^2 \frac{dx}{x}$$

e aplicando a regra de Simpson com $n = 4$. (Com 10 casas decimais, ln 2 = 0,6931471806.)

7. Use a fórmula

$$\frac{\pi}{4} = \int_0^1 \frac{dx}{1+x^2}$$

para achar um valor aproximado de π usando a regra de Simpson com $n = 4$ (com 10 casas decimais, $\pi = 3{,}1415926535$).

8. Suponha que os três pontos da curva na dedução da regra de Simpson sejam colineares. Use (8) para mostrar que nesse caso $c = 0$ e conclua que, com essa hipótese, a curva através dos pontos é uma reta em vez de uma parábola.

9. A regra de Simpson é designada como sendo exatamente correta se $f(x)$ é um polinômio quadrático. É um fato notável que ela dá também um resultado exato para polinômios cúbicos. Prove isto. Sugestão: observe que é suficiente estabelecer a afirmação para $n = 2$; daí prove-a para a função $f(x) = x^3$; depois estenda o resultado para qualquer polinômio cúbico.

10. Use a fórmula (9) para provar a afirmação do Problema 9.

Problemas Suplementares do Capítulo 10

Seção 10.2

Calcule cada uma das seguintes integrais:

1. $\int \sqrt{3x+5}\, dx.$

2. $\int \frac{(\ln x)^6\, dx}{x}.$

3. $\int \frac{6x\, dx}{1+3x^2}.$

4. $\int \frac{e^{1/x}\, dx}{x^2}.$

5. $\int \cos(1-5x)\, dx.$

6. $\int \operatorname{sen} x\, \operatorname{sen}(\cos x)\, dx.$

7. $\int \frac{\sec \sqrt{x}\, \operatorname{tg} \sqrt{x}\, dx}{\sqrt{x}}.$

8. $\int \frac{x^3\, dx}{\sqrt{1-x^8}}.$

9. $\int \frac{2x\, dx}{1+x^4}.$

10. $\int \frac{x^2+5}{x^2+4}\, dx.$

11. $\int \cotg 4x \, dx.$

12. $\int \dfrac{dx}{\sen 2x}.$

13. $\int \dfrac{dx}{x(\ln x)^2}.$

14. $\int \dfrac{dx}{3-x}.$

15. $\int \dfrac{\sec^2 x \, dx}{\tg x}.$

16. $\int 10x^4 e^{x^5} \, dx.$

17. $\int \sen\left(\dfrac{3x-5}{2}\right) dx.$

18. $\int \cosec^2 (2-x) \, dx.$

19. $\int 6x^2 \cotg x^3 \cosec x^3 \, dx.$

20. $\int \dfrac{\sec^2 x \, dx}{\sqrt{1-\tg^2 x}}.$

21. $\int \dfrac{dx}{x[1+(\ln x)^2]}.$

22. $\int \cotg \pi x \, dx.$

23. $\int \dfrac{dx}{(3x+5)^2}.$

24. $\int \tg x \sec^4 x \, dx.$

25. $\int \dfrac{dx}{3-2x}.$

26. $\int \dfrac{(e^x + 2x) \, dx}{e^x + x^2 - 2}.$

27. $\int x^2 \cos(1+x^3) \, dx.$

28. $\int \sen(2-x) \, dx.$

29. $\int x \cosec^2 (x^2+1) \, dx.$

30. $\int \dfrac{dx}{\sqrt{3-4x^2}}.$

31. $\int \dfrac{\cos x \, dx}{1+\sen^2 x}.$

32. $\int \dfrac{dx}{1+4x^2}.$

33. $\int \dfrac{dx}{\tg 2x}.$

34. $\int (\cosec x - 1)^2 \, dx.$

35. $\int \dfrac{\arc \tg x \, dx}{1+x^2}.$

36. $\int \sqrt[3]{3x-2} \, dx.$

37. $\int \dfrac{dx}{2x+1}.$

38. $\int \dfrac{(e^x - e^{-x}) \, dx}{e^x + e^{-x}}.$

39. $\int e^{x/3} \, dx.$

40. $\int \dfrac{dx}{\sec 2x}.$

41. $\int \dfrac{\sec^2 (\sen x) \, dx}{\sec x}.$

42. $\int (\cosec x - \cotg x) \cosec x \, dx.$

43. $\displaystyle\int \frac{dx}{\sqrt{1-25x^2}}.$

44. $\displaystyle\int \frac{dx}{16+25x^2}.$

45. $\displaystyle\int \frac{\sec x\ \operatorname{tg} x\ dx}{1+\sec^2 x}.$

46. $\displaystyle\int (1+\sec x)^2\ dx.$

47. $\displaystyle\int \frac{(\ln x)^2\ dx}{x}.$

48. $\displaystyle\int \frac{\cos x\ dx}{\operatorname{sen}^2 x}.$

49. $\displaystyle\int \frac{\operatorname{sen} x\ dx}{1+\cos x}.$

50. $\displaystyle\int \frac{6\operatorname{cosec}^2 x\ dx}{1-3\operatorname{cotg} x}.$

51. $\displaystyle\int \frac{dx}{e^{3x}}.$

52. $\displaystyle\int e^x \cos e^x\ dx.$

53. $\displaystyle\int \frac{\operatorname{sen}(\ln x)\ dx}{x}.$

54. $\displaystyle\int \frac{\operatorname{cosec}^2 \sqrt{x}\ dx}{\sqrt{x}}.$

55. $\displaystyle\int \frac{\operatorname{cosec} 1/x\ \operatorname{cotg} 1/x\ dx}{x^2}.$

56. $\displaystyle\int \frac{4dx}{3+4x^2}.$

57. $\displaystyle\int \frac{e^{2x}\ dx}{1+e^{4x}}.$

58. $\displaystyle\int \frac{x\ dx}{\operatorname{sen} x^2}.$

59. $\displaystyle\int x^3 \sqrt{2+x^4}\ dx.$

60. $\displaystyle\int \frac{x\ dx}{\sqrt{2-x^2}}.$

61. $\displaystyle\int \frac{(1+e^x)\ dx}{e^x+x}.$

62. $\displaystyle\int xe^{x^2}\ dx.$

63. $\displaystyle\int \frac{2dx}{\sqrt{e^x}}.$

64. $\displaystyle\int x\operatorname{sen}(1-x^2)\ dx.$

65. $\displaystyle\int \frac{dx}{\operatorname{sen}^2 x}.$

66. $\displaystyle\int \frac{dx}{\sqrt{4-9x^2}}.$

67. $\displaystyle\int x\operatorname{tg} x^2\ dx.$

68. $\displaystyle\int \frac{\sec^2 x\ dx}{\sqrt{\operatorname{tg} x}}.$

69. $\displaystyle\int \frac{x\ dx}{1+x^2}.$

70. $\displaystyle\int 2e^{2x}\ dx.$

71. $\displaystyle\int xe^{3x^2-2}\ dx.$

72. $\displaystyle\int 3x^2 \operatorname{sen} x^3\ dx.$

73. $\displaystyle\int \sec x\ (\sec x + \operatorname{tg} x)\ dx.$

74. $\displaystyle\int \frac{x^2\ dx}{9+x^6}.$

75. $\displaystyle\int x^{2/3}\sqrt{1+x^{5/3}}\ dx.$

76. $\displaystyle\int \frac{4x^3\ dx}{1+x^4}.$

77. $\int \sec^2 x \, e^{\operatorname{tg} x} \, dx.$

78. $\int x \sec^2 x^2 \, dx.$

79. $\int (1 + \cos x)^4 \operatorname{sen} x \, dx.$

80. $\int \dfrac{(1 + \cos x) \, dx}{x + \operatorname{sen} x}.$

81. $\int \cos(\operatorname{tg} x) \sec^2 x \, dx.$

82. $\int \dfrac{\operatorname{cosec}^2 (\ln x) \, dx}{x}.$

Calcule cada uma das seguintes integrais definidas, fazendo uma substituição adequada e mudando os limites de integração:

83. $\int_0^{\sqrt{2}/2} \dfrac{2x \, dx}{\sqrt{1 - x^4}}.$

84. $\int_0^{\sqrt{\pi}} x \operatorname{sen} x^2 \, dx.$

85. $\int_{\pi/8}^{\pi/4} \operatorname{cotg} 2x \operatorname{cosec}^2 2x \, dx.$

86. $\int_0^{\pi/2} \dfrac{\cos x \, dx}{1 + \operatorname{sen}^2 x}.$

87. $\int_0^4 2x\sqrt{x^2 + 9} \, dx.$

88. $\int_0^3 \dfrac{x \, dx}{\sqrt{x^2 + 16}}.$

Seção 10.3

Calcule cada uma das seguintes integrais:

89. $\int \operatorname{sen}^2 5x \, dx.$

90. $\int \cos^4 3x \, dx.$

91. $\int \cos^2 7x \, dx.$

92. $\int \operatorname{sen}^6 x \, dx.$

93. $\int \operatorname{sen}^5 x \cos^2 x \, dx.$

94. $\int \operatorname{sen}^5 x \, dx.$

95. $\int \cos^3 4x \, dx.$

96. $\int \cos^3 2x \operatorname{sen} 2x \, dx.$

97. $\int \dfrac{\cos^3 x \, dx}{\operatorname{sen}^4 x}.$

98. $\int \dfrac{\operatorname{sen}^5 x \, dx}{\sqrt{\cos x}}.$

99. $\int \operatorname{sen}^{3/5} x \cos x \, dx.$

100. $\int \operatorname{sen}^2 x \cos^4 x \, dx.$

101. $\int \sec^6 x \, dx.$

102. $\int \dfrac{dx}{\cos^4 x}.$

103. $\int \tg^3 x \sec^7 x\, dx.$

104. $\int \cotg^4 x\, dx.$

105. $\int \cotg^5 x\, dx.$

106. $\int \dfrac{dx}{\sen^4 3x}.$

107. $\int (\sec 3x + \cosec 3x)^2\, dx.$

108. $\int \dfrac{dx}{\sec x\, \tg x}.$

Seção 10.4

Calcule cada uma das seguintes integrais:

109. $\int \sqrt{3 - x^2}\, dx.$

110. $\int \dfrac{dx}{(a^2 + x^2)^{3/2}}.$

111. $\int \dfrac{x^2\, dx}{a^2 + x^2}.$

112. $\int \dfrac{\sqrt{4 - 9x^2}}{x}\, dx.$

113. $\int x^3 \sqrt{a^2 - x^2}\, dx.$

114. $\int \dfrac{x^3\, dx}{\sqrt{a^2 + x^2}}.$

115. $\int \dfrac{\sqrt{a^2 + x^2}}{x^2}\, dx.$

116. $\int \dfrac{dx}{x^2 \sqrt{a^2 - x^2}}.$

117. $\int \dfrac{dx}{x^4 \sqrt{a^2 - x^2}}.$

118. $\int \dfrac{dx}{x^2 + x^4}.$

119. $\int \dfrac{x^2\, dx}{(a^2 + x^2)^2}.$

120. $\int x^3 (a^2 - x^2)^{3/2}\, dx.$

121. $\int \dfrac{dx}{x^2 \sqrt{x^2 - 9}}.$

122. $\int \sqrt{x^2 - 1}\, dx.$

123. $\int \dfrac{dx}{(1 - 9x^2)^{3/2}}.$

124. $\int \dfrac{x^2\, dx}{\sqrt{a^2 + x^2}}.$

125. $\int \dfrac{dx}{x\sqrt{9 + 4x^2}}.$

126. $\int \dfrac{dx}{\sqrt{9 - (x - 1)^2}}.$

127. $\int \dfrac{x^2\, dx}{(a^2 - x^2)^{3/2}}.$

128. $\int \dfrac{dx}{x^4 \sqrt{a^2 + x^2}}.$

129. $\int \dfrac{x^2\, dx}{(a^2 + x^2)^{3/2}}.$

130. $\int \dfrac{\sqrt{a^2 - x^2}}{x^4}\, dx.$

131. $\int \dfrac{x^2\, dx}{\sqrt{x^2 - a^2}}.$

132. $\int \dfrac{x^3\, dx}{(x^2 - a^2)^{3/2}}.$

Seção 10.5

Calcule cada uma das seguintes integrais:

133. $\int \dfrac{dx}{\sqrt{65 - 8x - x^2}}.$

134. $\int \dfrac{dx}{\sqrt{1 + 4x - x^2}}.$

135. $\int \dfrac{dx}{5x^2 + 10x + 15}.$

136. $\int \dfrac{(3x - 5)\, dx}{x^2 + 2x + 2}.$

137. $\int \dfrac{dx}{\sqrt{2 + 2x - 3x^2}}.$

138. $\int \dfrac{(1 - x)\, dx}{\sqrt{8 + 2x - x^2}}.$

139. $\int \dfrac{x^2\, dx}{\sqrt{2x - x^2}}.$

140. $\int \dfrac{x\, dx}{\sqrt{x^2 - 4x + 5}}.$

141. $\int \dfrac{dx}{3x^2 - 6x + 15}.$

142. $\int \dfrac{(3x + 4)\, dx}{\sqrt{2x + x^2}}.$

143. $\int \dfrac{dx}{(x - 1)\sqrt{x^2 - 2x - 3}}.$

144. $\int \dfrac{(2x - 5)\, dx}{\sqrt{4x - x^2}}.$

145. $\int \dfrac{(3x + 7)\, dx}{\sqrt{x^2 + 4x + 8}}.$

146. $\int \sqrt{x^2 + 2x + 2}\, dx.$

147. $\int \dfrac{(2x - 3)\, dx}{(x^2 + 2x - 3)^{3/2}}.$

148. $\int \sqrt{x^2 - 2x}\, dx.$

Seção 10.6

Calcule cada uma das seguintes integrais:

149. $\int \dfrac{16x + 69}{x^2 - x - 12}\, dx.$

150. $\int \dfrac{3x - 56}{x^2 + 3x - 28}\, dx.$

151. $\int \dfrac{-8x - 16}{4x^2 - 1}\, dx.$

152. $\int \dfrac{12x - 63}{x^2 - 3x}\, dx.$

153. $\int \dfrac{3x^2 - 10x - 60}{x^3 + x^2 - 12x}\, dx.$

154. $\int \dfrac{8x^2 + 55x - 25}{x^3 - 25x} dx.$

155. $\int \dfrac{-2x^2 - 18x + 18}{x^3 - 9x} dx.$

156. $\int \dfrac{4x^2 - 2x - 108}{x^3 + 5x^2 - 36x} dx.$

157. $\int \dfrac{-3x^3 + x^2 + 2x + 3}{x^4 + x^3} dx.$

158. $\int \dfrac{9x^2 - 35x + 28}{x^3 - 4x^2 + 4x} dx.$

159. $\int \dfrac{x^2 - 5x - 8}{x^3 + 4x^2 + 8x} dx.$

160. $\int \dfrac{3x^2 - 5x + 4}{x^3 - x^2 + x - 1} dx.$

Seção 10.7

Calcule as integrais dos Problemas 161 a 176 pelo método de integração por partes.

161. $\int x^2 \operatorname{arc tg} x \, dx.$

162. $\int x^2 \cos x \, dx.$

163. $\int \cos(\ln x) \, dx.$

164. $\int x \operatorname{sen}^2 x \, dx.$

165. $\int x^3 \cos x \, dx.$

166. $\int \sqrt{1 + x^2} \, dx.$

167. $\int \dfrac{\ln x \, dx}{(x + 1)^2}.$

168. $\int \dfrac{xe^x \, dx}{(x + 1)^2}.$

169. $\int \dfrac{x^3 \, dx}{\sqrt{1 + x^2}}.$

170. $\int x(x + 3)^{10} \, dx.$

171. $\int e^{ax} \operatorname{sen} bx \, dx.$

172. $\int x^n \ln x \, dx \ (n \neq -1).$

173. $\int \dfrac{x \, dx}{e^x}.$

174. $\int x^2 \operatorname{sen} x \, dx.$

175. $\int x^3 e^{-2x} \, dx.$

176. $\int \ln(x + \sqrt{x^2 + a^2}) \, dx.$

177. Calcule a área sob a curva $y = \operatorname{sen} \sqrt{x}$ de $x = 0$ a $x = \pi^2$

178. Calcule a integral $\int \dfrac{x^3}{\sqrt{1+x^2}} dx$ utilizando a identidade

$$\dfrac{x^3}{\sqrt{1+x^2}} = \dfrac{x(1+x^2-1)}{\sqrt{1+x^2}} = x\sqrt{1+x^2} - \dfrac{x}{\sqrt{1+x^2}}.$$

Certifique-se de que sua resposta confere com o resultado do Problema 169.

179. Calcule a integral $\int_0^a x^2\sqrt{a-x}\, dx$ (a) utilizando a substituição $u = \sqrt{a-x}$ e (b) por partes.

180. Utilize a integração por partes para mostrar que

$$\int \sqrt{a^2-x^2}\, dx = x\sqrt{a^2-x^2} + \int \dfrac{x^2}{\sqrt{a^2-x^2}}\, dx.$$

Escreva $x^2 = -(-x^2) = -(a^2 - x^2 - a^2)$ no numerador da segunda integral e daí obtenha a fórmula

$$\int \sqrt{a^2-x^2}\, dx = \tfrac{1}{2}x\sqrt{a^2-x^2} + \tfrac{1}{2}a^2 \int \dfrac{dx}{\sqrt{a^2-x^2}}$$
$$= \tfrac{1}{2}x\sqrt{a^2-x^2} + \tfrac{1}{2}a^2 \operatorname{arc\,sen} \dfrac{x}{a} + c.$$

181. Utilize o método do Problema 180 para obter a fórmula

$$\int (a^2-x^2)^n\, dx$$
$$= \dfrac{x(a^2-x^2)^n}{2n+1} + \dfrac{2a^2 n}{2n+1} \int (a^2-x^2)^{n-1}\, dx.$$

*182. Utilize a idéia do Problema 181 para obter a fórmula (9) da Seção 10.6,

$$\int \frac{dx}{(a^2+x^2)^n} = \frac{1}{2a^2(n-1)} \cdot \frac{x}{(a^2+x^2)^{n-1}}$$
$$+ \frac{2n-3}{2a^2(n-1)} \int \frac{dx}{(a^2+x^2)^{n-1}}.$$

Nos próximos três problemas deduza a fórmula de redução dada e aplique-a ao caso particular indicado.

183. (a) $\displaystyle\int x^m(\ln x)^n \, dx = \frac{x^{m+1}(\ln x)^n}{m+1} - \frac{n}{m+1} \int x^m (\ln x)^{n-1} \, dx.$

   (b) $\int x^5 (\ln x)^3 \, dx.$

184. (a) $\displaystyle\int x^n e^{ax} \, dx = \frac{1}{a} x^n e^{ax} - \frac{n}{a} \int x^{n-1} e^{ax} \, dx.$

   (b) $\int x^3 e^{-2x} \, dx.$

185. (a) $\displaystyle\int \sec^n x \, dx = \frac{1}{n-1} \sec^{n-2} x \, \text{tg } x + \frac{n-2}{n-1} \int \sec^{n-2} x \, dx.$

   (b) $\int \sec^3 x \, dx$ (veja o **Problema 29 da Seção 10.3**).

CAPÍTULO

11

OUTRAS APLICAÇÕES DE INTEGRAÇÃO

11.1 O CENTRO DE MASSA DE UM SISTEMA DISCRETO

A maioria das idéias deste capítulo baseia-se no conceito físico simples de centro de gravidade. Como veremos, esse conceito tem implicações geométricas, sendo possível usá-lo para se obter uma noção razoável de "centro" de uma figura geométrica genérica. Nesta seção introdutória, nos limitamos a descrever os conceitos sem fazer uso de integração.

Começamos considerando duas crianças de pesos w_1 e w_2 sentadas a distâncias d_1 e d_2, respectivamente, do ponto de apoio de uma gangorra (Fig. 11.1).

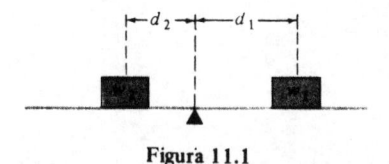

Figura 11.1

Como sabemos, cada criança pode tentar fazer o lado em que está sentada ir para baixo movendo-se para mais longe do ponto de apoio. O equilíbrio ocorre quando

$$w_1 d_1 = w_2 d_2. \tag{1}$$

Esse princípio foi descoberto por Arquimedes e é conhecido como a **Lei da Alavanca**. Se estabelecermos um eixo horizontal com sua origem no ponto de apoio e o sentido positivo para a direita, então (1) pode ser escrita na forma

$$w_1 x_1 + w_2 x_2 = 0 \quad \text{ou} \quad \sum_{k=1}^{2} w_k x_k = 0,$$

onde $x_1 = d_1$ e $x_2 = -d_2$.

Estendemos agora essa discussão considerando o eixo x como uma barra horizontal sem peso com fulcro no ponto p (Fig. 11.2)

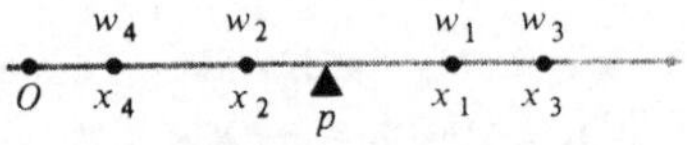

Figura 11.2

considerando que n pesos w_k estão colocados nos pontos x_k, $k = 1, 2, \ldots n$. Pela Lei de Arquimedes, esse sistema de pesos estará em equilíbrio ao redor de p quando

$$\sum w_k(x_k - p) = 0.$$

De modo mais geral, estando ou não o sistema em equilíbrio, a soma $\sum_{k=1}^{n} w_k (x_k - p)$ mede a tendência do sistema de girar no sentido horário ao redor do fulcro p. Essa soma recebe o nome de *momento* do sistema em relação a p. O sistema está em equilíbrio quando o momento é nulo. Suponha que os pesos w_k e suas posições sejam dados de modo arbitrário; movendo-se o fulcro p, será fácil determinarmos o ponto $\bar{x}$ em que o sistema estará em equilíbrio, isto é, a posição do fulcro em que o momento do sistema em relação a esse fulcro será zero. A condição que $\bar{x}$ deverá obedecer é

$$\sum w_k(x_k - \bar{x}) = 0.$$

Desenvolvendo-se essa expressão obtemos

$$\sum w_k x_k - \sum w_k \bar{x} = 0 \quad \text{ou} \quad \bar{x} \sum w_k = \sum w_k x_k;$$

logo,

$$\bar{x} = \frac{\sum w_k x_k}{\sum w_k}. \tag{2}$$

Esse ponto $\bar{x}$ onde o equilíbrio é alcançado chama-se *centro de gravidade* do sistema de pesos dado.

Recordemos que o peso de um corpo na superfície da Terra é simplesmente a força exercida sobre o corpo pela atração gravitacional da Terra e é, portanto, dado pela fórmula de Newton $F = mg$, onde m é a massa do corpo e g é a aceleração devido à gravidade (aproximadamente 9,8 metros por segundo por segundo). Transferindo essa idéia para a discussão acima, teremos $w_k = m_k g$, onde m_k é a massa do k-ésimo corpo. A fórmula (2) pode, portanto, ser escrita como

$$\bar{x} = \frac{\Sigma m_k g x_k}{\Sigma m_k g} = \frac{\Sigma m_k x_k}{\Sigma m_k}. \qquad (3)$$

Tendo-se afastado da discussão a influência da gravidade, ou seja, tendo-se substituído os pesos w_k em (2) pelas massas m_k em (3), o ponto x passa a se chamar *centro de massa* do sistema.

É fácil estender essas idéias a um sistema de massas m_k localizadas em pontos (x_k, y_k) num plano xy horizontal (Fig. 11.3).

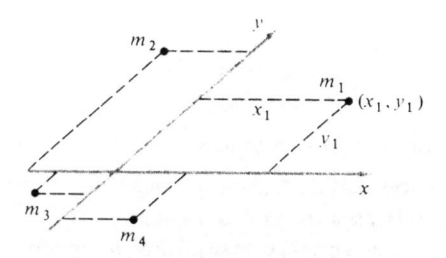

Figura 11.3

Definimos o *momento* desse sistema em relação ao eixo y por

$$M_y = \sum m_k x_k, \qquad (4)$$

que é a soma de cada uma das massas multiplicada por sua distância orientada ao eixo y. Se pensarmos no plano xy como uma bandeja hroizontal sem peso, como sugere a figura, então, em linguagem física, a condição $M_y = 0$ significa que essa bandeja com a dada distribuição de massas estará em equilíbrio quando pousada num fio de navalha ao longo do eixo y. Analogamente, o momento do sistema em relação ao eixo x é definido por

$$M_x = \sum m_k y_k. \qquad (5)$$

Os estudantes devem observar cuidadosamente a troca dos x e y nas fórmulas (4) e (5); para computar M_y usamos os x e para computar M_x usamos os y. Denotando a massa total das partículas do sistema por m, ou seja,

$$m = \sum m_k,$$

então o *centro de massa* do sistema é definido como sendo o ponto $(\bar{x}, \bar{y})$, para o qual

$$\bar{x} = \frac{\Sigma m_k x_k}{\Sigma m_k} = \frac{M_y}{m} \tag{6}$$

e

$$\bar{y} = \frac{\Sigma m_k y_k}{\Sigma m_k} = \frac{M_x}{m}. \tag{7}$$

O centro de massa de nosso sistema pode ser interpretado de duas maneiras. Primeiro, escrevendo as equações (6) e (7) na forma

$$m\bar{x} = M_y \quad \text{e} \quad m\bar{y} = M_x,$$

vemos que $(\bar{x}, \bar{y})$ é o ponto em que poderíamos imaginar concentrada toda a massa m do sistema obtendo-se o mesmo momento total em relação a ambos os eixos. A segunda interpretação se obtém escrevendo-se (6) e (7) nas formas

$$\sum m_k(x_k - \bar{x}) = 0 \quad \text{e} \quad \sum m_k(y_k - \bar{y}) = 0.$$

Considerando o nosso sistema da maneira descrita, isto é, como uma distribuição de massas numa bandeja horizontal, sem peso, essas equações revelam que a bandeja estará em equilíbrio ao se apoiar sobre um fio de navalha ao longo de *qualquer* reta que passe por $(\bar{x}, \bar{y})$. Portanto estará em equilíbrio também se for apoiada na ponta de uma agulha colocada *exatamente* no ponto $(\bar{x}, \bar{y})$.

Na discussão precedente, o sistema de coordenadas xy na Fig. 11.3 foi um referencial útil para desenvolvermos as idéias. No entanto, considerando-se o significado físico do centro de massa, fica claro que a localização desse ponto é completamente determinada pelas próprias massas e suas posições individuais, não dependendo do particular sistema de coordenadas utilizado para assinalar essas posições. Como conseqüência prática, concluímos daí que, em qualquer situação específica, temos total liberdade de escolha do sistema de coordenadas. Assim escolheremos aquele que, nas circunstâncias de cada problema, nos pareça o mais conveniente.

11.2 CENTRÓIDES

As idéias discutidas na Seção 11.1 se aplicam a sistemas discretos de partículas localizadas em um número finito de pontos de um plano. Agora veremos como a integração pode ser utilizada para generalizar essas idéias a uma distribuição contínua de massas numa região R do plano xy (Fig. 11.4).

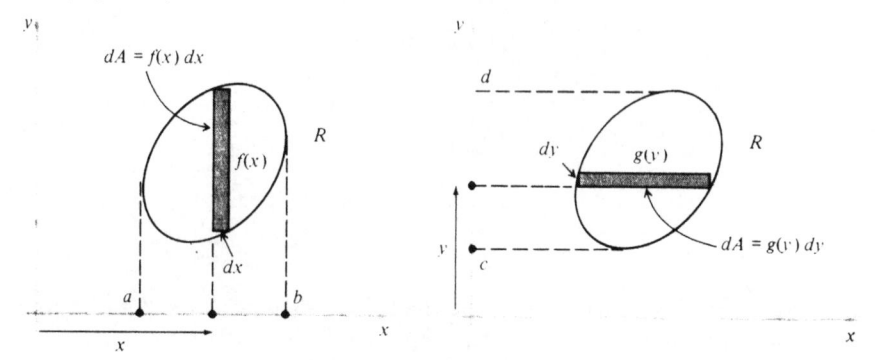

Figura 11.4

Imaginamos R como sendo uma folha fina de material homogêneo — digamos, uma chapa metálica uniforme — cuja densidade superficial δ (= massa por unidade de área) seja constante. Para definir o momento dessa chapa em relação ao eixo y, consideramos uma faixa fina vertical de altura $f(x)$ e espessura dx, cuja posição na região é especificada pela variável x (Fig. 11.4, à esquerda). A área dessa faixa é $f(x)\,dx$ e sua massa é $\delta f(x)\,dx$. Podemos considerar que toda a sua massa esteja essencialmente a uma mesma distância (x) do eixo y. Portanto, seu momento em relação a esse eixo é $x\delta f(x)\,dx$. O momento total da chapa em relação ao eixo y é então obtido fazendo-se com que a faixa vá se deslocando através da região, ou seja, com x variando de a até b, integrando-se ou somando-se — todas essas pequenas "parcelas" do momento

$$M_y = \int_a^b x\delta f(x)\,dx. \tag{1}$$

Essa fórmula pode ser deduzida construindo-se laboriosamente somas aproximadoras e depois calculando o limite dessas somas, obtendo-se (1) pela definição de integral. No entanto, preferimos continuar no espírito do Capítulo 7, e a discussão anterior fornece uma outra ilustração do poder da abordagem leibniziana da integração descrita na Seção 7.1.

Analogamente, o momento da chapa em relação ao eixo x é obtido considerando faixas horizontais finas de comprimento $g(y)$ e espessura dy (Fig. 11.4, à direita) e é dado pela fórmula

$$M_x = \int_c^d y\delta g(y)\,dy.$$

A massa total da chapa pode evidentemente ser expressa de duas maneiras,

$$m = \int_a^b \delta f(x)\,dx = \int_c^d \delta g(y)\,dy.$$

O *centro de massa* $(\bar{x}, \bar{y})$ da chapa é agora definido por

$$\bar{x} = \frac{\int_a^b x\delta f(x)\,dx}{\int_a^b \delta f(x)\,dx} = \frac{M_y}{m}$$

e

$$\bar{y} = \frac{\int_c^d y\delta g(y)\,dy}{\int_c^d \delta g(y)\,dy} = \frac{M_x}{m}.$$

Essas fórmulas têm o seguinte aspecto notável: como a densidade δ é considerada constante, ela pode ser retirada do integrando e eliminada por cancelamento. As fórmulas para $\bar{x}$ e $\bar{y}$ tornam-se

$$\bar{x} = \frac{\int_a^b xf(x)\,dx}{\int_a^b f(x)\,dx} \quad \text{e} \quad \bar{y} = \frac{\int_c^d yg(y)\,dy}{\int_c^d g(y)\,dy}. \tag{2}$$

Cada denominador é obviamente a área total da região, e os numeradores podem ser encarados como os momentos dessa área em torno do eixo y e do eixo x, respectivamente. O centro de massa é, portanto, determinado somente pela configuração geométrica da região R e não depende da densidade de massa dessa região. Por essa razão, o ponto $(\bar{x}, \bar{y})$ chama-se *centróide* da região, significando "ponto assemelhado a centro". Os exemplos e problemas que se seguem tornarão claro que essa terminologia é bem adequada ao conceito geométrico que ela quer descrever.

Será conveniente para nosso trabalho na próxima seção simplificarmos ainda mais as fórmulas (2). No caso de x, a área da faixa vertical fina é um elemento de área no sentido dado nas Seções 7.1 e 7.2; logo, esse elemento de área será $dA = f(x)dx$; e, no caso de y, temos analogamente $dA = g(y)dy$ para a área da faixa horizontal fina. As fórmulas (2) podem, portanto, ser escritas na forma

$$\bar{x} = \frac{\int x \, dA}{\int dA} \quad \text{e} \quad \bar{y} = \frac{\int y \, dA}{\int dA}. \tag{3}$$

Enfatizamos que dA nessas fórmulas é visto como a área de uma faixa fina paralela ao eixo apropriado; essa notação garante que todos os pontos da faixa estarão essencialmente a uma mesma distância do correspondente eixo. Está subentendido também que o processo de integração expresso é desenvolvido na região em consideração. Os limites de integração estão deliberadamente omitidos e realmente não necessitam ser indicados, a menos que estejamos efetuando cálculos efetivos em um caso específico.

Exemplo 1 Calcule o centróide de um retângulo.

Solução Se o retângulo tem altura h e base b, então podemos colocar o sistema de coordenadas de modo que a origem esteja no canto inferior esquerdo e o ponto (b, h) esteja no canto superior direito (Fig. 11.5).

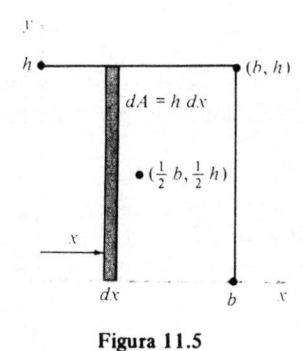

Figura 11.5

Como a área desse retângulo é hb, temos

$$\bar{x} = \frac{\int_0^b x \cdot h \, dx}{hb} = \frac{1}{hb} \left[\frac{1}{2} h x^2 \right]_0^b$$

$$= \frac{1}{hb} \left[\frac{1}{2} h b^2 \right] = \frac{1}{2} b.$$

Exatamente da mesma maneira, encontramos $\bar{y} = \frac{1}{2} h$; logo o centróide é o ponto $(\frac{1}{2}b, \frac{1}{2}h)$, que é obviamente o centro do retângulo.

Em geral, parece que o centróide de uma região deverá estar numa linha de simetria da região, se tal linha existir. É fácil ver que isto é verdade: seja L uma reta de simetria de uma região R; podemos escolher essa reta na posição do eixo y (Fig. 11.6).

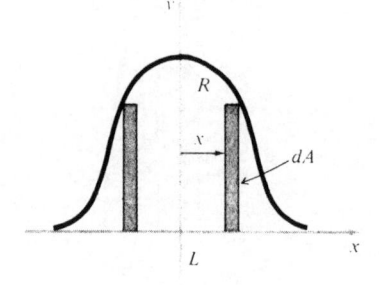

Figura 11.6

Desejamos nos convencer de que $\bar{x} = 0$. Se dA é um elemento fino de área vertical na posição x, então, por simetria, existe um elemento de área correspondente na posição $-x$; e como $x dA + (-x) dA = 0$, temos

$$\int x \, dA = 0, \qquad \text{e, portanto,} \qquad \bar{x} = \frac{\int x \, dA}{\int dA} = 0.$$

(É claro que este é apenas um argumento heurístico e está longe de ser uma prova matemática, mas é suficiente por enquanto para nossos propósitos. Não é difícil converter esse argumento em uma prova legítima se desejarmos enfrentar o problema.) Além disso, se uma região tem duas retas de simetria distintas, então a conclusão que acabamos de obter indica que o centróide deve estar sobre ambas as retas e é, portanto, o ponto de interseção dessas retas. Conseqüentemente, nos casos em que uma figura tem um "centro" no sentido usual da palavra, o centro coincide com o centróide. No entanto, como mostra o nosso próximo exemplo, os centróides são facilmente calculados para muitas regiões que ordinariamente são consideradas como não tendo centros. Desse ponto de vista, o centróide de uma região é uma generalização de centro de uma figura geométrica.

Exemplo 2 Determine o centróide da região do primeiro quadrante limitada pelos eixos e pela curva $y = 4 - x^2$ (Fig. 11.7).

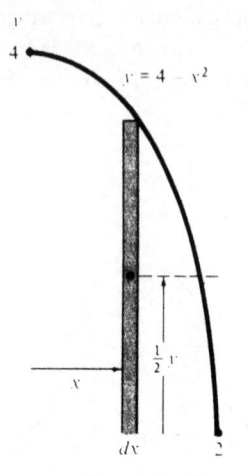

Figura 11.7

Solução Usando a faixa vertical da figura, vemos que a área da região é

$$A = \int dA = \int_0^2 (4 - x^2)\, dx = \left[4x - \frac{1}{3}x^3\right]_0^2 = \frac{16}{3},$$

logo

$$\bar{x} = \frac{\int x\, dA}{A} = \frac{3}{16}\int_0^2 x(4 - x^2)\, dx = \frac{3}{16}\left[2x^2 - \frac{1}{4}x^4\right]_0^2 = \frac{3}{4}.$$

Analogamente, usando uma faixa horizontal (não está mostrada na figura), temos

$$\bar{y} = \frac{\int y\, dA}{A} = \frac{3}{16}\int_0^4 y\sqrt{4 - y}\, dy.$$

Para calcular essa integral, fazemos a substituição $u = 4 - y$. Assim $y = 4 - u$ e $dy = -du$; os novos limites de integração serão 4 e 0:

$$\bar{y} = \frac{3}{16}\int_0^4 y\sqrt{4 - y}\, dy = \frac{3}{16}\int_4^0 u^{1/2}(4 - u)(-du)$$

$$= \frac{3}{16}\int_0^4 (4u^{1/2} - u^{3/2})\, du = \frac{3}{16}\left[\frac{8}{3}u^{3/2} - \frac{2}{5}u^{5/2}\right]_0^4$$

$$= \frac{3}{16}\left(\frac{64}{3} - \frac{64}{5}\right) = \frac{8}{5}.$$

Aqui a integração é um pouco complicada porque usa uma faixa horizontal, e isto nos força a resolver a equação da curva para x em termos de y. Portanto, descrevemos um método alternativo para computar $\bar{y}$ que usa a faixa vertical mostrada na figura e o resultado do Exemplo 1. Como o centróide dessa faixa retangular coincide com seu centro, o momento da faixa em relação ao eixo x é $\frac{1}{2} y \, dA = \frac{1}{2} y^2 \, dx$ e, portanto,

$$\bar{y} = \frac{\int \frac{1}{2} y^2 \, dx}{A} = \frac{3}{32} \int_0^2 (4 - x^2)^2 \, dx = \frac{3}{32} \int_0^2 (16 - 8x^2 + x^4) \, dx$$

$$= \frac{3}{32} \left[16x - \frac{8}{3} x^3 + \frac{1}{5} x^5 \right]_0^2 = \frac{3}{32} \left[32 - \frac{64}{3} + \frac{32}{5} \right] = \frac{8}{5},$$

que é o resultado já obtido.

Algumas palavras a mais sobre centróides. Abordamos centróides de regiões planas. Podemos facilmente falar do centróide de um arco no plano xy ou de uma região no espaço tridimensional. As definições e as fórmulas são análogas ao que já fizemos, e não aborreceremos os estudantes com explanações detalhadas. Entretanto, observamos que para determinar o centróide de um arco (Fig.11.8)

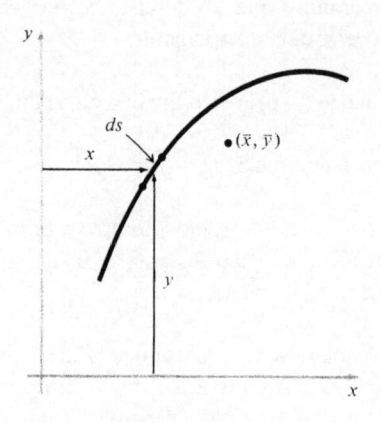

Figura 11.8

pode ser útil pensar no arco como um pedaço de fio curvado com densidade constante 1 (= massa por unidade de comprimento), de modo que a massa de um pedaço de fio é simplesmente seu comprimento. Entendendo ds como o comprimento do elemento de arco no sentido da Seção 7.5, temos

$$\bar{x} = \frac{\int x \, ds}{\int ds} \quad \text{e} \quad \bar{y} = \frac{\int y \, ds}{\int ds}. \tag{4}$$

Cada denominador é o comprimento do arco e os numeradores são, respectivamente, os momentos do arco em relação ao eixo y e ao eixo x.

Problemas

Calcule o centróide da região plana R limitada por:

1. $y = x^2, y = 0, x = 2$.
2. $y = 4x - x^2$ e $y = x$.
3. $y = \sqrt{a^2 - x^2}$ e $y = 0$.
4. $y = \operatorname{sen} x$ e $y = 0$ $(0 \leq x \leq \pi)$.
5. $x^2 = ay$ e $y = a$.
6. $x^2 = ay$ e $y^2 = ax$.
7. $y = \sqrt[3]{x}, y = 0, x = 8$.
8. $x^2 + y^2 = a^2$ e $x + y = a$ (primeiro quadrante).
9. $x^2 + y^2 = a^2, x = a, y = a$.
10. $y = 1/x, y = 0, x = 1$, e $x = 2$.

11. Sabe-se da Geometria elementar que as 3 medianas de um triângulo se interceptam num ponto que está a 2/3 do caminho que vai de cada vértice ao ponto médio do lado oposto. Mostre que esse ponto é o centróide do triângulo.

12. Determine o centróide da parte do primeiro quadrante da curva $x^{2/3} + y^{2/3} = a^{2/3}$.

13. Calcule o centróide do arco semicircular $y = \sqrt{a^2 - x^2}$.

14. O semicírculo sob $y = \sqrt{b^2 - x^2}$ é removido do semicírculo sob $y = \sqrt{a^2 - x^2}$, onde $b < a$. Determine o centróide da região restante. Calcule o limite de $\bar{y}$ quando $b \to a$ e compare com o resultado do Problema 13.

15. Seja $y = f(x)$ uma função não-negativa definida no intervalo $a \leq x \leq b$. Se a região limitada por essa curva, o eixo x e as retas $x = a, x = b$ for girada ao redor do eixo x, mostre que o sólido de revolução resultante terá seu centróide sobre o eixo x com

$$\bar{x} = \frac{\int_a^b x f(x)^2 \, dx}{\int_a^b f(x)^2 \, dx}.$$

16. Utilize o resultado do Problema 15 para determinar o centróide de (a) um cone com altura h e raio da base r; e (b) um hemisfério de raio a.

11.3 OS TEOREMAS DE PAPPUS

Dois belos teoremas geométricos relacionando centróides com sólidos e superfícies de revolução foram descobertos no século IV A.D. por Pappus de Alexandria, o último dos grandes matemáticos gregos.

Primeiro Teorema de Pappus *Considere uma região plana que está inteiramente de um lado de uma reta do plano. Se essa região é girada ao redor da reta que desempenha a função de eixo, então o volume do sólido gerado dessa maneira é igual ao produto da área da região pela distância percorrida pelo centróide ao redor do eixo.*

Essa afirmação é fácil de provar usando-se o seguinte argumento: considere o eixo x como eixo de revolução. (Fig. 11.9).

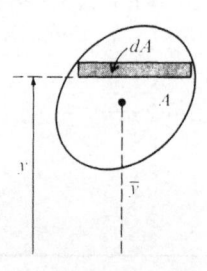

Figura 11.9

Então a distância $\bar{y}$ do centróide a esse eixo é definida por

$$\bar{y} = \frac{\int y \, dA}{\int dA} = \frac{\int y \, dA}{A}.$$

Essa expressão é equivalente a

$$A\bar{y} = \int y \, dA$$

ou a

$$A \cdot 2\pi\bar{y} = \int 2\pi y \, dA.$$

Tudo que é necessário agora é observar que essa equação é exatamente a asserção do teorema, pois $2\pi\bar{y}$ é a distância percorrida pelo centróide e a integral do 2º membro é o volume do sólido calculado pelo método da casca.

Exemplo 1 Calcule o volume do toro gerado ao girar um círculo de raio a ao redor de uma reta de seu plano que está a uma distância b de seu centro, onde $b > a$ (Fig. 11.10).

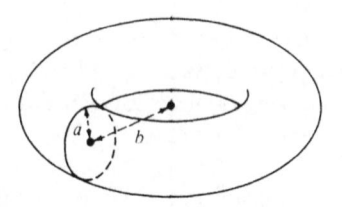

Figura 11.10

Solução O centróide do círculo é seu centro, e este percorre uma distância $2\pi b$ ao redor do eixo. A área do círculo é πa^2; logo, pelo Primeiro Teorema de Pappus, o volume do toro é

$$V = \pi a^2 \cdot 2\pi b = 2\pi^2 a^2 b.$$

(Veja o Problema 31 da Seção 10.4.)

Segundo Teorema de Pappus *Considere um arco de uma curva plana que está inteiramente num dos lados de uma reta desse plano. Se esse arco é girado ao redor dessa reta, que desempenha a função de eixo, então a área da superfície gerada dessa maneira é igual ao produto do comprimento do arco pela distância percorrida pelo centróide ao redor do eixo.*

A prova é análoga à dada acima. Novamente tomamos o eixo x como sendo o eixo de rotação (Fig. 11.11),

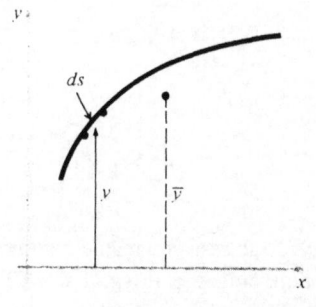

Figura 11.11

e começamos com a definição da distância $\bar{y}$ desse eixo ao centróide do arco,

$$\bar{y} = \frac{\int y\, ds}{\int ds} = \frac{\int y\, ds}{s},$$

que é equivalente a

$$s\bar{y} = \int y\, ds$$

ou

$$s \cdot 2\pi\bar{y} = \int 2\pi y\, ds.$$

E novamente esta é exatamente a asserção do teorema, pois a integral do 2º membro é a área da superfície de revolução.

Exemplo 2 Com a ajuda desse teorema, é fácil ver que a área de superfície do toro descrito no Exemplo 1 é

$$A = 2\pi a \cdot 2\pi b = 4\pi^2 ab.$$

Além de sua beleza estética, os teoremas de Pappus são úteis em duas situações. Quando os centróides são conhecidos por considerações de simetria — como nos exemplos apresentados —, podemos utilizar esses teoremas para encontrar volumes e áreas. E também, quando volumes e áreas são conhecidos, podemos, com freqüência, utilizar esses teoremas no sentido inverso, para determinar a localização dos centróides. Ambos os tipos de aplicação serão ilustrados nos problemas.

Problemas

1. Use as conhecidas fórmulas $V = \frac{4}{3}\pi a^3$ e $A = 4\pi a^2$ para o volume e a área de superfície de uma esfera de raio a com o objetivo de localizar o centróide de (a) a região semicircular sob $y = \sqrt{a^2 - x^2}$, (b) o arco $y = \sqrt{a^2 - x^2}$. Compare com os Problemas 3 e 13 da Seção 11.2.

2. Use os centróides encontrados no Problema 1 para calcular respectivamente o volume e a área quando a região semicircular e o arco são girados ao redor da reta $y = 1$.

3. Pelo Problema 10 da Seção 7.5, o comprimento total da curva $x^{2/3} + y^{2/3} = a^{2/3}$ é $6a$. Use esse fato e o resultado do Problema 12 da Seção 11.2 para calcular a área da superfície gerada ao girar essa curva ao redor de (a) o eixo x; (b) a reta $x + y = a$.

4. Um quadrado de lado a é girado ao redor de um eixo que o intercepta num dos vértices mas em nenhum outro vértice, e que está em seu plano. Qual deve ser a posição do eixo para produzir o maior volume do sólido de revolução resultante? Qual o maior volume? Qual a correspondente área da superfície?

5. Um hexágono regular com lado a é girado ao redor de um de seus lados. Qual o volume do sólido de revolução resultante? Qual a área da superfície desse sólido?

6. O hexágono regular do Problema 5 é girado ao redor de um eixo de seu plano que passa por um vértice e é perpendicular à reta que passa pelo vértice e pelo centro. Calcule o volume e a área da superfície do sólido de revolução resultante.

7. Use o Primeiro Teorema de Pappus para calcular (a) o volume de um cilindro com altura h e raio da base r, (b) o volume de um cone com altura h e raio da base r.

8. Sabe-se, da Geometria Elementar, que $\pi r L$ é a área lateral de um cone com raio da base r e geratriz L. Obtenha essa fórmula como conseqüência do Segundo Teorema de Pappus.

11.4 MOMENTO DE INÉRCIA

Considere um corpo rígido girando ao redor de um eixo fixo. Por exemplo, o corpo pode ser uma esfera sólida girando ao redor de um diâmetro ou um cubo sólido balançando para a frente e para trás como um pêndulo ao redor de um eixo horizontal ao longo de uma de suas arestas. Para estudarmos movimentos dessa espécie, é necessário introduzir o conceito de *momento de inércia* do corpo em relação a um eixo. Nosso objetivo nos próximos parágrafos é não só definir esse conceito mas também explicar seu significado intuitivo, de modo que os estudantes possam compreender por que é importante.

Quando um corpo rígido se move numa reta, todas as partículas que o constituem se movem num mesmo sentido com a mesma velocidade. Por outro lado, quando um corpo rígido gira ao redor de um eixo, suas partículas componentes se movem em círculos de raios diferentes, com velocidades diferentes, e, por essa razão, é de se supor que o problema de descrever tal movimento do corpo seja mais difícil. Afortunadamente, no entanto, essa situação é mais simples do que possa parecer, e verifica-se ser possível estudar corpos que giram usando idéias e fórmulas que são completamente análogas àquelas já familiares nos movimentos lineares.

Começamos com um breve resumo das fórmulas lineares. Considere uma partícula de massa m se movendo numa reta (Fig. 11.12).

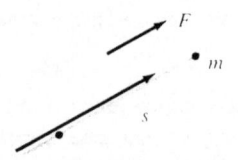

Figura 11.12

Considerando-se que sua posição seja dada pela variável s, então $v = ds/dt$ e $a = dv/dt$ são, respectivamente, a velocidade e a aceleração. Uma força F agindo sobre a partícula se relaciona com a aceleração de acordo com a Segunda Lei de Movimento de Newton,

$$F = ma \quad \text{ou} \quad a = \frac{1}{m} F. \tag{1}$$

A segunda forma dessa equação é útil por expressar claramente a idéia de que a aceleração da partícula é provocada pela força e é proporcional a essa força. Essa forma nos ajuda também a ver a massa m da partícula como medida de sua capacidade de resistir à aceleração: para uma mesma força F quanto maior for m, menor será a.

Agora considere uma partícula de massa m girando ao redor de um eixo numa circunferência de raio r (Fig. 11.13).

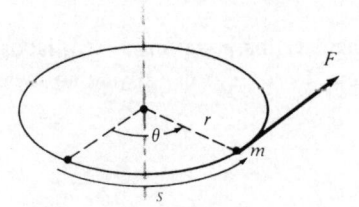

Figura 11.13

Se sua posição angular é dada pelo ângulo θ medido a partir de alguma direção fixada, então $\omega = d\theta/dt$ e $\alpha = d\omega/dt$ são a *velocidade angular* e *aceleração angular*. Essas grandezas angulares são relacionadas com as correspondentes grandezas lineares s, v e a, quando medidas ao longo da trajetória circular, por meio das equações $s = r\theta$, $v = r\omega$ e $a = r\alpha$. O efeito de torção da força tangencial F é medido por seu *torque* $T = Fr$, que é o produto da força pela distância de sua linha de ação ao eixo. Vimos que a força produz uma aceleração linear de acordo com a equação (1). Exatamente da mesma maneira, o torque produz aceleração angular de acordo com a correspondente equação

$$T = I\alpha, \qquad (2)$$

onde a constante de proporcionalidade I chama-se *momento de inércia*. I pode ser encarada como uma medida da capacidade de o sistema resistir à aceleração angular, e nesse sentido é o análogo angular da massa.

Essas observações descrevem o papel conceitual do momento de inércia. Para descobrir o que essa definição deve ser a fim de ajustá-la a esse papel, transformamos (2) substituindo T por Fr e α por a/r e depois substituindo F por ma:

$$Fr = I\frac{a}{r}, \qquad mar = I\frac{a}{r}.$$

A última equação revela que I deve ser dado pela fórmula

$$I = mr^2. \qquad (3)$$

Nesta seção estamos interessados principalmente em aprender como usar a integração para calcular o momento de inércia em relação a um dado eixo de uma folha fina e uniforme de material com densidade constante δ (= massa por unidade de área). Pode ser útil imaginar tal folha como uma chapa fina de metal homogêneo. Nosso método é dividir a chapa mentalmente num grande número de pedacinhos de tal maneira que cada pedaço possa ser tratado como uma partícula à qual a fórmula (3) pode ser aplicada. Determinamos então o momento de inércia total por integração – ou soma dos momentos de inércia individuais de todos esses pedaços.

Exemplo 1 Uma chapa retangular fina e uniforme tem lados a e b e densidade δ. Calcule seu momento de inércia em relação ao eixo que divide ao meio os dois lados de comprimento a (Fig. 11.14).

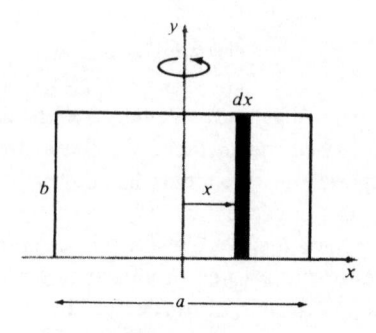

Figura 11.14

Solução Introduza um sistema de coordenadas como indicado na figura, com o eixo y como o eixo de rotação. Concentramos nossa atenção sobre a faixa vertical fina mostrada na figura porque todos os seus pontos estão essencialmente a uma mesma distância x do eixo de rotação. O momento de inércia dessa faixa ao redor do eixo x é $x^2 \cdot \delta b\,dx$, logo o momento de inércia total da chapa é

$$I = \int_{-a/2}^{a/2} x^2 \cdot \delta b\,dx = \delta b \left[\frac{1}{3} x^3\right]_{-a/2}^{a/2}$$

$$= \delta b \left[\frac{1}{24} a^3 - \left(-\frac{1}{24} a^3\right)\right] = \frac{1}{12} \delta a^3 b. \qquad (4)$$

É costume escrever o momento de inércia de forma a destacar a massa total M. Nesse caso, $M = \delta ab$, logo

$$I = \tfrac{1}{12} M a^2.$$

Duas faixas verticais finas em posições simétricas em relação ao eixo de rotação têm o mesmo momento de inércia. Na equação (4) poderíamos portanto ter escrito a integral na forma

$$I = 2 \int_0^{a/2} x^2 \cdot \delta b\,dx = \cdots,$$

o que possibilita um cálculo um pouco mais simples.

Exemplo 2 Uma chapa circular fina e uniforme tem raio a e massa M. Calcule seu momento de inércia em relação a um diâmetro.

Solução Introduza eixos de coordenadas como se mostra na Fig. 11.15.

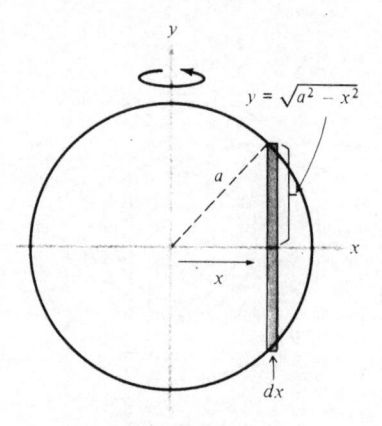

Figura 11.15

Se a densidade da chapa é denotada por δ, então o momento de inércia da faixa indicada em relação ao eixo y é

$$x^2 \cdot \delta 2y\, dx = x^2 \cdot \delta 2\sqrt{a^2 - x^2}\, dx,$$

logo, o momento de inércia total é

$$I = 2\int_0^a x^2 \cdot \delta 2\sqrt{a^2 - x^2}\, dx = 4\delta \int_0^a x^2\sqrt{a^2 - x^2}\, dx.$$

Para calcular essa integral, fazemos a substituição trigonométrica $x = a\,\text{sen}\,\theta$, de modo que

$$dx = a\cos\theta\, d\theta$$

e

$$I = 4\delta a^4 \int_0^{\pi/2} \text{sen}^2\,\theta \cos^2\theta\, d\theta = \tfrac{1}{4}\delta\pi a^4 = \tfrac{1}{4}Ma^2.$$

(Como sempre, os estudantes devem verificar os detalhes omitidos nesses cálculos.)

Exemplo 3 Calcule o momento de inércia da chapa circular do Exemplo 2 em relação ao eixo que passa pelo centro e é perpendicular à chapa.

Solução Desta vez o eixo deve ser imaginado como se estivesse se projetando para fora do papel a partir do centro do círculo (Fig. 11.16)

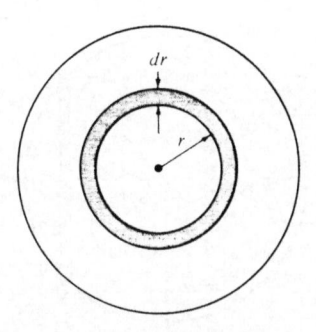

Figura 11.16

e dividimos a área em anéis finos com centros no centro do círculo (Fig. 11.16). O momento total de inércia é, portanto,

$$I = \int_0^a r^2 \cdot \delta 2\pi r \, dr = 2\pi\delta \left[\frac{1}{4} r^4 \right]_0^a$$
$$= \tfrac{1}{2}\delta\pi a^4 = \tfrac{1}{2}Ma^2.$$

Observação 1 Recordamos que uma partícula de massa m movendo-se com velocidade v tem energia cinética dada pela fórmula

$$\text{K.E.} = \tfrac{1}{2}mv^2,$$

e também que essa energia é a quantidade de trabalho que deve ser transferida para que a partícula pare. Por outro lado, se a partícula gira numa circunferência de raio r, então $v = r\omega$ e temos

$$\text{K.E.} = \tfrac{1}{2}mr^2\omega^2 = \tfrac{1}{2}I\omega^2,$$

e novamente este é o trabalho exigido para parar a partícula que está rodando. Comparando essas fórmulas reforçamos a idéia de que o momento de inércia I exerce no movimento circular o papel exercido pela massa m no movimento linear.

Observação 2 Além de sua importância relacionada com a física de corpos em rotação, o momento de inércia tem também aplicações significativas em engenharia de estruturas, onde se sabe que a rigidez de uma viga é proporcional ao momento de inércia de uma seção transversal da viga em relação ao eixo horizontal que passa por seu centróide.

Problemas

1. Uma chapa retangular fina e uniforme de massa M tem lados a e b. Calcule seu momento de inércia em relação a um dos lados de comprimento b.

2. Uma chapa fina e uniforme de massa M é limitada pela curva $y = \cos x$ e o eixo x entre $x = -\pi/2$ e $x = \pi/2$. Calcule seu momento de inércia em relação ao eixo y.

3. Calcule o momento de inércia de uma chapa triangular fina e uniforme de massa M, altura h e base b em relação a sua base.

4. Calcule o momento de inércia da chapa triangular do Problema 3 em relação ao eixo paralelo a sua base e que passa pelo vértice oposto.

5. Uma chapa circular fina e uniforme tem raio a e massa M. Calcule seu momento de inércia em relação a um eixo tangente à chapa.

6. Calcule o momento de inércia de um arame reto uniforme de massa M e comprimento a em relação a um eixo perpendicular ao arame em uma das extremidades.

7. Um arame uniforme de massa M é entortado para formar uma circunferência de raio a. Calcule seu momento de inércia em relação a um diâmetro.

8. Calcule o momento de inércia de um cilindro sólido uniforme de massa M, altura h e raio a em relação a seu eixo. Sugestão: use o método das cascas.

9. Calcule o momento de inércia de um cone sólido uniforme de massa M, altura h e raio da base a em relação a seu eixo.

10. Calcule o momento de inércia de uma esfera sólida uniforme de massa M e raio a em relação a um diâmetro.

11. Se o momento de inércia de um corpo de massa M em relação a um dado eixo é $I = Mr^2$, então o número r chama-se *raio de rotação* do corpo ao redor do eixo. Ele é a distância do eixo, a um ponto no qual toda a massa do corpo poderia estar concentrada, sem alterar seu momento de inércia. Nos Problemas 8 a 10, calcule o raio de rotação em relação aos eixos indicados (a) do cilindro, (b) do cone, (c) da esfera.

Problemas Suplementares do Capítulo 11

Seção 11.1

1. Considere a distribuição plana de partículas cujo centro de massa $(\bar{x}, \bar{y})$ é definido pelas equações (6) e (7) da Seção 11.1. Se $Ax + By + C = 0$ é qualquer reta do plano, então podemos supor (introduzindo um fator, caso necessário) que $A^2 + B^2 = 1$; e, pelo Problema Suplementar 21 do Capítulo 1, vemos que a distância orientada dessa reta a (x_k, y_k) é

$$d_k = Ax_k + By_k + C,$$

positiva para os pontos situados em um lado da reta e negativa para os pontos situados no outro.

(a) Mostre que toda a massa $m = \Sigma m_k$ do sistema pode ser concentrada no centro de massa $(\bar{x}, \bar{y})$ sem alterar o momento total $\Sigma m_k d_k$ em relação à reta considerada.

(b) Use a parte (a) para mostrar que o momento total em relação a qualquer reta que passa por $(\bar{x},\bar{y})$ é nulo.

2. Considere de novo a distribuição plana de partículas apresentada no Problema 1.

(a) Se os eixos forem transladados (Fig. 11.17),

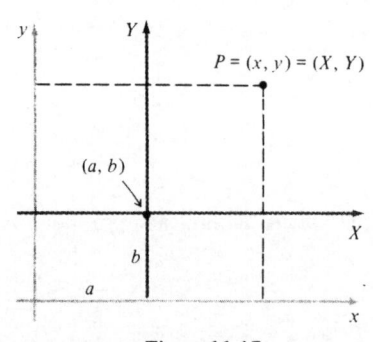

Figura 11.17

então as coordenadas antigas e as coordenadas novas de um ponto fixo P estarão ligadas pelas equações de transformação

$$x = X + a, \qquad y = Y + b.$$

Calcule o centro de massa do novo sistema de coordenadas e mostre que é o mesmo ponto anterior.

(b) Se os eixos forem rodados de um ângulo θ (Fig. 11.18),

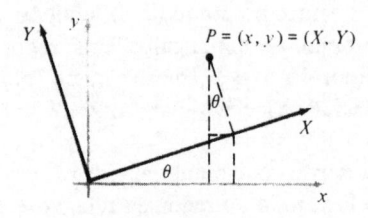

Figura 11.18

então as coordenadas antigas e as coordenadas novas de um ponto fixo P serão ligadas pelas equações de transformação.

$$x = X \cos \theta - Y \sin \theta \quad \text{e} \quad y = X \sin \theta + Y \cos \theta.$$

Mostre que o centro de massa, quando calculado no novo sistema de coordenadas, é o mesmo ponto anterior.

(c) Deduza que a localização do centro de massa é independente do sistema de coordenadas usado para calculá-lo.

Seção 11.2

3. Calcule o centróide da região plana R limitada por

(a) $y = x^2$ e $y = x$;
(b) $y = 2x^2$ e $y = x^2 + 1$;
(c) $y = 2x - x^2$ e $y = 0$;
(d) $y = x - x^4$ e $y = 0$;
(e) $y^3 = x^2$ e $y = 2$;
(f) $y = x^3$ e $y = 4x$ $(x \geq 0)$;
(g) $y = e^x, y = -e^x, x = 0$ e $x = 1$.

*4. Calcule o centróide da parte da curva $y = x^2$ que está entre $x = 0$ e $x = b$.

Seção 11.3

5. Considere um retângulo com altura $2a$ e base $2b$ colocado no plano xy com seus lados paralelos aos eixos e seu centro no ponto $(0, c)$, onde $c \geq \sqrt{a^2 + b^2}$. Se esse retângulo for girado no sentido anti-horário de um ângulo θ ao redor do ponto $(0, c)$ e então girado de um giro completo ao redor do eixo x, mostre que o volume e a área de superfície do sólido de revolução resultante serão os mesmos para todos os valores de θ. Quais são eles?

6. Um hexágono regular inscrito na circunferência $x^2 + y^2 = 1$ tem um de seus vértices no ponto $(1, 0)$. Girando o hexágono ao redor da reta $3x + 4y = 25$, calcule o volume e a área de superfície do sólido de revolução resultante.

Seção 11.4

7. Mostre que o momento de inércia de uma chapa fina e uniforme do plano xy em relação ao eixo perpendicular a esse plano e passando pela origem é igual à soma de seus momentos de inércia em relação aos dois eixos coordenados. Use esse fato para determinar o momento de inércia de uma chapa quadrada fina e uniforme de massa M e lado a em relação ao eixo que passa pelo seu centro e é perpendicular a seu plano.

8. Uma chapa fina e uniforme de massa M tem a curva

$$\frac{x^2}{a^2} + \frac{y^2}{b^2} = 1$$

como sua fronteira. Use o método do Problema 7 para determinar seu momento de inércia em relação ao eixo que passa pela origem e é perpendicular a seu plano.

9. Considere uma chapa fina e uniforme de massa M no plano xy. Seja I seu momento de inércia em relação a uma reta L nesse plano e seja I_0 seu momento de inércia em relação a uma reta L_0 que passa pelo centróide e é paralela a L. Mostre que

$$I = I_0 + Md^2,$$

onde d é a distância entre L e L_0 (este é o chamado *Teorema dos Eixos Paralelos*). Sugestão: coloque o sistema de coordenadas de tal modo que L_0 seja o eixo y e L seja a reta $x = d$.

*10. Considere um corpo sólido uniforme de massa M no espaço tridimensional. Seja I o momento de inércia em relação a uma reta L e seja I_0 seu momento de inércia em relação a uma reta L_0 que passa pelo centróide e é paralela a L. O *Teorema do Eixo Paralelo* estabelecido no Problema 9 vale exatamente da mesma forma:

$$I = I_0 + Md^2,$$

onde d é a distância entre L e L_0. Estabeleça esse fato e aplique-o para determinar o momento de inércia de (a) uma esfera sólida uniforme de massa M e raio a em relação a uma tangente; (b) um cubo sólido uniforme de massa M e aresta a em relação a uma aresta. (Sugestão: veja o Problema 7.)

CAPÍTULO

12

FORMAS INDETERMINADAS E INTEGRAIS IMPRÓPRIAS

12.1 INTRODUÇÃO. O TEOREMA DO VALOR MÉDIO

No próximo volume necessitaremos de métodos melhores para calcular limites do que os que dispomos até agora. Conseqüentemente, nosso propósito principal neste capítulo é o de compreender os tipos de problemas de limites que aparecem e dominar os instrumentos que possibilitarão resolver esses problemas com o máximo de eficiência.

Na Seção 2.5 vimos que o limite de um quociente é o quociente dos limites, no seguinte sentido: se

$$\lim_{x \to a} f(x) = L \quad \text{e} \quad \lim_{x \to a} g(x) = M,$$

então

$$\lim_{x \to a} \frac{f(x)}{g(x)} = \frac{L}{M}, \qquad (1)$$

sendo $M \neq 0$. Infelizmente, no entanto, muitos dos mais importantes limites são da forma (1) em que tanto $L = 0$ como $M = 0$. Quando isto acontece, a fórmula (1) não serve para calcular o valor do limite, e deste se diz ter a forma indeterminada 0/0 em $x = a$. A expressão "forma indeterminada" é usada porque, nesse caso, o limite da esquerda de (1) pode muito bem existir, mas nada pode ser concluído acerca de seu valor sem um prosseguimento das investigações. Tal situação é mostrada nos quatro exemplos

$$\frac{x}{x}, \quad \frac{x^2}{x}, \quad \frac{x}{x^3}, \quad \frac{x \operatorname{sen} 1/x}{x},$$

cada um dos quais é quociente de duas funções que tendem a zero quando $x \to 0$. Vemos, a partir desses exemplos, cancelando os x do numerador e do denominador, que tal quociente pode ter o limite 1 ou 0 ou ∞, ou pode nem mesmo ter limite, finito ou infinito.

As formas indeterminadas podem, às vezes, ser calculadas usando artifícios algébricos simples. Por exemplo,

$$\lim_{x \to 2} \frac{3x^2 - 7x + 2}{x^2 + 5x - 14} \qquad (2)$$

tem a forma indeterminada 0/0, e esse limite é fácil de calcular fatorando e cancelando,

$$\lim_{x \to 2} \frac{3x^2 - 7x + 2}{x^2 + 5x - 14} = \lim_{x \to 2} \frac{(x-2)(3x-1)}{(x-2)(x+7)} = \lim_{x \to 2} \frac{3x-1}{x+7} = \frac{5}{9}.$$

Em outros casos são exigidos métodos mais complicados. Assim o limite

$$\lim_{x \to 0} \frac{\operatorname{sen} x}{x} \qquad (3)$$

é uma outra forma indeterminada do tipo 0/0, e na Seção 9.2 foi utilizado um argumento geométrico para mostrar que o valor desse importante limite é 1. Relacionado a isto, salientamos o fato sugestivo de que o limite (3) pode também ser calculado notando-se que é a derivada da função sen x em $x = 0$:

$$\lim_{x \to 0} \frac{\operatorname{sen} x}{x} = \lim_{x \to 0} \frac{\operatorname{sen} x - \operatorname{sen} 0}{x - 0}$$

$$= \frac{d}{dx} \operatorname{sen} x \bigg]_{x=0} = \cos x \bigg]_{x=0} = \cos 0 = 1.$$

De fato, toda derivada

$$f'(a) = \lim_{x \to a} \frac{f(x) - f(a)}{x - a} \qquad (4)$$

é uma forma indeterminada do tipo 0/0, pois o numerador e o denominador da fração da direita tendem ambos a zero quando x tende a a^*.

---

*   Os estudantes devem examinar a fórmula (4) junto com um esboço conveniente, para se convencer de que essa fórmula pode ser tomada como a definição da derivada de uma função arbitrária $f(x)$ num ponto $x = a$. Não tivemos ocasião de usar essa versão da definição antes, mas ela será particularmente conveniente para nosso trabalho no presente capítulo.

Essas observações sugerem que existe uma estreita relação entre formas indeterminadas e derivadas. Mas, para compreender essa relação, é necessário primeiro compreender o Teorema do Valor Médio.

Esse teorema diz que se uma função $y = f(x)$ é definida e contínua num intervalo fechado $a \leqslant x \leqslant b$ e derivável em todos os pontos do interior $a < x < b$, então existe pelo menos um número c entre a e b tal que

$$f'(c) = \frac{f(b) - f(a)}{b - a},$$

ou, equivalentemente,

$$f(b) - f(a) = f'(c)(b - a).$$

Essa asserção é melhor compreendida em linguagem geométrica (Fig. 12.1).

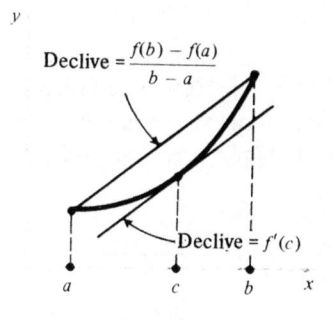

Figura 12.1

Geometricamente seu significado é que em algum ponto do gráfico entre as extremidades do segmento a reta tangente é paralela à corda que une essas extremidades. Desse ponto de vista, o teorema parece obviamente verdadeiro, e é difícil pô-lo em dúvida; mas, na verdade, é um teorema fundamental cuja validade depende fortemente das hipóteses enunciadas.

Em nosso trabalho tentamos evitar a delonga nas partes teóricas do Cálculo. Aqui, no entanto, devemos fazer uma exceção, porque o fato central deste capítulo (a regra de L'Hospital, na próxima seção) não pode ser compreendido a menos que conheçamos pelo menos o que diz o Teorema do Valor Médio. Uma discussão completa desse teorema, com todas as provas necessárias, é fornecida no Apêndice B.4. Esse apêndice está à disposição dos estudantes que desejam pesquisar mais profundamente os fundamentos teóricos do Cálculo; aqueles cujos interesses não estão nessa direção podem omiti-lo sem quaisquer conseqüências sérias.

12.2 A FORMA INDETERMINADA O/O. REGRA DE L'HOSPITAL

Observamos anteriormente que existe uma estreita relação entre formas indeterminadas e derivadas. Começamos explorando essa relação com o seguinte teorema simples: *se* f(x) *e* g(x) *são ambas iguais a zero em* x = a *e têm derivadas nesse ponto, então*

$$\lim_{x \to a} \frac{f(x)}{g(x)} = \frac{f'(a)}{g'(a)} = \frac{f'(x)}{g'(x)}\bigg]_{x=a}, \tag{1}$$

sendo que g'(a) ≠ 0. *Para provar esse teorema, é suficiente usar* f(a) = 0 *e* g(a) = 0 *para escrever*

$$\frac{f(x)}{g(x)} = \frac{f(x) - f(a)}{g(x) - g(a)} = \frac{[f(x) - f(a)]/(x - a)}{[g(x) - g(a)]/(x - a)} \to \frac{f'(a)}{g'(a)},$$

como queríamos.

Como exemplos da aplicação de (1), calculamos facilmente os limites (2) e (3) da Seção 12.1:

$$\lim_{x \to 2} \frac{3x^2 - 7x + 2}{x^2 + 5x - 14} = \frac{6x - 7}{2x + 5}\bigg]_{x=2} = \frac{5}{9} \tag{2}$$

e

$$\lim_{x \to 0} \frac{\operatorname{sen} x}{x} = \frac{\cos x}{1}\bigg]_{x=0} = \cos 0 = 1. \tag{3}$$

Como outro exemplo temos

$$\lim_{x \to 0} \frac{\operatorname{tg} 6x}{e^{2x} - 1} = \frac{6 \sec^2 6x}{2e^{2x}}\bigg]_{x=0} = \frac{6}{2} = 3, \tag{4}$$

resultado que obteríamos com dificuldade por qualquer outro método.

A fórmula (1) exige a existência das derivadas das funções $f(x)$ e $g(x)$ unicamente no ponto $x = a$. Em outros pontos essas funções não precisam ter derivadas nem mesmo ser contínuas. No entanto, se as derivadas existem num intervalo ao redor de a e são contínuas em a, então podemos obter a fórmula (1) de outra maneira, aplicando o Teorema do Valor Médio separadamente no numerador e no denominador

$$\frac{f(x)}{g(x)} = \frac{f(x)-f(a)}{g(x)-g(a)} = \frac{f'(c_1)(x-a)}{g'(c_2)(x-a)} = \frac{f'(c_1)}{g'(c_2)} \to \frac{f'(a)}{g'(a)}, \qquad (5)$$

quando $x \to a$. Aqui c_1 e c_2 estão entre x e a, logo ambas tendem a a quando $x \to a$.

Que propósito é almejado ao dar uma segunda prova alternativa da fórmula (1) quando a primeira prova é perfeitamente satisfatória? A questão é a seguinte: a fórmula (1) é um bom instrumento para se ter, mas é ainda somente de valor limitado, porque acontece com freqüência nos problemas em que consideramos que $f'(a) = g'(a) = 0$ e, nesse caso, o segundo membro de (1) não tem significado. Entretanto, podemos usar nossa segunda prova para superar essa dificuldade. Suponha que c_1 e c_2 em (5) possam ser tomados iguais, de modo que a primeira parte de (5) possa ser escrita como

$$\frac{f(x)}{g(x)} = \frac{f(x)-f(a)}{g(x)-g(a)} = \frac{f'(c)}{g'(c)}, \qquad (6)$$

com c entre x e a. Então, ao formar o limite quando $x \to a$, (6) permite-nos substituir o quociente

$$\frac{f(x)}{g(x)} \quad \text{pelo quociente} \quad \frac{f'(x)}{g'(x)}.$$

A *regra de L'Hospital* diz que, sob certas condições facilmente satisfeitas, essa substituição é legítima, isto é,

$$\lim_{x \to a} \frac{f(x)}{g(x)} = \lim_{x \to a} \frac{f'(x)}{g'(x)}, \qquad (7)$$

supondo-se que o limite do segundo membro exista. Os estudantes devem se lembrar de que $f(a) = g(a) = 0$; também mencionamos que mesmo que os limites ordinários sejam usualmente buscados em (7), os limites laterais são permitidos*.

---

* Para aqueles estudantes que estão interessados na prova da regra de L'Hospital, explicamos aqui tão brevemente quanto possível os detalhes do raciocínio que sustenta (7). Admitimos – como enunciado – que $f(a) = g(a) = 0$, que x tende a a de um lado ou de outro e que nesse lado as funções $f(x)$ e $g(x)$ *satisfazem* as seguintes três condições: (i) ambas são contínuas em algum intervalo fechado I tendo a como extremidade; (ii) ambas são deriváveis no interior de I; e (iii) $g'(x) \neq 0$ no interior de I. Com essas hipóteses, (6) é uma conseqüência imediata de uma extensão técnica do Teorema do Valor Médio, conhecido como o Teorema do Valor Médio Generalizado; e se a x é agora permitido tender a a do lado em questão, então (7) segue de (6) como indicado acima. Os estudantes tenazes que gostam de saber tudo encontrarão uma prova do Teorema do Valor Médio Generalizado no Apêndice B.4.

A regra de L'Hospital tem esse nome em homenagem ao matemático francês — um discípulo de John Bernoulli — que a publicou em seu livro *Analyse des infiniment petits* (Paris, 1696), que foi o primeiro livro-texto de Cálculo que gozou de grande popularidade exercendo grande influência.

Exemplo 1 No início desta seção, calculamos os limites (2), (3) e (4) utilizando a fórmula (1). Esses limites também podem ser calculados usando a regra de L'Hospital (7):

$$\lim_{x \to 2} \frac{3x^2 - 7x + 2}{x^2 + 5x - 14} = \lim_{x \to 2} \frac{6x - 7}{2x + 5} = \frac{5}{9},$$

$$\lim_{x \to 0} \frac{\operatorname{sen} x}{x} = \lim_{x \to 0} \frac{\cos x}{1} = 1,$$

$$\lim_{x \to 0} \frac{\operatorname{tg} 6x}{e^{2x} - 1} = \lim_{x \to 0} \frac{6 \sec^2 6x}{2e^{2x}} = 3.$$

A razão pela qual (7) funciona tão bem nesses problemas é que, em cada caso, o segundo limite existe e é fácil de ser encontrado por inspeção, pois as funções envolvidas são contínuas. O ponto que desejamos salientar aqui é que o que se consegue com (1) pode-se conseguir com (7) com a mesma facilidade. Mas como o próximo exemplo mostra, (7) é um instrumento muito mais poderoso, com freqüência funciona quando (1) não funciona em absoluto.

Exemplo 2 A regra de L'Hospital (7) mostra sua importância em problemas de limite tais como

$$\lim_{x \to 0} \frac{1 - \cos x}{x^2}.$$

Aqui a fórmula (1) não serve, como vemos a partir da impossibilidade de realização do cálculo pretendido

$$\lim_{x \to 0} \frac{1 - \cos x}{x^2} = \frac{\operatorname{sen} x}{2x} \bigg]_{x=0} = \frac{0}{0}.$$

A razão dessa impossibilidade é que (1) pressupõe que $g'(a) \neq 0$, e essa condição não é satisfeita. Entretanto, por (7) temos

$$\lim_{x \to 0} \frac{1 - \cos x}{x^2} = \lim_{x \to 0} \frac{\operatorname{sen} x}{2x},$$

se o segundo limite existir. Mas esse segundo limite é de novo do tipo 0/0, logo a regra de L'Hospital se aplica uma segunda vez e permite-nos continuar tentando obter a resposta correta,

$$\lim_{x \to 0} \frac{1 - \cos x}{x^2} = \lim_{x \to 0} \frac{\operatorname{sen} x}{2x} = \lim_{x \to 0} \frac{\cos x}{2} = \frac{1}{2}.$$

Um outro limite que se comporta dessa maneira é

$$\lim_{x \to 0} \frac{\sqrt{x+1} - (1 + \tfrac{1}{2}x)}{x^2} = \lim_{x \to 0} \frac{\tfrac{1}{2}(x+1)^{-1/2} - \tfrac{1}{2}}{2x}$$
$$= \lim_{x \to 0} \frac{-\tfrac{1}{4}(x+1)^{-3/2}}{2} = -\frac{1}{8}.$$

Os limites do Exemplo 2 ilustram a grande vantagem que a regra de L'Hospital (7) tem sobre a fórmula (1): é válida sempre que o limite, à direita, existe, não importando se $g'(a)$ é nulo ou não. Assim, como mostram esses problemas, se $f'(a) = g'(a) = 0$, então obtemos novamente uma indeterminação 0/0 e podemos aplicar a regra de L'Hospital uma segunda vez,

$$\lim_{x \to a} \frac{f(x)}{g(x)} = \lim_{x \to a} \frac{f'(x)}{g'(x)} = \lim_{x \to a} \frac{f''(x)}{g''(x)},$$

supondo que o último limite exista. Na prática, as funções que encontramos neste livro satisfazem as condições necessárias para a aplicação da regra de L'Hospital. Portanto aplicamos a regra quase rotineiramente, continuando a derivar o numerador e o denominador separadamente até nos livrarmos da forma 0/0 em $x = a$. Tão logo uma ou outra (ou ambas) dessas derivadas seja diferente de zero em $x = a$, devemos parar de derivar e calcular o último limite por algum método direto.

Exemplo 3 Uma tentativa descuidada de aplicação da regra de L'Hospital pode conduzir a um resultado incorreto, como no cálculo de

$$\lim_{x \to 0} \frac{\operatorname{sen} 4x}{2x + 3} = \lim_{x \to 0} \frac{4 \cos 4x}{2} = \frac{4}{2} = 2.$$

A resposta correta é

$$\lim_{x \to 0} \frac{\operatorname{sen} 4x}{2x + 3} = \frac{0}{3} = 0.$$

Nesse problema o numerador e o denominador da função dada não são ambos iguais a zero em $x = 0$; logo a regra de L'Hospital não é aplicável.

Nosso método funciona exatamente da mesma maneira para limites em que $x \to \infty$; isto é, se $f(x) \to 0$ e $g(x) \to 0$ quando $x \to \infty$, então

$$\lim_{x \to \infty} \frac{f(x)}{g(x)} = \lim_{x \to \infty} \frac{f'(x)}{g'(x)}, \qquad (8)$$

se o limite, à direita, existe. Para verificar isto, fazemos $x = 1/t$ e observamos que $t \to 0^+$ (lembre-se de que a notação significa que t tende a zero pela direita). Em resumo, a regra de L'Hospital nos dá agora

$$\lim_{x \to \infty} \frac{f(x)}{g(x)} = \lim_{t \to 0+} \frac{f(1/t)}{g(1/t)} = \lim_{t \to 0+} \frac{f'(x)\,dx/dt}{g'(x)\,dx/dt},$$

que é (8) após dx/dt ter sido eliminado por simplificação.

Finalmente, em ambas as formas da regra de L'Hospital, expressas nas fórmulas (7) e (8) é fácil ver que o procedimento permanece válido se o valor do limite, à direita, é ∞ ou $-\infty$.

Problemas

Calcule os seguintes limites:

1. $\lim\limits_{x \to 0} \dfrac{\operatorname{sen} 3x}{\operatorname{sen} x}$.

2. $\lim\limits_{x \to 1} \dfrac{\ln x}{x - 1}$.

3. $\lim\limits_{x \to 2} \dfrac{x - 2}{6x^2 - 10x - 4}$.

4. $\lim\limits_{x \to 0} \dfrac{e^x - e^{-x}}{\operatorname{sen} 5x}$.

5. $\lim\limits_{x \to 0} \dfrac{\sqrt{x + 9} - 3}{x}$.

6. $\lim\limits_{x \to 1} \dfrac{4x^3 - 5x + 1}{\ln x}$.

7. $\lim\limits_{x \to 0} \dfrac{\sqrt[3]{x + 1} - (1 + \frac{1}{3}x)}{x^2}$.

8. $\lim\limits_{x \to 0} \dfrac{\operatorname{arc\,sen} 3x}{x}$.

9. $\lim\limits_{x \to 0} \dfrac{e^x - 1 - x}{x^2}$.

10. $\lim\limits_{x \to 0} \dfrac{e^x - 1 - x}{1 - \cos \pi x}$.

11. $\lim_{x \to 0} \dfrac{x^3}{\operatorname{sen} x - x}$.

12. $\lim_{x \to 0} \dfrac{e^{2x} - 1}{\operatorname{sen} 5x}$.

13. $\lim_{x \to 0} \dfrac{3x}{\operatorname{tg} x}$.

14. $\lim_{x \to \pi/4} \dfrac{\ln(\operatorname{tg} x)}{\operatorname{sen} x - \cos x}$.

15. $\lim_{x \to 0} \dfrac{\operatorname{sen}^2 x + 8x}{e^{2x} - 1}$.

16. $\lim_{x \to 6} \dfrac{\sqrt{x - 2} - 2}{x^2 - 36}$.

17. $\lim_{x \to 0} \dfrac{x - \operatorname{sen} x}{x - \operatorname{tg} x}$.

18. $\lim_{x \to \pi} \dfrac{\ln(\cos 2x)}{(x - \pi)^2}$.

19. $\lim_{x \to \infty} \dfrac{1/x}{\operatorname{sen} \pi/x}$.

20. $\lim_{x \to 0} \dfrac{a^x - b^x}{x}$.

21. $\lim_{x \to 0} \dfrac{\operatorname{tg} 2x - 2x}{x - \operatorname{sen} x}$.

22. $\lim_{x \to 0} \dfrac{\operatorname{sen} x^3}{\operatorname{sen}^3 x}$.

23. $\lim_{x \to 0} \dfrac{\operatorname{sen} 2x - 2\operatorname{sen} x}{\operatorname{sen} 3x - 3\operatorname{sen} x}$.

24. $\lim_{x \to 1} \dfrac{\sqrt[4]{x} - 1}{\sqrt[5]{x} - 1}$.

25. $\lim_{x \to 0} \dfrac{(e^x - 1)^3}{(x - 2)e^x + x + 2}$.

26. Na Fig. 12.2, P é um ponto sobre uma circunferência com centro O e raio a. O segmento AQ é igual ao arco AP, e a reta PQ intercepta a reta OA em B. Mostre que OB tende a $2a$ quando P tende a A ao longo da circunferência. Sugestão: $\triangle QAB$ é semelhante ao $\triangle PRB$.

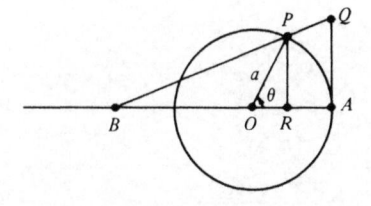

Figura 12.2

27. No Problema 26, seja $f(\theta)$ a área do triângulo ARP e seja $g(\theta)$ a área da região que permanece após o triângulo ORP ser removido do setor OAP. Determine fórmulas para as funções $f(\theta)$ e $g(\theta)$ e calcule $\lim_{\theta \to 0} f(\theta)/g(\theta)$.

28. A regra de L'Hospital (7) funciona exatamente da mesma maneira se as condições $f(a) = g(a) = 0$ são substituídas pelas condições $\lim_{x \to a} f(x) = \lim_{x \to a} g(x) = 0$. Explique. Use essa idéia para calcular

$$\lim_{x \to 0} \frac{(1+x)^{1/x} - e}{x}.$$

29. A fórmula

$$f'(x) = \lim_{h \to 0} \frac{f(x+h) - f(x)}{h}$$

é uma versão da definição de derivada. Tratando o lado direito como uma forma indeterminada, deduza essa fórmula a partir da regra de L'Hospital.

12.3 OUTRAS FORMAS INDETERMINADAS

Para certas aplicações é importante saber que a regra de L'Hospital permanece válida para formas indeterminadas do tipo ∞/∞. Isto é, o numerador e o denominador do quociente $f(x)/g(x)$ tornam-se ambos infinitos quando $x \to a$, então

$$\lim_{x \to a} \frac{f(x)}{g(x)} = \lim_{x \to a} \frac{f'(x)}{g'(x)}, \qquad (1)$$

se o limite à direita existe. O argumento é um pouco artificial e é esboçado na Observação 2, de modo que aqueles que desejarem podem não o estudar. Da mesma maneira abordada na Seção 12.2, são admitidos limites unilaterais e (1) estende-se imediatamente para o caso em que $x \to \infty$. Também permanece válida se o limite à direita é ∞ ou $-\infty$.

Exemplo 1 Mostre que

$$\lim_{x \to \infty} \frac{x^p}{e^x} = 0 \qquad (2)$$

para toda constante p.

Solução Iniciamos observando que se $p \leq 0$, então esse limite não é uma forma indeterminada e seu valor, é fácil de ver, é zero. Por outro lado, quando $p > 0$, o limite é obviamente uma forma indeterminada do tipo ∞/∞. A regra de L'Hospital (1) para o caso em que $x \to \infty$ dá, portanto,

$$\lim_{x \to \infty} \frac{x^p}{e^x} = \lim_{x \to \infty} \frac{p x^{p-1}}{e^x},$$

caso o limite à direita exista; continuamos esse processo passo a passo, reduzindo o expoente de x a zero ou a um número negativo. Assim fica provada a expressão (2) seguindo-se as observações sobre esse tipo de indeterminação. Esse exemplo nos dá um discernimento importante sobre a natureza da função exponencial. Quando $x \to \infty$ e^x cresce mais rápido que qualquer potência de x, por maior que seja o expoente, e, portanto, mais rápido que qualquer polinômio.

Exemplo 2 Mostre que

$$\lim_{x \to \infty} \frac{\ln x}{x^p} = 0 \qquad (3)$$

para toda constante $p > 0$.

Solução Esse limite é evidentemente uma forma indeterminada do tipo ∞/∞; logo, pela regra de L'Hospital, temos

$$\lim_{x \to \infty} \frac{\ln x}{x^p} = \lim_{x \to \infty} \frac{1/x}{p x^{p-1}} = \lim_{x \to \infty} \frac{1}{p x^p} = 0.$$

Expresso em palavras, (3) revela que quando $x \to \infty$, $\ln x$ cresce mais devagar que qualquer potência positiva de x, por menor que seja.

Discutimos anteriormente os limites (2) e (3) usando métodos particulares (Seções 8.3 e 8.4). Nosso trabalho presente a respeito desses limites importantes é evidentemente preferível, porque o método poderoso de análise baseado na regra de L'Hospital estende-se facilmente a muitos limites semelhantes.

As expressões

$$0 \cdot \infty, \quad \infty - \infty, \quad 0^0, \quad \infty^0, \quad 1^\infty$$

são outros tipos de formas indeterminadas que às vezes aparecem. O produto $f(x)\,g(x)$, onde um fator tende a zero e o outro torna-se infinito $(0 \cdot \infty)$, pode ser reduzido a $0/0$ ou a ∞/∞, levando-se o recíproco de um fator ao denominador. A diferença entre duas funções que crescem indefinidamente $(\infty - \infty)$ pode, com freqüência, ser transformada em uma forma mais conveniente. Uma potência $y = f(x)^{g(x)}$ que produz uma forma indeterminada de um dos outros tipos é melhor tratada tomando-se logaritmos:

$$\ln y = \ln f(x)^{g(x)} = g(x) \ln f(x). \qquad (4)$$

Isto reduz o problema à forma mais familiar $0 \cdot \infty$; como $y = e^{\ln y}$, usamos então a continuidade da função exponencial para inferir que $\lim y = \lim e^{\ln y} = e^{\lim \ln y}$. Ilustraremos nos exemplos seguintes o que vimos acima.

Exemplo 3 Calcule

$$\lim_{x \to 0+} x \ln x. \qquad (5)$$

Solução Aqui x deve tender a zero por valores positivos, pois $\ln x$ é definido apenas para x positivos. Como $\ln x \to -\infty$ quando $x \to 0^+$, é claro que (5) é uma forma indeterminada do tipo $0 \cdot \infty$. O valor desse limite não é óbvio, pois, quando $x \to 0^+$, não podemos dizer se o produto $x \ln x$ é mais influenciado pela pequenez de x ou pela grandeza (em valor absoluto) de $\ln x$. No entanto, podemos converter facilmente o limite em uma forma indeterminada do tipo ∞/∞ e aplicar a regra de L'Hospital (1). Assim,

$$\lim_{x \to 0+} x \ln x = \lim_{x \to 0+} \frac{\ln x}{1/x} = \lim_{x \to 0+} \frac{1/x}{-1/x^2} = \lim_{x \to 0+} (-x) = 0.$$

Como vemos, a pequenez de x domina o comportamento do produto $x \ln x$ perto de $x = 0$.

Exemplo 4 Calcule

$$\lim_{x \to \pi/2} (\sec x - \mathrm{tg}\, x). \qquad (6)$$

Solução Este é do tipo $\infty - \infty$. Convertemos essa expressão em uma forma indeterminada do tipo $0/0$ e aplicamos a regra de L'Hospital.

$$\lim_{x \to \pi/2} (\sec x - \mathrm{tg}\, x) = \lim_{x \to \pi/2} \left(\frac{1}{\cos x} - \frac{\operatorname{sen} x}{\cos x} \right)$$

$$= \lim_{x \to \pi/2} \frac{1 - \operatorname{sen} x}{\cos x} = \lim_{x \to \pi/2} \frac{-\cos x}{-\operatorname{sen} x} = 0.$$

Exemplo 5 Calcule $\lim_{x \to 0^+} x^x$.

Solução Esse limite é do tipo 0^0 e o reduzimos ao tipo mais simples $0 \cdot \infty$, tomando logaritmos. Para fazer isto de modo mais conveniente, escrevemos $y = x^x$ e observamos que

$$\ln y = \ln x^x = x \ln x \longrightarrow 0 \quad \text{quando} \quad x \to 0^+,$$

pelo Exemplo 3. Isto nos revela que

$$x^x = y = e^{\ln y} \longrightarrow e^0 = 1,$$

pela continuidade da função exponencial. Portanto, temos

$$\lim_{x \to 0^+} x^x = 1. \tag{7}$$

Exemplo 6 Calcule $\lim_{x \to \infty} x^{1/x}$.

Solução Esse limite é do tipo ∞^0. Escrevemos $y = x^{1/x}$ e observamos que

$$\ln y = \ln x^{1/x} = \frac{\ln x}{x} \longrightarrow 0 \quad \text{quando} \quad x \to \infty,$$

pelo Exemplo 2. Daí temos que

$$x^{1/x} = y = e^{\ln y} \longrightarrow e^0 = 1,$$

ou, o que é equivalente,

$$\lim_{x \to \infty} x^{1/x} = 1. \tag{8}$$

Exemplo 7 Mostre que

$$\lim_{x \to 0} (1 + ax)^{1/x} = e^a \tag{9}$$

para toda constante a.

Solução Se $a = 0$, esse limite não é uma forma indeterminada e a afirmação é evidentemente verdadeira, porque ambos os lados têm o valor 1. Se $a \neq 0$, o limite é uma forma indeterminada do tipo 1^∞. Nesse caso, escrevemos $y = (1 + ax)^{1/x}$ e observamos que

$$\lim_{x \to 0} \ln y = \lim_{x \to 0} \frac{\ln(1 + ax)}{x} = \lim_{x \to 0} \frac{a/(1 + ax)}{1} = a.$$

Isto implica

$$(1 + ax)^{1/x} = y = e^{\ln y} \longrightarrow e^a,$$

que é (9).

Observação 1 *O uso da regra de L'Hospital.* Como todo procedimento matemático, a regra de L'Hospital deve ser usada inteligentemente e não de modo puramente mecânico. Devemos tentar controlar o mau hábito de aplicar automaticamente a regra de L'Hospital a todo e qualquer problema de limites que apareça. Com freqüência, há um modo mais fácil, como, por exemplo, o uso dos limites familiares ou de transformações algébricas simples.

(a) O limite

$$\lim_{x \to \infty} \frac{6x^5 - 2}{2x^5 + 3x^2 + 4}$$

é do tipo ∞/∞ e pode ser calculado pelo uso repetido da regra de L'Hospital. Mas é muito mais simples dividir o numerador e o denominador por x^5 e escrever

$$\frac{6x^5 - 2}{2x^5 + 3x^2 + 4} = \frac{6 - 2/x^5}{2 + 3/x^3 + 4/x^5} \longrightarrow \frac{6 - 0}{2 + 0 + 0} = 3.$$

(b) O limite

$$\lim_{x \to 0} \frac{\operatorname{sen}^3 x}{x^3}$$

é do tipo 0/0. A regra de L'Hospital pode ser aplicada e funciona, mas é muito mais fácil observar que

$$\frac{\operatorname{sen}^3 x}{x^3} = \left(\frac{\operatorname{sen} x}{x}\right)^3 \longrightarrow 1^3 = 1,$$

pois já sabemos que $(\operatorname{sen} x)/x \to 1$ quando $x \to 0$.

(c) O limite

$$\lim_{x \to \infty} \frac{\sqrt{x^2 + 1}}{x}$$

é do tipo ∞/∞, e a aplicação da regra de L'Hospital dá

$$\lim_{x \to \infty} \frac{\sqrt{x^2 + 1}}{x} = \lim_{x \to \infty} \frac{x/\sqrt{x^2 + 1}}{1} = \lim_{x \to \infty} \frac{x}{\sqrt{x^2 + 1}} = \frac{1}{\lim_{x \to \infty} \sqrt{x^2 + 1}/x}.$$

Estamos de volta ao limite com o qual começamos e não chegamos a lugar nenhum. No entanto, é muito fácil inserir o denominador no radical e escrever

$$\frac{\sqrt{x^2 + 1}}{x} = \sqrt{\frac{x^2 + 1}{x^2}} = \sqrt{1 + \frac{1}{x^2}} \to \sqrt{1 + 0} = 1.$$

Observação 2 O argumento da regra de L'Hospital (1), no caso ∞/∞, pode ser esboçado resumidamente como se segue. Suponha que $f(x)$ e $g(x)$ tornam-se infinitas quando $x \to a$ e que $f'(x)/g'(x) \to L$. Queremos mostrar que também $f(x)/g(x) \to L$. Para $\bar{x}$ suficientemente próximo de a do lado em questão (Fig. 12.3), $f'(x)/g'(x)$ pode ser feita tão próxima quanto desejarmos de L entre $\bar{x}$ e a.

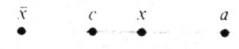

$$\bar{x} \quad c \quad x \quad a$$

Figura 12.3

Se x está entre $\bar{x}$ e a e se $f(x)$ e $g(x)$ devem satisfazer as condições simples (i) a (iii) expostas no rodapé da Seção 12.2, então

$$\frac{f(x) - f(\bar{x})}{g(x) - g(\bar{x})} = \frac{f'(c)}{g'(c)}$$

para algum c entre x e x. Como c está também entre $\bar{x}$ e a, sabemos que $f'(c)/g'(c)$ está próximo de L. Agora mantenha $\bar{x}$ fixo e faça $x \to a$. Então $f(x)$ e $g(x)$ crescem muito, $f(\bar{x})/f(x)$ e $g(\bar{x})/g(x)$ tornam-se muito pequenos e

$$\frac{f(x)-f(\bar{x})}{g(x)-g(\bar{x})} = \frac{f(x)}{g(x)}\left[\frac{1-f(\bar{x})/f(x)}{1-g(\bar{x})/g(x)}\right]$$

está próximo de $f(x)/g(x)$. Segue-se que $f(x)/g(x)$ está próximo de $f'(c)/g'(c)$, que, por sua vez, está próximo de L, e assim $f(x)/g(x)$ está próximo de L quando x está próximo de a, e isto é o que desejávamos estabelecer.

Problemas

Calcule os seguintes limites por qualquer método:

1. $\lim\limits_{x\to\infty} \dfrac{18x^3}{3+2x^2-6x^3}$.

2. $\lim\limits_{x\to\infty} \dfrac{\ln(\ln x)}{\ln x}$.

3. $\lim\limits_{x\to\pi/2} \dfrac{\operatorname{tg} x}{1+\sec x}$.

4. $\lim\limits_{x\to\infty} \dfrac{\ln x^2}{\sqrt{x}}$.

5. $\lim\limits_{x\to\pi/2} \dfrac{\operatorname{tg} x}{\operatorname{tg} 3x}$.

6. $\lim\limits_{x\to\infty} \dfrac{x^2}{e^{3x}}$.

7. $\lim\limits_{x\to 0+} \dfrac{\ln x}{\operatorname{cosec} x}$.

8. $\lim\limits_{x\to\infty} \dfrac{(\ln x)^{10}}{x}$.

9. $\lim\limits_{x\to 0+} \dfrac{\ln(\operatorname{sen}^2 x)}{\ln x}$.

10. $\lim\limits_{x\to 0} x \operatorname{cotg} x$.

11. $\lim\limits_{x\to\infty} x \operatorname{sen} \dfrac{1}{x}$.

12. $\lim\limits_{x\to\pi/2} (\pi-2x) \operatorname{tg} x$.

13. $\lim\limits_{x\to\infty} (x^2-1)e^{-x^2}$.

14. $\lim\limits_{x\to\infty} x^3 e^{-x}$.

15. $\lim\limits_{x\to\infty} e^{-x} \ln x$.

16. $\lim\limits_{x\to\infty} x\left(\dfrac{\pi}{2}-\operatorname{arc tg} x\right)$.

17. $\lim\limits_{x\to 0+} \operatorname{sen} x \ln x$.

18. $\lim\limits_{x\to 0} x^2 \operatorname{cosec}(5 \operatorname{sen}^2 x)$.

19. $\lim\limits_{x\to\infty}\left(\dfrac{x^2}{x-1}-\dfrac{x^2}{x+1}\right)$.

20. $\lim\limits_{x\to 0}\left(\dfrac{1}{x}-\dfrac{1}{\operatorname{sen} x}\right)$.

21. $\lim\limits_{x\to 0}\left(\dfrac{1}{x}-\dfrac{1}{e^x-1}\right)$.

22. $\lim\limits_{x\to 1}\left(\dfrac{1}{x-1}-\dfrac{1}{\ln x}\right)$.

23. $\lim\limits_{x\to 0+} (\operatorname{sen} x)^x$.

24. $\lim\limits_{x\to 0+} (\operatorname{tg} x)^{\operatorname{sen} x}$.

25. $\lim\limits_{x \to 0+} x^{\operatorname{tg} x}$.

26. $\lim\limits_{x \to 0+} x^{x^2}$.

27. $\lim\limits_{x \to 0+} (e^x - 1)^x$.

28. $\lim\limits_{x \to 0+} x^{\ln(1+x)}$.

29. $\lim\limits_{x \to 0+} (\operatorname{sen} x)^{\operatorname{sen} x}$.

30. $\lim\limits_{x \to 0} (1 - \cos x)^{1-\cos x}$.

31. $\lim\limits_{x \to \infty} (\ln x)^{1/x}$.

32. $\lim\limits_{x \to \pi/2-} (\operatorname{tg} x)^{\cos x}$.

33. $\lim\limits_{x \to \infty} (1 + e^{ax})^{1/x}, a > 0$.

34. $\lim\limits_{x \to \infty} (x + e^x)^{2/x}$.

35. $\lim\limits_{x \to \infty} (1 + ax)^{1/x}, a > 0$.

36. $\lim\limits_{x \to \infty} (1 + x^{100})^{1/x}$.

37. $\lim\limits_{x \to 0} (\cos x)^{1/x}$.

38. $\lim\limits_{x \to \pi/2} (\operatorname{sen} x)^{\operatorname{tg} x}$.

39. $\lim\limits_{x \to 1} x^{1/(1-x^2)}$.

40. $\lim\limits_{x \to 0+} (\cos \sqrt{x})^{1/x}$.

41. A despeito da evidência acumulada nos Problemas de 23 a 30, as formas indeterminadas do tipo 0^0 nem sempre têm o valor 1. Mostre isto calculando

$$\lim_{x \to 0+} x^{p/\ln x},$$

onde p é uma constante não-nula.

42. (a) Esboce o gráfico da função $y = f(x)$ definida por

$$f(x) = \begin{cases} e^{-1/x^2} & \text{se } x \neq 0, \\ 0 & \text{se } x = 0. \end{cases}$$

(b) Mostre que $\lim_{x \to 0} x^{-n} e^{-1/x^2} = 0$ para todo inteiro n.

(c) Mostre que $f(x)$ definida em (a) tem uma derivada n-ésima $f^{(n)}(x)$ para todo inteiro positivo n e todo $x \neq 0$. [Não pedimos uma fórmula geral para $f^{(n)}(x)$, mas os estudantes devem levar os cálculos o suficientemente longe para mostrar que $f^{(n)}(x)$ é sempre dada por uma fórmula de um certo tipo, envolvendo certos coeficientes constantes.]

(d) Use as partes (b) e (c) para mostrar que $f^{(n)}(0) = 0$ para todo inteiro positivo n.

*43. Quando $x \to 0+$, mostre que

$$\cotg x - \frac{1}{x} \to 0 \quad \text{e} \quad \cotg x + \frac{1}{x} \to \infty,$$

mas que

$$\left(\cotg x - \frac{1}{x}\right)\left(\cotg x + \frac{1}{x}\right) \to -\frac{2}{3}.$$

44. Use (4) no texto (p. 571) para explicar por que 1^0, 0^1 e 0^∞ não são formas indeterminadas.

12.4 INTEGRAIS IMPRÓPRIAS

Quando escrevemos uma integral definida ordinária como foi definida no Capítulo 6,

$$\int_a^b f(x)\,dx, \tag{1}$$

admitimos que os limites de integração são números finitos e que o integrando $f(x)$ é uma função contínua no intervalo limitado $a \leq x \leq b$. Se $f(x) > 0$, estamos completamente familiarizados com a idéia de que a integral (1) representa a área da região sombreada (Fig. 12.4, à esquerda).

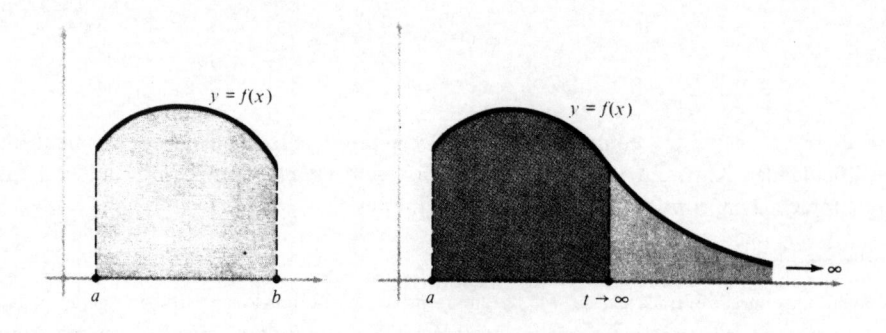

Figura 12.4

No Capítulo 14 (Volume II) será necessário considerar as chamadas *integrais impróprias* da forma

$$\int_a^\infty f(x)\,dx, \qquad (2)$$

em que o limite superior é infinito e o integrando $f(x)$ é suposto ser contínuo no intervalo ilimitado $a \leqslant x < \infty$*.

Definimos a integral (2) da maneira natural sugerida na Fig. 12.4, à direita; isto é, integramos de a até um limite superior finito porém variável t e depois fazemos t tender a ∞ e definimos (2) por

$$\int_a^\infty f(x)\,dx = \lim_{t\to\infty} \int_a^t f(x)\,dx.$$

Se o limite existe e tem um valor finito, a integral imprópria diz-se *convergir* ou ser *convergente*, e esse valor é atribuído a ele. Caso contrário, a integral é chamada *divergente*. Se $f(x) \geqslant 0$, então (2) pode ser encarada como a área da região ilimitada (Fig. 12.4, à direita). Nesse caso, a área da região é finita ou infinita conforme a integral imprópria (2) convirja ou divirja.

Exemplo 1

$$\int_0^\infty e^{-x}\,dx = \lim_{t\to\infty} \int_0^t e^{-x}\,dx = \lim_{t\to\infty} [-e^{-x}]_0^t = \lim_{t\to\infty}\left(-\frac{1}{e^t} + 1\right) = 1.$$

Essa integral imprópria converge, porque o limite existe e é finito.

Os estudantes, muitas vezes, tendem a abreviar esse cálculo escrevendo

$$\int_0^\infty e^{-x}\,dx = [-e^{-x}]_0^\infty = -\frac{1}{e^\infty} + 1 = 1,$$

em vez de escrever os limites como fizemos no Exemplo 1. Essa abreviação raramente causa quaisquer dificuldades reais. Entretanto, nesta seção escreveremos sempre os limites a fim de enfatizar que integrais impróprias são *definidas* como limites.

---

* A palavra "imprópria" é usada em virtude da "impropriedade" no limite superior de integração. Se desejarmos, podemos falar de (1) como uma *integral própria*, porque não tem impropriedades, mas isto não é nem necessário nem costumeiro.

Exemplo 2

$$\int_1^\infty \frac{dx}{x^2} = \lim_{t\to\infty} \int_1^t \frac{dx}{x^2} = \lim_{t\to\infty} \left[-\frac{1}{x}\right]_1^t = \lim_{t\to\infty}\left(-\frac{1}{t}+1\right) = 1.$$

Essa integral imprópria também converge.

Exemplo 3

$$\int_1^\infty \frac{dx}{x} = \lim_{t\to\infty} \int_1^t \frac{dx}{x} = \lim_{t\to\infty} [\ln x]_1^t = \lim_{t\to\infty} \ln t = \infty.$$

Essa integral diverge, pois o limite é infinito.

Exemplo 4

$$\int_0^\infty \cos x\, dx = \lim_{t\to\infty} \int_0^t \cos x\, dx = \lim_{t\to\infty} \operatorname{sen} t$$

— que não existe. Essa integral diverge, pois o limite não existe.

Nosso exemplo seguinte generaliza os Exemplos 2 e 3 e contém informação específica que será necessária no Capítulo 14 (Volume II).

Exemplo 5 Se p é uma constante positiva, mostre que a integral imprópria

$$\int_1^\infty \frac{dx}{x^p}$$

converge se $p > 1$ e diverge se $p \leqslant 1$.

Solução O caso $p = 1$ foi visto no Exemplo 3; logo, admitimos que $p \neq 1$. Nesse caso temos

$$\int_1^\infty \frac{dx}{x^p} = \lim_{t\to\infty} \int_1^t \frac{dx}{x^p} = \lim_{t\to\infty}\left[\frac{x^{1-p}}{1-p}\right]_1^t$$

$$= \lim_{t\to\infty}\left[\frac{t^{1-p}-1}{1-p}\right] = \begin{cases} \dfrac{1}{p-1} & \text{se } p > 1 \\ \infty & \text{se } p < 1, \end{cases}$$

o que completa a prova.

Consideremos o significado geométrico do Exemplo 5 examinando a Fig. 12.5.

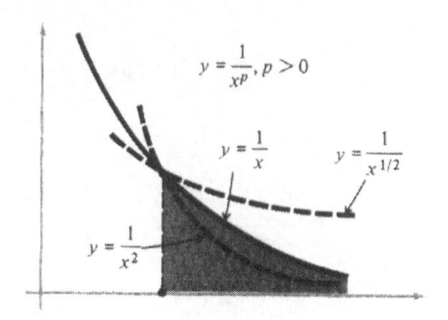

Figura 12.5

Quando é permitido ao expoente p decrescer por valores maiores que 1 (por exemplo, $p = 4, 3, 2, 1, 5$ etc.), então é fácil ver que o gráfico de $y = 1/x^p$ à direita de $x = 1$ sobe; também, o cálculo mostra que a área da região ilimitada sob o gráfico cresce mas permanece finita. Quando p atinge 1 essa área torna-se de repente infinita e permanece infinia para todos os valores de $p < 1$. É de fato notável que uma região de extensão infinita possa ter uma área finita, como acontece aqui quando $p > 1$. Comentaremos esse fenômeno na Observação 1.

Um outro tipo de integral imprópria aparece quando o integrando $f(x)$ é contínuo num intervalo limitado da forma $a \leqslant x < b$, mas torna-se infinito quando x tende a b (Fig. 12.6).

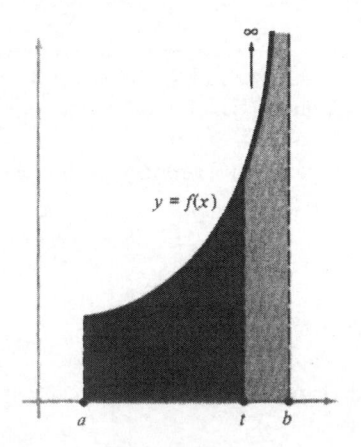

Figura 12.6

Nesse caso podemos integrar de a a um limite superior variável t menor que b. Essa integral é uma função de t e podemos agora perguntar se essa função tem limite quando t tende a b. Se for assim, usamos esse limite como definição da integral imprópria de $f(x)$ de a a b:

$$\int_a^b f(x)\, dx = \lim_{t \to b} \int_a^t f(x)\, dx.$$

Como anteriormente, essa integral chama-se *convergente*, se o limite existe e é finito, e *divergente*, caso contrário.

Exemplo 6

$$\int_0^1 \frac{dx}{\sqrt{1-x}} = \lim_{t \to 1} \int_0^t \frac{dx}{\sqrt{1-x}} = \lim_{t \to 1} [-2\sqrt{1-x}]_0^t$$
$$= \lim_{t \to 1} [-2\sqrt{1-t} + 2] = 2.$$

Essa integral imprópria evidentemente converge.

Há vários tipos de integrais impróprias que mencionamos só brevemente porque as idéias são essencialmente as mesmas que aquelas já descritas.

Se a impropriedade de uma integral ocorre no limite inferior, usamos t como o limite inferior e então fazemos t tender a $-\infty$ ou a a, de acordo com o caso. Se o integrando se comporta mal em diversos pontos, então a integral imprópria — se existir — é obtida dividindo-se o intervalo original em subintervalos.

Finalmente, se $f(x)$ é contínua em toda a reta, então escrevemos, *por definição*,

$$\int_{-\infty}^{\infty} f(x) \, dx = \int_{-\infty}^0 f(x) \, dx + \int_0^{\infty} f(x) \, dx,$$

onde a convergência para a integral imprópria à esquerda significa que ambas as integrais à direita convergem. Uma integral de $-\infty$ a ∞ pode ser quebrada em qualquer ponto finito conveniente da mesma forma como o fizemos no ponto $x = 0$.

Exemplo 7

$$\int_{-\infty}^{\infty} \frac{dx}{1+x^2} = \int_{-\infty}^0 \frac{dx}{1+x^2} + \int_0^{\infty} \frac{dx}{1+x^2}$$
$$= \lim_{t \to -\infty} \int_t^0 \frac{dx}{1+x^2} + \lim_{t \to \infty} \int_0^t \frac{dx}{1+x^2}$$
$$= \lim_{t \to -\infty} [\text{arc tg } x]_t^0 + \lim_{t \to \infty} [\text{arc tg } x]_0^t$$
$$= \lim_{t \to -\infty} (-\text{arc tg} \, t) + \lim_{t \to \infty} \text{arc tg} \, t = -\left(-\frac{\pi}{2}\right) + \frac{\pi}{2} = \pi.$$

Observação 1 Os estudantes podem ainda estar céticos quanto à possibilidade de uma região de extensão infinita poder ter uma área finita. Se é assim, então o seguinte exemplo pode ajudar. Considere a região sob a curva $y = 1/2^x$ para $0 \leqslant x < \infty$. Essa região é sombreada na Fig. 12.7 e evidentemente tem uma área menor que a área conjunta de todos os retângulos mostrados na figura. Mas esses retângulos têm base 1 e alturas 1, 1/2, 1/4, 1/8, ..., e assim sua área conjunta é exatamente

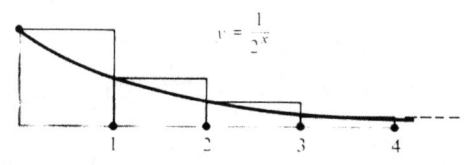

Figura 12.7

$$1 + \tfrac{1}{2} + \tfrac{1}{4} + \tfrac{1}{8} + \cdots = 2.*$$

Segue-se que a região sombreada — de extensão infinita! — tem área finita menor que 2. A área dessa região pode mesmo ser calculada exatamente; é

$$\int_0^\infty \frac{dx}{2^x} = \lim_{t \to \infty} \int_0^t \frac{dx}{2^x} = \lim_{t \to \infty} \int_0^t e^{-x \ln 2}\, dx$$

$$= \lim_{t \to \infty} \left[-\frac{1}{\ln 2} e^{-x \ln 2} \right]_0^t$$

$$= \lim_{t \to \infty} \left[-\frac{1}{\ln 2} \cdot \frac{1}{2^t} + \frac{1}{\ln 2} \right] = \frac{1}{\ln 2}.$$

Observação 2 De maneira geral, integrais impróprias exercem um papel mais substancial em Matemática superior do que no Cálculo. Mencionamos dois exemplos importantes (mas não prosseguimos o estudo neste livro) para dar aos estudantes alguma idéia do que estamos falando.

---

* Esta é uma série geométrica infinita de uma espécie estudada, com freqüência, nos cursos de Álgebra do segundo grau. Discutiremos essas séries, com mais detalhes, no Capítulo 13 (Volume II).

(a) A integral imprópria

$$\Gamma(p) = \int_0^\infty x^{p-1} e^{-x} \, dx$$

(o símbolo à esquerda é a letra maiúscula *gama,* do alfabeto grego) chama-se *função gama.* Esta é uma função muito interessante que é estudada em Cálculo avançado. Tem numerosas aplicações em Física, Geometria, Teoria dos Números e em outras partes da Matemática pura.

(b) A integral imprópria

$$F(p) = \int_0^\infty e^{-px} f(x) \, dx$$

tem muitas aplicações no estudo de circuitos elétricos, membranas vibrantes, condução do calor e resolução de certos tipos de equações diferenciais. É uma função de p associada com a função dada $f(x)$ e se chama *transformada de Laplace* de $f(x)$.

Problemas

Em cada um dos seguintes problemas, determine se a integral imprópria converge ou não e ache seu valor se convergir:

1. $\int_3^\infty e^{-2x} \, dx.$
2. $\int_0^\infty \dfrac{dx}{(1+x)^3}.$
3. $\int_8^\infty \dfrac{dx}{x^{4/3}}.$
4. $\int_0^\infty \operatorname{sen} x \, dx.$
5. $\int_1^\infty \dfrac{1}{x^2} \operatorname{sen} \dfrac{1}{x} \, dx.$
6. $\int_e^\infty \dfrac{dx}{x \ln x}.$
7. $\int_e^\infty \dfrac{dx}{x(\ln x)^2}.$
8. $\int_0^\infty e^{-x} \cos x \, dx.$
9. $\int_0^\infty (x-1) e^{-x} \, dx.$
10. $\int_1^\infty \left(\dfrac{1}{\sqrt{x}} - \dfrac{1}{\sqrt{x+3}} \right) dx.$
11. $\int_1^\infty \dfrac{dx}{x(x+2)}.$
12. $\int_3^\infty \dfrac{dx}{x\sqrt{16+x^2}}.$
13. $\int_0^2 \dfrac{\ln x \, dx}{\sqrt{x}}.$
14. $\int_0^2 \dfrac{dx}{4-x^2}.$
15. $\int_{-\infty}^\infty |x| e^{-x^2} \, dx.$
16. $\int_{-\infty}^\infty e^{-x} \cos x \, dx.$

17. Seja p uma constante positiva. Determine o valor de p para o qual a integral imprópria

$$\int_0^1 \frac{dx}{x^p}$$

é convergente e aqueles para os quais é divergente.

18. Considere a região sob o gráfico de $y = 1/x$ para $x \geq 1$. Embora essa região tenha área infinita, mostre que o sólido de revolução obtido girando essa região ao redor do eixo x tem volume finito e calcule esse volume.

19. Considere a região do primeiro quadrante sob a curva $y = 1/(x+1)^3$. Ache o volume do sólido de revolução gerado ao redor (a) do eixo x, (b) do eixo y.

20. A região sob a curva $y = 4/(3x^{3/4})$ para $x \geq 1$ é girada ao redor do eixo x. Ache o volume do sólido de revolução gerado dessa maneira.

21. Mostre que a área de superfície do sólido de revolução descrita no Problema 20 é infinita. Como resultado desses cálculos, vemos que um contentor com a forma dessa superfície pode se encher de tinta (ele tem volume finito), mas, no entanto, sua superfície interna não pode ser pintada (ele tem área de superfície infinita). Sugestão: use a desigualdade óbvia

$$\frac{1}{x^{3/4}} \sqrt{1 + \frac{1}{x^{7/2}}} > \frac{1}{x^{3/4}}$$

para mostrar que

$$\text{área de superfície} > \frac{8\pi}{3} \int_1^\infty \frac{dx}{x^{3/4}} = \infty.$$

22. Se $a > 0$ e o gráfico de $y = ax^2 + bx + c$ está inteiramente acima do eixo x, mostre que

$$\int_{-\infty}^\infty \frac{dx}{ax^2 + bx + c} = \frac{2\pi}{\sqrt{4ac - b^2}}.$$

23. (Um *teste de comparação*.) Sejam $f(x)$ e $g(x)$ funções contínuas com a propriedade que $0 \leq f(x) \leq g(x)$ para $a \leq x < \infty$. Mostre que

   (a) se $\int_a^\infty g(x)\,dx$ converge, então $\int_a^\infty f(x)\,dx$ também converge;

   (b) se $\int_a^\infty f(x)\,dx$ diverge, então $\int_a^\infty g(x)\,dx$ também diverge.

24. Use o teste de comparação do Problema 23 para determinar se cada uma das seguintes integrais converge ou diverge:

(a) $\int_{1}^{\infty} \dfrac{dx}{\sqrt{x^3+5}}$;

(b) $\int_{2}^{\infty} (x^6-1)^{-1/7}\, dx$;

(c) $\int_{2}^{\infty} \dfrac{\cos^4 5x}{x^3}\, dx$;

*(d) $\int_{e}^{\infty} \dfrac{\ln x}{x^2}\, dx$.

Problemas Suplementares do Capítulo 12

Seção 12.2

Calcule os seguintes limites:

1. $\lim\limits_{x \to 0} \dfrac{\operatorname{sen} 5x}{\operatorname{sen} 2x}$.

2. $\lim\limits_{x \to 2} \dfrac{\ln(x-1)}{x-2}$.

3. $\lim\limits_{x \to 5} \dfrac{x^2+x-30}{\sqrt{x-1}-2}$.

4. $\lim\limits_{x \to 1} \dfrac{\operatorname{sen} \pi x}{1-x^2}$.

5. $\lim\limits_{x \to 4} \dfrac{x-4}{\sqrt[3]{x+4}-2}$.

6. $\lim\limits_{x \to -3} \dfrac{x^2+2x-3}{2x^2+3x-9}$.

7. $\lim\limits_{x \to 2} \dfrac{\operatorname{tg}(2x-4)}{x^3-8}$.

8. $\lim\limits_{x \to 1} \dfrac{x^3+x^2-2}{\ln x}$.

9. $\lim\limits_{x \to 0} \dfrac{\sqrt[5]{x+1}-(1+\frac{1}{5}x)}{3x^2}$.

10. $\lim\limits_{x \to 0} \dfrac{\sqrt[4]{x+16}-(2+\frac{1}{32}x)}{x^2}$.

11. $\lim\limits_{x \to 3+} \dfrac{\ln(x-2)}{(x-3)^2}$.

12. $\lim\limits_{x \to 0} \dfrac{x \operatorname{sen}(\operatorname{sen} x)}{1-\cos(\operatorname{sen} x)}$.

13. $\lim\limits_{x \to 0} \dfrac{\operatorname{sen} x^3}{x - \operatorname{sen} x}$.

14. $\lim\limits_{x \to 0} \dfrac{e^{x^2}-1}{x \operatorname{sen} x}$.

15. $\lim\limits_{x \to \infty} \dfrac{e^{3/x}-1}{\operatorname{sen} 1/x}$.

16. $\lim\limits_{x \to 0+} \dfrac{\operatorname{arc tg} x}{1-\cos 2x}$.

17. $\lim\limits_{x \to 0} \dfrac{1-\cos x}{x \operatorname{sen} x}$.

18. $\lim\limits_{x \to 16+} \dfrac{\sqrt[4]{x-16}}{\sqrt[4]{x}-2}$.

19. $\lim\limits_{x \to 0+} \dfrac{\operatorname{arc sen} x}{\operatorname{sen}^2 3x}$.

20. $\lim\limits_{x \to 0} \dfrac{2\cos x - 2 + x^2}{3x^4}$.

21. $\lim\limits_{x\to\pi/2} \dfrac{1-\operatorname{sen} x}{\cos x}.$

22. $\lim\limits_{x\to 0} \dfrac{2x}{\operatorname{arc tg} x}.$

23. $\lim\limits_{x\to 2} \dfrac{3\sqrt[3]{x-1}-x-1}{3(x-2)^2}.$

24. $\lim\limits_{x\to 1} \dfrac{\ln x}{x^2 - x}.$

25. $\lim\limits_{x\to 0} \dfrac{\operatorname{sen}^2 x + 2\cos x - 2}{\cos^2 x - x\operatorname{sen} x - 1}.$

26. $\lim\limits_{x\to 0} \dfrac{\operatorname{sen} x - \operatorname{tg} x}{x^3}.$

27. $\lim\limits_{x\to 0} \dfrac{\cos x - 1 + \frac{1}{2}x^2}{x^4}.$

28. $\lim\limits_{x\to 0} \dfrac{\operatorname{sen} x^2 - \operatorname{sen}^2 x}{x^4}.$

29. $\lim\limits_{x\to 0} \dfrac{e^x + e^{-x} - 2}{1 - \cos 4x}.$

30. $\lim\limits_{x\to\pi} \dfrac{1+\cos x}{(x-\pi)^2}.$

31. $\lim\limits_{x\to 1} \dfrac{x^3 + 3e^{1-x} - 4}{x - \ln x - 1}.$

32. $\lim\limits_{x\to 0} \dfrac{x - \operatorname{sen} x}{x\operatorname{tg} x}.$

33. $\lim\limits_{x\to 0} \dfrac{x^2 \operatorname{tg} x}{\operatorname{tg} x - x}.$

34. $\lim\limits_{x\to 0} \dfrac{1 - \cos^2 x}{x^2}.$

35. $\lim\limits_{x\to 0} \dfrac{\ln(x+1)}{e^{3x} - 1}.$

36. $\lim\limits_{x\to 0} \dfrac{1 - \cos 2\sqrt{a}\, x}{2x^2}.$

37. $\lim\limits_{x\to 1} \dfrac{x^{10} - 1}{x^9 - 1}.$

38. $\lim\limits_{x\to 0} \dfrac{x - \operatorname{sen} x}{1 - \cos x}.$

39. $\lim\limits_{x\to 0} \dfrac{x - \operatorname{arc tg} x}{x^3}.$

40. $\lim\limits_{x\to\pi} \dfrac{\operatorname{sen}^2 x}{1 + \cos 5x}.$

41. $\lim\limits_{x\to\infty} \dfrac{\operatorname{tg}^2 (1/x)}{\ln^2 (1 + 4/x)}.$

42. Considere o setor circular de raio 1 mostrado na Fig. 12.8.

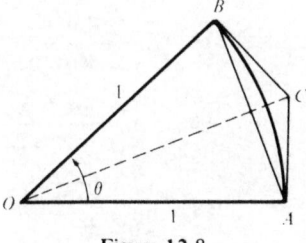

Figura 12.8

O ponto C é a interseção das retas tangentes em A e B. Se $f(\theta)$ é a área do triângulo ABC e $g(\theta)$ é a área da região que permanece quando o triângulo OAB é removido do setor, calcule $\lim_{\theta \to 0} f(\theta)/g(\theta)$.

43. Mostre que

$$\lim_{x \to 0} \frac{x^2 \operatorname{sen}(1/x)}{x}$$

é uma forma indeterminada do tipo 0/0 que existe mas não pode ser calculada pela regra de L'Hospital. Qual o valor desse limite? Este exemplo mostra que a regra de L'Hospital é falsa?

44. Use a regra de L'Hospital para estabelecer as seguintes fórmulas para o cálculo direto da segunda derivada:

(a) $f''(x) = \lim_{h \to 0} \dfrac{f(x + 2h) - 2f(x + h) + f(x)}{h^2}$;

(b) $f''(x) = \lim_{h \to 0} \dfrac{f(x + h) - 2f(x) + f(x - h)}{h^2}$.

45. Se n é um inteiro positivo, mostre que

$$\lim_{x \to 1} \frac{nx^{n+1} - (n + 1)x^n + 1}{(x - 1)^2} = \frac{n(n + 1)}{2}.$$

(Sobre o significado desse resultado um tanto quanto estranho, veja o Problema 46.)

46. Se n é um inteiro positivo e $x \neq 1$, a fórmula

$$1 + x + x^2 + x^3 + \cdots + x^n = \frac{1 - x^{n+1}}{1 - x} = \frac{x^{n+1} - 1}{x - 1}$$

é familiar desde a Álgebra elementar. Derive-a para obter

$$1 + 2x + 3x^2 + \cdots + nx^{n-1} = \frac{nx^{n+1} - (n+1)x^n + 1}{(x-1)^2},$$ (*)

e então tome limites quando x tender a 1 e use o Problema 45 para obter a fórmula

$$1 + 2 + 3 + \cdots + n = \frac{n(n+1)}{2}.$$

*47. Multiplique a equação (*) no Problema 46 por x, derive etc., e dessa forma obtenha a fórmula

$$1^2 + 2^2 + 3^2 + \cdots + n^2 = \frac{n(n+1)(2n+1)}{6}.$$

Seção 12.3

Calcule os seguintes limites por qualquer método:

48. $\lim\limits_{x \to \infty} \dfrac{3x^2 + 9}{x + e^x}.$

49. $\lim\limits_{x \to \frac{1}{2}^-} \dfrac{\ln(1 - 2x)}{\operatorname{tg} \pi x}.$

50. $\lim\limits_{x \to 3\pi/2} \dfrac{2 + \sec x}{\operatorname{tg} x}.$

51. $\lim\limits_{x \to \infty} \dfrac{\ln x^{100}}{\sqrt[5]{x}}.$

52. $\lim\limits_{x \to \infty} \dfrac{x + \ln x}{x \ln x}.$

53. $\lim\limits_{x \to 0^+} \dfrac{\ln x}{\operatorname{cotg} x}.$

54. $\lim\limits_{x \to 0^+} \dfrac{\ln(\operatorname{sen} x)}{\ln(\operatorname{sen} 2x)}.$

55. $\lim\limits_{x \to \infty} \dfrac{\ln x}{e^{2x}}.$

56. $\lim\limits_{x \to \infty} \dfrac{\ln(\ln x)}{\sqrt{x}}.$

57. $\lim\limits_{x \to \infty} \dfrac{xe^x}{e^{x^2}}.$

58. $\lim\limits_{x \to 0^+} x^2 \ln x.$

59. $\lim\limits_{x \to 0^+} x^p \ln x,\ p > 0.$

60. $\lim\limits_{x \to 0^+} x^2 e^{1/x}.$

61. $\lim\limits_{x \to \infty} x \operatorname{sen} \dfrac{p}{x},\ p \neq 0.$

62. $\lim\limits_{x \to 0^+} \operatorname{tg} x \ln x.$

63. $\lim\limits_{x \to \pi/2} \left(x - \dfrac{\pi}{2}\right) \operatorname{tg} 3x.$

64. $\lim_{x \to \pi/2} (2x - \pi) \sec x$.

65. $\lim_{x \to \pi/2} \operatorname{tg} x \ln (\operatorname{sen} x)$.

66. $\lim_{x \to \infty} x(e^{1/x} - 1)$.

67. $\lim_{x \to 0+} \operatorname{sen} x \ln (\operatorname{sen} x)$.

68. $\lim_{x \to 0} \left(\dfrac{1}{x^2} - \dfrac{1}{x \operatorname{sen} x} \right)$.

69. $\lim_{x \to 0} \left(\dfrac{1}{1 - \cos x} - \dfrac{2}{x^2} \right)$.

70. $\lim_{x \to 0} \left[\dfrac{1 + x}{\ln (1 + x)} - \dfrac{1}{x} \right]$.

71. $\lim_{x \to 0} \left[\dfrac{1}{\ln (1 + x)} - \dfrac{1}{e^x - 1} \right]$.

72. $\lim_{x \to \infty} (x - \sqrt{x^2 + x})$.

73. $\lim_{x \to 0+} x^{\operatorname{sen} x}$.

74. $\lim_{x \to 0+} (\operatorname{sen} x)^{\operatorname{tg} x}$.

75. $\lim_{x \to 0+} (e^x - 1)^{\operatorname{sen} x}$.

76. $\lim_{x \to 1+} (x^2 - 1)^{x-1}$.

77. $\lim_{x \to \pi/2-} (\cos x)^{\cos x}$.

78. $\lim_{x \to \pi/4-} (1 - \operatorname{tg} x)^{1-\operatorname{tg} x}$.

79. $\lim_{x \to 0+} (x + \operatorname{sen} x)^{\operatorname{tg} x}$.

80. $\lim_{x \to 1+} (\ln x)^{\operatorname{sen}(x-1)}$.

81. $\lim_{x \to 0+} [\ln (1 + x)]^x$.

82. $\lim_{x \to 0+} x^{ax^b}, b > 0$.

83. $\lim_{x \to 0+} x^{x^x} [x^{x^x} = x^{(x^x)}]$.

84. $\lim_{x \to \infty} (x + e^{ax})^{b/x}$.

85. $\lim_{x \to \infty} (1 + x^p)^{1/x}, p > 0$.

86. $\lim_{x \to \infty} (1 + x)^{e^{-x}}$.

87. $\lim_{x \to 0+} (1 + \operatorname{cosec} x)^{\operatorname{sen}^2 x}$.

88. $\lim_{x \to 0} \left(1 + \dfrac{1}{x} \right)^x$.

89. $\lim_{x \to 0+} (\operatorname{cosec} x)^x$.

90. $\lim_{x \to 0+} (\operatorname{cotg} x)^x$.

91. $\lim_{x \to \infty} x^{\ln(1+1/x)}$.

92. $\lim_{x \to 0} (1 - 2x)^{3/x}$.

93. $\lim_{x \to \infty} \left(1 + \dfrac{2}{x} \right)^x$.

94. $\lim_{x \to \infty} \left(1 + \dfrac{1}{x} \right)^{5x}$.

95. $\lim_{x \to 0} (e^x + 3x)^{1/x}$.

96. $\lim_{x \to 0} (1 + 2x)^{\operatorname{cotg} x}$.

97. $\lim_{x \to 0} (1 + 3x)^{\operatorname{cosec} x}$.

98. $\lim_{x \to 0} (\cos 2x)^{1/x^2}$.

99. Mostre que

$$\lim_{x \to \infty} \frac{x + \operatorname{sen} x}{x}$$

é uma forma indeterminada do tipo ∞/∞. O limite existe mas não pode ser encontrado pela regra de L'Hospital. Qual o valor desse limite?

100. Ache o valor que a deve ter se

$$\lim_{x \to \infty} \left(\frac{x + a}{x - a}\right)^x = 4.$$

Seção 12.4

Determine se cada uma das seguintes integrais converge ou não e ache seu valor caso convirja:

101. $\int_{2}^{\infty} e^{-3x}\, dx.$

102. $\int_{5}^{\infty} \frac{dx}{x^3}.$

103. $\int_{4}^{\infty} \frac{dx}{x\sqrt{x}}.$

104. $\int_{0}^{\infty} \frac{x^2\, dx}{x^3 + 1}.$

105. $\int_{0}^{\infty} e^{-x} \operatorname{sen} x\, dx.$

106. $\int_{0}^{\infty} xe^{-x}\, dx.$

107. $\int_{0}^{\infty} \frac{x\, dx}{x^4 + 1}.$

108. $\int_{1}^{\infty} xe^{-x^2}\, dx.$

109. $\int_{2}^{\infty} \frac{dx}{4 + x^2}.$

110. $\int_{2}^{\infty} \frac{dx}{x^2 - 1}.$

111. $\int_{0}^{\infty} \frac{x^2\, dx}{e^{x^3}}.$

112. $\int_{e}^{\infty} \frac{\ln x}{x}\, dx.$

113. $\int_{e}^{\infty} \frac{dx}{x \ln x \sqrt{\ln x}}.$

114. $\int_{0}^{\infty} \frac{dx}{\sqrt[3]{e^x}}.$

115. $\int_{0}^{\pi/2} \frac{dx}{1 - \operatorname{sen} x}.$

116. $\int_{0}^{\pi/2} \frac{dx}{\operatorname{sen} x}.$

117. $\int_{0}^{2} \frac{\ln x}{x}\, dx.$

118. $\int_{0}^{4} \frac{8\, dx}{\sqrt{16 - x^2}}.$

119. $\int_{0}^{3} \frac{x\, dx}{\sqrt{9 - x^2}}.$

120. Seja p uma constante positiva. Determine os valores de p para os quais a integral imprópria

$$\int_0^1 \frac{dx}{(1-x)^p}$$

é convergente e aqueles para os quais é divergente.

121. Mostre que a região do primeiro quadrante sob a curva $y = 1/(x+1)^2$ tem uma área finita mas não tem um centróide.

122. Se x é uma constante positiva, mostre que

$$\int_0^\infty e^{-a^2 x^2}\, dx = \frac{1}{a}\int_0^\infty e^{-x^2}\, dx.$$

Sem realizar qualquer tipo de integração, use esse fato para mostrar que o centróide da região entré a curva $y = e^{-a^2 x^2}$ e o eixo x é $(0, \sqrt{2}/4)$.

APÊNDICE

A

TÓPICOS ADICIONAIS

É difícil dar uma idéia global do vasto campo da Matemática moderna. A palavra "campo" não é mais adequada: tenho em mente um espaço fervilhando de belos detalhes, não a vastidão uniforme de uma planície nua, mas uma região de um belo país, inicialmente vista a distância mas merecedora de ser examinada de um extremo a outro e estudada em seus mínimos detalhes: seus vales, rios, montanhas, florestas e flores.

Arthur Cayley

A.1 MAIS INFORMAÇÕES SOBRE NÚMEROS: NÚMEROS IRRACIONAIS, NÚMEROS PERFEITOS E NÚMEROS PRIMOS DE MERSENNE

Referimo-nos diversas vezes na Seção 1.2 ao fato de que $\sqrt{2}$ é um número irracional. A demonstração desse fato, que é tradicionalmente atribuída a Pitágoras, é uma das primeiras produções intelectuais da civilização ocidental e ainda retém seu vigor e interesse. Ela merece ser incluída aqui, tanto por seu próprio valor como por ser uma introdução às propriedades dos números irracionais.

Iniciamos relembrando que os números *pares* são os inteiros $0, \pm 2, \pm 4, \ldots$, que podem ser escritos na forma geral $2n$ para algum inteiro n, e que os números ímpares são os inteiros $\pm 1, \pm 3, \pm 5, \ldots$, que podem ser escritos na forma geral $2n+1$. É fácil ver que o quadrado de um número par é par, pois $(2n)^2 = 4n^2 = 2(2n^2)$, e o quadrado de um número ímpar é ímpar, pois $(2n+1)^2 = 4n^2 + 4n + 1 = 2(2n^2 + 2n) + 1$. Após essas preliminares, estamos prontos para provar que $\sqrt{2}$ não é racional. Vamos supor que seja — contrariamente ao que desejamos estabelecer —, de modo que $\sqrt{2} = a/b$ para certos inteiros positivos a e b. Podemos supor que a e b não têm fatores comuns > 1, pois, se tivessem, poderíamos cancelá-los até não sobrar nenhum. Logo ficará claro que a possibilidade de fazer essa suposição sem perda de generalidade é crucial para a demonstração. Agora, a equação $\sqrt{2} = a/b$ implica que $2 = a^2/b^2$; logo $a^2 = 2b^2$ e a^2 é par. Isto implica que a é também par, pois, se fosse ímpar, então a^2 seria ímpar. Como a é par, ele tem a forma $a = 2c$ para algum inteiro c e, portanto, $4c^2 = 2b^2$ ou $b^2 = 2c^2$; logo b^2 é par. Como anteriormente, isto implica que b é par. Mas, como a e b são ambos pares, eles têm 2 como fator comum. Isto contradiz nossa suposição inicial e mostra que não pode ser verdade a afirmação de que $\sqrt{2}$ é racional. Chegamos portanto à conclusão desejada: $\sqrt{2}$ é irracional.

É, com freqüência, bem difícil determinar se um dado número é ou não racional. Por exemplo, o fato de que π é irracional não tinha sido provado até 1761. Provaremos tal circunstância mais tarde, por meio de algum raciocínio bastante complicado, que depende do cálculo das funções trigonométricas. Infelizmente, nenhuma prova realmente simples é conhecida até hoje.

O argumento pitagórico dado aqui para $\sqrt{2}$ é essencialmente um argumento da Teoria Elementar dos Números, pois depende apenas de propriedades relativamente simples de inteiros positivos. Há muitas espécies interessantes de inteiros positivos, com uma grande variedade de propriedades notáveis que têm fascinado pessoas interessadas ao longo dos anos. Mencionemos os números primos $2, 3, 5, 7, 11, 13, 17, 19, 23, ...$, os quadrados $1, 4, 9, 16, 25, ...$ e os números perfeitos $6, 28, ...$ *.

Os primos são as peças construídas pela multiplicação dos inteiros positivos, no sentido de que todo inteiro positivo > 1 ou é primo ou pode ser expresso como produto de primos. Para se constatar tal afirmativa observe que, se $n > 1$ não é primo, então $n = ab$, onde a e b são $< n$; se a, b ou ambos não são primos, podem ser fatorados de modo análogo, processo que continua dessa maneira até que todos os fatores não sejam mais fatoráveis, obtendo-se a prova de que n pode ser escrito como produto de primos. Por exemplo, $198 = 2 \cdot 99 = = 2 \cdot 3 \cdot 33 = 2 \cdot 3 \cdot 3 \cdot 11$. Um teorema fundamental da Teoria dos Números (chamado *Teorema da Unicidade da Fatoração*) afirma que essa fatoração é única, a menos da ordem dos fatores. Em particular, uma fatoração de 198 em fatores primos jamais poderá incluir 5 como fator, e o fator 2 jamais poderá aparecer mais de uma vez.

O Teorema da Unicidade da Fatoração é mais profundo que parece, mas para a maioria das pessoas é obviamente verdadeiro. Os fatos seguintes são muito mais surpreendentes e, portanto, têm maior apelo à imaginação.

(a)   O *Teorema dos Quatro Quadrados:* todo inteiro positivo pode ser expresso como a soma de não mais que quatro quadrados.

---

*   Lembramos ao leitor que um *número primo* é um inteiro $p > 1$ que não tem fatores positivos (ou divisores), exceto 1 e p; equivalentemente, um número primo $p > 1$ é o que não pode ser escrito na forma $p = ab$, onde a e b são ambos inteiros positivos $< p$.

   Um número perfeito é um inteiro positivo, como $6 = 1 + 2 + 3$, que é igual à soma de seus divisores positivos diferentes de si mesmo. Observe que $28 = 1 + 2 + 4 + 7 + 14$. Os números perfeitos subseqüentes a 28 são 496, 8.128 e 33.550.336.

(b) O *Teorema dos Dois Quadrados:* todo número primo da forma $4n + 1$ pode ser expresso de uma única maneira, como a soma de dois quadrados.

(c) Para formularmos nossa próxima afirmação, consideremos a progressão geométrica cujo primeiro termo é 1 e cuja razão é qualquer número $\neq 1$:

$$1, r, r^2, \ldots, r^n, \ldots$$

Lembramos da Álgebra elementar que a soma dos n primeiros termos dessa progressão é dada pela fórmula*

$$1 + r + r^2 + \cdots + r^{n-1} = \frac{1 - r^n}{1 - r}. \tag{1}$$

Em particular, se $r = 2$, dessa fórmula teremos

$$1 + 2 + 2^2 + \cdots + 2^{n-1} = 2^n - 1.$$

O *Teorema dos Números Pares Perfeitos* afirma o seguinte: se a soma $2^n - 1$ é primo, então o produto $2^{n-1}(2^n - 1)$ entre a última parcela e a soma é um número perfeito par; e, reciprocamente, todo número perfeito par é expresso dessa forma, onde $2^n - 1$ é primo.

A primeira parte do teorema em (c) foi provada por Euclides, cerca de 300 a.C., e a segunda por Euler, em meados do século XVIII. Essas duas proposições e suas provas constituem-se em jóias da Teoria Clássica dos Números possuindo ramificações que continuam a atrair a atenção de excelentes matemáticos e tecnólogos de computação até hoje. Os detalhes são suficientemente breves para apresentá-los aqui.

---

* Para provar (1), denotemos a soma da esquerda por s,

$$s = 1 + r + r^2 + \cdots + r^{n-1},$$

multipliquemos ambos os membros por r,

$$rs = r + r^2 + r^3 + \cdots + r^n,$$

e subtraiamos membro a membro, fazendo todos os cancelamentos possíveis, obtendo

$$s - rs = 1 - r^n \quad \text{ou} \quad s(1 - r) = 1 - r^n.$$

Como $r \neq 1$, a fórmula (1) segue-se imediatamente da última equação.

Assinalemos, primeiro, que, para $n = 1, 2, 3, 4, 5, 6, 7$, os valores correspondentes de $2^n - 1$ são $1, 3, 7, 15, 31, 63, 127$. Os únicos primos nessa lista são $3, 7, 31, 127$. De acordo com o teorema, os primeiros quatro números perfeitos pares são $2 \cdot 3 = 6$, $4 \cdot 7 = 28$, $16 \cdot 31 = 496$, $64 \cdot 127 = 8.128$. Números perfeitos ímpares não são conhecidos e a questão de saber se existem ou não é um dos mais antigos problemas não resolvidos na Matemática*.

Para provar o teorema necessitaremos de algumas ferramentas. Primeiro, uma notação-padrão: se a é um inteiro positivo, a soma de todos os divisores de a (incluindo 1 e o próprio a) é denotada pelo símbolo $\sigma(a)$ – leia-se "sigma de a". Por exemplo, $\sigma(1) = 1$, $\sigma(2) = 1 + 2 = 3$, $\sigma(3) = 1 + 3 = 4$, $\sigma(4) = 1 + 2 + 4 = 7$, $\sigma(5) = 1 + 5 = 6$, $\sigma(6) = 1 + 2 + 3 + 6 = 12$. Como um número perfeito é um número igual à soma de seus divisores diferentes dele mesmo, os números perfeitos são exatamente aqueles para os quais $\sigma(a) = 2a$. A outra ferramenta de que necessitamos é o seguinte fato:

Lema *para* a *e* b *inteiros positivos cujo máximo divisor comum é* 1, $\sigma(ab) = \sigma(a)\sigma(b)$.

Prova Como a e b não têm fator comum maior que 1, todo divisor d de ab pode ser expresso na forma

$$d = a_i b_j$$

de um e somente um modo, onde a_i é um divisor de a, e b_j é um divisor de b. Denotamos os divisores de a e b por

$$1, a_1, a_2, \ldots, a \quad \text{e} \quad 1, b_1, b_2, \ldots, b.$$

Suas somas são

$$\sigma(a) = 1 + a_1 + a_2 + \cdots + a$$

e

$$\sigma(b) = 1 + b_1 + b_2 + \cdots + b.$$

Agora consideremos todos os divisores $d = a_i b_j$ de ab que incluam o mesmo a_i. Sua soma é

$$a_i \cdot 1 + a_i b_1 + a_i b_2 + \cdots + a_i b = a_i(1 + b_1 + b_2 + \cdots + b)$$
$$= a_i \sigma(b).$$

---

* Sabe-se, no entanto, que não existe número perfeito ímpar contendo menos de 100 dígitos.

Finalmente, somando esses números para todos os possíveis a_i obtemos a soma de todos os divisores de ab:

$$\sigma(ab) = 1 \cdot \sigma(b) + a_1\sigma(b) + a_2\sigma(b) + \cdots + a\sigma(b)$$
$$= (1 + a_1 + a_2 + \cdots + a)\sigma(b) = \sigma(a)\sigma(b),$$

e a prova está completa.

Como uma última observação preliminar, salientamos que a fórmula (1) permite-nos calcular o valor de $\sigma(p^{n-1})$ sempre que p seja um número primo. Como os divisores de p^{n-1} são $1, p, p^2, \ldots, p^{n-1}$, temos

$$\sigma(p^{n-1}) = 1 + p + p^2 + \cdots + p^{n-1} = \frac{1 - p^n}{1 - p}$$
$$= \frac{p^n - 1}{p - 1}.$$

Em particular, quando $p = 2$, isto nos dá

$$\sigma(2^{n-1}) = 2^n - 1.$$

Estamos agora prontos para provar o Teorema dos Números Perfeitos, que dividimos em duas proposições separadas para efeito de clareza.

Teorema 1 (Euclides) *Sendo* n *um inteiro positivo para o qual* $2^n - 1$ *é primo, então* $a = 2^{n-1}(2^n - 1)$ *é um número perfeito par.*

Prova Como $2^n - 1$ é primo, n deve ser pelo menos 2, e a é par. Provamos que a é perfeito mostrando que $\sigma(a) = 2a$. Primeiro, $2^n - 1$ é ímpar; logo 2^{n-1} e $2^n - 1$ não têm fator comum > 1. O lema portanto nos diz que

$$\sigma[2^{n-1}(2^n - 1)] = \sigma(2^{n-1})\sigma(2^n - 1).$$

A seguir, como $2^n - 1$ é primo, seus únicos divisores são 1 e ele mesmo; logo

$$\sigma(2^n - 1) = 1 + (2^n - 1) = 2^n;$$

finalmente,

$$\sigma(a) = \sigma[2^{n-1}(2^n - 1)]$$
$$= \sigma(2^{n-1})\sigma(2^n - 1)$$
$$= (2^n - 1)2^n$$
$$= 2[2^{n-1}(2^n - 1)] = 2a,$$

logo a é perfeito.

Teorema 2 (Euler) *Sendo* a *um número perfeito par, então* $a = 2^{n-1}(2^n - 1)$ *para algum inteiro positivo* n *tal que* $2^n - 1$ *é primo.*

Prova Coloque em evidência a maior potência possível de 2 que divide a

$$a = m2^{n-1},$$

onde n é pelo menos 2 e m é ímpar. Provaremos que $m = 2^n - 1$ e que $2^n - 1$ é primo. Como a é perfeito e, portanto, $\sigma(a) = 2a$,

$$m2^n = 2a = \sigma(a) = \sigma(m2^{n-1}) = \sigma(m)\sigma(2^{n-1})$$
$$= \sigma(m)(2^n - 1),$$

logo

$$\sigma(m) = \frac{m2^n}{2^n - 1}.$$

Mas $\sigma(m)$ é inteiro; logo $2^n - 1$ divide $m2^n$; e como $2^n - 1$ e 2^n não têm fator comum > 1, $2^n - 1$ divide m. Vemos a partir disto que $m/(2^n-1)$ é um divisor de m e esse divisor é menor que m, pois $2^n - 1$ é pelo menos 3. A equação

$$\sigma(m) = \frac{m2^n}{2^n - 1} = m + \frac{m}{2^n - 1}$$

exibe, assim, $\sigma(m)$ como soma de m e de outro divisor de m. Isto implica que m tem dois e apenas dois divisores, logo deve ser primo. Além disso, deve ser verdade que

$$\frac{m}{2^n - 1} = 1,$$

logo $m = 2^n - 1$ e $2^n - 1$ são primos, o que completa a prova.

As idéias discutidas aqui fazem surgir a questão natural: quais números da forma $2^n - 1$ são primos? A fórmula de fatoração

$$a^n - 1 = (a - 1)(a^{n-1} + a^{n-2} + a^{n-3} + \cdots + 1)$$

mostra que $2^n - 1$ não pode ser primo se n não é; por exemplo,

$$2^6 - 1 = (2^2)^3 - 1 = (2^2 - 1)[(2^2)^2 + 2^2 + 1] = 3 \cdot 21.$$

Podemos portanto restringir nossa atenção ao caso em que o expoente n é um primo p. Nossa questão torna-se: que números da forma $2^p - 1$ são primos? Tais primos são chamados *primos de Mersenne* em homenagem ao padre Mersenne, um padre cientista e matemático francês do século XVII. Até 1952 somente 12 eram conhecidos: aqueles correspondentes a

$$p = 2, 3, 5, 7, 13, 17, 19, 31, 61, 89, 107, 127.$$

A primalidade de $2^{127} - 1$, um número com 39 dígitos, foi estabelecida em 1876*. A partir de 1952, 15 novos dígitos foram encontrados com ajuda de computadores eletrônicos: os correspondentes a

$$p = 521, 607, 1279, 2203, 2281, 3217, 4253, 4423, 9689, 9941,$$
$$11213, 19937, 21701, 23209, 44497,$$

sendo que o último de todos foi descoberto em 1979**. O maior número primo correntemente conhecido é.

$$2^{44497} - 1.$$

Ele foi escrito na forma decimal, sendo um número com 13.395 algarismos. É tão enorme que excede muito o número total de grãos de areia de todo o universo visível.

---

*   O matemático inglês G. H. Hardy observou: "Podemos ser capazes de reconhecer diretamente que 5 ou mesmo 17 seja primo, mas ninguém pode convencer-se de que

$$2^{127} - 1$$

seja primo, exceto estudando sua prova. Ninguém jamais teve uma imaginação tão vívida e abrangente".

**   Veja D. Slowinski e H. Nelson, "Serching for the 27th Mersenne Prime", *Journal of Recreational Mathematics,* 11(4): 258-261 (1978-1979). Essa busca continua entre aqueles que gostam de trabalhar com os supercomputadores e até o momento da publicação deste livro provavelmente serão conhecidos novos números primos de Mersenne.

Problemas

1. Prove que $\sqrt{3}$ é irracional. Sugestão: modifique o método do texto e use o fato de que qualquer número inteiro é da forma $3n, 3n + 1$ ou $3n + 2$.

2. Prove que $\sqrt{5}$ e $\sqrt{6}$ são irracionais pelo método do Problema 1. Por que esse método não funciona para $\sqrt{4}$?

3. Prove que $\sqrt[3]{2}$ e $\sqrt[3]{3}$ são irracionais.

4. Prove que $\sqrt{2}+\sqrt{3}$ é irracional. Sugestão: use o fato de que $\sqrt{6}$ é irracional.

5. Prove que $\sqrt{2}+\sqrt{3}-\sqrt{6}$ é irracional.

6. Use o Teorema da Unicidade da Fatoração para provar que, se um inteiro positivo m não é a n-ésima potência de outro inteiro, então $\sqrt[n]{m}$ é irracional. Observe que esse resultado inclui os Problemas 1, 2 e 3 como casos particulares.

7. Prove que $\log_{10} 2$ é irracional. Para que inteiros n $\log_{10} n$ é irracional?

8. Prove que se um número real x_0 for uma raiz de uma equação polinomial

$$x^n + c_{n-1}x^{n-1} + c_{n-2}x^{n-2} + \cdots + c_1 x + c_0 = 0$$

com coeficientes inteiros, então x_0 é ou um número irracional ou um inteiro; se for inteiro, mostre que deve ser um fator de c_0.

9. Use o Problema 8 para mostrar que $\sqrt{2}+\sqrt{3}, \sqrt{2}+\sqrt[3]{2}$ e $\sqrt{3}+\sqrt[3]{2}$ são irracionais.

10. (a) Verifique o Teorema dos Quatro Quadrados para todos os inteiros de 1 a 50.

    (b) Todo primo exceto 2 (isto é, todo primo ímpar) é da forma $4n + 1$ ou $4n + 3$. Para os inteiros de 1 a 50, verifique que todo primo do primeiro tipo pode ser expresso como soma de dois quadrados e que isto não ocorre com nenhum primo do segundo tipo.

A.2 O CÁLCULO REALIZADO POR FERMAT DE $\int_0^b x^n \, dx$ PARA n RACIONAL POSITIVO

Vamos precisar das seguintes fórmulas dos Apêndices A.1 (deste e do Volume II): se $0 < r < 1$, então

$$1 + r + r^2 + \cdots + r^n = \frac{1 - r^{n+1}}{1 - r} \quad \text{e} \quad 1 + r + r^2 + \cdots = \frac{1}{1 - r}. \tag{1}$$

Fermat utilizou somas superiores semelhantes àquelas da Seção 6.4, mas baseadas numa divisão do intervalo $[0, b]$ num número *infinito* de subintervalos diferentes, como está sugerido na Fig. A.1a. Iniciemos com um número positivo fixo $r < 1$ (mas próximo de 1) e produzamos os pontos de divisão da Fig. A.1b.

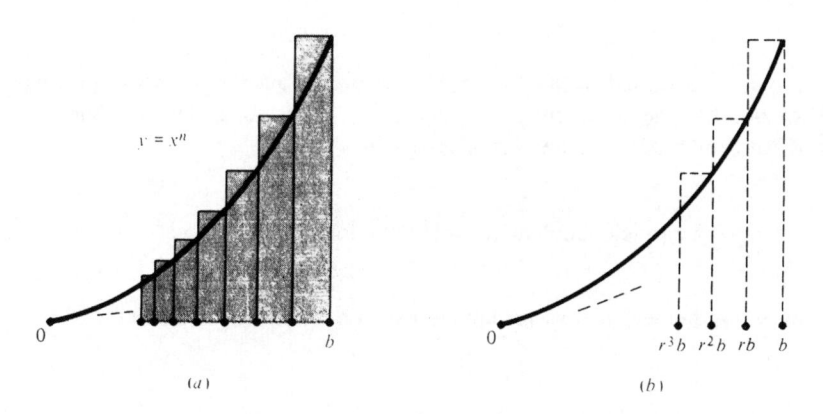

Figura A.1

A soma das áreas de todos os retângulos superiores, iniciando pela direita, é uma soma infinita que depende de r,

$$\begin{aligned} S_r &= b^n(b - rb) + (rb)^n(rb - r^2b) + (r^2b)^n(r^2b - r^3b) + \cdots \\ &= b^{n+1}(1 - r) + b^{n+1}r^{n+1}(1 - r) + b^{n+1}r^{2n+2}(1 - r) + \cdots \\ &= b^{n+1}(1 - r)[1 + r^{n+1} + (r^{n+1})^2 + \cdots] \\ &= \frac{b^{n+1}(1 - r)}{1 - r^{n+1}} = \frac{b^{n+1}}{(1 - r^{n+1})/(1 - r)} \\ &= \frac{b^{n+1}}{1 + r + r^2 + \cdots + r^n}. \end{aligned} \tag{2}$$

Aqui utilizamos primeiramente a segunda fórmula de (1) e depois a primeira fórmula, a última requerendo que n seja inteiro positivo. Se agora fizermos $r \to 1$, vemos que cada um dos $n+1$ termos do denominador da última expressão também tende a 1; logo chegamos a nosso resultado:

$$\lim_{r \to 1} S_r = \frac{b^{n+1}}{n+1}, \tag{3}$$

ou, de modo equivalente,

$$\int_0^b x^n \, dx = \frac{b^{n+1}}{n+1} \tag{4}$$

para todo inteiro positivo n.

A única parte desse argumento em que n deve ser inteiro positivo é o último passo para chegar a (2). Se admitirmos que n é um número racional positivo p/q, então poderemos superar a dificuldade por meio da substituição $s = r^{1/q}$ calculando como se segue:

$$\frac{1-r}{1-r^{n+1}} = \frac{1-s^q}{1-(s^q)^{p/q+1}} = \frac{1-s^q}{1-s^{p+q}}$$

$$= \frac{(1-s^q)/(1-s)}{(1-s^{p+q})/(1-s)} = \frac{1+s+s^2+\cdots+s^{q-1}}{1+s+s^2+\cdots+s^{p+q-1}}.$$

Agora, quando $r \to 1$, temos também $s \to 1$ e a última expressão escrita revela que

$$\frac{1-r}{1-r^{n+1}} \to \frac{q}{p+q} = \frac{1}{p/q+1} = \frac{1}{n+1},$$

logo (3) e (4) permanecem válidas para todo expoente racional positivo n.

A.3 COMO ARQUIMEDES DESCOBRIU A INTEGRAÇÃO

A descoberta por Arquimedes da fórmula do volume de uma esfera foi uma das maiores realizações matemáticas de todos os tempos. A fórmula em si teve importância óbvia, mas ainda mais importante foi o método que ele usou para descobri-la, pois esse método corresponde à primeira manifestação da idéia básica do cálculo integral.

Ele provou essa fórmula em seu tratado *Sobre a esfera e o cilindro* por meio de um argumento longo e rigoroso de perfeição clássica. Infelizmente, no entanto, esse argumento era do tipo dos que obrigam a acreditar, mas fornecem pouco discernimento. Era como uma grande obra arquitetônica cujo arquiteto tivesse retirado todos os andaimes, queimado as plantas e ocultado seus pensamentos particulares, dos quais o conceito global emergiu. Os matemáticos sempre estiveram cientes – pelos tratados formais de Arquimedes – do que ele descobriu. Entretanto, seu método de fazer descobertas permaneceu envolto em mistério até 1906, quando o acadêmico dinamarquês Heiberg revelou um manuscrito perdido tratando exatamente dessa questão*.

Nesse manuscrito Arquimedes descreveu a seu amigo Eratóstenes como ele "investigara alguns problemas de Matemática por meio da Mecânica"**. A mais maravilhosa dessas investigações foi sua descoberta do volume de uma esfera. Para compreender seu trabalho, é necessário conhecer um pouco sobre o nível de conhecimento do qual ele partiu.

Segundo Arquimedes, foi Demócrito, dois séculos antes, quem descobrira que o volume de um cone é um terço do volume de um cilindro com a mesma altura e mesma base. Nada é positivamente conhecido sobre o método de Demócrito, mas acredita-se que ele teve sucesso considerando primeiro uma pirâmide triangular (tetraedro), depois uma pirâmide arbitrária e finalmente um cone como o limite de pirâmides inscritas***.

Além disso, os gregos conheciam um pouco de Geometria Analítica, mas sem nossa notação. Eles estavam a par da idéia de que um lugar geométrico plano poderia ser estudado considerando-se as distâncias de um ponto móvel a duas retas perpendiculares; e que sendo constante a soma dos quadrados dessas distâncias, eles sabiam tratar-se de uma circunferência. Em nossa notação, essa condição leva à equação $x^2 + y^2 = a^2$.

Além disso, foi o próprio Arquimedes quem virtualmente criou a mecânica grega. Como todos sabem, ele descobriu a Lei dos Corpos Flutuantes, além do Princípio da Balança e muitos fatos sobre os centros de gravidade.

Estamos agora preparados para seguir Arquimedes em sua procura do volume de uma esfera. Ele considerou a esfera como gerada pela rotação de um círculo em torno de seu diâmetro. Em notação moderna, começamos com a circunferência.

$$x^2 + y^2 = 2ax, \qquad (1)$$

que tem raio a e é tangente ao eixo y na origem. Essa circunferência é mostrada à esquerda da Fig. A.2, quase idêntica à figura original de Arquimedes.

---

*　　Veja o *Método* em *The Works of Archimedes*, T. L. Heath (ed.), Dover (sem data).

**　Método, p. 13.

***　Veja o Capítulo 1 do livreto do autor, *Precalculus Mathematics in a Nutshell*, William Kaufmann, Inc, 1981.

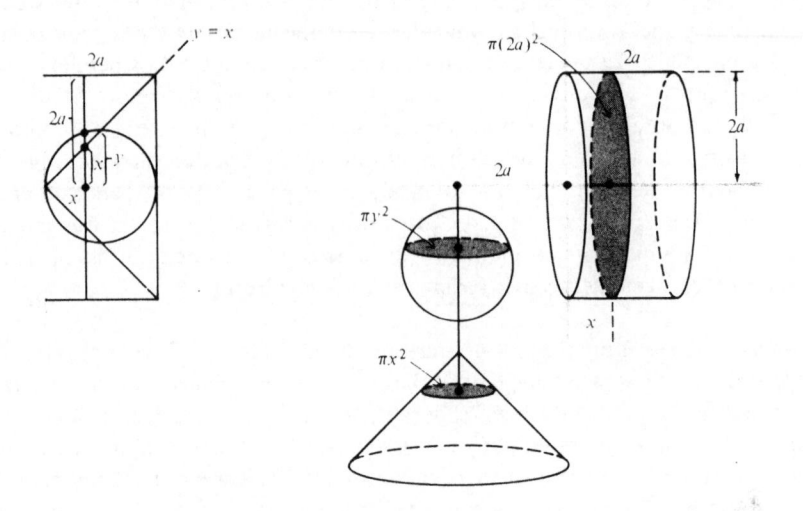

Figura A.2 O argumento da balança de Arquimedes.

A equação (1) contém o termo y^2, e como y^2 é a área da seção transversal variável da esfera x unidades à direita da origem, é natural multiplicar por π e escrever (1) na forma

$$\pi x^2 + \pi y^2 = \pi 2ax. \tag{2}$$

Isto nos leva a interpretar πx^2 como a área da seção transversal variável do cone gerado pela rotação da reta $y = x$ em torno do eixo x. Isto, por sua vez, sugere que procuremos uma interpretação semelhante para o termo $2ax$ do segundo membro da equação (2). Persistindo nessa linha, podemos talvez pensar em multiplicar por $2a$ e assim reescrever (2) como

$$2a(\pi x^2 + \pi y^2) = x\pi(2a)^2. \tag{3}$$

A motivação dessa mudança reside evidentemente no fato de que $\pi(2a)^2$ é a área da seção transversal do cilindro com mesma altura e mesma base que o cone.

Temos, portanto, à esquerda da Fig. A.2, três discos circulares de área πy^2, πx^2 e $\pi(2a)^2$ que são as interseções de um único plano com três sólidos de revolução. Esse plano é perpendicular ao eixo x a uma distância x unidades à direita da origem, e os sólidos são a esfera, o cone, e o cilindro, como está indicado na figura.

No primeiro membro da equação (3), a soma das duas primeiras áreas é multiplicada por $2a$, e no segundo membro a terceira área é multiplicada por x. Essa observação levou Arquimedes à seguinte grande idéia, como se mostra à direita da Fig. A.2. Ele deixou o disco com raio $2a$ onde estava em uma posição vertical x unidades à direita da origem e deslocou os discos com raios y e x a um ponto $2a$ unidades à esquerda da origem, onde ele os pendurou horizontalmente com seus centros sob esse ponto, suspenso por um fio sem peso. O objetivo dessa manobra pode ser compreendido considerando-se simplesmente o eixo x como braço de uma alavanca e a origem com seu fulcro ou ponto de apoio. Pode-se ver agora que a equação (3) trata de momentos. (Um *momento* é o produto do peso suspenso pelo comprimento do braço da alavanca.) Desse ponto de vista, a equação (3) afirma que as somas dos momentos dos dois discos à esquerda são iguais ao momento do único disco à direita e, assim, pelo próprio princípio da alavanca de Arquimedes, essa balança está em equilíbrio.

Executamos agora a última etapa do raciocínio. Quando x cresce de 0 a $2a$, as três seções transversais varrem seus respectivos sólidos e os preenchem. Como as três seções transversais estão em equilíbrio nesse processo, os próprios sólidos estão também em equilíbrio. Seja V o volume da esfera, que era desconhecido até que Arquimedes publicasse seu cálculo. Usando a fórmula de Demócrito para o volume do cone e também para o volume do cilindro e a localização óbvia de seu centro de gravidade, o equilíbrio dos sólidos nas posições mostradas na figura acarreta

$$2a[\tfrac{1}{3}\pi(2a)^2(2a) + V] = a\pi(2a)^2(2a).$$

Agora é fácil resolver (4) para V e obter

$$V = \tfrac{4}{3}\pi a^3.$$

As idéias discutidas aqui foram elaboradas por alguém que tem sido considerado — com toda a razão — "o maior gênio do mundo antigo". Mas essas idéias são, apesar de tudo, apenas o começo. O ponto central do raciocínio está na transição de (3) para (4), das seções transversais móveis aos sólidos completos. Com a vantagem da perspectiva histórica, podemos reconhecer essa transição como a essência da integração, que sabemos ser um processo de longo alcance e diversidade, com incontáveis aplicações nas Ciências e na Matemática. O próprio Arquimedes suspeitou do valor potencial de suas idéias: "Estou convencido de que esse método será de grande utilidade para a Matemática, pois eu prevejo que, uma vez compreendido e consolidado, será usado para descobrir outros teoremas que não ocorreram a mim por outros matemáticos vivos ou ainda por nascer"[*].

---

[*]   *Método*, p. 14.

A.4a UMA ABORDAGEM SIMPLES DA EQUAÇÃO $E = Mc^2$

Consideremos uma partícula de massa m que parte do repouso da origem do eixo x e se movimenta no sentido positivo sob a ação de uma força constante F. Escrevendo a Segunda Lei de Movimento de Newton:

$$F = ma \tag{1}$$

na forma

$$a = \frac{1}{m} F,$$

podemos considerar a força F como produtora da aceleração constante a. Se mantivermos essa aceleração contínua por tempo suficiente, então a velocidade v da partícula cresce, além de quaisquer limites, superando, em particular, o valor de c, a velocidade da luz no vácuo. Mas, de acordo com Einstein, isto não pode ocorrer; nada pode se movimentar mais rápido que a luz.

Para sair desse impasse necessitamos compreender que a Lei de Newton é realmente algo mais geral que (1). Ela afirma que, quando uma força F atua sobre um corpo de massa m, ela produz um *momento* ou *quantidade de movimento* ($= mv$) numa taxa igual à força:

$$F = \frac{d}{dt}(mv). \tag{2}$$

Essa equação reduz-se a (1) quando a massa m é constante. Mas, de acordo com Einstein, a massa não é constante. Ela cresce quando a velocidade aumenta, e é determinada como função de v pela fórmula

$$m = \frac{m_0}{\sqrt{1 - v^2/c^2}}, \tag{3}$$

onde m_0 é a chamada *massa de repouso*. Quando essa expressão para m é inserida em (2), obtemos a *Lei de Movimento de Einstein*,

$$F = m_0 \frac{d}{dt}\left(\frac{v}{\sqrt{1 - v^2/c^2}}\right). \tag{4}$$

Será conveniente realizar a derivação em (4) e dessa maneira introduzir a aceleração $a = dv/dt$. Temos

$$\frac{d}{dt}\left(\frac{v}{\sqrt{1-v^2/c^2}}\right) = \frac{d}{dv}\left(\frac{v}{\sqrt{1-v^2/c^2}}\right)\frac{dv}{dt}$$

$$= a\left[\frac{\sqrt{1-v^2/c^2} - v(\frac{1}{2})(1-v^2/c^2)^{-1/2}(-2v/c^2)}{1-v^2/c^2}\right]$$

$$= a\left[\frac{c^2(1-v^2/c^2) + v^2}{c^2(1-v^2/c^2)^{3/2}}\right] = \frac{a}{(1-v^2/c^2)^{3/2}}.$$

Esse resultado permite-nos escrever (4) na forma

$$F = \frac{m_0 a}{(1-v^2/c^2)^{3/2}}, \qquad (5)$$

que mostra quão próxima a Lei de Einstein está da Lei de Newton (1) quando v é muito menor que c. Entretanto, quando v está perto da velocidade da luz, como na maioria dos fenômenos da Física Atômica, então as duas leis diferem consideravelmente e toda a evidência experimental apoia a versão de Einstein.

Retornemos agora ao nosso problema original da partícula partindo do repouso na origem do eixo x, com uma pequena alteração: a força F é agora suposta apenas positiva, de modo que a aceleração a em (5) é também positiva e a velocidade é crescente. Nosso objetivo é mostrar que, sendo a energia da partícula em qualquer estágio do processo compreendida como o trabalho realizado sobre ela por F, essa energia E está relacionada com o aumento da massa $(M = \dot{m} - m_0)$ pela famosa equação de Einstein $E = Mc^2$. Começamos escrevendo

$$a = \frac{dv}{dt} = \frac{dv}{dx}\frac{dx}{dt} = v\frac{dv}{dx}.$$

Daí (5) acarreta

$$E = \int_0^x F\,dx = m_0 \int_0^x \frac{a}{(1-v^2/c^2)^{3/2}}\,dx$$

$$= m_0 \int_0^v \frac{v\,dv}{(1-v^2/c^2)^{3/2}}$$

$$= m_0\left(-\frac{c^2}{2}\right)\int_0^v \left(1-\frac{v^2}{c^2}\right)^{-3/2}\left(-\frac{2v\,dv}{c^2}\right)$$

$$= m_0 c^2 \left(1-\frac{v^2}{c^2}\right)^{-1/2}\bigg]_0^v$$

$$= m_0 c^2 \left(\frac{1}{\sqrt{1-v^2/c^2}} - 1\right)$$

$$= c^2\left(\frac{m_0}{\sqrt{1-v^2/c^2}} - m_0\right) = c^2(\dot{m} - m_0) = Mc^2.$$

Não é preciso dizer que essa não é uma prova da equação de Einstein para todos os casos; ela mostra simplesmente que essa equação relaciona o aumento de massa determinado em (3) com o aumento da energia associada com a velocidade maior.

No entanto, é necessário acrescentar que o ponto central da equação de Einstein é o fato muito profundo de que a massa de repouso m_0 tem também energia associada a ela, na quantidade $E = m_0 c^2$. Essa energia pode ser encarada como "energia de ser" da partícula, no sentido de que a massa possui energia exatamente em virtude de existir. O ponto de vista da Física Moderna é ainda mais direto: matéria é energia, numa forma altamente concentrada e localizada. Deve ser também compreendido que a constante c^2 é tão enorme que uma pequena quantidade de massa é equivalente a uma quantidade muito grande de energia. Assim, se a massa de uma gota de água pudesse ser completamente convertida em energia de um modo controlado e útil, a energia resultante seria suficiente para levar diversos caminhões à Lua. Esta é a fonte de energia que abastece o Sol, por meio das chamadas reações termonucleares que os físicos continuam procurando domar a nosso serviço.

A.4b PROPULSÃO DE FOGUETE NO ESPAÇO CÓSMICO

No início do Apêndice A.4a salientamos que a Segunda Lei de Movimento de Newton para uma força F atuando sobre um corpo de massa m movendo-se com velocidade v pode ser enunciada como

$$F = \frac{d}{dt}(mv). \tag{1}$$

Vimos também que essa expressão supõe a forma mais familiar $F = ma$ quando m é constante. Em particular, se o corpo se move sem a ação de qualquer força externa, ou seja, $F = 0$, então (1) revela que o momento mv é constante.

Como ilustração, consideremos um foguete de massa m, velocidade v e velocidade de escape constante c, e suponhamos que esse foguete está se movendo em linha reta no espaço cósmico sem a ação de nenhuma força externa. A massa m consiste na massa estrutural do foguete mais a massa do combustível que transporta; logo, m decresce à medida que o combustível vai sendo queimado. Os gases de escape são expulsos a alta velocidade pela cauda do foguete e isto impulsiona o foguete para a frente exatamente como o ar impulsiona uma bexiga. Determinemos a equação do movimento.

Suponha que no instante t a massa do foguete (incluindo o combustível) é m e que ele se move com velocidade v (Fig. A.3); no instante $t + \Delta t$, a massa passa a ser $m + \Delta m$ e a velocidade $v + \Delta v$.

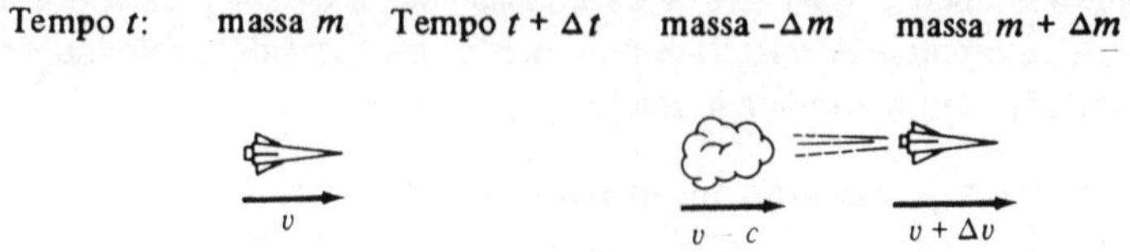

Tempo t: massa m Tempo $t + \Delta t$ massa $-\Delta m$ massa $m + \Delta m$

Figura A.3 Aceleração do foguete por expulsão de gás.

A massa do combustível queimado nesse intervalo de tempo é $-\Delta m$ (Δm é evidentemente negativo), e os produtos de escape, que têm portanto massa $-\Delta m$, são expelidos para trás com velocidade c relativamente ao foguete; esse material tem portanto velocidade real $v - c$. O fato de que o momento total do sistema é constante significa que

$$mv = (m + \Delta m)(v + \Delta v) + (-\Delta m)(v - c).$$

Teremos

$$mv = mv + m\,\Delta v + (\Delta m)v + \Delta m\,\Delta v - (\Delta m)v + \Delta m\,c,$$

que se reduz a

$$m\,\Delta v = -\Delta m(c + \Delta v). \tag{2}$$

Após a divisão por $\Delta t \to$ (2) se torna

$$m\frac{\Delta v}{\Delta t} = -\frac{\Delta m}{\Delta t}(c + \Delta v),$$

e fazendo $\Delta t \to 0$, obtemos

$$m\frac{dv}{dt} = -c\frac{dm}{dt}. \tag{3}$$

Esta é a equação básica da propulsão do foguete no espaço cósmico.

Para ilustrar as conclusões qualitativas que podem ser retiradas de (3), usamos o fato de que dv/dt é a aceleração a e escrevemos a equação como

$$a = \frac{1}{m}\left[c\left(-\frac{dm}{dt}\right)\right]. \tag{4}$$

Como dm/dt é negativo, vemos que a é positiva e isto significa que a velocidade é crescente, como era esperado. A quantidade entre colchetes aqui – o produto da velocidade de escape pela taxa em que o combustível é consumido – chama-se *empuxo* do foguete. É claro que uma aceleração grande requer um foguete com um grande empuxo, e um grande empuxo é obtido projetando-se uma máquina com uma grande velocidade de escape e uma alta taxa de consumo de combustível. Além disso, se o empuxo for constante, então (4) revela que a aceleração aumenta quando m decresce; isto é, quando o combustível é queimado.

Complementando as inferências qualitativas do tipo acima, é também possível obter informações quantitativas a partir de (3)*. Escrevendo-se a equação na forma

$$dv = -c\,\frac{dm}{m}$$

e integrando de 0 a t, obtemos

$$v(t) = v(0) - c \ln \frac{m(t)}{m(0)}$$
$$= v(0) + c \ln \frac{m(0)}{m(t)}. \tag{5}$$

Como ilustração da maneira pela qual (5) pode ser utilizada, suponhamos que a massa inicial do foguete seja um décimo de estrutura e nove décimos de combustível. Se a velocidade de escape for $c = 2$ mi/s e o foguete partir do repouso, então sua velocidade ao terminar o combustível é

$$v = 2 \ln 10 \cong 4{,}6 \text{ mi/s}.$$

A.5 UMA PROVA DA FÓRMULA DE VIETA

Para provar a fórmula de Vieta,

$$\frac{2}{\pi} = \frac{\sqrt{2}}{2} \cdot \frac{\sqrt{2+\sqrt{2}}}{2} \cdot \frac{\sqrt{2+\sqrt{2+\sqrt{2}}}}{2} \cdots, \tag{1}$$

---

* O material seguinte exige que o leitor compreenda o significado da fórmula

$$\int \frac{dm}{m} = \ln m,$$

explanada no Capítulo 8.

precisamos do limite

$$\lim_{\theta \to 0} \frac{\operatorname{sen} \theta}{\theta} = 1, \qquad (2)$$

da fórmula do ângulo duplo para o seno

$$\operatorname{sen} \theta = 2 \operatorname{sen} \frac{\theta}{2} \cos \frac{\theta}{2}, \qquad (3)$$

e da fórmula do ângulo-metade para o co-seno na forma

$$\cos \frac{\theta}{2} = \frac{1}{2} \sqrt{2 + 2 \cos \theta}. \qquad (4)$$

Aplicando repetidamente (3), obtemos

$$\begin{aligned}
1 = \operatorname{sen} \frac{\pi}{2} &= 2 \operatorname{sen} \frac{\pi}{4} \cos \frac{\pi}{4} \\
&= 2^2 \operatorname{sen} \frac{\pi}{8} \cos \frac{\pi}{4} \cos \frac{\pi}{8} \\
&= 2^3 \operatorname{sen} \frac{\pi}{16} \cos \frac{\pi}{4} \cos \frac{\pi}{8} \cos \frac{\pi}{16} \\
&= \cdots = 2^{n-1} \operatorname{sen} \frac{\pi}{2^n} \cos \frac{\pi}{4} \cos \frac{\pi}{8} \cdots \cos \frac{\pi}{2^n}.
\end{aligned}$$

Com a ajuda de (4), essa última pode ser escrita como

$$\begin{aligned}
\frac{2}{\pi} \cdot \frac{\pi/2^n}{\operatorname{sen} \pi/2^n} &= \frac{1}{2^{n-1} \operatorname{sen} \pi/2^n} \\
&= \frac{\sqrt{2}}{2} \cdot \frac{\sqrt{2+\sqrt{2}}}{2} \cdot \frac{\sqrt{2+\sqrt{2+\sqrt{2}}}}{2} \cdots \frac{\sqrt{2+\sqrt{2+\cdots}}}{2},
\end{aligned} \qquad (5)$$

onde o último fator contém $n-1$ sinais de raiz encaixados.

Fazendo agora $n \to \infty$ e usando (2), (5) conduz à fórmula de Vieta (1)*.

A.6 A CATENÁRIA OU A CURVA DE UM FIO SUSPENSO ENTRE DOIS APOIOS

Como exemplo específico do uso dos métodos de integração discutidos na Seção 10.4, resolveremos o problema clássico de determinar a forma exata da curva feita por um fio flexível de densidade uniforme suspenso entre dois pontos e que se sustenta por seu próprio peso. Essa curva se chama *catenária*, da palavra latina *catena*, que significa cadeia.

Suponhamos que o eixo y passe pelo ponto mais baixo do fio (Fig. A.4).

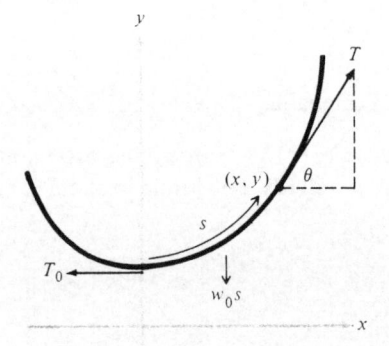

Figura A.4.

Seja s o comprimento do arco entre esse ponto e um ponto variável (x, y) e seja w_0 a densidade linear (peso por unidade de comprimento) do fio. Obtemos a equação diferencial da catenária do fato de que a parte da corrente entre o ponto mais baixo e (x, y) está em equilíbrio estático sob a ação de três forças: a tensão T_0 no ponto mais baixo, a tensão variável T em (x, y) que age na direção da tangente devido à flexibilidade do fio e uma força para baixo $w_0 s$ igual ao peso do fio entre esses pontos.

---

* Neste livro a fórmula de Vieta é apenas uma jóia isolada na história antiga da Matemática. Entretanto, ela pode ser encarada como sendo o primeiro passo de uma jornada fascinante mas exigente, que levou a alguns dos pontos mais elevados da Física, Matemática Clássica (a Teoria Cinética dos Gases, a Segunda Lei da Termodinâmica etc.). Veja o livreto de M. Kac, *Statistical Independence in Probability, Analysis and Number Theory* (John Wiley and Sons, 1959). Quanto ao próprio François Vieta (1540-1603), ele foi um francês formado em Direito, especialista em leis, o que o levou a se tornar um conselheiro real particular de Henrique IV; ele cultivou a Matemática como um passatempo. Vieta deu contribuições aos primeiros desenvolvimentos da Trigonometria Analítica e Álgebra, em particular, por seu uso sistemático de letras para representar constantes e incógnitas.

Igualando a componente horizontal de T a T_0 e a componente vertical de T ao peso da corrente, obtemos

$$T \cos \theta = T_0 \quad \text{e} \quad T \operatorname{sen} \theta = w_0 s.$$

Por divisão, eliminamos T e obtemos $\operatorname{tg} \theta = w_0 s/T_0$ ou

$$\frac{dy}{dx} = as, \quad \text{onde} \quad a = \frac{w_0}{T_0}.$$

Eliminamos a seguir a variável s, derivando em relação a x,

$$\frac{d^2y}{dx^2} = a \frac{ds}{dx} = a \sqrt{1 + \left(\frac{dy}{dx}\right)^2}. \tag{1}$$

Esta é a equação diferencial da catenária.

Resolvemos agora a equação (1) por integrações sucessivas. Esse processo é facilitado pela introdução da variável auxiliar $p = dy/dx$. Substituindo-se em (1) teremos

$$\frac{dp}{dx} = a\sqrt{1 + p^2}.$$

Separando as variáveis e integrando, obtemos,

$$\int \frac{dp}{\sqrt{1 + p^2}} = \int a\, dx. \tag{2}$$

Para calcular a integral da esquerda, fazemos a substituição $p = \operatorname{tg} \phi$; assim $dp = \sec^2 \phi\, d\phi$ e $\sqrt{1 + p^2} = \sec \phi$. Então

$$\int \frac{dp}{\sqrt{1 + p^2}} = \int \frac{\sec^2 \phi\, d\phi}{\sec \phi} = \int \sec \phi\, d\phi$$
$$= \ln (\sec \phi + \operatorname{tg} \phi) = \ln (\sqrt{1 + p^2} + p).$$

Dessa maneira (2) fica

$$\ln (\sqrt{1 + p^2} + p) = ax + c_1.$$

Como $p = 0$ quando $x = 0$, vemos que $c_1 = 0$; logo

$$\ln(\sqrt{1 + p^2} + p) = ax.$$

É fácil resolver essa equação em p. Teremos

$$\frac{dy}{dx} = p = \frac{1}{2}(e^{ax} - e^{-ax}),$$

e, por integração, obtemos

$$y = \frac{1}{2a}(e^{ax} + e^{-ax}) + c_2.$$

Se agora colocarmos a origem do sistema de coordenadas (Fig. A.4) no nível em que $y = 1/a$ quando $x = 0$, então $c_2 = 0$, e a equação toma sua forma final,

$$y = \frac{1}{2a}(e^{ax} + e^{-ax}). \qquad (3)$$

A equação (3) revela a natureza matemática precisa da catenária e pode ser usada como base para posteriores investigações de suas propriedades*.

O problema de determinar a verdadeira forma da catenária foi proposto por James Bernoulli, em 1690. Galileu lançou, bem antes, a hipótese de que a curva era uma parábola, mas Huygens mostrou, em 1646 (com apenas 17 anos), utilizando principalmente raciocínios físicos, que tal hipótese não estava correta. Ele, no entanto, não lançou qualquer luz sobre qual forma poderia ter. O desafio de Bernoulli produziu resultados rápidos, pois em 1691 Leibniz, Huygens (já com 62 anos) e o irmão de James, John, publicaram soluções independentes do problema, John Bernoulli ficou extremamente satisfeito por ter tido êxito em resolver o problema, ao contrário de seu irmão, que não tinha conseguido. O sabor da vitória continuava doce 27 anos mais tarde, como revela essa passagem de uma carta que John escreveu em 1718:

---

* O co-seno hiperbólico definido na Seção 9.7 permite-nos escrever a função (3) na forma

$$y = \frac{1}{a}\cosh ax.$$

Esse fato é, às vezes, encarado como justificativa de um estudo detalhado das funções hiperbólicas, mas o autor é cético a esse respeito.

"Os esforços do meu irmão não tiveram resultado. De minha parte, eu tive mais sorte, pois tive habilidade (digo-o sem orgulho; por que deveria ocultar a verdade?) de resolvê-lo completamente... É verdade que a resolução custou-me o estudo de uma noite inteira. Foi uma grande realização para a a época e considerando-se a pouca idade e experiência que eu tinha então. Na manhã seguinte, corri com alegria para meu irmão, que ainda estava lutando na tentativa de desatar seu nó górdio sem obter nenhum progresso, pensando como Galileu que a catenária era uma parábola. Pare! Pare! disse a ele, não se torture mais tentando provar a identidade da catenária com a parábola, pois isto é inteiramente falso."

Entretanto, James alcançou um feito equivalente provando no mesmo ano de 1691 que, de todas as possíveis formas que um fio suspenso entre dois pontos fixos pode ter, a catenária tem o centro de gravidade mais baixo e, portanto, a menor energia potencial. Foi uma descoberta muito significativa, pois tratou-se da primeira manifestação da idéia profunda de que, de alguma maneira misteriosa, as configurações reais da natureza são aquelas que minimizam a energia potencial.

A.7 A SEQÜÊNCIA DOS PRIMOS

A Teoria dos Números trata principalmente das propriedades dos inteiros positivos 1, 2, 3, ... A noção de inteiro positivo é talvez o mais simples e mais claro de todos os conceitos matemáticos. Apesar disto, como veremos, é fácil formular questões elementares envolvendo esses números, que são irrespondíveis mesmo com os recursos mais profundos da Matemática Moderna. Essa mistura admirável de simplicidade e profundidade faz parte da atração permanente que esse assunto exerce sobre as pessoas.

No Apêndice A.1 consideramos diversos tópicos interessantes da Teoria dos Números, cujo tratamento não depende de instrumental matemático complicado. Continuaremos aqui com alguns tópicos adicionais dessa natureza e também ampliaremos o alcance de nossa pesquisa incluindo algumas idéias que não podem ser compreendidas sem algum conhecimento de cálculo.

É óbvio que todo inteiro positivo é divisível por 1 e por si mesmo. Se um inteiro $p > 1$ não tem divisores positivos, exceto 1, p chama-se *número primo* ou, simplesmente, *primo*; caso contrário, diz-se *composto*. Os primeiros primos, é fácil ver, são

$$2, 3, 5, 7, 11, 13, 17, 19, 23, 29, 31, 37, 41, 43, \ldots.$$

É parte da experiência comum o fato de que todo número inteiro positivo > 1 ou é primo ou pode ser decomposto em fatores primos. Assim, por exemplo, $84 = 2 \cdot 24 = 2 \cdot 2 \cdot 21 = 2 \cdot 2 \cdot 3 \cdot 7$ e $630 = 2 \cdot 315 = 2 \cdot 3 \cdot 105 = 2 \cdot 3 \cdot 3 \cdot 35 = 2 \cdot 3 \cdot 3 \cdot 5 \cdot 7$. Sentimos também que deveríamos obter os mesmos fatores primos independentemente do método de fatoração usado. Essas observações são o conteúdo do *Teorema da Unicidade da Fatoração* — também chamado de *Teorema Fundamental da Aritmética* —, que enunciamos a seguir.

Teorema 1 *Todo inteiro positivo > 1 ou é primo ou pode ser expresso como um produto de primos; essa expressão é única a menos da ordem dos fatores primos.*

Prova Pedimos aos estudantes para considerarem essa prova no Problema 1.

Essa proposição parece, à primeira vista, ser tão obviamente verdadeira que a maioria das pessoas se sente inclinada a supô-la válida e aceitá-la sem demonstração. Contudo, ela está longe de ser trivial e adquire grande significado quando se encontram sistemas de "inteiros" e "primos" para os quais é falsa (veja o Problema 2). As questões relacionadas levam ao ramo da Matemática Moderna conhecido como *Teoria Algébrica dos Números*.

Quando percorremos a seqüência dos inteiros positivos, observamos que os primos parecem ocorrer cada vez com menos freqüência. Tal observação é bem razoável; é mais plausível que seja composto um número grande que um pequeno, pois ele está além de uma quantidade maior de números que podem ser seus fatores. É ainda concebível que os primos terminem e que todos os números suficientemente grandes sejam compostos. A prova de Euclides de que esse não é o caso é modelo de elegância matemática já há mais de 2.000 anos.

Teorema 2 (Teorema de Euclides) *Existem infinitos números primos.*

Prova É suficiente mostrar que, sendo p um primo qualquer dado, então existe um primo $> p$. Seja $2, 3, 5, \ldots, p$ a lista completa dos números primos até p. Formamos o número $N = (2 \cdot 3 \cdot 5 \cdots p) + 1$. É claro que $N > p$ e também que N não é divisível por quaisquer dos primos $2, 3, 5, \ldots, p$. Entretanto, sabemos que N ou é primo ou é divisível por algum primo $q < N$. No último caso a observação anterior implica que $q > p$. Assim, em qualquer caso, existe um primo $> p$ e isto é o que nos propusemos provar.

Como todo primo > 2 é ímpar, o Teorema de Euclides é equivalente à asserção de que a progressão aritmética

$$1, 3, 5, \ldots, 2n+1, \ldots$$

de todos os inteiros positivos ímpares contém infinitos números primos. É, portanto, natural desejar saber acerca de primos em outras progressões aritméticas. Por exemplo, é claro que todo primo ímpar pertence a uma das duas progressões

(a) $1, 5, 9, 13, 17, \ldots, 4n+1, \ldots$;
(b) $3, 7, 11, 15, 19, \ldots, 4n+3, \ldots$

Sabemos que as duas progressões juntas contêm infinitos primos, mas é ainda possível que uma delas possa conter apenas um número finito. Podemos eliminar essa possibilidade para a progressão (b) usando um pequeno refinamento do argumento de Euclides.

Teorema 3 *A progressão* $3, 7, 11, \ldots, 4n + 3, \ldots$ *contém infinitos primos.*

Prova É claro que o termo geral de nossa progressão também pode ser escrito como $4n - 1$. Exatamente como no Teorema 2, mostramos que, sendo p um primo qualquer dado dessa forma, existe necessariamente um primo maior dessa mesma forma. Seja $3, 7, 11, \ldots, p$ a lista completa dos primos da progressão (b) até p; formamos o número $N = 4(3 \cdot 7 \cdot 11 \cdots p) - 1$. É claro que $N > p$ e também que N não é divisível por 2 ou por qualquer dos primos $3, 7, 11, \ldots, p$. Se N for primo, então ele próprio é um primo da forma $4n - 1$, que é $> p$. Suponha que N não seja primo. Pela observação anterior, ele é um produto de primos ímpares $< N$, que não pode incluir qualquer dos primos $3, 7, 11, \ldots, p$. Observamos que todo primo ímpar é da forma $4n + 1$ ou $4n - 1$ e, como

$$(4m + 1)(4n + 1) = 4(4mn + m + n) + 1,$$

é claro que todo produto de números da forma $4n + 1$ é novamente dessa forma. Esses fatos implicam que, na nossa situação presente, isto é, em que N é um produto de primos ímpares que não pode incluir qualquer dos primos $3, 7, 11, \ldots, p$, deve ser verdadeiro que pelo menos um dos fatores primos é da forma $4n - 1$ e, portanto, $> p$. Concluímos que em cada caso existe um primo na progressão (b), que é $> p$, e isto completa a prova.

É também verdade que a progressão (a) contém infinitos primos. Entretanto, a idéia utilizada na prova do Teorema 3 falha nesse caso e deve ser substituída por outra (veja o Problema 3). Uma situação análoga acontece com as duas progressões cujos termos são da forma $6n + 1$ e $6n + 5$, pois juntas elas contêm evidentemente todos os primos, exceto 2 e 3, e métodos razoavelmente elementares são suficientes para mostrar que existem infinitos primos em cada uma delas.

Vamos agora procurar primos numa progressão aritmética geral

$$a, a + b, a + 2b, \ldots, a + nb, \ldots$$

onde a e b são inteiros positivos dados. É fácil ver que não há nenhum primo nessa sucessão (exceto talvez o próprio a) se a e b tiverem um fator comum > 1. Excluindo-se esse caso, é natural conjecturar que a progressão conterá infinitos primos. Isto generaliza nossas proposições anteriores sobre os primos em progressões aritméticas particulares e é o conteúdo de um famoso teorema provado pelo matemático alemão Dirichlet, em 1837.

Teorema 4 (Teorema de Dirichlet) *Se* a *e* b *são inteiros positivos sem fator comum* > 1, *então a progressão aritmética* a, a + b, a + 2b, a + nb, ... *contém infinitos números primos.*

Os métodos de prova que funcionam nos casos particulares discutidos são insuficientes para dar conta da progressão aritmética geral desse teorema. A prova de Dirichlet utilizou idéias e técnicas de análise avançada e abriu novas linhas de pensamento na Teoria dos Números; essas linhas continuam muito fecundas. (*Análise* é o termo-padrão para a parte da Matemática que consiste em cálculo e de outros assuntos que dependem do cálculo mais ou menos diretamente, como equações diferenciais, cálculo avançado etc. Veja a Fig. 21.21 do Volume II).

Muitos dos fatos mais interessantes e importantes sobre os números primos foram descobertos por uma combinação de observação e experiência. Nessa espécie de investigação é útil ter-se disponível uma lista de todos os primos até um certo limite preestabelecido N. Um método óbvio para construir tal lista é anotar em ordem todos os inteiros de 2 a N e daí eliminar sistematicamente os números compostos. Assim, como 2 é o primeiro primo, e todo múltiplo próprio de 2 é composto, riscamos 4, 6, 8 etc. O número seguinte não eliminado é 3, que é primo, pois não é múltiplo do único primo menor que ele, ou seja, 2. Como os múltiplos próprios de 3 são compostos, riscamos todos esses números que ainda não foram retirados quando retiramos os múltiplos de 2. O sobrevivente seguinte é 5, que é primo, pois não é múltiplo de 2 nem de 3; logo, riscamos todos os múltiplos de 5 ainda não removidos nas etapas anteriores. E assim por diante. Observamos que um número composto n deve evidentemente ter um fator primo $\leq \sqrt{n}$. Isto mostra que o processo estará completo quando tivermos eliminado os múltiplos próprios de todos os primos $\leq \sqrt{N}$. O procedimento descrito aqui chama-se *crivo de Eratóstenes*, em homenagem a seu descobridor*.

O resultado da aplicação do crivo ao caso $N = 100$ é dado na tabela seguinte. Devemos notar que, como $\sqrt{100} = 10$, a tabela estará completa quando todos os múltiplos próprios de 7 forem riscados.

```
   2  3  4̸  5  6̸  7  8̸  9̸ 1̸0̸ 11 1̸2̸ 13 1̸4̸ 1̸5̸ 1̸6̸ 17 1̸8̸ 19 2̸0̸
2̸1̸ 2̸2̸ 23 2̸4̸ 2̸5̸ 2̸6̸ 2̸7̸ 2̸8̸ 29 3̸0̸ 31 3̸2̸ 3̸3̸ 3̸4̸ 3̸5̸ 3̸6̸ 37 3̸8̸ 3̸9̸ 4̸0̸
41 4̸2̸ 43 4̸4̸ 4̸5̸ 4̸6̸ 47 4̸8̸ 4̸9̸ 5̸0̸ 5̸1̸ 5̸2̸ 53 5̸4̸ 5̸5̸ 5̸6̸ 5̸7̸ 5̸8̸ 59 6̸0̸
61 6̸2̸ 6̸3̸ 6̸4̸ 6̸5̸ 6̸6̸ 67 6̸8̸ 6̸9̸ 7̸0̸ 71 7̸2̸ 73 7̸4̸ 7̸5̸ 7̸6̸ 7̸7̸ 7̸8̸ 79 8̸0̸
8̸1̸ 8̸2̸ 83 8̸4̸ 8̸5̸ 8̸6̸ 8̸7̸ 8̸8̸ 89 9̸0̸ 9̸1̸ 9̸2̸ 9̸3̸ 9̸4̸ 9̸5̸ 9̸6̸ 97 9̸8̸ 9̸9̸ 1̸0̸0̸
```

---

* O cientista grego Eratóstenes (276-194 a.C.) era responsável pela famosa Biblioteca de Alexandria. Escreveu sobre Astronomia, Geografia, Cronologia, Ética, Matemática e outros assuntos. Ele é lembrado por seu crivo dos números primos e por ter sido o primeiro a medir com precisão (a menos de 50 milhas!) a circunferência da Terra. Estando informado que ao meio-dia do solstício de verão o Sol iluminava a base de um poço em Aswan (isto é, o Sol estava bem a pino), ele mediu o ângulo entre o zênite e o Sol ao meio-dia, no solstício de verão em Alexandria, e também a distância entre Alexandria e Aswan, cidades que estão aproximadamente no mesmo meridiano. Um simples cálculo então deu a circunferência da Terra. Ele foi também amigo de Arquimedes (287-212 a.C.) – o maior intelecto da Antiguidade – e o receptor de uma famosa carta (chamada *Método*) em que Arquimedes revelou seu método de fazer descobertas matemáticas. Em sua velhice, Eratóstenes ficou cego e dizem que se suicidou deixando de se alimentar.

Tabelas completas de primos, até um pouco mais de 10 milhões, foram compiladas por refinamentos desse processo*. Essas tabelas fornecem ao investigador uma enorme massa de dados brutos que podem ser utilizados para formular e testar hipóteses, fazendo com que o estudo de números primos se assemelhe a uma ciência de laboratório. Por exemplo, uma inspeção de nossa pequena tabela mostra que há diversas cadeias de 5 números compostos consecutivos e uma de 7. Pode o comprimento de uma tal cadeia ser tornado tão grande quanto quisermos? A resposta a essa questão é sim, como se pode ver facilmente: se n for um inteiro positivo grande, então $n!+2$, $n!+3$, $n!+4$, ..., $n!+n$ é uma cadeia de $n-1$ números compostos consecutivos. Por outro lado, os primos tendem a agrupar-se aqui e ali. Em nossa tabela, há 8 pares de *primos gêmeos*, isto é, como 3 e 5 separados por um único número par. Existem infinitos pares de primos gêmeos? As maiores tabelas sugerem que existem, mas ninguém sabe ao certo. Em 1921 o matemático norueguês Viggo Brun generalizou o crivo de Eratóstenes para mostrar que a soma dos inversos dos primos gêmeos

$$\frac{1}{3}+\frac{1}{5}+\frac{1}{7}+\frac{1}{11}+\frac{1}{13}+\frac{1}{17}+\frac{1}{19}+\frac{1}{29}+\frac{1}{31}+\cdots$$

é ou finita ou convergente. Esse resultado deve ser contrastado com o fato (que está provado no Apêndice A.11 do Volume II) de que a soma dos inversos de todos os primos diverge.

Vimos que os primos são muito irregularmente distribuídos no meio de todos os inteiros positivos. O problema de descobrir a lei que governa sua ocorrência — e de compreender as razões disso — é um dos que têm desafiado a curiosidade humana há centenas de anos**.

Muitas tentativas foram feitas para descobrir fórmulas simples para o n-ésimo primo p_n e para o número exato de primos entre os primeiros n inteiros positivos. Todos esses esforços falharam e foi alcançado algum progresso real apenas quando os matemáticos começaram a procurar informações acerca da distribuição *média* dos primos entre os inteiros positivos. É costume denotar por $\pi(x)$ o número de primos $\leq$ um número positivo x. Assim, $\pi(1)=0$, $\pi(2)=1$, $\pi(3)=2$, $\pi(4)=2$ e $\pi(p_n)=n$. Em sua adolescência Gauss, o grande matemático, estudou essa função por meio de tabelas de primos, com o objetivo de descobrir uma função simples que aproximassse $\pi(x)$ com um erro relativo pequeno para x grande. Mais precisamente, ele procurava uma função $f(x)$ com a propriedade de que

$$\lim_{x\to\infty}\frac{f(x)-\pi(x)}{\pi(x)}=\lim_{x\to\infty}\left(\frac{f(x)}{\pi(x)}-1\right)=0,$$

---

* A referência-padrão é D. N. Lehmer, *List of Prime Numbers from 1 to 10.006.721*, Carnegie Institution of Washington Publication 165, 1914.

** Em 1751, Euler exprimiu da seguinte maneira sua perplexidade: "Os matemáticos tentaram em vão até hoje descobrir alguma ordem na seqüência dos números primos e temos razão de acreditar que isto é um mistério em que a mente humana jamais penetrará". Felizmente, Euler estava errado nessa previsão pessimista.

isto é, tal que

$$\lim_{x \to \infty} \frac{\pi(x)}{f(x)} = 1.$$

Baseado em suas observações ele conjecturou (em 1792, com 14 ou 15 anos) que ambas funções

$$\frac{x}{\ln x} \quad \text{e} \quad \text{li}(x) = \int_2^x \frac{dt}{\ln t}$$

eram boas aproximações. A função li(x) é conhecida como a *integral logarítmica*. A tabela seguinte mostra que sucesso têm essas funções.

x	$\pi(x)$	$x/\ln x$	li(x)
1.000	168	145	178
10.000	1.229	1.086	1.246
100.000	9.592	8.686	9.630
1.000.000	78.498	72.382	78.628
10.000.000	664.579	620.421	664.918

Mesmo adulto, Gauss foi incapaz de provar suas conjecturas. Os primeiros resultados solidamente estabelecidos nessa direção foram obtidos em torno de 1850, pelo matemático russo Chebyshev, que mostrou que as desigualdades

$$\frac{7}{8} < \frac{\pi(x)}{x/\ln x} < \frac{9}{8}$$

são válidas para todo x suficientemente grande. Ele provou também que, se o limite

$$\lim_{x \to \infty} \frac{\pi(x)}{x/\ln x}$$

existe, então seu valor deve ser 1. O passo seguinte — grandioso — foi dado por Riemann em 1859 num artigo breve, de apenas 9 páginas, famoso por sua riqueza de idéias profundas. Riemann, no entanto, simplesmente esboçou suas provas e assim seu trabalho foi inconclusivo em diversos aspectos. O fim dessa parte da história veio em 1896, quando Hadamard e de la Vallée Poussin, trabalhando independentemente mas baseados nas idéias de Riemann, estabeleceram a existência desse limite e desse modo completaram a prova do *Teorema dos Números Primos*:

$$\lim_{x \to \infty} \frac{\pi(x)}{x/\ln x} = 1. \tag{1}$$

Essa lei relativamente simples é um dos fatos mais notáveis de toda a Matemática. Se a escrevermos na forma

$$\lim_{x \to \infty} \frac{\pi(x)/x}{1/\ln x} = 1, \qquad (2)$$

então ela admite a seguinte interpretação interessante em termos de probabilidade. Sendo n um inteiro positivo, então a razão $\pi(n)/n$ é a proporção de primos entre os inteiros 1, 2, ..., n; ou, de modo equivalente, é a probabilidade de ser primo um desses inteiros escolhidos ao acaso. Podemos pensar em (2) como a afirmação de que essa probabilidade é aproximadamente $1/\ln n$ para n grandes.

Segue-se bem facilmente do Teorema dos Números Primos que o n-ésimo primo é aproximadamente $n \ln n$, no sentido de que

$$\lim_{n \to \infty} \frac{p_n}{n \ln n} = 1. \qquad (3)$$

Para provar, usamos o fato de que $\pi(p_n) = n$ e inferimos de (1) que

$$\lim_{n \to \infty} \frac{n}{p_n/\ln p_n} = 1 \quad \text{ou} \quad \lim_{n \to \infty} \frac{p_n}{n \ln p_n} = 1. \qquad (4)$$

Tomando agora o logaritmo de (4) e usando a continuidade do logaritmo na forma ln lim = lim ln, obtemos

$$\lim_{n \to \infty} (\ln p_n - \ln n - \ln \ln p_n) = 0$$

ou

$$\lim_{n \to \infty} \ln p_n \left[1 - \frac{\ln n}{\ln p_n} - \frac{\ln \ln p_n}{\ln p_n} \right] = 0.$$

Isto implica que a expressão entre colchetes deve tender a 0, e como a terceira parcela dela também tende a 0 [recordemos que $(\ln n)/n \to 0$], devemos ter

$$\lim_{n \to \infty} \frac{\ln n}{\ln p_n} = 1. \qquad (5)$$

Com o auxílio de (5), obtemos de (4)

$$\lim_{n\to\infty} \frac{p_n}{n \ln n} = \lim_{n\to\infty} \frac{p_n}{n \ln p_n} \cdot \frac{\ln p_n}{\ln n} = 1.$$

o que termina a prova de (3).

É também interessante ver que o Teorema dos Números Primos é equivalente à afirmação de que

$$\lim_{x\to\infty} \frac{\pi(x)}{\text{li}(x)} = 1. \tag{6}$$

Para provar, basta mostrar que

$$\lim_{x\to\infty} \frac{\text{li}(x)}{x/\ln x} = 1; \tag{7}$$

pois, se assim for

$$\lim_{x\to\infty} \frac{\pi(x)}{x/\ln x} = \lim_{x\to\infty} \frac{\pi(x)}{\text{li}(x)} \cdot \frac{\text{li}(x)}{x/\ln x} = \lim_{x\to\infty} \frac{\pi(x)}{\text{li}(x)}.$$

Provemos (7). Integrando-se li (x) por partes, obtemos

$$\text{li}(x) = \int_2^x \frac{dt}{\ln t} = \frac{x}{\ln x} - \frac{2}{\ln 2} + \int_2^x \frac{dt}{(\ln t)^2}. \tag{8}$$

Como $1/(\ln t)^2$ é positivo e decrescente para $t > 1$, se $x \geq 4$ temos

$$0 < \int_2^x \frac{dt}{(\ln t)^2} = \int_2^{\sqrt{x}} \frac{dt}{(\ln t)^2} + \int_{\sqrt{x}}^x \frac{dt}{(\ln t)^2}$$

$$< \frac{\sqrt{x} - 2}{(\ln 2)^2} + \frac{x - \sqrt{x}}{(\ln \sqrt{x})^2}$$

$$< \frac{\sqrt{x}}{(\ln 2)^2} + \frac{4x}{(\ln x)^2}.$$

Isto leva a

$$0 < \frac{\int_2^x dt/(\ln t)^2}{x/\ln x} < \frac{\ln x}{\sqrt{x}(\ln 2)^2} + \frac{4}{\ln x}.$$

Logo

$$\lim_{x \to \infty} \frac{\int_2^x dt/(\ln t)^2}{x/\ln x} = 0. \tag{9}$$

Dividindo-se (8) por $x/\ln x$, (7) segue imediatamente de (9) e a prova está terminada. Esse resultado mostra que as duas conjecturas do menino Gauss foram confirmadas quando o Teorema dos Números Primos foi finalmente provado.

O Teorema dos Números Primos como proposição envolvendo a função logarítmica e um limite está obviamente relacionado à Análise. Esse fato é muito surpreendente em vista de que os primos são objetos discretos que não têm aparentemente ligação com as funções contínuas e processos de passagem a limite, que são a essência da análise. Contudo, quase todo trabalho significativo sobre o Teorema de Dirichlet e o Teorema dos Números Primos depende do instrumental analítico avançado de séries infinitas, de Teoria da Variável Complexa, de transformadas de Fourier etc. Conseqüentemente, essa parte da Matemática tornou-se conhecida como *Teoria Analítica dos Números**.

Problemas

1. (a) Sendo n um inteiro > 1 não-primo, mostre que ele pode ser expresso como um produto de primos. Sugestão: existem inteiros a e b, ambos > 1 e $< n$ tais que $n = ab$.

---

* Para informação suplementar sobre os tópicos discutidos acima, veja H. M . Edwards, *Riemann's Zeta Function*, Academic Press, pp. 1–6 e T. M. Apostol, *Introduction to Analytic Number Theory*, Springer-Verlag. 1976, pp. 1-12. Para algumas discussões sobre plausibilidades extremamente interessantes que exprimem um sentimento intuitivo do significado do Teorema dos Números Primos, veja David Hawkins, "Mathematical Sieves", *Scientific American*, Dezembro 1958 e R. Courant e H. Robbins, *What Is Mathematics?* (Oxford University Press, 1941), pp. 482-486.

(b) Se $p_1 p_2 \cdots p_m = q_1 q_2 \cdots q_n$, onde os p e q são primos tais que $p_1 \leq p_2 \leq \cdots \leq p_m$ e $q_1 \leq q_2 \leq \cdots \leq q_n$, mostre que $m = n$ e $p_1 = q_1$, $p_2 = q_2$, ..., $p_n = q_n$. Sugestão: suponha que um primo que divide um produto de inteiros positivos divide necessariamente um dos fatores (esse fato chama-se *Lema de Euclides*).

2. (Esse problema tem a intenção de sugerir que o Teorema da Unicidade da Fatoração pode não ser tão "óbvio" como parece.) A progressão aritmética 1, 4, 7, 10, ..., $3n + 1$, ... é um sistema de números que — como os inteiros positivos — é fechado para multiplicação, no sentido de que o produto de dois números quaisquer da progressão está novamente na progressão. Um número $p > 1$ nessa progressão chama-se *pseudoprimo* se sua única fatoração em fatores que estão ambos na progressão é $p = 1 \cdot p$.

   (a) Mostre que todo número > 1 na progressão é ou um pseudoprimo ou pode ser expresso como um produto de pseudoprimos.

   (b) Liste todos os pseudoprimos ≤ 100.

   (c) Determine um número da progressão que pode ser expresso como um produto de pseudoprimos de duas maneiras diferentes.

3. (a) Afirma-se no texto que a progressão aritmética 1, 5, 9, 13, 17, ..., $4n + 1$, ... contém infinitos primos. Tente provar tal afirmação imitando a prova do Teorema 3, ou seja, listando todos os primos da progressão até algum primo p dado (5, 13, 17, ..., p) e considerando o número $N = 4 \, (5 \cdot 13 \cdot 17 \cdots p) + 1$. Em que ponto falha essa prova?

   (b) Sabe-se (e foi primeiramente provado por Euler em 1749) que todo fator primo ímpar de um número da forma $a^2 + 1$ é necessariamente da forma $4n + 1$. Use isto para provar a afirmativa em (a) considerando o número

$$M = (2 \cdot 5 \cdot 13 \cdot 17 \cdots p)^2 + 1$$
$$= 4(5 \cdot 13 \cdot 17 \cdots p)^2 + 1.$$

4. Prove que a progressão aritmética 5, 11, 17, ..., $6n + 5$, ... contém infinitos primos. Sugestão: o termo geral dessa progressão é $6n - 1$.

5. Prove a equação (7) usando a regra de L'Hospital.

A.8 A SOLUÇÃO DE BERNOULLI PARA O PROBLEMA DA BRAQUISTÓCRONA

Como explicamos na Seção 17.2 (Volume II), iniciaremos com um ponto P_0 e um ponto mais abaixo P_1 e procuraremos a forma do fio curvo que une esses pontos no qual uma conta deslizará sem atrito no menor tempo possível.

Consideraremos inicialmente um problema, aparentemente não-relacionado, de óptica. A Fig. A.5 ilustra uma situação em que um raio de luz vai de A a P com velocidade constante v_1 e depois, entrando num meio mais denso, vai de P a B com uma velocidade menor v_2.

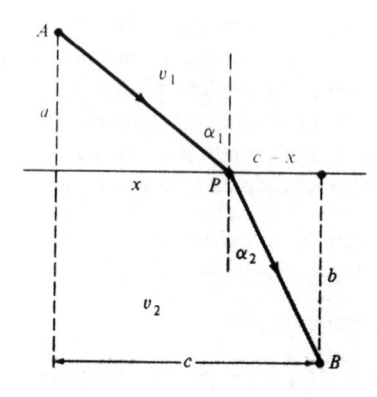

Figura A.5 A refração da luz.

Em termos da notação da figura, o tempo total T necessário para o percurso é dado por

$$T = \frac{\sqrt{a^2 + x^2}}{v_1} + \frac{\sqrt{b^2 + (c - x)^2}}{v_2}.$$

Admitindo que esse raio de luz seja capaz de escolher sua trajetória de A a B de modo a minimizar T, então $dT/dx = 0$ e com um pouco de trabalho vemos que a trajetória que minimiza T é caracterizada pela equação

$$\frac{\text{sen } \alpha_1}{v_1} = \frac{\text{sen } \alpha_2}{v_2}.$$

Esta é a *Lei da Refração de Snell**. A hipótese de que a luz vai de um ponto a outro ao longo da trajetória no menor tempo chama-se *Princípio do Menor Tempo de Fermat*. Esse princípio não apenas fornece uma base racional para a Lei de Snell — que é fato experimental — mas também pode ser aplicado para determinar a trajetória de um raio de luz atravessando um meio de densidade variável, onde em geral a luz realizará percursos curvos em vez de retos. Na Fig. A.6a temos um meio óptico estratificado. No interior das camadas a velocidade da luz é constante, mas a velocidade decresce de uma camada para a que está abaixo dela.

---

* Veja o Exemplo 4 da Seção 4.4.

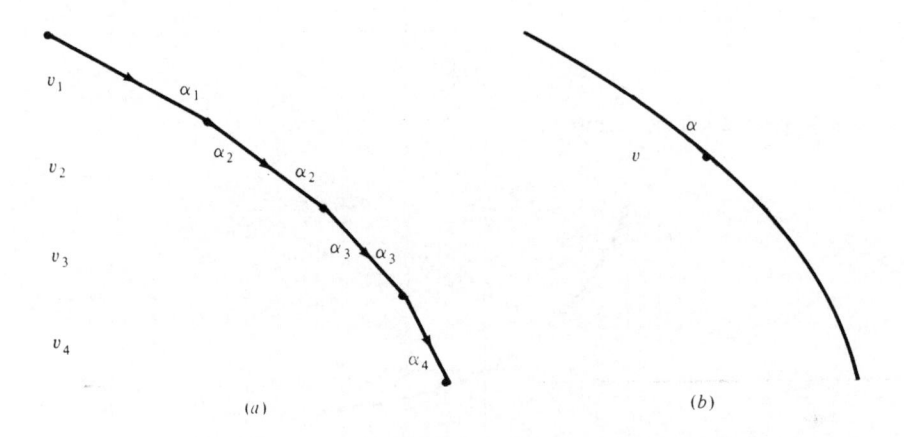

Figura A.6 Refração em outros meios ópticos.

Quando o raio de luz descendente passa de camada a camada, é refratado mais e mais em direção à vertical à interface. Aplicando a Lei de Snell nas fronteiras entre as camadas, obtemos

$$\frac{\operatorname{sen}\alpha_1}{v_1} = \frac{\operatorname{sen}\alpha_2}{v_2} = \frac{\operatorname{sen}\alpha_3}{v_3} = \frac{\operatorname{sen}\alpha_4}{v_4}.$$

Se, a seguir, considerarmos que essas camadas se tornam mais finas e mais numerosas, então no limite a velocidade da luz decresce continuamente quando o raio de luz desce; concluímos que

$$\frac{\operatorname{sen}\alpha}{v} = \text{constante}.$$

Essa situação é indicada na Fig. A.6b; é aproximadamente o que acontece a um raio de luz de Sol caindo sobre a Terra, sendo amortecido ao atravessar a atmosfera de densidade crescente.

Voltemos agora ao problema da braquistócrona: introduzimos um sistema de coordenadas, como na Fig. A.7, e consideramos que a conta (como o raio de luz) seja capaz de escolher a trajetória em que irá deslizar de P_0 a P_1 no menor tempo possível. O argumento dado acima leva a

$$\frac{\operatorname{sen}\alpha}{v} = \text{constante}. \tag{1}$$

Se a conta tem massa m, mg é a força dirigida para baixo que a gravidade exerce sobre ela. Sabemos que o trabalho realizado pela gravidade fazendo a conta deslizar e, pelo fio é igual ao aumento da energia cinética da conta e, portanto, $mgy = \frac{1}{2} mv^2$. Isto dá

$$v = \sqrt{2gy}. \tag{2}$$

Pela geometria da situação, temos também

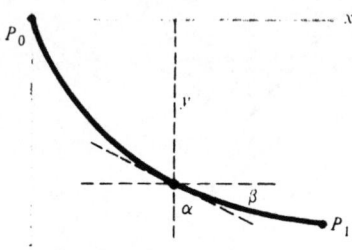

Figura A.7

$$\operatorname{sen} \alpha = \cos \beta = \frac{1}{\sec \beta} = \frac{1}{\sqrt{1 + \operatorname{tg}^2 \beta}} = \frac{1}{\sqrt{1 + (y')^2}}. \tag{3}$$

Combinando as equações (1), (2) e (3) — obtidas da Óptica, Mecânica e Cálculo - obtemos

$$y[1 + (y')^2] = c, \tag{4}$$

que é a equação diferencial da braquistócrona.

Completamos nossa discussão descobrindo que a curva é realmente a braquistócrona por meio da resolução da equação (4). Substituindo-se y' por dy/dx e separando-se as variáveis, (4) se torna

$$dx = \sqrt{\frac{y}{c-y}} \, dy,$$

logo

$$x = \int \sqrt{\frac{y}{c-y}} \, dy.$$

Calculamos essa integral lançando mão da substituição algébrica $u^2 = y/(c-y)$:

$$y = \frac{cu^2}{1 + u^2} \quad \text{e} \quad dy = \frac{2cu}{(1 + u^2)^2} \, du.$$

Então

$$x = \int \frac{2cu^2}{(1+u^2)^2}\,du.$$

Agora utilizando a substituição trigonométrica $u = \text{tg}\,\phi$, $du = \sec^2\phi\,d\phi$ obtemos

$$x = \int \frac{2c\,\text{tg}^2\,\phi\,\sec^2\phi}{(1+\text{tg}^2\,\phi)^2}\,d\phi$$

$$= 2c\int \frac{\text{tg}^2\,\phi}{\sec^2\phi}\,d\phi = 2c\int \text{sen}^2\phi\,d\phi$$

$$= c\int (1-\cos 2\phi)\,d\phi = \frac{1}{2}c(2\phi - \text{sen}\,2\phi).$$

A constante de integração é zero, pois $y = 0$ quando $\phi = 0$, e como P_0 está na origem, queremos também ter $x = 0$ quando $\phi = 0$. A fórmula para y é

$$y = \frac{c\,\text{tg}^2\,\phi}{\sec^2\phi} = c\,\text{sen}^2\phi = \frac{1}{2}c(1-\cos 2\phi).$$

Simplificamos agora nossas equações escrevendo $a = \frac{1}{2}c$ e $\theta = 2\phi$, chegando finalmente a

$$x = a(\theta - \text{sen}\,\theta), \qquad y = a(1 - \cos\theta).$$

Estas são as equações paramétricas padrão da ciclóide, com uma cúspide na origem. Observamos que existe um único valor de a com o qual o primeiro arco invertido dessa ciclóide passa pelo ponto P_1 na Fig. A.7, pois, se a assume valores de 0 a ∞, então o arco se infla, varre o primeiro quadrante do plano e passa evidentemente por P_1 para um único valor de a.

APÊNDICE

B

A TEORIA DO CÁLCULO

Quando um estudante começa a estudar Matemática seriamente, ele acredita que sabe o que é fração, o que é continuidade e o que é área de uma superfície curva; ele considera como evidente, por exemplo, que uma função contínua não pode mudar de sinal sem se anular. Se, sem qualquer preparação, dissermos a ele: Não, isto não é, de modo algum, evidente e devemos demonstrá-lo e se à demonstração repousa sobre premissas que não lhe parecem mais evidentes do que a conclusão, o que pensará esse infeliz estudante? Ele pensará que a Matemática é apenas uma acumulação arbitrária de sutilezas inúteis, ficará desapontado ou irá se divertir com ela como se fosse um jogo e chegará a um estado mental semelhante ao dos sofistas gregos.

Henri Poincaré

O que é tempo? Se ninguém me perguntar, eu sei o que é; se eu desejar explicar a quem perguntar, não sei.

Santo Agostinho

A convicção não é um teste de certeza. Podemos estar absolutamente certos de muitas coisas que não são certas.

O. W. Holmes, Jr.

B.1 O CONJUNTO DOS NÚMEROS REAIS

Quando considerado por si mesmo e independente de quaisquer aplicações que possa ter, o conjunto dos números reais surge como uma estrutura intelectual intrincada cujas complexidades sem fim são de interesse principalmente dos matemáticos. Entretanto, do ponto de vista prático, é o fundamento sobre o qual repousam todos os outros ramos da Matemática, e, como tal, está na base de todo aspecto quantitativo da vida civilizada.

A maioria das pessoas aprende na escola a utilizar os números reais para contagem, medida e resolução de problemas algébricos. Apesar disso, não importa quanta habilidade dessa espécie desenvolvamos, somente algumas pessoas se confrontam com a questão de saber exatamente o que *são* os números reais. Nosso propósito aqui é responder a essa questão tão breve e claramente quanto possível. Ao fazer assim, forneceremos também uma base adequada para as discussões da Teoria do Cálculo, que são apresentadas nas seções seguintes.

Há diversas maneiras de se apresentar o conjunto dos números reais. Adotamos a mais eficiente delas — a abordagem axiomática —, na qual começamos com os próprios números reais como objetos indefinidos dados possuindo certas propriedades simples que utilizamos como axiomas. Isto significa que supomos que exista um conjunto R de objetos, chamados números reais, que satisfazem os dez axiomas listados nas páginas seguintes. Todas as propriedades subseqüentes dos números reais, independentemente de quão profundas elas possam ser, são, em última instância, demonstráveis como conseqüências lógicas. Os axiomas se colocam em três grupos naturais. Os do primeiro grupo são enunciados em termos das duas operações + e ·, adição e multiplicação, que podem ser aplicadas a qualquer par x e y de números reais para produzir sua soma $x + y$ e seu produto $x \cdot y$ (denotado também mais simplesmente por xy).

Axiomas de Álgebra

1. Leis comutativas: $x + y = y + x$, $xy = yx$.

2. Leis associativas $x + (y + z) = (x + y) + z$, $x(yz) = (xy)z$.

3. Lei distributiva: $x(y + z) = xy + xz$.

4. Existência de elementos neutros: existem dois números reais distintos, denotados por 0 e 1, tais que $0 + x = x + 0 = x$ e $1 \cdot x = x \cdot 1 = x$ para todo x.

5. Existência de opostos: para cada x, existe um único y tal que $x + y = y + x = 0$.

6. Existência de inversos: para cada $x \neq 0$, existe um único z tal que $xz = zx = 1$.

O número y em (5) é costumeiramente denotado por $-x$, e z, em (6), por $1/x$ ou x^{-1}. A subtração e a divisão podem agora ser definidas por $x - y = x + (-y)$ e $x/y = x(1/y)$. Todas as leis usuais da Álgebra Elementar podem ser deduzidas a partir desses axiomas e definições. Ilustramos esse processo dando três provas muito curtas.

Exemplo 1 (i) $x + y = x + z$ implica $y = z$ (a lei do cancelamento da adição). *Prova* Como $x + y = x + z$, $(-x) + (x + y) = (-x) + (x + z)$; por (2), $[(-x) + x] + y = [(-x) + x] + z$; por (5), $0 + y = 0 + z$; e por (4) $y = z$.

(ii) $x \cdot 0 = 0$. *Prova* (4) dá $0 + 1 = 1$, logo $x(0 + 1) = x \cdot 1$ por (3), $x \cdot 0 + x \cdot 1 = x \cdot 1$; por (4), $x \cdot 0 + x = x = 0 + x$; por (1), $x + x \cdot 0 = x + 0$; e por (i), $x \cdot 0 = 0$.

(iii) $(-1)(-1) = 1$. *Prova* (5) dá $1 + (-1) = 0$, logo multiplicando-se por (-1) e usando (3), (4) e (ii), obtemos $(-1) + (-1) \cdot (-1) = 0$; e somando 1 a ambos os membros desta, obtemos $(-1) \cdot (-1) = 1$ após redução cuidadosa.

O próximo grupo de axiomas permite-nos estabelecer uma relação de ordem no conjunto dos números reais. É conveniente introduzir essa relação indiretamente, baseando-a num conceito de positividade. Isto significa que supomos que exista em R um subconjunto especial P, chamado o conjunto dos números positivos, que satisfaz os três axiomas listados a seguir. A afirmação de que um número x pertence ao conjunto P é simbolizada escrevendo-se $0 < x$, ou, de modo equivalente, $x > 0$.

Axiomas de Ordem

7. Para cada x, uma e somente uma das seguintes possibilidades é verdadeira:

$$x = 0, \ x > 0, \ -x > 0.$$

8. Se x e y são positivos, então $x + y$ também é.

9. Se x e y são positivos, então xy também é.

Introduzimos agora as familiares relações de ordem $<$ e $>$ como se segue: $x < y$ significa que $y - x > 0$ e $x > y$ é equivalente a $y < x$. Como é usual, $x \leq y$ significa que $x < y$ ou $x = y$, e $x \geq y$ é equivalente a $y \leq x$. Todas as regras habituais para se trabalhar com desigualdades podem ser provadas como teoremas com base nesses axiomas e definições.

Exemplo 2 É muito fácil mostrar que, para quaisquer números reais x e y, uma e somente uma dessas propriedades é verdadeira: $x = y$, $x < y$, $x > y$ (*Prova:* aplique (7) ao número $y - x$.) Consideramos a seguir as provas dos seguintes fatos familiares:

Se $x < y$ e $y < z$, então $x < z$.
Se $x > 0$ e $y < z$, então $xy < xz$.
Se $x < 0$ e $y < z$, então $xy > xz$.
Se $x < y$, então $x + y < y + z$ para qualquer z.

As definições permitem-nos expressar essas afirmações em formas equivalentes que são mais convenientes do ponto de vista de fornecer provas:

Se $y - x > 0$ e $z - y > 0$, então $z - x > 0$.
Se $x > 0$ e $z - y > 0$, então $xz - xy > 0$.
Se $-x > 0$ e $z - y > 0$, então $xy - xz > 0$.
Se $y - x > 0$, então $(y + z) - (x + z) > 0$ para qualquer z.

A primeira dessas asserções é uma conseqüência óbvia de (8), a segunda e a terceira seguem-se diretamente de (9) e a quarta é trivial, pois

$$(y+z)-(x+z)=y-x.$$

O programa de deduzir cuidadosamente todas as propriedades algébricas e de ordem de R a partir dos axiomas (1) a (9) é bastante longo e monótono, e nenhum objetivo útil poderia ser atingido prosseguindo nesse aspecto do assunto. É suficiente que os estudantes compreendam que esse programa pode ser executado. Omitimos os detalhes.

Os nove axiomas dados acima não determinam completamente o conjunto dos números reais. Isto é muito fácil de se ver observando-se que o conjunto Q de todos os números racionais é um conjunto de números diferente de R mas satisfaz também todos os nove axiomas. Naturalmente, a diferença entre Q e R é simplesmente que Q não contém os irracionais, que todo sistema de números trabalhável deveria conter. Um axioma a mais é necessário para garantir que R esteja livre desse defeito, ou, de modo equivalente, para que o conjunto dos números reais não tenha "falhas" ou "buracos".

Duas definições preliminares são necessárias antes de enunciarmos o nosso axioma final. Ambas referem-se a um conjunto arbitrário S de números reais. Um número real b chama-se um *majorante* de S se $x \leq b$ para todo x de S. Além disso, um número real b_0 chama-se *supremo* de S se (i) b_0 é um majorante de S e (ii) $b_0 \leq b$ para todo majorante b de S. Um conjunto terá muitos majorantes se tiver um, mas pode ter apenas um supremo. A prova é fácil: se b_0 e b_1 são ambos supremos de S, então $b_0 \leq b_1$ (pois b_0 é um supremo e b_1 é um majorante) e $b_1 \leq b_0$ (pois b_1 é um supremo e b_0 é um majorante), logo $b_0 = b_1$. Esse argumento permite-nos falar de *o supremo* de S. Esses conceitos podem ser visualizados da maneira usual, na Fig. B.1.

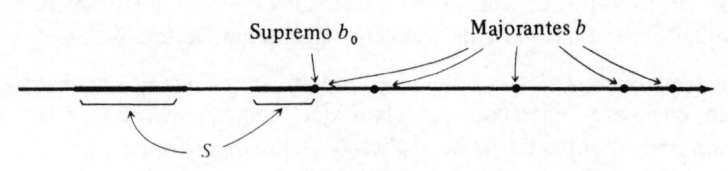

Figura B.1

Exemplo 3 O conjunto de todos os inteiros positivos não tem majorante. Se S é o intervalo fechado $0 \leq x \leq 1$, então os números 1; 2; 3,74 e 513 (dentre outros) são todos majorantes de S e 1 é o menor dos majorantes. As mesmas afirmações são verdadeiras se S é o intervalo aberto $0 < x < 1$. No primeiro caso, o supremo 1 pertence ao conjunto S mas, no segundo caso, não. O conjunto S, constituído de todos os números da seqüência $\frac{1}{2}, \frac{2}{3}, \frac{3}{4}, \ldots, \frac{n}{n+1}, \ldots$, também tem 1 como seu supremo.

O axioma seguinte é o axioma final para o conjunto dos números reais R.

Axiomas do Supremo

10. Todo conjunto não-vazio de números reais que tem majorante tem também supremo.

Esse axioma garante que o conjunto de números reais tem a propriedade de "completividade" ou "continuidade" que é absolutamente essencial para o desenvolvimento do cálculo. A melhor maneira de compreender o significado desse axioma é observar que não é verdadeiro para o conjunto Q dos números racionais. Se S é tomado como sendo o conjunto dos racionais positivos r tais que $r^2 < 2$, então S tem majorante em Q mas não tem supremo em Q (o supremo de S em R é $\sqrt{2}$, mas esse número não está em Q).

Observação 1 Inferimos mas não estabelecemos de fato que os 10 axiomas dados aqui caracterizam completamente o sistema dos números reais R. O significado dessa afirmação pode ser esclarecido formulando-se nossas idéias a um nível mais abstrato, como se segue. Na Álgebra Moderna, um conjunto de objetos que satisfaz os axiomas (1) a (6) chama-se *corpo*. Há muitos corpos diferentes, alguns finitos e outros infinitos. O mais simples deles consiste em dois elementos 0 e 1 apenas, com adição e multiplicação definidas por

$$0 + 0 = 0, \quad 0 + 1 = 1 + 0 = 1, \quad 1 + 1 = 0,$$
$$0 \cdot 0 = 0, \quad 0 \cdot 1 = 1 \cdot 0 = 0, \quad 1 \cdot 1 = 1.$$

Um corpo que satisfaz os axiomas adicionais (7) a (9) chama-se *corpo ordenado*. Tanto Q como R são corpos ordenados, mas existem também outros. Pode ser provado que um corpo ordenado deve ter infinitos elementos distintos; logo, alguns corpos — incluindo o corpo de dois elementos acima mencionado — não podem ser ordenados. Utilizamos o axioma (10) para estreitar nosso objetivo ainda mais: um corpo ordenado que satisfaz esse axioma chama-se *corpo ordenado completo*. Pode ser provado que dois corpos ordenados completos são abstratamente idênticos num sentido bastante preciso, logo existe realmente apenas um, ou seja, R^*.

É portanto possível definir um número real muito simplesmente como um elemento de um corpo ordenado completo. Entretanto, é claro que uma tal definição pode ser considerada insatisfatória, sem uma boa quantidade de explicações e provas preliminares.

Observação 2 Pode haver alguns leitores excessivamente céticos que pensem consigo mesmos: "O que o autor diz parece ser suficientemente razoável, *caso, em primeiro lugar, exista o conjunto dos números reais R*. Mas como sabemos que existe? Além disso, esse sistema numérico não é um objeto físico que possa ser visto e tocado, mas uma criação da mente — como um unicórnio — e talvez nós nos enganemos supondo que exista".

---

* Para uma discussão posterior com provas (ou esboços de provas) veja pp. 1-8 do primeiro volume de E. Hille, *Analytic Function Theory*, Ginn & Co, 1959.

Há duas maneiras de responder a essa objeção. Uma é dar uma definição concreta de R como o conjunto de todos os decimais infinitos, com a concordância usual de que decimais tais como 0,25000... e 0,24999... devem ser considerados iguais. A adição, multiplicação e o conjunto dos números positivos devem agora ter definições satisfatórias e, nesse esquema, nossos axiomas (1) a (10) tornam-se teoremas cujas provas apóiam-se pesadamente sobre essas definições. Esse programa é surpreendentemente difícil de ser cumprido*.

Uma segunda abordagem é utilizar os inteiros positivos muito mais básicos como suporte para a construção explícita passo a passo do sistema de números reais — primeiro os inteiros, depois os racionais e finalmente os reais. Dessa vez os axiomas (1) a (10) aparecem como teoremas que podem ser deduzidos a partir das propriedades dos inteiros positivos**.

Não encorajamos os estudantes a investigarem esses assuntos, pois não há parte da Matemática mais tediosa e menos gratificante do que a construção detalhada do sistema dos números reais, quaisquer que sejam os métodos.

B.2 TEOREMAS SOBRE LIMITES

Começamos recordando a definição de limite de uma função dada na Seção 2.5. Considere uma função $f(x)$ definida para valores de x arbitrariamente próximos de um ponto a sobre o eixo x mas não necessariamente no próprio a. Um outro modo de exprimir esse requisito é dizer que há x no domínio da função que satisfazem as desigualdades $0 < |x - a| < \delta$ para todo número positivo δ. Nessas circunstâncias, a afirmação de que

$$\lim_{x \to a} f(x) = L$$

significa, por definição, o seguinte: para cada número positivo ϵ, existe um número positivo δ com a propriedade de que

$$|f(x) - L| < \epsilon$$

para todo x no domínio da função que satisfaz as desigualdades

$$0 < |x - a| < \delta.$$

---

*   Veja o Capítulo 1 de J. F. Ritt, *Theory of Functions*, King's Crown Press, 1947.

**   A fonte clássica dessa construção é E. Landau, *Foundations of Analysis*, Chelsea, 1951.

Na esperança de esclarecer o significado da definição, examinamos a maneira em que é usada num caso particular simples. É óbvio, por verificação direta, que

$$\lim_{x \to 1} (3x - 1) = 2. \tag{1}$$

Entretanto, para provar isto utilizando a definição, devemos começar com um número positivo ϵ e determinar um $\delta > 0$ que "funcione" para esse ϵ no sentido de que

$$0 < |x - 1| < \delta \quad \text{implica} \quad |(3x - 1) - 2| < \epsilon. \tag{2}$$

Mas a última desigualdade aqui é a mesma que $|3x - 3| < \epsilon$ ou $-\epsilon < 3x - 3 < \epsilon$; após divisão por 3 se torna $-\frac{1}{3}\epsilon < x - 1 < \frac{1}{3}\epsilon$. Isto sugere que $\delta = \frac{1}{3}\epsilon$ deve servir. Para mostrar que é assim, observamos que se $0 < |x - 1| < \frac{1}{3}\epsilon$, então $-\frac{1}{3}\epsilon < x - 1 < \frac{1}{3}\epsilon$, o que implica $-\epsilon < 3x - 3 < \epsilon$ ou $|(3x - 1) - 2| < \epsilon$. Assim, para todo $\epsilon > 0$, o número $\delta = \frac{1}{3}\epsilon$ tem realmente a propriedade enunciada em (2). O requisito da definição está portanto satisfeito e (1) está provado.

É natural fazer objeção de que esse procedimento de provar cuidadosamente uma afirmação transparente como (1) é um ritual vazio e uma perda de tempo. Entretanto, a questão é esta: (1) é obviamente verdadeiro e não precisa realmente de uma prova, mas muitos limites importantes estão longe de serem óbvios e não podem ser tratados com simples inspeção. Por exemplo, não há exagero em dizer que grande parte da Matemática avançada desapareceria como fumaça sem as idéias e os métodos que dependem dos limites fundamentais

$$\lim_{x \to 0} \frac{\operatorname{sen} x}{x} = 1 \quad \text{e} \quad \lim_{x \to 0} (1 + x)^{1/x} = e.$$

(A constante fundamental denotada por e foi oficialmente introduzida no Capítulo 8; o seu valor aproximado é 2,71828.) Necessitamos de instrumentos poderosos para tratar limites como esses e não de idéias vagas e conceitos confusos. Provamos (1) não por si mesma mas para ilustrar o uso da definição de limite de uma função. Essa definição não tem a intenção de ser meramente uma descrição passiva no sentido de muitas definições de dicionário. Pelo contrário, é um instrumento afiado para demonstrações que é capaz de ser manipulado efetivamente em argumentos complexos e sutis onde o pensamento descuidado não traz nada a não ser confusão. Almejamos dois objetivos com os teoremas e provas dados abaixo: primeiro, estabelecer os próprios resultados e conseqüentemente fornecer uma sólida fundamentação lógica para todo nosso trabalho que depende de limites de funções; e, segundo, ilustrar adicionalmente o uso da definição no instrumental de provas formais.

Nosso primeiro teorema enuncia um fato que muitas pessoas assumem como garantido sem compreender completamente, ou seja, que uma função $f(x)$ não pode tender a dois limites diferentes quando x tende a a.

Teorema 1 Se $lim_{x \to a} f(x) = L_1$ e $lim_{x \to a} f(x) = L_2$, então $L_1 = L_2$.

Prova Nosso método de prova é mostrar que a hipótese $L_1 \neq L_2$ leva à conclusão absurda $|L_1 - L_2| < |L_1 - L_2|$. Assumimos, portanto, que $L_1 \neq L_2$, de modo que $|L_1 - L_2|$ é positivo e seja ϵ o número positivo $\frac{1}{2}|L_1 - L_2|$. Pela primeira hipótese existe um número $\delta_1 > 0$ tal que

$$0 < |x - a| < \delta_1 \quad \text{implica} \quad |f(x) - L_1| < \epsilon,$$

e, pela segunda hipótese, existe um número $\delta_2 > 0$ tal que

$$0 < |x - a| < \delta_2 \quad \text{implica} \quad |f(x) - L_2| < \epsilon.$$

Defina δ como o menor dos números δ_1 e δ_2. Então, $0 < |x - a| < \delta$ implica ambas

$$|f(x) - L_1| < \epsilon \quad \text{e} \quad |f(x) - L_2| < \epsilon,$$

e, portanto,

$$|L_1 - L_2| = |[L_1 - f(x)] + [f(x) - L_2]|$$
$$\leq |L_1 - f(x)| + |f(x) - L_2|$$
$$< \epsilon + \epsilon = 2\epsilon = |L_1 - L_2|.$$

Essa contradição – de que o número $|L_1 - L_2|$ é menor que ele mesmo – mostra que não pode ser verdade que $|L_1 - L_2|$ seja positivo; logo, $L_1 = L_2$.

Teorema 2 *Se* $f(x) = x$, *então* $\lim f(x) = a$;

isto é,

$$\lim_{x \to a} x = a.$$

Prova Seja $\epsilon > 0$ dado e escolha $\delta = \epsilon$. Então $0 < |x - a| < \delta = \epsilon$ implica $|f(x) - a| < \epsilon$, pois $f(x) = x$.

Teorema 3 *Se* $f(x) = c$, *onde c é uma constante, então* $\lim_{x \to a} f(x) = c$, *isto é*,

$$\lim_{x \to a} c = c.$$

Prova Como $|f(x) - c| = |c - c| = 0$ para todo x, qualquer $\delta > 0$ serve, pois $|f(x) - c|$ será $< \epsilon$ para todo $\epsilon > 0$ dado e para todo x.

Teorema 4 *Se* $\lim_{x \to a} f(x) = L$ *e* $\lim_{x \to a} g(x) = M$,

então

(i) $\lim_{x \to a} [f(x) + g(x)] = L + M$;
(ii) $\lim_{x \to a} [f(x) - g(x)] = L - M$; e
(iii) $\lim_{x \to a} f(x)g(x) = LM$.

Prova Para (i), seja dado $\epsilon > 0$, seja $\delta_1 > 0$ um número tal que

$$0 < |x - a| < \delta_1 \quad \text{implica} \quad |f(x) - L| < \tfrac{1}{2}\epsilon,$$

e seja $\delta_2 > 0$ um número tal que

$$0 < |x - a| < \delta_2 \quad \text{implica} \quad |g(x) - M| < \tfrac{1}{2}\epsilon.$$

Defina δ como o menor dos números δ_1 e δ_2. Então $0 < |x - a| < \delta$ implica

$$|[f(x) + g(x)] - (L + M)| = |[f(x) - L] + [g(x) - M]|$$
$$\leq |f(x) - L| + |g(x) - M|$$
$$< \tfrac{1}{2}\epsilon + \tfrac{1}{2}\epsilon = \epsilon,$$

e isto prova (i).

O argumento para (ii) é quase idêntico ao que acabamos de dar e será omitido. Para provar (iii) desejamos fazer a diferença $f(x) g(x) - LM$ depender das diferenças $f(x) - L$ e $g(x) - M$. Isto pode ser obtido subtraindo e somando $f(x)M$ como se segue:

$$|f(x)g(x) - LM| = |[f(x)g(x) - f(x)M] + [f(x)M - LM]|$$
$$\leq |f(x)g(x) - f(x)M| + |f(x)M - LM|$$
$$= |f(x)||g(x) - M| + |M||f(x) - L|$$
$$\leq |f(x)||g(x) - M| + (|M| + 1)|f(x) - L|.$$

Seja dado $\epsilon > 0$. Sabemos que existem números positivos δ_1, δ_2 e δ_3 tais que

$$0 < |x - a| < \delta_1 \quad \text{implica} \quad |f(x) - L| < 1,$$

que por sua vez, implica $|f(x)| < |L| + 1$;

$$0 < |x - a| < \delta_2 \quad \text{implica} \quad |g(x) - M| < \frac{1}{2}\epsilon\left(\frac{1}{|L| + 1}\right);$$

$$0 < |x - a| < \delta_3 \quad \text{implica} \quad |f(x) - L| < \frac{1}{2}\epsilon\left(\frac{1}{|M| + 1}\right).$$

Defina δ como o menor dos números $\delta_1, \delta_2, \delta_3$. Então $0 < |x - a| < \delta$ implica

$$|f(x)g(x) - LM| < \tfrac{1}{2}\epsilon + \tfrac{1}{2}\epsilon = \epsilon,$$

e a prova de (iii) está terminada.

Teorema 5 *Se* $\lim_{x \to a} f(x) = L$ *e* $\lim_{x \to a} g(x) = M$ *onde* $M \neq 0$, *então*

$$\lim_{x \to a} \frac{f(x)}{g(x)} = \frac{L}{M}.$$

Prova Do Teorema 4 [parte (iii)] e do fato de que

$$\frac{f(x)}{g(x)} = f(x) \cdot \frac{1}{g(x)},$$

basta provar que

$$\lim_{x \to a} \frac{1}{g(x)} = \frac{1}{M}.$$

Começamos com o fato de que, se $g(x) \neq 0$, então

$$\left| \frac{1}{g(x)} - \frac{1}{M} \right| = \frac{|g(x) - M|}{|M||g(x)|}.$$

Escolha $\delta_1 > 0$ de modo que

$$0 < |x - a| < \delta_1 \quad \text{implica} \quad |g(x) - M| < \tfrac{1}{2}|M|.$$

Para esses x temos

$$|g(x)| > \frac{1}{2}|M| \quad \text{ou} \quad \frac{1}{|g(x)|} < \frac{2}{|M|},$$

e, portanto,

$$\left|\frac{1}{g(x)} - \frac{1}{M}\right| < \frac{2}{|M|^2} |g(x) - M|.$$

Seja $\epsilon > 0$ dado e escolha $\delta_2 > 0$ de modo que

$$0 < |x - a| < \delta_2 \quad \text{implica} \quad |g(x) - M| < \frac{|M|^2}{2} \epsilon.$$

Definimos agora δ como o menor dos números δ_1 e δ_2. Observando que

$$0 < |x - a| < \delta \quad \text{implica} \quad \left|\frac{1}{g(x)} - \frac{1}{M}\right| < \frac{2}{|M|^2} \cdot \frac{|M|^2}{2} \epsilon = \epsilon,$$

concluímos o argumento.

Teorema 6 *Se existir um número positivo p com a propriedade de que*

$$g(x) \leq f(x) \leq h(x)$$

para todo x que satisfaça as desigualdades $0 < |x - a| < p$, *e se* $\lim_{x \to a} g(x) = L$ *e* $\lim_{x \to a} h(x) = L$, *então*

$$\lim_{x \to a} f(x) = L.$$

Prova Essa proposição é às vezes chamada "Teorema do Confronto (ou do sanduíche)", pois diz que uma função, comprimida entre duas funções que tendem ao mesmo limite L, deve também tender a L (veja a Fig. B.2). Para provarmos, seja dado $\epsilon > 0$; escolha números positivos δ_1 e δ_2 de modo que

$$0 < |x - a| < \delta_1 \quad \text{implica} \quad L - \epsilon < g(x) < L + \epsilon$$

e

$$0 < |x - a| < \delta_2 \quad \text{implica} \quad L - \epsilon < h(x) < L + \epsilon.$$

Figura B.2

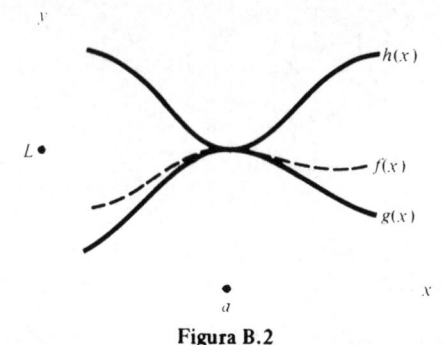

Defina δ como o menor dos números p, δ_1, δ_2. Então $0 < |x - a| < \delta$ implica

$$L - \epsilon < g(x) \leq f(x) \leq h(x) < L + \epsilon,$$

logo $|f(x) - L| < \epsilon$, e a prova está completa.

Continuamos provando alguns fatos simples sobre funções contínuas que se seguem quase imediatamente desses teoremas sobre limites. Antes, no entanto, vamos recordar que uma função $f(x)$ se diz *contínua num ponto a* se

$$\lim_{x \to a} f(x) = f(a).$$

Convém, às vezes, usar a versão em epsilon e delta dessa afirmação: para cada $\epsilon > 0$ existe um $\delta > 0$ com a propriedade de que

$$|f(x) - f(a)| < \epsilon$$

para todo x no domínio da função que satisfaz a desigualdade

$$|x - a| < \delta.$$

Teorema 7 *Se $f(x)$ e $g(x)$ são contínuas num ponto a, então $f(x) + g(x), f(x) - g(x)$ e $f(x)g(x)$ são também contínuas em a. Além disso, $f(x)/g(x)$ é contínua em a se $g(a) \neq 0$.*

Prova Provamos apenas a afirmação relativa a $f(x) + g(x)$, sendo semelhantes os argumentos para as outras demonstrações. Como $f(x)$ e $g(x)$ são contínuas em a, temos

$$\lim_{x \to a} f(x) = f(a) \quad \text{e} \quad \lim_{x \to a} g(x) = g(a).$$

A parte (i) do Teorema 4 garante-nos agora que

$$\lim_{x \to a} [f(x) + g(x)] = f(a) + g(a),$$

e isto prova que $f(x) + g(x)$ é contínua em a.

Teorema 8 *As funções $f(x) = x$ e $g(x) = c$, onde c é uma constante, são contínuas para todos os valores de x.*

Prova Essas proposições seguem-se imediatamente dos Teoremas 2 e 3.

Teorema 9 *Todo polinômio*

$$P(x) = a_n x^n + a_{n-1} x^{n-1} + \cdots + a_1 x + a_0 \qquad (3)$$

é contínuo para todos os valores de x.

Prova Pelo Teorema 8 e pela parte de multiplicação do Teorema 7, cada uma das seguintes funções é contínua para todos os valores de x: x, $x^2 = x \cdot x$, $x^3 = x \cdot x^2$, ..., x^k para todo inteiro positivo k e cx^k, onde c é uma constante qualquer. Como o termo constante a_0 é contínuo, isto nos diz que cada termo de (3) é contínuo para todos os valores de x e obtemos a conclusão por aplicação repetida da parte de adição do Teorema 7.

Teorema 10 *Toda função racional*

$$R(x) = \frac{P(x)}{Q(x)},$$

onde $P(x)$ e $Q(x)$ são polinômios, é contínua para todos os valores de x para os quais $Q(x) \neq 0$.

Prova Esta é uma conseqüência imediata do Teorema 9 e da parte da divisão do Teorema 7. Concluímos esta seção provando que "uma função contínua de uma função contínua é contínua".

Teorema 11 *Se $g(x)$ é contínua no ponto a e se $f(x)$ é contínua em $g(a)$, então a função composta $f(g(x))$ é contínua no ponto a.*

Prova Seja dado $\epsilon > 0$. Como $f(x)$ é contínua em $g(a)$, sabemos que existe $\delta_1 > 0$ tal que

$$|f(g(x)) - f(g(a))| < \epsilon \qquad (4)$$

se

$$|g(x) - g(a)| < \delta_1. \qquad (5)$$

Mas $g(x)$ é contínua em a, logo existe $\delta > 0$ tal que $|x - a| < \delta$ implica $|g(x) - g(a)| < \delta_1$. Vemos, portanto, que $|x - a| < \delta$ implica (5), o que por sua vez implica (4), e isto é tudo o que é necessário para completar a prova.

B.3 ALGUMAS PROPRIEDADES MAIS PROFUNDAS DAS FUNÇÕES CONTÍNUAS

Recordamos que um *intervalo fechado* $[a, b]$ do eixo x é um intervalo ao qual pertencem suas extremidades a e b. Uma função diz-se *contínua num intervalo fechado* se é definida e contínua em cada ponto do intervalo. Funções dessa espécie têm diversas propriedades importantes que discutiremos e provaremos agora.

Teorema 1 (Teorema da Limitação) *Seja $f(x)$ uma função contínua sobre um intervalo fechado $[a, b]$. Então $f(x)$ é limitada sobre $[a, b]$, isto é, existe um número C com a propriedade de que $|f(x)| \leq C$ para todo x em $[a, b]$.*

Um bom modo de estudar criticamente um teorema como este é ver o que acontece se as hipóteses forem enfraquecidas ou eliminadas. No Teorema 1 há duas hipóteses principais: (1) o intervalo $[a, b]$ é fechado; e (2) a função $f(x)$ é contínua em cada ponto do intervalo. Mostramos por exemplos que se alguma das hipóteses for enfraquecida, então a conclusão do teorema poderá ser falsa.

Exemplo 1 A função $f(x) = \dfrac{1}{x}$ é evidentemente contínua sobre o intervalo fechado $[1, 2]$; logo, de acordo com o Teorema 1, $f(x)$ deve ser limitada nesse intervalo. De fato, uma limitação C é fácil de encontrar:

$$|f(x)| \leq 1 \quad \text{para todo } x \text{ em} \quad [1, 2].$$

Além disso (veja a Fig. B.3),

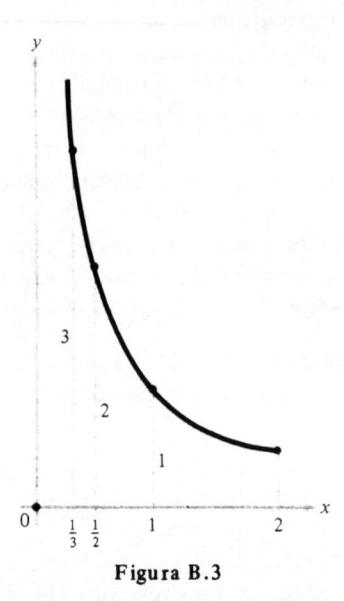

Figura B.3

$f(x)$ é contínua sobre o intervalo $[1/n, 2]$ para todo inteiro positivo n e, nesse caso, o número n é uma limitação:

$$|f(x)| \leq n \quad \text{para todo } x \text{ em} \quad [1/n, 2].$$

Por outro lado, $f(x)$ é também contínua no intervalo não-fechado $(0, 2]$, mas $f(x)$ não é limitada nesse intervalo. Pois, não importa quão grande seja o valor de C que tomemos, há pontos no intervalo para os quais $f(x) > C$; especificamente se $0 < x < 1/C$, então $f(x) = 1/x > C$. Isto mostra que a hipótese exigindo que o intervalo $[a, b]$ seja fechado é necessária.

Agora ampliamos a definição de $f(x)$ para incluir o ponto $x = 0$, colocando

$$f(x) = \begin{cases} 1/x & \text{se } 0 < x \leq 2, \\ 0 & \text{se } x = 0. \end{cases}$$

Essa função é definida em todo o intervalo fechado $[0, 2]$ e é ilimitada nesse intervalo pela mesma razão. Dessa vez a conclusão do Teorema 1 é falsa, porque a função $f(x)$ não é contínua em cada ponto do intervalo fechado; ela é descontínua no ponto $x = 0$.

Essas observações mostram que as hipóteses do Teorema 1 não podem ser enfraquecidas e a prova seguinte demonstra que, com ambas as hipóteses no lugar, a conclusão do teorema é inevitável.

Prova do Teorema 1* Nossa prova utiliza o fato de que um conjunto não-vazio de números reais com um majorante tem necessariamente um supremo (veja o Apêndice B.1). Seja S o conjunto de todos os pontos c em $[a, b]$ com a propriedade de que $f(x)$ é limitada em $[a, c]$. É claro que S é não-vazio e tem b como um majorante e, portanto, tem um supremo que denotaremos por c_0. Afirmamos que $c_0 = b$. Para provar isto, suponha que $c_0 < b$. Como $f(x)$ é contínua em $x = c_0$, é fácil ver que $f(x)$ é limitada sobre $[c_0 - \epsilon, c_0 + \epsilon]$ para algum $\epsilon > 0$. Como $f(x)$ é também limitada sobre $[a, c_0 - \epsilon]$, é evidentemente limitada sobre $[a, c_0 + \epsilon]$. Isto contradiz o fato de que c_0 é o supremo de S; logo, $c_0 = b$. Isto nos diz que $f(x)$ é limitada sobre $[a, c]$ para todo $c < b$. Um passo a mais é necessário para terminar a prova. Como $f(x)$ é contínua em $x = b$, é limitada sobre algum intervalo fechado $[b - \epsilon, b]$. Pelo que acabamos de provar, $f(x)$ é também limitada sobre $[a, b - \epsilon]$; logo, é limitada sobre todo $[a, b]$.

Se uma função $f(x)$ é limitada sobre $[a, b]$, então sua imagem – o conjunto de todos os seus valores – tem um majorante e um minorante. Se M e m são o supremo e o ínfimo da imagem, então

$$m \leqslant f(x) \leqslant M \quad \text{para todo } x \text{ em } [a, b].$$

Para funções limitadas em geral, os números M e m não precisam pertencer à imagem. Entretanto, nosso próximo teorema assevera que se $f(x)$ é contínua, então ambos os números M e m são realmente assumidos como valores da função.

Teorema 2 (Teorema do Valor Extremo) *Seja $f(x)$ uma função contínua sobre um intervalo fechado $[a, b]$. Então $f(x)$ assume um valor máximo M e um valor mínimo m, isto é, existem pontos x_1 e x_2 em $[a, b]$ tais que*

$$f(x_1) \leqslant f(x) \leqslant f(x_2)$$

para todo x em $[a, b]$.

Essa proposição é intuitivamente clara se pensarmos em uma função contínua sobre um intervalo fechado como uma função cujo gráfico consiste em uma única linha contínua, sem quaisquer lacunas ou buracos; pois quando nos movemos sobre a curva da extremidade esquerda $(a, f(a))$ à extremidade direita $(b, f(b))$, sentimo-nos obrigados a acreditar que deve haver um ponto mais alto sobre a curva em que $f(x)$ tem seu valor máximo e um ponto mais baixo em que $f(x)$ tem seu valor mínimo. Isto é verdade, mas a situação novamente é muito delicada, pois se uma das hipóteses for enfraquecida – mesmo que ligeiramente – então a conclusão do teorema pode ser falsa.

---

* Alguns detalhes das provas deste apêndice são deixados para os estudantes.

Exemplo 2 Considere a função $f(x)$ definida por $f(x) = x$ sobre o intervalo não-fechado $[0, 1)$ e também a função $g(x)$ definida por

$$g(x) = \begin{cases} x & \text{se } 0 \leq x < 1, \\ 0 & \text{se } 1 \leq x \leq 2 \end{cases}$$

sobre o intervalo fechado $[0, 2]$. Ambas as funções são mostradas na Fig. B.4. A função $f(x)$ não assume um valor máximo, embora seja contínua no intervalo $[0, 1)$, pois esse intervalo não é fechado; e a função $g(x)$ não assume um valor máximo, embora o intervalo $[0, 2]$ seja fechado, pois $g(x)$ é descontínua no ponto $x = 1$. Em cada caso, os valores da função ficam perto do número 1 (que é o supremo M da imagem) quando $x \to 1$ pela esquerda, mas não existe nenhum ponto em que a função realmente *tenha* o valor 1.

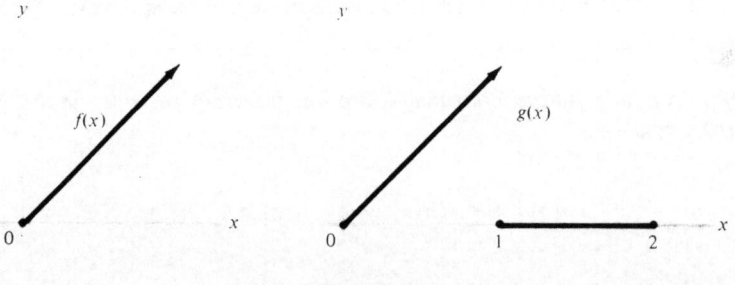

Figura B.4

Prova do Teorema 2 Provamos a proposição acerca de assumir um valor máximo. Pelo Teorema 1, $f(x)$ é limitada sobre $[a, b]$; logo, a imagem tem um majorante e, portanto, tem um supremo M. Devemos mostrar que existe um ponto x_2 em $[a, b]$ tal que $f(x_2) = M$. Suponha que não exista tal ponto, isto é, suponha que $f(x) < M$ para todo x em $[a, b]$. Então $M - f(x)$ é positivo sobre $[a, b]$, a função

$$g(x) = \frac{1}{M - f(x)}$$

é contínua sobre $[a, b]$ e o Teorema 1 implica que essa função é limitada. Isto significa que existe um número C tal que

$$\frac{1}{M - f(x)} \leq C$$

para todo x em $[a, b]$; logo,

$$\frac{1}{C} \le M - f(x) \quad \text{ou} \quad f(x) \le M - \frac{1}{C}.$$

Isto contradiz o fato de que M é o supremo do conjunto de todos os $f(x)$, e somos assim forçados à conclusão desejada: existe pelo menos um ponto x_2 em $[a, b]$ para o qual $f(x) = M$. A afirmação de que $f(x)$ assume um valor mínimo em algum ponto x_1 é provada de modo análogo.

O Teorema do Valor Extremo diz que uma função contínua sobre um intervalo fechado realmente assume um valor máximo e um valor mínimo. Existe um companheiro desse teorema que afirma que uma tal função assume todos os valores entre seus valores máximo e mínimo. Assim, uma função contínua sobre um intervalo fechado tem uma imagem que é, ela mesma, um intervalo fechado. Colocando de outra maneira, tal função não pula quaisquer valores. Começamos com um teorema preliminar que tem muitas aplicações por si mesmo (veja a Seção 4.6).

Teorema 3 *Seja $f(x)$ uma função contínua sobre um intervalo fechado $[a, b]$. Se $f(a)$ e $f(b)$ têm sinais opostos, isto é, se*

$$f(a) < 0 < f(b) \quad \text{ou} \quad f(a) > 0 > f(b),$$

então existe um ponto c entre a e b tal que $f(c) = 0$.

Isto diz – com efeito – que o gráfico de uma função contínua sobre um intervalo fechado não pode ir de um lado do eixo x para o outro lado sem realmente atravessar esse eixo num ponto definido (Fig. B.5, à esquerda). Entretanto, essa conclusão pode ser falsa, se a função deixar de ser contínua mesmo num único ponto. Tal situação é mostrada (Fig. B.5, à direita) pela função $f(x)$ definida sobre o intervalo $[1, 3]$:

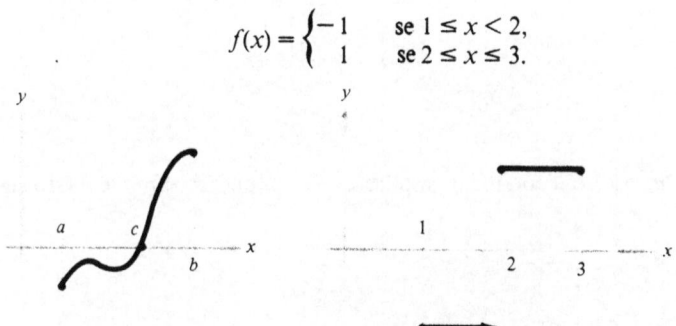

$$f(x) = \begin{cases} -1 & \text{se } 1 \le x < 2, \\ 1 & \text{se } 2 \le x \le 3. \end{cases}$$

Figura B.5

Prova do Teorema 3 Suponha primeiro que $f(a) < 0 < f(b)$. Como $f(a) < 0$ e $f(x)$ é contínua em a, existe um número d no intervalo aberto (a, b) tal que $f(x)$ é negativo sobre $[a, d)$. Seja c o supremo do conjunto de todos esses d e observe que $f(x)$ é negativa para todo $x < c$. Não pode ser verdade que $f(c) > 0$, pois em virtude da continudade, isto implicaria que $f(x)$ seria positiva sobre algum intervalo $(c - \epsilon, c]$, contrário ao que acabamos de observar. Também não pode ser verdade que $f(c) < 0$, pois, em virtude da continuidade, isto implicaria que $f(x)$ seria negativa em algum intervalo $[a, c + \epsilon)$, contrário à definição de c. Concluímos que $f(c) = 0$. O argumento para o outro caso é semelhante.

Teorema 4 (Teorema do Valor Intermediário) *Seja $f(x)$ uma função contínua sobre um intervalo fechado $[a, b]$. Se M e m são os valores máximo e mínimo de $f(x)$ sobre $[a, b]$ e se C é qualquer número entre M e m, de modo que $m < C < M$, então existe um ponto c em $[a, b]$ tal que $f(c) = C$.*

Prova A função $g(x) = f(x) - C$ é também contínua sobre $[a, b]$. Se x_1 e x_2 são pontos em $[a, b]$ em que $f(x_1) = m$ e $f(x_2) = M$, então $g(x)$ é negativa em x_1 e positiva em x_2:

$$g(x_1) = f(x_1) - C = m - C < 0$$

e

$$g(x_2) = f(x_2) - C = M - C > 0.$$

Pelo Teorema 3, existe um ponto c entre x_1 e x_2 (e portanto em $[a, b]$) tal que $g(c) = 0$. Mas isto significa que $f(c) - C = 0$ ou $f(c) = C$.

Como uma outra conseqüência do Teorema 3, temos

Teorema 4 *Seja $f(x)$ uma função contínua sobre o intervalo unitário $[0, 1]$, que tem a propriedade adicional de que os seus valores estão nesse intervalo (Fig. B.6). Então existe pelo menos um ponto c em $[0, 1]$ tal que $f(c) = c$.*

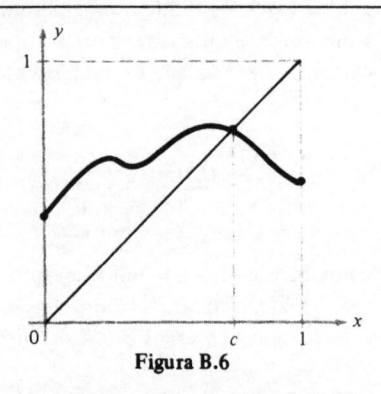

Figura B.6

Prova A função $g(x) = f(x) - x$ é contínua em $[0, 1]$ e tem a propriedade de que $g(0) = f(0) - 0 = f(0) \geq 0$ e $g(1) = f(1) - 1 \leq 0$. Pelo Teorema 3, existe um ponto c em $[0, 1]$ tal que $g(c) = f(c) - c = 0$; logo, $f(c) = c$.

Uma função $f(x)$ com as propriedades assumidas aqui chama-se, com freqüência, *aplicação contínua do intervalo* $[0, 1]$ *em si mesmo*, e o ponto c chama-se *ponto fixo* dessa aplicação. O Teorema 5 é um caso particular de um famoso e abrangente teorema da Matemática Moderna chamado *Teorema do Ponto Fixo de Brouwer*, que afirma que aplicações contínuas de certos espaços muito gerais em si mesmos sempre têm pontos fixos.

B.4 O TEOREMA DO VALOR MÉDIO

Esse teorema é um dos fatos mais úteis na parte teórica do Cálculo. Em linguagem geométrica, é fácil enunciá-lo e é intuitivamente plausível. Ele afirma que entre dois pontos P e Q sobre o gráfico de uma função diferenciável existe pelo menos um ponto em que a reta tangente é paralela à corda que liga P e Q, como se mostra na Fig. B.7.

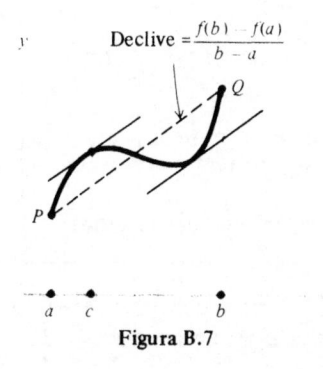

Figura B.7

Para a curva da figura há dois desses pontos. Podem existir muitos, mas o teorema garante que sempre deve existir pelo menos um desses pontos. Usando a notação da figura, podemos exprimir a afirmação do teorema analiticamente dizendo que existe pelo menos um número c entre a e b ($a < c < b$) com a propriedade

$$f'(c) = \frac{f(b) - f(a)}{b - a}.$$

O significado do Teorema do Valor Médio está não em si mesmo mas em suas conseqüências, pois fornece um modo conveniente de se alcançar uma compreensão sobre muitos fatos teóricos de importância prática. Isto ficará claro nos Teoremas 3 e 4 e também em seções posteriores deste apêndice.

Uma prova rigorosa do Teorema do Valor Médio é usualmente desenvolvida da seguinte maneira. Começamos estabelecendo o caso particular do teorema em que P e Q estão ambos sobre o eixo dos x:

Teorema 1 (Teorema de Rolle) *Se uma função* $f(x)$ *é contínua sobre o intervalo fechado* $a \leqslant x \leqslant b$ *e diferenciável no intervalo aberto* $a < x < b$ *e se* $f(a) = f(b) = 0$, *então existe pelo menos um número* c *entre* a *e* b *com a propriedade de que* $f(c) = 0$.

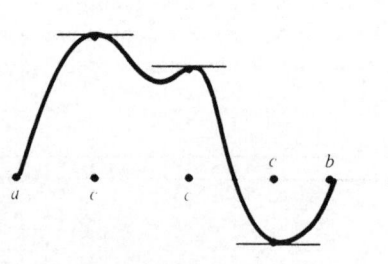

Figura B.8

Esse teorema diz que se uma curva diferenciável toca ou corta o eixo x em dois pontos, então deve haver pelo menos um ponto sobre a curva entre esses pontos em que a tangente é horizontal (Fig. B.8). Equivalentemente, os zeros de uma função diferenciável são sempre separados por zeros de sua derivada.

Os economistas têm uma máxima: "Não existe uma coisa tal como um lanche grátis". Para nós – na área da Matemática Pura – isto significa que não podemos receber algo por nada; ou, em outras palavras, conclusões fortes exigem hipóteses fortes. A conclusão do Teorema de Rolle depende fortemente de suas hipóteses, e os seguintes exemplos mostram que essas hipóteses não podem ser enfraquecidas sem destruir a conclusão.

Exemplo 1 A função

$$f(x) = \begin{cases} x, & 0 \leq x \leq 1, \\ 2-x, & 1 \leq x \leq 2 \end{cases}$$

(veja a Fig. B.9) é nula em $x = 0$ e $x = 2$ e é contínua sobre o intervalo fechado $0 \leqslant x \leqslant 2$.

Figura B.9

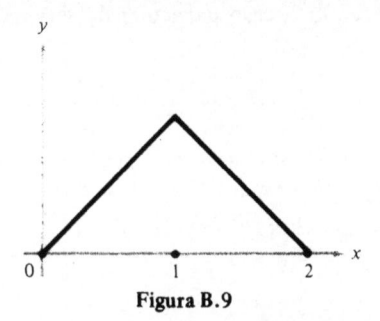

É diferenciável no intervalo aberto $0 < x < 2$, exceto no único ponto $x = 1$, onde a derivada não existe. A derivada $f'(x)$ é evidentemente não-nula em qualquer ponto do intervalo, e essa falha da conclusão do Teorema de Rolle aparece pelo fato de que a função deixa de ser diferenciável num único ponto.

Exemplo 2 A função

$$f(x) = \begin{cases} x, & 0 \le x < 1, \\ 0, & x = 1 \end{cases}$$

(veja a Fig. B.10) é nula em $x = 0$ e $x = 1$ e é diferenciável no intervalo aberto $0 < x < 1$.

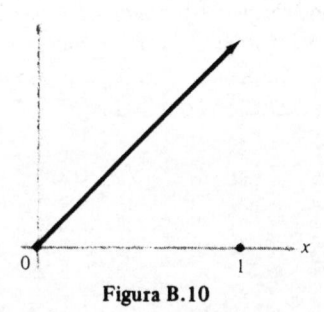

Figura B.10

É contínua no intervalo fechado $0 \le x \le 1$, exceto num único ponto $x = 1$. A derivada $f'(x)$ não é zero em nenhum ponto do intervalo e, nesse caso, a falha da conclusão do Teorema de Rolle aparece pela descontinuidade da função num único ponto.

Prova do Teorema 1 Pelo Teorema 2 da Seção B.3, nossa hipótese de continuidade implica que $f(x)$ assume um valor máximo M e um valor mínimo m sobre $[a, b]$. O fato de ser $f(x)$ zero nas extremidades a e b diz-nos que $m \leq 0 \leq M$. Se $f(x)$ for zero em todo ponto de $[a, b]$, então, evidentemente, $f'(c) = 0$ para todo c em (a, b), e, nesse caso trivial, a conclusão é verdadeira. Podemos portanto supor que a função assume valores não-nulos, de modo que $M > 0$ ou $m < 0$ (ou talvez ambas). Consideramos primeiro o caso em que $M > 0$. Se c é um ponto em que $f(c) = M$, então $a < c < b$, pois a função é zero nas extremidades a e b. Como $f(x)$ é diferenciável no intervalo aberto $a < x < b$, a derivada

$$f'(c) = \lim_{x \to c} \frac{f(x) - f(c)}{x - c} \qquad (1)$$

existe*.

É parte do significado de (1) que esse limite deve existir e ter o mesmo valor quando x tende a c pela esquerda e pela direita. Se x tende a c pela esquerda, temos

$$x - c < 0 \quad \text{e} \quad f(x) - f(c) \leq 0,$$

onde a segunda desigualdade vem do fato de que $f(c) = M$ é um valor máximo. Isto implica que

$$f'(c) = \lim_{x \to c^-} \frac{f(x) - f(c)}{x - c} \geq 0. \qquad (2)$$

Analogamente, se x tende a c pela direita, temos

$$x - c > 0 \quad \text{e} \quad f(x) - f(c) \leq 0,$$

logo,

$$f'(c) = \lim_{\Delta x \to 0} \frac{f(c + \Delta x) - f(c)}{\Delta x} \leq 0. \qquad (3)$$

Concluímos de (2) e (3) que $f'(c) = 0$, como foi afirmado. Se $M = 0$, então $m < 0$, e esse caso pode ser tratado por um argumento semelhante.

---

* A equação (1) é evidentemente um modo equivalente de escrever

$$f'(c) = \lim_{\Delta x \to 0} \frac{f(c + \Delta x) - f(c)}{\Delta x}$$

Nosso principal teorema pode agora ser enunciado como se segue (veja a Fig. B.7).

Teorema 2 (Teorema do Valor Médio) *Se uma função $f(x)$ é contínua sobre o intervalo fechado $a \leqslant x \leqslant b$ e diferenciável no intervalo aberto $a < x < b$, então existe pelo menos um número c entre a e b com a propriedade de que*

$$f'(c) = \frac{f(b) - f(a)}{b - a}. \tag{4}$$

Prova É fácil ver que a equação da corda que une P e Q na Fig. B.7 é

$$y = f(a) + \left[\frac{f(b) - f(a)}{b - a}\right](x - a).$$

A função

$$F(x) = f(x) - f(a) - \left[\frac{f(b) - f(a)}{b - a}\right](x - a) \tag{5}$$

é, portanto, a distância vertical da corda até o gráfico de $y = f(x)$. É fácil ver que a função (5) satisfaz as hipóteses do Teorema 1; logo, existe um ponto c entre a e b com a propriedade de que $F'(c) = 0$. Mas isto é equivalente a

$$f'(c) - \frac{f(b) - f(a)}{b - a} = 0,$$

que, por sua vez, é equivalente a (4); logo, a prova está completa.

Consideramos agora algumas das aplicações desse teorema.

É claro que a derivada de uma função constante é zero. É a recíproca verdadeira? Ou seja, se a derivada de uma função é nula num intervalo, a função é necessariamente constante nesse intervalo? No começo da Seção 5.3 encontramos um modo importante de raciocínio acerca de integrais indefinidas em que essa recíproca foi necessária e a assumimos como válida. Estamos agora em posição de prová-la usando o Teorema do Valor Médio.

Teorema 3 *Se uma função $f(x)$ é contínua sobre um intervalo fechado e se $f'(x)$ existe e é zero no interior de I, então $f(x)$ é constante sobre I.*

Prova Dizer que $f(x)$ é constante sobre I significa que ela tem só um valor aí. Para provar que este é o caso, suponha que ela tenha dois valores diferentes, digamos $f(a) \neq f(b)$ para $a < b$ em I. Então, o Teorema do Valor Médio implica que para algum c entre a e b temos

$$f'(c) = \frac{f(b) - f(a)}{b - a} \neq 0.$$

Mas isto não pode ser verdade, pois $f'(x) = 0$ em todos os pontos do interior de I. Essa contradição mostra que $f(x)$ não pode ter valores diferentes em I e é, portanto, constante sobre I, como desejávamos provar.

No início do Capítulo 4 baseamos nosso trabalho de esboçar curvas no fato "intuitivamente óbvio" de que uma função é crescente ou decrescente conforme sua derivada seja positiva ou negativa. O Teorema do Valor Médio faz com que seja possível dar uma prova rigorosa disto.

Teorema 4 *Seja $f(x)$ uma função contínua sobre um intervalo fechado I e diferenciável no interior de I. Se $f'(x) > 0$ no interior de I, então $f(x)$ é crescente sobre I. Analogamente, se $f'(x) < 0$ no interior de I, então $f(x)$ é decrescente sobre I.*

Prova Provaremos apenas a primeira asserção em que assumimos que $f'(x) > 0$ no interior de I. Para quaisquer dois pontos $a < b$ em I, o Teorema do Valor Médio diz-nos que

$$f'(c) = \frac{f(b) - f(a)}{b - a}$$

para algum c entre a e b. Mas $f'(c) > 0$; logo, a fração à direita dessa equação é positiva. Como $b - a$ é positivo, segue-se que $f(b) - f(a)$ é também positivo. Logo, $f(a) < f(b)$ e, conseqüentemente, $f(x)$ é crescente sobre I.

Finalmente usamos o Teorema de Rolle para provar uma extensão técnica do Teorema do Valor Médio que é necessária para estabelecer a regra de L'Hospital no Capítulo 12.

Teorema 5 (Teorema do Valor Médio Generalizado) *Sejam $f(x)$ e $g(x)$ contínuas sobre o intervalo fechado $a \leqslant x \leqslant b$ e derivável no intervalo aberto $a < x < b$ e suponha, além disso, que $g'(x) \neq 0$ para $a < x < b$. Então existe pelo menos um número c entre a e b com a propriedade de que*

$$\frac{f'(c)}{g'(c)} = \frac{f(b) - f(a)}{g(b) - g(a)}. \tag{6}$$

Prova Começamos notando que se $g(a) = g(b)$, então, pelo Teorema de Rolle, $g'(x)$ se anula em algum ponto entre a e b, contrário à hipótese. Portanto, $g(a) \neq g(b)$, e o segundo membro de (6) faz sentido. Para provar o teorema, considere a função

$$F(x) = [f(b) - f(a)][g(x) - g(a)] - [f(x) - f(a)][g(b) - g(a)].$$

É fácil ver que essa função satisfaz as hipóteses do Teorema de Rolle; logo, existe um ponto c entre a e b com a propriedade de que $F'(c) = 0$. Mas isto é equivalente a

$$[f(b) - f(a)]g'(c) - f'(c)[g(b) - g(a)] = 0,$$

que é equivalente a (6).

Os estudantes devem notar que esse teorema se reduz ao Teorema 2 se $g(x) = x$.

B.5 A INTEGRABILIDADE DE FUNÇÕES CONTÍNUAS

Na Seção 6.4 a integral definida de uma função sobre um intervalo foi definida por meio de uma complicada passagem ao limite, como se segue.

Começamos com uma função limitada arbitrária $f(x)$ definida sobre um intervalo fechado $[a, b]$. Subdividimos esse intervalo em n subintervalos iguais ou desiguais inserindo $n - 1$ pontos de divisão $x_1, x_2, ..., x_{n-1}$, de modo que

$$a = x_0 < x_1 < x_2 < \cdots < x_{n-1} < x_n = b. \tag{1}$$

Esses pontos dizem-se constituir uma *partição* P de $[a, b]$ nos subintervalos

$$[x_0, x_1], [x_1, x_2], \ldots, [x_{n-1}, x_n].$$

Se $\Delta x_k = x_k - x_{k-1}$ é o comprimento do k-ésimo subintervalo, então o comprimento do maior subintervalo chama-se *norma* da partição e é denotado pelo símbolo $\|P\|$,

$$\|P\| = \max \{\Delta x_1, \Delta x_2, \ldots, \Delta x_n\}.$$

Em cada um dos subintervalos $[x_{k-1}, x_k]$ escolhemos um ponto arbitrário x_k^*. Multiplicamos agora o valor da função $f(x)$ no ponto x_k^* pelo comprimento Δx_k do correspondente subintervalo e formamos a soma desses produtos quando o índice k varia de 1 a n:

$$\sum_{k=1}^{n} f(x_k^*) \Delta x_k. \tag{2}$$

Para cada inteiro positivo n consideramos todas as possíveis partições (1) e todas as possíveis escolhas dos pontos x_k^* e, portanto, todos os valores possíveis da soma (2). Se existir um número I tal que a soma (2) tenda a I quando $n \to \infty$ e $\|P\| \to 0$, independentemente de como as partições P são formadas e de como os pontos x_k^* são escolhidos, então chamamos esse número I *integral definida* (ou simplesmente *integral*) de $f(x)$ sobre $[a, b]$ e denotâmo-lo pelo símbolo

$$I = \int_a^b f(x)\, dx.$$

Nessas circunstâncias, a função $f(x)$ diz-se *integrável* sobre $[a, b]$. É costume exprimir essas idéias escrevendo

$$\int_a^b f(x)\, dx = \lim_{\|P\| \to 0} \sum_{k=1}^{n} f(x_k^*) \Delta x_k, \tag{3}$$

onde não há necessidade de especificar que $n \to \infty$, pois isto está implicado pela condição mais forte $\|P\| \to 0$.

Como dissemos no início, a operação de limite em (3) é bastante complicada e tem apenas uma semelhança superficial com limites diretos tais como

$$\lim_{x \to 2}(x^2 + 1) = 5 \quad \text{e} \quad \lim_{n \to \infty}\left(2 + \frac{1}{n}\right) = 2.$$

Em cada um desses casos consideramos o comportamento de uma certa função em termos do comportamento de uma variável independente, mas (3) não se presta a esse modo de raciocínio. Poderíamos tentar usar $\|P\|$ como uma variável independente e descrever o limite em termos da idéia expressa pelo símbolo $\|P\| \to 0$. Mas isto é difícil, pois a soma (2) não é uma função da quantidade $\|P\|$; para um dado valor de $\|P\|$ corresponde um número infinito de partições diferentes P e um número infinito de maneiras de escolher os pontos x_k^* e, portanto, um número infinito de valores da soma (2).

A complexidade da operação-limite em (3) é uma inconveniência considerável quando é para dar provas rigorosas de teoremas. A notação complicada exigida para tais provas força o próprio raciocínio a ser desajeitado e confuso. Por essa razão, é costume em tratamentos modernos da teoria da integração definir a integral definida de um modo muito diferente, em que se evita apelar para qualquer espécie de passagem ao limite. Descrevemos agora essa abordagem mais conveniente e a usamos para provar nosso principal teorema.

Portanto ignoramos nossa definição anterior e começamos tudo de novo desde o começo, com uma função $f(x)$ limitada arbitrária definida sobre um intervalo fechado $[a, b]$. Como $f(x)$ é limitada, tem um ínfimo m e um supremo M. Se P é uma partição dada qualquer de $[a, b]$, denotamos por m_k e M_k o ínfimo e o supremo de $f(x)$ sobre o k-ésimo subintervalo $[x_{k-1}, x_k]$. (Se $f(x)$ fosse admitida contínua sobre $[a, b]$, então pelo Teorema 2 do Apêndice B.3, os m e M seriam os valores mínimo e máximo da função. Mas não estamos assumindo continuidade nesse estágio; logo, devemos trabalhar, em vez disso, com ínfimos e supremos.) Formamos agora a *soma inferior*

$$s_P = \sum_{k=1}^{n} m_k \Delta x_k$$

e a *soma superior*

$$S_P = \sum_{k=1}^{n} M_k \Delta x_k.$$

É óbvio que $s_P \leq S_P$. Além disso, temos o importante

Lema   *Toda soma inferior é menor ou igual a toda soma superior; isto é, se P_1 e P_2 são duas partições quaisquer de $[a, b]$, então $s_{P_1} \leq S_{P_2}$.*

Prova É fácil ver que se um único ponto for adicionado à partição, então a soma inferior não muda ou cresce e a soma superior não muda ou decresce; e o mesmo é verdadeiro se qualquer número finito de pontos é adicionado para produzir um refinamento da partição dada. Aplicamos agora esse fato à nova partição P_3, que é formada pelos pontos P_1 e P_2 tomados juntos. Como P_3 é evidentemente um refinamento de ambas P_1 e P_2 segue-se que

$$s_{P_1} \leq s_{P_3} \leq S_{P_3} \leq S_{P_2},$$

o que completa o argumento.

Dentre outras coisas, esse lema diz-nos que toda soma superior é um majorante do conjunto de todas as somas inferiores e que toda soma inferior é um minorante do conjunto de todas as somas superiores. Podemos portanto formar o supremo de todas as possíveis somas inferiores, que se chama *integral inferior* e é denotada por

$$\underline{I} = \int_a^b f(x)\,dx.$$

Analogamente, o ínfimo de todas as somas superiores chama-se *integral superior* e é denotada por

$$\overline{I} = \int_a^b f(x)\,dx.$$

Nesse ponto faremos uma aplicação adicional do lema para concluir que

$$\underline{I} \le \overline{I}.$$

Conseqüentemente, toda função limitada definida sobre um intervalo fechado tem uma integral inferior e uma integral superior, e essas duas integrais são definidas sem fazer qualquer apelo ao conceito de limite. Se as integrais inferior e superior coincidirem, então chamamos seu valor comum de *integral* de $f(x)$ sobre $[a, b]$ e o denotamos pelo símbolo usual

$$I = \int_a^b f(x)\,dx;$$

e nesse caso a função $f(x)$ diz-se *integrável* sobre $[a, b]$. Por outro lado, é bem possível ter $\underline{I} < \overline{I}$ e, nesse caso, $f(x)$ é *não*-integrável. A função descrita na Observação 4 da Seção 6.4 fornece um bom exemplo desse comportamento recalcitrante.

Chegamos agora ao nosso principal teorema, que garante que a maioria das funções que encontramos na prática é integrável. Primeiro, um pouco de terminologia nova que será útil na prova. Se $f(x)$ é uma função limitada definida em um intervalo $[a, b]$ e se m e M são seu ínfimo e seu supremo sobre esse intervalo, então a diferença $M - m$ chama-se *oscilação* de $f(x)$ sobre $[a, b]$.

Teorema *Se uma função $f(x)$ é contínua sobre um intervalo fechado $[a, b]$, então é integrável sobre* $[a, b]$.

Prova Considere uma partição P de $[a, b]$ em subintervalos $[x_{k-1}, x_k]$ e forme as somas inferiores e superiores

$$s_P = \sum_{k=1}^{n} m_k \Delta x_k \quad \text{e} \quad S_P = \sum_{k=1}^{n} M_k \Delta x_k.$$

A diferença entre essas somas é

$$S_P - s_P = \sum_{k=1}^{n} (M_k - m_k) \Delta x_k, \qquad (4)$$

onde $M_k - m_k$ é a oscilação de $f(x)$ sobre o k-ésimo subintervalo $[x_{k-1}, x_k]$. Se mostrarmos que a diferença (4) pode ser feita tão pequena quanto quisermos escolhendo uma partição adequada P, então isto será evidentemente suficiente para provar o teorema. Realizamos isto do seguinte modo: seja ϵ um dado número positivo pequeno. Se for possível mostrar que a oscilação da função é menor que $\epsilon/(b-a)$ sobre todo subintervalo, isto é,

$$M_k - m_k < \frac{\epsilon}{b-a} \quad \text{para } k = 1, 2, \ldots, n,$$

então seguir-se-á que

$$S_P - s_P = \sum_{k=1}^{n} (M_k - m_k) \Delta x_k < \frac{\epsilon}{b-a} \sum_{k=1}^{n} \Delta x_k = \frac{\epsilon}{b-a}(b-a) = \epsilon.$$

Como ϵ pode ser feito tão pequeno quanto quisermos, isto completará a prova.

Devemos portanto provar a existência de uma partição P com a requerida propriedade. Se simplificarmos a notação escrevendo $\epsilon_1 = \epsilon/(b-a)$, de modo que ϵ_1 seja entendido como simplesmente um outro número positivo que pode ser escolhido tão pequeno quanto se queira, então essa propriedade da partição P pode ser enunciada como se segue: a oscilação da função contínua $f(x)$ sobre todo o subintervalo da partição deve ser menor que ϵ_1[*].

Damos uma prova indireta, isto é, assumimos que para pelo menos um número $\epsilon_1 > 0$ não existe nenhuma partição do tipo desejado e mostramos que essa hipótese leva a uma contradição. Seja c o ponto médio de $[a, b]$. Então não existe nenhuma partição do tipo desejado para pelo menos um dos dois subintervalos $[a, c]$ e $[c, b]$, pois se cada um desses subintervalos tivesse tal partição, então todo o intervalo $[a, b]$ também teria. Seja $[a_1, b_1]$ a metade de $[a, b]$, que não tem tal partição; e se ambas as metades não têm tal partição, seja $[a_1, b_1]$ a metade da esquerda, $[a, c]$. Agora, bissecione $[a_1, b_1]$ e, da mesma maneira, produza uma de suas metades, digamos

---

[*] Esse fato sobre uma função contínua definida sobre um intervalo fechado é usualmente referido na literatura como *Teorema da Continuidade Uniforme*.

$[a_2, b_2]$, sem tal partição; e continue o processo indefinidamente. Observamos que a oscilação de $f(x)$ sobre o n-ésimo subintervalo $[a_n, b_n]$ é pelo menos ϵ_1, e também que o comprimento desse subintervalo é $(b - a)/2^n$. Seja a_0 o supremo do conjunto das extremidades esquerdas $a_1, a_2, a_3, \ldots$ dessa seqüência encaixada de subintervalos. Então a_0 certamente está no intervalo $[a, b]$; e pela continuidade de $f(x)$ em a_0, existe um intervalo $(a_0 - \delta, a_0 + \delta)$ em que a oscilação de $f(x)$ é menor que ϵ_1. Entretanto, se n é suficientemente grande, o intervalo $[a_n, b_n]$ está totalmente dentro do intervalo $(a_0 - \delta, a_0 + \delta)$, e, portanto, a oscilação de $f(x)$ sobre $[a_n, b_n]$ deve ser também menor que ϵ_1, contradizendo nossa inferência prévia de que a oscilação de $f(x)$ sobre $[a_n, b_n]$ é pelo menos ϵ_1. Essa contradição conclui finalmente a prova do teorema.

Se os estudantes desejarem saber se uma função descontínua pode ser integrável, a resposta é sim. A função cujo gráfico é mostrado na Fig. B.11 fornece um exemplo dessa asserção. Ela é definida sobre o intervalo fechado $[0, 1]$ e seus valores são

$$\frac{1}{2} \text{ para } 0 \leq x < \frac{1}{2},$$

$$\frac{3}{4} \text{ para } \frac{1}{2} \leq x < \frac{3}{4},$$

$$\frac{7}{8} \text{ para } \frac{3}{4} \leq x < \frac{7}{8},$$

$$\ldots$$

$$1 \text{ para } x = 1.$$

Essa função tem um número infinito de pontos de descontinuidade mas tem também a propriedade de ser *não-decrescente*, no sentido de que $x_1 < x_2$ implica $f(x_1) \leq f(x_2)$ e toda função como essa é integrável sobre qualquer intervalo fechado $[a, b]$. Os estudantes estão convidados a provar isto por si mesmos observando que neste caso a diferença (4) pode ser escrita como

$$S_P - s_P = \sum_{k=1}^{n} (M_k - m_k) \Delta x_k$$

$$\leq \|P\| \sum_{k=1}^{n} (M_k - m_k) = \|P\|[f(b) - f(a)].$$

O conjunto de todas as funções integráveis pode ser caracterizado de um modo simples e absolutamente preciso, mas não prosseguiremos neste assunto aqui.

Figura B.11

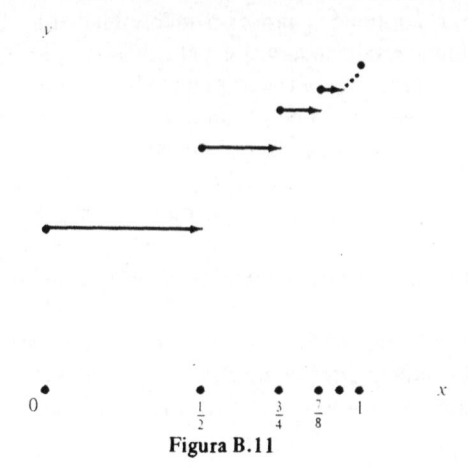

B.6 UMA OUTRA PROVA DO TEOREMA FUNDAMENTAL DO CÁLCULO

A prova que apresentamos usa o Teorema do Valor Médio estabelecido no Apêndice B.4; supomos que os estudantes tenham compreensão dos conceitos desenvolvidos no Apêndice B.5.

Para preparar o argumento, consideramos uma função $f(x)$ contínua num intervalo fechado $[a, b]$. Se $F(x)$ é tal que $F'(x) = f(x)$, devemos provar que

$$\int_a^b f(x)\, dx = F(b) - F(a). \tag{1}$$

Provaremos mostrando que o número do segundo membro de (1) está entre a soma inferior e a soma superior associadas a uma partição arbitrária

$$a = x_0 < x_1 < x_2 < \cdots < x_{n-1} < x_n = b \tag{2}$$

do intervalo $[a, b]$.

O raciocínio é o seguinte: a função $F(x)$ satisfaz as hipóteses do Teorema do Valor Médio em cada subintervalo da partição (2). Esse teorema garante, portanto, a existência de pontos x_1^*, x_2^*, x_n^* nesses subintervalos tais que

$$F(x_1) - F(a) = F'(x_1^*)(x_1 - a) = f(x_1^*)\, \Delta x_1,$$
$$F(x_2) - F(x_1) = F'(x_2^*)(x_2 - x_1) = f(x_2^*)\, \Delta x_2,$$
$$\cdots$$
$$F(b) - F(x_{n-1}) = F'(x_n^*)(b - x_{n-1}) = f(x_n^*)\, \Delta x_n.$$

Se somamos essas equações e aproveitamos os cancelamentos à esquerda, temos

$$F(b) - F(a) = \sum_{k=1}^{n} f(x_k^*) \, \Delta x_k. \qquad (3)$$

O segundo membro de (3) está evidentemente entre a soma inferior e a soma superior associadas à partição (2), o que conclui a prova.

B.7 A EXISTÊNCIA DE $\quad e = \lim_{h \to 0} (1 + h)^{1/h}$

Nesta discussão começamos definindo e como o limite

$$e = \lim_{n \to \infty} \left(1 + \frac{1}{n}\right)^n. \qquad (1)$$

Então estenderemos cuidadosamente essa fórmula, passo a passo, até chegarmos à conclusão mais geral de que

$$e = \lim_{h \to 0} (1 + h)^{1/h}, \qquad (2)$$

onde a h é permitido tender a 0 de qualquer maneira, por valores racionais ou irracionais, positivos ou negativos.

Nossa primeira tarefa é provar a existência do limite (1) e desse modo legitimar essa definição de e. Pelo Teorema do Binômio de Newton, a quantidade

$$x_n = \left(1 + \frac{1}{n}\right)^n$$

é expressa como a seguinte soma de $n + 1$ termos:

$$1 + n \cdot \frac{1}{n} + \frac{n(n-1)}{1 \cdot 2} \cdot \frac{1}{n^2} + \frac{n(n-1)(n-2)}{1 \cdot 2 \cdot 3} \cdot \frac{1}{n^3} + \cdots + \frac{1}{n^n}$$

$$= 1 + 1 + \frac{1}{1 \cdot 2}\left(1 - \frac{1}{n}\right) + \frac{1}{1 \cdot 2 \cdot 3}\left(1 - \frac{1}{n}\right)\left(1 - \frac{2}{n}\right) + \cdots + \frac{1}{n^n}. \qquad (3)$$

Quando n cresce, o número de termos nessa soma cresce e também cada termo após o segundo cresce. Isto mostra que

$$x_1 < x_2 < x_3 < \cdots < x_n < x_{n+1} < \cdots . \tag{4}$$

Também, a expansão (3) revela que

$$x_n < 1 + 1 + \frac{1}{1 \cdot 2} + \frac{1}{1 \cdot 2 \cdot 3} + \cdots + \frac{1}{1 \cdot 2 \cdot 3 \cdots n}$$

$$< 1 + 1 + \left(\frac{1}{2} + \frac{1}{2^2} + \cdots + \frac{1}{2^{n-1}}\right) < 1 + 1 + 1 = 3, \tag{5}$$

pois a expressão entre parênteses é parte da série geométrica familiar

$$\frac{1}{2} + \frac{1}{2^2} + \cdots + \frac{1}{2^{n-1}} + \cdots = 1.$$

Por (4) e (5), os x_n crescem uniformemente, mas sempre permanecem < 3; logo, eles tendem necessariamente a um valor-limite. No presente contexto, esse valor-limite é e por definição. Esse argumento prova (1). Vê-se claramente que

$$e = \lim_{n \to \infty} \left(1 + \frac{1}{n+1}\right)^{n+1},$$

o que será necessário abaixo.

A seguir, consideramos o limite (2) para o caso especial em que h tende a 0 por valores positivos. Quando $h < 1$, existe um único inteiro positivo n tal que

$$n \leq \frac{1}{h} < n + 1.$$

Isto implica

$$\left(1 + \frac{1}{n+1}\right)^n < (1 + h)^{1/h} < \left(1 + \frac{1}{n}\right)^{n+1},$$

que, por sua vez, pode ser escrito como

$$\frac{[1 + 1/(n+1)]^{n+1}}{1 + 1/(n+1)} < (1 + h)^{1/h} < \left(1 + \frac{1}{n}\right)^n \left(1 + \frac{1}{n}\right). \tag{6}$$

Quando $h \to 0$, $n \to \infty$, e os termos primeiro e terceiro da desigualdade (6) tendem a e. Como $(1 + h)^{1/h}$ está cercada entre os dois, deve ter o mesmo limite e, portanto, provamos (2) para o caso em que $h \to 0$ por valores positivos.

Concluímos nossa análise estabelecendo (2) para o caso em que h tende a 0 por valores negativos. Fazendo-se $h = -k$, então

$$(1 + h)^{1/h} = (1 - k)^{-1/k} = \left(\frac{1}{1-k}\right)^{1/k}$$

$$= \left(1 + \frac{k}{1-k}\right)^{1/k} = \left(1 + \frac{k}{1-k}\right)^{(1-k)/k} \left(1 + \frac{k}{1-k}\right) \to e \cdot 1 = e,$$

pelo resultado do parágrafo anterior.

B.8 A VALIDADE DA INTEGRAÇÃO POR SUBSTITUIÇÃO INVERSA

Ao fazermos as substituições diretas discutidas na Seção 10.2, nosso procedimento consistiu em pôr $u = g(x)$, onde $g(x)$ fazia parte do integrando. Para esse método funcionar, tínhamos de ter $du = g'(x)\,dx$ como uma outra parte do integrando, e isto significava que, de modo geral, o integrando deveria ter uma forma um pouco especial.

Um modo muito mais natural de fazer uma mudança de variável numa integral $\int f(x)\,dx$ é introduzir uma nova variável u escrevendo $x = h(u)$ e $dx = h'(u)du$, onde $h(u)$ é alguma função sugerida pela forma da integral. Isto significa que traduzimos a integral dada da notação x para a notação u escrevendo

$$\int f(x)\,dx = \int f[h(u)]h'(u)\,du = \int g(u)\,du, \tag{1}$$

onde $g(u) = f[h(u)]h'(u)$; a expectativa é de que a integral à direita seja fácil de calcular. De fato, se

$$\int g(u)\,du = G(u), \tag{2}$$

então poderemos ter

$$\int f(x)\,dx = G[k(x)], \tag{3}$$

onde $u = k(x)$ é a função inversa de $x = h(u)$*. Esse processo chama-se *substituição inversa*. É um método muito útil, quando podemos encontrar $G(u)$ e se conhecemos a função inversa $u = k(x)$. Essas observações constituem uma descrição geral do que ocorre com o método de substituições trigonométricas e também em alguns dos métodos sugeridos na Seção 10.8.

Podemos provar a validade da substituição inversa da seguinte forma. A questão é: na substituição direta, como foi discutido na Seção 10.2, usamos a transformação integral (1) no sentido oposto, para calcular $\int g(u)\,du$. Mostramos que se

$$\int f(x)\,dx = F(x),$$

então

$$\int g(u)\,du = F[h(u)].$$

Assim, no presente contexto, onde também temos (2), segue-se que

$$F[h(u)] = G(u) + c$$

para alguma constante c. Mas isto é o mesmo que

$$F(x) = G[k(x)] + c,$$

e, portanto, $G[k(x)]$ é uma integral de $f(x)$, como estabelecia (3).

Ainda mais, podemos usar o mesmo método para tratar de integrais definidas se os limites de integração forem corretamente trocados; isto é,

$$\int_a^b f(x)\,dx = \int_c^d g(u)\,du,$$

onde $c = k(a)$ e $d = k(b)$. Podemos provar essa igualdade muito facilmente, pensando nela em outro sentido:

$$\int_c^d g(u)\,du = \int_a^b f(x)\,dx,$$

onde $a = h(c)$ e $b = h(d)$, pois essa segunda versão foi provada na Seção. 10.2.

---

* Ou seja, $u = k(x)$ é o resultado da resolução de $x = h(u)$ para u em termos de x. O conceito de função inversa foi discutido na Observação 2 da Seção 9.5.

B.9 PROVA DO TEOREMA DAS FRAÇÕES PARCIAIS

Nosso propósito aqui é estabelecer a validade da decomposição em frações parciais como foi enunciada de uma maneira detalhada na Seção 10.6. Estamos considerando uma função racional $P(x)/Q(x)$ e supomos que $Q(x)$ seja um polinômio de grau n completamente fatorado em fatores lineares e quadráticos com suas várias multiplicidades. No início, não suporemos que $P(x)/Q(x)$ seja própria. Isto nos permitirá compreender mais claramente o significado dessa hipótese quando se tornar necessário. Nosso instrumento básico é o seguinte lema sobre a remoção de um fator linear do denominador:

Lema *Seja $x - r$ um fator linear de $Q(x)$ de multiplicidade 1, de modo que $Q(x) = (x - r) Q_1(x)$ com $Q_1(r) \neq 0$. Então $P(x)/Q(x)$ pode ser escrito na forma*

$$\frac{P(x)}{Q(x)} = \frac{P(x)}{(x-r)Q_1(x)} = \frac{A}{x-r} + \frac{P_1(x)}{Q_1(x)}, \tag{1}$$

onde A é uma constante e $P_1(x)$ é um polinômio tal que $P_1(x)/Q_1(x)$ é uma função racional própria sempre que $P(x)/Q(x)$ o seja. A constante A pode ser calculada de uma das fórmulas

$$A = \frac{P(r)}{Q_1(r)} = \frac{P(r)}{Q'(r)}. \tag{2}$$

Prova Devemos obter A e $P_1(x)$ convenientes e fazemos isto deixando (1) sugerir como devem ser suas definições. Com essas definições, mostramos então que (1) é válida.

Combinando as frações do segundo membro de (1), vemos que A e $P_1(x)$ devem ser escolhidos de modo que os numeradores sejam idênticos:

$$P(x) = AQ_1(x) + (x - r)P_1(x). \tag{3}$$

Como devemos ter uma identidade, ela deve valer em particular para $x = r$. Isto dá $P(r) = AQ_1(r) + 0$. Logo, fazemos

$$A = \frac{P(r)}{Q_1(r)}. \tag{4}$$

Esta é uma definição legítima, pois $Q_1(r) \neq 0$. Como

$$Q(x) = (x - r)Q_1(x) \quad \text{e} \quad Q'(x) = (x - r)Q_1'(x) + Q_1(x),$$

vemos que $Q'(r) = Q_1(r)$ e assim estabelecemos a segunda fórmula para A enunciada em (2). Usando a fórmula para A dada por (4), resolvemos agora (3) para $P_1(x)$,

$$P_1(x) = \frac{P(x) - AQ_1(x)}{x - r} = \frac{P(x) - [P(r)/Q_1(r)]Q_1(x)}{x - r}$$

$$= \frac{1}{Q_1(r)} \frac{P(x)Q_1(r) - P(r)Q_1(x)}{x - r}. \tag{5}$$

Adotamos esta como nossa definição de $P_1(x)$. Pode parecer que essa função não seja um polinômio. Entretanto, o numerador dessa fração é nitidamente um polinômio que tem o valor 0 para $x = r$; logo, pelo Teorema de Fatoração da Álgebra, ele tem $x - r$ como fator. O fator comum $x - r$ pode ser cancelado do numerador e do denominador e concluímos que $P_1(x)$ é, de fato, um polinômio. Mostraremos agora que (1) é válido quando A e $P_1(x)$ são definidos como o foram acima:

$$\frac{A}{x - r} + \frac{P_1(x)}{Q_1(x)} = \frac{AQ_1(x) + (x - r)P_1(x)}{(x - r)Q_1(x)}$$

$$= \frac{[P(r)/Q_1(r)]Q_1(x) + [1/Q_1(r)][P(x)Q_1(r) - P(r)Q_1(x)]}{(x - r)Q_1(x)}$$

$$= \frac{P(x)}{(x - r)Q_1(x)}.$$

Finalmente, a afirmação de que $P_1(x)/Q_1(x)$ é própria sempre que $P(x)/Q(x)$ for própria segue-se de (3) usando o fato de que o grau de $Q_1(x)$ é $n-1$; se o grau de $P_1(x)$ for $n-1$, então de (3) teríamos que o grau de $P(x)$ seria $\geqslant n$.

Esse lema permite-nos fazer tudo que desejamos com relação ao desdobramento em frações parciais gerado por fatores lineares de $Q(x)$. Nesse estágio, assumimos especificamente que $P(x)/Q(x)$ é própria, de modo que, cada vez que o lema for aplicado, a função racional residual $P_1(x)/Q_1(x)$ será também própria.

Observamos primeiro que se $Q(x)$ puder ser fatorado inteiramente em fatores lineares distintos, de modo que

$$Q(x) = (x - r_1)(x - r_2) \cdots (x - r_n),$$

então

$$\frac{P(x)}{Q(x)} = \frac{A_1}{x - r_1} + \frac{A_2}{x - r_2} + \cdots + \frac{A_n}{x - r_n},$$

pois podemos eliminar os fatores do denominador um por vez de acordo com o lema. Na última etapa, o denominador residual é $x - r_n$, e, como o numerador é necessariamente de grau inferior, esse numerador deve ser uma constante.

Suponhamos a seguir que $x - r$ seja um fator linear de $Q(x)$ de multiplicidade m, de modo que $Q(x) = (x-r)^m \ Q_1(x)$ com $Q_1(r) \neq 0$. Para enfrentar essa situação, aplicamos o lema repetidamente de um modo um pouco diferente. Primeiro, por (1), temos

$$\frac{P(x)}{(x-r)Q_1(x)} = \frac{B_m}{x-r} + \frac{P_1(x)}{Q_1(x)}.$$

Dividindo por $x - r$ e aplicando (1) de novo, temos

$$\frac{P(x)}{(x-r)^2 Q_1(x)} = \frac{B_m}{(x-r)^2} + \frac{P_1(x)}{(x-r)Q_1(x)} = \frac{B_m}{(x-r)^2} + \frac{B_{m-1}}{x-r} + \frac{P_2(x)}{Q_1(x)}.$$

Continuando dessa maneira, obtemos no fim que

$$\frac{P(x)}{Q(x)} = \frac{P(x)}{(x-r)^m Q_1(x)} = \frac{B_m}{(x-r)^m} + \cdots + \frac{B_1}{x-r} + \frac{P_m(x)}{Q_1(x)}$$

$$= \frac{P_m(x)}{Q_1(x)} + \frac{B_1}{x-r} + \cdots + \frac{B_m}{(x-r)^m}.$$

Dessa maneira eliminamos todos os fatores lineares do denominador de nossa função própria $P(x)/Q(x)$ e geramos as correspondentes frações parciais como descrito na Seção 10.6.

O restante da prova exige um conhecimento de números complexos, pois as raízes imaginárias de um polinômio real vêm aos pares conjugados e esse fato desempenha um papel essencial no argumento. Antes de começar, é necessário observar que nosso lema fundamental funciona exatamente da mesma maneira se os números r forem imaginários.

Agora suponhamos que $x^2 + bx + c$ seja um fator quadrático de $Q(x)$ de multiplicidade 1, que é irredutível no sentido de que $b^2 - 4c < 0$ e as raízes r_1 e r_2 da equação $x^2 + bx + c = 0$ são números complexos conjugados*.

Então

$$Q(x) = (x^2 + bx + c)Q_2(x) = (x - r_1)(x - r_2)Q_2(x),$$

---

* Se $x^2 + bx + c$ não fosse irredutível, teria sido fatorado em fatores lineares reais na fatoração "completa" de $Q(x)$ anteriormente mencionada.

e por duas aplicações sucessivas de nosso lema, podemos determinar constantes A_1 e A_2 e um polinômio $P_2(x)$ tais que

$$\frac{P(x)}{Q(x)} = \frac{P(x)}{(x-r_1)(x-r_2)Q_2(x)} = \frac{A_1}{x-r_1} + \frac{A_2}{x-r_2} + \frac{P_2(x)}{Q_2(x)}.$$

Usando (2) vemos que

$$A_1 = \frac{P(r_1)}{Q'(r_1)} \quad \text{e} \quad A_2 = \frac{P(r_2)}{Q'(r_2)},$$

e essas fórmulas implicam que A_1 e A_2 são também números complexos conjugados. Combinando as correspondentes frações parciais, podemos escrever agora

$$\frac{P(x)}{Q(x)} = \frac{(A_1 + A_2)x - (A_1 r_2 + A_2 r_1)}{(x-r_1)(x-r_2)} + \frac{P_2(x)}{Q_2(x)} = \frac{Ax+B}{x^2+bx+c} + \frac{P_2(x)}{Q_2(x)},$$

onde os números $A = A_1 + A_2$ e $B = -(A_1 r_2 + A_2 r_1)$ são reais, pois r_1, r_2 e A_1, A_2 são pares de números complexos conjugados. Sabemos também, pela última expressão, que $P_2(x)$ é um polinômio real. Se o fator $x^2 + bx + c$ ocorre com multiplicidade $m > 1$, então simplesmente o removemos sucessivamente da maneira utilizada acima com repetidos fatores lineares. Isto produz exatamente a decomposição em frações parciais descrita na Seção 10.6.

Quando esses procedimentos forem aplicados a cada um dos fatores lineares e quadráticos reais de $Q(x)$, todas as frações parciais correspondentes serão obtidas, não sobrará nada em $Q(x)$, a decomposição estará completa e o Teorema das Frações Parciais estará totalmente provado.

Até esse ponto não dissemos nada acerca da unicidade, mas vale a pena observar que uma função racional própria pode ser decomposta em frações parciais de uma única maneira. Isto se segue imediatamente de nossa discussão global se conseguirmos mostrar no lema que a expansão (1) é única. Mas isto é fácil; se supusermos duas formas para a expansão

$$\frac{A}{x-r} + \frac{P_1(x)}{Q_1(x)} = \frac{B}{x-r} + \frac{P_2(x)}{Q_1(x)},$$

teremos:

$$AQ_1(x) + (x-r)P_1(x) = BQ_1(x) + (x-r)P_2(x).$$

Fazendo $x \to r$, vemos que $B = A$; logo, A em (1) é único, e isto implica que $P_1(x)$ em (1) também é único.

APÊNDICE

C

NOTAS BIOGRÁFICAS

História biográfica, como ensinada em nossas escolas, ainda é em grande parte uma história de tolos: ridículos reis e rainhas, líderes políticos paranóicos, viajantes compulsivos, generais ignorantes – destroços das correntes históricas. Os homens que alteraram radicalmente a História, os grandes cientistas e matemáticos criativos, são raramente mencionados, se é que chegam a sê-lo.

Martin Gardner

Não iria tão longe a ponto de dizer que construir uma história do pensamento sem um estudo profundo das idéias matemáticas das épocas que se sucedem é como omitir Hamlet da peça com o mesmo nome. Isto seria exagero. Mas é certamente análogo a cortar a parte de Ophelia. Essa comparação é singularmente exata. Pois Ophelia é essencial à peça; ela é muito encantadora – e um pouco maluca. Sustentamos que o propósito da Matemática é uma divina loucura do espírito humano, um refúgio da premente urgência das contingências.

A. N. Whitehead

UM PANORAMA DA HISTÓRIA DO CÁLCULO

OS ANTIGOS

Pitágoras (580 - 500 A.C.)   Teorema de Pitágoras para triângulos retângulos; irracionalidade de $\sqrt{2}$.

Euclides (300 A.C.)   Organizou a maior parte da Matemática conhecida em seu tempo; Teorema de Euclides sobre números perfeitos; infinidade de números primos.

Arquimedes (287 - 212 A.C.)	Determinou tangentes, áreas e volumes, essencialmente por cálculo; achou o volume e a superfície de uma esfera; centros de gravidade; espiral de Arquimedes; calculou π.
Pappus (séc. IV)	Centros de gravidade de sólidos e superfícies de revolução.

OS PRECURSORES

Descartes (1596 - 1650)	Considerado descobridor da Geometria Analítica; introduziu algumas boas notações.
Mersenne (1588 - 1648)	Agilizou o fluxo de idéias; ciclóide; primos de Mersenne.
Fermat (1601 - 1665)	Verdadeiro descobridor da Geometria Analítica; calculou e usou derivadas e integrais; fundou a moderna Teoria dos Números; probabilidades.
Pascal (1623 - 1662)	Indução matemática; coeficientes binomiais; ciclóide; Teorema de Pascal em geometria; probabilidades; influenciou Leibniz.
Huygens (1629 - 1695)	Catenária; ciclóide; movimento circular; professor de Matemática de Leibniz (que aluno! que professor!).

OS PRIMEIROS MODERNOS

Newton (1642 - 1727)	Inventou sua própria versão do Cálculo; descobriu o Teorema Fundamental; usou séries infinitas; virtualmente criou Astronomia e Física como ciências matemáticas.
Leibniz (1646 - 1716)	Inventou uma maneira mais aprimorada do Cálculo; descobriu o Teorema Fundamental; inventou muitas notações boas; professor dos irmãos Bernoulli.
Os Bernoulli (James 1654 - 1705, John 1667 - 1748)	Aprenderam Cálculo com Leibniz, desenvolveram e aplicaram-no exaustivamente; séries infinitas; John foi professor de Euler.
Euler (1707 - 1783)	Organizou e desenvolveu o Cálculo bastante extensivamente; codificou a Geometria Analítica e a Trigonometria; introduziu os símbolos e, π, i, $f(x)$, sen x, cos x; séries e produtos infinitos; cálculo das variações; Teoria dos Números; topologia; Física-Matemática etc.
Lagrange (1736 - 1813)	Cálculo das variações; mecânica analítica.
Laplace (1749 - 1827)	Equação de Laplace; mecânica celeste; probabilidade analítica.
Fourier (1768 - 1830)	Série de Fourier; equação do calor.

OS MODERNOS

Gauss (1777 - 1855)	Iniciou o rigor na análise com provas de convergência para séries infinitas; teoria dos números; números complexos na álgebra, análise e teoria dos números; geometria diferencial; geometria não-euclideana etc.
Cauchy (1789 - 1857)	Tratamento cuidadoso dos limites, continuidade, derivadas, integrais, séries; análise complexa.
Abel (1802 - 1829)	Série binomial; equação do quinto grau; cálculo integral; funções elípticas.
Dirichlet (1805 - 1859)	Convergência de séries de Fourier; definição moderna de função; teoria analítica dos números.
Liouville (1809 - 1882)	Integrais de funções elementares; números transcendentes.
Hermite (1822 - 1901)	Transcendência de e; matrizes hermitianas; funções elípticas.
Riemann (1826 - 1866)	Integral de Riemann; teorema do rearranjo de Riemann; geometria riemanniana; função zeta de Riemann; análise complexa.

PITÁGORAS (580 - 500 A.C.)

> ...*três quintos dele, gênio, e dois quintos, cristalino absurdo.*
>
> J.R. Lowell

A civilização ocidental é como um grande rio fluindo através do tempo, nutrido e reforçado por muitos afluentes de outras culturas. Projetemos nossa imaginação no sentido contrário a seu curso alguns milhares de anos até suas fontes na Grécia antiga. Lá, perto da fonte primeira da corrente, está a nebulosa, meio mítica, figura de Pitágoras. Agora na atualidade, muitas pessoas pensam-no como um matemático, mas para seus contemporâneos ele era muitas outras coisas — um professor de sabedoria, um profeta religioso, um santo, um mágico, um charlatão, um agitador político; dependendo do ponto de vista. Seus correligionários fanáticos espalharam suas idéias pelo mundo grego, o qual absorveu algumas e ignorou outras. Em termos de sua influência duradoura na Matemática, Ciência e Filosofia na civilização européia, Pitágoras foi mais importante do que qualquer outro que tenha vivido na época.

A Matemática começa com ele, no sentido de que ele foi o primeiro a concebê-la como um sistema de pensamento mantido coeso por provas dedutivas. Foi mesmo o primeiro a usar a palavra *mathematike* para designar a Matemática. Antes dele havia apenas a palavra *mathemata*, que designava conhecimento ou aprendizado em geral.

A Ciência começa com ele, no sentido de que ele executou deliberadamente o primeiro experimento científico e que foi a primeira pessoa a conceber a conjectura sumamente ousada de que o mundo é um todo ordenado e compreensível. Ele foi o primeiro a aplicar a palavra *kosmos* — que anteriormente significava ordem ou harmonia — a esse todo.

A Filosofia ocidental começa com ele, no sentido de que suas idéias a respeito da natureza da realidade cristalizaram-se dois séculos após, no âmago do sistema metafísico de Platão, e o pensamento filosófico subseqüente no Ocidente tem sido descrito como uma série de notas de rodapé a Platão. Parece também que criou a palavra filosofia (*philosophia*, amor ao conhecimento) em oposição à palavra *sophia* (sabedoria) que considerava muito pretenciosa para descrever suas próprias tentativas de compreensão.

Qualquer uma dessas três grandes realizações seria uma façanha sublime para se creditar a qualquer homem. Não é demais crer que todas elas estejam ligadas a um único indivíduo? Vejamos como elas apareceram.

O que primeiro, no entanto, pode ser dito sobre sua vida? Ele foi contemporâneo de Confúcio, Buda e Zoroastro. Como essas outras grandes figuras da infância da raça, Pitágoras não é conhecido apenas através de lendas e tradições instituídas centenas de anos após sua morte.

Em termos gerais, essas tradições coincidem. Ele nasceu na ilha de Samos, na costa oeste da Ásia Menor. Foi estudioso na juventude (qual sábio não o foi?) e então viajou cerca de 30 anos pelo Egito, Babilônia, Fenícia, Síria e talvez mesmo pela Pérsia e Índia. Durante suas jornadas, aprendeu um pouco de astronomia e matemática empíricas e primitivas, e uma boa dose de insensatez ridícula na forma de misticismo oriental — a assim chamada "imemorial sabedoria do Leste". Por fim, voltando a Samos, não gostou do que havia lá: um eficiente mas antipático tirano. Aos mais ou menos 50 anos de idade emigrou para a colônia grega de Crotona, no sul da Itália.

Lá começa sua vida pública. Ele se estabeleceu como professor e fundou a famosa Escola Pitagórica, uma associação semi-secreta com centenas de alunos e que disputa a honra de ser a primeira universidade do mundo. No princípio, essa escola parece ter sido mais uma irmandade religiosa objetivando uma reforma moral da sociedade que um foco de atividade intelectual. Contudo a sociedade nem sempre acolhe reformas morais, e os que não eram membros passaram a encará-la como um partido político ofensivamente puritano. Futuramente suas atividades políticas crescentes incitaram a ira dos cidadãos a uma tal medida que os pitagóricos foram violentamente massacrados e suas instalações saqueadas e queimadas. Pitágoras fugiu para a colônia vizinha de Metapontum, onde morreu com idade avançada. Os pitagóricos remanescentes, embora espalhados pelo mundo mediterrâneo, mantiveram a fé e uma ativa escola filosófica por mais de um século.

O que era essa fé? Seu ponto de partida era a teoria de Pitágoras da alma como entidade objetiva; essa teoria foi desenvolvida, sem dúvida, de suas experiências no Egito e na Ásia. Ele acreditava na doutrina da metempsicose, isto é, da transmigração da alma do indivíduo, após a morte, de um corpo para outro, seja humano ou animal*.

Cada alma continua esse processo de reencarnação indefinidamente, subindo ou descendo para animais superiores ou inferiores de acordo com o mérito ou demérito. O único modo de escapar dessa "roda de nascimentos" e atingir a unidade com o Divino é por meio da purificação tanto do corpo como da mente. Essas idéias, embora fantásticas para as mentes modernas, eram muito difundidas na Antiguidade e tiveram papel importante na formação de muitas religiões do mundo.

A comunidade pitagórica era unida por promessas de lealdade entre seus membros e obediência ao Mestre e a purificação comunitária de bens materiais. Eles se vestiam com simplicidade e não riam nem faziam juramentos. Era proibido comer grãos ou carne. A proibição de grãos era provavelmente reflexo de algum tabu primitivo e ser vegetariano era uma precaução natural contra a maldição de se comer algum ancestral. Além disso, beber água em vez de vinho era recomendado — conselho de sabedoria duvidosa no sul da Itália de hoje.

Parece que o próprio Pitágoras ultrapassou todos os seus estudantes na perfeição de sua vida relativamente a esses padrões. Sua autoridade moral e intelectual foi tão grande que a frase *autos epha* — "ele mesmo o disse" — tornou-se a fórmula usada para uma decisão final em qualquer assunto. Também era costume atribuir-se todas as idéias e descobertas ao Mestre, o que torna praticamente impossível distinguir suas realizações das de seus discípulos.

Como é sugerido acima, os pitagóricos procuravam a purificação do corpo por meio da austeridade, abstinência e moderação. Isto era comum então, e ainda o é em muitas regiões do Oriente. A singularidade de

---

* "Não o fira", afirma-se que ele ordenou a um homem que batia num cão, "pois nesse cão vive a alma de um amigo meu; reconheço-o pela voz".

Pitágoras está em seu plano para atingir a purificação da mente: pelo ativo estudo da Matemática e da Ciência. Isto é diametralmente oposto à "meditação" passiva recomendada por muitos cultos místicos, a qual um observador não simpatizante poderia descrever como sendo um pouco mais que reinar sobre o vácuo. Esse plano de Pitágoras é a fonte de sua influência seminal na civilização ocidental e contribuiu em parte para o traço principal dessa civilização do modo como ela vem se desenvolvendo nos últimos 2.500 anos.

O curso de estudos requerido por Pitágoras consistia em quatro assuntos: geometria, aritmética, música e astronomia. Na Idade Média esse grupo de assuntos ficou conhecido como o *quadrivium* (ou "caminho quádruplo") e foi então acrescido pela adição do *trivium* de gramática, retórica e lógica. Estas eram as sete artes liberais que eram vistas como partes essenciais da educação de qualquer pessoa culta.

A matemática grega é certamente uma dentre a meia dúzia das supremas façanhas intelectuais da história humana. Pitágoras iniciou-a, não no sentido prático dos funcionários públicos da Babilônia e Egito, mas em si mesma, como uma disciplina mental capaz de elevar a mente a altos níveis de ordem e clareza. Antes dele existiam apenas umas poucas regras isoladas em geometria, concluídas empiricamente e sem nenhuma sugestão de que poderia haver relações lógicas entre elas. Pitágoras parece ter criado o modelo de definições, axiomas, teoremas e provas, segundo o qual a estrutura intrincada da geometria é obtida de um pequeno número de afirmações explicitamente feitas e da ação de um raciocínio dedutivo rigoroso. Parece que a própria idéia de prova matemática deve-se a ele. A tradição conta-nos que o próprio Pitágoras descobriu muitos teoremas, entre os mais notáveis o fato de que a soma dos ângulos em um triângulo qualquer vale dois ângulos retos e o famoso Teorema de Pitágoras sobre o quadrado da hipotenusa de um triângulo retângulo. De acordo com uma fonte, sua alegria na descoberta desse magnífico teorema foi tão grande que ele sacrificou um boi em ação de graças, mas é uma história improvável, pois tal ação seria uma violação chocante das crenças pitagóricas. A Irmandade também sabia muitas propriedades das retas paralelas e triângulos semelhantes, e arranjou todo esse material num sistema logicamente coerente, grosso modo equivalente aos dois primeiros livros dos *Elementos* de Euclides (300 a.C.). Vale dizer, partindo quase do princípio, que eles descobriram por si próprios aproximadamente tanta geometria quanto os estudantes aprendem hoje na primeira metade de um curso de 2º grau.

Os pitagóricos eram também fascinados pela Aritmética – não no sentido de habilidades computacionais úteis, mas no da teoria abstrata dos números. Parece que eles foram os primeiros a classificar os números em ímpares, pares, primos, fatoráveis etc. Seus números favoritos eram os números figurados, que são obtidos por arranjos de pontos em modelos geométricos regulares. Mencionemos os números triangulares 1, 3, 6, 10, ..., que são o número de pontos nos seguintes arranjos triangulares:

Evidentemente, são números da forma $1 + 2 + 3 + ... + n$. Também há os números quadrados 1, 4, 9, 16, ... :

Como indicado, cada número quadrado pode ser obtido de seu predecessor adicionando uma borda em forma de L chamada *gnomon*, que significa esquadro de carpinteiro. Os pitagóricos estabeleceram muitos fatos interessantes sobre números figurados simplesmente olhando as figuras. Por exemplo, como os gnomons sucessivos são os números ímpares sucessivos, é imediatamente claro dos arranjos em quadrado que a soma dos n primeiros números ímpares vale n^2:

$$1 + 3 + 5 + ... + (2n - 1) = n^2.$$

Do mesmo modo, a fórmula

$$1 + 2 + 3 + \ldots + n = \frac{1}{2} n(n + 1)$$

para o n-ésimo número triangular torna-se visível escrevendo-o na forma

$$2 + 4 + 6 + \ldots + 2n = n(n + 1),$$

pois o lado esquerdo da igualdade é a soma dos primeiros n números pares e a igualdade se vê imediatamente quando essa soma é expressa na forma de um arranjo retangular com n pontos ao longo de um lado, e $n + 1$ pontos ao longo do outro, como se segue:

A tremenda idéia de que a Matemática é a chave para a interpretação correta da natureza surgiu com os pitagóricos, e provavelmente com o próprio Pitágoras. A descoberta que sugeriu essa idéia surgiu de um simples experimento com a música. Pitágoras distendeu uma corda de lira entre duas presilhas numa tábua. Quando esta corda tensa é ferida, ela emite uma certa nota. Ele descobriu que se a corda for pressionada em seu ponto médio por um pedaço de madeira colocado entre a tábua e a corda, de modo que a parte vibrante seja reduzida a 1/2 de seu comprimento original, então ela emite uma nota uma oitava acima da primeira; se a parte vibrante for reduzida a 2/3 do comprimento original, ela emite uma nota que é uma quarta acima da nota original. A oitava, a quinta e a quarta já eram conceitos melódicos bem conhecidos. Os pitagóricos ficaram profundamente impressionados por essa notável relação entre as frações simples 1/2, 2/3 e 3/4 e intervalos musicais cujos significados reconhecidos eram baseados puramente em considerações estéticas. Além disso, o que lhes pareceu um passo natural, eles sustentaram que qualquer corpo em movimento no espaço produz um som cuja altura é proporcional a sua velocidade. Seguia-se disso que os planetas movendo-se em diferentes velocidades em suas várias órbitas ao redor da Terra, produziam uma harmonia celestial, que eles chamavam "a música das esferas". Como uma contribuição adicional à Astronomia, Pitágoras também afirmou que a Terra é esférica – provavelmente pela simples razão de que a esfera é o mais belo corpo sólido – e aparentemente foi ele a primeira pessoa a fazer tal afirmação.

A lei dos intervalos musicais descrita aqui foi o primeiro fato quantitativo descoberto sobre o mundo natural. Junto com sua "filosoficamente óbvia" extensão para os planetas, esse fato induziu Pitágoras à convicção de que os números – o que para ele significava números inteiros e frações – são a essência de tudo que é inteligível no universo*. "Tudo é número" tornou-se seu mote, aparentemente com o sentido de que os únicos aspectos básicos e atemporais de qualquer objeto ou idéia estão nos atributos numéricos que eles possuem.

Quase imediatamente, essa doutrina passou à Geometria e atingiu em cheio sua face. Como tudo é número – quer dizer, número racional, já que os outros não existiam para eles –, era evidente que o tamanho de qualquer segmento tinha de ser um múltiplo racional do tamanho de qualquer outro segmento. Infelizmente isto não é verdade, como eles logo descobriram, já que o Teorema de Pitágoras garante que um quadrado de lado 1 tem diagonal de comprimento $\sqrt{2}$ e, de acordo com a tradição, o próprio Pitágoras provou que não há número racional cujo quadrado seja 2. Essa descoberta fatal colocou a Irmandade diante de duas alternativas, uma impensável e outra intolerável: ou a diagonal de um quadrado de lado 1 não tem comprimento, ou não é verdade que tudo é número. Para eles o esfacelamento da sua generalização simples reduzindo o Universo a números racionais desmantelava os fundamentos necessários ao pensamento, e uma lenda reza que eles foram longe a

---

* Aristóteles escreveu em sua *Metafísica* (Livro I, Capítulo 5, 330 A.C.): "Os ditos pitagóricos, que foram os primeiros a se interessarem por Matemática, não apenas a desenvolveram, mas também, saturados dela, imaginaram que os princípios da Matemática eram os princípios de todas as coisas".

ponto de afogar um pitagórico renegado que revelou seu segredo nefando para o resto do mundo. Para nós, contudo, isto representou a descoberta dos números irracionais, que foi uma das conquistas mais finas da antiga matemática grega. É freqüente ver-se na história das idéias que o desastre de uma geração é uma oportunidade para a próxima.

A despeito dessa derrota, Pitágoras e seus seguidores mantiveram sua fé na sua concepção do número. Se o número contradiz a realidade, tanto pior para ela. No êxtase de seu entusiasmo, eles abandonaram todo o interesse no conhecimento do mundo pela combinação da observação, experimento e pensamento e, ao invés, procuraram sua própria "realidade superior" alegremente mergulhando no pântano do misticismo numérico.

Como os dogmas de qualquer religião, as crenças numerológicas dos pitagóricos são difíceis de se tornar plausíveis ao não-iniciado. O conceito central de seu sistema parece ter sido as sagradas *tetractys*, consistindo nos números 1, 2, 3 e 4, cuja soma é o santo número 10 − santo porquanto 1 é o ponto, 2 a linha, 3 a superfície e 4 o sólido; e, portanto, 1 + 2 + 3 + 4 = 10 é tudo, o número do Universo. Sem dúvida foi para eles um grande dia quando descobriram que as frações 1/2, 2/3, 3/4, que são as razões sucessivas dos números 1, 2, 3, 4, estão estreitamente ligadas com a harmonia musical; e deve ser reconfortante para nós sabermos que nosso próprio sistema decimal tem uma fundamentação mais racional que o fato acidental dos homens terem 10 dedos. O artigo básico seguinte da fé é mais profundo, tanto que nós, contemporâneos, raramente podemos compreendê-lo: números ímpares (exceto 1) são masculinos e números pares, femininos. Assim, 1 é o gerador de todos os números, a onipotente unidade; 2 a diversidade, o primeiro número feminino; 3 = 1 + 2 é o primeiro número masculino, composto da unidade e da diversidade; 4 = 2 + 2 = 2 · 2 é o número da justiça sendo igualmente balanceado; 5 = 3 + 2 é o número do casamento, pois é a união dos primeiros números masculino e feminino; 6 = 1 + 2 + 3 é perfeito, pois é a soma de seus divisores próprios, e estes são a unidade, a diversidade e a sagrada trindade, cujo significado expandiu-se consideravelmente na antiga numerologia cristã*. E assim por diante**.

A importância para nós dessa massa caótica de conjecturas é que elas passaram para a mente de Platão (428 - 348 A.C.) e emergiram em uma forma alterada como parte de uma poderosa torrente de crenças que se estendem quase inalterada pela antiga era cristã, pela Idade Média, pela Renascença e que tem ainda influência potente em nossos dias.

Platão, é claro, é um dos titãs da literatura mundial. Sua meia dúzia de maiores diálogos mantém lugar destacado na afeição e no respeito da humanidade, principalmente em virtude de suas qualidades poéticas e dramáticas e da personalidade de sua personagem principal: Sócrates. O elemento socrático no pensamento de Platão diz respeito fundamentalmente às coisas humanas − moralidade, política e o problema de como viver uma boa vida. Além desse amor e admiração por Sócrates, Platão estava fascinado pela Matemática, especialmente pelo seu papel de corpo de conhecimento que aparenta ser independente das evidências dos sentidos. Na sua maturidade ele passou uma temporada considerável no sul da Itália e entrou em contato pessoal com as comunidades pitagóricas de lá, cuja filosofia era matemática mas cujas motivações eram religiosas e místicas***.

Essa experiência decisiva deixou um tom pitagórico em muito do pensamento remanescente de Platão, que pode ser caracterizado como uma mistura de pepitas de ouro com entulho, sendo o entulho dourado pelo seu estilo literário exaltado. Infelizmente entulho dourado continua sendo essencialmente entulho****.

---

* Como Santo Agostinho disse em *A Cidade de Deus* (420 A.D.): "Seis é um número perfeito em si mesmo, e não porque Deus criou o mundo em seis dias; pelo contrário, Deus criou o mundo em seis dias porque esse número é perfeito". Num espírito bem diferente, esse homem notável também disse a seguinte oração inesquecível quando se aproximava do fim de sua juventude licenciosa e vislumbrava uma velhice monástica: "Oh Senhor, dai-me a castidade, mas não já".

** Uma teologia mais ricamente desenvolvida, confirmada por muitos cálculos numerológicos, é dada em E. T. Bell, *The Magic of Numbers*, McGraw-Hill, 1946.

*** Veja F. M. Cornford, *Before and After Socrates,* Cambridge University Press, 1932, especialmente o capítulo III.

**** Os seguintes são alguns dos itens mais destacáveis da numerologia de Platão: seu *número geométrico* 60^4 = 12.960.000, "que tem controle sobre o bem e o mal dos nascimentos" (*República*, 546); sua aparente rejeição à bem conhecida duração do ano − aproximadamente 365 1/4 dias − em favor de 364 1/2

A quintessência do pitagorismo de Platão acha-se em sua doutrina mística das *Idéias* ou *Formas*. Essa doutrina afirma uma visão da realidade consistindo em dois mundos: primeiro, o mundo cotidiano percebido pelos sentidos, o mundo da mudança, aparência e conhecimento imperfeito; segundo, o mundo das *Idéias* percebido pela razão, o mundo da permanência, realidade e conhecimento verdadeiro. Assim *Justiça* é uma *Idéia* imperfeitamente expressa nos esforços humanos para serem justos e *Dois* é uma *idéia* da qual participam todo par de objetos materiais. Cada uma das *Idéias* de Platão era para ele uma realidade objetiva localizada fora do espaço e do tempo, elas podiam ser aproximadas pelo pensamento, mas não criadas por ele; elas eram eternas e modelos perfeitos do Ser, cujas cópias borradas e obscuras constituem os fenômenos ilusórios do mundo que nos cerca.

Esses absolutos estáveis imaginados por Platão atraem todas as pessoas incomodadas pela mudança e ansiosas pela permanência. Aristóteles tentou diluí-los com um pouco de senso comum; mas como óleo e água, **platonismo** e senso comum não se misturam facilmente e seus esforços falharam*. Essa apoteose pitagórica de conceitos abstratos é hoje chamada "realismo platônico". Teve uma longa e polêmica história no pensamento ocidental e ainda estava viva e com boa saúde no começo do século XX**.

Esperamos que essas observações clarifiquem a asserção feita no princípio, de que Pitágoras foi muito mais que apenas um matemático da Antiguidade: ele é candidato a ser reconhecido como o fundador da Matemática, Ciência e Filosofia na civilização européia. Foi também o primeiro a abrir o permanente abismo da incompreensão entre o espírito científico, que espera que o Universo seja fundamentalmente inteligível, e o espírito místico, que espera – talvez inconscientemente – que ele não seja***.

EUCLIDES (300 A.C.)

> Os Elementos, *de Euclides* , *é certamente um dos maiores livros já escritos.*
>
> *Bertrand Russell*

E também um dos mais maçantes e, em todos os sistemas educacionais deve ter sido um pesadelo para os estudantes e professores por todos os seus 23 séculos de existência.

---

    dias, porque isto é 729 ou 9^3 dias e noites, e 9^3 é "o intervalo pelo qual o tirano é separado do rei" (*República* 588); seu número 5040 (= $1 \cdot 2 \cdot 3 \cdot 4 \cdot 5 \cdot 6 \cdot 7$), o qual ele conclui ser o número exato adequado para sua cidade ideal (*Leis* 738, 741, 747, 771, 878); e o todo de *Timaeus*, onde a estrutura do Universo e a natureza da vida são dadas através de explanações pitagóricas em termos de triângulos. Para mais detalhes sobre o misterioso *número geométrico*, veja T. L. Heath, *Uma história da Matemática grega*, Oxford University Press, 1921, pp. 305-307.

* "As Formas (Idéias) podem ser dispensadas, pois são apenas sons sem sentido." – *Analítica Posterior* 83a. Veja também *Metafísica* 990b, 991a, 1079a, 1079b, 1090a etc. Comparado a Platão, Aristóteles sofre a séria desvantagem de ter tanto charme quanto um sapato velho.

** Considere a afirmação do astrônomo inglês Sir Arthur Eddington (1935): "Creio que todas as leis da natureza que usualmente são classificadas de fundamentais podem ser previstas totalmente por considerações epistemológicas". Considere também a do matemático inglês G. H. Hardy (1940): "Creio que a realidade matemática jaz fora de nós, que nossa função é descobri-la e observá-la, e que os teoremas que provamos, que descrevemos grandiloqüentemente como nossas criações são simplesmente notas de nossas observações".

*** O ponto de vista aqui expresso, de que no âmago de seu pensamento Platão era um profundo místico, é rejeitado com tal indignação por tantos filósofos modernos que talvez requeira alguma argumentação adicional. Por exemplo, em seu *Misticismo e lógica*, Bertrand Russell escreve: "Em Platão, o mesmo impulso duplo (em direção ao misticismo e à ciência) existe, embora o impulso místico é distintamente o mais forte de ambos, e tem a vitória assegurada sempre que o conflito é agudo". Dois outros filósofos contemporâneos eminentes que não têm dificuldades em ver Platão pelo que ele foi – um grande escritor, mas infelizmente um místico e um tirano em potencial – são Karl Popper (*A sociedade aberta e seus inimigos*, 1945) e Gilbert Ryle (resenha do livro de Popper em *Mind*, 1947). E, em uma carta a John

Os Elementos propôs-se iniciar pelo começo da Geometria, nada requerendo do leitor de experiência ou conhecimento anteriores. Não obstante ele não oferece nenhuma explicação preliminar e em nenhum lugar fornece observações iluminadoras de qualquer sorte. Não faz nenhuma tentativa de situar seu conteúdo em algum contexto histórico ou matemático e em nenhuma parte o nome de alguém é mencionado. Sua impessoalidade pétrea tonteia a mente. A *Bíblia* também começa suficientemente impessoal – "No princípio Deus criou o Céu e a Terra" – mas mesmo isso abrange o máximo possível de ação no mínimo possível de palavras, e após várias sentenças, criaturas vivas aparecem. *Os Elementos* começa com uma definição – "o ponto é o que não tem parte" – e segue numa monotonia desumana e constante por 13 livros e 465 proposições, nenhuma das quais discutida ou motivada de alguma forma. Trazem a impressão de simplesmente existirem, como uma rocha, indiferentes aos problemas humanos. Tais são as qualidades exteriores de um livro que já teve mais de mil edições desde a invenção da imprensa e tem sido freqüentemente considerado como responsável por uma influência sobre a mente humana maior que qualquer outro livro, com exceção da *Bíblia*.

Em vista de seu tom e estilo, a coisa mais surpreendente de *Os Elementos* é que parece que ele teve um autor. Quem foi esse Euclides, cujo nome é quase sinônimo de Geometria até o século XX? São conhecidos sobre ele apenas três fatos e duas pequenas anedotas.

Os fatos são estes: era mais jovem que Platão (428 A.C.), mais velho que Arquimedes (287 A.C.) e ensinou em Alexandria. Quando Alexandre, o Grande, morreu, em 323 A.C., seu império africano foi herdado por Ptolomeu, seu general macedônio favorito, que governou como rei de 305 a 285 A.C. Supõe-se que Ptolomeu trouxe Euclides de Atenas a Alexandria, para integrar o corpo do grande centro de aprendizado helenístico – conhecido como *Museum*, com sua famosa *Biblioteca* – que ele lá fundou*.

As anedotas são estas:

Ptolomeu uma vez perguntou a Euclides se havia algum caminho mais curto para o conhecimento da Geometria do que *Os Elementos*, e ele respondeu que não há estrada real para a Geometria.

Alguém que tinha começado a estudar Geometria com Euclides, quando aprendeu a primeira proposição, perguntou: "O que vou ganhar aprendendo essas coisas?". Euclides chamou seu escravo e disse: "Dê a essa pessoa uma moeda, pois ele quer lucrar com o que ele aprende".

A confiabilidade dessas pequenas histórias pode ser julgada pelo fato de seus autores (Proclus e Stobaeus) terem vivido no século V A.D., mais de 700 anos após Euclides.

Além de ser uma exposição sistemática da Geometria elementar, *Os Elementos* também contém tudo que era conhecido na época sobre a Teoria dos Números. O papel de Euclides como autor foi principalmente o de organizador e arranjador de descobertas esparsas de seus predecessores. É possível que ele tenha por si mesmo contribuído com algumas idéias e provas e, na ausência de evidências em contrário, vários importantes teoremas são tradicionalmente atribuídos a ele.

O livro I de *Os Elementos* começa com 23 definições (ponto, linha reta, círculo etc.), 5 postulados e 5 axiomas ou "noções comuns". Entre os filósofos gregos, os axiomas eram considerados como verdades gerais, comuns a todos os corpos de estudo ("O todo é maior que a parte") enquanto os postulados eram considerados afirmações que só tinham significado para o assunto em discussão ("É possível desenhar uma linha reta de um

---

    Adams (5 de julho de 1814), Thomas Jefferson – com 71 anos – escreve:"Divirto-me lendo com seriedade *A República*, de Platão (no original grego, é claro). Não obstante estou errado em chamá-la divertimento, pois foi uma das tarefas mais difíceis por que já passei. Anteriormente já estive interessado em alguns de seus outros trabalhos, mas raramente tive paciência de ler um diálogo completo. Enquanto vadiava pelas fantasias, puerilidades e o jargão ininteligível de seu livro, punha-o de lado freqüentemente para perguntar-me como o mundo concedeu por tanto tempo reputação a um *nonsense* como esse?... Mas, moda e autoridade à parte, e levando Platão ao teste da razão, tome dele seus sofismas, futilidades e obscuridades e o que resta?". Em outras cartas, Jefferson expressou-se sobre o assunto com muito menos restrições.

*   Para maiores informações sobre a origem e história da *Biblioteca* e o *Museum* alexandrinos, veja dois artigos de David E. H. Jones no *Smithsonian Magazine*, dezembro de 1971 e janeiro de 1972.

ponto a outro"). Essa distinção tem sido abandonada na Matemática moderna e hoje as palavras axioma e postulado são usadas indistintamente. De um modo geral, os livros de I a VI lidam com geometria plana, os de VII a IX com Teoria dos Números, o X com irracionais e os de XI a XIII com geometria no espaço. A 47ª proposição do Livro I (normalmente denotada por I 47) é o Teorema de Pitágoras*.

Alguns outros itens de interesse especial são: VII 1 e VII 2 dão o algoritmo euclidiano, um processo para se achar o máximo divisor comum de dois inteiros positivos; VII 30 é o lema de Euclides, que diz que se um número primo divide o produto de dois números inteiros positivos então ele necessariamente divide um deles; IX 20 é o teorema de Euclides sobre a infinidade de primos (Teorema 2 em nosso Apêndice A.7); IX 36 é o teorema de Euclides sobre números perfeitos (Teorema 1 no Apêndice A.1) e XII 10 dá o volume de um cone.

Os estudantes devem se lembrar do seu estudo de Geometria que um polígono regular com n lados (também conhecido como n-ágono regular) tem seus n lados iguais e seus n ângulos iguais. A Figura C.1 mostra um 3-ágono, 4-ágono, 5-ágono e 6-ágono regulares, os quais naturalmente são usualmente chamados por triângulo eqüilátero, quadrado, pentágono regular e hexágono regular.

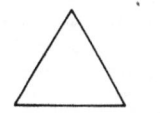

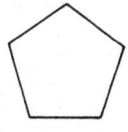

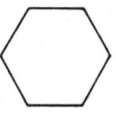

Figura C.1 Polígonos regulares.

O Livro IV de *Os Elementos* dá as construções clássicas, usando apenas régua e compasso, dos polígonos regulares com 3, 4, 5, 6 e 15 lados. Essas construções eram conhecidas pelos pitagóricos muito antes da época de Euclides, e foram Platão e seus discípulos que insistiram que os chamados instrumentos euclidianos – régua e compasso – eram os únicos "filosoficamente adequados" para serem usados em Geometria**.

Por meio de bisseções de ângulos, é fácil construir de um n-ágono regular um outro polígono regular com $2n$ lados. Portanto os gregos eram capazes de construir n-ágonos regulares para os seguintes valores de n:

$$3, 6, 12, 24, \ldots,$$
$$4, 8, 16, 32, \ldots,$$
$$5, 10, 20, 40, \ldots,$$
$$15, 30, 60, 120, \ldots.$$

---

* Esse teorema foi o estímulo para o primeiro contato do filósofo inglês Thomas Hobbes com a Geometria, aos 40 anos. Ele estava na biblioteca de um amigo e viu uma cópia de *Os Elementos* aberta em I 47. Como diz Aubrey em seu *Vidas breves*: "Ele leu a proposição. 'Por D...', ele exclamou (agora e então ele juraria, por ênfase), 'Isto é impossível!' Então ele leu a demonstração, que o remeteu para uma outra proposição anterior, a qual ele também leu. Essa, por sua vez, referia-se a uma outra, a qual ele leu. *Et sic dienceps* (nessa sucessão) até a primeira, até que por fim ele ficou racionalmente convencido da sua veracidade". Adicionamos a observação de Bertrand Russel sobre o incidente: "Ninguém pode duvidar que esse foi para ele um momento voluptuoso, não violado pelo pensamento da utilidade da Geometria em medir terra".

** A Academia de Platão, que foi a segunda universidade genuína do Ocidente (depois da Escola de Pitágoras) e que durou mais de mil anos, dava grande importância ao estudo da Matemática. Supunha-se que sobre a porta de entrada, um cartaz dizia: "Que nenhum desconhecedor da Geometria entre aqui". Quase certamente, Euclides era membro da Academia antes de ir para Alexandria. O nome "Academia" vem do lugar onde ela estava, um lugar de pequenas árvores assim chamado em homenagem a um certo herói, Hecademus (Diogenes Laertius, Loeb Edition, I, p. 283).

O próximo passo óbvio era procurar construções euclidianas para polígonos regulares com 7, 9, 11, 13, ... lados. Muitos tentaram, mas todos os esforços falharam, e o assunto ficou na mesma por cerca de 2.100 anos, até o dia 30 de março de 1796.

Nesse dia um dos maiores gênios da história escrita, um jovem alemão chamado Carl Friedrich Gauss, provou a construtividade de um polígono de 17 lados. Ele tinha então 18 anos e sua descoberta agradou-o tanto que ele decidiu seguir carreira de matemático em vez de filólogo. Ele continuou suas investigações e rapidamente resolveu completamente o problema da construtividade. Provou, por métodos bastante elegantes envolvendo álgebra e Teoria dos Números, que um n-ágono regular é construtível se e somente se n for um produto de uma potência de 2 (incluindo $2^0 = 1$) e primos distintos da forma $p_k = 2^{2^k} + 1$. Em particular, quando $k = 0, 1, 2, 3$, vemos que cada um dos correspondentes $p_k = 3, 5, 17, 257$ é primo; logo, os polígonos regulares com esses números de lados são construtíveis. O número primo 7 não é da forma descrita, assim o polígono regular com 7 lados não é construtível*.

O Livro XIII de *Os Elementos* é devotado à construção de poliedros regulares, que são menos familiares para a maioria das pessoas do que os polígonos regulares. Um *poliedro* é simplesmente um sólido cuja superfície consiste em um número de faces poligonais; é dito *regular* se suas faces forem polígonos regulares congruentes e se os ângulos sólidos em todos seus vértices forem congruentes. Claramente, existe um número infinito de polígonos regulares, mas há apenas cinco poliedros regulares. Eles são chamados pelo número de faces que possuem (Fig. C.2): o tetraedro (4 faces triangulares), o hexaedro ou cubo (6 faces quadradas), o octaedro (8 faces triangulares), o dodecaedro (12 faces pentagonais) e o icosaedro (20 faces triangulares).

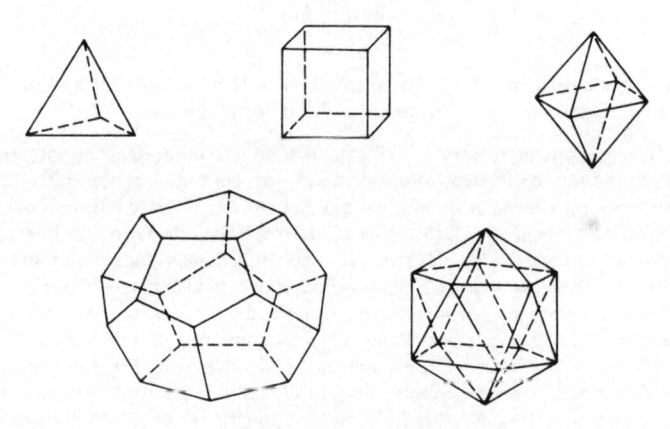

Figura C.2 Sólidos regulares.

Platão e seus seguidores estudaram esses poliedros tão insistentemente que eles acabaram sendo conhecidos como "poliedros de Platão". Em seu fantástico diálogo *Timaeus*, ele associou o tetraedro, o octaedro, o cubo e o icosaedro com os clássicos quatro "elementos": o fogo, o ar, a terra e a água (nessa ordem) ao mesmo tempo em que em algum sentido místico ele faz o dodecaedro simbolizar todo o Universo. Os três primeiros poliedros regulares realmente ocorrem na natureza como cristais e os dois últimos como esqueletos de animais marinhos microscópicos chamados radiolarianos**.

---

* Detalhes adicionais sobre construções e construtividade euclidianas são dados com grande clareza e brevemente no Capítulo 3 do *What Is Mathematics?* de R. Courant e H. Robbins, Oxford University Press, 1941, e também no Capítulo IX de *Famous Problems of Mathematics* de H. Tietze, Graylock Press, 1965. A prodigiosa vida criativa de Gauss continuou por mais de 60 anos e ele é hoje reconhecido como o maior de todos os matemáticos.

** Veja as ilustrações na p. 75 de *Symmetry* de H. Weyl, Princeton, University Press, 1952.

Contudo, é a beleza e a simetria dessas figuras e não suas aplicações que têm fascinado as pessoas pelos séculos. A construção de poliedros regulares fornece um clímax soberbo à geometria de Euclides e alguns conjecturaram que esse foi o propósito primeiro pelo qual *Os Elementos* foi reunido — o de glorificar os poliedros de Platão.

É tão fácil provar que há apenas cinco poliedros regulares que nos aventuraremos a dar o argumento aqui. Seja *m* o número de lados de cada face poligonal regular e *n* o número de polígonos que se encontram em cada vértice. O tamanho (em graus) de cada ângulo em cada face é $180 - (360/m)$. Além disso, a soma dos ângulos em cada vértice do poliedro é menor que 360 graus, assim

$$n\left(180 - \frac{360}{m}\right) < 360$$

ou

$$n\left(1 - \frac{2}{m}\right) < 2,$$

que se mostra facilmente ser equivalente a

$$(m-2)(n-2) < 4.$$

Mas *m* e *n* são ambos maiores que 2. Portanto, se *m* = 3, *n* só pode ser 3, 4 ou 5; se *m* = 4, *n* só pode ser 3; e se *m* = 5, *n* só pode ser 3; o que fornece todas as possibilidades.

Para os matemáticos, alguns teoremas de *Os Elementos* são importantes, alguns interessantes e alguns são ambas as coisas. Contudo, a fonte da imensa influência desse livro em todo o pensamento subseqüente está não tanto na exposição dos fatos em particular quanto em sua metodologia. É claro que um dos objetivos principais de Euclides foi dar um desenvolvimento lógico conexo da Geometria de tal modo que cada teorema fosse rigorosamente deduzido de "verdades auto-evidentes" que são explicitamente afirmadas no começo. Esse modo de pensar foi concebido por Pitágoras, mas foi Euclides quem o trabalhou com tal detalhe que por mais de 2.000 anos ninguém foi capaz de duvidar que seu sucesso tinha sido completo e final. É verdade que, de tempos em tempos, críticos destacaram definições que não definem e provas que não provam*. Não obstante, essas falhas eram consideradas relativamente pequenas e fáceis de ajustar. Todas as pessoas pensantes continuaram a crer que o sistema de Euclides da geometria era *verdadeiro*, no sentido em que descrevia corretamente a geometria do mundo real em que vivemos, e *necessário*, no sentido em que poderia ser deduzido por raciocínios inatacáveis de axiomas cujo caráter de auto-evidência era claro a todos.

Esse feliz estado de coisas na Geometria levou à esperança de que, de um modo semelhante, as mais remotas verdades da ciência e da sociedade poderiam ser descobertas e provadas, simplesmente destacando-se aquelas coisas que são auto-evidentes e então raciocinando a partir dessa fundamentação. Idéia mais atrativa e tenaz jamais apareceu na história intelectual do Ocidente. O prestígio da Geometria era tão grande, especialmente nos séculos XVII e XVIII, que *conhecimento verdadeiro* em qualquer ramo requeria a forma dedutiva euclidiana como selo de legitimidade. Os ramos mais desordenados do conhecimento, que se afastavam desse modelo, eram considerados algo de menor respeito, um estágio ou dois abaixo das disciplinas aristocráticas.

---

* Lembre-se da definição de ponto citada anteriormente. Também: "Uma *linha* é comprimento sem largura"; "Uma *linha reta* é uma linha que jaz uniformemente com seus pontos em si mesma"; "Uma *unidade* é algo que, pelas outras que existem, é chamado um"; "Um *número* é uma multitude composta de unidades". Os defeitos nas provas freqüentemente consistem no uso de assunções adicionais que não são explicitamente reconhecíveis.

Assim a *Ética*, de Spinoza, cujos assuntos são Deus e as paixões humanas, consiste em definições, axiomas e proposições que ele tenta sustentar por meio de provas no modo euclidiano*. Kant ensinou que os axiomas da Geometria euclidiana eram impostos em nossas mentes *a priori*, e portanto são modos necessários de percepção do espaço; e ele constrói seu sistema inteiro de filosofia nessa fundamentação. O *Principia*, de Newton, com seu conteúdo empírico centrado nas leis do movimento e na astronomia do sistema solar, é totalmente dominado pelo esquema euclidiano de definições, axiomas, lemas, proposições, corolários e provas, com uma distribuição pródiga do Q.E.D. A doutrina dos direitos naturais, no século XVII, proclamada por Locke, foi uma tentativa de deduzir as leis da política e do Governo de axiomas do tipo euclidiano**. Mesmo a Declaração de Independência Americana, dizendo "consideramos estas verdades como sendo auto-evidentes", estava procurando clareza e credibilidade pela emulação do modelo euclidiano.

Infelizmente, verdades auto-evidentes são muito mais raras agora do que costumavam ser. Desde o advento da relatividade geral e da cosmologia, é sabido que a Geometria euclidiana não é um referencial matemático adequado para o Universo *in totum*, e nesse sentido não é mais "verdadeira". Desde o advento das geometrias não-euclidianas, é sabido que os axiomas de Euclides não são auto-evidentes. Pelo contrário, podem ser substituídos por outros que os contradizem e que têm, do ponto de vista da lógica também, boas razões para serem aceitos. Axiomas em Governo e comportamento humano são hoje reconhecidos antes como esperanças e expressões de preferência do que como verdades imutáveis.

A despeito dessas ilusões perdidas, o método axiomático primeiro elaborado por Euclides é ainda largamente utilizado nas partes mais abstratas da Matemática superior como um modo conveniente de se delimitar com clareza o sistema matemático a ser investigado. Não há exagero em dizer que a moderna Matemática abstrata dificilmente poderia existir sem esse método.

Além disso, por mais de 2.000 anos a arquitetura intelectual de *Os Elementos* rivalizou-se com o Parthenon como símbolo do gênio grego. Ambos deterioraram-se um pouco nos séculos recentes, mas talvez o livro tenha sofrido menos danos que o edifício.

ARQUIMEDES (287 - 212 A.C.)

Havia mais imaginação na cabeça de Arquimedes que na de Homero.

Voltaire

Arquimedes será lembrado quando Ésquilo tiver sido esquecido, pois as línguas morrem mas as idéias matemáticas não.

G. H. Hardy

Arquimedes, certamente o maior matemático, físico e inventor do mundo antigo, foi um dos supremos intelectos da civilização ocidental. Outro gênio de poder e criatividade comparável não apareceu até Isaac Newton, no século XVII.

Arquimedes nasceu na cidade grega de Siracusa, na ilha de Sicília. Tinha intimidade com a família real e foi provavelmente parente do rei Herão II. Na sua juventude estudou no grande centro intelectual de Alexandria. Provavelmente, durante esse período, encontrou seu amigo Eratóstenes, futuro diretor da Biblioteca de Alexandria, a quem ele comunicou muitas de suas descobertas. Retornando a sua cidade natal, lá fixou residência e devotou o resto de sua vida à pesquisa matemática. Aos 75 anos foi assassinado por um soldado romano quando Siracusa foi conquistada pelo exército de Marcelo durante a Segunda Guerra Púnica.

---

*   "Considerarei ações humanas e desejos como se estivesse estudando linhas, planos e corpos sólidos." *Ética*, Parte III, Introdução.
** "Para compreender corretamente o poder político, e derivá-lo de suas origens, temos de considerar em que estado os homens naturalmente estão, e isto é um estado de perfeita liberdade para ordenar suas ações e dispor de suas posses e pessoas, como eles pensam ser justas." *Second Treatise of Government*, Seção 4.

Arquimedes foi famoso em todo o mundo grego durante sua vida, e desde então tornou-se uma figura lendária, não apenas por suas profundas descobertas matemáticas, mas antes por suas façanhas vívidas e memoráveis, suas muitas invenções engenhosas e a sua morte. Poucos fatos de comprovação sólida são conhecidos, mas narrativas tradicionais de suas atividades são encontradas nos escritos pelos séculos de numerosos autores romanos, gregos, bizantinos e árabes. Ele gravou sua personalidade no mundo, e o mundo não o esqueceu*.

Talvez a mais famosa das histórias diz respeito à ocasião em que lhe foi pedido pelo rei Herão para que decidisse se uma coroa recém-feita tinha sido feita de ouro puro, como especificado, ou se o ourives o tinha enganado fazendo um amálgama com prata. Arquimedes estava embaralhado, até que um dia ele notou a subida da água quando entrou numa banheira. Subitamente ele deduziu que sendo o ouro mais denso que a prata, um dado peso de ouro ocuparia um volume menor que um peso igual de prata e, portanto, deslocaria menos água. Ele estava tão feliz com sua descoberta que esqueceu que estava nu e correu para casa pelas ruas da cidade gritando "Eureka, eureka!", que significa "Achei, achei!". Rapidamente ele verificou que a nova coroa de Herão deslocava mais água que um peso igual de ouro, desse modo provando a fraude do ourives. Essa história é freqüentemente associada com sua descoberta da lei básica da hidrostática, que afirma que um corpo flutuante desloca seu próprio peso de líquido. Desse princípio ele criou a ciência da Hidrostática e provou muitos teoremas sobre posições de equilíbrio de corpos flutuantes de várias formas**. Além disso, uma de suas mais conhecidas invenções foi uma bomba de água espiralada conhecida como "parafuso de Arquimedes". Esse aparelho é ainda usado ao longo do Nilo para elevar água do rio para os campos adjacentes***.

Em mecânica, ele descobriu o princípio da alavanca, deu origem ao conceito de centro de gravidade e achou o centro dé gravidade de muitas figuras sólidas e planas****. De acordo com um autor, foi seu estudo de alavancas que o levou a dizer seu famoso aforisma "Dê-me um ponto de apoio e levantarei o mundo". Plutarco dá outra versão:

Arquimedes afirmou um dia ao rei Herão, de quem era amigo e aparentado, que, com uma dada força, ele poderia mover qualquer peso dado; e, além disso, afirmou que se lhe fosse dado outra Terra, ele poderia pular para ela e mover a nossa. Quando Herão, maravilhado, pediu-lhe para dar uma demonstração de algum peso grande movido por uma força pequena, Arquimedes fez com que uma das galeras do rei fosse arrastada à praia por muitos homens e com grande esforço; ordenou que nela entrassem muitos passageiros e muita carga; colocou-se a uma certa distância, e sem esforço visível, movendo apenas com sua mão a extremidade de um engenho que consistia em uma porção de cordas e polias, ele puxou o navio para ele tão suave e seguramente como se estivesse se movendo nas águas.

Herão ficou tão estupefato com esse feito que declarou: "Desde esse dia em diante, Arquimedes deve ser acreditado em tudo o que diz".

A maior fama de Arquimedes na Antiguidade vem das muitas histórias dos engenhos de guerra que projetou para defender Siracusa contra o exército e a marinha do general romano Marcelo. Plutarco dedica várias páginas vívidas para descrever os ataques dos romanos e o efeito devastador das máquinas defensivas de Arquimedes. Havia catapultas de alcance ajustável para lançar pedras enormes nas galeras inimigas que se aproximavam demais; guindastes gigantes de pressão que apertavam os navios pela proa, levantando-os e afundando-os no mar. Havia mesmo espelhos incendiários que incendiavam navios a distância*****. Plutarco escreve:

Os romanos, infinitamente desgastados por um inimigo invisível, começaram a pensar que estavam combatendo contra os deuses. Marcelo escapou ileso e, ridicularizando seus próprios engenheiros, disse:

---

*   Para informações sobre as fontes, veja os capítulos introdutórios (com referências) de E. J. Dijksterhuis, *Archimedes*, Humanities Press, 1957; ou T. L. Heath, *The Works of Archimedes*, Dover, sem data. A narrativa mais detalhada é a dada em Plutarco em sua *Vida de Marcelo*.
**   Veja o tratado *Sobre corpos flutuantes*, Obras, pp. 252-300.
***   O autor realmente viu esse aparelho sendo usado nas margens do Nilo.
**** Veja o tratado *Sobre o equilíbrio dos planos*, Obras, pp. 189-220.
***** Para detalhes de um experimento moderno feito pela marinha grega demonstrando que esse uso do poder solar em armas de guerra é bem factível, veja *Newsweek*, Nov. 26, 1973, p. 64.

"Temos de abandonar a luta com esse Briareus geômetra [Briareus era um monstro mitológico com cem braços], que, sentado na praia e agindo como se estivesse apenas brincando, exercita tiro ao alvo com nossos navios e nos atinge num momento com tal quantidade de dardos que ultrapassa mesmo os gigantes com cem braços da mitologia". Por fim, os romanos estavam tão assustados que se eles apenas vissem uma corda ou pau sobre as muralhas, gritavam que Arquimedes estava preparando algum engenho contra eles, viravam as costas e iam embora.

Assim Marcelo abandonou sua intenção de assaltar a cidade e pôs esperanças num cerco. O sítio de Siracusa durou três anos e acabou em 212 A.C., com a queda da cidade.

De acordo com todas as narrativas, Arquimedes morreu de modo consistente com sua vida, absorto em contemplação matemática. Na confusão geral e matança que se seguiu à queda da cidade, ele foi encontrado concentrado em alguns diagramas que tinha desenhado na areia e foi morto por um soldado de assalto, que não sabia quem ele era. Numa versão da história ele disse ao intruso que tinha chegado muito perto — "Não perturbe meus círculos" —, ante o que o soldado enraivecido passou-o na espada. Marcelo ficou muito entristecido com isso, pois havia dado ordens explícitas a seus homens para pouparem a casa e a pessoa de Arquimedes. Ele lamentou a morte de seu antagonista terrível, ajudou seus parentes sobreviventes e providenciou para que ele tivesse um enterro com honras. O eminente filósofo moderno A. N. Whitehead via um significado maior nesse evento que na morte de um homem:

> A morte de Arquimedes nas mãos de um soldado romano simboliza uma mudança de primeira grandeza no mundo. Os romanos eram uma grande raça, mas estavam amaldiçoados pela esterilidade que subjaz a praticidade. Não eram sonhadores o bastante para chegar a novos pontos de vista, que lhes poderiam dar maior controle sobre as forças da natureza. Nenhum romano perdeu sua vida por estar absorto na contemplação de um diagrama matemático.

Dizem que Arquimedes pediu a seus amigos para colocarem em sua tumba uma representação de um cilindro circunscrevendo uma esfera, e, em memória a sua maior façanha matemática, gravarem a proporção (3/2) entre o volume do sólido que contém e o do que está contido. Isso foi feito por ordem de Marcelo. O orador romano Cícero, quando era questor na Sicília, em 75 a.C., procurou o monumento, achou-o abandonado e coberto por ervas, mandou limpá-lo e o restaurou em respeito ao grande matemático*.

Cícero também viu e descreveu uma invenção de Arquimedes que causou uma impressão tão profunda no mundo antigo que é mencionada por muitos autores clássicos. Esse engenho aparentemente era um pequeno planetário, uma esfera móvel de bronze e vidro com mecanismo interno movido a água, no qual durante uma revolução, o Sol, a Lua e cinco planetas moviam-se do mesmo modo relativamente à esfera das estrelas fixas, como fazem no céu em um dia, e na qual podiam se observar as fases e os eclipses da Lua. Esferas fechadas como os modernos globos terrestres, que moviam-se uniformemente e imitavam o movimento diário das estrelas fixas, eram conhecidas de há muito, mas a de Arquimedes era capaz de representar com um mecanismo os movimentos independentes e bem diferentes do Sol, da Lua e dos planetas, junto com a revolução das estrelas fixas, e parecia a seus contemporâneos a evidência da presença de habilidades supra-humanas. Cícero, tendo ele próprio visto o planetário, escreve:

> Quando Gallus pôs a esfera em movimento, podia-se realmente ver a Lua subir sobre o horizonte da Terra após o Sol, exatamente como ocorre no céu todos os dias; e então podia-se ver como o Sol desaparecia e como a Lua entrava na sombra da Terra com o Sol no lado oposto**.

Esse mecanismo hidráulico foi tomado pelos romanos como parte do botim no assalto a Siracusa e evidentemente foi entesourado por eles por mais de uma centena de anos como uma das maravilhas do mundo.

---

*   Veja *Disputas túsculas*, de Cícero. Os romanos eram tão desinteressados em matemática que o ato de respeito de Cícero em limpar o túmulo de Arquimedes foi talvez a mais memorável contribuição de um romano para a história da Matemática.
**   Veja *De Re Publica*, de Cícero.

Arquimedes foi indubitavelmente um inventor muito engenhoso e bem-sucedido, mas Plutarco diz que suas invenções eram apenas "divertimentos de geometria em jogo". Numa famosa passagem ele tenta nos dizer sobre a atitude de Arquimedes com relação à vida prática em geral e a suas invenções em particular:

> Arquimedes possuía um espírito tão elevado, uma alma tão profunda e uma riqueza tal de conhecimento científico que, embora suas invenções tenham-lhe granjeado fama por uma sagacidade sobre-humana, ele não se preocuparia em deixar nenhum trabalho escrito sobre esses assuntos; mas desprezando como ignóbil e vulgar a construção de instrumentos e qualquer arte ligada a seu uso e proveito, ele devotou toda sua ambição e esforço aos estudos cuja beleza e sutileza não tinham nenhuma relação com as necessidades práticas da vida.

Embora eloqüente, a veracidade do que Plutarco diz aqui é mais que duvidosa, pois sabe-se que Arquimedes escreveu um tratado que hoje está perdido (*Sobre a feitura de esferas*), que provavelmente abordava as detalhadas técnicas necessárias para a construção de seu planetário. Plutarco estava certamente contaminado, na mesma proporção em que Arquimedes não estava, pelo desprezo platônico por instrumentos científicos e por medições, desprezo que foi uma das muitas heranças sem nexo do filósofo Platão para sua posteridade aduladora.

Não obstante, é bem claro que, na Matemática pura, Arquimedes satisfazia em cheio os mais profundos desejos de sua natureza. Plutarco é mais convincente quando nos fala que poucas foram as pessoas tão preocupadas com Matemática como ele era:

> Não podemos, portanto, rejeitar como inaceitável o que é comumente dito dele, que estando permanentemente encantado por sua Sereia particular, isto é, pela Geometria, ele se esquecia de comer e beber e não se cuidava; que, freqüentemente, era levado à força aos banhos e que, quando lá, traçava figuras geométricas nas cinzas do fogo; e com seu dedo traçava linhas sobre seu corpo quando estava ungido com óleo, num estado de grande êxtase e de divina possessão por sua ciência.

Quais foram precisamente suas façanhas em Matemática? Muitos de seus escritos maravilhosos ainda sobrevivem e mesmo numa rápida inspeção são obviamente trabalho de gênio. Praticamente todo o conteúdo de seus nove tratados é completamente original e consiste inteiramente em descobertas próprias. Embora ele tivesse tratado de uma variedade grande de assuntos, incluindo geometria plana e sólida, aritmética, astronomia, hidrostática e mecânica, ele não foi compilador de descobertas anteriores, como Euclides, não foi simplesmente autor de livros-texto. Seu objetivo foi sempre fornecer alguma contribuição nova para o conhecimento. Em relação à impressão geral trazida por seus trabalhos, Heath diz:

> Os tratados são, sem exceção, monumentos de exposição matemática; a revelação gradual do plano de ataque, o ordenamento magistral das proposições, a eliminação severa de tudo não imediatamente relevante ao propósito, o acabamento do todo, são tão impressionantes em sua perfeição que criam uma sensação semelhante à reverência na mente do leitor. Como Plutarco disse [com exagero compreensível], "Não é possível achar em Geometria problemas mais difíceis ou intrincados ou provas dispostas em proposições mais simples e claras". Há, ao mesmo tempo, um certo véu de mistério no modo pelo qual chega a seus resultados. Pois é claro que não tinham sido descobertos nos passos que levam a esses resultados nos tratados já escritos*.

Assim, por um lado seus escritos apresentam um aspecto de perfeição arquitetônica austera. Por outro lado, em muitos de seus tratados matemáticos (embora não naqueles dedicados à Física) há um prefácio pessoal no qual dirige-se aos amigos, explica seus propósitos e geralmente prepara o palco para o drama intelectual por vir. Comparados com os de Euclides, seus escritos são pulsantes de vida.

O alcance e importância do trabalho matemático de Arquimedes pode ser entendido melhor por uma breve narração de seus seis tratados geométricos, três sobre geometria plana, dois sobre geometria sólida e um sobre seu método de fazer descobertas.

1. Quadratura da parábola Esse tratado de 24 proposições contém duas provas de seu teorema de que a área de um segmento de parábola, isto é, a região cortada de uma parábola por uma linha transversal é $\frac{4}{3}$ da área do

---

* T. L. Heath, *A History of Greek Mathematics*, Oxford University Press, 1921, vol. II, p. 20.

triângulo com mesma base e altura. Uma descrição desse teorema é dada na Seção 6.2, e todos os detalhes são fornecidos no Apêndice A.1, Volume II. Em suas duas últimas proposições, Arquimedes soma a série geométrica infinita $1 + \frac{1}{4} + (\frac{1}{4})^2 + \ldots$ mostrando que ele estava totalmente consciente da sutileza do conceito de limite. Isto não estava claro a nenhum outro matemático até o século XIX.

2. Sobre espirais O assunto desse tratado de 28 proposições é a curva hoje conhecida como *espiral de Arquimedes*. Ele a define como se segue:

> Se uma linha reta, da qual uma extremidade permanece fixa, é obrigada a realizar círculos numa velocidade uniforme em um plano até que retorne à posição de onde começou e se, ao mesmo tempo que a linha reta realiza círculos, um ponto move-se em velocidade uniforme ao longo da linha reta, partindo da extremidade fixa, o ponto descreverá uma espiral no plano.

Seus principais resultados foram determinar a tangente num ponto qualquer (Prop. 20) e achar a área contida na primeira volta (Prop. 24), sendo esta última $\frac{1}{3}$ da área do círculo cujo raio é a distância que o ponto móvel percorre ao longo da linha móvel. Essa espiral e essas propriedades são tratadas em nossas Seções 16.3 (Exemplo 6), 16.4 (Problema 7) e 16.5 (Problema 3) no Volume II. Matemáticos posteriores usaram a espiral como curva auxiliar na trissecção de um ângulo (Seção 16.3, Problema 23, Volume II) e na quadratura de um círculo (Capítulo 16, Problema Suplementar 8, Volume II). Conjecturou-se também que ele descobrira como determinar a tangente num ponto por métodos que se aproximam dos do Cálculo diferencial*.

3. Medição de um círculo Nesse curto trabalho de três proposições ele demonstra com todo rigor, como ninguém havia feito antes, e como fazemos informalmente na Seção 6.2, que a área de um círculo é igual à de um triângulo com base igual a sua circunferência e altura igual a seu raio, $A = \frac{1}{2} cr$, e como $c = 2\pi r$, pela definição de π, temos a fórmula familiar $A = \pi r^2$. Ele também estabelece as desigualdades

$$3\tfrac{10}{71} < \pi < 3\tfrac{1}{7},$$

por um elaborado cálculo dos perímetros de polígonos regulares de 96 lados inscritos e circunscritos num círculo dado.

4. Sobre a esfera e o cilindro Este é o mais profundo dos tratados, pois contém, entre outras coisas, uma prova rigorosa de suas grandes descobertas do volume e da área da superfície de uma esfera (Prop. 33 e 34). Sobre como ele fez essas descobertas veja o item 6.

5. Sobre conóides e esferóides Por esses termos, Arquimedes designa sólidos de revolução gerados por parábolas, hipérboles e elipses em torno de seus eixos. Ele calcula volumes de segmentos desses sólidos e incidentalmente prova e usa as fórmulas

$$1 + 2 + \cdots + n = \frac{n(n+1)}{2}$$

e

$$1^2 + 2^2 + \cdots + n^2 = \frac{n(n+1)(2n+1)}{6}$$

para as somas dos primeiros n inteiros e seus quadrados (veja pp. 162 e 105-109 das *Obras*). Ele também prova a fórmula πab para a área de uma elipse com semi-eixos a e b (Prop. 4).

6. Método Este, o mais interessante de todos os tratados, tem a forma de uma carta a Eratóstenes na qual Arquimedes explica seu método de fazer descobertas em Geometria e ilustra suas idéias com 15 proposições. Esse trabalho foi acidentalmente descoberto em um palimpsesto em Constantinopla em 1906, após ter sido perdido por aproximadamente mil anos. Como diz Heath:

---

* Veja o Apêndice do vol. II de *History*, de Heath.

O *Método*, felizmente recuperado, é do maior interesse pela seguinte razão: nada é mais característico dos trabalhos clássicos dos grandes geômetras da Grécia do que a ausência de qualquer indicação dos passos seguidos para a descoberta de seus grandes teoremas. Do modo que eles chegaram a nós, esses teoremas são obras-primas acabadas que não revelam nenhum traço de suas etapas de lapidação em bruto, nenhuma pista do método pelo qual eles maturaram. Não podemos deixar de supor que os gregos tinham algum método ou métodos de análise dificilmente menos poderosos que aqueles da análise moderna; não obstante, em geral, eles parecem ter se incomodado para tirar do caminho todo vestígio do instrumental usado e todo o detrito, por assim dizer, resultante de tentativas, antes que se permitissem publicar, em uma seqüência cuidadosamente pensada e com provas definitivas e rigorosamente científicas, os resultados obtidos. Uma exceção parcial é fornecida pelo *Método*, pois aqui temos uma espécie de suspensão do véu, uma olhada no interior da oficina de Arquimedes.

Numa das ilustrações que Arquimedes faz de seu método, ele nos mostra como descobriu seu teorema favorito sobre o volume de uma esfera. Os detalhes de suas idéias estão em nosso Apêndice A.3; e, como observamos lá, seu modo de pensar é essencialmente equivalente ao processo básico do cálculo integral. Ele então prossegue em dizer-nos como foi levado por esse caminho a descobrir a área de superfície de uma esfera, pensando-a como se fosse um cone embrulhado em volta de seu vértice:

A partir desse teorema, ao efeito de que a esfera é quatro vezes maior que o cone com base em seu círculo máximo e altura igual a seu raio, concebi a noção de que a superfície de qualquer esfera é quatro vezes maior que seu círculo máximo, pois, julgando do fato de que qualquer círculo é igual a um triângulo com base igual à circunferência e altura igual ao raio do círculo, aprendi que, do mesmo modo, uma esfera é igual a um cone com base igual à superfície da esfera e altura igual ao raio*.

Entre as descobertas incluídas nesse tratado há dois exemplos-padrão (ou problemas-padrão) freqüentemente usados em livros-texto modernos de Cálculo, sobre a localização do centro de gravidade de um hemisfério sólido (Prop. 6) e sobre o volume comum a dois cilindros iguais cujos eixos interceptam-se em ângulos retos (Prop. 15, também prefácio).

Em adição a esses seis tratados de Geometria e os dois de Física, há mais um que deve ser mencionado. Ele se ocupa de Aritmética e Astronomia e é chamado *O contador de areia*. Nele Arquimedes constrói um sistema de notação para designar números grandes, um sistema que lhe permite (sem nosso sistema decimal ou notação exponencial, a qual apareceu dois mil anos após) exprimir números tão grandes quanto N^{N^N}, onde N é 10^8. Ele então aplica suas idéias para achar um limite superior para o número de grãos de areia que encheriam uma esfera cujo raio é a distância do Sol ao que Aristarco chamou "a esfera das estrelas fixas", e isto acaba sendo uns meros 10^{63}. É aqui, no meio de interessantes comentários correlatos sobre Astronomia, que "descobrimos" que Aristarco havia proposto a teoria copernicana do sistema solar algumas décadas antes.

Finalmente, se considerarmos o que todos os outros homens alcançaram em Matemática e Física, em todo o continente e em toda a civilização, do começo dos tempos até o século XVII na Europa Ocidental, as façanhas de Arquimedes os sobrepujam a todos. Ele era por si próprio uma grande civilização.

PAPPUS (Século IV A.D.)

Pappus de Alexandria era um matemático hábil, entusiasta e elegante, que teve muitas idéias. Contudo, teve a má sorte de nascer quando a grande era dos matemáticos gregos – a qual se estendeu por aproximadamente 900 anos, desde os tempos de Tales e Pitágoras – dava seus últimos suspiros.

Sua obra principal – *Coleção Matemática* – é uma combinação de enciclopédia, comentário e guia para a geometria grega existente em sua época, enriquecida por muitos teoremas novos, extensões e provas

---

* Essa idéia é levada a cabo numa observação no fim de nossa Seção 7.6.

novas de teoremas antigos e valiosos comentários históricos. Infelizmente, a *Coleção* foi um réquiem da matemática grega em vez de um sopro de vida nova, porque, depois de Pappus, a Matemática estiolou e quase desapareceu, e teve de esperar por 1.300 anos para um renascimento no começo do século XVII.

Ele é mais conhecido por seus belos teoremas de Geometria sobre centros de gravidade de sólidos e superfícies de revolução (Seção 11.3). O primeiro desses teoremas afirma que o volume gerado com uma revolução completa de uma região limitada por uma curva plana fechada que está inteiramente de um lado do eixo de revolução é igual ao produto da área da região pela distância percorrida pelo centro de gravidade. Pappus estava corretamente orgulhoso pela generalidade de seus teoremas, pois, como ele diz, "eles incluem qualquer número de teoremas de todas as espécies sobre curvas, superfícies e sólidos, todos sendo provados de imediato por uma única demonstração" *.

Ele deu o primeiro enunciado e prova da caracterização foco-diretriz-excentricidade das três seções cônicas (Seção 15.5 do Volume II). Como ele era escrupuloso nos créditos das fontes de seu material e nenhuma fonte é citada sobre esse resultado, é razoável inferior que se trata de uma descoberta sua.

Ele deu a seguinte extensão interessante do Teorema de Pitágoras (veja Fig. C.3):

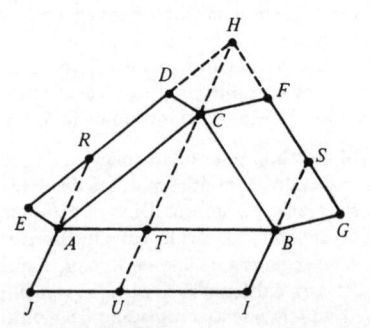

Figura C.3

Seja *ABC* um triângulo qualquer e *ACDE* e *BCFG* paralelogramos quaisquer construídos externamente nos lados *AC* e *BC*; se *DE* e *FG* interceptam-se em *H* e *AJ* e *BI* são iguais e paralelas a *HC*, então a área do paralelogramo *ABIJ* é igual à soma das áreas dos paralelogramos *ACDE* e *BCFG* (prova: *ACDE* = *ACHR* = *ATUJ* e *BCFG* = *BCHS* = *BIUT*). Não é difícil ver que esse enunciado realmente implica o Teorema de Pitágoras como caso particular, quando o ângulo *C* é um ângulo reto e os paralelogramos construídos são quadrados.

Finalmente, mencionamos o importante resultado de geometria projetiva conhecido como Teorema de Pappus: se os vértices de um hexágono estão alternadamente num par de retas que se interceptam (Fig. C.4), então os três pontos de interseção dos lados opostos do hexágono são colineares. (Os lados "opostos" podem

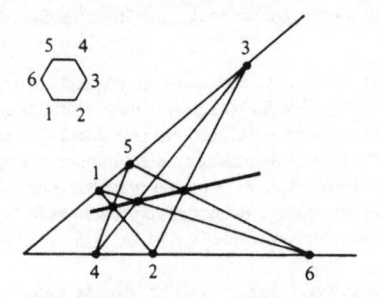

Figura C.4 Teorema de Pappus.

---

*   T. L. Heath, *A History of Greek Mathematics*, Oxford University Press, 1921, vol. II, p. 403.

ser reconhecidos a partir dos vértices numerados de um hexágono – esquema mostrado na figura.) O significado completo desse teorema clássico foi finalmente revelado apenas em 1899 pelo grande matemático alemão David Hilbert, como parte de seu programa para clarificar os fundamentos da Geometria*.

DESCARTES (1596-1650)

Descartes comandou mais o futuro a partir de seus estudos do que Napoleão a partir de seu trono.

Oliver Wendell Holmes, Jr.

A Filosofia moderna nasceu no ano de 1637, num pequeno livro de Descartes chamado *Discurso sobre o método*. Nesse trabalho, ele rejeita o estéril escolasticismo vigente em sua época e propõe-se a tarefa de reconstruir o conhecimento desde as bases, em uma fundamentação na razão e na ciência, em vez de na autoridade e na fé. Ele forneceu os novos pontos de vista necessários para o vigoroso desenvolvimento da Revolução Científica, cuja influência tem sido o fato dominante na história moderna. Além disso, em um apêndice ao *Discurso* versando sobre suas idéias relativas à Geometria, ele previu as novas formas da Matemática – Geometria Analítica e Cálculo –, sem as quais essa Revolução teria morrido na infância.

O século XVII, como o XX, foi uma época de ódios religiosos, opressões e guerras de rapina, governado em sua maior parte por governantes esquálidos com ética política de ladrões de gado e moral pessoal de gigolôs. Não obstante, a História não é exclusivamente aquilo que Gibbon dizia ser, uma coletânea de "crimes, loucuras e desgraças da humanidade". Intelectualmente, o século em que Descartes viveu foi um dos períodos mais grandiosos da história da civilização. Começou com Galileo e Kepler, terminou com Newton e Leibniz e nutriu uma série de homens notáveis tão dotados e diferenciados em seus talentos e consecuções que só tem similar na época áurea da antiga Grécia. Ele é freqüentemente chamado o Século do Gênio.

René Descartes é oriundo de uma família da baixa nobreza perto de Tours, na França Central. Sua mãe morreu logo após seu nascimento e deixou-lhe algumas propriedades que mais tarde permitiram-lhe desfrutar uma vida de lazer de viagens e estudos. Quando o menino tinha 8 anos, seu pai o enviou à escola jesuíta vizinha, em La Flèche, uma excelente instituição para a educação de jovens nobres, que Henrique IV tinha recentemente estabelecido em um de seus palácios favoritos. Ali, Descartes teve um aprendizado completo em Literatura e Línguas Clássicas, Retórica, Filosofia, Teologia, Ciência e Matemática. Ele era tratado com bondosa consideração pelos padres jesuítas; em virtude de sua constituição frágil e disposição à meditação, era-lhe permitido ficar na cama pelas manhãs até a hora que quisesse, muito depois dos outros terem ido para as aulas. Ele manteve esse hábito até o fim da vida e gostava de dizer que muitas de suas melhores reflexões vieram-lhe naquelas horas tranqüilas da manhã avançada. Há mesmo uma história de que ele concebeu a idéia básica da Geometria Analítica enquanto estava na cama observando uma mosca que andava no teto de seu quarto; ele teria considerado que a trajetória da mosca poderia ser descrita se alguém soubesse uma relação que ligasse as distâncias dela às duas paredes adjacentes.

O jovem Descartes era um cético nato e, enquanto amadurecia, começou a suspeitar que o chamado aprendizado humanista que absorvia em La Flèche era praticamente estéril em significado humano, com pouco poder para enriquecer ou melhorar a vida humana. Como um jovem cortês e circunspecto, ele conservou a maior parte de suas dúvidas para si. Não obstante, ele via com mais e mais clareza que os princípios de filosofia e teologia ensinados pelos jesuítas eram freqüentemente pouco mais que superstições sem fundamento disfarçadas por uns poucos farrapos de lógica escolástica. Ele estava apaixonadamente interessado na ciência, mas a ciência que lhe era oferecida era a inútil física de Aristóteles ajustada às doutrinas vazias de São Tomás de Aquino.

---

* Para matemáticos: Hilbert descobriu que a validez do Teorema de Pappus num plano projetivo desarguesiano é equivalente à comutatividade do corpo de coeficientes. Veja pp. 82-86 de *Lectures in Projective Geometry*, de A. Seidenberg, Van Nostrand, 1962; ou *Geometric Algebra*, de E. Artin, Interscience, 1957.

Apenas a Matemática escapara a seu desprezo "em virtude da certeza de suas provas e da clareza de seus argumentos"; mas mesmo nesse campo ele se sentia "atônito ao notar que fundamentações tão firmes e sólidas não tivessem nada mais elevado construído sobre elas". Deve ser lembrado que a Matemática da época consistia em Geometria Clássica e uns poucos fragmentos primitivos de Álgebra Elementar, com a quase totalidade de suas aplicações à ciência ainda fora do horizonte.

Como muitos jovens inteligentes de todos os séculos, Descartes deixou a escola cheio de desgosto com a aridez vazia de seus estudos. Esse seu estado de espírito é melhor expresso por suas próprias palavras:

> Isto porque, tão logo quanto minha idade permitiu sair do controle dos meus professores, abandonei completamente o estudo de letras. E resolvido a não procurar nenhum outro conhecimento além daquele que pudesse achar em mim, ou no grande livro do mundo, empreguei o resto de minha juventude em viagens, vendo cortes e exércitos, convivendo com homens de diversos temperamentos e condições... e sobretudo tentando aprender do que via, de forma que pudesse tirar algum benefício da minha experiência*.

Naturalmente, ele foi primeiro a Paris, onde jogou, andou em companhias femininas e em geral passou por dândi. Essa vida mundana rapidamente tornou-se insípida e ele surpreendeu seus amigos da boêmia alistando-se no exército holandês como nobre voluntário não-assalariado. O exército estava inativo naquela época e em seu ócio forçado ele foi mais uma vez atraído para o estudo da Matemática. Um ano mais tarde, em 1619, ele se transferiu para o exército do duque da Bavária, e enquanto passava os invernos em uma pequena cidade do Danúbio, foi alvo de uma "iluminação", que para ele era comparável às grandes revelações místicas dos santos.

Naquela aldeia fria, ele era um estranho para todos. Descartes fechou-se durante o inverno num quarto bem aquecido e mergulhou em estudos solitários e em meditações. Refletiu sobre o conhecimento que tinha adquirido nas várias ciências e observou desesperadamente sua confusão e sua incerteza. O que era necessário era um começo totalmente novo, um novo começo que varresse todos os sistemas de pensamento e crenças que haviam sido poluídos pelos séculos com meias-verdades, pensamentos voluptuosos e falso raciocínio. Só na Matemática ele tinha achado a certeza que desejava, e a tarefa que gradualmente se delineava em sua mente era a de estender essa certeza para todos os outros ramos do conhecimento. Mas como poderia ser realizado um projeto tão monumental? Em 10 de novembro de 1619 — um dia famoso na história da Filosofia — num estado de exaustão e de excitação febril, ele encontrou seu método e sentiu haver vislumbrado "a fundamentação de uma ciência maravilhosa". Muito mais do que meramente mostrar-lhe o caminho num problema isolado, ou mesmo de clarificar-lhe os princípios de uma ciência particular, sua "iluminação" revelou-lhe a unidade essencial de todas as ciências — na verdade, do conhecimento. E seu método de dispor as várias disciplinas como ramos de uma única "ciência maravilhosa" seria o da Matemática:

> Aquelas longas cadeias de raciocínios simples que os geômetras usam para chegar a suas conclusões mais difíceis fizeram-me crer que todas as coisas que são objeto do conhecimento humano são semelhantemente interdependentes, e desde que apenas nos abstenhamos de assumir como verdadeiro algo que não é, e sempre seguirmos a ordem necessária na dedução de uma coisa a partir de outra, não há nada tão remoto que não possamos atingir, nem tão oculto que não possamos descobrir**.

Naquele dia memorável ele tomou duas decisões que modelaram o curso futuro de sua vida. Primeiro, decidiu que deveria sistematicamente duvidar de tudo que sabia ou pensava que sabia sobre as ciências e que deveria procurar pelos fundamentos corretos e auto-evidentes sobre os quais o edifício do conhecimento poderia ser reconstruído com confiança. Em segundo lugar, como sempre uma grande obra de arte é produto de um único mestre artista, ele decidiu que tinha de levar a cabo todo o projeto por si mesmo.

Ele deixou o exército e viajou muito pela Alemanha, Suíça, Itália e Holanda. Trabalhou em problemas matemáticos, estudou geleiras e avalanches, calculou a altura de montanhas e continuou a acalentar sua grande

---

* *Discurso*, Parte I.
** *Discurso*, Parte II.

ambição secreta de uma reforma total do conhecimento humano. Em um de seus diários, escreveu o seguinte fragmento de auto-análise: "Como um ator pronto a aparecer no palco coloca uma máscara para esconder sua timidez, eu fui adiante usando uma máscara, preparando-me para subir ao palco do mundo, o qual eu conhecia até o momento apenas como um espectador". Voltando para Paris em 1625, passou a maior parte dos três anos seguintes na companhia de homens com interesses matemáticos e científicos semelhantes. Em particular, ele renovou sua relação com o frade franciscano Marin Mersenne, um antigo colega de La Flèche. Mersenne conhecia todos que valiam a pena e se tornou e permaneceu seu amigo mais próximo e seu mais fiel admirador.

Posteriormente, em 1628, Descartes começou a perceber que ele nunca "subiria ao palco do mundo" a menos que começasse a escalar e logo. Com o fito de achar o ócio tranqüilo necessário para pensar e escrever, deixou a barulhenta e agitada Paris e foi à Holanda, onde viveu nos 21 anos seguintes. Ele preferiu a vida solitária e a liberdade intelectual vigente naquele país e também esperava evitar a chateação de visitantes incômodos que vinham vê-lo pela manhã e arrancavam-no da cama. Ainda com o fito de manter sua privacidade, mudou de endereço um total de 24 vezes durante o período mantendo-os cuidadosamente em segredo, revelando apenas a seus amigos mais próximos. O mote que ele adotou era mais próprio de um fugitivo que de um filósofo: *"Bene vixit qui bene latuit"* – "Viveu bem quem se escondeu bem". Embora solitário, estava longe de estar isolado, pois dedicava um dia por semana para cuidar de sua volumosa correspondência com todos os eruditos da Europa. Seu correspondente principal era Mersenne, que servia como seu elo com os círculos intelectuais parisienses em assuntos de novidades científicas, questões filosóficas e problemas matemáticos. Ele lia relativamente pouco, pois confiava mais em experimentos científicos que em livros e, sobretudo, confiava em seu próprio espírito. Mas ele também não acreditava em exagerar nas meditações. Seu hábito, ele dizia, era "nunca gastar mais que algumas horas por dia em pensamentos que ocupam a imaginação, ou mais do que algumas horas por ano em pensamentos que ocupam a compreensão, e dedicar todo o tempo que resta ao descanso dos sentidos ou ao repouso da mente". Mas, talvez isto fosse parcialmente um blefe, já que esperava-se que os intelectuais nobres daquela época não trabalhassem muito duramente: se eles violassem esse código, como Descartes certamente o fez, então a decência requeria uma moderada dissimulação.

O primeiro livro importante de Descartes, *Regras para a direção do espírito*, foi provavelmente escrito durante o primeiro ano em que esteve na Holanda. Ele contém a mais completa descrição de seu método para um pensar claro e correto, mas ele não o terminou, e o livro não foi publicado até 1701. Poucos anos mais tarde, ele decidiu tornar público três de seus mais curtos tratados científicos, acompanhados de um prefácio explanatório. O resultado foi seu *Discurso sobre o método* (1637), com seus apêndices chamados *Dióptrica*, *Meteoros* e *Geometria*, que ele imaginara serem ilustrações convincentes do poder de seu método. Esses apêndices continham pouca coisa de valor ou de interesse permanente e merecidamente naufragaram no olvido. Contudo, *Discurso* permanece um marco da Filosofia, sendo também um clássico literário. E único tanto em forma como em conteúdo – uma mistura de filosofia e ciência, um manifesto e um prospecto, uma autobiografia intelectual de grande encanto onde as aventuras da razão são narradas tão vividamente quanto as narrativas de Homero sobre as andanças de Ulisses. Como fruto natural de seu continuado estudo da Ciência, Descartes desenvolveu seu interesse pela teoria do conhecimento. O que sei? – ele se perguntava quando jovem. E, mais tarde, Como eu sei? O que significa conhecer? Em 1641 publicou suas idéias sobre o assunto em *Meditações*, uma obra que tem sido descrita como combinando excelência literária e gênio filosófico em um nível inigualado por qualquer outro pensador desde Platão. Já mencionamos sua decisão de 1619 de duvidar de tudo que ele pensasse que sabia acerca das várias ciências. A dúvida filosófica de sua maturidade, como expressa tanto em *Discurso* como em *Meditações*, era muito mais penetrante. Não protegia nada de seu sopro devastador, nem mesmo a convicção sobre sua própria existência.

Um breve resumo talvez explique o sabor de suas idéias. Ao menos uma vez em sua vida, dizia Descartes, um homem que procure a verdade tem de reunir coragem para duvidar de tudo. Muitas de nossas crenças – sobre o mundo físico, religião, sociedade e nós mesmos – enredam-nos na infância antes de nossas defesas se desenvolverem; e na época em que chegamos a ter um julgamento crítico, suas amarras se tornaram tão confortáveis e familiares que raramente somos conscientes de sua presença. Adquirimos essas crenças por percepções inadequadas, pais supersticiosos, professores não-confiáveis e instituições interesseiras. Temos de examinar todas as nossas convicções, disse ele, na procura daquelas que resistem a nossos mais extenuantes esforços em colocá-las em dúvida, pois somente estas podem fornecer uma fundamentação correta e sólida sobre a qual se reerguerá o templo do conhecimento. Essa procura sistemática de solo firme, de escavação na lama e na areia do espírito, levou-o finalmente a sua verdade última: "*Cogito ergo sum*" – "Penso, logo existo" – talvez a sentença mais famosa da história da Filosofia. Não foi um pensamento original, pois Santo Agostinho exprimiu a mesma idéia quase com as mesmas palavras mais de um milênio antes: "Quem duvida de estar vivo? Pois se duvida, está vivo"*.Contudo essa percepção era apenas acidental para Agostinho, enquanto Descartes a transformou em fonte de seu sistema global de pensamento. Sua epistemologia e metafísica surgiram desse esforço de reconstruir o mundo exterior a partir do fato primário de seu próprio pensar, e para melhor ou pior, a filosofia ocidental tem-se preocupado desde então com o problema de se esse "mundo exterior" realmente existe além do conceitual**.

A parte construtiva de seu sistema é muito menos interessante e importante que a parte destrutiva acima descrita. Por exemplo, sua eloqüente prova da existência de Deus reduz-se no fim ao mais flébil argumento que alguém possa imaginar: "Não é possível que eu tivesse em mim a idéia de Deus, se Deus verdadeiramente não existisse***. Argumentando em seguida que suas "idéias claras e distintas" são necessariamente verdadeiras, como Deus é perfeito e portanto não pode se inclinar à decepção, ele começa a "provar" a existência do mundo exterior, distinção entre corpo e espírito e assim por diante. Enfim, joga suas velhas idéias para fora pela porta da frente com uma fanfarra altissonante e, então, após um intervalo decente e com as cerimônias adequadas, silenciosamente deixa-as entrar novamente pela porta de trás****. A despeito de suas falhas, os livros de Descartes foram largamente lidos, e suas partes céticas deram um impulso poderoso ao mais simples, óbvio e não obstante potente de todos os princípios revolucionários: baseie suas crenças em evidências e dê-lhes apenas o grau de crença que a evidência justifique. Esse princípio impopular tem estado latente desde então, explodindo em chamas vez por outra, com algumas individualidades servindo como ignição das explosões de conhecimento científico que destacaram os três últimos séculos da civilização européia de todos os outros períodos do desenvolvimento humano. O que quer que se pense das idéias de Descartes é inegável que grande parte de sua influência deve-se a sua extraordinária habilidade de escritor. "Quando escrever sobre temas transcedentes", ele diz, "seja transcendentemente claro"; e nisso ele usualmente seguiu seu próprio conselho. Descartes foi um dos grandes mestres da arte da linguagem, e, para um pensador que deseje ser lembrado, isto é freqüentemente melhor que ter idéias originais importantes.

A seus próprios olhos, Descartes era principalmente um cientista e um matemático e só incidentalmente um filósofo. Qual era a natureza de sua atividade científica? Em 1633 ele completou um tratado ambicioso chamado *O Mundo*, no qual ele se impôs a tarefa de explicar "a natureza da luz e do Sol e das estrelas que a emitem, dos céus que a transmitem, dos planetas, dos cometas e da Terra que a refletem, de todos os corpos terrestres a quem ela dá cor, e do Homem, seu espectador". A condenação de Galileu pela Inquisição fê-lo abandonar o projeto de publicá-lo, e do manuscrito sobreviveram apenas fragmentos. Além da Física e da Astronomia, seus interesses científicos incluíam a Meteorologia, Óptica, Embriologia, Anatomia, Fisiologia, Psicologia, Geologia e mesmo Medicina e Nutrição, que ele estudou com a esperança de prolongar sua vida. Em Meteorologia ele apresentou fantasiosas explicações do trovão e do raio: o trovão seria o som provocado quando as nuvens mais altas caíam sobre uma mais baixa; não obstante sua explicação do arco-íris, em termos de reflexão e refração dentro das gotículas de água na atmosfera, era bem correta*****. Sua tentativa de explicar as cores do arco-íris não teve sucesso, e esse resultado foi conseguido por Newton. Ele foi o primeiro a publicar a lei dos senos, da refração, mas a enunciou erradamente e "provou" sua versão incorreta por um argumento *ad hoc* que levantou a suspeita em muitos cientistas (incluindo Newton e Huygens) de que ele não descobrira a lei

---

*   *A Trindade*, Livro X, Capítulo 10.

**   O filósofo moderno chinês Lin Yutang, educado numa tradição diferente mas profundamente familiarizado com o pensamento ocidental, fez o seguinte comentário ácido sobre essa preocupação algo absurda: "Por que Descartes, que não podia por evidência *prima facie* aceitar sua existência como real, acreditava que seu pensamento o era? Esse foi o início dos anos negros da filosofia européia".

***   *Meditações*, Parte III.

****   "O cérebro humano é um órgão complexo com o maravilhoso poder de permitir ao homem encontrar razões para continuar a crer no que quer que seja que ele queira crer." – Voltaire.

***** Ele provavelmente não sabia que esse fenômeno havia sido corretamente explicado mais de 300 anos antes. Veja de A. I. Sabra, *Theories of Light from Descartes to Newton*, Oldbourne, 1967, p. 62.

por si mesmo, mas a aprendera de Snell, a quem hoje é geralmente creditada a descoberta*. Em outros ramos, ele dissecou um feto e descreveu sua anatomia; removeu a parte posterior de um olho de boi para examinar a imagem formada por um objeto colocado a sua frente; saudou a descoberta de Harvey da circulação do sangue, mas se envolveu numa disputa mal sucedida com ele sobre a ação do coração; dissecou a cabeça de vários animais num esforço para localizar as fontes da memória e da imaginação. Sua doutrina de que o corpo era uma máquina teve influência considerável sobre a história posterior da Fisiologia e da Psicologia. De acordo com ele, os animais eram apenas máquinas, e uma pessoa é uma máquina diferenciada pela posse da alma, que provavelmente reside na glândula pineal na base do cérebro. Essa visão mecanicista também permeava sua física e sua astronomia. Ele rejeitou a ação à distância e admitiu que todas as influências físicas – tais como gravidade, luz e magnetismo – eram transmitidas mecanicamente por pressão das partículas adjacentes. O universo inteiro, disse ele, está preenchido com essas partículas, incessantemente movendo-se em vórtices, a Terra, por exemplo, move-se em sua órbita porquanto é arrastada em volta do vórtice do Sol como um galho num redemoinho. Essas fantasias pictóricas estiveram em voga por um breve tempo, mas foram logo destruídas com o surgimento da Física-Matemática newtoniana. Em sua ciência, Descartes procurou o significado de tudo que existia, e a causa de tudo o que acontecia, mas pouco ou nada permaneceu desse seu trabalho. Ele era vesgo enquanto cientista por preconceitos filosóficos, especulação irrestrita e ambição excessiva – moléstia à qual os filósofos são particularmente vulneráveis – e, como resultado, suas idéias eram quase totalmente erradas. Como disse Newton, provavelmente tendo em mente Descartes:

Explicar toda a natureza é uma tarefa difícil demais para um homem ou mesmo para uma época. É muito melhor fazer um pouco com certeza e deixar o resto para os outros que virão após você do que explicar todas as coisas.

Chegamos finalmente à difícil questão da matemática de Descartes – difícil porque um dos pontos mais comuns dos mexericos de segunda mão entre historiadores da ciência é que ele inventou a Geometria Analítica, e contudo ele não fez nada disso**. Qualquer pessoa qualificada que examine o tratado de Descartes sobre a geometria logo se convencerá de que essa obra nada contém sobre eixos perpendiculares, ou as coordenadas "cartesianas" de um ponto, ou equações de linhas ou círculos, ou qualquer material que seja que tenha alguma relação reconhecível com a Geometria Analítica, nos moldes em que esse assunto tem sido entendido nos últimos 300 anos. Encontramos convenções notacionais familiares aparecendo pela primeira vez: o uso de expoentes e o costume de denotar constantes e variáveis pelas letras a, b, c e x, y, z, respectivamente; encontramos Geometria e Álgebra, e Álgebra usada como linguagem para discutir Geometria; mas não encontramos Geometria Analítica, ou em relação a isto qualquer conteúdo que seja que justifique a reputação matemática de Descartes. Sua *Geometria* foi pouco lida então e menos lida hoje, e bem merecidamente, pois toda a obra é uma traição grotesca ao que ele anteriormente chamara "transparência e clareza insuperáveis que são próprias a uma matemática corretamente ordenada". Parece, das muitas obscuridades deliberadas e das observações condescendentes – tão estranhas a seu' jeito habitual de escrever –, que ele a escreveu mais para se exibir do que para explicar, e de alguma forma ele conseguiu induzir muitos de seus contemporâneos à crença contra a evidência de que ele houvera conseguido algo notável***.

Pelo ano de 1649, os livros e idéias de Descartes tinham-se espalhado por todos os cantos da Europa e a rainha Cristina da Suécia convidou-o a ir para Estocolmo para dourar sua corte e servir como seu professor particular de Filosofia. Estocolmo era uma cidade fria e desagradável e de saída ele não esteve interessado nessa oportunidade "de viver em uma terra de ursos entre pedras e gelo", mas no fim ele cedeu e, pondo de lado seus medos, seus hábitos e sua independência, deixou a Holanda num vaso de guerra especial que a rainha havia enviado para buscá-lo. Essa jovem decidida e estranhamente masculina de 19 anos foi uma das personagens históricas mais notáveis. Uma caçadora apaixonada, uma excelente amazona, capaz de permanecer na sela todo

---

*   *Ibid.* pp. 99-105.

** Diz-se que a História repete-se a si mesma, e historiadores uns aos outros.

*** Apesar disso, ele era certamente um matemático inteligente, como está mostrado por sua trisseção de um ângulo usando régua, compasso e uma parábola fixa; veja H. Tietze, *Famous Problems of Mathematics*, Graylock Press, 1965, p. 53.

um dia sem se cansar, indiferente às roupas femininas e que raramente penteava seu cabelo mais de uma vez por semana, fluente em cinco línguas, entusiasta pelo estudo de Literatura e Filosofia, e plena de ambição de transformar Estocolmo na "Atenas do Norte", capturou Descartes como uma aranha a uma mosca. Pouco necessitada de descanso e impermeável ao frio e desconforto, ela marcou o gélido horário das 5 da manhã para suas aulas de Filosofia. Com sua rotina de toda vida destroçada, o infeliz era forçado a sair de sua cama aquecida, no escuro e, então, dirigir-se ao palácio em meio a um dos mais rigorosos invernos de Estocolmo, que não se via há anos. Pior ainda, Cristina tirou vantagem de suas faculdades entorpecidas, quando ele tentou convencê-la de que os animais eram apenas máquinas – ela objetou que jamais tinha visto seu relógio dando luz a relógios-bebês (sua réplica – se ele foi capaz de dar alguma – não está registrada). Exausto, enfraquecido e cheio de desespero por sua condição humilhante, Descartes pegou uma gripe e morreu de pneumonia apenas 4 meses após sua chegada à Suécia.

Há alguma coisa do trabalho de Descartes que ainda tem significado para o mundo moderno? Muito pouco, se contarmos apenas doutrinas ou descobertas específicas em Filosofia, Ciência ou Matemática. Entretanto, ele mantém um lugar seguro na sucessão canônica dos altos sacerdotes do pensamento em virtude da têmpera racional de sua mente e sua visão da unidade do conhecimento. Ele fez soar o gongo, e a civilização ocidental tem vibrado desde então com o espírito cartesiano de ceticismo e de indagação que ele tornou de aceitação comum entre as pessoas educadas.

MERSENNE (1588-1648)

Há mais em Mersenne do que em todas as universidades juntas.

Thomas Hobbes

Os cientistas do século XX estão ligados entre si por uma rede mundial de comunicações realizada por centenas de organizações profissionais cujos encontros e revistas estimulam um constante intercâmbio de idéias e descobertas. No começo do século XVII não existia nenhuma dessas organizações. Pior ainda, as universidades, em sua maioria, eram conchas vazias de ritual medieval e rigidez escolástica, incapazes de acolher novos conhecimentos. O intenso fermento intelectual da época encontrou seu ambiente principal em grupos de discussão informais e na correspondência privada. O círculo de amizades de Marin Mersenne era, de longe, o mais importante desses grupos.

Mersenne era um monge franciscano que vivia num mosteiro em Paris perto da Place Royale, que, na maturidade, teve seus interesses transferidos da Teologia para a Filosofia, Ciência e Matemática. Seus amigos eram quase todos da Europa Ocidental que tinham atividade nesses campos – Pascal, Roberval, Desargues, Gassendi e outros em Paris; Descartes na Holanda; Galileu, Torricelli e Cavalieri na Itália; Fermat em Toulouse; Hobbes durante suas freqüentes e longas visitas a Paris, e muitos mais. O círculo de Mersenne constituía-se em uma "universidade invisível" em que ocorreu a maior parte da atividade intelectual do período. Os membros que viviam em Paris encontravam-se regularmente em suas salas com a aprovação e o apoio do cardeal Richelieu, famoso por seu patrocínio das ciências. Esses encontros prosseguiram por muitos anos após a morte de Mersenne e formaram o núcleo da Academia Francesa de Ciências, estabelecido em 1666. Mersenne agia não só como o presidente informal do grupo, mas também como seu correspondente secretário. Ele transmitia cartas e manuscritos de um membro a outro, de acordo com os interesses particulares; sua própria e enorme correspondência, particularmente com Descartes e Fermat, propiciou o fluxo de idéias tão efetivamente que contar-lhe acerca de uma descoberta interessante significava publicá-la em toda a Europa.

Em Ciência, o trabalho de Mersenne sobre o som foi de importância tão fundamental que ele, às vezes, é chamado "o pai da acústica". Seu tratado de 1636 intitulado *Harmonia Universal* contém relatos de muitos experimentos engenhosos e conclusões que tirou deles. Ele dispôs cordas de linho e arames, alguns com mais de 30 metros de comprimento, e esticou-os entre dois postes por meio de pesos. Descobriu que seus movimentos vibratórios, quando tangidos, podiam ser facilmente seguidos visualmente, e então marcava o tempo usando seu próprio pulso. Variando os comprimentos e tensões, descobriu os seguintes princípios básicos, que são hoje conhecidos como as leis de Marsenne: a freqüência de vibração de um fio esticado é (1) inversamente proporcional ao comprimento se a tensão for constante, (2) diretamente proporcional à raiz quadrada da tensão se o comprimento for constante e (3) inversamente proporcional à raiz quadrada da massa por unidade de comprimento (densidade linear) para fios diferentes de mesmo comprimento e tensão. Ele, a seguir, foi encurtando um arame esticado enquanto o seu som era audível e o ajustou ao afinamento de um dos tubos de seu órgão. Aplicando suas leis, descobriu que a freqüência dessa nota era 150 vibrações por segundo e também que a freqüência de sua oitava era 300 vibrações por segundo. Esta foi a primeira determinação da freqüência de uma nota musical específica, e foi uma notável façanha científica. Ele foi também o primeiro a determinar a velocidade do som no ar, usando um grito de sete sílabas ("*Benedicam Dominum!*"), que levava um segundo para ser emitido e imediatamente ecoar de volta de uma distância de 156 metros. Disto ele concluiu que o som tem velocidade de 312 m/s, resultado bem próximo da cifra correntemente aceita de cerca de 326 m/s no ar seco a 0°C.

Entre seus interesses matemáticos estavam a ciclóide e os números perfeitos. Ciclóide é uma curva em arco traçada por um ponto do aro de uma roda em movimento. Mersenne foi provavelmente o primeiro a tomar conhecimento, por Galileu, dessa bela curva e a sugeriu a muitos de seus amigos como objeto digno de investigação. Nos dois séculos seguintes, confirmou-se que a ciclóide tem muitas propriedades geométricas e físicas notáveis; ela foi estudada por Roberval, Torricelli, Pascal, Huygens, John Bernoulli, Leibniz, Newton, Euler e Abel, entre outros.

Os números perfeitos – aqueles como $6 = 1 + 2 + 3$, que são iguais à soma de seus divisores próprios – têm fascinado os matemáticos desde a época de Pitágoras. Mersenne conhecia a prova de Euclides de que se $2^n - 1$ é primo, então $2^{n-1}(2^n - 1)$ é perfeito (veja Apêndice A.1.). Ele também sabia que $2^n - 1$ não podia ser primo se n não fosse. Assim foi levado ao problema de determinar aqueles números primos p para os quais $2^p - 1$ é também primo (esses últimos são agora chamados *primos de Mersenne*). Infelizmente existem alguns primos p para os quais $2^p - 1$ é primo e outros para os quais não é; logo esse problema está longe de ser simples. Em 1644 Mersenne afirmou que entre os 55 primos $p \leq 257$ os únicos para os quais $2^p - 1$ é também primo são $p = 2, 3, 5, 7, 13, 17, 19, 31, 67, 127, 257$. Ele não deu nenhuma evidência que o levasse a fazer essa afirmação, mas sabe-se agora que cometeu cinco erros: 67 e 257 não pertencem à lista, e 61, 89 e 107 pertencem. A fatorabilidade de $2^{67} - 1$ foi descoberta em 1903 pelo matemático americano F. N. Cole e foi anunciada por ele numa apresentação dramática num encontro da American Mathematical Society. Ao ser chamado para a sua conferência, Cole foi à lousa, calculou silenciosamente $2^{67} - 1$ e, ainda sem dizer uma palavra, andou até um espaço claro da lousa e multiplicou

$$193{,}707{,}721 \quad e \quad 761{,}838{,}257{,}287.$$

Os resultados eram visivelmente os mesmos, a audiência aplaudiu entusiasticamente e Cole voltou a sua cadeira depois de ter apresentado a única conferência totalmente muda registrada na História. Mais tarde, ele contou a um amigo que essa fatoração tinha lhe custado "três anos de domingos"*. Em 1913, foi provado por D. H. Lehmer que $2^{257} - 1$ é fatorável, mas a prova foi teórica e não exibiu quaisquer fatores específicos. Detalhes adicionais acerca do status atual desse assunto são dados no Apêndice A.1.

FERMAT (1601-1665)

...um mestre dos mestres.

E. T. Bell

Pierre de Fermat foi talvez o maior matemático do século XVII, mas sua influência foi limitada por falta

---

* E. T. Bell, *Mathematics, Queen and Servant of Science*, McGraw-Hill, New York, 1951, p. 228.

de interesse em publicar suas descobertas que são conhecidas principalmente pelas cartas a amigos e anotações marginais em sua cópia da *Arithmetica*, de Diofanto*. Por profissão, era advogado e membro da Suprema Corte Provincial de Toulouse, no sudoeste da França. Entretanto, seu passatempo e sua paixão particular era a Matemática, e sua criatividade casual foi uma das maravilhas da época para os poucos que a conheceram.

Suas cartas sugerem que era um homem envergonhado e reservado, cortês e afável, mas um pouco distante. Sua vida externa era tão calma e ordenada como se poderia esperar de um juiz de província com senso de responsabilidade e de seu trabalho. Felizmente, esse trabalho não era tão exigente e deixou bastante tempo ocioso para a extraordinária vida interior que florescia, à luz de lamparina, no silêncio de seu estúdio à noite. Ele era um amante do estudo dos clássicos e suas próprias idéias matemáticas se desenvolveram em parte por sua familiaridade íntima com os trabalhos de Arquimedes, Apolônio, Diofanto e Pappus. Embora fosse um gênio de primeira grandeza, parece que pensava de si mesmo como no máximo um sujeito inteligente com algumas boas idéias, mas não da mesma categoria dos mestres da Antiguidade grega.

O padre Mersenne ouviu falar em Paris de algumas pesquisas de Fermat e escreveu a ele em 1636, convidando-o a compartilhar suas descobertas com os matemáticos parisienses. Se Fermat ficou surpreso ao receber a carta, Mersenne ficou mais surpreso ainda com a resposta e com a quantidade de cartas que se seguiu pelos anos afora, dirigidas a ele e também a outros membros do círculo. As cartas de Fermat eram repletas de idéias e descobertas, e, às vezes, acompanhadas por pequenos ensaios expositivos em que resumidamente descrevia alguns de seus métodos. Esses ensaios eram escritos em latim e eram passados, com excitação, de pessoa a pessoa, no grupo de Mersenne. Aos matemáticos de Paris, que nunca tiveram encontro pessoal com ele, parecia que tratavam com uma sombra bruxuleante, sem rosto, a dominar todos os seus esforços; um mágico misterioso escondido no interior que invariavelmente resolvia os problemas que propunham e de volta propunha problemas que eles não podiam resolver – e então fornecia genialmente as soluções quando requisitado. Ele apreciava se desafiar e ingenuamente considerava natural que seus correspondentes também apreciassem. Por exemplo, Mersenne, uma vez, lhe escreveu perguntando se o número – muito grande – 100.895.598.169 era primo ou não. Tais questões freqüentemente levavam anos para serem respondidas, mas Fermat replicou sem hesitação que o número era o produto de 112.303 e 898.423 e que cada um desses fatores era primo – e até hoje ninguém sabe como ele descobriu. O infeliz Descartes travou polêmicas com ele diversas vezes, sobre assuntos que ele considerava cruciais tanto para sua reputação de matemático como para o sucesso de sua filosofia. Como um estrangeiro, Fermat não conhecia o monumental egoísmo e a disposição melindrosa de Descartes, e com calma cortesia o demoliu em todas as ocasiões. Maravilhamento, exasperação e humilhação eram aparentemente emoções comuns entre aqueles que vieram a ter contato com a mente de Fermat.

Ele inventou a Geometria Analítica em 1629 e descreveu suas idéias num pequeno trabalho com o título *Introdução aos lugares geométricos planos e sólidos*, que circulou sob forma de manuscrito desde 1637 mas não foi publicado por Fermat em vida**. O crédito dessa descoberta é usualmente dado a Descartes baseado em seu trabalho *Geometria*, que foi publicado no fim de 1637 como apêndice de seu famoso *Discurso do Método*. Entretanto, nada do que poderíamos reconhecer como Geometria Analítica pode ser encontrado no ensaio de Descartes, exceto talvez a idéia de usar Álgebra como linguagem para abordar problemas geométricos. Fermat teve a mesma idéia, mas fez algo importante com ela: ele introduziu eixos perpendiculares e descobriu as equações gerais de retas e circunferências e as equações mais simples de parábolas, elipses e hipérboles, e depois mostrou de um modo bastante completo e sistemático que toda equação de 1º e 2º graus pode ser reduzida a um desses tipos. Nada disso está no ensaio de Descartes, mas para dar-lhe o que é devido, ele introduziu várias convenções notacionais que estão ainda em uso – o que dá a sua obra uma aparência moderna –, enquanto Fermat utilizava um simbolismo algébrico mais antigo e agora arcaico. O resultado é que superficialmente o ensaio de Descartes parece como se fosse Geometria Analítica, mas não é; enquanto o de Fermat não parece, mas é. Certamente Descartes conhecia alguma Geometria Analítica no fim da década

---

* Essas notas marginais foram reproduzidas numa nova edição do trabalho sobre a Teoria dos Números, publicada pelo filho de Fermat em 1670.

** Traduções para o inglês são dadas em D. E. Smith, *A Source Book in Mathematics*, McGraw-Hill, 1929, pp. 389-396; e em D. J. S. Struik, *A Source Book in Mathematics*, 1200-1800, Harvard, 1969, pp. 143-150.

de 1630; mas como ele possuía o manuscrito original da *Introdução* vários meses antes da publicação de sua própria *Geometria*, pode se imaginar que muito do que ele sabia aprendeu de Fermat.

A invenção do Cálculo é usualmente creditada a Newton e Leibniz, cujas idéias e métodos não tinham sido publicados até cerca de 20 anos após a morte de Fermat. Entretanto, se o cálculo diferencial for considerado como a matemática de determinar máximos e mínimos de funções e desenhar tangentes a curvas, então foi Fermat o criador dessa área já no ano de 1629, mais de uma década antes que Newton ou Leibniz tivessem nascido*. Com sua honestidade usual em tais assuntos, Newton afirmou – numa carta descoberta apenas em 1934 – que suas primeiras idéias próprias acerca do Cálculo vieram diretamente "da maneira pela qual Fermat traçava tangentes"**.

Eram conhecidas tão poucas curvas antes de Fermat que ninguém sentiu qualquer necessidade de aperfeiçoar a idéia velha e comparativamente inútil de que uma tangente é uma reta que toca uma curva em um único ponto.

Entretanto, com o auxílio de sua nova Geometria Analítica, Fermat era capaz não só de descobrir as equações de curvas clássicas familiares mas também de construir uma variedade de novas curvas simplesmente escrevendo várias equações e considerando os gráficos correspondentes. Esse grande aumento na variedade de curvas que passou a estar disponível para estudo aguçou seu interesse no que veio a ser chamado "o problema das tangentes".

O que Newton reconheceu na observação citada acima é que Fermat foi o primeiro a chegar ao conceito moderno de reta tangente a uma dada curva num dado ponto P (veja a Fig. C.5).

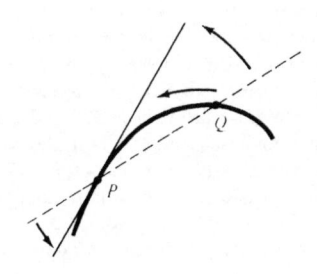

Figura C.5

Em essência, ele tomou um segundo ponto Q próximo de P, sobre a cuva, desenhou a reta secante PQ e considerou a tangente em P como sendo a posição-limite da secante quando Q desliza ao longo da curva em direção a P. Ainda mais importante, essa idéia qualitativa serviu-lhe como trampolim para os métodos quantitativos para calcular a exata declividade da tangente.

Os métodos de Fermat tiveram tal importância crítica para o futuro da Matemática e da Ciência que nos deteremos brevemente em considerar como apareceram.

Enquanto esboçava os gráficos de certas funções polinomiais $y = f(x)$, ele teve uma idéia muito engenhosa para localizar pontos em que tal função assumia um valor máximo ou mínimo. Ele comparava o valor $f(x)$ num ponto x com o valor $f(x + E)$ num ponto $x + E$ (veja a Fig. C.6).

---

* Fermat escreveu vários relatos de seus métodos, mas, como sempre, não fez esforço em publicá-los. O primeiro desses era um ensaio muito pequeno dado nas pp. 223-224 do livro de Struik, *Source Book*, que circulava em Paris em 1639 e que, de acordo com a própria afirmação de Fermat, fora escrito 7 anos antes.

** Veja L. T. More, *Isaac Newton*, Scribner's, 1934, p. 185.

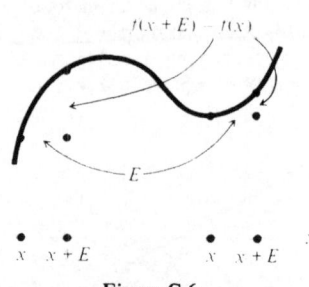

Figura C.6

Para a maioria dos x, a diferença entre esses valores, $f(x + E) - f(x)$, não era pequena comparada com E, mas Fermat observou que, no topo ou na base de uma curva, essa diferença era muito menor que E e diminuía mais rapidamente que E. Essa idéia deu-lhe a equação aproximada

$$\frac{f(x + E) - f(x)}{E} \cong 0,$$

o que torna-se mais e mais aproximadamente correta quando o intervalo E é tomado cada vez menor. Com isto em mente, ele, a seguir, fez $E = 0$, para obter a equação

$$\left[\frac{f(x + E) - f(x)}{E}\right]_{E=0} = 0.$$

De acordo com Fermat, essa equação é exatamente correta nos pontos de máximo e de mínimo sobre a curva, e resolvendo-as obtém-se os valores de x que correspondem a esses pontos. A legitimidade desse procedimento foi um assunto de controvérsia aguda por muitos anos. Entretanto, os estudantes de Cálculo reconhecerão que o método de Fermat equivale a calcular a derivada

$$f'(x) = \lim_{E \to 0} \frac{f(x + E) - f(x)}{E}$$

e fazer esta igual a zero, o que é exatamente o que nós fazemos em Cálculo hoje, exceto que habitualmente usamos o símbolo Δx no lugar de E.

Em um dos primeiros testes desse procedimento, ele deu a seguinte prova do Teorema de Euclides de que o maior retângulo com um dado perímetro é um quadrado. Sendo B a metade do perímetro e x um lado, então $B - x$ é o lado adjacente e a área é $f(x) = x(B - x)$. Para maximizar essa área pelo processo descrito acima, calculemos

$$f(x + E) - f(x) = (x + E)[B - (x + E)] - x(B - x)$$
$$= EB - 2Ex - E^2,$$

$$\frac{f(x + E) - f(x)}{E} = B - 2x - E,$$

e

$$\left[\frac{f(x + E) - f(x)}{E}\right]_{E=0} = B - 2x.$$

A equação de Fermat é, portanto, $B - 2x = 0$; logo, $x = \frac{1}{2}B$, $B - x = \frac{1}{2}B$, e o maior retângulo é um quadrado. Quando ele chegou a essa conclusão, observou com justificável orgulho: "Dificilmente poderíamos esperar descobrir um método mais geral". Ele encontrou também a forma do maior cilindro que pode ser inscrito numa dada esfera (a razão da altura pelo diâmetro da base $= \frac{1}{2}\sqrt{2}$) e resolveu muitos problemas semelhantes que são familiares nos cursos de Cálculo hoje.

A aplicação mais memorável dada por Fermat a seu método de máximos e mínimos foi a análise da refração da luz. Os fenômenos qualitativos eram, naturalmente, conhecidos há muito tempo: quando um raio de luz passa de um meio menos denso para um meio mais denso — por exemplo, do ar para a água — ele é refratado em direção perpendicular à superfície de separação (Fig. C.7).

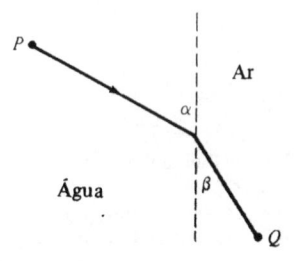

Figura C.7

A descrição quantitativa da refração foi aparentemente descoberta experimentalmente pelo cientista holandês Snell, em 1621. Snell descobriu também que quando a direção do raio incidente fosse alterada a razão dos senos dos dois ângulos indicados permaneceria constante,

$$\frac{\operatorname{sen} \alpha}{\operatorname{sen} \beta} = \text{constante},$$

mas ele não tinha idéia do porquê. Essa lei foi primeiramente publicada por Descartes em 1637 (sem qualquer menção a Snell) e ele se propôs prová-la em uma forma equivalente a

$$\frac{\operatorname{sen} \alpha}{\operatorname{sen} \beta} = \frac{v_w}{v_a},$$

onde v_a e v_w são as velocidades da luz no ar e na água. Descartes baseou seu argumento num modelo fantasioso e na opinião metafisicamente inspirada de que a luz percorre com velocidade maior um meio mais denso. Fermat rejeitou tanto a opinião ("chocante para o senso comum") como o argumento ("demonstrações que não aumentam a crença não podem ter esse nome"). Após muitos anos de ceticismo passivo, ele enfrentou ativamente o problema em 1657, e ele mesmo provou a lei correta:

$$\frac{\operatorname{sen} \alpha}{\operatorname{sen} \beta} = \frac{v_a}{v_w}.$$

O fundamento de seu raciocínio foi a hipótese de que a trajetória real percorrida por um raio de luz de P a Q é a que minimiza o tempo total de percurso — agora conhecido como o *princípio de tempo mínimo de Fermat**. Esse princípio de tempo mínimo levou ao cálculo de variações criado por Euler e Lagrange no século seguinte, e dessa disciplina chegou-se ao princípio da ação mínima de Hamilton, que tem sido uma das idéias unificadoras mais importantes na ciência física moderna.

O método de Fermat de determinar tangentes desenvolvido por sua abordagem aos problemas de máximos e mínimos foi ocasião de outro atrito com Descartes. Quando o famoso filósofo foi informado do método de Fermat por Mersenne, ele atacou sua generalidade, desafiou Fermat a determinar a tangente à curva $x^3 + y^3 = 3axy$ e loucamente vaticinou que ele fracassaria. O próprio Descartes fora incapaz de resolver esse problema e ficou intensamente irritado quando Fermat o resolveu com facilidade**.

---

*   Uma discussão completa, incluindo os detalhes da prova de Fermat, pode ser encontrada no Capítulo V de A. I. Sabra, *Theories of Light from Descartes to Newton*, Oldbourne, 1967. Uma prova pelos métodos do Cálculo é dada em nosso Capítulo 4.

** A curva $x^3 + y^3 = 3axy$ chama-se agora o *folium de Descartes*.

Esses sucessos nos primeiros estágios do Cálculo diferencial foram acompanhados por realizações de mesma grandeza no Cálculo integral. Mencionamos apenas uma: o cálculo realizado por Fermat da área sob a curva $y = x^n$ de $x = 0$ a $x = b$ para todo inteiro positivo n (Fig. C.8):

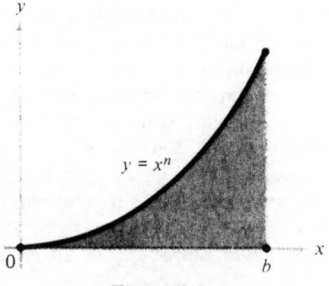

Figura C.8

Em notação moderna, isto equivale ao cálculo da integral

$$\int_0^b x^n \, dx = \frac{b^{n+1}}{n+1}.$$

O matemático italiano Cavalieri tinha provado essa fórmula por métodos cada vez mais laboriosos para $n = 1, 2, \ldots, 9$, mas soçobrou em $n = 10$. Fermat descobriu uma bela e nova abordagem que funcionava com igual facilidade para todos os n^*.

À luz de todos esses feitos pode-se, com razão, perguntar por que Newton e Leibniz são comumente considerados os inventores do Cálculo e não Fermat. A resposta é que as atividades de Fermat vieram demasiado cedo, antes que os aspectos essenciais do assunto tivessem totalmente emergido. Ele teve idéias fecundas e resolveu muitos problemas particulares de cálculo; mas ele não isolou o cálculo explícito de derivadas como um processo formal, não teve noção das integrais indefinidas, ele aparentemente jamais observou o Teorema Fundamental do Cálculo que liga as duas partes do assunto, e nem mesmo começou o desenvolvimento da rica estrutura do instrumental computacional do qual dependem as aplicações mais avançadas. Newton e Leibniz fizeram todas essas coisas e, desse modo, transformaram uma coleção de artifícios engenhosos num instrumento de grande poder e eficiência para a resolução de problemas.

A mente de Fermat teve tantas facetas quanto um diamante bem lapidado e lançou "focos" de luz em direções surpreendentes. Um capítulo menor mas significativo de sua vida intelectual começou quando Blaise Pascal, o diletante precoce de Matemática e Física, escreveu a ele em 1654 tocando em algumas questões sobre certos jogos de azar jogados com dados. Na correspondência que se seguiu nos diversos meses seguintes, eles desenvolveram juntos os conceitos básicos da teoria das probabilidades**. Este foi o início efetivo do assunto cuja influência é agora sentida em quase todo canto da vida moderna, indo de campos práticos, tais como seguro e controle de qualidade industrial, até as disciplinas esotéricas da Genética, Mecânica Quântica e Teoria Cinética dos Gases. Entretanto, nenhum dos dois levou suas idéias muito longe. Pascal foi logo agarrado pelos paroxismos de piedade que tegaram o resto de sua curta existência, e Fermat largou o assunto, pois tinha outros interesses matemáticos mais urgentes.

As muitas realizações notáveis esboçadas aqui — em Geometria Analítica, Cálculo, Óptica e Teoria das Probabilidades — teriam sido suficientes para colocar Fermat entre os grandes matemáticos do século XVII se ele não tivesse feito mais nada. Mas para ele essas atividades eram todas de menor importância comparadas com a paixão consumidora de sua vida, a Teoria dos Números. Foi aí que seu gênio brilhou com mais intensidade, pois seu discernimento das propriedades dos familiares mas misteriosos inteiros positivos talvez nunca tenha sido igualado. Ele foi o fundador único e unânime da era moderna nesse assunto, sem quaisquer rivais e com

---

*   Os detalhes são dados no Apêndice A.4.

**   Veja Smith, *Source Book*, pp. 546-565.

poucos seguidores até a época de Euler e Lagrange no século seguinte. Pascal, que o chamou *le premier homme du monde*, escreveu para ele: "Procure em algum lugar alguém que possa segui-lo em suas pesquisas sobre os números. De minha parte, confesso que estão bem além de mim e sinto-me competente apenas para admirá-las".

As atrações pela Teoria dos Números são sentidas por muitos, mas não são fáceis de explicar, sendo principalmente de natureza estética. Por um lado, os números inteiros positivos 1, 2, 3, ... são talvez as concepções mais simples e transparentes da mente humana; e, por outro lado, muitas de suas propriedades mais facilmente compreensíveis têm raízes que se afundam profundamente quase além do alcance da engenhosidade humana. Uma grande parte do chamariz do assunto está no fato de que sua superfície lisa e aparentemente simples oculta abismos da maior profundidade. A fim de comunicar alguma coisa do sabor do trabalho de Fermat nesse campo, descrevemos resumidamente várias de suas descobertas mais características e influentes. Deve ser recordado que a maioria das verdades que ele revelou são conhecidas apenas porque ele escreveu sobre elas a seus amigos ou as anotou nas margens de sua cópia de Diofanto*. Infelizmente, muitas de suas provas não foram registradas; foram perdidas para sempre quando ele morreu.

(1) O que se segue é conhecido como o *Teorema de Fermat*: se p é um primo e n é um inteiro positivo não divisível por p, então p divide $n^{p-1} - 1$. Por exemplo, se $p = 5$ e $n = 4$, então $n^{p-1} - 1 = 4^4 - 1 = 255$, que é divisível por 5; e se $p = 3$ e $n = 8$, então $n^{p-1} - 1 = 8^2 - 1 = 63$, que é divisível por 3. Esse teorema é de fundamental importância tanto em Teoria dos Números como na Álgebra Moderna**. Fermat enunciou-o numa carta em 1640, e a primeira prova publicada foi dada por Euler em 1736.

(2) Nosso segundo exemplo é seu teorema profundo e belo sobre números poligonais. Em suas próprias palavras, escritas na margem de sua cópia de Diofanto:

> Todo inteiro positivo é triangular ou soma de 2 ou 3 números triangulares; é quadrado ou soma de 2, 3 ou 4 quadrados; é pentagonal ou soma de 2, 3, 4 ou 5 números pentagonais; e assim por diante até o infinito, seja para os números hexagonais, heptagonais ou quaisquer outros números poligonais.

Para compreendermos essa proposição, lembremo-nos que números triangulares são os números 1, 3, 6, 10, ..., que podem ser obtidos construindo-se dispositivos triangulares tais como:

que os quadrados 1, 4, 9, 16, ..., aparecem dos dispositivos quadrados de pontos,

e analogamente com números pentagonais e os restantes. Após ter citado a proposição, Fermat continuou como se segue: "Não posso dar a prova aqui, pois depende de muitos mistérios abstrusos dos números; mas pretendo devotar um livro inteiro a esse assunto, e apresentar nesta parte da Teoria dos Números avanços surpreendentes além de fronteiras previamente conhecidas". Não é surpresa para ninguém que esse livro jamais foi escrito, embora ninguém duvidasse que ele poderia ter feito. Euler lutou denodadamente cerca de 40 anos para encontrar uma prova da parte do Teorema de Fermat relacionada aos quadrados, mas não alcançou, de modo algum, seu objetivo***. Finalmente Lagrange teve sucesso em 1772 com um argumento baseado fortemente nas idéias

---

* Algumas foram propostas como desafios a certos matemáticos ingleses a quem ele teve esperanças (em vão) de interessar em suas idéias. Por exemplo, é claro que $x = 5$ e $y = 3$ é uma solução inteira de $x^2 + 2 = y^3$; ele pedia uma prova de que esta era a única solução inteira. Como observou E. T. Bell, "Exige-se mais capacidade intelectual inata em se inclinar para essa coisa aparentemente infantil do que para compreender a Teoria da Relatividade". Veja J. V. Uspensky e M. A. Heaslet, *Elementary Number Theory*, McGraw-Hill, 1939, p. 398.

** Veja o Capítulo VI de G. H. Hardy e E. M. Wright, *An Introduction to the Theory of Numbers*, Oxford, 1938.

*** Ele conseguiu provar o Teorema dos Dois Quadrados de Fermat (todo primo da forma $4n + 1$ pode ser expresso como soma de dois quadrados de um e um só modo) após 7 anos de esforço.

de Euler. Gauss estabeleceu a parte sobre os números triangulares em 1796, e Cauchy provou o teorema completo em 1815.

(3) Uma nota marginal muito mais famosa – tão familiar aos matemáticos como são as atividades de Napoleão para os historiadores – ocorre depois de uma passagem em que Diofanto trata de soluções inteiras positivas da equação $x^2 + y^2 = z^2$. É fácil ver que $3^2 + 4^2 = 5^2$ e $5^2 + 12^2 = 13^2$, logo as triplas 3, 4, 5 e 5, 12, 13 são soluções óbvias. Há infinitas triplas como essas. Elas eram totalmente conhecidas desde o tempo de Euclides e foram discutidas por Diofanto*. A nota de Fermat em sua totalidade é:

> Em contraste com isto, é impossível separar um cubo em dois cubos, uma quarta potência em duas quartas potências ou, em geral, toda potência acima da segunda em duas potências de mesmo grau. Descobri uma prova verdadeiramente maravilhosa que essa margem é estreita demais para conter.

Essa proposição simples é agora conhecida como *Último Teorema de Fermat*: em notação moderna, a equação $x^n + y^n = z^n$ não tem soluções inteiras positivas, qualquer que seja o expoente $n > 2$. Gerações de matemáticos têm amaldiçoado a estreiteza daquela margem, pois a despeito de intensos esforços de algumas das mentes mais penetrantes do mundo por mais de 300 anos, nenhuma prova jamais foi encontrada por qualquer outra pessoa**. Em outro lugar, o próprio Fermat deixou um esboço de prova para o caso $n = 4$. Euler publicou uma prova para $n = 4$ (1747) e também para o caso mais difícil $n = 3$ (1770)***. Gauss, Legendre, Dirichlet e outros resolveram os casos $n = 5$ e $n = 7$ e, no momento presente, o teorema é sabido ser válido para todos os expoentes $n \leqslant 125.000$****. Ninguém duvida da verdade para todo n, mas seu interesse e reputação única estão na resistência que oferece a uma prova completa e rigorosa. Imortalidade instantânea espera qualquer pessoa que possa encontrar tal prova, mas aqueles que consideram isto um projeto de pesquisa para seu próximo fim-de-semana devem se lembrar do que disse David Hilbert, talvez o maior matemático do século XX, quando inquirido por que ele não tentava: "Antes de começar eu teria de dispor de três anos de estudo intenso e não tenho esse tempo para gastar num provável fracasso". Alguns especialistas acreditam que Fermat tenha se enganado ao pensar que tinha uma prova. Entretanto, era um homem de integridade completa e um teórico de números de habilidade insuperável. Deve-se lembrar também que ele jamais cometeu um engano; com essa única exceção – que não foi refutada – outros tiveram sucesso em provar todos os teoremas que ele tinha categoricamente anunciado possuir uma prova. O Último Teorema de Fermat é até hoje o mais famoso dos legados enigmáticos que ele deixou a sua perplexa posteridade*****.

PASCAL (1623-1662)

Pascal marcou seus trabalhos com a convicção apaixonada de um homem apaixonado pelo absoluto.

Jean Orcibal

Um escriturário moderno, ao sair de casa pela manhã, pode dar uma olhada em seu relógio de pulso,

---

*   A solução geral desse problema é dada em H. Rademacher e O. Toeplitz, *The Enjoyment of Mathematics*, Princeton, 1957, Capítulo 14. Veja também o Capítulo XIII de H. Tietze, *Famous Problems of Mathematics*, Graylock, 1965.

**   Nem mesmo pelo Diabo. Veja o conto encantador "The Devil and Simon Flagg", por Arthur Porges, na antologia de Clifton Fadiman, *Fantasia Mathematica*, Simon and Schuster, 1958.

*** Struik, *Source Book*, pp. 36-40.

**** O status atual do assunto é discutido em H. M. Edwards, Fermat's Last Theorem, *Scientific American*, Outubro, 1978. Veja também o artigo de H. S. Vandiver *Fermat's Last Theorem* na Enciclopédia Britânica (qualquer edição recente, antes de 1974).

***** Sentimo-nos obrigados a mencionar que existe um livro sobre Fermat e seu trabalho matemático; entretanto, esse livro foi dissecado e destruído numa famosa resenha do eminente matemático francês André Weil (*Bull. Amer. Math. Soc.*, vol. 79 (1973), pp. 1.138-1.149).

consultar o barômetro, comprar um jornal na banca da esquina e receber seu troco da máquina registradora e tomar o ônibus para o centro da cidade, ao distrito de negócios. O que tem tudo isto a ver com o matemático francês envolvido em disputas teológicas apáticas quando Luís XIV era ainda jovem? Pascal inventou o relógio de pulso, deu origem ao barômetro, inventou a máquina de calcular e foi o primeiro a pensar em um sistema de ônibus e a organizar uma companhia de transportes públicos*.

Blaise Pascal foi uma das mais talentosas e trágicas figuras em toda a história do pensamento ocidental. Uma criança prodígio, e mesmo mais pródigo quando adulto. E ainda, sua vida foi confundida e distorcida por visões místicas e neuroses religiosas: de todas as grandes coisas que havia para ele fazer, nenhuma progrediu muito além de memoráveis inícios.

Pascal nasceu em Clermont-Ferrand, na região de Auvergne da França Central. Sua mãe morreu quando ele tinha apenas 3 anos, e ele e suas duas irmãs foram criados por seu pai Étienne, um homem de caráter forte e amplos conhecimentos. Em 1631 a família mudou-se para Paris, para o desenvolvimento dos filhos. Blaise nunca freqüentou escolas, e foi educado exclusivamente por seu pai.

Étienne Pascal tornou-se um membro do grupo de discussão semanal de Mersenne, patrocinado pelo cardeal Richelieu e que mais tarde originou a Academia da França. O propósito desse grupo era incentivar o interesse pela Ciência, especialmente Matemática e Física. o grupo incluía o filósofo Descartes (quando ele estava em Paris), os matemáticos Roberval e Desargues, o inglês Hobbes, presente no inverno de 1636-1637, e vários outros. Desde a idade de 12 ou 13 anos, Pascal freqüentemente participava desses encontros, e ouvia avidamente, e ele mesmo às vezes entrava em disputas. Há um antigo dizer: "Um gênio é como o fogo; um simples pedaço de lenha queimando fará somente fumaça e nenhuma chama, ou se apagará, enquanto vários pedaços, empilhados folgadamente juntos, farão chamas intensas". E assim ocorreu com o jovem Pascal e os eminentes amigos de seu pai.

Quando ele tinha 16 anos publicou seu famoso *Essai sur les coniques* (*Ensaio sobre as secções cônicas*). Descartes sentiu inveja de seu sucesso e recusou-se a acreditar que fora produzido por um simples garoto. Esse pequeno trabalho contém o que é ainda o mais importante teorema da geometria projetiva, conhecido como o *Teorema de Pascal*: um hexágono inscrito em uma secção cônica (Fig. C.9) tem os três pontos de interseção de seus lados opostos sempre em uma linha reta.

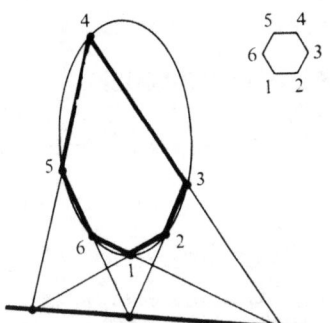

Figura C.9 Teorema de Pascal.

Aos 17 anos, enquanto observava seu pai fazendo cálculos aritméticos intermináveis de impostos e taxas, ele concebeu a possibilidade de uma máquina de calcular, e aos 18 ou 19 anos completou o primeiro modelo. Nos anos seguintes Pascal construiu mais de 50 máquinas, que colocou à venda. Ele esperava que seu projeto o faria rico, mas nunca o fez. O custo de fabricação era muito alto, e a ampliação do uso de logaritmos reduziu a demanda.

Quando ele tinha 23 anos, ouviu um relato sobre o experimento de Torricelli envolvendo um tubo de vidro de aproximadamente 1 metro, fechado de um lado e cheio de mercúrio. Se o lado aberto for tapado com o polegar e imerso em um vasilhame de mercúrio, e então remover-se o polegar, o mercúrio dentro do tubo cairá

---

*   Veja a excelente biografia por Ernest Mortimer, Blaise Pascal, Harper, 1959, p. 12.

a um nível de cerca de 75 cm acima do mercúrio no vasilhame. Pascal repetiu esse experimento com muitas variações e grande cuidado, e deu uma explicação correta e completa dos resultados. Sua explicação concordava com a de Torricelli, a qual ele não havia escutado, a saber: o espaço vazio no topo do tubo é um vácuo, e o mercúrio fica mantido no tubo pelo peso da massa de ar que faz pressão sobre a superfície do mercúrio no vasilhame. Também, como subproduto de seu trabalho, Pascal inventou a seringa. As conclusões estabelecidas por essas pesquisas causaram uma tempestade de controvérsias com os filósofos escolásticos, que tentavam em vão defender a doutrina aristotélica de que "a natureza abomina o vácuo."

Um ano ou dois mais tarde Pascal concebeu a famosa experiência de Puy-de-Dôme, na qual um tubo de Torricelli era levado a uma montanha num dia qualquer, de tal modo que se pudesse observar a queda do nível de mercúrio com o aumento da altitude. Mais ainda, entre as notas encontradas depois de sua morte, havia uma série de observações sobre as variações no tubo de Torricelli com as variações no clima. Ele escreveu: "Este conhecimento pode ser muito útil para fazendeiros, viajantes etc. saberem o presente estado do tempo e o logo a seguir, mas não o que será em três semanas". Havia, então, nascido o barômetro.

Durante este período ele também estudou hidrostática, e descobriu o que agora é chamado *Princípio de Pascal* para a transmissão de pressão através de um fluido. Isto o levou à idéia da pressão hidráulica, que ele descreveu muito claramente, embora as dificuldades técnicas o impedissem de fazer um modelo que funcionasse satisfatoriamente.

Há um dito francês segundo o qual "Muitas pessoas sabem toda a história do pensamento humano sem nunca ter tido um". É verdade transparente que a maioria das pessoas educadas em qualquer período aprendem os pensamentos de outros e vão um pouco mais adiante. Entretanto, Pascal foi treinado por seu pai desde a infância na arte do pensamento original, o que é algo raro e precioso. Ele queria saber a razão de tudo, e razões consistindo em meras palavras jogavam sua mente num torvelinho de frustrações. Em seu trabalho científico ele era fortemente compelido ao método experimental, dando ênfase aos fatos empíricos combinados com o pensamento lógico, e observando total desrespeito aos apelos à autoridade que constituíam a maioria dos raciocínios para os filósofos escolásticos. Entretanto, ele estava convencido de que evidência e pensamento não são suficientes no domínio da religião: nesta parte da experiência humana, a fé é necessária para se chegar à verdade.

A religião teve um papel importante na vida de Pascal desde o tempo de sua "primeira conversão", em 1646, quando sentiu um impulso enorme de dar as costas ao mundo e voltar-se a Deus. O impulso enfraqueceu cedo e ele foi novamente absorvido por seus interesses científicos e seus interessantes amigos. Foi perto do fim desse período, em 1654, que, em correspondência com Fermat, ele o assistiu na formulação de algumas idéias que levaram à Teoria Matemática das Probabilidades. Nesse tempo ele também escreveu seu *Traité du triangle arithmétique* (Tratado do triângulo aritmético), no qual ele estudou um arranjo triangular para os coeficientes binomiais e descobriu e provou muitas de suas propriedades*. Nesse trabalho ele dá o que parece ser o primeiro enunciado satisfatório do princípio da prova por indução matemática**.

Nos anos de 1653 e 1654 Pascal estudou com afinco crescente Ciência e Matemática, como uma diversão desesperada para o crescente vazio de seu íntimo. No fim de 1654 teve uma experiência decisiva em sua vida, uma visão mística muito forte, que o fez distanciar-se de seus amigos mundanos e liberais e imergir permanentemente em contemplação religiosa. Ele retornou à Matemática somente uma vez, em 1658. Ao sofrer uma severa dor de dentes, ele começou a pensar em alguns problemas sobre a ciclóide, a curva em forma de arcos que é traçada por um ponto fixo na borda de uma roda rolando. Seu dente repentinamente parou de doer, e ele encarou o fato como um sinal de aprovação divina. Nos meses seguintes ele trabalhou fervorosamente nesse tópico e resolveu vários problemas em uma série de pequenos tratados. Os problemas centrais eram achar a área e o comprimento de um arco, mas infelizmente para ele estes já haviam sido resolvidos por Torricelli e Christopher Wren. Contudo, esses trabalhos tiveram uma conseqüência de importância muito grande, pois cerca de 15 anos mais tarde eles sugeriram a Leibniz uma idéia que foi crucial para a sua

---

* Veja pp. 21-26 de D. J. Struik (ed.) *A Source Book in Mathematics*, 1200-1800, Harvard University Press, 1969.

** Veja também G. Polya, *Mathematical Discovery*, Wiley, 1962, vol. 1, pp. 70-75, especialmente p. 74.

própria criação do Cálculo diferencial e integral. Mais tarde Leibniz escreveu que "uma grande luz" se acendeu em sua mente ao ler uma certa passagem, e ele se perguntou como Pascal pôde ter deixado escapar a idéia*.

Foi perto do fim de sua curta existência que ele escreveu trabalhos que lhe deram um lugar entre as maiores figuras da literatura francesa. Suas *Cartas Provinciais* constituem uma série de panfletos polêmicos contra os jesuítas. Elas tomaram a forma de "Cartas escritas a um provincial por um de seus amigos" e foram assinadas com um nome fictício. Nessas cartas encontramos pela primeira vez a variedade, concisão, a forma perfeita, do estilo que distinguem a melhor prosa francesa moderna. Como Voltaire disse, "O primeiro trabalho de um gênio em prosa que encontramos é a coleção das *Cartas Provinciais*. Todas as formas de eloqüência aqui estão colocadas. É nesse trabalho que nossa língua toma sua forma final". No fim da Carta XVI, Pascal faz sua memorável apologia ao comprimento da carta que acabara de escrever, alegando que "Não tenho tempo suficiente para fazê-la mais curta".

Cartas Provinciais tem somente interesse histórico limitado para nós hoje em dia, mas seus *Pensées* (*Pensamentos*) vão provavelmente durar tanto quanto a língua francesa durar. Seu propósito foi escrever uma defesa monumental e irresistível da religião cristã contra os não-crentes. Mas, durante os últimos dias de sua vida, ele estava fraco, freqüentemente semidelirante e abatido por uma terrível doença, que, depois de sua morte, soube-se ser causada por um tumor cerebral e câncer no estômago. Ele estava incapacitado de realizar um trabalho conexo, e começou a colocar em qualquer pedaço de papel que caía em suas mãos os pensamentos que surgiam em sua mente. Temos cerca de mil pedaços de papel contendo idéias e fragmentos de idéias de seu pretendido grande trabalho – frases, sentenças simples, às vezes vários parágrafos inteiros juntos**. Os assuntos específicos são diversos, mas em geral o tema é a grandeza e a miséria do homem. Aqui estão alguns dos *pensamentos* de Pascal:

O coração tem suas razões que a razão desconhece. (277).
O eterno silêncio desses espaços infinitos aterroriza-me. (206)
Descobri que todas as tristezas dos homens vêm de uma simples coisa: não saber como ficar quieto em um quarto. (139)
Homens nunca fazem o mal tão completa e alegremente como quando eles o fazem com convicção religiosa. (894)
Que quimera é o homem! Que novidade! Que monstro, que caos, que contradição, que prodígio. Julga todas as coisas, frágil minhoca da terra, depósito de verdade, um poço de incertezas e erros, a glória e a vergolha do universo. (434)
O homem é apenas um junco, a coisa mais frágil da natureza, mas ele é um junco que pensa. Não há necessidade que o universo inteiro se arme para esmagá-lo; um vapor, uma gota d'água, será o bastante para matá-lo. Mas quando o universo o esmaga, o homem é ainda mais nobre que o que o matou, porque ele sabe o que o mata e ele entende a superioridade do universo sobre ele. O universo nada sabe sobre isso. (347)

Como seu biógrafo diz, "Na estima geral de seus próprios compatriotas Pascal ocupa não somente uma elevada posição mas a mais elevada posição". "Ele é para a França", escreve o professor Chevalier, "o que Platão é para a Grécia, Dante para a Itália, Cervantes e Santa Teresa para a Espanha, Shakespeare para a Inglaterra" ***.

A contribuição dada por Pascal em sua breve vida é suficientemente notável. Entretanto, se ele não tivesse morrido com 39 anos, se ele não tivesse estado doente de corpo e mente durante aqueles últimos anos, se ele não tivesse deliberadamente rejeitado a Ciência e a Matemática por um monte de poeira, há poucas dúvidas de que ele tivesse descoberto o Cálculo – e provavelmente muito mais do que isto – anos antes de Newton e

---

*   Veja Struik, *Source Book*, pp. 239-241.

**   Cerca de 300 anos atrás esses pedaços de papel foram grudados ao acaso (de cabeça para baixo, em todos os ângulos, de lado) em um grande álbum que é agora protegido como um dos mais preciosos tesouros da França na Bibliothèque Nationale em Paris. O autor teve o privilégio de passar um par de horas examinando esse álbum, procurando passagens familiares e ocasionalmente as encontrando.

*** Ernest Mortimer, *Pascal*, p. 183.

Leibniz. Ele é com certeza o maior "que poderia ter sido" na história da Matemática.

HUYGENS (1629-1695)

O extraordinário astrônomo-matemático-físico Christiaan Huygens foi sem dúvida o maior cientista da Holanda, e ele merece ser muito mais amplamente conhecido entre as pessoas que se interessam pelos grandes pensadores do nosso passado.

Mesmo deixando de lado seus cientistas imortais como Huygens e seu amigo Leeuwenhoek, o inventor do microscópio, a Holanda na metade do século XVII era um jardim de civilização bastante rico. Seu império comercial amplo dava paz e conforto a seu povo; sua luz serena inspirava grandes artistas, como Rembrandt e Vermeer, e sua liberdade religiosa a tornava um paraíso seguro para filósofos e pensadores livres, como Spinosa e Descartes. Também, como sinal indicativo de fermentação intelectual intensa, as cidades holandesas estavam repletas de editoras de livros. Naquele tempo, no mundo inteiro, não havia mais que dez ou doze cidades onde livros eram impressos em escala substancial. A Inglaterra tinha dois centros de comércio editorial, Londres e Oxford; a França também tinha dois, Paris e Lyon; mas na Holanda havia cinco — Amsterdam, Rotterdam, Leiden, Haia e Utrecht — todos os livros sendo publicados em grego, latim, inglês, francês, alemão, italiano e também em holandês. Somente em Amsterdam havia mais que quatrocentas editoras ou livrarias. Um padrão como esse é um indicador infalível da qualidade de uma sociedade*.

Como vemos, a Holanda era provavelmente a nação mais civilizada da Europa naquela época e Constantijn Huygens, o pai de Christiaan, era com certeza seu mais civilizado cidadão. Ele era um estadista e diplomata que passou a maior parte de sua vida a serviço do Príncipe de Orange; um estudioso que sabia sete línguas; um poeta; um escritor de peças teatrais, músico, compositor e um cientista amador; amigo de Francis Bacon, Descartes e Mersenne; amigo e tradutor do poeta John Donne; educado por James I da Inglaterra; amigo e protetor de Rembrandt, a quem ele persuadiu a mudar-se de Leiden para Amsterdam; e o cabeça de uma das grandes famílias de seu país.

Descartes descreveu sua reação ao encontrar Constantijn pela primeira vez: "Não podia acreditar que uma só mente pudesse se ocupar tão bem de tantas coisas". Pensadores eminentes e viajantes de outras nações eram freqüentemente convidados a casa de Huygens em Haia. Como adolescente criado em tal ambiente, era inevitável que Christiaan Huygens tivesse facilidades em línguas, arte, música, Ciência e Matemática. "O mundo é meu país", ele disse, "e Ciência é minha religião"**.

Huygens fez sua primeira descoberta notável em 1646, com 17 anos de idade. Galileu havia dito que uma cadeia flexível, presa em dois pontos, fica pensa na forma de uma parábola, mas Huygens provou que a afirmação não era correta. Seu pai informou Mersenne, que respondeu com entusiasmo gratificante. Em 1691 Huygens retomou esse problema e determinou a verdadeira forma dessa curva interessante***.

Em 1655 ele desenvolveu e melhorou o método de polir lentes para telescópios, o que rapidamente proporcionou uma enorme quantidade de conhecimentos novos. Ele descobriu que Saturno era cercado por anéis que não tocavam no planeta em nenhum lugar****. Ele descobriu Titan, a lua de Saturno, que hoje sabe-se ser a maior lua no Sistema Solar. Ele foi o primeiro a observar um traço na superfície de Marte, e, observando o movimento desse traço enquanto o planeta girava, foi o primeiro a determinar que o dia marciano é de

---

* Veja p. 88 de P. Hazard, *The European Mind, 1680-1715,* Yale University Press, 1953.

** Veja p. 251 de G. N. Clark, *The Seventeenth Century*, Oxford University Press, 1931.

*** Leibniz e John Bernoulli também acharam a equação dessa curva independentemente de Huygens e um do outro, e Leibniz a chamou *catenária*. Veja Apêndice A.6.

**** Galileu viu esses anéis através de seu telescópio mais primitivo, mas ele não tinha nenhuma idéia de onde eles estavam. Para ele, eles aparentavam ser duas estranhas protuberâncias presas no planeta como duas orelhas.

aproximadamente 24 horas, muito próximo do que é o nosso próprio dia. Em 1656-1657 inventou o relógio de pêndulo, o qual surgiu da necessidade de um modo mais preciso de medir o tempo em observações astronômicas.

Em 1657 publicou um pequeno livro, que foi o primeiro tratado formal de teoria de probabilidades – *De rationiis in ludo aleal* (*Raciocinando sobre jogos de dados*). Ele havia visitado Paris e soube da correspondência mantida em 1654 entre Pascal e Fermat sobre esse assunto; e como nenhum desses homens parecia inclinado a escrever suas idéias, ele apresentou suas respostas. Entre outras coisas, introduziu o conceito importante de "esperança matemática".

Em 1666 Huygens mudou-se para Paris respondendo a chamado de Colbert, o grande ministro de Luís XIV, que foi o grande responsável por muito do poder político e econômico da França, por vários séculos seguintes. Huygens foi um dos primeiros membros assalariados da Academia de Ciências da França, recentemente criada por Colbert, e viveu em Paris durante os 15 anos seguintes.

Em 1663 foi eleito membro da Sociedade Real de Londres, e em 1669 presenteou aquela organização com o primeiro enunciado claro e correto das leis de choque para corpos elásticos. Suas leis refutaram as leis de choque de Descartes em seu *Principia Philosophiae* (1644)*. Uma das leis de Huygens diz que, no choque de dois corpos, a soma dos produtos das massas pelo quadrado de suas velocidades é a mesma antes e depois do choque. Esta parece ser a primeira versão do princípio de conservação de energia**.

Em 1673 Huygens publicou seu grande trabalho, seu tratado *Horologium oscillatorium* (*O relógio de pêndulo*). Nessa obra ele se aprofundou na teoria do relógio de pêndulo que ele havia inventado 16 anos atrás, descobrindo muitas coisas valiosas para a Matemática e para a Física. Ele estava há muito tempo consciente do assim chamado erro circular inerente a tais relógios, mais exatamente, do fato de que o período de oscilação não é determinado estritamente só pelo comprimento do pêndulo, mas também depende da amplitude da oscilação. Para expressar de outro modo: se uma bola, sem atrito, for colocada na superfície de uma tigela lisa em forma de uma semi-esfera e solta, o tempo que a bola leva para atingir o ponto mais baixo será quase, mas não totalmente, independente da altura da qual ela foi solta. Aconteceu que várias propriedades da ciclóide foram amplamente discutidas na Europa Ocidental no fim dos anos 1650, e ocorreu a Huygens imaginar o que aconteceria se a tigela em forma de semi-esfera fosse substituída por uma cujas seções verticais fossem como um arco invertido de ciclóide. Ele ficou muito contente ao descobrir que nesse caso a bola atingiria o ponto mais baixo exatamente no mesmo tempo, não importando o ponto de onde a bola fosse liberada na superfície da tigela. Esta é a *propriedade tautócrona* (mesmo tempo) da ciclóide, e é o teorema central da segunda parte desse tratado***. Na terceira parte ele introduziu os conceitos de evoluta e involuta de uma curva plana e determinou as evolutas da parábola e da ciclóide****. E na última parte ele aplicou suas descobertas matemáticas para formular a teoria de um relógio de pêndulo cicloidal, no qual o pêndulo é compelido a mover-se ao longo de uma ciclóide, em vez de em um círculo, e no qual o período de oscilação é, em conseqüência, exatamente o mesmo, qualquer que seja a amplitude da oscilação, eliminando o erro circular. Huygens, na verdade, construiu vários desses relógios cicloidais, mas, em virtude das dificuldades de construí-los, eles tornaram-se impraticáveis como meio de se obter maior precisão. No fim desse tratado ele apresentou um grande número de teoremas sobre movimento circular, provando, entre outras coisas, que para

---

* Por exemplo, uma das leis de Descartes diz que se uma pequena bola colide com uma bola grande parada, então a bola pequena irá retornar, enquanto a grande permanecerá imóvel, o que é obviamente falso. Algumas críticas às atitudes de Descartes em relação à Ciência e às experiências científicas são dadas no Capítulo 6 de H. Butterfield, *The Origins of Moderns Science, 1300-1800*, G. Bell & Sons, 1957.

** Alguns de seus raciocínios são descritos nas pp. 16-19 de C. Lanczos, *Albert Einstein and the Cosmic World Order*, Interscience, 1965. Na p. 19 Lanczos observa, "Ele (Huygens) emprega aqui em sua prova pela primeira vez aquele 'princípio de relatividade' ao qual Einstein atribuiu importância fundamental".

*** Provamos a propriedade no fim da Seção 17.2 (Volume II), onde ela foi enunciada em termos de uma bolha deslizando em um fio sem atrito.

**** Esses resultados estão provados no Apêndice A.13, Volume II. Veja também pp. 263-269 de D.J. Struik, *A Source Book in Mathematics, 1200-1800*, Harvard University Press, 1969.

um corpo movendo-se em círculo com velocidade constante, a força centrípeta é diretamente proporcional ao quadrado da velocidade e inversamente proporcional ao raio do círculo*. Newton respeitava muito Huygens, e usou muitas dessas descobertas em seu próprio trabalho alguns anos depois.

No início de 1673, Huygens teve algumas conversas com Leibniz, que tiveram importantes conseqüências. Leibniz tinha então 26 anos, era um jovem diplomata numa missão em Paris para seu empregador na Alemanha, e, então, ignorante da Matemática contemporânea.

  Huygens começou a apreciar mais e mais o estudioso e inteligente jovem alemão; deu-lhe um exemplar do *Horologium* como presente e conversou com ele sobre esse seu recente trabalho, fruto de dez anos de estudos, de profundas pesquisas teóricas, às quais ele se lançou em conexão com o problema do movimento pendular e sobre como, no fim, tudo se voltou para o método de Arquimedes de determinação dos centros de gravidade. Leibniz ouviu atentamente; no fim ele sentiu que tinha de dizer alguma coisa, mas o que ele esternou era confuso; certamente uma reta traçada através do centróide de uma região plana (convexa) sempre bissectará a região, ou não? Isto era demais: se fosse um de seus rivais matemáticos como Gregory ou Newton então Huygens provavelmente nunca teria perdoado tal observação, mas o que esse inocente jovem alemão tinha a dizer ele não poderia realmente levar a sério; bem-humorado, Huygens corrigiu o erro dele e o aconselhou a procurar mais detalhes nos trabalhos relevantes de Pascal etc. Leibniz, intrigado, procurou refúgio na ciência. Ele procurou os livros sugeridos por Huygens e alguns mais na Biblioteca Real, extraiu deles muito conhecimento e penetrou profundamente na Matemática. Enquanto aprendia, sua personalidade rapidamente amadurecia, digerindo o que lia e sistematicamente penetrando em sua essência; ele estava atento para não adquirir somente facilidade em cálculos ou um simples catálogo de resultados, mas também intuições e métodos básicos; o que ele obteve com contínua inspiração foi o surgimento de uma atividade criativa com ele mesmo... Era, no começo, uma diversão para uma mente afastada de seu campo de ação habitual, mas logo tornou-se uma paixão por conhecimentos**.

Huygens, mesmo tendo descoberto coisas excelentes na Matemática, teve como sua maior descoberta, sem dúvida, a mente de Leibniz.

No fim da década de 1670 Huygens começou a sentir uma atmosfera de intolerância crescente frente aos protestantes, e em 1681 ele decidiu mudar-se de Paris e voltar a seu lar em Haia. Nos anos seguintes se dedicou em parte ao microscópio, numa descomprometida associação com seu amigo Leeuwenhoek, e em parte trabalhando em sua teoria de ondas de luz.

Sua originalidade como protozoologista era inteiramente desconhecida até alguns anos atrás. Um moderno especialista diz:

  Christiaan Huygens nunca publicou nenhuma contribuição séria à protozoologia; e os relatórios de suas próprias observações, que eram feitos numa tentativa de repetir os experimentos de Leeuwenhoek, ficaram manuscritos e desconhecidos até há alguns anos. Conseqüentemente, seu trabalho particular não teve nenhuma influência sobre o processo da protozoologia. Se eles tivessem sido publicados durante sua vida, teriam garantido a ele um lugar bem à frente como um dos fundadores da ciência***.

Entre outras coisas, ele explicou como microorganismos se desenvolvem em água esterilizada por fervura. Ele sugeriu que essas criaturas são suficientemente pequenas para flutuar no ar e reproduzir-se quando caem na água, uma especulação que foi provada por Louis Pasteur dois séculos mais tarde.

---

* Veja a fórmula (8) na Seção 17.6 (Volume II).

** Veja pp. 47-48 de J. E. Hofmann, *Leibniz in Paris, 1672-1676*, Cambridge University Press, 1974. Uma avaliação dessas conversas nas próprias palavras de Leibniz é dada na p. 215 de J. M. Child, *The Early Mathematical Manuscripts of Leibniz*, Open Court, 1920.

*** Veja pp. 163-164 de C. Dobell, *Antony Van Leeuwenhoek and his "Little Animals"*, Dover, 1960.

Em 1960 ele publicou seu *Traité de la lumière* (*Tratado sobre a luz*), no qual ele propôs sua teoria de ondas e usou-a como base para deduzir geometricamente as leis de reflexão e refração, e explicou o fenômeno da dupla refração no Cristal da Islândia*.

O último trabalho de Huygens, e seu mais popular, foi sua publicação póstuma *Cosmotheoros*, no qual ampliou o conhecimento do homem sobre o Universo naquele tempo e livremente especulou sobre a natureza de possíveis habitantes de outros planetas**. Ele negou-se a permitir que esse livro fosse publicado durante sua vida, pois não desejava ser atacado por suas idéias religiosas não-ortodoxas. Como disse a sua cunhada: "Se as pessoas soubessem minhas opiniões e sentimentos sobre religião, elas me esquartejariam". Quase no fim do livro achamos o que é talvez sua mais brilhante contribuição para a Astronomia, a primeira estimativa razoável da distância a uma estrela fixa. Ele comparou o brilho da estrela Sírius na noite anterior ao brilho de um pequeno pedaço do Sol visto através de um pequeno orifício; e, calculando a fração do diâmetro do Sol visível através do orifício, concluiu que Sírius estava 27.664 vezes mais longe que o Sol. Esse resultado estava um pouco errado, pois Sírius tem um brilho intrínseco maior que o do Sol, mas Huygens teve a idéia certa, e sua estimativa foi a melhor que se conseguiu por mais de um século.

O eminente filósofo moderno Alfred North Whitehead escreveu:

Uma breve, e suficientemente precisa, descrição da vida intelectual das raças européias durante os dois séculos seguintes e um quarto do nosso próprio (isto é, de cerca de 1700 até o início do século XX) é que elas têm vivido do capital de idéias acumulado propiciado pelos gênios do século XVII. Os homens dessa época herdaram uma fermentação de idéias concomitantes com a revolta histórica do século XVI, e transmitiram sistemas de pensamentos tocando vários aspectos da vida humana. É o século que consistentemente, e dentro de todos os domínios da atividade humana, produziu gênios intelectuais adequados à grandeza das ocasiões.

Christiaan Huygens foi uma das estrelas mais brilhantes na galáxia dos homens brilhantes e cuja luz ainda brilha sem diminuir em nosso próprio século.

NEWTON (1642-1727)

A natureza era para ele um livro aberto, cujas letras ele podia ler sem esforço.

Albert Einstein

A maioria das pessoas está até certo ponto informada do nome e da reputação de Isaac Newton, pois sua fama universal de quem descobriu a Lei da Gravidade não diminui por mais de dois séculos e meio desde sua morte. É menos conhecido, entretanto, que, dentre a imensa variedade de suas vastas descobertas, ele virtualmente criou a Física moderna, e, como conseqüência, tem tido uma influência mais profunda na direção da vida civilizada do que a simples ascensão e queda de nações. Aqueles em posição de julgar têm sido unânimes em considerá-lo um dos poucos intelectuais supremos que a raça humana produziu.

Newton é filho de uma família de fazendeiros no vilarejo de Woolsthorpe no norte da Inglaterra. Pouco se sabe sobre seus primeiros anos de vida, e como estudante de graduação em Cambridge ele não se destacou. Em 1665 uma epidemia de peste fez com que as universidades fechassem, e Newton retornou ao seu lar no interior, onde permaneceu até 1667. Lá, em 2 anos de solidão rústica – dos 22 aos 24 anos de

---

* Esse tratado foi traduzido para o inglês por S. P. Thompson, University of Chicago Press, 1945.

** Uma charmosa tradução para o inglês foi publicada em 1698 sob o título *The Celestial Worlds Discover'd*. Ela foi reeditada em 1968, por Frank Cass & Co.

idade —, seu gênio criativo explodiu numa torrente de descobertas não-tradicionais na história do pensamento humano: as séries binomiais para expoentes negativos e fracionários; cálculo diferencial e integral; a gravitação universal como chave do mecanismo do Sistema Solar; e a difração da luz do Sol no espectro visual por meio de um prisma, com implicações para o entendimento das cores do arco-íris e da natureza da luz em geral. Já idoso ele comentou sobre seu milagroso período de juventude: "Naqueles tempos eu estava no melhor de minha idade para inventar e pensar em Matemática e Filosofia (isto é, Ciência), mais do que em qualquer outra época desde então"*.

Newton sempre foi um homem reservado e fechado, e na maioria das vezes guardou suas descobertas monumentais para si próprio. Ele não tinha nenhum grande desejo de publicar, e a maioria de seus grandes trabalhos teve de ser arrancada dele pela persuasão e persistência de seus amigos. Entretanto, sua habilidade incomum era tão evidente a seu professor, Isaac Barrow, que em 1669 Barrow renunciou a sua carreira de professor a favor de seu aluno (um evento nunca antes assinalado na vida acadêmica), e Newton ficou em Cambridge nos 27 anos seguintes. Suas descobertas matemáticas nunca foram realmente publicadas de forma conexa; elas ficaram conhecidas de modo limitado quase por acidente, por meio de conversas e respostas a perguntas colocadas a ele em correspondências. Ele parece ter considerado sua matemática centralmente como uma ferramenta importante para o estudo de problemas científicos, e com pouco interesse em si mesma. Ao mesmo tempo, Leibniz na Alemanha também criou o Cálculo independentemente; e por sua ativa correspondência com os Bernoulli e o recente trabalho de Euler, a liderança na nova análise passou ao Continente, onde permaneceu por 200 anos**.

Não se sabe muito sobre a vida de Newton em Cambridge nos primeiros anos de seu professorado, mas é certo que ótica e construção de telescópios estavam entre seus grandes interesses. Ele tentou muitas técnicas para manufaturar lentes (usando ferramentas que ele mesmo fez), e em 1670, aproximadamente, construiu o primeiro telescópio refletor, o ancestral dos grandes instrumentos em uso hoje em dia em Monte Palomar e em todo o mundo. A pertinência e simplicidade de sua análise prismática da luz do Sol marcou seu primeiro trabalho como um dos clássicos da ciência experimental. Mas isso era somente o começo, pois ele foi cada vez mais longe nos mistérios da luz, e todos os seus esforços nessa direção continuaram a mostrar o gênio experimental da maior grandeza. Ele publicou algumas de suas descobertas, mas elas foram recebidas com tal estupidez contestatória pelos cientistas líderes da época que ele novamente se retirou para sua concha com uma resolução reforçada de aí para frente trabalhar somente para sua própria satisfação. Vinte anos mais tarde ele se abriu com Leibniz nos seguintes termos: "Como ocorreu no fenômeno das cores... eu me convenci a mim mesmo de que descobri a explicação mais correta, mas eu me nego a publicá-la por medo de disputas e controvérsias que podem surgir contra mim por ignorantes"***.

No fim da década de 1670 Newton encontrou-se em um de seus períodos de falta de gosto pela Ciência, e dirigiu suas energias para outros campos. Como ele ainda não havia publicado nada sobre dinâmica e gravidade, então as muitas descobertas que ele fez nessas áreas continuaram em sua escrivaninha. No fim, entretanto, sob a habilidosa persuasão do astrônomo Edmund Halley (o que deu nome ao Cometa Halley), ele dirigiu sua mente mais uma vez para esses problemas e começou a escrever seu maior trabalho, os *Principia*****.

---

* O texto completo dessa autobiografia (provavelmente escrito em algum tempo no período de 1714-1720) é dado nas pp. 291-292 de I. Bernard Cohen, *Introduction to Newton's "Principia"*, Harvard University Press, 1971. O autor tem uma fotocópia do documento original.

** É interessante ler a correspondência de Newton com Leibniz (via Oldenburg) em 1677 (veja *The Correspondence of Isaac Newton*, Cambridge University Press, 1959-1976, 6 volumes até agora). Nos itens 165, 172, 188 e 209, Newton discute sua série binomial mas concebe em anagramas suas idéias sobre cálculo e equações diferenciais, enquanto Leibniz livremente revela sua própria versão do cálculo. O item 190 é também de interesse considerável, pois nele Newton grava o que é provavelmente o primeiro enunciado e prova do Teorema Fundamental do Cálculo.

*** *Correspondence*, item 427.

**** O nome completo é *Philosophiae Naturalis Principia Mathematica* (*Princípios matemáticos de filosofia natural*).

Tudo parece ter começado em 1684 com uma profunda conversação entre três homens num hotel em Londres – Halley e seus amigos Christopher Wren e Robert Hooke. Pensando na Terceira Lei de Kepler sobre o movimento planetário, Halley chegou à conclusão de que a força atrativa gravitacional, que mantém os planetas em suas órbitas, era provavelmente inversamente proporcional à distância ao Sol*. Entretanto, ele não pôde fazer mais com a idéia do que formulá-la como conjectura. Mais tarde (em 1686) escreveu:

> Encontrei Sir Christopher Wren e Mr. Hooke, e, entrando em discussão sobre o assunto, Mr. Hooke afirmou que sob aquele princípio todas as leis do movimento celestial deveriam ser demonstradas, e que ele mesmo as demonstrara. Eu declarei o insucesso de minhas observações, e Sir Christopher, para encorajar o inquiridor, disse que ele daria a Mr. Hooke ou a mim dois meses para levar-lhe uma demonstração convincente, e, além da honra, quem de nós o fizesse, teria como presente dele um livro de 40 shillings. Mr. Hooke então disse que ele a tinha, mas que ele a guardaria por algum tempo, de modo que outros, ao tentarem e não conseguindo, poderiam saber como valorizá-la quando ele a publicasse; entretanto, eu me lembro que Sir Christopher estava pouco confiante que ele poderia fazê-la, e então Mr. Hooke prometeu mostrá-la a ele. Eu ainda acho que naquele particular ele não foi tão bom quanto sua palavra**.

Parece claro que Halley e Wren consideraram as afirmações de Hooke como simples ostentações vazias. Alguns meses mais tarde Halley encontrou uma oportunidade para visitar Newton em Cambridge, e colocou a ele a questão: "Qual seria a curva descrita pelos planetas sob a hipótese de que a gravidade diminuísse com o quadrado da distância?". Newton respondeu imediatamente – "Uma elipse". Com alegria e surpresa, Halley perguntou a ele como ele sabia aquilo. "Porque", disse Newton, "eu calculei." Não havia adivinhado, ou suspeitado, ou conjecturado, mas *calculado*. Halley queria ver os cálculos na hora, mas Newton não conseguiu achar os papéis. É interessante especular sobre as emoções de Halley quando ele viu que o velho problema de como funcionava o Sistema Solar fora enfim resolvido – mas que quem o resolvera não havia se importado em contá-lo a ninguém e ainda havia perdido os papéis. Newton prometeu escrever os teoremas e provas novamente e enviá-los a Halley, o que ele fez. No decorrer do cumprimento de sua promessa ele retomou seu próprio interesse pelo assunto, tendo prosseguido e alargado grandemente o alcance de suas pesquisas***.

Em seus esforços científicos Newton, de algum modo, parece um vulcão ativo, com longos períodos de quietude, interrompidos de tempos em tempos por erupções massivas de atividade quase sobre-humana. *Principia* foi escrito em quase 18 inacreditáveis meses de total concentração, e, quando foi publicado em 1687, foi imediatamente reconhecido como uma das aquisições supremas da mente humana. É ainda universalmente considerado como a maior contribuição para a ciência feita por um homem. Nele ele colocou os princípios básicos da mecânica teórica e da dinâmica dos fluidos; deu o primeiro tratamento matemático do movimento ondulatório; deduziu as leis de Kepler da lei de gravitação do inverso do quadrado, e explicou as órbitas dos cometas; calculou as massas da Terra, do Sol e de planetas com satélites; defendeu a forma achatada da Terra e usou isto para explicar a precessão dos equinócios; fundou a teoria das correntes. Esses são apenas poucos dos esplendores de seu trabalho extraordinário*. *Principia* tem sempre sido um livro

---

* Naquele tempo era bem fácil provar, sob hipótese simplificadora – que contradizia as outras duas leis de Kepler – que cada planeta movia-se com velocidade constante v numa órbita circular de raio r. (*Prova*: Em 1673 Huygens provou, com efeito, que a aceleração a de cada planeta é dada por $a = v^2/r$. Se T é o período, então

$$a = \frac{(2\pi r/T)^2}{r} = \frac{4\pi^2}{r^2} \cdot \frac{r^3}{T^2}.$$

Pela Terceira Lei de Kepler, T^2 é proporcional a r^3, então r^3/T^2 é constante, e a é, em conseqüência, inversamente proporcional a r^2. Se agora supusermos que a força atrativa F é proporcional à aceleração, então segue-se que F é proporcional à aceleração, e que F também é inversamente proporcional a r^2).

** *Correspondence*, item 289.

*** Para detalhes adicionais e fontes de nossa informação sobre esses eventos, veja Cohen, obra citada, pp. 47-54.

difícil de se ler, pois o estilo tem uma qualidade não-humana de frígida distância, a qual é talvez apropriada à grandeza do tema. Também, a Matemática densamente empacotada consiste quase que inteiramente em Geometria clássica, pouco cultivada então e ainda menos agora**. Em sua dinâmica e mecânica celestial, Newton conseguiu a vitória para a qual Copérnico, Kepler e Galileu tinham preparado o caminho. Essa vitória foi tão completa que os maiores cientistas nesses campos nos dois séculos seguintes conseguiram produzir pouco mais que notas de notas de rodapé à síntese colossal. É também digno lembrar nesse contexto que a ciência do espectroscópio, mais do que nenhuma outra, tem sido responsável pela extensão do conhecimento astronômico sobre o Sistema Solar para todo o Universo, e teve sua origem na análise espectral de Newton da luz do Sol.

Depois do aparecimento do poderoso gênio que se manifestou na criação dos *Principia*, Newton novamente afastou-se da ciência. Entretanto, numa famosa carta a Bentley, em 1692, ele deu a primeira especulação sólida de como o Universo de estrelas poderia ter-se desenvolvido a partir de uma nuvem de poeira cósmica inicial:

> Parece-me que, se a matéria de nosso Sol e planetas e toda a matéria no Universo foi uniformemente espalhada em todos os céus, e toda partícula tinha uma inata gravidade em relação a todas as outras... algumas delas se juntariam em uma massa e algumas em outra, como a fazer um número infinito de grandes massas espalhadas, com grandes distâncias de uma para outra, em todo o espaço infinito. E então poderiam o Sol e as estrelas fixas serem formadas, supondo que a matéria seria de uma natureza lúcida***.

Este foi o começo da Cosmologia científica, que mais tarde conduziu, por meio das idéias de Thomas Wright, Kant, Herschel e seus sucessores, à elaboração de uma teoria convincente da natureza e origem do Universo dada pela Astronomia do século XX.

Em 1693 Newton sofreu uma doença mental grave acompanhada de desilusão, melancolia profunda e sentimento de perseguição. Ele reclamava de não poder dormir e dizia que lhe faltava "sua anterior consistência de pensamento". Ele escrevia, usando palavras violentas e fortes, acusações selvagens em cartas chocantes a seus amigos Samuel Pepys e John Locke. Pepys foi informado de que a amizade deles havia terminado e que Newton não o veria mais; Locke foi acusado de tentar envolvê-lo com mulheres e de ser um *hobbista* (um seguidor de Hobbes, isto é, um ateísta e materialista****). Os dois homens sentiram temores pela sanidade de Newton. Eles responderam com cuidado e sábia humanidade, e a crise passou.

Em 1696 Newton deixou Cambridge indo para Londres, para tornar-se diretor (e logo mestre) da Casa da Moeda, e durante o restante de sua longa vida ele entrou um pouco na sociedade e começou inclusive a gostar de sua posição no topo da fama científica. Essas mudanças em seus interesses e ambiente não acarretaram nenhuma decadência em seus incomparáveis poderes intelectuais. Por exemplo, no fim de uma tarde, depois de um dia difícil na Casa da Moeda, ele ouviu sobre um então famoso problema que o cientista suíço John Bernoulli havia colocado como desafio "aos matemáticos mais agudos do mundo inteiro". O problema pode ser enunciado como se segue: "Suponha que dois pregos são martelados ao acaso em uma parede, e que o prego superior seja conectado ao inferior por um arame flexível na forma de uma curva lisa. Qual a forma do arame

---

*   Um bom resumo do conteúdo de *Principia* é dado no Capítulo VI de W. W. Rouse Ball, *An Essay on Newton's Principia* (publicado pela primeira vez em 1893; reimpresso em 1972 por Johnson Reprint Corp.).

**   Whewell, filósofo inglês do século XIX, tem uma observação vívida sobre isto: "Ninguém, desde Newton, conseguiu usar métodos geométricos na mesma extensão para semelhantes propósitos; e quando lemos *Principia* sentimos como diante de um antigo arsenal onde as armas são de tamanho gigante; quando as olhamos, ficamos maravilhados com o homem que ele foi, que podia usar essas armas, que nós nem podemos levantar".

*** *Correspondence*, item 398.

**** *Correspondence*, itens 420, 421 e 426.

no qual uma gota deslizará (sem atrito) sob a influência da gravidade, para passar do prego superior ao prego inferior no menor tempo possível? Este é o problema da *braquistócrona* (tempo mais curto) de Bernoulli. Newton encarou imediatamente como um desafio a ele, de todos os matemáticos do Continente; e, mesmo estando afastado do hábito de pensar em ciência, juntou seus recursos e resolveu o problema naquela mesma noite antes de ir se deitar. Sua solução foi publicada anonimamente, e quando Bernoulli a viu, observou ironicamente: "Eu reconheço o leão por suas garras".

A publicação de sua *Opticks*, em 1704, teve grande significado para a Ciência. Nesse livro ele colocou em conjunto e estendeu seus trabalhos anteriores sobre luz e cor. Como apêndice, adicionou sua famosa "Indagações" ou especulações para o futuro em áreas de Ciência que estavam além de sua compreensão. Em parte as Indagações relatam sua eterna preocupação com a Química (ou alquimia, como era então chamada). Ele chegou a muitas conclusões experimentais mas excessivamente cuidadosas sobre a provável natureza da matéria; e embora o teste de suas especulações sobre átomos (e mesmo núcleos) tivessem de aguardar o trabalho experimental fino do fim do século XIX e começo do século XX, ele estava absolutamente correto no esboço de suas idéias centrais*. Assim, também nesse campo da Ciência, no pródigo alcance e na precisão de sua imaginação científica, ele foi muito mais longe, não somente de seus contemporâneos mas também de muitas gerações de seus sucessores. Mais ainda, ressaltamos duas surpreendentes observações das Indagações 1 e 30, respectivamente: "Os corpos não agiriam sobre a luz à distância, e por suas ações inclinariam seus raios?" e "Não são corpos rígidos e luz convertidos um no outro?". Parece tão claro como as palavras que Newton pode estar aqui conjecturando a distorção gravitacional da luz e a equivalência de massa e energia, que são as conseqüências primordiais da Teoria da Relatividade. O primeiro fenômeno foi observado pela primeira vez durante o eclipse solar total de maio de 1919, e o outro é agora sabido estar na base da energia gerada pelo Sol e pelas estrelas. Em outras ocasiões ele parecia ter sabido tão bem, por alguma intuição misteriosa, muito mais do que ele queria ou podia justificar, como nessa sua sentença numa carta a um amigo: "É claro para mim pela fonte que utilizo, mas não me comprometo a prová-lo a outros"**. Não importa a natureza dessa "fonte" — ela é indubitavelmente dependente de seu extraordinário poder de concentração. Quando indagado sobre como fez suas descobertas, ele respondeu: "Eu tenho o assunto constantemente diante de mim e espero até que as primeiras madrugadas se abram pouco a pouco na luz total". Isto parece bastante simples, mas todos com experiência em Ciência ou Matemática sabem quão difícil é ter um problema continuamente na cabeça por mais de alguns segundos ou alguns minutos. Nossa atenção dispersa-se; o problema repetidamente vai embora e repetidamente tem de ser retomado com grande força de vontade. Pelo que dizem as testemunhas, Newton parece ter sido capaz de, quase sem esforço, manter-se concentrado em seus problemas por horas, dias e semanas, mesmo com necessidade de se alimentar e dormir ocasionalmente e interrompendo muito pouco a atividade de sua mente.

Em 1695 Newton recebeu uma carta de seu amigo matemático de Oxford, John Wallis, com notícias que anuviaram o resto de sua vida. Escrevendo sobre as primeiras descobertas de Newton em Matemática, Wallis o alertou de que na Holanda "suas noções" eram conhecidas como "*Calculus Differentialis* de Leibniz", e o aconselhou a tomar com urgência atitudes para proteger sua reputação***. Naquele tempo as relações entre Newton e Leibniz eram ainda cordiais e de respeito mútuo. Entretanto, a carta de Wallis logo deteriorou a atmosfera, e iniciou a mais prolongada, amarga e danificadora de todas as disputas científicas: a famosa (ou infame) controvérsia Newton-Leibniz sobre a prioridade da invenção do Cálculo.

Hoje está bem estabelecido que cada um desenvolveu sua própria forma do Cálculo, independentemente, e que Newton foi o primeiro 8 ou 10 anos, mas não publicou suas idéias, e que os artigos de Leibniz de 1684 e 1686 foram as primeiras publicações na área. Entretanto, o que é agora aceito como simples fato não era nada claro naquele tempo. Houve inúmeras rusgas por muitos anos depois da carta de Wallis, enquanto a tempestade desabava.

---

*   Veja S.I. Vavilov, "Newton and the Atomic Theory", *in Newton Tercentenary Celebrations*, Cambridge University Press, 1947.

**   *Correspondence*, item 193.

***   *Correspondence*, itens 498 e 503.

O que começou como leve insinuação, rapidamente passou para ásperas denúncias de plágio de ambos os lados. Incentivado por seguidores ansiosos para obter reputação a sua custa, Newton permitiu-se ser atirado no centro da querela e, uma vez que seu temperamento fora eriçado por acusações de desonestidade, seu ódio estava acima de seu constrangimento. A conduta de Leibniz na controvérsia não foi afável, mas mesmo assim foi pálida diante da de Newton. Embora nunca aparecesse em público, Newton escreveu a maioria das cartas publicadas em sua defesa em nome de jovens que nunca objetaram. Como presidente da Sociedade Real, ele nomeou uma comissão "imparcial" para investigar o assunto, escreveu secretamente o relato oficialmente publicado pela sociedade (em 1712) e o revisou anonimamente na *Philosophical Transactions*. Nem a morte de Leibniz foi capaz de aplicar a ira de Newton, e ele continuou a perseguir o inimigo já na sepultura. A batalha com Leibniz, a necessidade irreprimível de eliminar a acusação de desonestidade, dominaram os 25 anos finais da vida de Newton. Quase todos os artigos desses anos sobre qualquer assunto são interrompidos por um parágrafo furioso contra o filósofo alemão, enquanto ele afiava os instrumentos de sua fúria cada vez mais inteligentemente*.

Tudo isto foi suficientemente ruim, mas o efeito desastroso da controvérsia na Ciência e na Matemática britânicas foi muito mais sério. Tornou-se assunto de lealdade patriota para os ingleses usar os métodos geométricos de Newton e as confusas notações do cálculo e desprezar o trabalho melhor iniciado que estava sendo desenvolvido no Continente. Entretanto, os métodos analíticos de Leibniz provaram ser mais frutíferos e efetivos, e foram seus seguidores os espíritos inovadores no mais rico período de desenvolvimento na história da Matemática. O que foi chamado de "O grande mau humor" prosseguiu; para os ingleses, o trabalho dos Bernoulli, Euler, Lagrange, Laplace, Gauss e Riemann ficaram em um livro fechado; e os matemáticos ingleses se afundaram em uma coma de impotência e irrelevância que ocupou a maior parte dos séculox XVIII e XIX.

Newton tem freqüentemente sido considerado e descrito como o cúmulo do racionalismo, a encarnação da Idade da Razão. Sua imagem convencional é a de um professor digno, mas tolo e distraído numa estúpida peruca empoeirada. Mas nada poderia estar mais longe da verdade. Aqui não é o lugar de discutirmos ou tentarmos analisar seus inflamáveis e psicótica raiva; ou seus ódios vingativos monstruosos que não se extinguiram com a morte de seus inimigos e que prosseguiram com toda a força até o fim de sua própria vida; ou os 58 pecados que ele listou em sua confissão particular escrita em 1662; ou sua reserva e encolhedora insegurança; ou suas peculiares relações com mulheres, especialmente com sua mãe, que ele pensou tê-lo abandonado com 3 anos de idade. E o que faremos com os esboços de manuscritos não publicados (milhões de palavras e mil horas de pensamento!) que refletem seus estudos secretos durante toda a sua vida sobre cronologia anciã, sobre as primeiras doutrinas cristãs, e sobre as profecias de Daniel e São João? O desejo de Newton de saber teve pouco em comum com o racionalismo esmagador do século XVIII; ao contrário, era a forma desesperada de auto-preservação contra as forças negras que sentiu estarem realizando muita pressão sobre ele. Como pensador original em Ciência e Matemática ele foi um gênio estupendo, cujo impacto sobre o mundo pode ser visto por todos; mas como homem ele era tão estranho em todos os aspectos que qualquer pessoa normal pouco poderia entendê-lo**. É talvez mais exato pensar nele em termos medievais – como um devoto, solitário, místico intuitivo para quem a Ciência e a Matemática eram meios de desvendar o enigma do Universo.

LEIBNIZ (1646-1716)

Seria difícil dar o nome de um homem mais notável pela grandeza e universalidade de seus poderes intelectuais que Leibniz.

John Stuart Mill

As idéias do cálculo estavam "no ar" nas décadas de 1650 e 1660. Os engenhosos cálculos de áreas e construções de tangentes de Cavalieri, Fermat, Pascal, Barrow e outros eram tão sugestivos que a descoberta

---

* Richard S. Westfall, na *Encyclopaedia Britannica*.

** A melhor tentativa é o excelente livro de Frank E. Manuel, *A Portrait of Isaac Newton*, Harvard University Press, 1968.

final do Cálculo como disciplina autônoma era quase inevitável dentro de muito poucos anos. Os últimos passos para pôr isto tudo junto foram dados por dois homens de gênio trabalhando independnetemente: por Isaac Newton, no que ele chamou "os dois anos de peste de 1665 e 1666", e também por Gottfried Wilhelm Leibniz durante sua estada em Paris, de 1672 a 1676.

Leibniz provavelmente é mais conhecido pela maioria das pessoas como filósofo do que como matemático. A história da Filosofia há muito o reconheceu como um de seus maiores criadores de sistemas, e também como o elaborador da maior parte da munição com que Kant mais tarde atacou Hume. Mas isto também foi somente uma pequena fração de todo seu pensamento. Ele fez contribuições criativas memoráveis em todo o espectro da vida intelectual, da Matemática e Lógica, através das várias ciências, até a História, Direito, Diplomacia, Política, Filosofia, Metafísica e Teologia. Nenhum outro pensador, exceto Aristóteles, rivalizou com ele na gama e variedade de suas habilidades e realizações. Leibniz viveu num período em que ainda era possível, como sua carreira surpreendente mostrou, para um estudioso esforçado e altamente inteligente absorver todo o conhecimento de seu tempo. Para Osvald Spengler ele era "sem dúvida o maior intelecto da Filosofia ocidental"; e Admiral Mahan – talvez o historiador mais influente dos tempos modernos – chamou-o "um dos grandes homens do mundo". Que tipo de homem ele era, como viveu e o que pensou?

Leibniz nasceu em 1646 em Leipzig, onde seu pai era professor de Filosofia Moral na universidade. Ele foi enviado a uma boa escola, mas depois da morte de seu pai, em 1652, parece ter atuado a maior parte como seu próprio professor, levando uma vida intelectual autônoma mesmo sendo criança. Os livros alemães disponíveis para ele foram rapidamente lidos. Começou aprender por si mesmo o latim aos oito anos, e logo dominou a língua o suficiente para ler com facilidade e para compor versos latinos aceitáveis; começou a estudar grego poucos anos depois. Ele adquiriu amor pela história de seu pai, e gastou a maior parte de sua infância devorando a grande biblioteca de livros que seu pai havia colecionado, incluindo Heródoto, Xenofonte, Homero, Platão, Aristóteles, Cícero, Quintiliano, Sêneca, Plínio, Políbio e muitos outros. Na sua juventude Leibniz já se familiarizara com uma ampla gama da literatura clássica, estava bem engajado no hábito da leitura que foi seu costume durante toda a vida*.

Nesse estágio de seu desenvolvimento mental, os estudos clássicos já não o satisfaziam. Orientou sua atenção à Lógica, lendo zelosamente os filósofos escolásticos e tentando já reformar as doutrinas de Aristóteles. Numa carta escrita em 1696, relembrou esse período de sua vida assim:

> Logo que comecei a estudar Lógica fiquei fascinado pela classificação e pela ordem que percebi em seus princípios. Cedo observei, tanto quanto um garoto de treze anos poderia, que deve haver algo grandioso no assunto.
>
> Meu maior prazer é com as categorias, que pareceram-me lembrar o rol de todas as coisas do mundo**.

Teve um apetite insaciável por descobrir o significado e o objetivo de tudo em sua volta. Os pensamentos da juventude acenderam fogos secretos, e poucos de tais fogos poderiam ter queimado tanto quanto os seus***.

Aos quinze anos, Leibniz entrou para a Universidade de Leipzig como estudante de Direito. Durante os

---

* Sua vontade de ler quase tudo fez com que Fontenelle dissesse que ele tinha também a grande honra de ter lido uma grande quantidade de livros ruins. Entretanto, como o próprio Leibniz disse: "quando um livro novo chega até mim, procuro nele o que posso aprender e não o que posso criticar".

** Loemker, *op. cit.*, p. 756.

*** Vale a pena notar que o Q.I. de Leibniz foi estimado por especialistas como pelo menos 180, e provavelmente fosse muito mais alto, "próximo do máximo para a raça humana". Veja pp. 155 e 702-705 de Lewis M. Terman (ed.) *Estudos Genéticos do Gênio*, vol. II, *The Early Mental Traits of Three Hundred Genius*, Stanford University Press, 1926.

primeiros dois anos estudou principalmente Filosofia e Matemática tanto quanto Euclides. Naquele tempo a Universidade estava congelada na estéril tradição aristotélica, e nada fazia para encorajar a Ciência. Foi por seus próprios esforços que se familiarizou com os pensadores que já tinham inaugurado a era moderna na Ciência e Filosofia: Francis Bacon, Kepler, Galileu e Descartes. Como aconteceu com a maioria dos homens de intelecto realmente grande, a educação formal de Leibniz foi somente uma pequena onda na torrente de pensamento, estudo e aprendizado que foi a essência de sua vida.

Os três anos seguintes foram decidados a estudos legais, e em 1666 candidatou-se para o grau de doutor em Direito com o objetivo de procurar nomeação para a posição de juiz. Essa candidatura foi recusada ostensivamente, alegando-se sua juventude, mas provavelmente em virtude do ciúme estreito da faculdade; Leibniz então deixou Leipzig desgostoso. Em Altdorf, a cidade universitária da cidade imperial livre de Nuremberg, sua brilhante dissertação *De casibus perplexis in jure* (*Dos casos intrincados da Lei*) granjeou-lhe o grau de doutor de uma vez, e a oferta imediata do cargo de professor na universidade. Ele declinou dessa oferta, tendo, como ele mesmo disse, "coisas muito diferentes em vista". Chamava as universidades de mosteiros, e as acusou de possuírem pouco bom senso e de estar preocupadas com trivialidades vazias. Seu objetivo era mais entrar na vida pública do que na acadêmica. É notável quão poucos dos maiores filósofos foram professores em universidades. Leibniz passou o ano seguinte em Nuremberg, que era então o centro da ordem mística secreta dos rosacruzes, e tornou-se tão familiarizado com as idéias e os escritos dos alquimistas – tanto quanto Newton, em Cambridge – que foi eleito secretário da sociedade Rosacruz local.

Aos vinte anos, Leibniz não só obteve seu doutorado em Direito mas também havia publicado vários ensaios altamente originais em Lógica e Jurisprudência. Sua *Dissertatio de arte combinatoria* (*Dissertação sobre a arte combinatória*) iniciou seu projeto, ao qual dedicou sua vida toda de reduzir todo o conhecimento e raciocínio ao que ele chamou de "característica universal". Entendia por isto um sistema preciso de notação – uma linguagem matemática simbólica análoga à Álgebra – em que os próprios símbolos e suas regras de combinação analisariam automaticamente todos os conceitos dentro de seus componentes últimos de tal modo que provesse os meios de obter conhecimento da natureza essencial das coisas*. Desnecessário dizer que esse projeto grandioso não foi realizado durante sua vida nem depois, mas seu espírito continuou a impulsionar e a guiar seu pensamento, e mais tarde o levou à criação do Cálculo diferencial e integral, e a suas primeiras tentativas de criação da Lógica simbólica. Houve também seu *Nova methodus docendae discendaeque jurisprudentiae* (*Um novo método para ensinar e aprender jurisprudência*), que escreveu durante as paradas para descanso de sua jornada de Leipzig a Altdorf. Esse ensaio é notável por conter o primeiro reconhecimento claro da importância do enfoque histórico do Direito**. Teve também o efeito prático de assegurar-lhe uma posição (em 1667) como orientador legal do Príncipe Leitor do Mainz***.

Leibniz permaneceu em Mainz por cinco anos, primeiro como assistente na recodificação das leis, e depois como conselheiro de confiança e diplomata servindo aos propósitos políticos do Eleitor. O mais importante desses objetivos era a sobrevivência, pois naquela época a inflada arrogância de Luís XIV era como um abscesso na face da Europa, e seus exércitos estavam ameaçando os Países Baixos e os pequenos Estados alemães ao longo do Reno. Leibniz concebeu um plano para desviar Luís XIV da Alemanha persuadindo-o a conquistar o Egito e construir um império colonial no norte da África, e portanto satisfazendo suas ambições coloniais com custo baixo para seus vizinhos europeus. Um memorando detalhado foi enviado ao Governo francês; em março de 1672, convidado pelo ministro das relações exteriores da França, o jovem diplomata viajou a Paris para apresentar suas propostas ao rei. Infelizmente, entretanto, Luís tinha um ódio irracional dos holandeses, e declarou guerra a eles poucas semanas depois. Leibniz nunca se encontrou com o rei, e seu

---

* Para a própria explicação de Leibniz do que tinha em mente, ver Loemker, *op. cit.*, pp. 339-346; ou pp. 12-25 de Philip P. Wiener (ed.), *Leibniz Selections*, Scribner's, 1951.

** Veja o capítulo sobre Leibniz em H. Cairns, *Legal Philosophy from Plato to Hegel*, Johns Hopkins University Press, 1949.

*** Naquele tempo, Mainz era mais do que apenas uma cidade no Reno, era um dos mais poderosos Estados-membro do Sacro Império Romano, aquela estranha aglomeração que Voltaire caracterizou como "nem sacro, nem império e nem romano". O governador de Mainz era um dos sete príncipes regionais com o poder de eleger o imperador.

plano da conquista francesa do Egito desapareceu da prática política até a época de Napoleão, que o reviveu em 1798*. O fato importante para Leibniz foi sua visita a Paris, onde passou a maior parte dos quatro anos seguintes. Essa experiência foi crucial para seu desenvolvimento intelectual, pois dominou a língua francesa, conheceu os líderes em Ciências e Filosofia, e imergiu-se na corrente principal do pensamento europeu.

O mundo que Leibniz encontrou em 1672 – França, Inglaterra e Holanda – estava borbulhante com o fermento de novas idéias e pululando de homens de gênio. Era um jardim de civilização intelectual que, comparado com seu mundo anterior de Leipzig, Nuremberg e Mainz, este era um pouco melhor que barbarismo obtuso. A Filosofia e a Teologia estavam em estado de revolução, e os campeões do novo e do antigo modos de ver o homem e Deus – Hobbes, Spinoza, Locke, Arnauld, Malebranche, Bossuet – eram bem conhecidos em todos os círculos eruditos. Leibniz encontrou Arnauld e Malebranche em Paris, visitou Spinoza na Holanda, e manteve correspondência com os outros. As Ciências estavam gozando de um período de crescimento sem precedentes, e Leibniz manteve-se informado de todas as últimas descobertas e fez uma quantidade de contribuições próprias. O físico holandês Huygens – criador da teoria ondulatória da luz e do relógio de pêndulo – tornou-se amigo de Leibniz e seu mentor matemático durante seus anos em Paris. Outro de seus amigos era o astrônomo dinamarquês Roemer, que em 1675 foi o primeiro a calcular a velocidade da luz pelas observações das luas de Júpiter feitas no Observatório de Paris. E, em 1676, Leibniz iniciou correspondência matemática com Newton, o que teve conseqüências decisivas para o desenvolvimento futuro das Ciências na Europa. Outros homens eminentes que estavam ativos durante a segunda metade do século XVII foram Boyle, Hooke, von Guericke e Halley, em Química, Física e Astronomia, Leeuwenhoek, Malpighi e Swammerdam em Biologia; e Wallis, Wren, Roberval, Tschirnhaus e os Bernoulli, em Matemática – e Leibniz os conheceu e correspondeu-se com quase todos eles. A Europa Ocidental estava embriagada com o vinho da razão, e Leibniz aderiu entusiasmado à festa quando se mudou para Paris aos 26 anos.

Em janeiro de 1673, Leibniz cruzou o Canal rumo à Inglaterra numa missão diplomática para o Eleitor de Mainz. Em Londres, rapidamente se apresentou a Henry Oldenburg, o primeiro secretário, de origem alemã, da Sociedade Real, e também a outros de seus membros, incluindo Boyle e Hooke**. Inventou uma máquina de calcular para realizar cálculos mais complicados do que a máquina anterior de Pascal – multiplicando e dividindo, assim como somando e subtraindo. Exibiu um modelo rude de sua invenção à Sociedade Real, e foi eleito membro da Sociedade pouco antes de seu retorno a Paris, em março***.

Quando Leibniz chegou pela primeira vez a Paris, em 1672, tinha pouco conhecimento de Matemática, além das partes mais simples de Euclides e algumas idéias fragmentárias de Cavalieri. Rapidamente tornou-se consciente de que, naquela época, ser ignorante em Matemática era ser desprezível aos olhos dos homens mais

---

* Foi um grande azar para a França Luís XIV ter ignorado os planos de Leibniz; pois se os tivesse aceitado e prosseguido vigorosamente, provavelmente seria a França e não a Inglaterra quem teria conquistado a Índia e dominado os mares, e a história posterior da Europa seria bem diferente. Como aconteceu, a loucura do rei "arruinou a prosperidade da França, e suas conseqüências foram sentidas por gerações". Veja pp. 106-107 e 141-143 de A. T. Mahan, *The Influence of Sea Power upon History: 1660-1783*, Little, Brown, 12ª ed., 1944; 1ª ed. 1890.

** Oldenburg conhecia quase todos que valiam a pena conhecer na Europa Ocidental, de Mílton e Cromwell a Newton, Leibniz, Spinoza, Leeuwenhoek e muitos outros. Foi um grande centro de interligação da vida intelectual do período, e merece uma biografia erudita completa. Veja os 9 volumes de *The Correspondence of Henry Oldenburg*, ed. e trad. por A. Rupert Hall e Marie Boas Hall, University of Wisconsin Press, 1965-1973. As introduções desses volumes fornecem uma boa biografia corrida de Oldenburg.

*** Para as descrições dos vários estágios do desenvolvimento dessa máquina, veja pp. 23, 79 e 126 de J. E. Hofmann, *Leibniz in Paris: 1672-1676*, Cambridge University Press, 1974. Uma figura, junto com explicação do próprio Leibniz, pode ser achada nas pp. 173-181 de D. E. Smith, *A Source Book in Mathematics*, McGraw-Hill, 1929. Veja também pp. 7-9 de H. H. Goldstine, *The Computer from Pascal to von Neumann*, Princeton University Press, 1972.

educados, e começou seus estudos matemáticos com o objetivo de estabelecer sua credibilidade como pensador sério*. Entretanto, apenas começando, foi levado irresistivelmente ao assunto. Quando retornou de Londres a Paris, dedicou mais e mais de seu tempo à Geometria Superior, sob a orientação geral de Huygens, e começou uma série de investigações que o levaram, nos anos seguintes, a sua criação do Cálculo Diferencial e Integral. Em 1673 fez uma de suas mais notáveis descobertas, a expansão em série infinita

$$\frac{\pi}{4} = 1 - \frac{1}{3} + \frac{1}{5} - \frac{1}{7} + \frac{1}{9} - \cdots$$

Essa bela fórmula revelou uma relação formidável entre o misterioso número π e a seqüência familiar de todos os números ímpares**.

Durante todo esse período, Leibniz leu, escreveu e pensou continuamente, perseguindo idéias com uma força e intensidade somente vistas em pessoas comuns em suas buscas de dinheiro e poder. Seu lema nessa época era "em cada hora perdida uma parte da vida perece". Em 1673 o Eleitor de Mainz morreu, e Leibniz tentou se pôr a serviço do erudito John Frederick, Duque de Brunswick-Lüneburg, com quem já mantinha correspondência há vários anos, como curador da biblioteca local em Hanover. Entretanto foi retido pelo magnetismo de Paris e continuava com a esperança de poder achar um jeito de permanecer lá indefinidamente***. Nada mudou, e mais tarde, em 1676, por insistência do duque, deixou Paris e viajou lentamente a Hanover, passando por Londres e pela Holanda. Em Amsterdam teve várias conversas com Spinoza, que lhe permitiu ler e copiar passagens de sua "Ética"****, não publicada. Também visitou Antony van Leeuwenhoek, descobridor das pequenas formas de vida visíveis apenas por microscópio. Os universos em miniatura que Leeuwenhoek foi capaz de achar em cada gota de água de lago causaram uma profunda impressão em Leibniz, e anos depois contribuíram para o sistema metafísico em que imaginou o mundo como consistindo em pequenos e invisíveis centros de consciência chamados *mônadas*****.

Leibniz chegou a Hanover pelo fim de novembro, e durante os 40 anos restantes de sua vida serviu a três duques sucessivamente, como bibliotecário, historiador da família e ministro informal em detrimento de seus afazeres científicos e culturais. Mesmo vivendo na atmosfera da insignificante política local de um pequeno principado alemão, suas atividades e visão eram sempre construtivas e cosmopolitas. Supervisionou a Casa da Moeda e sugeriu vários melhoramentos na cunhagem e na teoria econômica subjacente. Reorganizou as minas de prata de Harz, base da moeda corrente, e agiu como engenheiro projetando bombas impulsionadas a vento para proteger as minas das nascentes de água que as ameaçavam. Foi ao mesmo tempo engenheiro e arquiteto paisagista ao planejar as fontes do grande jardim simétrico do palácio de verão em Herrenhausen. Escreveu muitos panfletos e documentos para defender vários direitos e objetivos de seus patrões. Também escreveu uma peça que foi representada na corte pela nobreza; e seu poema memorial na ocasião da morte de John Frederick, em 1679, continha uma descrição do fósforo, elemento recentemente descoberto, que foi considerada uma das passagens mais finas da poesia latina moderna.

---

* Loemker, *op. cit.*, pp. 400-401.

** Um especialista moderno em séries infinitas (K. Knopp) disse: "É como se, por essa expansão, o véu que estava estendido sobre esse número estranho tivesse sido retirado". Leibniz encontrou sua fórmula, da qual justificadamente se orgulharia por toda a vida, por um cálculo bem engenhoso da área de um quarto de um círculo de raio 1. Mostramos como o fez no Apêndice A.6, Volume II. Veja também itens 123, 126, 130 e 134, em *The correspondence of Isaac Newton*, Cambridge University Press, 1959-1976, 6 vol.

*** Hofmann, *op. cit.*, pp. 46-47 e 160-163.

**** Pouco é sabido dessas conversas inacessíveis entre os dois maiores pensadores metafísicos daquele tempo; veja pp. 37-39 e F. Pollock, *Spinoza: His Life and Philosophy*, 2ª ed., Duckworth, 1899. Uma recomposição – vívida e dramática, mas mormente imaginária – é tentada nas pp. 281-292 de R. Kayser, *Spinoza: Portrait of a Spiritual Hero*, Greenwood Press, 1968.

***** Loemker, *op. cit.*, p. 1.056 ("A Monadologia", 66-69).

Em meio a toda essa atividade diversificada, as responsabilidades principais de Leibniz eram as de bibliotecário e historiador. Suas idéias sobre os objetivos, organização e administração de bibliotecas eruditas eram tão perspicazes que ele foi chamado de "o maior bibliotecário dessa época"*. Seu trabalho em História começou com uma designação: a de compilar a genealogia da família Brunswick para usar como arma nas brigas políticas dinásticas do momento. A pesquisa necessária fez com que Leibniz tivesse de viajar, o que tem sido um dos benefícios principais da profissão de historiador desde os tempos de Heródoto. Passou três anos (1687-1690) examinando os arquivos e bibliotecas privadas do sul da Alemanha e da Itália, e no fim foi capaz de provar a conexão ancestral entre as casas ducais de Brunswick e de Este. Essa proeza foi influente para que Hanover (Brunswick-Lünenburg) ganhasse o status de um eleitorado do Império (1692). A coleção de documentos históricos de Leibniz permitiu-lhe não só incumbir-se da história da Casa de Brunswick (*Annales Brunsvicenses*), mas também publicar dois importantes volumes de fontes para um código de leis internacionais (*Codex juris gentium diplomaticus*, 1693 e 1700). Com o passar dos anos sua história expandiu-se num estudo exaustivo do Império Germânico na Idade Média, que foi mais tarde usada por Gibbon.

Mas tudo isto era apenas espuma na superfície da vida de Leibniz, a carreira visível de cortesão e oficial público. Embaixo era um mar agitado de atividade intelectual privada, em uma escala vasta e variada, quase inacreditável. Resumimos brevemente seus interesses e realizações principais (além de Matemática), sob quatro títulos: (1) Lógica, (2) Teologia, (3) Metafísica, (4) Ciência.

(1) Ele foi o primeiro a perceber que as leis do pensamento são essencialmente algébricas de natureza, e por essa intuição e seus esforços subseqüentes fundou a Lógica simbólica. Imaginou um futuro distante quando as discussões filosóficas seriam mantidas por meio de simbologismo lógico, e chegariam a conclusões tão corretas quanto as da Matemática. Expressou assim sua visão:

Se surgissem controvérsias, não haveria mais necessidade de disputa entre dois filósofos do que entre dois contadores. Pois seria suficiente tomar seus lápis nas mãos, sentar em suas lousas e dizer para o outro (com um amigo de testemunha, se quisessem): Calculemos**.

A Filosofia ainda não chegou a esse estágio, e talvez nunca chegue, mas muito do que Leibniz previu pode ser reconhecido nos processos de decisão por computador dos negócios modernos, de Governo e de estratégia militar. Durante as décadas de 1670 e 1680, fez progressos consideráveis em seu projeto de manejar a lógica por métodos algébricos***. Em terminologia moderna, enunciou as principais propriedades formais da adição, multiplicação e negação lógicas; considerou o conjunto vazio e a inclusão de conjuntos; e apontou a similaridade entre certas propriedades da inclusão de conjuntos e da implicação lógica para proposições. Embora, infelizmente, a maior parte desse trabalho só fosse publicada dois séculos depois, foi a fonte histórica da Lógica simbólica (Álgebra booleana) desenvolvida por George Boole no século XIX e levada adiante por Whitehead e Russell no início do século XX. Há pouco exagero na afirmação: "Leibniz merece ser colocado entre os maiores lógicos"****.

(2) Leibniz foi um sério estudioso da teologia protestante, desde a juventude, e seu interesse em tais assuntos foi grandemente estimulado pelo seu contato com o ritual e o clero católico na corte de Mainz. Observou que as doutrinas católica e protestante diferiam somente nas coisas menores, e começou a sonhar em reunir todos os credos divididos do cristianismo num cristianismo monolítico. Em 1686 escreveu seu *Systema Theologicum* como um enunciado do credo básico em que todos os cristãos deveriam concordar, mas

---

*   Por Sir Frank C. Francis, diretor e bibliotecário-chefe do Museu Britânico, 1959-1968.

**   Veja p. 170 de Bertrand Russel, *A Critical Exposition of the Philosophy of Leibniz*, 2ª ed., George Allen and Unwin, 1937, 1ª ed., 1900.

*** Veja pp. 123-132 de D. J. Struik, *A Source Book in Mathematics, 1200-1800*, Harvard University Press, 1969.

**** Veja pp. 320-345 de W. e M. Kneale, *The Development of Logic*, Oxford University Press, 1962.

só no fim do século XX tais idéias começaram a achar um clima favorável. Sua principal proposta teológica abstrata era estabelecer provas lógicas da existência de Deus, e colocou os quatro argumentos-padrão — um dos quais inventou — em sua forma final*. Entretanto esse projeto também teve pouca influência, pois a maioria das pessoas acha difícil sentir afeição ou reverência a uma deidade cujo objetivo principal é preencher uma lacuna de um quebra-cabeças metafísico. A idéia de provar credos religiosos como se fossem teoremas de Geometria nunca foi muito popular, pois em nossos momentos de clareza reconhecemos que tais credos sempre foram questão de cultura, costumes e preferência, e não verdades ou falsidades lógicas. Também tentou dar uma explicação racional para a presença do mal no mundo, o que o levou a escrever um livro longo e enfadonho (*Essais de Théodicée*, 1710), que lhe trouxe fama na Europa por sua doutrina de que este é o "melhor de todos os mundos possíveis"**. Essa produção infeliz estimulou Voltaire a satirizar suas idéias através do caráter do Doutor Pangloss em sua obra mais famosa, *Candide* (1758)***.

(3) Leibniz viveu em um tempo em que a paixão pela Metafísica era profunda e intensa, quando ainda se acreditava ser possível entender o mundo puramente pelo pensamento. Lutou por anos para penetrar os mistérios de Deus e da natureza só pelo uso da razão — construindo um grande sistema metafísico que explicasse todas as coisas pelo método apriorístico de dedução das conseqüências necessárias a partir de uns poucos princípios auto-evidentes. Seu ponto de partida principal era o seu Princípio da Razão Suficiente: "Nada acontece sem uma razão, não há efeito sem causa". A partir desse pequeno início, propôs-se demonstrar por uma lógica irresistível as doutrinas-chave de seu sistema metafísico****. Entretanto, por uma lógica igualmente irresistível, Spinoza tinha já estabelecido os produtos principais de seu sistema metafísico totalmente diverso. E assim ocorreu com a maioria dos outros filósofos eminentes dos séculos XVII e XVIII — cada um pensava estar olhando pela janela o grande mundo real, mas, em vez disso, olhava num espelho vendo apenas a própria face. Como disse Spinoza em outro contexto, "o que São Paulo nos conta de Deus, diz-nos mais sobre São Paulo do que sobre Deus". O crescimento do empirismo e a ascensão da Ciência nos três séculos passados tornaram quase impossível levar a sério as pretensões extravagantes do filósofo apriorístico, que senta em seu estúdio e tece um emaranhado de palavras, imaginações irreais e especulações vazias fora do material de sua consciência. Fé apenas na razão é estranho para nós, e acreditamos que só observação e experimentos cuidadosos podem revelar algo de substancial sobre o universo real. Não mais estudamos Filosofia pela velha razão, que é a esperança de apreender a verdade acerca da natureza das coisas, mas pelo fascínio de aprender o que as pessoas pensavam, e, se possível, por que pensava assim*****.

(4) Leibniz estava dividido entre as afirmações da Ciência e da Filosofia como meio de obter conhecimento da realidade, mas fixou-se na direção da Ciência. Em 1691 escreveu para seu amigo Huygens: "Prefiro

---

* Veja pp. 585-598 de Bertrand Russel, *A History of Western Phylosophy*, Simon e Schuster, 1945.

** Porque Deus, sendo onipresente, deve conhecer todos os mundos possíveis, sendo todo-poderoso, deve ser capaz de criar qualquer tipo de mundo que quiser, e sendo todo bondade, deve escolher o melhor.

*** Leibniz foi também alvo de riso no mais bem-humorado romance de Voltaire, *Micromégas* (1752), onde um visitante de Sírius vem à Terra e chateia-se ao ouvir os argumentos dos filósofos.

**** Esse sistema trata mormente da natureza, das atividades e inter-relações dos pontos invisíveis, chamados mônadas, cuja existência Leibniz deduziu e que acreditava serem os componentes últimos da realidade e as causas de todos os fenômenos.

***** Para os leitores que desejam obter amostras da Metafísica de Leibniz, sugerimos três breves ensaios dados em Loemker, *op. cit.*, pp. 346-350, 411-417 e 1.033-1.043. Um útil comentário geral é feito por L. Couturat em seu artigo "On Leibniz's Metaphysics", pp. 19-45 em H. G. Frankfurt (ed.), *Leibniz: A Collection of Critical Essays*, Doubleday, 1972. Também recomendamos o artigo sobre Metafísica de Gilbert Ryle na *Encyclopaedia Britannica*; neste o leitor prende-se ao espetáculo de um eminente professor de Filosofia Metafísica da Universidade de Oxford demonstrando suavemente que Filosofia Metafísica não existe.

um Leeuwenhoek que me diz o que vê do que um cartesiano que me diz o que pensa. É necessário, entretanto, juntar a razão à observação". Freqüentemente insistia na procura de conhecimento real – Química, Física, Geologia, Botânica, Zoologia, Anatomia, História e Geografia – em contraste com o *nonsense* erudito dos acadêmicos. Era fascinado por todos os aspectos das ciências e da tecnologia em desenvolvimento, e as contribuições a esses campos, que ele deu sozinho, teriam preenchido várias vidas distintas. Em 1693 publicou suas idéias sobre a origem da Terra num artigo na *Acta Eruditorum**. Expôs suas teorias geológicas mais completamente no notável tratado *Protogaea*, que infelizmente só foi publicado em 1749, muito depois de sua morte. A Terra, acreditava, era originariamente um globo incandescente; esfriou lentamente, contraiu-se e formou uma crosta; e, enquanto esfriava, a condensação do vapor circundante formou os oceanos, que se tornaram gradualmente salgados pela dissolução dos sais da crosta**. Ele foi o primeiro a distinguir as rochas ígneas das sedimentares. Também deu uma boa explicação para os fósseis, e sugeriu que os fósseis achados em várias camadas da crosta seriam chaves para a história da Terra; deu a primeira definição razoável e satisfatória do conceito de espécie, e – antecipando-se aos evolucionistas dos séculos XVIII e XIX – afirmou que as espécies passaram por muitas mudanças drásticas durante toda a história da Terra. Tudo isto em uma época em que mesmo as pessoas inteligentes e cultas consideravam a *Gênese* como a autoridade final em tais assuntos. Nenhuma idéia ou descoberta nova escapou de sua observação, e tinha um dedo em muitas das realizações do momento: o engenho a vapor de Papin, para o qual sugeriu um dispositivo auto-regulador; a descoberta da porcelana européia por seus amigos Tschirnhaus em Meissen; o uso de microscópios em pesquisa biológica; o uso de estatística na avaliação de problemas de saúde pública, sobre o que escreveu vários artigos; e o princípio do barômetro aneróide, que ele foi o primeiro a propor. Foi por sua insistência que uma série contínua de observações barométricas e climáticas foram desenvolvidas em Kiel, de 1679 a 1714, com o objetivo de testar o valor do uso do barômetro para previsão do tempo. A ciência da Lingüística originou-se por seus esforços em construir um sistema comparativo de genealogia lingüística para as principais línguas da Europa e da Ásia***. Também foi ele quem destruiu a crença reinante de que o hebraico era a língua primordial da raça humana****. Seu *Novos ensaios acerca do entendimento humano* (escrito em francês em 1704 mas publicado só em 1765) foi um dos livros mais influentes na história da Psicologia, pois introduz os conceitos de processos mentais subconscientes e inconscientes pela primeira vez, alterando de forma permanente o desenvolvimento da Psicologia por caminhos bem conhecidos hoje em dia*****. Na Física, suas contribuições ao conceito emergente de energia cinética foram tão significativas que "ele se coloca ao lado de Newton como criador da dinâmica moderna"******. Na verdade, a palavra "dinâmica" deve-se a Leibniz, em sua forma francesa, *dynamique*. Ele resolveu, também, o problema da catenária, fez a primeira análise da tensão no interior das fibras de uma barra sob carga e estudou muitos outros problemas físicos com a ajuda de seu Cálculo diferencial e integral*******. Leibniz era obviamente um pensador científico de rara visão e talento, e havia tanto a fazer de real valor em tantas direções que foi uma pena perder seu tempo nas fantasias da Teologia e da Metafísica.

---

* Esse periódico era o jornal europeu mais influente de seu tempo em Ciência e Matemática. Foi fundado por Leibniz em 1682, e ele foi o editor-chefe por vários anos.

** Veja p. 352 de A. Wolf, *A History of Science, Technology and Philosophy in the 16th and 17th Centuries*, George Allen and Unwin, 1935.

*** Esse trabalho foi publicado em 1710 no primeiro volume de *Miscellania Berolinensia*, o jornal oficial da Academia de Ciências de Berlim. Esse volume contém 58 artigos em Ciências e Matemática, dos quais 12 eram de Leibniz. Ele fundou a Academia em 1700, com o apoio da rainha da Prússia, da qual foi preceptor quando criança.

**** Veja pp. 9-10 de H. Pedersen. *Linguistic Science in the 19th Century*, Harvard University Press, 1931.

***** Veja Wolf, *op. cit.*, pp. 579-581.

****** Veja pp. 283-322, de Richard S. Westfall, *Force in Newton's Physics*, American Elsevier, 1971.

******* Veja várias referências do índice em C. Truesdell, *Essays in the History of Mechanics*, Springer Verlag, 1968.

Aristóteles dissera que, por natureza, todos os homens querem saber. O grande filósofo moderno A. N. Whitehead observou certa vez: "Há um livro a ser escrito, e seu título deveria ser *A Mente de Leibniz*". Mas quem poderia escrever tal livro e fazer justiça? A prodigiosa variedade de seus interesses foi parte essencial de seu gênio, mas ele pagou um preço por isto, pois dispersou-se tanto que deixou, na maior parte, apenas fragmentos atrás de si. Numa carta de 1695 expressou seu desespero ocasional nessas palavras:

O quão extremamente distraído sou não pode ser descrito. Tirei tantas coisas dos arquivos, examinei documentos antigos e coletei manuscritos inéditos. Destes lutei para jogar luz na história dos Brunswick. Recebi e mandei grande número de cartas. Tenho realmente tanta coisa nova em Matemática, tantos pensamentos em Filosofia, tantas observações literárias que não desejo ter de perder, que estou freqüentemente perdido em como começar*.

Com Leibniz, a mente e a mão caminhavam tão juntas que pensar e escrever era quase uma só ação, e ele seguia o fluxo de seus pensamentos escrevendo-os. Como raramente jogava fora seu material escrito, acumulou durante sua vida uma pilha enorme de papéis que rapidamente foi empacotada e guardada na Biblioteca Real de Hanover, logo após sua morte. Somente uma pequena fração dessa montanha de material foi publicada durante sua vida. Escavações parciais desse material foram feitas por diversos eruditos, mas a sua maioria ainda permanece inédita**. Há rascunhos, projetos quase acabados; inumeráveis ensaios e memorandos; manuscritos de livros; diálogos consigo mesmo; e cartas – mais de 15.000 cartas escritas por Leibniz em correspondência com 1.063 pessoas diferentes.

Em toda sua vida Leibniz colecionou correspondentes em tópicos de Ciência e Filosofia como as outras pessoas colecionam obras de arte. As cartas trocadas com uma pessoa em particular constituem um drama intelectual absorvente. Assim temos, entre outras, a famosa correspondência de 1715-1716 entre Leibniz e o Dr. Samuel Clarke, discípulo e porta-voz de Newton, com quem logo entrou em polêmica sobre a validez das idéias de Newton sobre espaço e tempo absolutos***. Leibniz acreditava que essas idéias eram desprovidas de significado, e que espaço e tempo eram conceitos puramente relativos, e, para irritação de Newton, dizia ter provado isto****.

Podemos pensar o que quisermos sobre os argumentos de Leibniz hoje, mas a Ciência moderna descobriu defeitos sérios nos princípios newtonianos acerca do universo físico que foram remediados somente pelas descobertas de Einstein no começo do século XX.

Olhando para Leibniz depois de 300 anos de história parece que vemos vários homens – filósofo, matemático, cientista, lógico, diplomata, advogado, historiador etc. – em vez de um indivíduo. Mas quais foram suas qualidades como ser humano?

Como muitos de seus contemporâneos, ele nunca se casou, e sabemos muito pouco de sua vida pessoal. Aos 50 anos, conforme Fontenelle, propôs casamento a uma moça, mas "a moça pediu tempo para responder, então Leibniz teve a chance de reconsiderar e retirar o pedido". Tinha uma capacidade formidável de trabalho rápido e contínuo, freqüentemente passando dias inteiros em sua mesa, exceto para refeições ocasionais e breves lanches; mesmo quando viajava nas carruagens desconfortáveis e sacolejantes da época, usava seu tempo

---

* Loemker, *op. cit.*, p. 21.

** Em 1900 a Academia de Berlim começou a planejar uma edição crítica completa da obra de Leibniz em 40 volumes. Apenas cerca de uma dúzia destes foram publicados, e parece que esse trabalho só vai terminar no século XXI.

*** Nos *Principia* Newton escreveu: "O espaço absoluto, em sua própria natureza, sem referência a nada externo, permanece sempre igual e imutável... O tempo absoluto, verdadeiro e matemático, por si, e por sua própria natureza, flui igualmente e sem referência a nada externo".

**** Veja H. G. Alexander (ed.), *The Leibniz-Clarke Correspondence*, Manchester University Press, 1956, especialmente §5 e §6 da terceira carta de Leibniz. Para maiores comentários de grande interesse e valor, veja o artigo de Koyré, "Leibniz and Newton", em H. G. Frankfurt, *op. cit.*, pp. 239-279.

trabalhando em Matemática; e até o fim da vida preservou a energia indômita sem o que todas as suas ambições chegariam a nada.

Ele é descrito como um homem de hábitos moderados em tudo, menos no trabalho, um temperamento forte mas que facilmente se acalmava, muito autoconfiante e tolerante com as diferenças de opiniões, embora certo da correção de suas opiniões. Gozou de uma vida social intensa, e estava firmemente convencido que havia algo interessante para se aprender com todos os que encontrava. Conforme seu secretário, ele falava bem de todos e fez o melhor em tudo. Do lado menos agradável, diz-se que gostava de dinheiro a ponto da avareza, e tinha a reputação de miserável.

Quando a rainha Anne morreu, em 1714, o mestre de Leibniz, o Eleitor George Louis de Hanover, sucedeu-a como George I, o primeiro rei alemão da Inglaterra. Leibniz estava em Viena, e retornou a Hanover tão rápido quanto pôde, mas George e seus acompanhantes já haviam partido. Leibniz esperava juntar-se a eles em Londres como historiador da corte e conselheiro de Estado, mas o novo rei recusou-se a considerar essa intenção e ordenou-lhe que ficasse em Hanover e terminasse a história de Brunswick. Parece que George não gostava de Leibniz e não tinha nenhum interesse em suas idéias e projetos além daqueles que acrescentassem brilho a sua família*. Os últimos anos da vida de Leibniz foram difíceis em virtude do esquecimento e das agonias da gota e das pedras nos rins, mas lutava para trabalhar. Sua morte, em novembro de 1716, foi ignorada pela corte, tanto em Londres como em Hanover. Somente seu secretário acompanhou seu enterro, e uma testemunha presente a seu funeral escreveu que "ele foi enterrado mais como um ladrão do que pelo que era, o ornamento desse país". Mas os livros estão agora equilibrados, pois ele é reconhecido hoje como um dos gênios universais da história humana e o primeiro na linha dos alemães eminentes que também foram figuras gigantescas da cultura mundial: Leibniz, Bach, Goethe, Beethoven, Gauss, Einstein.

Falta acrescentar umas poucas palavras de natureza mais detalhada sobre a maior criação de Leibniz – seu Cálculo diferencial e integral –, pois essa ferramenta incomparável é o meio pelo qual seu gênio continua a fazer-se sentido dia a dia em todos os países civilizados do mundo moderno.

Leibniz publicou muitos esboços de seu Cálculo a partir de 1684, e diremos mais acerca deles. Entretanto, o desenvolvimento de suas idéias e a seqüência de suas descobertas podem ser seguidos em detalhes pelas centenas de páginas de suas notas privadas feitas desde 1673**.

Parece que tudo começou numa conversa memorável de Leibniz com Huygens na primavera de 1673, a qual ele referiu-se repetidamente nos anos seguintes***. Como resultado desse encontro, e sob orientação de Huygens, começou um estudo intensivo de alguns escritos matemáticos de Pascal e outros. Em particular, foi lendo o artigo de Pascal, *Traité des sinus du quart de cercle* (*Tratado sobre os senos de um quadrante do círculo*), que Leibniz mais tarde disse que "uma grande luz" o iluminou. Imediatamente percebeu que a tangente (ou inclinação) de uma curva pode ser achada fazendo o quociente das *diferenças* das coordenadas e das abscissas, e fazendo com que se tornassem infinitamente pequenas (veja Fig. C.10). Ele também viu que a área sob a curva era a "soma" de retângulos de largura infinitamente pequena preenchendo essa área. O mais importante de tudo é que ele observou que os processos das diferenças e somas – ou, em nossa terminologia, diferenciação e integração – são uma inversa da outra, e estão ligadas por meio do triângulo infinitesimal (dx, dy, ds) mostrado na figura.

---

* Essa antipatia talvez fosse natural, pois George I era ridículo e repulsivo como homem e monarca; um homem inferior em posição de poder freqüentemente não gosta de homens superiores que por acaso sejam seus subordinados. Jonathan Swift o chamou de "The ruling Yahoo", e, mais tarde, o primeiro-ministro britânico Winston Churchill, em seu papel de historiador, descreveu-o como "um militar alemão comum com um cérebro obtuso e hábitos vulgares".

** Essas notas foram achadas na Biblioteca de Hanover em meados do século XIX. Veja J. M. Child (ed.), *The Early Mathematical Manuscripts of Leibniz*, Open Court, 1920.

*** Veja Hofman, *op. cit.*, pp. 47-48.

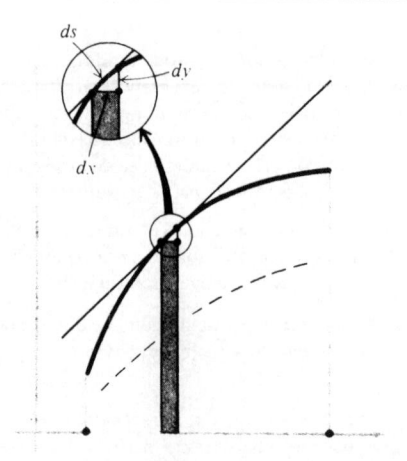

Figura C.10

Foi num manuscrito famoso datado de 29 de outubro de 1675 que Leibniz introduziu o símbolo moderno da integral, um S longo sugerindo a primeira letra da palavra latina *summa* (soma). Estava fazendo integrações por somas dos indivisíveis de Cavalieri e abreviou "omnes lineae" – todas as linhas – com "omn 1". Observou, então: "Será útil escrever $\int$ para omn, e, portanto, $\int$ para omn, isto é, a soma dos 1. No mesmo dia, introduziu o símbolo da diferencial "d" e logo estava escrevendo dx, dy e dy/dx como fazemos hoje, assim como as integrais como $\int y\, dy$ e $\int y\, dx$. Todo esse tempo estava formulando e resolvendo problemas, aprendendo a usar a ferramenta que estava desenvolvendo. Em suas notas nesses anos ele teve uma conversação consigo mesmo, cheia de advertências, rememorizações e esforços para se agradar, e mesmo ocasionais expressões de triunfo.

A primeira notícia publicada por Leibniz sobre seu Cálculo diferencial foi num artigo de sete páginas no *Acta Eruditorum* de 1684*. O sentido das diferenciais dx e dy está longe de ser claro, e de fato ele nunca esclareceu isto para ninguém. Escreveu as fórmulas $d(xy) = x\, dy + y\, dx$, $d(x/y) = (y\, dx - x\, dy)/y^2$ e $d(x^n) = nx^{n-1} dx$, mas nunca tentou explicá-las ou justificá-las. Como sabemos de suas notas e cartas, ele pensava os dx e dy como incrementos infinitamente pequenos, ou "infinitesimais", e derivou essas fórmulas desprezando infinitesimais de ordem superior, mas não no seu artigo**. Entretanto ele estabeleceu a condição $dy = 0$ para máximos e mínimos, e $ddy = 0$ para pontos de inflexão, e fez várias aplicações geométricas. Esse artigo foi seguido em 1686 por um segundo***, em que casualmente introduz o símbolo de integral $\int$ sem dar explicações e afirma que $\int$ e d são "um inverso do outro". Esses artigos iniciais parecem ter sido escritos rápida e descuidadamente, e, de tão obscuros, são pouco inteligíveis. Mesmo os irmãos Bernoulli, que entendiam algo das intenções de Leibniz e percebiam que algo mais profundo tinha nascido, consideravam esses artigos como apresentando "mais um enigma do que uma explicação".

Esse trabalho inicial de Leibniz, embora obscuro e fragmentário, foi uma semente fértil de grande potencial. Não despertou interesse na Alemanha ou Inglaterra, mas James e John Bernoulli, de Basiléia, acharam-no excitante e ricamente sugestivo. Absorveram avidamente as idéias e métodos de Leibniz e contribuíram com muito de si; antes do fim do século esses três homens, em constante correspondência e estimulando-se entre si como atletas numa corrida, descobriram muito do conteúdo de nossos cursos de Cálculo das faculdades. De fato, entre 1695 e 1700 todos os fascículos mensais do *Acta Eruditorum*

---

*   Uma tradução é dada em Struik, *op. cit.*, pp. 271-280.

**   Portanto, por exemplo $d(xy) = (x + dx)(y + dy) - xy = x\, dx + y\, dx + dx\, dy$ e como dx e dy são infinitamente pequenos, $dxdy$ é duplamente infinitamente pequeno e – conforme Leibniz – pode ser desprezado, dando a fórmula certa $d(xy) = x\, dy + y\, dx$.

*** Struik, *op. cit.*, pp. 281-282.

continham ao menos um artigo – e freqüentemente vários – de Leibniz e dos irmãos Bernoulli, em que tratavam, usando notação quase idêntica à de hoje, de uma grande variedade de problemas de cálculo diferencial e integral, de equações diferenciais, de séries infinitas, e mesmo de cálculo de variações. Nessa corrida desenfreada para explorar o mundo de aplicações da nova análise, havia pouco interesse em parar para exames detalhados das idéias básicas. Esse espírito não-crítico prevaleceu pelo século XVIII, e só nas primeiras décadas do século XIX foi dada atenção séria aos fundamentos lógicos do assunto

Juntamente com o conteúdo real de seu trabalho, Leibniz foi um dos grandes inventores de símbolos matemáticos. Poucas pessoas entenderam tão bem que uma notação realmente boa facilita o caminho e é quase capaz de pensar por nós. Ele escreveu sobre isto a seu amigo Tschirnhaus:

> Nos símbolos observa-se uma vantagem na descoberta que é maior quando eles expressam brevemente a natureza exata da coisa e como se a figurasse; então o trabalho do pensamento é maravilhosamente diminuído*.

Sua notação flexível e sugestiva do Cálculo, dx, dy, dy/dx e $\int y\,dx$ são ilustrações perfeitas dessa observação e estão ainda em uso, como ocorre com as versões de suas frases descritivas "calculus differentialis" e "calculus integralis"**. Foi principalmente por sua influência que o símbolo " = " é usado universalmente, e ele advogou o uso do ponto (.) em vez da cruz (×) para multiplicação***. Os dois-pontos para a divisão ($x:y$ para x/y) e seus símbolos de congruência e semelhança ($\simeq$ e $\sim$) ainda são amplamente usados. Ele introduziu os termos "constante", "variável", "parâmetro" e "transcendente" (no sentido de "não-algébrico"), assim como "abscissa" e "ordenada", ditas "coordenadas". Também foi o primeiro a usar a palavra "função" no seu sentido moderno, essencialmente.

Leibniz é às vezes criticado por não ter produzido nenhum grande trabalho que pudesse ser apontado e admirado, como *Principia*, de Newton. Mas produziu tal obra, mesmo que não na forma de livro. A linha de descendência de todos os maiores matemáticos dos tempos modernos começou com ele – e não com Newton – e estende-se em sucessão direta até o século XX. Ele foi o pai intelectual dos Bernoulli; John Bernoulli foi professor de Euler, que adotou Lagrange como protegido científico; então vieram Gauss, Riemann e os outros – todos descendentes intelectuais diretos de Leibniz. Teve predecessores, é claro, como todo grande pensador. Mas fora isto, foi o verdadeiro fundador da Matemática Moderna européia.

OS IRMÃOS BERNOULLI

> *Com justiça admiramos Huygens, porque ele foi o primeiro a descobrir que uma partícula pesada cai ao longo da ciclóide no mesmo tempo, não importando em que ponto da ciclóide ela inicia seu movimento. Mas você ficará petrificado de espanto quando eu disser que precisamente essa ciclóide, ou tautócrona de Huygens, é a nossa procurada braquistócrona.*
>
> John Bernoulli

A maioria das pessoas está consciente de que Johann Sebastian Bach foi um dos maiores compositores

---

*   Veja F. Cajori, *A History of Mathematical Notations*, Open Court, 1929, v. II, p. 184. Nas pp. 180-196 e 201-205, Cajori faz uma discussão completa do uso dos símbolos matemáticos por Leibniz. Veja também a longa citação de A.N. Whitehead nas pp. 332-333 ("Ao livrar o cérebro de todo trabalho desnecessário, uma boa notação deixa-o livre para se concentrar em problemas mais avançados, e aumenta o poder mental da raça... A Civilização avança ao estender o número de operações importantes que podemos fazer sem pensar").

**   Leibniz sugeriu primeiro "calculus summatorius", mas em 1696 ele e John Bernoulli concordaram com "calculus integralis".

***   O primeiro a propor o sinal = foi o inglês Robert Recorde, em 1557. Para evitar a repetição enfadonha das palavras *é igual a*, irei colocar, como faço com freqüência na minha prática de trabalho, um par de paralelas ou segmentos de reta paralelas da seguinte maneira: = , pois não há duas coisas que possam ser mais iguais.

de todos os tempos. Entretanto, é bem menos conhecido que sua grande família era consistentemente talentosa nessa direção, e que várias dúzias de Bach foram músicos eminentes do século XVI ao século XIX. Na verdade havia partes da Alemanha onde a própria palavra *bach* significava músico. O que o clã dos Bach foi para a música o dos Bernoulli foi para a Matemática e para a Ciência. Em três gerações essa notável família suíça produziu oito matemáticos – dois deles brilhantes –, que em retorno tiveram descendentes que se distinguiram em muitas áreas*. Estes dois foram os irmãos James (1654-1705) e John (1667-1748), que desempenharam um papel fundamental no desenvolvimento da Matemática Moderna européia.

Por causa da insistência de seu pai mercador, James estudou Teologia e John, Medicina. Entretanto, eles encontraram sua verdadeira vocação quando os primeiros artigos de Leibniz de 1684 e 1686 foram publicados na *Acta Eruditorum*. Eles ensinaram a si mesmos o novo cálculo, iniciaram ampla correspondência com Leibniz e tornaram-se seus mais importantes estudantes e discípulos. James foi professor de Matemática em Basiléia desde 1687 até sua morte. John foi professor em Groningen, na Holanda, em 1695, e, depois da morte de James, ele o sucedeu em Basiléia, onde permaneceu por mais 43 anos.

James tinha interesse em séries infinitas, e, entre outras coisas, provou a divergência da soma dos inversos dos inteiros positivos,

$$1 + \frac{1}{2} + \frac{1}{3} + \frac{1}{4} + \cdots,$$

e a convergência da soma dos inversos dos quadrados,

$$1 + \frac{1}{4} + \frac{1}{9} + \frac{1}{16} + \cdots.$$

Ele pesquisou freqüentemente sobre a soma da última série, mas a questão não foi resolvida até 1736, quando Euler descobriu que essa soma é $\pi^2/6$. James inventou as coordenadas polares, estudou muitas curvas especiais (incluindo a catenária, a tractriz, a lemniscata e a espiral exponencial) e introduziu os números de Bernoulli, que aparecem na expansão da função $tg\,x$ em séries de potências. Foi ele (em 1690) o primeiro a usar a palavra "integral". Em seu livro *Ars Conjectandi* (publicado postumamente em 1713), formulou o princípio básico da teoria de probabilidades, conhecido como *Teorema de Bernoulli*, ou a *Lei dos Grandes Números*: Se a probabilidade de um certo evento é p e se n tentativas independentes são feitas com k sucessos, então $k/n \to p$ se $n \to \infty$. À primeira vista essa afirmação pode parecer uma trivialidade, mas por trás dela está um emaranhado de problemas filosóficos (e matemáticos) que têm sido um ponto de controvérsia desde então até hoje.

Como seu irmão mais velho, John ficou fascinado pelo quase mágico poder do cálculo de Leibniz. Ele logo o aprendeu e o aplicou em problemas de Geometria, equações diferenciais e Mecânica. Muitas das idéias de Leibniz e dos irmãos Bernoulli circularam amplamente em 1696 no primeiro livro-texto de Cálculo, *Analyse des infiniment petits*, por G. F. A. de L'Hospital (1661-1701). Esse homem, um nobre francês e um bom matemático amador, agradeceu abertamente a seus professores: "Usei livremente as descobertas deles, de tal modo que eu sinceramente considero deles tudo o que eles considerarem descoberta sua". O livro de L'Hospital é melhor conhecido por sua regra sobre formas indeterminadas do tipo 0/0. Depois da morte de L'Hospital, John Bernoulli afirmou que muito do conteúdo do livro, e em particular essa regra, era sua própria propriedade. Esse pequeno mistério foi esclarecido em 1955 pela publicação da correspondência entre os dois homens. L'Hospital era interessado em Matemática, mas faltou-lhe confiança em sua habilidade de aprender Cálculo por si mesmo. John quis ajudá-lo e, em troca, por um ano de orientação, ele concordou em vender-lhe algumas de suas próprias descobertas. Esse acordo foi discutido numa carta de L'Hospital de 17 de março de 1694, e a regra de 0/0 está contida numa carta de Bernoulli de 22 de julho de 1694**.

Os irmãos Bernoulli trabalhavam algumas vezes nos mesmos problemas, o que não era bom em vista de sua natureza desconfiada e de sua disposição para o mau humor. Numa ocasião o atrito entre eles explodiu

---

*   Veja Francis Galton, *Hereditary Genius*, Macmillan, 1892, pp. 195-196.

** Veja o artigo de D. J. Struik em *The Mathematics Teacher*, vol. 56, 1963, pp. 257-260.

em uma amarga rixa pública, sobre o problema da braquistócrona. Em 1696 John propôs o problema (que está enunciado em nossa nota sobre Newton) como um desafio aos matemáticos da Europa. O problema despertou um grande interesse, e foi resolvido por Newton, por Leibniz e pelos dois Bernoulli. A solução de John era mais elegante, enquanto a de James – embora confusa e laboriosa – era mais geral. Essa situação causou o início de uma amarga briga que durou vários anos e foi freqüentemente travada em linguagem grosseira mais condizente com uma briga de rua do que com uma discussão científica.

Depois da morte de seu irmão e de Leibniz, John Bernoulli tornou-se o líder consagrado dos matemáticos continentais em sua batalha contra os ingleses. Ele continuou a produzir boas idéias matemáticas e a reprimir injúrias por muitos anos, e foi a maior força no definitivo triunfo do Cálculo de Leibniz sobre o de Newton. Talvez sua maior contribuição tenha sido seu estudante, o pródigo Euler, cuja inacreditável torrente de descobertas dominou a Matemática na maior parte do século XVIII.

EULER (1707-1783)

Leia Euler: "Ele é o nosso mestre em tudo".

Pierre Simon de Laplace

Leonard Euler foi o mais importante cientista suíço e um dos três grandes matemáticos de nossa época (os outros dois foram Gauss e Riemann). Ele foi talvez o autor mais prolixo de todos os tempos e em qualquer área. De 1727 a 1783, seus escritos irromperam como uma fonte aparentemente inesgotável, constantemente acrescentando conhecimento a todos os ramos conhecidos da Matemática pura e aplicada, e também aos que não eram conhecidos até que ele os criou. Ele teve em média 800 páginas escritas por ano durante sua longa vida, e apesar disso nunca pareceu enfadonho. A publicação de seus trabalhos completos começou em 1911, e seu término não parece próximo. Nessa edição planejou-se incluir 887 títulos em 72 volumes, mas desde então extensos depósitos de manuscritos não previamente conhecidos têm sido descobertos, e agora estima-se que serão necessários 100 grandes volumes para completar o projeto.. Euler evidentemente escreveu Matemática com a facilidade e fluência de um preparado orador discursando sobre temas com os quais estivesse intimamente familiarizado. Seus escritos são modelos de relaxada clareza. Ele nunca resumiu, e deleitou-se com sua rica abundância de idéias e com a vasta extensão de seus interesses. O físico francês Arago, falando da incomparável facilidade matemática de Euler, observou que "ele calculava sem esforço aparente, como homens respiram ou como águias se mantêm no ar". Durante os últimos 17 anos de sua vida, Euler sofreu de cegueira total, mas com a ajuda de sua poderosa memória e fértil imaginação e com auxiliares que por meio do ditado escreveram seus livros e artigos científicos, ampliou sua já pródiga produção.

Euler era natural da Basiléia e discípulo de John Bernoulli na universidade, mas logo superou seu professor. Euler passou sua vida profissional como membro da Academia de Ciências de Berlim e de São Petersburgo, e muitos de seus trabalhos foram publicados nas revistas dessas organizações. Pesquisa matemática era o seu trabalho e ele o conhecia bem. Ele era um homem de vasta cultura versado em línguas clássicas e literaturas (ele sabia *Eneida* de cor), muitas línguas modernas, Fisiologia, Medicina, Botânica, Geografia e toda a ciência física conhecida em seu tempo. Contudo, ele tinha pouco talento para Metafísica ou discussões e colocou-se em segundo lugar em muitos amáveis encontros verbais com Voltaire na corte de Frederico, o Grande. Sua vida pessoal era tão plácida e rotineira quanto possível para um homem com 13 filhos.

Apesar de não ser professor, Euler teve uma influência mais profunda no ensino da Matemática que qualquer outro indivíduo. Isto deu-se principalmente por meio de seus três grandes tratados: *Introductio in Analysin Infinitorum* (1748); *Institutiones Calculi Differentialis* (1755); e *Institutiones Calculi Integralis* (1768-1794). Há considerável verdade na afirmação de que todos os textos de cálculo elementar e avançado desde 1748 eram essencialmente cópias de Euler ou cópias de cópias de Euler*. Esses trabalhos resumiram

---

* Veja C. B. Boyer, "The Foremost Textbook of Modern Times",. *Amer. Math. Monthly*, vol. 58, 1951, pp. 223-226.

e codificaram as descobertas de seus predecessores e estão repletos de idéias do próprio Euler. Ele estendeu e aperfeiçoou a Geometria analítica plana e espacial, introduziu a abordagem analítica para a Trigonometria, e foi responsável pelo tratamento moderno das funções $\ln x$ ($= \log_e x$) e e^x. Ele criou uma teoria consistente de logaritmos de números negativos e imaginários, e descobriu que $\ln x$ tem um número infinito de valores. Foi por meio de seu trabalho que os símbolos e, π e i ($= \sqrt{-1}$) se tornaram correntes para todos os matemáticos, e foi ele quem os relacionou através da surpreendente igualdade $e^{i\pi} = -1$. Isto é apenas um caso particular (coloque $\theta = \pi$) de sua famosa fórmula $e^{i\theta} = \cos\theta + i\,\text{sen}\,\theta$, que relaciona a exponencial e as funções trigonométricas e é absolutamente indispensável em Análise avançada*.

Entre suas outras contribuições para notação matemática padrão estão $\text{sen}\,x$, $\cos x$, o uso de $f(x)$ para uma função genérica, e o uso de Σ para somatório**. Boas notações são importantes, mas o que realmente importa são as idéias por trás delas, e a esse respeito a fertilidade de Euler era quase inacreditável. Ele preferia problemas concretos a teorias gerais, hoje em voga, e sua rara perspicácia para conexões entre fórmulas aparentemente não-relacionadas abriu muitos caminhos em novas áreas da Matemática, que ele deixou para que seus sucessores cultivassem.

Ele foi o primeiro e o grande mestre em séries e produtos infinitos, bem como em frações contínuas, e seus trabalhos estão repletos de notáveis descobertas nessas áreas. James Bernoulli (o irmão mais velho de John) encontrou o valor de várias séries infinitas, mas não pôde encontrar a soma dos inversos dos quadrados $1 + 1/4 + 1/9 + \ldots$. Ele escreveu: "Serei muito grato a quem conseguir encontrar o valor dessa soma e relatar sobre isto". Em 1736, muito depois da morte de James, Euler fez a maravilhosa descoberta

$$1 + \frac{1}{4} + \frac{1}{9} + \frac{1}{16} + \cdots = \frac{\pi^2}{6}.$$

Ele também encontrou as somas dos inversos das potências de quatro e seis,

$$1 + \frac{1}{2^4} + \frac{1}{3^4} + \cdots = 1 + \frac{1}{16} + \frac{1}{81} + \cdots = \frac{\pi^4}{90}$$

e

$$1 + \frac{1}{2^6} + \frac{1}{3^6} + \cdots = 1 + \frac{1}{64} + \frac{1}{729} + \cdots = \frac{\pi^6}{945}.$$

Quando John interou-se desses feitos, escreveu: "Se pelo menos meu irmão estivesse vivo agora"***. Poucos acreditariam que essas fórmulas estavam relacionadas, como estão, ao produto infinito de Wallis (1656):

$$\frac{\pi}{2} = \frac{2}{1} \cdot \frac{2}{3} \cdot \frac{4}{3} \cdot \frac{4}{5} \cdot \frac{6}{5} \cdot \frac{6}{7} \cdots .$$

Euler foi o primeiro a explicar esse fato satisfatoriamente, em termos de sua expansão do seno como o produto infinito

$$\frac{\text{sen}\,x}{x} = \left(1 - \frac{x^2}{\pi^2}\right)\left(1 - \frac{x^2}{4\pi^2}\right)\left(1 - \frac{x^2}{9\pi^2}\right) \cdots .$$

O produto de Wallis está também relacionado com a extraordinária fração contínua de Brouncker

---

* Uma conseqüência ainda mais surpreendente dessa fórmula é o fato de que uma potência imaginária de um número imaginário pode ser real, em particular, $i^i = e^{-\pi/2}$, pois se colocarmos $\theta = \pi/2$,

$$i^i = (e^{\pi/2})^i = e^{\pi i^2/2} = e^{-\pi/2}.$$

Euler mostrou que i^i tem infinitos valores, e esse cálculo produz apenas um.

** Veja F. Cajori, *A History of Mathematical Notations*, Open Court, 1929.

*** O mundo ainda está esperando, mais de 200 anos depois, que alguém descubra a soma dos inversos dos cubos.

$$\frac{\pi}{4} = \cfrac{1}{1 + \cfrac{1^2}{2 + \cfrac{3^2}{2 + \cfrac{5^2}{2 + \cfrac{7^2}{2 + \cdots}}}}}$$

que se tornou compreensível somente no contexto de extensas pesquisas nessa área*.

Seu trabalho em todas as áreas da Análise influenciou o desenvolvimento posterior desse assunto nos dois séculos que se seguiram.

Ele contribuiu com muitas idéias importantes para equações diferenciais, incluindo partes substanciais da teoria de equações lineares de segunda ordem e o método de solução por séries de potências. Ele proporcionou a primeira discussão sistemática do cálculo das variações, que foi fundamentada em sua equação diferencial básica para uma curva minimizante. Introduziu o número agora conhecido como constante de Euler,

$$\gamma = \lim_{n \to \infty} \left(1 + \frac{1}{2} + \frac{1}{3} + \cdots + \frac{1}{n} - \ln n \right) = 0{,}5772 \ldots$$

que é o número especial mais importante depois de e e π. Ele descobriu a integral que define a função gama,

$$\Gamma(x) = \int_0^\infty t^{x-1} e^{-t} \, dt.$$

que é freqüentemente a primeira das chamadas funções transcendentes que os estudantes vêem além do nível do cálculo, e desenvolveu muitas de suas aplicações e propriedades especiais**. Ele também trabalhou com séries de Fourier, encontrou as funções de Bessel nos seus estudos sobre vibrações de uma membrana circular e aplicou as transformadas de Laplace para resolver equações diferenciais, antes mesmo que Fourier, Bessel e Laplace tivessem nascido. Apesar de ter morrido há 200 anos, Euler vive em toda a Análise.

E. T. Bell, o conhecido historiador matemático, observou que "uma das mais impressionantes características da genialidade universal de Euler era sua força em ambas principais correntes da Matemática, a contínua e a discreta". No império da discreta ele foi um dos originadores da Teoria dos Números e deu muitas contribuições a essa área durante sua vida. Além disso, as origens da topologia, uma das forças dominantes na Matemática moderna, estão em sua solução do problema da ponte de Königsberg e sua fórmula $V - E + F = 2$ relacionando o número de vértices, arestas e faces de um poliedro regular. No próximo parágrafo descreveremos brevemente suas atividades nessas áreas.

Em Teoria dos Números, Euler buscou muitas de suas inspirações das desafiantes notas marginais deixadas por Fermat em sua cópia dos trabalhos de Diophantes, e alguns de seus feitos são mencionados em nossas notas biográficas de Fermat. Ele também iniciou a Teoria das Partições, um ramo pouco conhecido em Teoria dos Números e que teve muito depois aplicações em Mecânica Estatística e Teoria Cinética dos Gases. Um problema típico nessa área é determinar o número $p(n)$ de maneiras em que um dado número inteiro positivo n pode ser expresso como soma de números inteiros positivos, e se possível descobrir algumas propriedades dessa função. Por exemplo, 4 pode ser decomposto como $4 = 3 + 1 = 2 + 2 = 2 + 1 + 1 = 1 + 1 + 1 + 1$, e, portanto, $p(4) = 5$ e, analogamente, $p(5) = 7$ e $p(6) = 11$. É claro que $p(n)$ cresce rapidamente com n, e esse

---

* As idéias descritas neste parágrafo estão mais bem explicadas no Apêndice A.12, Volume II.

** Algumas das propriedades mais simples da função gama estão discutidas nas pp. 234-237 de G. F. Simmons, *Differential Equations*, McGraw-Hill, 1972.

crescimento é tão rápido que*

$$p(200) = 3.972.999.029.388.$$

Euler começou suas investigações observando (somente gênios observam essas coisas) que $p(n)$ é o coeficiente de x^n na expansão da função $[(1-x)(1-x^2)(1-x^3)\ldots]^{-1}$ em série de potências:

$$\frac{1}{(1-x)(1-x^2)(1-x^3)\cdots} = 1 + p(1)x + p(2)x^2 + p(3)x^3 + \cdots.$$

Baseando-se nesse fundamento, ele obteve muitas outras notáveis identidades relacionadas com uma variedade de problemas sobre partições**.

O problema da ponte de Königsberg originou-se como um passatempo dos transeuntes na cidade de Königsberg (agora Kaliningrado) na Prússia Oriental. Havia sete pontes cruzando o rio que corria pela cidade (veja Fig. C.11). Os moradores gostavam de caminhar de uma margem às ilhas, das ilhas à outra margem e então voltar para onde iniciaram a caminhada, e a convicção de que era impossível fazer isto cruzando todas as sete pontes não mais que uma vez era amplamente aceita. Euler analisou o problema examinando o diagrama esquemático à direita da figura, no qual as áreas estão representadas por pontos e as pontes por retas conectando esses pontos. Os pontos são chamados vértices, e um vértice é dito par ou ímpar se o número de retas que conduz a ele é par ou ímpar. Em linguagem moderna, a configuração é chamada *grafo*, e um caminho que passa por todas as linhas mas cada linha uma única vez é chamado *caminho de Euler*. Um caminho de Euler que se inicia e termina no mesmo vértice é chamado *circuito de Euler*.

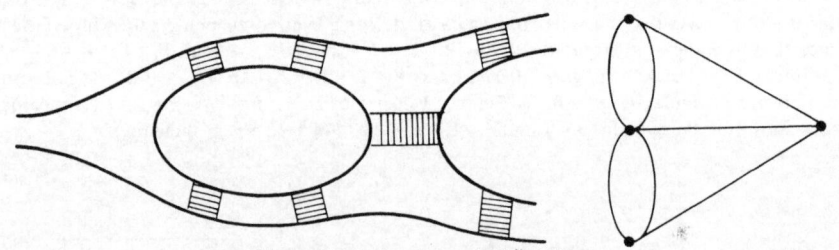

Figura C.11 As pontes de Königsberg.

Usando argumentos combinatórios, Euler obteve os seguintes teoremas sobre grafos desse tipo: (1) Há um número par de vértices ímpares; (2) Se não existirem vértices ímpares, então existe um circuito de Euler começando em qualquer ponto; (3) Se houver dois vértices ímpares, então não existe um circuito de Euler, mas um caminho de Euler começando em um dos vértices ímpares e terminando no outro; (4) Se existirem mais que dois vértices ímpares então não existem caminhos de Euler***. O grafo das pontes de

---

* Esse cálculo requereu um mês de trabalho para um preparado computador em 1918. Sua função era verificar uma fórmula aproximada para $p(n)$, a saber

$$p(n) \cong \frac{1}{4n\sqrt{3}} e^{\pi\sqrt{2n/3}}$$

(o erro foi extremamente pequeno).

** Veja Capítulo XIX de G. H. Hardy e E. M. Wright, *An Introduction to the Theory of Numbers*, Oxford, 1938; ou Capítulos 12-14 de G. E. Andrews, *Number Theory*, W. B. Saunders, 1971. Esses tratamentos são "elementares" no sentido que não usam o poderoso instrumental de análise avançada, mas apesar disto estão longe de ser simples. Para estudantes que desejam vivenciar um dos trabalhos mais interessantes de Euler em Teoria dos Números, em um contexto que não requer conhecimento prévio, recomendamos Capítulo VI de G. Polya, *Induction and Analogy in Mathematics*, Princeton, 1954.

*** O artigo original de Euler de 1736 é interessante de ler e fácil de entender; ele pode ser encontrado nas pp. 573-580 de J. R. Newman (ed.), *The World of Mathematics*, Simon e Schuster, 1956.

Königsberg possui quatro vértices ímpares e, portanto, pelo último teorema, não existem caminhos de Euler*. O ramo da Matemática que se desenvolveu a partir dessas idéias é conhecido como Teoria dos Grafos; e se aplica a reações químicas, Economia, Psico-sociologia, a problemas de redes rodoviárias e ferroviárias, e outras áreas.

Em nossas notas biográficas sobre Euclides, comentamos que um poliedro é um sólido cuja superfície consiste em um número de faces poligonais, e a Fig. C.2 daquelas notas mostra os cinco poliedros regulares. Os gregos estudaram essas figuras profundamente, mas restou para Euler descobrir a mais simples das propriedades comuns a eles: Se V, E e F denotam o número de vértices, arestas e faces de qualquer um deles, então tem-se

$$V - E + F = 2.$$

Esse fato é conhecido como a fórmula de Euler para poliedros, e é de fácil verificação usando a tabela seguinte:

	V	E	F
Tetraedro	4	6	4
Cubo	8	12	6
Octaedro	6	12	8
Dodecaedro	20	30	12
Icosaedro	12	30	20

Essa fórmula é válida para qualquer poliedro irregular, contanto que seja simples, isto é, que o poliedro não tenha buracos e que, portanto, sua superfície possa ser deformada continuamente a uma superfície esférica. A Fig. C.12 mostra dois poliedros irregulares onde $V - E + F = 6 - 10 + 6 = 2$ e $V - E + F = 6 - 9 + 5 = 2$. Entretanto, a fórmula de Euler deve ser generalizada para $V - E + F = 2 - 2p$ no caso de um poliedro com p "buracos" (um poliedro é simples se $p = 0$). A Fig. C.13 ilustra os casos $p = 1$ e $p = 2$. Nesses casos tem-se: $V - E + F = 16 - 32 + 16 = 0$, quando $p = 1$, e $V - E + F = 24 - 44 + 18 = -2$, quando $p = 2$.

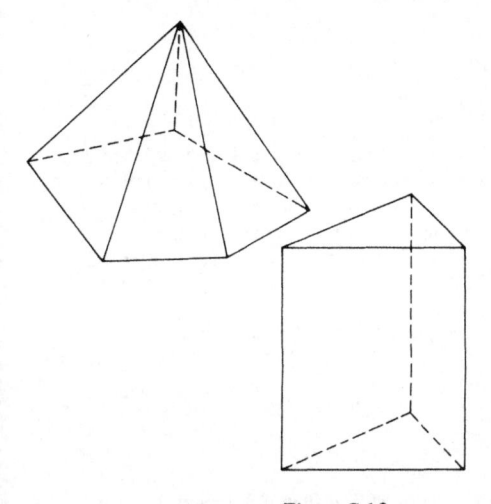

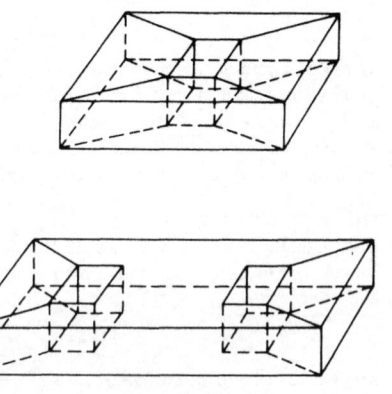

Figura C.12   Figura C.13

---

* É fácil ver, sem apelar a nenhum teorema, que esse grafo não contém circuitos de Euler, já que se um circuito de Euler existisse, ele teria de chegar em cada vértice o mesmo número de vezes que sai, e portanto cada vértice seria par. Um argumento análogo mostra que se existisse um caminho de Euler que não fosse um circuito, então o grafo teria necessariamente dois vértices ímpares.

A importância de suas idéias pode ser melhor compreendida imaginando-se um poliedro como sendo uma figura oca com uma superfície feita de uma camada fina de borracha que se infla até a obtenção de uma superfície suave. Não temos mais faces chatas nem arestas retas mas sim um mapa na superfície consistindo em regiões curvas, suas fronteiras, e pontos de interseção de fronteiras. O número $V - E + F$ tem o mesmo valor para todos os mapas na superfície e é chamado *característica de Euler* da superfície. O número p é chamado o *génus* da superfície. Esses dois números, e a relação $V - E + F = 2 - 2p$ são evidentemente mantidos quando a superfície é continuadamente estirada ou dobrada. Propriedades geométricas intrínsecas desse tipo (que têm pouca ligação com a Geometria relacionada a comprimentos, ângulos e áreas) são chamadas *topológicas*. O estudo sério dessas propriedades topológicas cresceu muito durante o século passado e tem fornecido valiosos esclarecimentos a muitos ramos da Matemática e da Ciência*.

A distinção entre Matemática Pura e Aplicada não existia nos tempos de Euler, e para ele todo o universo físico era um objeto conveniente, cujos fenômenos diversos davam maior alcance para seus métodos de análise. Os fundamentos da Mecânica Clássica foram estabelecidos por Newton, mas Euler foi o principal arquiteto.

Em seu tratado de 1736 ele foi o primeiro a introduzir explicitamente o conceito de partícula, o primeiro a estudar a aceleração de uma partícula movendo-se ao longo de uma curva e a usar a noção de um vetor para velocidade e aceleração. Seus êxitos contínuos em Física e Matemática foram tão numerosos e sua influência tão penetrante que muitas de suas descobertas não são sequer atribuídas a ele e são assumidas pelos físicos como parte da ordem natural das coisas. Entretanto, tem-se a equação de Euler do movimento de rotação de um corpo rígido, a equação hidrodinâmica de Euler para o fluxo de um fluido ideal incompressível, a lei de Euler para flexão de vigas elásticas, e a tensão crítica de Euler na teoria de deformação de colunas. Em muitas ocasiões a linha de seu pensamento levou-o a idéias que seus contemporâneos não estavam em condições de assimilar. Por exemplo, ele previu o fenômeno de pressão radiativa, que é inicial para a teoria moderna de estabilidade de estrelas, mais de um século antes de Maxwell redescobri-la em seu próprio trabalho em eletromagnetismo.

Euler foi o Shakespeare da Matemática; universal, ricamente minucioso e inesgotável**.

LAGRANGE (1736-1813)

As "coordenadas generalizadas" da mecânica de hoje foram concebidas e estabelecidas por Lagrange, e isto foi um achado de importância inigualável.

Salomon Bochner

Joseph Louis Lagrange detestava Geometria, entretanto fez notáveis descobertas no cálculo de variações e na Mecânica analítica. Ele contribuiu também para a Teoria dos Números e Álgebra, e alimentou o fluxo de idéias que mais tarde inspiraram Gauss e Abel. Sua carreira matemática pode ser encarada como uma extensão natural do trabalho de Euler, seu contemporâneo mais velho e mais brilhante, que em muitos aspectos ele levou adiante e refinou.

Lagrange nasceu em Torino, de ascendência mista de franceses e italianos. Quando rapaz, seus gostos eram mais clássicos que científicos, mas seu interesse por Matemática despertou-se quando ainda estava na escola,

---

* Provas da fórmula de Euler e suas generalizações são dadas nas pp. 236-240 e 256-259 de R. Courant e H. Robbins, *What is Mathematics?*, Oxford, 1941. Veja também G. Polya, *op. cit.*, pp. 35-43.

** Para mais informações, veja C. Truesdell, "Leonhard Euler, Supreme Geometer (1707-1783)", em *Studies in Eighteenth-Century Culture*, Case Western Reserve University Press, 1972. Veja a publicação de novembro de 1983 de *Mathematics Magazine*, totalmente dedicada a Euler e a seu trabalho.

pela leitura de um artigo de Edmund Halley sobre os usos da Álgebra em Óptica. Começou então um curso de estudo independente, e progrediu tão rapidamente que, aos dezenove anos, foi nomeado professor na Escola Real de Artilharia em Torino*.

As contribuições de Lagrange ao cálculo de variações estão entre seus primeiros e mais importantes trabalhos. Em 1775 ele comunicou a Euler seu método de multiplicadores para a solução de problemas isoperimétricos. Esses problemas embaraçaram Euler por anos, dado que estes se achavam além do alcance de suas técnicas semigeométricas. Euler tornou-se imediatamente apto a responder muitas questões longamente meditadas, mas ele escreveu a Lagrange com bondade e generosidade admiráveis, e reteve seus próprios trabalhos sem publicar "para não o privar de nenhuma parte da glória que lhe é devida". Lagrange continuou trabalhando por vários anos em sua versão analítica do cálculo de variações, e ambos, ele e Euler, aplicaram-no a muitos novos tipos de problemas, especialmente em Mecânica.

Em 1766, quando Euler se mudou de Berlim para São Petersburgo, ele sugeriu a Frederico, o Grande que Lagrange fosse convidado a tomar seu lugar. Lagrange aceitou, e viveu em Berlim por vinte anos, até a morte de Frederico, em 1786. Durante esse período trabalhou intensamente em Álgebra e Teoria dos Números, e escreveu sua obra-prima, o tratado *Mécanique Analytique* (1788), no qual unificou a mecânica geral e a transformou, como disse Hamilton mais tarde, "em uma espécie de poema científico". Entre os legados duradouros desse trabalho estão as equações de movimento de Lagrange, as coordenadas generalizadas e o conceito de energia potencial.

Os homens de ciência acharam a atmosfera da corte prussiana um tanto hostil depois da morte de Frederico, portanto Lagrange aceitou um convite de Luís XVI para se mudar para Paris, onde lhe foram dados apartamentos no Louvre. Lagrange era extremamente modesto e não dogmático para um homem com seus grandes dons; e, embora sendo amigo de aristocratas – e mesmo sendo um –, foi respeitado e visto com simpatia por todos os partidos durante todo o tumulto da Revolução Francesa. Seu trabalho mais importante durante esses anos foi sua participação dominante no estabelecimento do sistema métrico de pesos e medidas. Em Matemática, tentou provar um fundamento satisfatório para os processos básicos da Análise, mas esses esforços foram grandemente abortivos. Próximo ao fim de sua vida, Lagrange sentia que a Matemática tinha alcançado seus limites, e que a Química, a Física, a Biologia e outras ciências atrairiam as mentes mais aptas do futuro. Seu pessimismo poderia ser mitigado caso tivesse a possibilidade de prever a vinda de Gauss e seus sucessores, que fizeram do século XIX o mais rico da longa história da Matemática.

LAPLACE (1749-1827)

Laplace é o grande exemplo da sabedoria de dirigir todos os esforços a um único objetivo central digno do melhor que o homem tem em si.

E. T. Bell

Pierre Simon de Laplace foi um matemático e astrônomo francês tão famoso em seu tempo que ficou conhecido como o Newton da França. Seus principais interesses durante sua vida foram mecânica celeste, a teoria de probabilidades e promoção pessoal.

Aos vinte e quatro anos já estava profundamente engajado na aplicação detalhada da Lei da Gravitação de Newton ao Sistema Solar como um todo, em que os planetas e seus satélites não são governados pelo Sol, mas interagem entre si numa complicada variedade de modos. Mesmo Newton tinha a opinião que seriam necessárias intervenções divinas ocasionais para evitar que esse mecanismo complexo degenerasse em caos.

---

*   Veja o valioso ensaio de George Sarton, "Lagrange's Personality", *Proc. Am. Phil. Soc.*, vol. 88, 1944, pp. 457-496.

Laplace decidiu buscar a segurança em outro lugar, e obteve êxito provando que o Sistema Solar da Matemática é um sistema dinâmico estável que permanecerá assim para sempre. Essa descoberta foi apenas um entre uma série de triunfos registrados em seu tratado monumental *Mécanique Céleste* (publicado em cinco volumes entre 1799 e 1825), que conteve todo o trabalho sobre gravitação de várias gerações de matemáticos ilustres. Infelizmente para sua reputação posterior, ele omitiu toda referência às descobertas de seus predecessores e contemporâneos, e deixou que se inferisse que as idéias eram inteiramente suas. Muitas anedotas se criaram em relação ao fato. Uma das mais conhecidas descreve a ocasião em que Napoleão tentou provocar a petulância de Laplace, protestando que ele escrevera um livro enorme sobre o sistema do mundo sem ao menos mencionar Deus como o autor do Universo. Supõe-se que Laplace tenha respondido: "Senhor, não tive necessidade de tal hipótese". O legado principal da *Mécanique Céleste* às gerações posteriores repousa no desenvolvimento em larga escala, por Laplace, da teoria do potencial, com suas aplicações abrangentes a vários ramos da Física, desde a gravitação e mecânica dos fluidos ao eletromagnetismo e física atômica. Embora tenha tirado a idéia do potencial de Lagrange sem lhe dar os créditos, explorou-a de um modo tão extenso que desde sua época a equação diferencial fundamental da teoria do potencial é conhecida como equação de Laplace.

Sua outra obra-prima foi o tratado *Théorie Analytique des Probabilités* (1812), em que ele incorporou suas próprias descobertas às dos quarenta anos anteriores. Novamente falhou em não dar os devidos créditos às muitas idéias alheias que juntou às suas; mas, mesmo descontando isto, é aceito em geral que seu livro foi a maior contribuição a esse ramo da Matemática dada por uma pessoa. Na introdução, diz: "No fundo, a teoria das probabilidades é somente bom senso reduzido a cálculo". Pode ser que sim, mas as 700 páginas seguintes de análise intrincada − em que ele usa transformadas de Laplace, funções geradoras, e muitas outras ferramentas altamente não-triviais −, alguns consideram que superam em complexidade inclusive a *Mécanique Céleste*.

Após a Revolução Francesa, seus talentos políticos e sua avidez por posição chegaram a um pleno florescimento. Seus compatriotas falavam ironicamente de sua "flexibilidade" e "versatilidade" como político. O que isto realmente significa é que a cada vez que havia uma mudança de regime (e houve muitas), Laplace se adaptava suavemente mudando seus princípios − num vaivém entre republicano fervoroso e monarquista adulador − e cada vez emergia com melhores empregos e maiores títulos. Ele foi convenientemente comparado ao apócrifo vigário de Bray da literatura inglesa, que era ao mesmo tempo católico e protestante. Diz-se que o vigário replicou assim à reputação de vira-casaca: "Nem uma coisa nem outra, pois se mudei de religião, estou certo de que me mantive fiel ao meu princípio, que era o de viver e morrer como o vigário de Bray".

Para compensar suas faltas, Laplace sempre foi generoso em dar assistência e encorajamento a cientistas mais jovens. Ele ajudou a avançar em suas carreiras homens como o químico Gay-Lussac, o viajante e naturalista Humboldt, o físico Poisson, e − apropriadamente − o jovem Cauchy, que foi destinado a se tornar um dos principais arquitetos da Matemática do século XIX.

FOURIER (1768-1830)

O estudo profundo da natureza é a mais fecunda fonte de descobertas matemáticas.

Joseph Fourier

Jean Baptiste Joseph Fourier, um físico-matemático excelente, foi amigo de Napoleão (se é que tais pessoas têm amigos) e acompanhou seu mestre ao Egito em 1798. Na sua volta, tornou-se prefeito do distrito de Isère no sudeste da França, e nesse cargo construiu a primeira verdadeira estrada de Grenoble a Turim. Ele também protegeu o jovem Champollion, que mais tarde decifrou a Pedra de Rosetta.

Durante esses anos trabalhou na teoria da condução de calor, e em 1822 publicou seu famoso *Théorie Analytique de la Chaleur*, em que fez um uso extenso das séries que agora levam seu nome. Essas séries tiveram um significado profundo em conexão com a evolução do conceito de função. A atitude generalizada naquela época era chamar $f(x)$ de função se pudesse ser representada por uma expressão simples como um polinômio, uma combinação finita de funções elementares, uma série de potências $\sum_{n=0}^{\infty} a_n x^n$ ou uma série trigonométrica da forma

$$\sum_{n=0}^{\infty} (a_n \cos nx + b_n \operatorname{sen} nx).$$

Se o gráfico de $f(x)$ fosse "arbitrário" — por exemplo, uma linha poligonal com alguns vértices e mesmo algumas lacunas, então $f(x)$ não seria considerada uma função genuína. Fourier afirmava que gráficos "arbitrários" podiam ser representados por séries trigonométricas e, portanto, deveriam ser tratados como funções legítimas, e causou um choque a muitos provando que isto era correto. Passou muito tempo antes que esses resultados se tornassem completamente claros, e não foi por acidente que a definição de função agora universalmente aceita foi formulada pela primeira vez por Dirichlet, em 1837, num artigo de pesquisa sobre as séries de Fourier. Também a definição clássica de integral dada por Riemann foi originalmente apresentada em seu artigo fundamental de 1854 sobre as séries de Fourier. Realmente, muitas das descobertas matemáticas mais importantes do século XIX estão diretamente ligadas à teoria das séries de Fourier, e as aplicações desse assunto à Física Matemática não foram menos profundas.

Fourier foi um dos poucos que tiveram a sorte de possuir um nome que se tornou permanente em todas as línguas civilizadas como um adjetivo bem conhecido dos físicos e dos matemáticos em toda parte.

GAUSS (1777-1855)

O nome de Gauss está ligado a quase tudo que a Matemática de nosso século (século XIX) criou em matéria de idéias científicas originais.

L. Kronecker

Carl Friedrich Gauss foi o maior de todos os matemáticos e talvez o mais bem-dotado gênio de que se tenha notícia. Sua gigantesca figura desponta no início do século XIX e separa a era moderna da Matemática de tudo que fora feito até então. Seu discernimento visionário e originalidade, a extraordinária extensão e profundidade de seus feitos, suas repetidas demonstrações de força e tenacidade sobre-humanas — todas essas qualidades combinadas num só indivíduo apresentam um enigma tão desconcertante para nós quanto o foi para seus contemporâneos.

Gauss nasceu na cidade de Brunswick, no norte da Alemanha. Sua extraordinária habilidade com números ficou clara desde tenra idade e, mais tarde, ele brincava afirmando que aprendera a contar antes mesmo de aprender a falar. De Goethe se costuma dizer que escrevia e dirigia pequenas peças para um teatro de bonecos quando tinha 6 anos; de Mozart se diz que compôs seus primeiros minuetos quando tinha 5 anos; mas Gauss corrigiu um erro nas contas da folha de pagamentos de seu pai quando tinha 3 anos*. Seu pai era jardineiro e pedreiro não possuindo nem os meios nem a inclinação para ajudar a desenvolver os talentos de seu filho. Afortunadamente, a notável habilidade de Gauss em cálculos mentais atraiu a atenção de muitos homens influentes de sua comunidade, levando o duque de Brunswick a se interessar pelo garoto. O duque, impressionado com Gauss, financiou sua educação, primeiro na Escola Caroline em Brunswick (1792-1795) e mais tarde na Universidade de Göttingen (1795-1798).

Na Escola Caroline, Gauss completou seus estudos em línguas clássicas e se familiarizou com os trabalhos de Newton, Euler e Lagrange. Nesse período — talvez com 15 ou 16 anos — descobriu o Teorema

---

* Veja W. Sartorius von Waltershausen, *Gauss zum Gedächtniss*. Essas memórias pessoais aparecem em 1856, e uma tradução para o inglês foi feita por Helen W. Gauss (bisneta do matemático) e impressa em edição privada em Colorado Springs em 1966.

do Número Primo, que foi finalmente provado em 1896 após grandes esforços de muitos matemáticos (veja uma nota sobre Riemann). Ele também inventou o método dos mínimos quadrados e concebeu a Lei Gaussiana (ou Normal) de Distribuição na Teoria das Probabilidades.

Na universidade, Gauss sentia atração por Filologia mas repulsa pelos cursos matemáticos e, durante certo tempo, seu futuro foi incerto. Porém, quando tinha 18 anos, fez uma bela descoberta em Geometria que o fez se decidir pela Matemática, lhe dando muito prazer até o fim de sua vida. Os gregos antigos sabiam construir, com régua e compasso, polígonos regulares de 3, 4, 5 e 15 lados e todos aqueles que podem ser obtidos desses dividindo os ângulos em duas partes iguais. Isto era tudo que sabiam, e esse problema ficou em aberto por 2.000 anos até que Gauss o resolveu completamente. Ele provou que um polígono regular com n lados é construtível se e somente se n for o produto de uma potência de 2 e números primos distintos da forma $p_k = 2^{2^k} + 1$. Em particular, se $k = 0, 1, 2, 3$ vemos que os p_k correspondentes, $p_k = 3, 5, 17, 257$, são primos; logo, polígonos regulares com um desses números de lados são construtíveis*.

Nessa época Gauss quase submergia na torrente de idéias que inundava sua mente. Ele iniciou suas breves notas no seu diário científico num esforço de guardar suas descobertas, uma vez que havia muitas para serem trabalhadas em detalhes naquela época. A primeira anotação, datada de 30 de março de 1796, explica a construtibilidade do polígono regular de 17 lados, mas, ainda antes disto, ele estava penetrando profundamente em vários campos inexplorados da Teoria dos Números. Em 1795 ele descobriu a Lei da Reciprocidade Quadrática e, como mais tarde escreveu, "por um ano inteiro esse teorema me atormentou e absorveu meus maiores esforços, até que finalmente encontrei uma demonstração" **. Naquele tempo, Gauss não sabia que o teorema havia sido mal formulado e deixado sem demonstração por Euler e corretamente formulado e incorretamente demonstrado por Legendre. Este é o cerne da parte central de seu famoso tratado *Disquisitiones Arithmeticae*, publicado em 1801 apesar de ter sido terminado em 1798***. À parte alguns poucos resultados de matemáticos mais antigos, esse grande trabalho é inteiramente original. Ele é usualmente considerado como um marco do início da moderna Teoria dos Números, para a qual esse trabalho tem importância equivalente àquela que *Principia*, de Newton, tem para a Física e Astronomia. Nas páginas introdutórias, Gauss desenvolve seu método de congruências para o estudo de problemas de divisibilidade e dá a primeira demonstração do Teorema Fundamental da Aritmética, que afirma que todo inteiro $n > 1$ pode ser escrito de forma única como produto de primos. A parte central é dedicada principalmente às congruências quadráticas, formas e resíduos. A última seção apresenta sua teoria do polinômio ciclotômico com suas aplicações para a construtibilidade de polígonos regulares. O trabalho como um todo era um farto banquete de pura Matemática que seus sucessores só puderam digerir com dificuldade e lentamente.

Nas suas *Disquisitiones*, Gauss também criou a abordagem rigorosa e moderna da Matemática. Ele havia se tornado bastante impaciente com a escrita descuidada e com o desleixo nas demonstrações de seus predecessores, e decidiu que suas próprias obras estariam, nesse ponto, acima de críticas. Como escreveu a um amigo, "eu entendo a palavra prova, não no sentido do advogado, para quem 2 meias provas equivalem a uma prova completa, mas no sentido do matemático, para quem 1/2 prova = 0 e se exige de uma demonstração que qualquer dúvida se torne impossível". *Disquisitiones* foi feito neste espírito e no estilo maduro de Gauss, que é austero, rigoroso, desprovido de comentários e, em muitos lugares, tão rigorosamente polido que se torna quase ininteligível. Em outra carta, ele escreveu: "Você sabe que sou lento para escrever. Isto ocorre principalmente porque não me satisfaço enquanto não consigo colocar o máximo de informação no menor número de palavras possível, e escrever de forma concisa leva muito mais tempo do que ser prolixo". Uma das consequências desse hábito é que suas publicações ocultavam quase tanto quanto revelavam, uma vez que ele trabalhava arduamente para remover todo traço da linha de raciocínio que o havia levado a suas descobertas. Abel

---

*   Detalhes de algumas dessas construções são dados por H. Tietze em *Famous Problems of Mathematics*, Capítulo IX, Graylock, Baltimore, 1965.

**   Veja D. E. Smith, *A Source Book in Mathematics*, McGraw-Hill, New York, 1929, pp. 112-118. Essa seleção inclui o enunciado do teorema e 5 das 8 demonstrações que Gauss encontrou num período de vários anos. Há provavelmente 50 provas conhecidas hoje.

*** Existe uma tradução para o inglês por Arthur A. Clarke (Yale University Press, New Haven, CT, 1966).

comentou: "Ele é como a raposa que apaga sua pegada na areia com seu rabo". Gauss respondia a estas críticas dizendo que nenhum arquiteto que tenha respeito próprio deixa os andaimes depois de terminada a construção. No entanto, a dificuldade de ler seus trabalhos conteve, em muito, a difusão de suas idéias.

A dissertação de doutoramento de Gauss (1799) é outro marco na história da Matemática. Após várias tentativas frustradas de matemáticos anteriores – D'Alembert, Euler, Lagrange, Laplace – o Teorema Fundamental da Álgebra foi ali, pela primeira vez, demonstrado satisfatoriamente. Esse teorema afirma que todo polinômio com coeficientes reais ou complexos tem uma raiz (real ou complexa). O sucesso de Gauss inaugurou a era das demonstrações de existência que, desde então, tem cumprido um importante papel na Matemática Pura. Além disto, nessa primeira demonstração (ele deu quatro ao todo), Gauss foi o primeiro matemático a usar números complexos e a geometria do plano complexo com total segurança*.

O próximo período da vida de Gauss foi principalmente voltado para a Matemática Aplicada e, com raras exceções, grande parte das suas idéias do diário e caderno de anotações permaneceu em suspenso.

Nas últimas décadas do século XVIII, muitos astrônomos procuravam um novo planeta entre Marte e Júpiter onde a Lei de Bode (1772) sugeria que deveria existir. O primeiro e maior dos numerosos planetas menores (conhecidos como asteróides) foi descoberto naquela região em 1801 e foi chamado Ceres. Essa descoberta, ironicamente, coincidiu com uma publicação do filósofo Hegel, que causou assombro. Nela, ele desprezava os astrônomos por ignorarem filosofia e dizia que essa ciência poderia tê-los poupado o desperdício de seus esforços demonstrando que nenhum outro planeta poderia existir**. Hegel continuou sua carreira num caminho similar e, mais tarde, atingiu níveis mais elevados de confuso obscurantismo. Desafortunadamente, o pequeno novo planeta era difícil de ser visto nas melhores condições e foi logo perdido na luz do céu próximo ao Sol. Os esparsos dados obtidos pela observação tornaram difícil o cálculo da órbita com precisão suficiente para localizar Ceres novamente após ele ter se movido para mais longe do Sol. Por vários meses, os astrônomos da Europa tentaram realizar essa tarefa sem sucesso. Finalmente, Gauss foi atraído pelo desafio e, com o auxílio de seu método de mínimos quadrados e sua habilidade sem paralelo com cálculos numéricos, determinou a órbita, contando aos astrônomos para onde deveriam mirar seus telescópios: e lá estava o planeta. Gauss conseguiu redescobrir Ceres depois de todos os especialistas terem falhado.

Essa façanha trouxe-lhe fama, um aumento da pensão recebida do duque e, em 1807, uma nomeação como professor de Astronomia e primeiro diretor do novo observatório em Göttingen. Ele se encarregou de suas obrigações com a costumeira eficácia, mas mostrou-se avesso ao trabalho administrativo, reuniões e toda a tediosa burocracia envolvida no trabalho de um professor. Também tinha pouco entusiasmo para ensinar, o que ele considerava uma perda de seu tempo e essencialmente inútil (por razões diferentes) tanto para os alunos talentosos quanto para aqueles sem talento. Porém, como ensinar não era evitável, ele naturalmente o fazia de forma soberba. Um de seus alunos era o eminente algebrista Richard Dedekind, para quem, passados 50 anos, as conferências de Gauss pareciam "inesquecíveis, guardadas na memória entre as melhores que ouvira"***. Gauss teve muitas oportunidades de deixar Göttingen, mas recusou todas as ofertas e lá permaneceu pelo resto da vida, vivendo sossegada e simplesmente, raramente viajando e trabalhando com imensa energia numa grande variedade de problemas em Matemática e suas aplicações. Exceto pela Ciência e sua família (casou-se duas vezes e teve 6 filhos, dois dos quais emigraram para a América), seus maiores interesses eram História e Literatura, Política internacional e finanças públicas. Tinha uma grande biblioteca de aproximadamente 6.000 volumes em várias línguas, incluindo grego, latim, inglês, francês, russo, dinamarquês e, naturalmente, alemão. O sentido acurado com que lidava com seus próprios negócios é mostrado pelo fato de que, apesar de ter começado sem nada, deixou um patrimônio mais de cem vezes maior que a

---

* A idéia dessa demonstração está claramente explicada por F. Klein em *Elementary Mathematics from an Advanced Standpoint*, Dover, New York, 1945, pp. 101-104.

** Veja as últimas páginas de "De Orbitis Planetarium", vol. 1, de Georg Wilhelm Hegel, *Sämtliche Werke*, Frommann Verlag, Stuttgart, 1965.

*** As notas detalhadas desse curso, tomadas por Dedekind, aparecem em *Carl Friedrich Gauss: Titan of Science*, Hafner, New York, 1955, pp. 259-261. Esse livro é útil sobretudo por suas muitas citações, sua bibliografia das publicações de Gauss e a lista de matérias que oferece de 1808 a 1854.

média de seus rendimentos anuais durante a última metade de sua vida.

Nas primeiras duas décadas do século XIX Gauss produziu uma série de trabalhos sobre Astronomia, dos quais o mais famoso era o tratado *Theoria Motus Corporum Coelestium* (1809). Essa obra foi a "bíblia" dos astrônomos por mais de um século. Seus métodos para lidar com perturbações mais tarde levaram à descoberta de Netuno. Gauss pensava na Astronomia como sua profissão e na Matemática Pura como recreação e, de tempos em tempos, publicava alguns dos frutos de suas pesquisas individuais. Seu grande trabalho sobre séries hipergeométricas data desse período. Esta foi uma proeza tipicamente gaussiana, que envolveu novas idéias em análise que mantiveram os matemáticos ocupados desde então.

Por volta de 1820 ele foi chamado pelo Governo de Hanover para supervisionar um levantamento topográfico do reino, e vários aspectos dessa tarefa (incluindo exaustivo trabalho de campo e tediosas triangularizações) ocuparam-no por vários anos. Seria natural supor que uma mente como a dele teria sido desperdiçada nesse tipo de serviço, mas as grandes idéias na Ciência nascem por estranhos caminhos. Esse trabalho, aparentemente estéril, resultou em uma das mais profundas e procuradas contribuições para a Matemática Pura, sem a qual a Teoria Geral da Relatividade de Einstein teria sido totalmente impossível.

O trabalho sobre geodésicas de Gauss estava relacionado com a medição precisa de grandes triângulos na superfície terrestre. Isto propiciou o estímulo que o conduziu às idéias de sua obra *Disquisitiones generales circa superficies curvas* (1827), na qual ele funda a Geometria diferencial intrínseca das superfícies curvas*. Nesse trabalho ele introduziu as coordenadas curvilíneas u e v numa superfície; obteve a forma diferencial quadrática $ds^2 = E\,du^2 + 2F\,du\,dv + G\,dv^2$ para o elemento de comprimento de arco ds, que tornou possível determinar curvas geodésicas; e formulou os conceitos de curvatura gaussiana e curvatura integral**.

Seus principais resultados foram o famoso *theorema egregium*, que afirma que a curvatura gaussiana depende somente de E, F e G e é, portanto, invariante se deformarmos a superfície sem alterar as distâncias; e o Teorema de Gauss-Bonnet sobre curvatura integral para o caso de um triângulo geodésio, que na sua forma geral é o fato central da Geometria diferencial global moderna. Fora essas descobertas detalhadas, o ponto crucial do discernimento de Gauss está na palavra *intrínseco*, uma vez que ele mostrou como estudar a geometria de uma superfície operando exclusivamente na própria superfície, sem se preocupar com o espaço à volta, onde ela se encontra: para tornar isto mais concreto, imaginemos um ser inteligente e bidimensional que habita uma superfície e não se apercebe de uma terceira dimensão ou de qualquer coisa que não esteja na superfície. Se essa criatura for capaz de se mover, medindo distâncias ao longo da superfície, e determinando o caminho mais curto (geodésica) de um ponto a outro, então ela também é capaz de medir a curvatura gaussiana em qualquer ponto, e de criar uma rica geometria na superfície — essa geometria será euclidiana (plana) se e somente se a curvatura gaussiana for sempre zero. Ao serem generalizados para mais de uma dimensão, esses conceitos abrem as portas para a geometria riemanniana, análise tensorial e as idéias de Einstein.

Outro grande trabalho desse período foi um artigo de 1831 sobre resíduos biquadráticos. Aqui, ele estendeu algumas de suas descobertas anteriores com a ajuda de um novo método, um caminho puramente algébrico para estudar os números complexos. Definiu esses números como pares ordenados de números reais, definindo as operações algébricas da forma conveniente e, dessa forma, acabou com a confusão que ainda envolvia o assunto e preparou o caminho para a Álgebra que viria posteriormente e para a geometria de espaços n-dimensionais. Mas isto foi apenas incidental: seu grande objetivo era divulgar as idéias de Teoria dos Números para o domínio dos complexos. Ele definiu inteiros complexos (hoje chamados inteiros gaussianos) como os números complexos $a + bi$ com a e b inteiros; introduziu um novo conceito de número primo no qual 3 permanece primo, mas $5 = (1 + 2i)(1 - 2i)$ não; e provou o teorema da fatorização única para esses inteiros e primos. As idéias desse artigo inauguraram a Teoria Algébrica dos Números, que se

---

* Uma tradução para o inglês feita por A. Hiltebeitel e J. Morehead foi publicada sob o título *General Investigations of Curved Surfaces*, por Raven Press, Hewlett, New York, em 1965.

** Essas idéias são explicadas com uma linguagem não-técnica em *Albert Einstein and the Cosmic World Order*, de C. Lanczos, publicado por Interscience-Wiley, New York, 1965, Capítulo 4.

desenvolveu constantemente daquela época até hoje*.

A partir de 1830 Gauss se ocupou de forma crescente com a Física e enriqueceu cada ramo da matéria em que tocou. Na Teoria de Tensão de superfícies ele desenvolveu a idéia fundamental da conservação de energia e resolveu o mais antigo problema em cálculo de variações, envolvendo uma integral dupla com extremos variáveis. Em Óptica, introduziu o conceito de comprimento focal de um sistema de lentes e inventou as lentes grandes angulares de Gauss (que são relativamente livres de aberração cromática) para telescópios e objetivas. Ele virtualmente criou a ciência do geomagnetismo e, em colaboração com seu amigo e colega Wilhelm Weber, construiu e operou um observatório magnético sem ferro, fundou a União Magnética para coletar e publicar observações de vários lugares do mundo e inventou o telégrafo magnético e o magnetômetro bifilar. Há muitas referências a seu trabalho no famoso *Treatise on Electricity and Magnetism* (1873), de James Clerk Maxwell. Em seu prefácio, Maxwell diz: "Gauss dirigiu seu poderoso intelecto para a teoria do magnetismo e para os métodos de observação, e ele não só contribuiu grandemente para aumentar nosso conhecimento da teoria de atração mas reconstruiu toda a ciência do magnetismo no que diz respeito aos instrumentos usados, métodos de observação e cálculo dos resultados, tanto que seus artigos sobre Magnetismo Terrestre podem ser tomados como exemplos de pesquisa em Física por todos aqueles que estão engajados na medição de qualquer força da natureza". Em 1839 Gauss publicou seu artigo fundamental sobre a teoria geral das forças proporcionais ao inverso do quadrado, que estabeleceu a teoria do potencial como um ramo coerente da Matemática**. Como sempre, ele havia pensado sobre esse assunto por muitos anos e entre suas descobertas estavam o Teorema da Divergência (também chamado Teorema de Gauss) da análise vetorial moderna, o Teorema do Valor Médio para funções harmônicas, e um enunciado poderoso que mais tarde ficou conhecido como "o princípio de Dirichlet" e foi finalmente provado por Hilbert em 1899.

Analisamos aqui a parte que foi publicada do trabalho de Gauss, mas o que não foi publicado e suas pesquisas particulares são quase tão expressivas. Muito desse material só apareceu após sua morte, quando uma grande quantidade de anotações de seus cadernos e correspondência científica foi cuidadosamente analisada e incluída em seus trabalhos. Seu diário científico já foi mencionado. Esse pequeno caderno de 19 páginas, um dos mais preciosos documentos da história da Matemática, permaneceu desconhecido até 1898, quando foi encontrado entre papéis de família de um dos netos de Gauss. As anotações datam de 1796 até 1814 e consistem em 146 enunciados concisos, resultados de suas investigações que muitas vezes o ocuparam por semanas ou meses***. Todo esse material deixa perfeitamente claro que as idéias que Gauss concebeu e trabalhou em detalhe mas guardou para si já seriam suficientes para fazer dele o maior matemático de seu tempo se as tivesse publicado, sem fazer nada além disto.

Por exemplo, a teoria de funções de variável complexa foi uma das maiores realizações matemáticas do século XIX, e os fatos centrais desse assunto são a fórmula integral de Cauchy (1827) e as expansões de uma função analítica de Taylor e Laurent (1831, 1843). Numa carta para seu amigo Bessel em 1811 Gauss enuncia explicitamente a fórmula integral de Cauchy e escreve: "Este é um belo teorema, cuja demonstração é simples e eu darei numa ocasião oportuna. Está relacionado com outras belas verdades ligadas a séries de expansão"****. Portanto, Gauss sabia a fórmula de Cauchy e provavelmente ambas as séries de expansão muitos anos antes daqueles que foram oficialmente reconhecidos como autores dessas importantes descobertas. Entretanto, a "ocasião oportuna" para publicação não surgiu. Uma possível explicação para isso é sugerida pelos seus comentários em uma carta para Wolfgang Bolyai, um amigo íntimo de seu tempo de universidade e com quem manteve correspondência durante toda a vida: "Não é o conhecimento, mas o ato de aprender, não é a posse, mas o ato de chegar lá, que garantem a maior satisfação. Quando esclareci e exauri um assunto, o deixo de lado para mergulhar novamente na escuridão". Este é o temperamento de um explorador

---

* Veja E. T. Bell, Gauss and the "Early Development of Algebraic Numbers", National Math. Mag. vol. 18, pp. 188-204, 219-233, 1944.

** O "Essay on the Application of Mathematical Analysis to the Theories of Electricity and Magnetism" (1828), de George Green, foi negligenciado e quase completamente desconhecido até sua reedição, em 1846.

*** Veja, de Gauss, *Werke*, vol. X, pp. 483-574, 1917.

**** Veja *Werke*, vol. III, p. 91, 1900.

que se mostra relutante em parar para escrever um relato de sua última expedição quando poderia começar outra. Mesmo assim Gauss escreveu bastante, mas ter escrito e publicado toda descoberta sua teria requerido o tempo de muitas vidas.

Outro exemplo notável é a Geometria não-euclidiana que foi comparada com a revolução causada por Copérnico em Astronomia pelo seu impacto nas mentes dos povos civilizados. Desde o tempo de Euclides até a infância de Gauss, a Geometria euclidiana era universalmente considerada uma necessidade do pensamento. Mesmo assim havia uma brecha na estrutura euclidiana que foi longo tempo foco das atenções: o postulado que afirma que dada uma reta e um ponto fora dela, existe uma única reta paralela à reta dada e passando pelo ponto. Pensou-se que esse postulado não era independente dos outros e muitos tentaram, sem sucesso, prová-lo como um teorema. Hoje sabemos que Gauss aos 15 anos também tentou a demonstração e falhou. Há, porém, uma diferença no insucesso de Gauss; ele cedo chegou à perturbadora conclusão – que não havia ocorrido a nenhum de seus predecessores – de que a Geometria euclidiana não era a única possível. Trabalhou de forma intermitente nessas idéias por muitos anos e, por volta de 1820, já tinha conhecimento dos principais teoremas da Geometria não-euclidiana (o nome foi dado por Gauss)*. Mas ele não revelou suas conclusões, e em 1829 e 1832 Lobachevsky e Johann Bolyai (filho de Wolfgang) publicaram seus trabalhos independentes sobre o assunto. Nesse caso uma razão simples explica o silêncio de Gauss. O clima intelectual da Alemanha na época era totalmente dominado pela filosofia de Kant, e um de seus dogmas básicos era a idéia de que a Geometria euclidiana era a única forma possível de pensar sobre o espaço. Gauss sabia que essa idéia era totalmente falsa e o que o sistema de Kant estava construído sobre areia. Porém ele valorizava sua privacidade e sua vida tranqüila e manteve sua paz evitando gastar tempo em disputas com os filósofos. Em 1829 ele escreveu o seguinte para Bessel: "Não irei dedicar muito de meus esforços para escrever algo publicável sobre esse assunto (fundamentos da Geometria), pois tenho horror aos gritos histéricos que ouviríamos dos beócios se eu tornasse claros meus pensamentos sobre o assunto"**.

O mesmo ocorreu com a Teoria das Funções Elípticas, um campo rico da Análise, que foi lançado originalmente por Abel, em 1827, e também por Jacobi, em 1828-1829. Gauss nada publicou sobre esse assunto e não reclamou para si nenhum mérito, por isto o mundo matemático ficou atônito quando gradualmente se ficou sabendo que ele havia descoberto muito dos resultados de Abel e de Jacobi antes destes terem nascido. Abel foi poupado dessa devastadora revelação por sua morte prematura em 1829, com 26 anos, mas Jacobi foi compelido a engolir seu desapontamento e ir em frente com seu trabalho. Os fatos ficaram conhecidos parcialmente por iniciativa do próprio Jacobi. Sua atenção foi despertada por uma passagem nas *Disquisitiones* (artigo 335) cujo significado só poderia ser entendido por alguém que soubesse funções elípticas. Ele visitou Gauss muitas vezes para verificar suas suspeitas e contar-lhe sobre suas próprias descobertas mais recentes; a cada vez Gauss tirava de sua mesa um manuscrito de 30 anos atrás e mostrava a Jacobi o que este acabara de lhe mostrar. A profundidade do desgosto de Jacobi pode ser facilmente imaginada. Nesse ponto de sua vida Gauss era indiferente à fama e se sentia realmente agradecido em ser aliviado do encargo de escrever um tratado sobre o assunto que ele havia longamente trabalhado. Após uma visita de uma semana a Gauss em 1840, Jacobi escreveu para seu irmão: "A Matemática estaria numa posição muito diferente se a Astronomia prática não houvesse desviado esse gênio colossal de sua grandiosa carreira".

Assim era Gauss, o supremo matemático. Ele sobrepujou em tantos aspectos as realizações possíveis para homens comuns com gênio que por vezes pode-se ter a misteriosa sensação de que ele pertencia a uma espécie superior.

---

* Tudo que é conhecido do que Gauss escreveu sobre Geometria foi publicado em sua obra *Werke*, vol. VIII, pp. 159-268, 1900.

** Veja *Werke*, vol. VIII, p. 200.

CAUCHY (1789-1857)

A produção científica de Cauchy foi imensa. Por largos períodos ele apresentava-se diante da Academia uma vez por semana para apresentar um novo artigo, de modo que a Academia, em grande parte, por sua causa, foi obrigada a introduzir uma regra restringindo o número de artigos que um membro poderia requerer para publicação por ano.

Oystein Ore

Augustin Louis Cauchy foi um dos matemáticos franceses mais influentes do século XIX. Ele iniciou sua carreira como engenheiro militar, mas, com problemas de saúde, em 1813 ele pôde seguir sua inclinação natural e devotou-se inteiramente à Matemática.

Na produtividade matemática Cauchy foi ultrapassado apenas por Euler, e suas obras completas ocupam vinte e sete grossos volumes. Fez contribuições substanciais à Teoria dos Números e determinantes; é considerado o criador da Teoria dos Grupos Finitos; e fez extenso trabalho em Astronomia, Mecânica, Óptica e Teoria da Elasticidade.

Suas maiores conquistas, entretanto, recaem no campo da Análise. Junto com seus contemporâneos Gauss e Abel, foi um pioneiro no tratamento rigoroso de limites, funções contínuas, derivadas, integrais e séries infinitas. Vários dos testes básicos de convergência de séries são associados a seu nome. Ele também obteve a primeira prova de existência de soluções de equações diferenciais, deu a primeira prova da convergência de séries de Taylor (usando sua fórmula para o resto), e foi o primeiro a sentir a necessidade de um estudo cuidadoso do comportamento da convergência de séries de Fourier. Entretanto, seu trabalho mais importante foi na teoria das funções de uma variável complexa, que em essência ele criou, e que continuou a ser um dos ramos dominantes da Matemática Pura e Aplicada. Neste campo, o Teorema de Cáuchy e a Fórmula Integral de Cauchy são ferramentas fundamentais sem as quais a análise moderna dificilmente poderia existir.

Infelizmente sua personalidade não se harmonizava com sua mente fértil. Ele era um monarquista arrogante em política e um homem religioso, pio, moralista e convencido de sua superioridade moral – tudo isto numa era de ceticismo republicano – e muitos de seus colegas cientistas desaprovavam-no e consideravam-no um hipócrita descarado. Poderia ser mais imparcial falar das coisas mais importantes e descrevê-lo como um grande matemático que aconteceu ter sido também um fanático, sincero, mas de visão estreita.

ABEL (1802-1829)

Abel deixou aos matemáticos o suficiente para mantê-los ocupados por 500 anos.

Hermite

Niels Henrik Abel foi um dos mais notáveis matemáticos do século XIX, e provavelmente o maior gênio produzido pelos países escandinavos. Junto com seus contemporâneos mais velhos Gauss e Cauchy, Abel foi um dos pioneiros no desenvolvimento da Matemática moderna, que é caracterizada por sua insistência em provas rigorosas. Sua carreira foi uma dolorosa mistura de otimismo bem-humorado sob os golpes da pobreza e negligência, modesta satisfação nas várias realizações de peso de sua curta maturidade, e resignação paciente diante de uma morte prematura.

Abel foi um dos seis filhos de um pobre clérigo norueguês. Suas grandes habilidades foram reconhecidas e encorajadas por um de seus professores quando ele tinha apenas dezesseis anos, e logo estava lendo e digerindo as obras de Newton, Euler e Lagrange. Como comentário dessa experiência, ele inseriu a seguinte observação em uma de suas notas matemáticas posteriores: "Parece-me que se quisermos progredir na Matemática, devemos estudar os mestres, e não os discípulos". Quando Abel tinha apenas dezoito anos, seu pai morreu e deixou a família na miséria. Eles subsistiram com a ajuda de amigos e vizinhos, e de algum modo o rapaz, ajudado por vários professores, conseguiu entrar na Universidade de Oslo, em 1821. Suas primeiras pesquisas foram publicadas em 1823, e incluíam sua solução do clássico problema da tautócrona, por meio de uma equação integral que agora leva seu nome. Essa foi a primeira solução de uma equação desse tipo, e foi o primeiro sinal de um amplo desenvolvimento das equações integrais no fim do século XIX e começo do XX. Também provou que a equação geral de quinto grau

$$ax^5 + bx^4 + cx^3 + dx^2 + ex + f = 0$$

não podia ser resolvida por radicais, tal como é possível para equações de grau menor, e portanto resolveu um problema que ocupou os matemáticos por 300 anos. Ele publicou sua prova num pequeno panfleto às próprias custas.

No seu desenvolvimento científico, Abel logo deixou a Noruega e procurou visitar a França e a Alemanha. Com o amparo de seus amigos e professores, ele apelou ao Governo, e recebeu uma bolsa para uma grande viagem ao Continente. Ele gastou a maior parte de seu tempo no exterior em Berlim. Lá teve a grande fortuna de conhecer August Leopold Crelle, um entusiástico matemático amador que se tornou seu amigo, orientador e protetor. De outro lado, Abel inspirou Crelle a lançar seu famoso *Journal für die Reine und Angewandte Mathematik*, que foi o primeiro periódico do mundo devotado inteiramente à pesquisa Matemática. Os primeiros três volumes contiveram vinte e duas contribuições de Abel.

Os primeiros estudos matemáticos de Abel estavam exclusivamente na velha tradição formal do século XVIII, como tipificada por Euler. Em Berlim, esteve sob a influência da nova escola de pensamento liderada por Gauss e Cauchy, que enfatizavam a dedução rigorosa em oposição ao cálculo formal. Excetuando o grande trabalho de Gauss sobre as séries hipergeométricas, dificilmente se acha qualquer prova em Análise cuja validade seria aceita hoje. Como Abel expressou numa carta a um amigo: "Se você não considerar os casos bem simples, não existe em toda a Matemática uma única série infinita cuja soma tenha sido determinada rigorosamente. Em outras palavras, as partes mais importantes da Matemática permanecem sem fundamento". Nesse período, ele escreveu seu clássico estudo das séries binomiais, em que achou a Teoria Geral de Convergência e deu a primeira prova satisfatória da validade dessa expansão em série.

Abel mandou a Gauss, em Göttingen, seu panfleto sobre a equação de quinto grau, esperando que servisse como uma espécie de passaporte científico. Entretanto, por alguma razão, Gauss deixou-o de lado sem olhá-lo, pois foi achado intacto entre seus papéis após sua morte trinta anos depois. Infelizmente para ambos, Abel sentiu que tinha sido desprezado, e decidiu ir a Paris sem visitar Gauss.

Em Paris, encontrou Cauchy, Legendre, Dirichlet e outros, mas esses encontros foram perfuntórios e ele não foi reconhecido pelo que era. Ele já tinha publicado uma quantidade de artigos importantes no *Journal* de Crelle, mas os franceses dificilmente estariam cientes da existência desse novo periódico, e Abel era também muito tímido para falar de seu próprio trabalho para pessoas que ele quase nem conhecia. Logo após sua chegada, terminou sua grande *Mémoire sur une Propriété Générale d'une Classe Très Ètendue des Fonctions Transcendantes*, que ele considerava sua obra-prima. Esse trabalho contém a descoberta de integrais de funções algébricas, agora conhecido como Teorema de Abel, e é o fundamento para a posterior teoria das integrais abelianas, funções abelianas, e muito da Geometria Algébrica. Décadas depois diz-se que Hermite observou sobre este *Mémoire*: "Abel deixou aos matemáticos o suficiente para mantê-los ocupados por 500 anos". Jacobi descreveu o Teorema de Abel como a maior descoberta em cálculo integral do século XIX. Abel submeteu seu manuscrito à Academia Francesa. Ele tinha a esperança de que o manuscrito o faria notado pelos matemáticos franceses, mas esperou em vão, até que seu bolso ficou vazio e ele foi forçado a voltar a Berlim. Eis o que aconteceu: o manuscrito foi dado a Cauchy e a Legendre para exame; Cauchy levou-o para casa, deu uma olhada superficial e esqueceu totalmente dele; o artigo não foi publicado até 1841, quando novamente o manuscrito foi perdido antes das provas serem lidas. O original reapareceu em Florença em 1952*. Em

---

* Para os detalhes dessa história espantosa, veja o ótimo livro de O. Ore, *Niels Henrik Abel: Mathematician Extraordinary*, University of Minnesota Press, 1957.

Berlim, Abel terminou seu primeiro artigo revolucionário sobre funções elípticas, um assunto no qual trabalhou vários anos, e então voltou à Noruega, afundado em dívidas.

Ele esperava que na sua volta lhe fosse dado o cargo de professor na universidade, mas mais uma vez suas esperanças foram destruídas. Viveu de aulas particulares, e, por um breve período, manteve a posição de professor substituto. Durante essa época, trabalhou incessantemente, principalmente na teoria das funções elípticas, que ele descobriu como as inversas de integrais elípticas. Essa teoria rapidamente tomou seu lugar como um dos maiores campos da análise do século XIX, com muitas aplicações à Teoria dos Números, Física Matemática e Geometria Algébrica. Enquanto isso, a fama de Abel espalhou-se por todos os centros matemáticos da Europa, e ele permaneceu entre a elite dos matemáticos do mundo, mas, isolado na Noruega, não sabia disso. Pelo começo de 1829 a tuberculose que contraíra em sua jornada progrediu ao ponto de torná-lo incapaz de trabalhar, e, na primavera desse ano, faleceu, com vinte e seis anos. Como *post scriptum* irônico, quase em seguida a sua morte, Crelle escreveu que seus esforços tinham tido êxito, e que Abel deveria ser nomeado para a cátedra de Matemática em Berlim.

Crelle elogiou Abel assim em seu *Journal*: "Todo o trabalho de Abel carrega a impressão de uma genialidade e força de pensamento que é impressionante. Poderíamos dizer que ele era capaz de transpor todos os obstáculos até atingir o verdadeiro fundamento dos problemas, com uma força de pensamento que parecia irresistível... Ele distinguiu-se igualmente pela pureza e pela nobreza de caráter e por uma modéstia rara que fez sua pessoa querida no mesmo grau de sua notável genialidade".

Os matemáticos, entretanto, têm seus próprios meios de lembrar seus grandes homens, e portanto falamos da equação integral de Abel, integrais e funções abelianas, grupos abelianos, séries de Abel, fórmula das somas parciais de Abel, teorema do limite de Abel na teoria das séries de potência e somabilidade de Abel. Poucos têm tido seus nomes ligados a tantos conceitos e teoremas na Matemática Moderna, e o que ele poderia ter realizado num tempo normal de vida está além de qualquer conjectura.

DIRICHLET (1805-1859)

A História contou que o jovem Dirichlet tinha como companhia constante em todas as suas viagens, como um homem devoto tem seu livro de orações, um velho e usado exemplar do Disquisitiones Arithmeticae, *de Gauss.*

Heinrich Tietze

Peter Gustav Lejeune Dirichlet foi um matemático alemão que fez muitas contribuições de grande valor para a análise e para a Teoria dos Números. Quando jovem ele foi a Paris por causa da reputação de Cauchy, Fourier e Legendre, mas foi mais profundamente influenciado por seu encontro e contato por toda a sua vida com *Disquisitiones Arithmeticae*, de Gauss (1801). O pródigo mas obscuro trabalho continha muitas das descobertas de longo alcance dos grandes mestres em Teoria dos Números, mas era compreendido por muito poucos matemáticos naquele tempo. Kummer mais tarde disse: "Dirichlet não estava satisfeito em estudar o *Disquisitiones* de Gauss uma vez ou várias vezes, mas por toda a sua vida conservou um contato próximo com a riqueza de pensamentos matemáticos profundos que ele continha, estudando-o sempre. Por essa razão o livro nunca estava na estante, mas residia em sua mesa de trabalho. Dirichlet foi o primeiro que não somente entendeu completamente esse trabalho mas que também o tornou acessível a outros. Mais tarde Dirichlet ficou amigo e discípulo de Gauss, e também um amigo e orientador de Riemann, a quem ele ajudou um pouco em sua tese de doutoramento. Em 1855, depois de lecionar em Berlim por muitos anos, ele sucedeu Gauss em Göttingen. Uma das primeiras realizações de Dirichlet foi um marco em Análise: em 1829 ele deu a primeira prova satisfatória de que certos tipos específicos de função são exatamente as somas de suas séries de Fourier. Os trabalhos anteriores nesse campo consistiram inteiramente em manipulação de fórmulas; Dirichlet transformou o assunto em Matemática genuína no sentido moderno. Como resultado dessa pesquisa, ele também contribuiu muito para o correto entendimento da natureza de uma função, e deu a definição que é agora a mais freqüentemente usada, isto é, que y é uma função de x quando a cada valor x num dado intervalo corresponde um único valor de y. Ele adicionou que não importa se y depende de x de acordo com alguma "fórmula" ou "lei" ou "operação matemática", e enfatizou isto dando o exemplo da função de x que assume valor 1 para os x racionais e o valor 0 nos x irracionais.

Talvez seus maiores trabalhos tenham sido as duas longas memórias de 1837 e 1839 nas quais ele fez aplicações destacáveis da Análise à Teoria dos Números. Foi na primeira delas que ele provou seu belo teorema de que existem infinitos números primos em qualquer progressão aritmética da forma $a + nb$, onde a e b são inteiros positivos sem fatores comuns. Suas descobertas sobre séries absolutamente convergentes também apareceram em 1837. Seu teste de convergência, discutido no Apêndice B.3, Volume II, foi publicado após sua morte em seu *Vorlesungen über Zahlentheorie* (1863). Essas notas foram editadas várias vezes e têm ampla influência.

Ele também se interessou pela Física-Matemática e formulou o chamado princípio de Dirichlet da teoria de potencial, que estabelece a existência de funções harmônicas (funções que satisfazem a equação de Laplace) com condições de contorno dadas. Riemann – quem deu ao princípio seu nome – usou-o com grande resultado em suas mais profundas pesquisas. Hilbert apresentou uma demonstração rigorosa do princípio de Dirichlet no início do século XX.

LIOUVILLE (1809-1882)

Eu preferiria descobrir uma causa do que ser o rei da Pérsia.

Demócrito

Joseph Liouville era um professor altamente respeitado no *Collège de France*, em Paris, e o fundador e editor do *Journal des Mathématiques Pures et Appliquées*, um famoso periódico que teve um papel importante na vida matemática da França na parte final do século XIX. Entretanto, por uma razão qualquer, suas próprias realizações como um matemático criativo não receberam a apreciação merecida. O fato de que seus trabalhos nunca foram publicados é um infeliz e surpreendente descuido.

Ele foi o primeiro a resolver um problema com condição de fronteiro, resolvendo uma equação integral equivalente, um método desenvolvido por Fredholm e Hilbert no início da década de 1900, num dos maiores campos da Análise moderna. Sua engenhosa Teoria de Diferenciação Fracional respondeu à questão pendente sobre qual significado razoável poderia ser atribuído ao símbolo $d^n y/dx^n$ quando n não fosse um inteiro positivo. Ele descobriu um resultado fundamental em Análise complexa agora conhecido como Teorema de Liouville – que uma função inteira e limitada é necessariamente uma constante – e usou-o como base para sua própria teoria de funções elípticas. Há também um teorema de Liouville bem conhecido na mecânica hamiltoniana que afirma que integrais de volume são invariantes com respeito ao tempo no espaço de fase. Sua teoria de integrais de funções elementares foi talvez a mais original de suas realizações, pois nela ele provou que integrais como

$$\int e^{-x^2} dx, \quad \int \frac{e^x}{x} dx, \quad \int \frac{\operatorname{sen} x}{x} dx, \quad \int \frac{dx}{\ln x},$$

como as integrais elípticas de primeira e segunda espécie, não podem ser expressas em termos de um número finito de funções elementares.

A fascinante e difícil Teoria de Números Transcendentes é outro ramo importante da Matemática originado do trabalho de Liouville. A irracionalidade de π e de e (isto é, o fato de que nenhum desses números e raiz de alguma equação linear $ax + b = 0$ cujos coeficientes são inteiros) havia sido provada no século XVIII por Lambert e Euler. Em 1844 Liouville mostrou que e não é raiz de nenhuma equação quadrática com coeficientes inteiros. Isto fê-lo conjecturar que e era *transcendente*, o que significaria que ele não satisfaria nenhuma equação polinomial

$$a_n x^n + a_{n-1} x^{n-1} + \cdots + a_1 x + a_0 = 0$$

com coeficientes inteiros. Seus esforços para provar esse resultado foram em vão, mas suas idéias contribuíram para o sucesso de Hermite, em 1873, e a prova de Lindemann, em 1882, de que π também era transcendente. O resultado de Lindemann provou finalmente o velho problema de que a quadratura do círculo por régua e compasso era impossível. Uma das grandes realizações matemáticas dos tempos modernos é a prova de Gelfond de que e^π é transcendente, mas nada é ainda conhecido sobre a natureza dos números $\pi + e$, πe ou π^e. Liouville também descobriu uma condição suficiente para transcendência e usou-a em 1844 para produzir os primeiros exemplos de números reais, que são provavelmente transcendentes. Um desses é

$$\sum_{n=1}^{\infty} \frac{1}{10^{n!}} = \frac{1}{10^1} + \frac{1}{10^2} + \frac{1}{10^6} + \cdots = 0{,}11000100 \ldots,$$

Seus métodos aqui também orientaram um amplo trabalho no século XX.

O que ele conseguiu foi certamente melhor do que ser rei da Pérsia, ou ser um rei qualquer, ou um líder político, o que quer que seja. Ele foi um pensador cujo trabalho viverá enquanto as pessoas se preocuparem com belas idéias.

HERMITE (1828-1901)

Converse com M. Hermite. Ele nunca invoca uma imagem concreta, mas você logo percebe que as mais abstratas entidades são, para ele, como criaturas vivas.

Henri Poincaré

Charles Hermite, um dos mais eminentes matemáticos franceses do século XIX, foi particularmente destacado pela elegância e pela alta qualidade artística de seu trabalho. Quando estudante, ele quase teve seu destino bloqueado na Matemática, pois era seu costume omitir-se no estudo dos mestres clássicos da área e, conseqüentemente, quase falhara em seus exames. Entretanto, ele se tornou um matemático criativo de primeira linha. Em 1870 foi convidado a ocupar a posição de professor na Universidade de Sorbonne, onde criou uma geração francesa de matemáticos ilustres, incluindo Picard, Borel e Poincaré.

A sua visão da Matemática é sugerida pela observação devida a Poincaré exposta acima. Ele não gostava de Geometria, mas era extremamente atraído pela Teoria dos Números e pela Análise, sendo seu tópico predileto as funções elípticas, assunto onde aquelas duas áreas se misturam de forma impressionante. No começo do século, o gênio matemático norueguês Abel havia provado que a equação geral de quinto grau não poderia ser resolvida por operações algébricas e extração de raízes. Um dos mais surpreendentes trabalhos de Hermite foi sua prova (em 1858) de que, entretanto, com o uso de funções elípticas, passa a ser possível resolvê-la.

Sua prova, em 1873, da transcendência do e foi outro ponto alto de sua carreira. Tivesse se disposto a se aprofundar mais nessa direção, poderia ter liquidado o problema análogo em relação a π; entretanto, Hermite aparentemente estava satisfeito com sua conquista. Como ele escreveu a um amigo: "Eu não arriscarei nada em uma tentativa de provar a transcendência do número π; se alguém se dispuser a se dedicar a tal projeto, ninguém vai se sentir mais contente que eu próprio quando de seu sucesso, mas acredite-me, meu caro colega, isto certamente lhe custará algum sacrifício". Passados 9 anos, Lindemann, estendendo as técnicas de Hermite através de integrais complexas, provou que nenhuma equação da forma

$$a_n e^{b_n} + \cdots + a_2 e^{b_2} + a_1 e^{b_1} + a_0 = 0$$

pode ser satisfeita se os b forem números algébricos distintos não-nulos e os a forem números algébricos não todos nulos. A transcendência de π segue então a identidade devida a Euler $e^{\pi i} + 1 = 0$, pois se π fosse algébrico, πi também o seria.

Diversas de suas descobertas puramente matemáticas tiveram, posteriormente, inesperadas aplicações à Física-Matemática. Por exemplo, as formas e matrizes hermiteanas, concebidas por ele quando interessado em certos problemas da Teoria dos Números, tiveram um papel crucial na formulação da Mecânica Quântica devida a Heisenberg em 1925; ainda, as funções e os polinômios que levam seu nome são úteis na solução da equação da onda de Schrödinger. A razão não é clara, mas parece ser verdade que os matemáticos criam a maior parte de suas contribuições mais valorosas do ponto de vista prático quando envolvidos em problemas que parecem não ter absolutamente nada a ver com a realidade física*.

RIEMANN (1826-1866)

> ... um matemático extraordinário.
>
> S. Bochner

Nenhuma grande mente do passado exerceu uma influência tão profunda sobre os matemáticos do século XX quanto Bernhard Riemann, o filho de um pobre clérigo do norte da Alemanha. Ele estudou os trabalhos de Euler e de Legendre quando ainda estava no curso secundário, e diz-se que ele dominou o tratado de Legendre sobre a Teoria dos Números em menos de uma semana. Mas ele era tímido e modesto, com pouca consciência de suas habilidades extraordinárias, tanto que aos dezenove anos foi para a Universidade de Göttingen com o objetivo de estudar Teologia e tornar-se também um clérigo. Felizmente, essa proposta vantajosa logo subiu-lhe à garganta, e com a permissão de seu pai mudou para a Matemática.

A presença do legendário Gauss fez de Göttingen o centro do mundo matemático. Mas Gauss era distante e inacessível — particularmente aos estudantes iniciantes —, e depois de apenas um ano Riemann deixou esse ambiente insatisfatório e foi para a Universidade de Berlim. Lá atraiu o interesse amigável de Dirichlet e de Jacobi, e aprendeu muito de ambos. Dois anos mais tarde, retornou a Göttingen, onde obteve o grau de doutor, em 1851. Durante os oito anos seguintes, suportou uma pobreza debilitante e criou suas maiores obras. Em 1854, foi nomeado "Privatdozent" (conferencista não-remunerado), que naquele tempo era o primeiro degrau necessário para a escalada acadêmica. Gauss morreu em 1855, e Dirichlet foi chamado a Göttingen como seu sucessor. Dirichlet ajudou Riemann como pôde, primeiro com um pequeno salário (cerca de um décimo do que ganhava um professor titular), e depois com uma promoção a professor assistente. Em 1859 ele também morreu, e Riemann foi nomeado professor titular para substituí-lo. Os anos de pobreza de Riemann acabaram-se, mas sua saúde estava abalada. Aos trinta e nove anos morreu de tuberculose na Itália, na última das várias viagens que fez para fugir do clima frio e úmido do norte da Alemanha. Riemann teve uma vida curta e publicou relativamente pouco, mas seus trabalhos alteraram permanentemente o curso da Matemática na Análise, Geometria e Teoria dos Números**.

---

*   Sobre esse tema, veja o artigo de E. P. Wigner, "The Unreasonable Effectiveness of Mathematics in the Natural Sciences", *Communications on Pure and Applied Mathematics*, vol. 13, pp. 1-14, 1960.

** Sua *Gesammelte Mathematische Werke* (reimpresso pela Dover em 1953) ocupa apenas um volume, do qual dois terços consistem em material publicado postumamente. Dos nove artigos publicados por Riemann, somente cinco tratam de Matemática Pura.

Seu primeiro artigo publicado foi sua celebrada dissertação de 1851 sobre a teoria geral das funções de uma variável complexa*. Aqui o objetivo fundamental de Riemann era livrar o conceito de função analítica de qualquer dependência de expressões explícitas, tais como séries de potências, e concentrar-se apenas em conceitos gerais e idéias geométricas. Baseou sua teoria no que hoje são chamadas equações de Cauchy-Riemann, criou o engenhoso artifício das superfícies de Riemann para esclarecer as funções a múltiplos valores, e foi conduzido ao teorema da aplicação de Riemann. Gauss raramente era entusiástico das realizações matemáticas de seus contemporâneos, mas em sua recomendação oficial à faculdade ele elogiou calorosamente o trabalho de Riemann:

"A dissertação submetida por "herr" Riemann oferece uma evidência convincente das investigações penetrantes e abrangentes do autor nas partes do assunto tratado na dissertação, de uma mente ativa, criativa e verdadeiramente matemática, e de uma originalidade gloriosamente fértil".

Riemann aplicou mais tarde essas idéias ao estudo das funções abelianas e hipergeométricas. Em seu trabalho sobre funções abelianas ele fixou-se numa combinação notável de raciocínio geométrico e intuição física, esta última na forma do princípio de Dirichlet da teoria do potencial. Usou superfícies de Riemann para construir uma ponte entre Análise e Geometria, o que tornou possível dar uma expressão geométrica às propriedades analíticas mais profundas das funções. Sua intuição poderosa freqüentemente permitia-lhe descobrir tais propriedades – por exemplo, sua versão do Teorema de Riemann-Roch – simplesmente pensando sobre possíveis configurações de superfícies fechadas e realizando experimentos físicos imaginários nessas superfícies.

Os métodos geométricos de Riemann na análise complexa constituíam o verdadeiro início da topologia, um campo rico da Geometria relacionado com as propriedades das figuras que são invariantes por deformações contínuas.

Em 1854 foi-lhe requerido que submetesse um ensaio para ser admitido como "Privatdozent", e sua resposta foi outro trabalho significativo cuja influência está gravada indelevelmente na Matemática de nosso tempo**. O problema que ele se propôs era analisar as condições de Dirichlet (1829) para a representabilidade de uma função por sua série de Fourier. Uma das condições que a função deveria ter era ser integrável. Mas o que isto significa? Dirichlet usara a definição de integrabilidade de Cauchy, que se aplica apenas a funções contínuas ou no máximo com um número finito de descontinuidades. Certas funções que aparecem em Teoria dos Números sugeriram a Riemann que essa definição deveria ser ampliada. Ele desenvolveu o conceito da integral de Riemann como aparece agora nos textos de Cálculo, estabeleceu condições necessárias e suficientes para a existência de tal integral, e generalizou o critério de Dirichlet para a validade das expansões de Fourier. A famosa Teoria dos Conjuntos de Cantor foi diretamente inspirada por um problema surgido nesse artigo, e essas idéias levaram ao conceito de integral de Lebesgue e a tipos ainda mais gerais de integração. As investigações pioneiras de Riemann foram, portanto, o primeiro passo em outro novo ramo da Matemática, a Teoria das Funções de Variável Real.

O Teorema do Rearranjo de Riemann da teoria das séries infinitas foi um resultado incidental no artigo acima descrito. Ele estava familiarizado com o exemplo de Dirichlet mostrando que a soma de uma série condicionalmente convergente pode mudar pelo rearranjo dos termos:

$$1 - \frac{1}{2} + \frac{1}{3} - \frac{1}{4} + \frac{1}{5} - \frac{1}{6} + \frac{1}{7} - \frac{1}{8} + \cdots = \ln 2, \qquad (1)$$

$$1 + \frac{1}{3} - \frac{1}{2} + \frac{1}{5} + \frac{1}{7} - \frac{1}{4} + \cdots = \frac{3}{2} \ln 2. \qquad (2)$$

---

* "Grundlagen für eine allgemeine Theorie der Functionen einer veränderlichen complexen Grösse", em *Werke*, pp. 3-43.

** "Ueber die Darstellbarkeit einer Function durch eine trigonometrische Reihe", em *Werke*, pp. 227-264.

É claro que essas duas séries têm somas diferentes mas os mesmos termos. Em (2) os dois primeiros termos positivos em (1) são seguidos do primeiro termo negativo, e depois os dois termos positivos seguintes são seguidos pelo segundo termo negativo, e assim por diante. Riemann provou que é possível rearranjar os termos de qualquer série condicionalmente convergente de tal modo que a nova série convergirá para uma soma arbitrária prefixada ou divergirá para ∞ ou $-\infty$.

Além de seu ensaio probatório, requereu-se de Riemann a apresentação de uma conferência-teste para a faculdade antes que pudesse ser nomeado conferencista não-remunerado. Era costume o candidato propor três títulos, e o chefe de seu departamento geralmente escolhia o primeiro. Entretanto, Riemann listou, sem se preocupar muito, como terceiro tópico, os fundamentos da Geometria, um assunto profundo no qual estava despreparado, mas que Gauss passou sessenta anos pensando. Naturalmente Gauss estava curioso para ver como a "originalidade gloriosamente fértil" desse particular candidato enfrentaria tal desafio, e para desespero de Riemann, designou este como assunto da conferência. Riemann rapidamente afastou-se de seus outros interesses no momento – "minhas investigações das conexões entre eletricidade, magnetismo, luz e gravitação" – e nos dois meses seguintes escreveu sua conferência. O resultado foi uma das grandes obras-primas clássicas da Matemática, e provavelmente a mais importante conferência científica jamais proferida*. Conta-se que mesmo Gauss ficou surpreso e entusiasmado.

A conferência de Riemann apresentou em linguagem não-técnica uma vasta generalização de todas as geometrias conhecidas, a euclidiana e a não-euclidiana. Esse campo é agora chamado Geometria Riemanniana, e à parte de sua grande importância em Matemática Pura, passaram-se sessenta anos para ser exatamente o suporte correto para a Teoria da Relatividade Geral, de Einstein. Como a maioria das grandes idéias da Ciência, a Geometria Riemanniana é bem fácil de entender se pusermos de lado os detalhes técnicos e nos concentrarmos em seus fatos essenciais. Relembremos a Geometria diferencial intrínseca das superfícies que Gauss descobrira vinte e cinco anos antes. Se uma superfície imersa em um espaço tridimensional é definida por três funções $x = x(u, v)$, $y = y(u, v)$ e $z = z(u, v)$, então u e v podem ser interpretados como as coordenadas de pontos na superfície. A distância ds ao longo da superfície entre dois pontos próximos (u, v) e $(u + du, v + dv)$ é dada pela forma diferencial quadrática de Gauss:

$$ds^2 = E\,du^2 + 2F\,du\,dv + G\,dv^2,$$

onde E, F e G são certas funções de u e v. Essa forma diferencial torna possível calcular os comprimentos de linhas sobre a superfície, achar a geodésica (ou a menor curva) e calcular a curvatura gaussiana da superfície em qualquer ponto – tudo sem considerar o espaço circundante. Riemann generalizou isto descartando a idéia do espaço euclidiano circundante e introduziu o conceito de variedade n-dimensional de pontos $(x_1, ..., x_n)$. Ele então impôs uma distância (ou métrica) ds dada arbitrariamente entre pontos próximos

$$(x_1, x_2, \ldots, x_n) \quad \text{e} \quad (x_1 + dx_1, x_2 + dx_2, \ldots, x_n + dx_n)$$

por meio de uma forma diferencial quadrática

$$ds^2 = \sum_{i,j=1}^{n} g_{ij}\,dx_i\,dx_j, \tag{3}$$

onde os g_{ij} são funções apropriadas de $x_1, x ..., x_n$, e sistemas diferentes de g_{ij} definem geometrias riemannianas distintas sobre a variedade em questão. Seus passos seguintes foram examinar a idéia de curvatura para essas variedades riemannianas e investigar o caso especial da curvatura constante. Tudo isto depende de um mecanismo computacional massivo, que Riemann condescendentemente omitiu de sua conferência mas incluiu num artigo póstumo sobre a condução de calor. Naquele artigo ele introduziu explicitamente o tensor curvatura de Riemann, que se reduz à curvatura gaussiana no caso $n = 2$ e cujo anulamento ele mostrou ser condição necessária e suficiente para que a métrica dada fosse equivalente a uma euclidiana.

---

* "Ueber die Hypothesen, welche der Geometrie zu Grunde liegen", em **Werke**, pp. 272-286. Existe uma tradução para o inglês em D. E. Smith, *A Source Book in Mathematics*, McGraw-Hill, New York, 1929.

Desse ponto de vista, o tensor curvatura mede o desvio da Geometria Riemanniana definida pela fórmula (3) em relação à Geometria Euclidiana. Einstein resumiu essas idéias em uma única frase: "A Geometria de Riemann de um espaço n-dimensional mantém a mesma relação à Geometria Euclidiana de um espaço n-dimensional que a Geometria das superfícies curvas à do plano".

O significado físico das geodésicas aparece na sua forma mais simples como a seguinte conseqüência do princípio de Hamilton do cálculo das variações: se uma partícula é restrita a se mover numa superfície curva, e se nenhuma força agir sobre ela, então ela seguirá ao longo de uma geodésica. Uma extensão direta dessa idéia é o coração da Teoria da Relatividade Geral, que é essencialmente uma teoria da gravitação. Einstein concebeu a geometria do espaço como uma Geometria Riemanniana em que a curvatura e as geodésicas são determinadas pela distribuição de matéria; nesse espaço curvo, os planetas movem-se em suas órbitas ao redor do Sol pelo simples deslizamento ao longo de geodésicas, em vez de serem puxados em caminhos curvos por uma força de gravidade misteriosa cuja natureza ninguém realmente entendeu ainda.

Em 1859, Riemann publicou seu único trabalho em Teoria dos Números, um breve mas extremamente profundo artigo de menos de dez páginas, dedicado ao Teorema dos Números Primos*. Esse esforço poderoso iniciou grandes ondas em vários ramos da Matemática Pura, e sua influência provavelmente ainda será sentida daqui a mil anos. Seu ponto de partida foi uma identidade notável descoberta por Euler no século anterior: se s é um número real maior que 1, então

$$\sum_{n=1}^{\infty} \frac{1}{n^s} = \prod_{p} \frac{1}{1 - (1/p^s)}, \tag{4}$$

onde a expressão à direita denota o produto de números $(1 - p^{-s})^{-1}$ para todos os primos p. Para entender como essa identidade aparece, notamos que $1/(1 - x) = 1 + x + x^2 + \ldots$ para $|x| < 1$, logo, para cada p, temos

$$\frac{1}{1 - (1/p^s)} = 1 + \frac{1}{p^s} + \frac{1}{p^{2s}} + \cdots.$$

Multiplicando essas séries para todos os primos p, e lembrando que cada inteiro $n > 1$ é expresso de modo único como produto de potências de diferentes primos, vemos que

$$\prod_{p} \frac{1}{1 - (1/p^s)} = \prod_{p} \left(1 + \frac{1}{p^s} + \frac{1}{p^{2s}} + \cdots \right)$$

$$= 1 + \frac{1}{2^s} + \frac{1}{3^s} + \cdots + \frac{1}{n^s} + \cdots$$

$$= \sum_{n=1}^{\infty} \frac{1}{n^s},$$

que é a identidade (4). A soma da série do lado esquerdo de (4) é evidentemente uma função da variável real $s > 1$, e a identidade estabelece uma conexão entre o comportamento dessa função e propriedade dos primos. O próprio Euler explorou essa conexão de vários modos, mas Riemann percebeu que o acesso aos resultados mais profundos da distribuição dos primos pode ser obtido apenas permitindo que a variável s seja complexa. Ele denotou a função resultante por $\zeta(s)$, e ficou conhecida desde então como a função zeta de Riemann:

$$\zeta(s) = 1 + \frac{1}{2^s} + \frac{1}{3^s} + \cdots, \qquad s = \sigma + it.$$

Em seu artigo, ele provou várias propriedades importantes dessa função, e de um modo soberano simplesmente enunciou uma quantidade de outras sem prová-las. Durante o século a partir da sua morte, muitos dos matemáticos mais brilhantes do mundo exerceram seus maiores esforços e criaram novos ricos ramos da Análise na tentativa de provar esses enunciados. O primeiro sucesso foi alcançado por J. Hadamard, em 1893, e com uma

---

* "Ueber die Anzahl der Primzahlen unter einer gegebenen Grösse", em *Werke*, pp. 145-153. Veja o enunciado do Teorema dos Números Primos no Apêndice A.7.

única exceção todos os resultados foram confirmados no sentido que Riemann esperava*. Essa exceção é a famosa hipótese de Riemann: que todos os zeros de $\zeta(s)$ na faixa $0 \leq \sigma \leq 1$ caem na linha central $\sigma = 1/2$. Ela permanece hoje como o problema em aberto mais importante da Matemática, e provavelmente é o problema mais difícil que a mente humana jamais concebeu. Numa nota fragmentária achada entre seus escritos póstumos, Riemann escreveu que esses teoremas "seguem de uma expressão para a função $\zeta(s)$ que eu não simplifiquei o suficiente para publicar**. Escrevendo sobre esse fragmento em 1944, Hadamard observou com justa exasperação: "Nós ainda não temos a menor idéia de que expressão poderia ser"***. Ele acrescenta o seguinte comentário: "Em geral, a intuição de Riemann era altamente geométrica; mas este não é o caso de seu artigo sobre números primos, no qual a intuição é a mais poderosa e misteriosa".

---

*   O trabalho de Hadamard levou-o a sua prova de 1896 do Teorema dos Números Primos. Veja E. C. Titchmarsh, *The Theory of the Riemann Zeta Function*, Oxford University Press, Londres, 1951, Cap. 3. Esse tratado tem uma bibliografia de 326 itens.

** *Werke*, p. 154.

*** *The Psychology of Invention in the Mathematical Field*, Dover, New York, 1954, p. 118.

APÊNDICE

D

ALGUNS TÓPICOS DE REVISÃO

D.1 O TEOREMA DO BINÔMIO DE NEWTON

O Teorema do Binômio de Newton é uma fórmula geral para a expansão do produto

$$(a+b)^n = (a+b)(a+b) \cdots (a+b). \tag{1}$$

Calculando-se alguns casos por multiplicação direta, verificaremos que

$$(a+b)^1 = a+b,$$
$$(a+b)^2 = a^2 + 2ab + b^2,$$
$$(a+b)^3 = a^3 + 3a^2b + 3ab^2 + b^3,$$
$$(a+b)^4 = a^4 + 4a^3b + 6a^2b^2 + 4ab^3 + b^4,$$
$$(a+b)^5 = a^5 + 5a^4b + 10a^3b^2 + 10a^2b^3 + 5ab^4 + b^5.$$

É claro que a expansão de (1) começa com a^n e termina com b^n e que também os termos intermediários incluem produtos de potências regularmente decrescentes de a com potências regularmente crescentes de b, mas de modo que a soma dos dois expoentes seja exatamente n em cada termo. O que não é tão claro é como os coeficientes são calculados. Para antecipar nosso resultado final, a expansão em questão (o *Teorema do Binômio*) é

$$(a+b)^n = a^n + na^{n-1}b + \frac{n(n-1)}{2} a^{n-2}b^2$$
$$+ \frac{n(n-1)(n-2)}{2 \cdot 3} a^{n-3}b^3 + \cdots$$
$$+ \frac{n(n-1)(n-2) \cdots (n-k+1)}{1 \cdot 2 \cdot 3 \cdots k} a^{n-k}b^k$$
$$+ \cdots + b^n. \tag{2}$$

Nosso propósito é compreender as razões que levam a essa forma de coeficientes. O melhor caminho para tal compreensão é fazer um pequeno desvio por meio de permutações e combinações fortemente relacionadas ao assunto.

Antes de começarmos esse desvio, lembramos aos estudantes que, sendo n um inteiro positivo, o produto de todos os inteiros positivos até n é denotado por $n!$, o chamado "n fatorial":

$$n! = 1 \cdot 2 \cdot 3 \cdots n.$$

Assim, $1! = 1$, $2! = 1 \cdot 2 = 2$, $3! = 1 \cdot 2 \cdot 3 = 6$, $4! = 1 \cdot 2 \cdot 3 \cdot 4 = 24$ etc. Por motivos que ficarão claros mais adiante, definimos $0!$ como sendo 1. Esses números crescem muito rapidamente, como se vê fazendo um pouco de aritmética:

$$5! = 120, \quad 6! = 720, \quad 7! = 5040, \quad 8! = 40.320.$$
$$9! = 362.880, \quad 10! = 3.628.800.$$

Além disso, com a ajuda de tabelas verificamos que

$$20! \cong 2{,}433 \times 10^{18} \quad \text{e} \quad 40! \cong 8{,}159 \times 10^{47}.$$

Todo produto de inteiros positivos consecutivos pode ser facilmente escrito em termos de fatoriais. Por exemplo,

$$6 \cdot 7 \cdot 8 \cdot 9 \cdot 10 = \frac{1 \cdot 2 \cdot 3 \cdot 4 \cdot 5 \cdot 6 \cdot 7 \cdot 8 \cdot 9 \cdot 10}{1 \cdot 2 \cdot 3 \cdot 4 \cdot 5} = \frac{10!}{5!}.$$

Em geral, se $k < n$, então

$$(k+1)(k+2) \cdots n = \frac{n!}{k!}.$$

Permutações

Vamos discutir agora certos métodos de contagem que são úteis em muitas aplicações da Matemática.

O raciocínio no qual baseamos nosso trabalho pode ser ilustrado por um exemplo simples. Consideremos uma viagem de uma cidade A, passando por uma cidade B, até uma cidade C. Suponhamos que seja possível ir de A a B por 3 caminhos diferentes e de B a C por cinco caminhos diferentes. Nesse caso o número total de caminhos diferentes de A a C, passando por B, é $3 \cdot 5 = 15$, pois podemos ir de A a B por qualquer um dos 3 caminhos e para cada um desses caminhos há 5 caminhos para ir de B a C.

O princípio básico aqui é este: se duas decisões independentes sucessivas devem ser tomadas e se há c_1 escolhas para a primeira e c_2 escolhas para a segunda, o número total de maneiras de tomar essas duas decisões é o produto $c_1 c_2$. É claro que o mesmo princípio é válido para qualquer número de decisões independentes sucessivas.

O que se segue é nossa principal aplicação dessa idéia. Dados n objetos distintos, de quantas maneiras podemos dispô-los em ordem, isto é, com um primeiro, um segundo, um terceiro e assim por diante? Após o primeiro objeto ter sido escolhido, há $n-1$ escolhas para o segundo, depois $n-2$ escolhas para o terceiro etc. Pelo princípio básico enunciado acima, o número total de disposições é, portanto,

$$n(n-1)(n-2) \cdots 2 \cdot 1 = n!.$$

Cada disposição de um conjunto de objetos chama-se *permutação* desses objetos. Chegamos à seguinte conclusão:

o número de permutações de n objetos é $n!$.

Exemplo 1 (a) Há $5! = 120$ maneiras de dispor 5 livros numa estante; (b) Há $9! = 362.880$ possíveis ordens de batida para os 9 jogadores de um time de basebol; (c) Há $52! \cong 8{,}066 \cdot 10^{67}$ maneiras de dispor um baralho de 52 cartas.

Consideramos a seguir uma pequena generalização. Suponhamos novamente que temos n objetos distintos. Dessa vez perguntamos de quantas maneiras k dos n objetos podem ser escolhido sem ordem. Cada uma dessas disposições chama-se *arranjo de n objetos tomados k a k*, e o número total desses arranjos é denotado por $A(n,k)$. Há evidentemente n escolhas para o primeiro, $n-1$ escolhas para o segundo, $n-2$ escolhas para o terceiro e primeiro $n-(k-1) = n-k+1$ escolhas para o k-ésimo. O número total desses arranjos é, portanto,

$$A(n,k) = n(n-1)(n-2) \cdots (n-k+1).$$

Escrevendo esse número em termos de fatoriais, nossa conclusão pode ser formulada como se segue:

o número de arranjos de n objetos tomados k a k é

$$A(n,k) = n(n-1)(n-2) \cdots (n-k+1) = \frac{n!}{(n-k)!}.$$

Exemplo 2 (a) Tendo-se 7 livros e apenas 3 espaços numa estante, o número de maneiras de preencher esses espaços com os livros disponíveis (levando em conta a ordem dos livros) é

$$A(7, 3) = \frac{7!}{(7-3)!} = \frac{7!}{4!} = 7 \cdot 6 \cdot 5 = 210.$$

(b) O número de maneiras (levando em conta a ordem das cartas) em que numa mão de pôquer de 5 cartas pode ser distribuído um baralho de 52 cartas é

$$A(52, 5) = \frac{52!}{(52-5)!} = \frac{52!}{47!} = 52 \cdot 51 \cdot 50 \cdot 49 \cdot 48 = 311.875.200.$$

Naturalmente, a ordem das cartas numa mão de pôquer é irrelevante para o valor da mão; logo o número de mãos de pôquer distintas é um número consideravelmente menor. Levaremos essa circunstância em consideração em nossa discussão de combinações.

Combinações

Um conjunto de k objetos escolhidos de um dado conjunto de n objetos, sem levar-se em consideração a ordem em que eles são dispostos, chama-se *combinação de n objetos tomados k a k*. O número total de tais combinações é, às vezes, denotado por $C(n, k)$, mas, com maior freqüência, por $\binom{n}{k}$. Por motivos a serem explicados, os números $\binom{n}{k}$ são chamados *coeficientes binomiais*.

Os arranjos e combinações estão ligados por uma relação simples. Cada arranjo de n objetos tomados k a k consiste em uma escolha de k objetos (uma combinação) seguida de uma ordenação desses k objetos. Mas há $\binom{n}{k}$ maneiras de escolher k objetos e depois $k!$ maneiras de arranjá-los em ordem, logo

$$A(n, k) = \binom{n}{k} \cdot k! \quad \text{ou} \quad \binom{n}{k} = \frac{A(n, k)}{k!}.$$

Nossa fórmula para $A(n, k)$ conduz agora à seguinte conclusão:

o número de combinações de n objetos tomados k a k é

$$\binom{n}{k} = \frac{n!}{k!(n-k)!}.$$

Os coeficientes binomiais têm muitas propriedades, das quais mencionamos algumas:

$$\binom{n}{0} = \binom{n}{n} = \frac{n!}{0!n!} = 1, \qquad \binom{n}{1} = \binom{n}{n-1} = \frac{n!}{1!(n-1)!} = n,$$

e

$$\binom{n}{k} = \binom{n}{n-k}.$$

Essa última igualdade pode ser estabelecida facilmente a partir do desenvolvimento da fórmula ou, mais diretamente, simplesmente observando que uma escolha de k objetos de um conjunto de n objetos é equivalente a uma escolha de $n - k$ objetos deixados para trás.

Exemplo 3 (a) O número de comissões de 3 pessoas que podem ser escolhidas de um grupo de 8 pessoas é

$$\binom{8}{3} = \frac{8!}{3!5!} = \frac{8 \cdot 7 \cdot 6}{2 \cdot 3} = 56.$$

(b) Uma certa comissão governamental deve ser formada por 2 economistas e 3 engenheiros. Há 6 economistas e 5 engenheiros candidatos às indicações. Quantas comissões diferentes são possíveis? Dos 6 economistas, 2 podem ser escolhidos de $\binom{6}{2}$ maneiras; e, dos 5 engenheiros, 3 podem ser escolhidos de $\binom{5}{3}$ maneiras. O número de comissões possíveis é, portanto,

$$\binom{6}{2}\binom{5}{3} = \frac{6!}{2!4!} \cdot \frac{5!}{3!2!} = \frac{6 \cdot 5}{2} \cdot \frac{5 \cdot 4}{2} = 150.$$

(c) O número de mãos de pôquer de 5 cartas diferentes que podem ser distribuídas a partir de um baralho de 52 cartas é

$$\binom{52}{5} = \frac{52!}{5!\,47!} = \frac{52 \cdot 51 \cdot 50 \cdot 49 \cdot 48}{2 \cdot 3 \cdot 4 \cdot 5} = 2.598.960$$

O Teorema do Binômio de Newton

Para estabelecer o Teorema do Binômio de Newton (2), tudo o que é necessário é observar (1) e perceber que cada termo da expansão pode ser encarado como o produto de n letras, tomando-se uma de cada fator do produto

$$(a+b)(a+b) \cdots (a+b). \qquad n \text{ fatores}.$$

Assim um produto $a^{n-k}b^k$ é obtido escolhendo-se $k\,b$ e, portanto, $n-k\,a$ entre os fatores restantes. O número de maneiras pelas quais podemos proceder para obter o termo considerado é $\binom{n}{k}$. O coeficiente de $a^{n-k}b^k$ no segundo membro de (2) é portanto $\binom{n}{k}$, e a prova está terminada.

Problemas

1. Escreva em termos de fatoriais

    (a) $5 \cdot 6 \cdot 7 \cdot 8 \cdot 9$;   (b) $22 \cdot 21 \cdot 20 \cdot 19 \cdot 18 \cdot 17$;

    (c) $\dfrac{52 \cdot 51 \cdot 50 \cdot 49 \cdot 48}{1 \cdot 2 \cdot 3 \cdot 4 \cdot 5}$.

2. Calcule

    (a) $\dfrac{8!}{5!}$;   (b) $\dfrac{11!}{8!}$;   (c) $\dfrac{15!}{3!12!}$;

    (d) $\dfrac{25!}{4!21!}$;   (e) $A(22,2)$;   (f) $A(7,5)$.

3. Sabendo-se que 6 cavalos disputam uma corrida, quantas ordens de chegada diferentes existem? Quantas possibilidades há para os 3 primeiros lugares?

4. Um clube tem 10 membros. De quantas maneiras podem ser escolhidos um presidente, um vice-presidente e um secretário?

5. Quantas ordens de batida são possíveis para um time de basebol sabendo-se que os 4 melhores batedores são os primeiros 4 a bater?

6. Quantas ordens de batida são possíveis se os *fielders* são os 3 primeiros a bater e o *pitcher* bate por último?

7. Quantos números de 10 algarismos podem ser formados de todos os 10 algarismos 0, 1, 2, 3, 4, 5, 6, 7, 8, 9 não se permitindo o 0 como primeiro algarismo?

8. Quantos números de 5 algarismos podem ser formados com os 10 algarismos sabendo-se que o primeiro algarismo não pode ser 0 e não são permitidas repetições? E se forem permitidas repetições?

9. Quantas placas de licenciamento podem ser feitas utilizando-se 7 símbolos, dos quais os 3 primeiros são letras diferentes do alfabeto e os 4 últimos são algarismos, dos quais o primeiro não pode ser 0?

10. De quantas maneiras 3 livros de História e 4 livros de Física podem ser colocados numa prateleira sabendo-se que livros do mesmo assunto devem ser mantidos juntos? Qual é o total de maneiras se os livros de História devem ser mantidos juntos, mas os livros de Física não necessariamente?

11. Quantos sinais diferentes podem ser feitos com 5 bandeiras diferentes sabendo-se que cada sinal é formado por 5 bandeiras colocadas uma acima da outra num mastro? E se cada sinal for formado por 3 bandeiras? E caso cada sinal for feito por uma ou mais bandeiras?

12. De quantos modos 6 pessoas podem se sentar numa fileira de 6 cadeiras?

13. De quantos modos 6 pessoas podem se sentar numa fileira de 8 cadeiras?

14. De quantos modos 6 pessoas podem se sentar numa fileira de 6 cadeiras se:

    (a) duas delas insistem em se sentar uma ao lado da outra?

    (b) duas delas recusam-se a se sentar uma ao lado da outra?

15. De quantos modos 3 homens e 3 mulheres podem se sentar numa fileira de 6 cadeiras se os homens e as mulheres se sentam em posições alternadas?

16. Calcule.

(a) $\binom{100}{2}$;   (b) $\binom{15}{3}$;   (c) $\binom{10}{5}$.

17. Um empreiteiro emprega 10 operários. De quantos modos ele pode escolher 4 deles para fazer um certo trabalho?

18. De quantos modos 12 jurados podem ser selecionados de um grupo de 20 cidadãos elegíveis?

19. Num encontro, 28 pessoas se cumprimentam apertando as mãos. Quantos apertos de mão ocorrem?

20. Num exame, uma estudante pode escolher 10 questões quaisquer dentre 12 questões. Quantos modos ela tem para escolher suas questões?

21. De uma comissão de 10 pessoas, de quantas maneiras podemos escolher uma subcomissão de 4 e uma outra subcomissão de 3 pessoas, sem elementos comuns?

22. Quantas comissões de 4 pessoas podem ser escolhidas de um grupo de 12 pessoas? Quantas dessas incluirão uma determinada pessoa? Quantas delas excluirão essa pessoa?

23. De quantas maneiras podemos escolher uma comissão de 5 homens e 4 mulheres de um grupo de 10 homens e 7 mulheres?

24. De quantos modos podemos selecionar uma comissão de 5 pessoas de um grupo de 11 pessoas se:
    (a) dois integrantes do grupo insistem em servir juntos ou não servir?
    (b) dois integrantes do grupo recusam-se a servir juntos?

25. Qual o número de ordens diferentes em que podemos colocar na estante conjuntos de 5 livros, cada conjunto sendo formado por 3 livros de História e 2 livros de Química, sabendo-se que os livros devem ser escolhidos de um conjunto de 9 livros de História e 7 livros de Química?

26. Três sacolas contêm 8 bolas pretas, 6 brancas e 10 vermelhas, respectivamente. De quantas maneiras podemos escolher 6 bolas pretas, 4 brancas e 7 vermelhas?

27. De um baralho de 52 cartas, quantas mãos de pôquer de 5 cartas são *flushes* (cartas do mesmo naipe)? Quantas são *full houses* (3 cartas de um tipo junto com um par de outro tipo)?

28. Quantas retas 12 pontos de um plano, com três quaisquer dentre eles não-colineares, determinam?

29. Quantos triângulos 13 pontos de um plano, com três quaisquer dentre eles não colineares, determinam?

30. Quantas retas são determinadas por m pontos de um plano, com k deles ($k < m$) colineares, e, exceto estes, nenhum terno (conjunto de 3) de pontos colinear?

31. Quantos planos 9 pontos do espaço, 4 quaisquer deles não sendo coplanares, determinam?

32. Quantos retângulos são formados por 5 retas verticais interceptando 8 retas horizontais?

33. Quantas diagonais podem ser desenhadas num polígono regular de n lados? (Uma diagonal é um segmento que une 2 vértices não-adjacentes.)

34. Use o Teorema do Binômio de Newton para expandir cada uma das seguintes expressões:

   (a) $(2x - y)^7$;   (b) $(3a + 2b)^6$;
   (c) $(x^2 y - 3z^3)^5$.

35. Determine o termo de

   (a) $(x - 4)^{15}$ onde aparece x^{11};

   (b) $(2x - 3)^9$ onde aparece x^4;

   (c) $(a^2 - b^3)^{14}$ onde aparece a^{10}.

D.2 INDUÇÃO MATEMÁTICA

Descobertas em Matemática são às vezes feitas a partir do exame cuidadoso de evidências empíricas. Como ilustração, vamos tentar determinar uma fórmula para a soma dos n primeiros números ímpares n inteiro positivo qualquer. Calculemos.

para $n = 1$, $1 = 1$ $= 1^2$,
para $n = 2$, $1 + 3 = 4$ $= 2^2$,
para $n = 3$, $1 + 3 + 5 = 9$ $= 3^2$,
para $n = 4$, $1 + 3 + 5 + 7 = 16$ $= 4^2$,
para $n = 5$, $1 + 3 + 5 + 7 + 9 = 25$ $= 5^2$.

Os resultados sugerem que o valor da soma é sempre igual ao quadrado do número de termos da soma. Como $2n - 1$ é o n-ésimo número ímpar, podemos formular essa conjectura como se segue:

$$1 + 3 + 5 + \cdots + (2n - 1) = n^2 \tag{1}$$

para todo inteiro positivo n.

A expressão (1) é plausível, mas estamos longe de a termos provado. Continuando a testar nossa conjectura para $n = 6, 7, 8$ e assim por diante, ela continua a valer, o que certamente aumenta nossa confinaça de que (1) é provavelmente verdadeira para todo inteiro positivo n. Entretanto, verificações dessa espécie não podem jamais constituir-se numa prova, não importa quão longe possam ser conduzidas. Mesmo verificando (1) para todos os valores de n até $n = 1000$, não afastamos a possibilidade de lógica de que (1) possa deixar de ser verdadeira para $n = 1001$*.

Há um abismo entre "provavelmente verdadeira" e "absolutamente certa". É necessário um argumento lógico que garanta que (1) seja *sempre* verdadeira, para *todos* os valores de n, para além de qualquer dúvida. É isto o que realiza o método de demonstração por indução matemática. Explicaremos esse método de raciocínio mostrando como funciona no caso da fórmula (1) e depois o enunciaremos como um princípio formal.

Exemplo 1 Para provar (1) por indução matemática, começamos observando que essa fórmula é verdadeira para $n = 1$, pois reduz-se a $1 = 1^2$. (Isto já sabíamos.) A seguir, provamos que, sendo k um valor de n para o qual (1) é verdadeira, então (1) será necessariamente verdadeira para o inteiro seguinte $n = k + 1$. Assim suponhamos que (1) seja verdadeira para $n = k$.

$$1 + 3 + 5 + \cdots + (2k - 1) = k^2. \tag{2}$$

Partindo dessa hipótese, tentamos provar que (1) também é verdadeira para $n = k + 1$, ou seja, que teremos

$$1 + 3 + 5 + \cdots + (2k - 1) + (2k + 1) = (k + 1)^2. \tag{3}$$

---

* Como ilustração desse ponto, a expressão

$$n^2 - 1 = (n + 1)(n - 1) + [(n - 1)(n - 2) \cdots (n - 1000)]$$

é evidentemente verdadeira para os primeiros mil valores de n (pois a expressão em colchetes é nula); contudo é falsa para $n = 1001, 1002, \ldots$

(O penúltimo termo do primeiro membro é destacado aqui para esclarecer a próxima etapa.) Usando (2) vemos que o primeiro membro de (3) pode se escrever como

$$1 + 3 + 5 + \cdots + (2k - 1) + (2k + 1) = k^2 + (2k + 1) = (k + 1)^2,$$

logo (3) será verdadeira se (2) o for. Mas isto é suficiente para garantir que (1) realmente vale para todo *n*. Para vermos isto, suponhamos que desejamos nos assegurar de que (1) é verdadeira para um certo valor específico de *n*, digamos $n = 37$. O raciocínio que fazemos é o seguinte: sabemos por cálculo direto que (1) é verdadeira para $n = 1$; sendo verdadeira para $n = 1$, o argumento usado na demonstração mostra que ela é também verdadeira para $n = 2$; como é verdadeira para $n = 2$, deve ser verdadeira para $n = 3$; e assim por diante até $n = 37$ (ou qualquer outro valor de *n*).

O princípio que estamos discutindo é mais que a dissecação desse exemplo.

Princípio da Indução Matemática *Seja $S(n)$ uma proposição referente a um inteiro positivo n^*.*

Suponha sabermos que cada uma das 2 condições é satisfeita.

I   *$S(1)$ é verdadeira.*
II   *Sendo $S(n)$ supostamente verdadiera para um inteiro $n = k$, então será necessariamente verdadeira para o inteiro seguinte, $n = k + 1$.*

Nessas circunstâncias, conclui-se que $S(n)$ é verdadeira para todo inteiro positivo n.

Resumindo: escrevendo-se as proposições $S(n)$ sucessivamente

$$S(1), S(2), S(3), \ldots$$

o processo de verificação é iniciado por I · II é uma ligação de cada proposição com a seguinte, garantindo que o processo continue sem fim.

A idéia de indução pode ser ilustrada de muitas maneiras não-matemáticas. Por exemplo, imagine uma fileira de peças de dominó colocadas em pé. Suponha que elas estejam espaçadas de modo a que, caindo qualquer uma delas, ela irá bater na seguinte. Suponha além disso que nós realmente derrubemos a primeira peça do dominó. Nessa situação, sabemos que todas as peças do dominó cairão. Nosso conhecimento está baseado em dois fatos, que são bastante análogos a I e II:

---

*   Isto significa que, para cada valor específico de *n*, $S(n)$ é uma sentença que é verdadeira ou falsa, sem qualquer ambigüidade.

(i) A primeira peça de dominó *cai,* pois nós a derrubamos.
(ii) *Se* qualquer peça de dominó cair, *então* ela irá bater na seguinte.

Devemos ser cuidadosos com o significado de (ii); não há a afirmação de que qualquer peça de dominó realmente cai, mas apenas que cada peça de dominó está relacionada com a próxima de um certo modo.

Daremos dois outros exemplos do método, estabelecendo duas fórmulas usadas no Capítulo 6. Estas são as fórmulas da soma dos n primeiros inteiros positivos e da soma dos n primeiros quadrados:

$$1 + 2 + 3 + \cdots + n = \frac{n(n+1)}{2}, \tag{4}$$

e

$$1^2 + 2^2 + 3^2 + \cdots + n^2 = \frac{n(n+1)(2n+1)}{6}. \tag{5}$$

Várias observações e problemas adiante referem-se à questão natural de se saber como tais fórmulas podem ser descobertas e compreendidas. No momento, entretanto, restringimos nossa atenção em prová-las pelo método de indução matemática.

Exemplo 2 Para provar (4) por indução, começamos verificando I. Observamos que (4) é obviamente verdadeira para $n = 1$:

$$1 = \frac{1 \cdot 2}{2}.$$

Para verificar II, começamos admitindo que (4) vale para $n = k$,

$$1 + 2 + 3 + \cdots + k = \frac{k(k+1)}{2}, \tag{6}$$

Esperamos poder provar (4) para $n = k + 1$,

$$1 + 2 + 3 + \cdots + k + (k+1) = \frac{(k+1)(k+2)}{2}. \tag{7}$$

Usando-se (6) podemos escrever o primeiro membro de (7)

$$1 + 2 + 3 + \cdots + k + (k + 1) = \frac{k(k + 1)}{2} + (k + 1)$$

$$= (k + 1)\left(\frac{k}{2} + 1\right)$$

$$= \frac{(k + 1)(k + 2)}{2}.$$

A condição II está portanto satisfeita. Logo, por indução, (4) é válida para todos os inteiros positivos n.

Exemplo 3 A prova de (5) é também simples. Para verificar I, colocamos $n = 1$:

$$1^2 = \frac{1 \cdot 2 \cdot 3}{6}.$$

Para verificar II, devemos admitir

$$1^2 + 2^2 + 3^2 + \cdots + k^2 = \frac{k(k + 1)(2k + 1)}{6}$$

e usar essa expressão para provar que

$$1^2 + 2^2 + 3^2 + \cdots + k^2 + (k + 1)^2 = \frac{(k + 1)(k + 2)(2k + 3)}{6}.$$

Os detalhes são rotineiros,

$$1^2 + 2^2 + 3^2 + \cdots + k^2 + (k + 1)^2 = \frac{k(k + 1)(2k + 1)}{6} + (k + 1)^2$$

$$= (k + 1)\left[\frac{k(2k + 1)}{6} + (k + 1)\right]$$

$$= (k + 1)\left[\frac{2k^2 + 7k + 6}{6}\right]$$

$$= \frac{(k + 1)(k + 2)(2k + 3)}{6}.$$

Logo, por indução, a prova de (5) está completa.

Observação 1 A indução matemática é um respeitável método de demonstração que todo estudante de Matemática deve compreender. Nosso propósito aqui foi explicar esse método e também ilustrar seu uso provando duas fórmulas, (4) e (5), que são necessárias em partes de nosso trabalho. Entretanto, resta muita coisa para ser dita.

As provas por indução produzem crença sem discernimento e são portanto fundamentalmente insatisfatórias. É importante saber que um teorema matemático *é* verdadeiro, mas, com freqüência, é mais importante compreender *por que* é verdadeiro. Há outras provas das fórmulas (1), (4) e (5) que transmitem muito mais discernimento sobre essas fórmulas e que sugerem também como elas poderiam ser descobertas. Comecemos com (4).

Denotando-se por S a soma dos inteiros de 1 a n

$$S = 1 + 2 + \cdots + (n-1) + n,$$

poderíamos ter a idéia de escrever essa soma na ordem inversa,

$$S = n + (n-1) + \cdots + 2 + 1.$$

Observamos agora que as duas primeiras parcelas da direita das duas expressões somam $n + 1$, o mesmo ocorrendo com as segundas parcelas e assim por diante. Portanto é natural somar parcela a parcela essas duas equações, obtendo-se

$$2S = n(n+1) \quad \text{ou} \quad S = \frac{n(n+1)}{2}.$$

Essa idéia nos permitiu descobrir a fórmula (4) e também prová-la simultaneamente.

Retornemos agora à fórmula (1), que novamente iremos descobrir e provar simultaneamente. Consideremos a soma dos n primeiros números ímpares,

$$1 + 3 + 5 + \cdots + (2n-1).$$

Observamos certas lacunas óbvias nessa soma, que correspondem às posições onde os números pares deveriam estar. Preenchendo essas lacunas e, ao mesmo tempo, compensando esse preenchimento, obteremos facilmente usando (4)

$$1 + 3 + 5 + \cdots + (2n - 1) = (1 + 2 + 3 + \cdots + 2n) - (2 + 4 + \cdots + 2n)$$
$$= (1 + 2 + 3 + \cdots + 2n) - 2(1 + 2 + \cdots + n)$$
$$= \frac{2n(2n + 1)}{2} - 2 \cdot \frac{n(n + 1)}{2}$$
$$= 2n^2 + n - n^2 - n = n^2,$$

que é (1).

Descobrimos e provamos a fórmula da soma dos n primeiros inteiros positivos,

$$1 + 2 + 3 + \cdots + n = \frac{n(n + 1)}{2}. \tag{4}$$

É um pouco mais difícil descobrir (5), isto é, uma fórmula para a soma dos n primeiros quadrados,

$$1^2 + 2^2 + 3^2 + \cdots + n^2.$$

Já conhecemos a resposta pelo Exemplo 3, mas vamos esquecê-la por um momento e tentar pensar em como poderíamos descobri-la. É natural considerar as duas somas juntamente:

n	1	2	3	4	5	6	$\cdots$
$1 + 2 + \cdots + n$	1	3	6	10	15	21	$\cdots$
$1^2 + 2^2 + \cdots + n^2$	1	5	14	30	55	91	$\cdots$

Haveria alguma relação entre essas somas? Poderíamos considerar suas razões:

n	1	2	3	4	5	6	$\cdots$
$\dfrac{1 + 2 + \cdots + n}{1^2 + 2^2 + \cdots + n^2}$	1	$\dfrac{3}{5}$	$\dfrac{3}{7}$	$\dfrac{1}{3}$	$\dfrac{3}{11}$	$\dfrac{3}{13}$	$\cdots$

Escrevendo essas razões na forma

$$\frac{3}{3} \quad \frac{3}{5} \quad \frac{3}{7} \quad \frac{3}{9} \quad \frac{3}{11} \quad \frac{3}{13} \quad \cdots,$$

então é difícil deixar de notar a regra que emerge. Parece claro que

$$\frac{1+2+\cdots+n}{1^2+2^2+\cdots+n^2}=\frac{3}{2n+1},$$

e usando (4) determinamos facilmente que

$$1^2+2^2+\cdots+n^2=\frac{n(n+1)(2n+1)}{6}. \qquad (5)$$

Não demos, com o raciocínio feito, uma prova de (5). Apesar disso, ele nos oferece uma conjecttura plausível que podemos tentar provar por indução, como fizemos no Exemplo 3.

Observação 2 Há uma outra maneira muito engenhosa de descobrir (5) que ao mesmo tempo se constitui numa prova. Começamos com a expansão

$$(k+1)^3 = k^3 + 3k^2 + 3k + 1,$$

expressa na forma mais conveniente

$$(k+1)^3 - k^3 = 3k^2 + 3k + 1.$$

Escrevendo essa identidade para $k = 1, 2, ..., n$ e somando membro a membro, fazendo os cancelamentos, encontramos

$$2^3 - 1^3 = 3\cdot 1^2 + 3\cdot 1 + 1$$
$$3^3 - 2^3 = 3\cdot 2^2 + 3\cdot 2 + 1$$
$$\cdots$$
$$\underline{(n+1)^3 - n^3 = 3\cdot n^2 + 3\cdot n + 1}$$
$$(n+1)^3 - 1^3 = 3(1^2 + 2^2 + \cdots + n^2) + 3(1 + 2 + \cdots + n) + n$$

Obtemos uma fórmula para a soma dos quadrados em termos de nossa conhecida fórmula (4) para a soma $1 + 2 + ... + n$:

$$1^2 + 2^2 + \cdots + n^2 = \tfrac{1}{3}[n^3 + 3n^2 + 3n - \tfrac{3}{2}n(n+1) - n]$$
$$= \tfrac{1}{6}(2n^3 + 6n^2 + 6n - 3n^2 - 3n - 2n)$$
$$= \frac{n}{6}(2n^2 + 3n + 1)$$
$$= \frac{n(n+1)(2n+1)}{6}.$$

A idéia dessa prova é do grande teólogo-matemático-cientista-escritor francês **Blaise Pascal**. Ela pode ser estendida facilmente para tentarmos descobrir a soma dos n primeiros cubos,

$$1^3 + 2^3 + \cdots + n^3 = \left[\frac{n(n+1)}{2}\right]^2, \tag{8}$$

das n primeiras quartas potências e assim indefinidamente.

Observação 3 Há uma prova geométrica extremamente bela de (8), conhecida pelos matemáticos árabes há quase 1 milhão de anos. Essa prova depende do quadrado mostrado na Fig. D.1, construído como se segue:

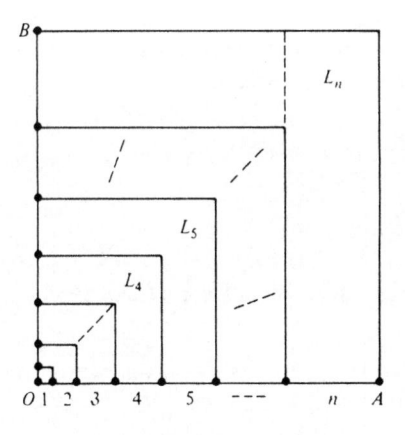

Figura D.1

Começando no ponto O, assentamos segmentos sucessivos de comprimentos 1, 2, 3 etc. e finalmente um de comprimento n atingindo o ponto A. Fazemos o mesmo sobre a reta OB perpendicular a OA, de modo que

$$OA = OB = 1 + 2 + \cdots + n$$
$$= \frac{n(n+1)}{2}.$$

A área do quadrado é, portanto,

$$S = \left[\frac{n(n+1)}{2}\right]^2. \tag{9}$$

Entretanto, o quadrado é a soma de n regiões em forma de L, indicadas na figura:

$$S = L_1 + L_2 + \cdots + L_n.$$

Qual é a área de L_n? Essa região pode ser dividida em dois retângulos, como na figura. Assim

$$L_n = n\left[\frac{n(n+1)}{2}\right] + n\left[\frac{(n-1)n}{2}\right]$$
$$= \frac{1}{2} n^2[(n+1) + (n-1)] = n^3.$$

Conseqüentemente,

$$S = L_1 + L_2 + \cdots + L_n$$
$$= 1^3 + 2^3 + \cdots + n^3, \tag{10}$$

e comparando-se (9) e (10) temos (8). Há também provas com sabor geométrico de (1) e de (4). Essas provas são dadas em nossa nota sobre Pitágoras, no Apêndice C, e não repetiremos aqui.

Observação 4 A indução matemática como método de demonstração originou-se do trabalho de Pascal sobre os coeficientes binomiais. O leitor interessado encontrará esse trabalho descrito e citado no Volume 1 do notável livro de G. Polya, *Mathematical Discovery* (Wiley, 1962), pp. 73-75.

PROBLEMAS

1. Use (1) e (4) para determinar uma fórmula para cada uma das seguintes somas:

    (a) $2 + 4 + 6 + \cdots + 2n$;
    (b) $(n+1) + (n+2) + (n+3) + \cdots + 3n$;
    (c) $1 + 3 + 5 + \cdots + (4n-1)$;
    (d) $(2n+1) + (2n+3) + (2n+5) + \cdots + (4n-1)$;
    (e) $3 + 8 + 13 + \cdots + (5n-2)$.

2. Descubra uma fórmula para $1^2 + 3^2 + 5^2 + \ldots + (2n-1)^2$ usando sua relação com a soma $1^2 + 2^2 + 3^2 + \ldots + (2n)^2$.

3. Prove por indução cada uma das fórmulas seguintes:

(a) $\dfrac{1}{1 \cdot 2} + \dfrac{1}{2 \cdot 3} + \dfrac{1}{3 \cdot 4} + \cdots + \dfrac{1}{n(n+1)} = \dfrac{n}{n+1}$;

(b) $1 \cdot 2 + 2 \cdot 3 + 3 \cdot 4 + \cdots + n(n+1) = \dfrac{n(n+1)(n+2)}{3}$;

(c) $\dfrac{1}{1 \cdot 3} + \dfrac{1}{3 \cdot 5} + \dfrac{1}{5 \cdot 7} + \cdots + \dfrac{1}{(2n-1)(2n+1)} = \dfrac{n}{2n+1}$;

(d) $1 \cdot 3 + 3 \cdot 5 + 5 \cdot 7 + \cdots + (2n-1)(2n+1) = \dfrac{n(4n^2 + 6n - 1)}{3}$.

Prove (a) sem usar indução matemática, por meio da identidade algébrica

$$\frac{1}{n(n+1)} = \frac{1}{n} - \frac{1}{n+1};$$

descubra também um método análogo para provar (c).

4. Prove por indução cada uma das seguintes afirmações:

(a) $1 + \dfrac{1}{2} + \dfrac{1}{4} + \cdots + \dfrac{1}{2^n} = 2 - \dfrac{1}{2^n}$;

(b) $1 + r + r^2 + \cdots + r^n = \dfrac{1 - r^{n+1}}{1 - r} \quad (r \neq 1)$;

(c) $\dfrac{1}{2} + \dfrac{2}{2^2} + \dfrac{3}{2^3} + \cdots + \dfrac{n}{2^n} = 2 - \dfrac{(n+2)}{2^n}$;

(d) $r + 2r^2 + 3r^3 + \cdots + nr^n = \dfrac{r - (n+1)r^{n+1} + nr^{n+2}}{(1-r)^2} \quad (r \neq 1)$.

(e) $\dfrac{1}{n} + \dfrac{1}{n+1} + \dfrac{1}{n+2} + \cdots + \dfrac{1}{2n-1} = 1 - \dfrac{1}{2} + \dfrac{1}{3} - \dfrac{1}{4} + \cdots + \dfrac{1}{2n-1}$;

(f) $\dfrac{1}{1+x} + \dfrac{2}{1+x^2} + \dfrac{4}{1+x^4} + \cdots + \dfrac{2^n}{1+x^{2^n}} = \dfrac{1}{x-1} + \dfrac{2^{n+1}}{1-x^{2^{n+1}}}$ $(x \neq \pm 1)$;

(g) $1^3 + 2^3 + 3^3 + \cdots + n^3 = \left[\dfrac{1}{2}n(n+1)\right]^2$; $\dfrac{1}{30}n(n+1)(6n^3 + 9n^2 + n - 1)$.

(h) $1^4 + 2^4 + 3^4 + \cdots + n^4 =$

5. Use o método apresentado na Observação 2 para descobrir e provar as fórmulas da parte (g) e (h) do Problema 4.

6. Em cada um dos seguintes itens, descubra a lei geral sugerida pelos fatos apresentados e prove-a por indução:

   (a) $1 = 1$,
   $1 - 4 = -(1 + 2)$,
   $1 - 4 + 9 = 1 + 2 + 3$,
   $1 - 4 + 9 - 16 = -(1 + 2 + 3 + 4)$;

   (b) $1 - \tfrac{1}{2} = \tfrac{1}{2}$,
   $(1 - \tfrac{1}{2})(1 - \tfrac{1}{3}) = \tfrac{1}{3}$,
   $(1 - \tfrac{1}{2})(1 - \tfrac{1}{3})(1 - \tfrac{1}{4}) = \tfrac{1}{4}$,
   $(1 - \tfrac{1}{2})(1 - \tfrac{1}{3})(1 - \tfrac{1}{4})(1 - \tfrac{1}{5}) = \tfrac{1}{5}$.

7. Descubra as fórmulas que simplificam os seguintes produtos e prove-as por indução:

   (a) $\left(1 - \dfrac{1}{4}\right)\left(1 - \dfrac{1}{9}\right)\left(1 - \dfrac{1}{16}\right) \cdots \left(1 - \dfrac{1}{n^2}\right)$;

   (b) $(1 - x)(1 + x)(1 + x^2)(1 + x^4) \cdots (1 + x^{2^n})$.

8. Seja $S(n)$ a seguinte afirmação:

$$1 + 2 + 3 + \cdots + n = \frac{(n-1)(n+2)}{2}.$$

(a) Prove que, se $S(n)$ é verdadeira para $n = k$, então é também verdadeira para $n = k + 1$.

(b) Critique a asserção: "Por indução sabemos portanto que $S(n)$ é verdadeira para todos os inteiros positivos n".

APÊNDICE

E.

TABELAS NUMÉRICAS

Tabela 1. Funções trigonométricas

Ângulo					Ângulo				
Grau	Radiano	Seno	Co-seno	Tangente	Grau	Radiano	Seno	Co-seno	Tangente
0°	0,000	0,000	1,000	0,000					
1°	0,017	0,017	1,000	0,017	21°	0,367	0,358	0,934	0,384
2°	0,035	0,035	0,999	0,035	22°	0,384	0,375	0,927	0,404
3°	0,052	0,052	0,999	0,052	23°	0,401	0,391	0,921	0,424
4°	0,070	0,070	0,998	0,070	24°	0,419	0,407	0,914	0,445
5°	0,087	0,087	0,996	0,087	25°	0,436	0,423	0,906	0,466
6°	0,105	0,105	0,995	0,105	26°	0,454	0,438	0,899	0,488
7°	0,122	0,122	0,993	0,123	27°	0,471	0,454	0,891	0,510
8°	0,140	0,139	0,990	0,141	28°	0,489	0,469	0,883	0,532
9°	0,157	0,156	0,988	0,158	29°	0,506	0,485	0,875	0,554
10°	0,175	0,174	0,985	0,176	30°	0,524	0,500	0,866	0,577
11°	0,192	0,191	0,982	0,194	31°	0,541	0,515	0,857	0,601
12°	0,209	0,208	0,978	0,213	32°	0,559	0,530	0,848	0,625
13°	0,227	0,225	0,974	0,231	33°	0,576	0,545	0,839	0,649
14°	0,244	0,242	0,970	0,249	34°	0,593	0,559	0,829	0,675
15°	0,262	0,259	0,966	0,268	35°	0,611	0,574	0,819	0,700
16°	0,279	0,276	0,961	0,287	36°	0,628	0,588	0,809	0,727
17°	0,297	0,292	0,956	0,306	37°	0,646	0,602	0,799	0,754
18°	0,314	0,309	0,951	0,325	38°	0,663	0,616	0,788	0,781
19°	0,332	0,326	0,946	0,344	39°	0,681	0,629	0,777	0,810
20°	0,349	0,342	0,940	0,364	40°	0,698	0,643	0,766	0,839

Tabela 1 Funções trigonométricas (*cont.*)

Ângulo		Seno	Co-seno	Tangente	Ângulo		Seno	Co-seno	Tangente
Grau	Radiano				Grau	Radiano			
41°	0,716	0,656	0,755	0,869	66°	1,152	0,914	0,407	2,246
42°	0,733	0,669	0,743	0,900	67°	1,169	0,921	0,391	2,356
43°	0,750	0,682	0,731	0,933	68°	1,187	0,927	0,375	2,475
44°	0,768	0,695	0,719	0,966	69°	1,204	0,934	0,358	2,605
45°	0,785	0,707	0,707	1,000	70°	1,222	0,940	0,342	2,748
46°	0,803	0,719	0,695	1,036	71°	1,239	0,946	0,326	2,904
47°	0,820	0,731	0,682	1,072	72°	1,257	0,951	0,309	3,078
48°	0,838	0,743	0,669	1,111	73°	1,274	0,956	0,292	3,271
49°	0,855	0,755	0,656	1,150	74°	1,292	0,961	0,276	3,487
50°	0,873	0,766	0,643	1,192	75°	1,309	0,966	0,259	3,732
51°	0,890	0,777	0,629	1,235	76°	1,326	0,970	0,242	4,011
52°	0,908	0,788	0,616	1,280	77°	1,344	0,974	0,225	4,332
53°	0,925	0,799	0,602	1,327	78°	1,361	0,978	0,208	4,705
54°	0,942	0,809	0,588	1,376	79°	1,379	0,982	0,191	5,145
55°	0,960	0,819	0,574	1,428	80°	1,396	0,985	0,174	5,671
56°	0,977	0,829	0,559	1,483	81°	1,414	0,988	0,156	6,314
57°	0,995	0,839	0,545	1,540	82°	1,431	0,990	0,139	7,115
58°	1,012	0,848	0,530	1,600	83°	1,449	0,993	0,122	8,144
59°	1,030	0,857	0,515	1,664	84°	1,466	0,995	0,105	9,514
60°	1,047	0,866	0,500	1,732	85°	1,484	0,996	0,087	11,43
61°	1,065	0,875	0,485	1,804	86°	1,501	0,998	0,070	14,30
62°	1,082	0,883	0,469	1,881	87°	1,518	0,999	0,052	19,08
63°	1,100	0,891	0,454	1,963	88°	1,536	0,999	0,035	28,64
64°	1,117	0,899	0,438	2,050	89°	1,553	1,000	0,017	57,29
65°	1,134	0,906	0,423	2,145	90°	1,571	1,000	0,000	

Tabela 2. Funções exponenciais

x	e^x	e^{-x}	x	e^x	e^{-x}
0,00	1,0000	1,0000	2,5	12,182	0,0821
0,05	1,0513	0,9512	2,6	13,464	0,0743
0,10	1,1052	0,9048	2,7	14,880	0,0672
0,15	1,1618	0,8607	2,8	16,445	0,0608
0,20	1,2214	0,8187	2,9	18,174	0,0550
0,25	1,2840	0,7788	3,0	20,086	0,0498
0,30	1,3499	0,7408	3,1	22,198	0,0450
0,35	1,4191	0,7047	3,2	24,533	0,0408
0,40	1,4918	0,6703	3,3	27,113	0,0369
0,45	1,5683	0,6376	3,4	29,964	0,0334
0,50	1,6487	0,6065	3,5	33,115	0,0302
0,55	1,7333	0,5769	3,6	36,598	0,0273
0,60	1,8221	0,5488	3,7	40,447	0,0247
0,65	1,9155	0,5220	3,8	44,701	0,0224
0,70	2,0138	0,4966	3,9	49,402	0,0202
0,75	2,1170	0,4724	4,0	54,598	0,0183
0,80	2,2255	0,4493	4,1	60,340	0,0166
0,85	2,3396	0,4274	4,2	66,686	0,0150
0,90	2,4596	0,4066	4,3	73,700	0,0136
0,95	2,5857	0,3867	4,4	81,451	0,0123
1,0	2,7183	0,3679	4,5	90,017	0,0111
1,1	3,0042	0,3329	4,6	99,484	0,0101
1,2	3,3201	0,3012	4,7	109,95	0,0091
1,3	3,6693	0,2725	4,8	121,51	0,0082
1,4	4,0552	0,2466	4,9	134,29	0,0074
1,5	4,4817	0,2231	5	148,41	0,0067
1,6	4,9530	0,2019	6	403,43	0,0025
1,7	5,4739	0,1827	7	1096,6	0,0009
1,8	6,0496	0,1653	8	2981,0	0,0003
1,9	6,6859	0,1496	9	8103,1	0,0001
2,0	7,3891	0,1353	10	22026	0,00005
2,1	8,1662	0,1225			
2,2	9,0250	0,1108			
2,3	9,9742	0,1003			
2,4	11,023	0,0907			

Tabela 3 Logaritmos naturais ($\ln x = \log_e x$)

Essa tabela contém logaritmos de números de 1 a 10 na base e. Para obter os logaritmos naturais de outros números, use as fórmulas

$$\ln(10^r x) = \ln x + \ln 10^r \qquad \ln\left(\frac{x}{10^r}\right) = \ln x - \ln 10^r$$

$\ln 10 = 2{,}302585$ $\ln 10^2 = 4{,}605170$ $\ln 10^3 = 6{,}907755$
$\ln 10^4 = 9{,}210340$ $\ln 10^5 = 11{,}512925$ $\ln 10^6 = 13{,}815511$

x	0	1	2	3	4	5	6	7	8	9
1,0	0,0 0000	0995	1980	2956	3922	4879	5827	6766	7696	8618
1,1	0,0 9531	*0436	*1333	*2222	*3103	*3976	*4842	*5700	*6551	*7395
1,2	0,1 8232	9062	9885	*0701	*1511	*2314	*3111	*3902	*4686	*5464
1,3	0,2 6236	7003	7763	8518	9267	*0010	*0748	*1481	*2208	*2930
1,4	0,3 3647	4359	5066	5767	6464	7156	7844	8526	9204	9878
1,5	0,4 0547	1211	1871	2527	3178	3825	4469	5108	5742	6373
1,6	0,4 7000	7623	8243	8858	9470	*0078	*0682	*1282	*1879	*2473
1,7	0,5 3063	3649	4232	4812	5389	5962	6531	7098	7661	8222
1,8	0,5 8779	9333	9884	*0432	*0977	*1519	*2078	*2594	*3127	*3658
1,9	0,6 4185	4710	5233	5752	6269	6783	7294	7803	8310	8813
2,0	0,6 9315	9813	*0310	*0804	*1295	*1784	*2271	*2755	*3237	*3716
2,1	0,7 4194	4669	5142	5612	6081	6547	7011	7473	7932	8390
2,2	0,7 8846	9299	9751	*0200	*0648	*1093	*1536	*1978	*2418	*2855
2,3	0,8 3291	3725	4157	4587	5015	5442	5866	6289	6710	7129
2,4	0,8 7547	7963	8377	8789	9200	9609	*0016	*0422	*0826	*1228
2,5	0,9 1629	2028	2426	2822	3216	3609	4001	4391	4779	5166
2,6	0,9 5551	5935	6317	6698	7078	7456	7833	8208	8582	8954
2,7	0,9 9325	9695	*0063	*0430	*0796	*1160	*1523	*1885	*2245	*2604
2,8	1,0 2962	3318	3674	4028	4380	4732	5082	5431	5779	6126
2,9	1,0 6471	6815	7158	7500	7841	8181	8519	8856	9192	9527
3,0	1,0 9861	*0194	*0526	*0856	*1186	*1514	*1841	*2168	*2493	*2817
3,1	1,1 3140	3462	3783	4103	4422	4740	5057	5373	5688	6002
3,2	1,1 6315	6627	6938	7248	7557	7865	8173	8479	8784	9089
3,3	1,1 9392	9695	9996	*0297	*0597	*0896	*1194	*1491	*1788	*2083
3,4	1,2 2378	2671	2964	3256	3547	3837	4127	4415	4703	4990
3,5	1,2 5276	5562	5846	6130	6413	6695	6976	7257	7536	7815
3,6	1,2 8093	8371	8647	8923	9198	9473	9746	*0019	*0291	*0563

Nota: O asterisco (*) indica que os dois primeiros dígitos são aqueles que estão na coluna 0 da linha seguinte.

Tabela 3 Logaritmos naturais (ln x = $\log_e x$) (*cont.*)

x	0	1	2	3	4	5	6	7	8	9
3,7	1,3 0833	1103	1372	1641	1909	2176	2442	2708	2972	3237
3,8	1,3 3500	3763	4025	4286	4547	4807	5067	5325	5584	5841
3,9	1,3 6098	6354	6609	6864	7118	7372	7624	7877	8128	8379
4,0	1,3 8629	8879	9128	9377	9624	9872	*0118	*0364	*0610	*0854
4,1	1,4 1099	1342	1585	1828	2070	2311	2552	2792	3031	3270
4,2	1,4 3508	3746	3984	4220	4456	4692	4927	5161	5395	5629
4,3	1,4 5862	6094	6326	6557	6787	7018	7247	7476	7705	7933
4,4	1,4 8160	8387	8614	8840	9065	9290	9515	9739	9962	*0185
4,5	1,5 0408	0630	0851	1072	1293	1513	1732	1951	2170	2388
4,6	1,5 2606	2823	3039	3256	3471	3687	3902	4116	4330	4543
4,7	1,5 4756	4969	5181	5393	5604	5814	6025	6235	6444	6653
4,8	1,5 6862	7070	7277	7485	7691	7898	8104	8309	8515	8719
4,9	1,5 8924	9127	9331	9534	9737	9939	*0141	*0342	*0543	*0744
5,0	1,6 0944	1144	1343	1542	1741	1939	2137	2334	2531	2728
5,1	1,6 2924	3120	3315	3511	3705	3900	4094	4287	4481	4673
5,2	1,6 4866	5058	5250	5441	5632	5823	6013	6203	6393	6582
5,3	1,6 6771	6959	7147	7335	7523	7710	7896	8083	8269	8455
5,4	1,6 8640	8825	9010	9194	9378	9562	9745	9928	*0111	*0293
5,5	1,7 0475	0656	0838	1019	1199	1380	1560	1740	1919	2098
5,6	1,7 2277	2455	2633	2811	2988	3166	3342	3519	3695	3871
5,7	1,7 4047	4222	4397	4572	4746	4920	5094	5267	5440	5613
5,8	1,7 5786	5958	6130	6302	6473	6644	6815	6985	7156	7326
5,9	1,7 7495	7665	7843	8002	8171	8339	8507	8675	8842	9009
6,0	1,7 9176	9342	9509	9675	9840	*0006	*0171	*0336	*0500	*0665
6,1	1,8 0829	0993	1156	1319	1482	1645	1808	1970	2132	2294
6,2	1,8 2455	2616	2777	2938	3098	3258	3418	3578	3737	3896
6,3	1,8 4055	4214	4372	4530	4688	4845	5003	5160	5317	5473
6,4	1,8 5630	5786	5942	6097	6253	6408	6563	6718	6872	7026
6,5	1,8 7180	7334	7487	7641	7794	7947	8099	8251	8403	8555
6,6	1,8 8707	8858	9010	9160	9311	9462	9612	9762	9912	*0061
6,7	1,9 0211	0360	0509	0658	0806	0954	1102	1250	1398	1545
6,8	1,9 1692	1839	1986	2132	2279	2425	2571	2716	2862	3007
6,9	1,9 3152	3297	3442	3586	3730	3874	4018	4162	4305	4448
7,0	1,9 4591	4734	4876	5019	5161	5303	5445	5586	5727	5869

Tabela 3 Logaritmos naturais ($\ln x = \log_e x$) (*cont.*)

x	0	1	2	3	4	5	6	7	8	9
7,1	1,9 6009	6150	6291	6431	6571	6711	6851	6991	7130	7269
7,2	1,9 7408	7547	7685	7824	7962	8100	8238	8376	8513	8650
7,3	1,9 8787	8924	9061	9198	9334	9470	9606	9742	9877	*0013
7,4	2,0 0148	0283	0418	0553	0687	0821	0956	1089	1223	1357
7,5	2,0 1490	1624	1757	1890	2022	2155	2287	2419	2551	2683
7,6	2,0 2815	2946	3078	3209	3340	3471	3601	3732	3862	3992
7,7	2,0 4122	4252	4381	4511	4640	4769	4898	5027	5156	5284
7,8	2,0 5412	5540	5668	5796	5924	6051	6179	6306	6433	6560
7,9	2,0 6686	6813	6939	7065	7191	7317	7443	7568	7694	7819
8,0	2,0 7944	8069	8194	8318	8443	8567	8691	8815	8939	9063
8,1	2,0 9186	9310	9433	9556	9679	9802	9924	*0047	*0169	*0291
8,2	2,1 0413	0535	0657	0779	0900	1021	1142	1263	1384	1505
8,3	2,1 1626	1746	1866	1986	2106	2226	2346	2465	2585	2704
8,4	2,1 2823	2942	3061	3180	3298	3417	3535	3653	3771	3889
8,5	2,1 4007	4124	4242	4359	4476	4593	4710	4827	4943	5060
8,6	2,1 5176	5292	5409	5524	5640	5756	5871	5987	6102	6217
8,7	2,1 6332	6447	6562	6677	6791	6905	7020	7134	7248	7361
8,8	2,1 7475	7589	7702	7816	7929	8042	8155	8267	8380	8493
8,9	2,1 8605	8717	8830	8942	9054	9165	9277	9389	9500	9611
9,0	2,1 9722	9834	9944	*0055	*0166	*0276	*0387	*0497	*0607	*0717
9,1	2,2 0827	0937	1047	1157	1266	1375	1485	1594	1703	1812
9,2	2,2 1920	2029	2138	2246	2354	2462	2570	2678	2786	2894
9,3	2,2 3001	3109	3216	3324	3431	3538	3645	3751	3858	3965
9,4	2,2 4071	4177	4284	4390	4496	4601	4707	4813	4918	5024
9,5	2,2 5129	5234	5339	5444	5549	5654	5759	5863	5968	6072
9,6	2,2 6176	6280	6384	6488	6592	6696	6799	6903	7006	7109
9,7	2,2 7213	7316	7419	7521	7624	7727	7829	7932	8034	8136
9,8	2,2 8238	8340	8442	8544	8646	8747	8849	8950	9051	9152
9,9	2,2 9253	9354	9455	9556	9657	9757	9858	9958	*0058	*0158
10,0	2,3 0259	0358	0458	0558	0658	0757	0857	0956	1055	1154
x	0	1	2	3	4	5	6	7	8	9

Nota: O * indica que os dois primeiros dígitos são aqueles que estão na coluna 0 da linha seguinte.

Tabela 4 Logaritmos decimais ($\log_{10} x$)

x	0	1	2	3	4	5	6	7	8	9
10	0000	0043	0086	0128	0170	0212	0253	0294	0334	0374
11	0414	0453	0492	0531	0569	0607	0645	0682	0719	0755
12	0792	0828	0864	0899	0934	0969	1004	1038	1072	1106
13	1139	1173	1206	1239	1271	1303	1335	1367	1399	1430
14	1461	1492	1523	1553	1584	1614	1644	1673	1703	1732
15	1761	1790	1818	1847	1875	1903	1931	1959	1987	2014
16	2041	2068	2095	2122	2148	2175	2201	2227	2253	2279
17	2304	2330	2355	2380	2405	2430	2455	2480	2504	2529
18	2553	2577	2601	2625	2648	2672	2695	2718	2742	2765
19	2788	2810	2833	2856	2878	2900	2923	2945	2967	2989
20	3010	3032	3054	3075	3096	3118	3139	3160	3181	3201
21	3222	3243	3263	3284	3304	3324	3345	3365	3385	3404
22	3424	3444	3464	3483	3502	3522	3541	3560	3579	3598
23	3617	3636	3655	3674	3692	3711	3729	3747	3766	3784
24	3802	3820	3838	3856	3874	3892	3909	3927	3945	3962
25	3979	3997	4014	4031	4048	4065	4082	4099	4116	4133
26	4150	4166	4183	4200	4216	4232	4249	4265	4281	4298
27	4314	4330	4346	4362	4378	4393	4409	4425	4440	4456
28	4472	4487	4502	4518	4533	4548	4564	4579	4594	4609
29	4624	4639	4654	4669	4683	4698	4713	4728	4742	4757
30	4771	4786	4800	4814	4829	4843	4857	4871	4886	4900
31	4914	4928	4942	4955	4969	4983	4997	5011	5024	5038
32	5051	5065	5079	5092	5105	5119	5132	5145	5159	5172
33	5185	5198	5211	5224	5237	5250	5263	5276	5289	5302
34	5315	5328	5340	5353	5366	5378	5391	5403	5416	5428
35	5441	5453	5465	5478	5490	5502	5514	5527	5539	5551
36	5563	5575	5587	5599	5611	5623	5635	5647	5658	5670
37	5682	5694	5705	5717	5729	5740	5752	5763	5775	5786
38	5798	5809	5821	5832	5843	5855	5866	5877	5888	5899
39	5911	5922	5933	5944	5955	5966	5977	5988	5999	6010
40	6021	6031	6042	6053	6064	6075	6085	6096	6107	6117
41	6128	6138	6149	6160	6170	6180	6191	6201	6212	6222
42	6232	6243	6253	6263	6274	6284	6294	6304	6314	6325
43	6335	6345	6355	6365	6375	6385	6395	6405	6415	6425
44	6435	6444	6454	6464	6474	6484	6493	6503	6513	6522

Tabela 4 Logaritmos decimais ($\log_{10} x$) (*cont.*)

x	0	1	2	3	4	5	6	7	8	9
45	6532	6542	6551	6561	6571	6580	6590	6599	6609	6618
46	6628	6637	6646	6656	6665	6675	6684	6693	6702	6712
47	6721	6730	6739	6749	6758	6767	6776	6785	6794	6803
48	6812	6821	6830	6839	6848	6857	6866	6875	6884	6893
49	6902	6911	6920	6928	6937	6946	6955	6964	6972	6981
50	6990	6998	7007	7016	7024	7033	7042	7050	7059	7067
51	7076	7084	7093	7101	7110	7118	7126	7135	7143	7152
52	7160	7168	7177	7185	7193	7202	7210	7218	7226	7235
53	7243	7251	7259	7267	7275	7284	7292	7300	7308	7316
54	7324	7332	7340	7348	7356	7364	7372	7380	7388	7396
55	7404	7412	7419	7427	7435	7443	7451	7459	7466	7474
56	7482	7490	7497	7505	7513	7520	7528	7536	7543	7551
57	7559	7566	7574	7582	7589	7597	7604	7612	7619	7627
58	7634	7642	7649	7657	7664	7672	7679	7686	7694	7701
59	7709	7716	7723	7731	7738	7745	7752	7760	7767	7774
60	7782	7789	7796	7803	7810	7818	7825	7832	7839	7846
61	7853	7860	7868	7875	7882	7889	7896	7903	7910	7917
62	7924	7931	7938	7945	7952	7959	7966	7973	7980	7987
63	7993	8000	8007	8014	8021	8028	8035	8041	8048	8055
64	8062	8069	8075	8082	8089	8096	8102	8109	8116	8122
65	8129	8136	8142	8149	8156	8162	8169	8176	8182	8189
66	8195	8202	8209	8215	8222	8228	8235	8241	8248	8254
67	8261	8267	8274	8280	8287	8293	8299	8306	8312	8319
68	8325	8331	8338	8344	8351	8357	8363	8370	8376	8382
69	8388	8395	8401	8407	8414	8420	8426	8432	8439	8445
70	8451	8457	8463	8470	8476	8482	8488	8494	8500	8506
71	8513	8519	8525	8531	8537	8543	8549	8555	8561	8567
72	8573	8579	8585	8591	8597	8603	8609	8615	8621	8627
73	8633	8639	8645	8651	8657	8663	8669	8675	8681	8686
74	8692	8698	8704	8710	8716	8722	8727	8733	8739	8745
75	8751	8756	8762	8768	8774	8779	8785	8791	8797	8802
76	8808	8814	8820	8825	8831	8837	8842	8848	8854	8859
77	8865	8871	8876	8882	8887	8893	8899	8904	8910	8915
78	8921	8927	8932	8938	8943	8949	8954	8960	8965	8971
79	8976	8982	8987	8993	8998	9004	9009	9015	9020	9025

Tabela 4 Logaritmos decimais ($\log_{10} x$) (*cont.*)

x	0	1	2	3	4	5	6	7	8	9
80	9031	9036	9042	9047	9053	9058	9063	9069	9074	9079
81	9085	9090	9096	9101	9106	9112	9117	9122	9128	9133
82	9138	9143	9149	9154	9159	9165	9170	9175	9180	9186
83	9191	9196	9201	9206	9212	9217	9222	9227	9232	9238
84	9243	9248	9253	9258	9263	9269	9274	9279	9284	9289
85	9294	9299	9304	9309	9315	9320	9325	9330	9335	9340
86	9345	9350	9355	9360	9365	9370	9375	9380	9385	9390
87	9395	9400	9405	9410	9415	9420	9425	9430	9435	9440
88	9445	9450	9455	9460	9465	9469	9474	9479	9484	9489
89	9494	9499	9504	9509	9513	9518	9523	9528	9533	9538
90	9542	9547	9552	9557	9562	9566	9571	9576	9581	9586
91	9590	9595	9600	9605	9609	9614	9619	9624	9628	9633
92	9638	9643	9647	9652	9657	9661	9666	9671	9675	9680
93	9685	9689	9694	9699	9703	9708	9713	9717	9722	9727
94	9731	9736	9741	9745	9750	9754	9759	9763	9768	9773
95	9777	9782	9786	9791	9795	9800	9805	9809	9814	9818
96	9823	9827	9832	9836	9841	9845	9850	9854	9859	9863
97	9868	9872	9877	9881	9886	9890	9894	9899	9903	9908
98	9912	9917	9921	9926	9930	9934	9939	9943	9948	9952
99	9956	9961	9965	9969	9974	9978	9983	9987	9991	9996

Nota: Omitimos vírgulas nesta tabela; a leitura deve ser

	0	1	2
10	0000	0043	0086

de $\log_{10}(1,00) = 0,0000$, $\log_{10}(1,01) = 0,0043$ e $\log_{10}(1,02) = 0,0086$ (a precisão é de quatro casas decimais).

Tabela 5 Potências e raízes

x	x^2	$\sqrt{x}$	x^3	$\sqrt[3]{x}$	x	x^2	$\sqrt{x}$	x^3	$\sqrt[3]{x}$
1	1	1,000	1	1,000	41	1.681	6,403	68.921	3,448
2	4	1,414	8	1,260	42	1.764	6,481	74.088	3,476
3	9	1,732	27	1,442	43	1.849	6,557	79.507	3,503
4	16	2,000	64	1,587	44	1.936	6,633	85.184	3,530
5	25	2,236	125	1,710	45	2.025	6,708	91.125	3,557
6	36	2,449	216	1,817	46	2.116	6,782	97.336	3,583
7	49	2,646	343	1,913	47	2.209	6,856	103.823	3,609
8	64	2,828	512	2,000	48	2.304	6,928	110.592	3,634
9	81	3,000	729	2,080	49	2.401	7,000	117.649	3,659
10	100	3,162	1.000	2,154	50	2.500	7,071	125.000	3,684
11	121	3,317	1.331	2,224	51	2.601	7,141	132.651	3,708
12	144	3,464	1.728	2,289	52	2.704	7,211	140.608	3,733
13	169	3,606	2.197	2,351	53	2.809	7,280	148.877	3,756
14	196	3,742	2.744	2,410	54	2.916	7,348	157.464	3,780
15	225	3,873	3.375	2,466	55	3.025	7,416	166.375	3,803
16	256	4,000	4.096	2,520	56	3.136	7,483	175.616	3,826
17	289	4,123	4.913	2,571	57	3.249	7,550	185.193	3,849
18	324	4.243	5.832	2,621	58	3.364	7,616	195.112	3,871
19	361	4,359	6.859	2,668	59	3.481	7,681	205.379	3,893
20	400	4,472	8.000	2,714	60	3.600	7,746	216.000	3,915
21	441	4,583	9.261	2,759	61	3.721	7,810	226.981	3,936
22	484	4,690	10.648	2,802	62	3.844	7,874	238.328	3,958
23	529	4,796	12.167	2,844	63	3.969	7,937	250.047	3,979
24	576	4,899	13.824	2,884	64	4.096	8,000	262.144	4,000
25	625	5,000	15.625	2,924	65	4.225	8,062	274.625	4,021
26	676	5,099	17.576	2,962	66	4.356	8,124	287.496	4,041
27	729	5,196	19.683	3,000	67	4.489	8,185	300.763	4,062
28	784	5,292	21.952	3,037	68	4.624	8,246	314.432	4,082
29	841	5,385	24.389	3,072	69	4.761	8,307	328.509	4,102
30	900	5.477	27.000	3,107	70	4.900	8,367	343.000	4,121
31	961	5,568	29.791	3,141	71	5.041	8,426	357.911	4,141
32	1.024	5,657	32.768	3,175	72	5.184	8,485	373.248	4,160
33	1.089	5,745	35.937	3,208	73	5.329	8,544	389.017	4,179
34	1.156	5,831	39.304	3,240	74	5.476	8,602	405.224	4,198
35	1.225	5,916	42.875	3,271	75	5.625	8,660	421.875	4,217
36	1.296	6,000	46.656	3,302	76	5.776	8,718	438.976	4,236
37	1.369	6,083	50.653	3,332	77	5.929	8,775	456.533	4,254
38	1.444	6,164	54.872	3,362	78	6.084	8,832	474.552	4,273
39	1.521	6,245	59.319	3,391	79	6.241	8,888	493.039	4,291
40	1.600	6,325	64.000	3,420	80	6.400	8,944	512.000	4,309

Tabela 5 Potências e raízes (*cont.*)

x	x^2	$\sqrt{x}$	x^3	$\sqrt[3]{x}$	x	x^2	$\sqrt{x}$	x^3	$\sqrt[3]{x}$
81	6.561	9,000	531.441	4,327	91	8.281	9,539	753.571	4,498
82	6.724	9,055	551.368	4,344	92	8.464	9,592	778.688	4,514
83	6.889	9,110	571.787	4,362	93	8.649	9,644	804.357	4,531
84	7.056	9,165	592.704	4,380	94	8.836	9,695	830.584	4,547
85	7.225	9,220	614.125	4,397	95	9.025	9,747	857.375	4,563
86	7.396	9,274	636.056	4,414	96	9.216	9,798	884.736	4,579
87	7.569	9,327	658.503	4,431	97	9.409	9,849	912.673	4,595
88	7.744	9,381	681.472	4,448	98	9.604	9,899	941.192	4,610
89	7.921	9,434	704.969	4,465	99	9.801	9,950	970.299	4,626
90	8.100	9,487	729.000	4,481	100	10.000	10,000	1.000.000	4,642

Tabela 6 Fatoriais

n	n!	n	n!	n	n!
0	1,00000 00000 E00	20	2,43290 20082 E18	35	1,03331 47966 E40
1	1,00000 00000 E00	21	5,10909 42172 E19	36	3,71993 32679 E41
2	2,00000 00000 E00	22	1,12400 07278 E21	37	1,37637 53091 E43
3	6,00000 00000 E00	23	2,58520 16739 E22	38	5,23022 61747 E44
4	2,40000 00000 E01	24	6,20448 40173 E23	39	2,03978 82081 E46
5	1,20000 00000 E02	25	1,55112 10043 E25	40	8,15915 28325 E47
6	7,20000 00000 E02	26	4,03291 46113 E26	41	3,34525 26613 E49
7	5,04000 00000 E03	27	1,08888 69450 E28	42	1,40500 61178 E51
8	4,03200 00000 E04	28	3,04888 34461 E29	43	6,04152 63063 E52
9	3,62880 00000 E05	29	8,84176 19937 E30	44	2,65827 15748 E54
10	3,62880 00000 E06	30	2,65252 85981 E32	45	1,19622 22087 E56
11	3,99168 00000 E07	31	8,22283 86542 E33	46	5,50262 21598 E57
12	4,79001 60000 E08	32	2,63130 83693 E35	47	2,58623 24151 E59
13	6,22702 08000 E09	33	8,68331 76188 E36	48	1,24139 15593 E61
14	8,71782 91200 E10	34	2,95232 79904 E38	49	6,08281 86403 E62
15	1,30767 43680 E12			50	3,04140 93202 E64
16	2,09227 89888 E13				
17	3,55687 42810 E14				
18	6,40237 37057 E15				
19	1,21645 10041 E17				

Nota: Os valores estão escritos em notação científica com a potência de 10 denotada por E; por exemplo, 2,65252 85981 E32 denota $2,6525285981 \times 10^{32}$.

RESPOSTAS

CAPÍTULO 1

Seção 1.2, p. 2

1. (a) $5, -5$; (b) $-1, -7$; (c) $6, -2$; (d) $\frac{1}{2}$; (e) $3, \frac{1}{3}$; (f) $\pm 3, \pm 1$; (g) $[-2, 8]$

3. (a) $-2 \leq x \leq 2$; (b) $x \leq -3, x \geq 3$; (c) $x < \frac{4}{3}$; (d) $x < -3, x > 4$.

7. $\frac{1}{3}(2a + b), \frac{1}{3}(a + 2b)$.

Seção 1.3, p. 9

5. Centro $(-2, \frac{3}{2})$, raio $\frac{1}{2}\sqrt{113}$.

7. $(-1, -1)$.

9. Simétrica com relação à bissetriz dos 1º e 3º quadrantes.

11. $\frac{1}{2}\sqrt{2}h$.

Seção 1.4, p. 16

1. (a) $-\frac{2}{3}$; (b) $\frac{8}{3}$; (c) $\frac{1}{6}$; (d) -1; (e) 0; (f) 10.

3. (a) sim; (b) não; (c) não; (d) sim.

5. (a) $y = -4x + 5$;
(b) $3x + 7y = 2$;
(c) $2x - 3y = 12$;
(d) $y = -4$;
(e) $x = 1$; (f) $x + 3y + 2 = 0$;
(g) $x + 2y = 11$;
(h) $3y - 2x = 17$;
(i) $x + 2y = 9$; (j) $x + y = 1$.

7. (a) $\dfrac{x}{-3} + \dfrac{y}{-5} = 1$;

(b) $\dfrac{x}{-8} + \dfrac{y}{3} = 1$;

(c) $\dfrac{x}{1} + \dfrac{y}{6} = 1$;

(d) $\dfrac{x}{\frac{2}{3}} + \dfrac{y}{-3} = 1$.

9. $(\frac{19}{5}, -\frac{11}{10})$.

11. $F = \frac{9}{5}C + 32$ ou $C = \frac{5}{9}(F - 32)$.

Seção 1.5, p. 26

1. (a) $(x - 4)^2 + (y - 6)^2 = 9$;
(b) $(x + 3)^2 + (y - 7)^2 = 5$;
(c) $(x + 5)^2 + (y + 9)^2 = 49$;
(d) $(x - 1)^2 + (y + 6)^2 = 2$;
(e) $(x - a)^2 + y^2 = a^2$ ou $x^2 + y^2 = 2ax$;
(f) $x^2 + (y - a)^2 = a^2$ ou $x^2 + y^2 = 2ay$.

3. (a) Circunferência, centro $(2, 2)$ e raio $2\sqrt{2}$; (b) ponto $(9, 7)$; (c) circunferência, centro $(-4, -5)$ e raio 1; (d) circunferência, centro $(-\dfrac{3}{2}, 4)$ e raio 3; (e) vazio; (f) ponto $(\dfrac{1}{2}\sqrt{2}, -\dfrac{1}{2}\sqrt{2})$; (g) circunferência, centro $(8, -3)$ e raio 11.

5. Raízes reais distintas, $b^2 - 4ac > 0$; raízes reais iguais, $b^2 - 4ac = 0$; sem raízes reais, $b^2 - 4ac < 0$

7. $y = \pm 2\sqrt{2}x + 4$.

9. (a) $y^2 = -12x$; (b) $x^2 = 4y$; (c) $y^2 = 8x$; (d) $3x^2 = -4y$; (e) $y^2 + 12x + 12 = 0$; (f) $x^2 - 6x - 8y + 17$

11. 20 m.

Seção 1.6., p. 36.

1. $f(1) = 0$, $f(2) = 2$, $f(3) = 10$, $f(0) = -2$, $f(-1) = -10$, $f(-2) = -30$.

5. (a) $x \geq 0$; (b) $x \leq 0$; (c) todo x; (d) $x \leq -2$, $x \geq 2$; (e) todo x, exceto $2, -2$; (f) todo x; (g) $x \leq -2$, $x \geq 1$; (h) $x < -2, x > 1$; (i) $-3 \leq x \leq 1$; (j) $x \leq 0, x > 2$.

7. $f(0) = 0, f(1)$ não existe $f(2) = 2, f(3) = 3/2$,
   $f(f(x)) = 3$. Na última parte, é tacitamente subentendido que x está restrito aos valores tais que $f(f(x))$ existem: isto é, $x \neq 1$.

9. $f(0) = 1, f(1)$ não existe, $f(2) = -1, f(f(2)) = \frac{1}{2}, f(f(f(2))) = 2$.

11. $f(x_1)f(x_2) = f(x_1 + x_2)$.

13. Não, é verdade se e somente se $ad + b = bc + d$.

15. (a) $a = 4, b = -5, c = 3$.

Seção 1.7, p. 41

1. (a)   não; (b) $y = 1 - 3x^2$; (c) $y = \dfrac{x+1}{x-1}$; (d) não.

3. $A = \frac{1}{4}\sqrt{3}x^2$.

5. $V = x^3, A = 6x^2, d = \sqrt{3}x$.

7. $A = x^2 + \dfrac{1}{4\pi}(L - 4x)^2$.

9. $V = \dfrac{1}{6\sqrt{\pi}} A^{3/2}$.

11. $C = \frac{3}{2}S$.

13. $V = \dfrac{\pi H}{R}(Rr^2 - r^3)$.

Seção 1.8, p. 46

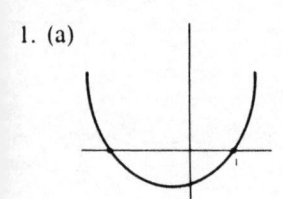

1. (a)

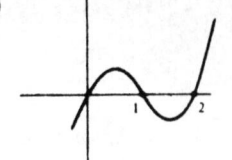

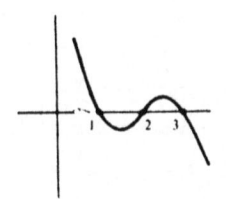

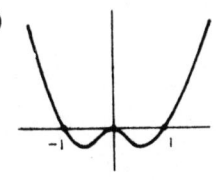

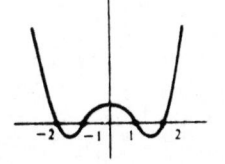

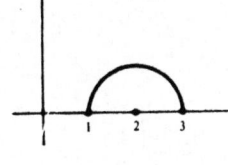

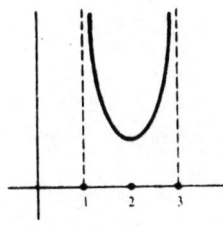

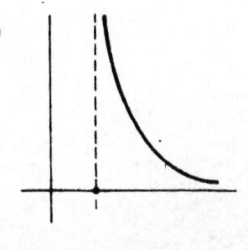

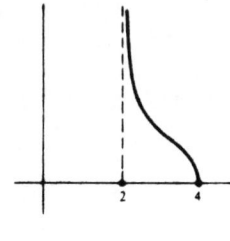

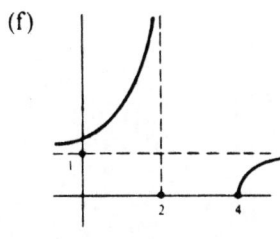

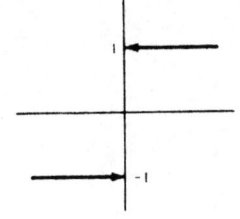

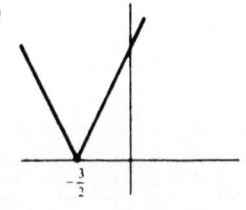

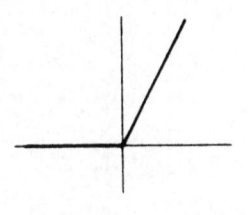

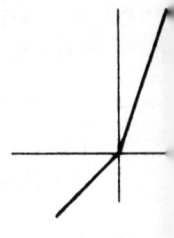

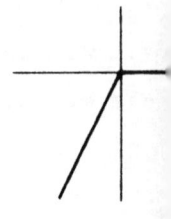

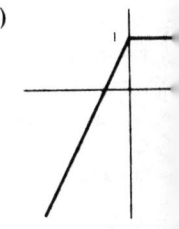

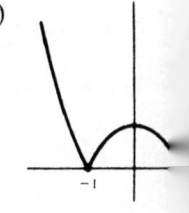

7. Somente *(b)*.

Problemas Suplementares, p. 58

9. Não a ambas as questões.

15. $(y_1 - y_2)x + (x_2 - x_1)y = x_2 y_1 - x_1 y_2$.

19. (a) $\left(b, \dfrac{ab - b^2}{c}\right)$;

(b) $\left(\dfrac{a}{2}, \dfrac{b^2 + c^2 - ab}{2c}\right)$;

(c) $\left(\dfrac{a + b}{3}, \dfrac{c}{3}\right)$.

23. (a) $x - 7y + 5 = 0$, $7x + y - 15 = 0$; (b) $x = (1 \pm \sqrt{2})y$.

25. $|b| \le 2\sqrt{10}$.

27. (a) $(x - \tfrac{4}{3}a)^2 + y^2 = \tfrac{4}{9}a^2$; (b) $(x^2 + y^2)^2 = 2a^2(x^2 - y^2)$.

31. $7x + y = 10$ e $x - y + 2 = 0$.

33. $y = -2x + 2$; $(0, 2)$ e $(\tfrac{4}{3}, \tfrac{2}{3})$.

35. $x^2 + y^2 - 2xy - 4x - 4y + 4 = 0$.

37. A reta é $x = 2pm$.

41. Não.

43. $g(x) = x^3$.

45. $V = \tfrac{1}{2}Ar - \pi r^3$.

47. $V = \dfrac{2}{3}\pi a \left(\dfrac{r^4}{r^2 - a^2}\right)$.

49. $\alpha = \dfrac{d}{ad - bc}, \beta = \dfrac{-b}{ad - bc}, \gamma = \dfrac{-c}{ad - bc}, \delta = \dfrac{a}{ad - bc}$.

51. O que se segue é uma sugestão: para (a), $f(x) = f(x \cdot 1) = f(x) \cdot f(1)$; para (e), se $x < f(x)$ para algum real x, e r é um número racional tal que $x < r < f(x)$, então $f(x) < f(r) = r < f(x)$, que é impossível.

53. $(x - 1)(x - 2) \cdots (x - n)$; $x^n + 1$; x^n.

55. (a) ímpar; (b) par; (c) par; (d) ímpar; (e) nenhum dos dois; (f) ímpar; (g) nenhum dos dois; (h) nenhum dos dois.

57. (a) par; (b) par; (c) ímpar.

59. $y = 275(x-1)(x-2) - \sqrt{3}(x-1)(x-3) + \dfrac{\pi}{2}(x-2)(x-3)$.

61. (a)

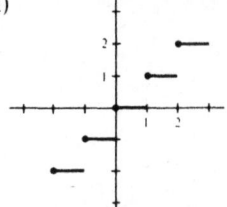

(b)

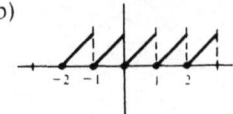

(c)

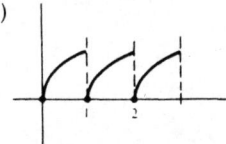

(d)

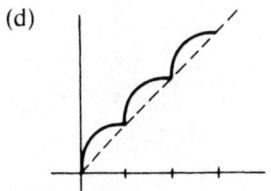

(e)

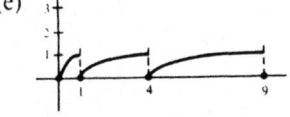

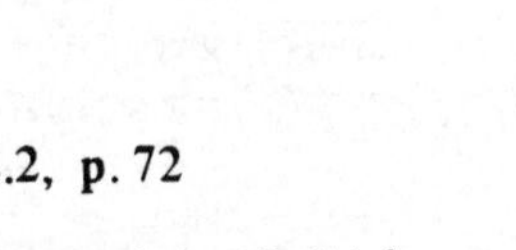

63. (a)

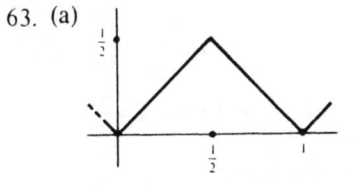

(b)

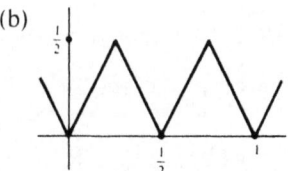

(c)

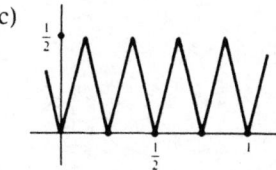

(d)

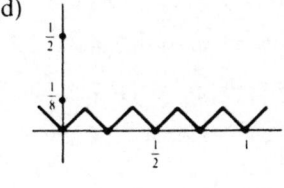

CAPÍTULO 2

Seção 2.2, p. 72

1. (a) $4x + y + 4 = 0$; (b) $8x - y = 16$; (c) $8x - y = 16$.
5. (a) $2x_0 - 4$; (b) $2x_0 - 2$; (c) $4x_0$; (d) $2x_0$.
7. $8x + y + 7 = 0$.

Seção 2.3, p. 79

1. $2ax + b$.
3. $6x^2 - 6x + 6$.
5. $1 + \dfrac{1}{x^2}$.
7. $\dfrac{1}{(x+1)^2}$.
9. $\dfrac{-3}{x^4}$.
11. $\dfrac{1}{\sqrt{2x}}$.
13. (b) Área = 2.

Seção 2.4, p. 86

1. $v = 6t - 12$; (a) $t = 2$, (b) $t > 2$.
3. $v = 4t + 28$; (a) $t = -7$, (b) $t > -7$.
5. $v = 14t$; (a) $t = 0$, (b) $t > 0$.
7. $v = 8t - 24$; (a) $t = 3$, (b) $t > 3$.
9. 10 segundos.
11. (a) 3.200 gal/min; (b) 2.400 gal/min.
13. dr/dt decresce quando r cresce.

Seção 2.5, p. 94

1. 15.
3. -5.
5. 3.
7. -3.
9. 4.
11. 5.
13. 0.
15. $\tfrac{1}{3}$.

17. (a) 6; (b) 4; (c) −2; (d) 0; (e) não existe; (f) $\frac{1}{4}$

19. (a) nenhum; (b) 1, -1; (c) 1; (d) todo $x<0$; (e) todo $x \leqslant 0$; (f) nenhum; (g) 3, -4; (h) nenhum. (Lembre-se de que uma função é automaticamente descontínua em todo ponto fora de seu domínio; assim, $1/x$ é descontínua em $x = 0$, embora seja uma função contínua.)

Problemas Suplementares, p. 102

1. $b = -6$.

5. (b) Trace a perpendicular de P a um ponto A sobre o eixo da parábola. Desenhe uma circunferência cujo centro seja o vértice V e que passe por A. Seja B o segundo ponto em que essa circunferência intercepta o eixo e desenhe a reta PB. Essa reta será tangente à parábola em P.

7. (a) $x = 0$; (b) $x = \pm 2$; (c) $x = \frac{3}{2}$; (d) diferenciável em todos os pontos.

13. $m = 2a$, $b = -a^2$.

15. Quando $t = \frac{3}{4}$; 2,45 m/s.

19. Não existe.

21. −5.

23. Não existe.

25. Não existe.

27. 2.

29. 2.

31. −3.

33. ↓.

35. −5.

37. 1/7

39. 4.

41. $3a/2$.

43. 1.

45. 0.

47. Não existe

49. Não existe.

51. 3.

53. 0.

55. 0.

57. 1.

59. $\lim_{x \to 0^+} f(x)$, $\lim_{x \to 0^-} f(x)$, e $\lim_{x \to 0} f(x)$ não existem.

61. Porque há racionais tão próximos quanto quisermos de cada irracional, e irracionais tão próximos quanto quisermos de cada racional.

CAPÍTULO 3

Seção 3.1, p. 107

1. (a) $54x^8$; (b) 0; (c) $-60x^3$; (d) $1500x^{99}(x^{400} + 1)$; (e) $2x - 6$; (f) $x^4 + x^3 + x^2 + x + 1$; (g) $4x^3 + 3x^2 + 2x + 1$; (h) $5x^4 - 40x^3 + 120x^2 - 160x + 80$; (i) $12x(x^{10} + x^4 - x - 1)$; (j) $18x^2 - 6x + 4$.

3. (a) x^3; (b) $\frac{4}{3}x^3$; (c) $x^3 + x^2 - 5x$.

5. $(1, -4)$ e $(-2, 50)$.

7. $(4, 2)$.

9. $a = -8$, $b = 18$, $c = 4$.

11. $y = 2x - 1$.

Seção 3.2, p. 114

1. (a) $2x$; (b) $18x^2 - 36x + 18$; (c) $15x^4 + 57x^2 + 6$; (d) $5x^4$.

3. (a) $-4/x^2$; (b) $(-8 - 6x^3 - 2x^5)/x^5$; (c) $(2x^4 - 2)/x^3$.

5. (a) tangente $2x + 3y = 8$, normal $3x - 2y + 1 = 0$; (b) tangente $4x + 5y = 13$, normal $5x - 4y = 6$; (c) $3x - y + 4 = 0$; (d) $2y = x + 2$.

7. Área $= 1$.

9. $(0, 2)$, $(\pm 1, 1)$.

Seção 3.3, p. 120

1. (a) $4(x^5 - 3x)^3 \cdot (5x^4 - 3)$;

(b) $500(x^2 - 2)^{499} \cdot 2x$;
(c) $6(x + x^2 - 2x^5)^5 \cdot (1 + 2x - 10x^4)$;
(d) $3/(1 - 3x)^2$; (e) $4x/(12 - x^2)^3$;
(f) $4[1 - (3x - 2)^3]^3 \cdot (-3)(3x - 2)^2 \cdot 3$.

3. (a) $\dfrac{-2(2t - 1)^2(t^2 - 2t - 9)}{(t^2 + 3)^3}$;

(b) $\dfrac{-4}{(2t - 3)^3}$; (c) $\dfrac{72}{(5 - 4t)^4}$;

(d) $\dfrac{4t(30 - t^2)}{(t^2 - 6)^3}$.

5. (a) $3u^2 \dfrac{du}{dx}$; (b) $4(2u - 1) \dfrac{du}{dx}$; (c) $4u(u^2 - 2) \dfrac{du}{dx}$.

Seção 3.4, p. 126

1. (a) $-\dfrac{3x^2}{4y^2}$; (b) $\dfrac{y^2 - 2xy + 2x}{x^2 - 2xy - 4y}$;

(c) $\dfrac{1}{1 - 7y^6}$; (d) $\dfrac{3y - 4x^3y^3}{3x^4y^2 - 3x}$;

(e) $\dfrac{3x^2 - 4y}{3y^2 + 4x}$; (f) $-\dfrac{y^2}{x^2}$; (g) $-\sqrt{\dfrac{y}{x}}$.

3. (a) $\tfrac{4}{3}x^{-1/5}$; (b) $\tfrac{2}{6}x^{-1/6}$; (c) $-\tfrac{3}{4}x^{-7/4}$;
(d) $-\tfrac{7}{11}x^{-18/11}$; (e) $\tfrac{8}{3}x^{-3/5}$;

(f) $\dfrac{(1 + x^{2/3})^{1/2}}{x^{1/3}}$;

(g) $\dfrac{3(x^3 - 16)}{4x^3} \sqrt[4]{\dfrac{x^2}{x^3 + 8}}$;

(h) $\dfrac{1}{4\sqrt{1 + x}\sqrt{1 + \sqrt{1 + x}}}$.

Seção 3.5, p. 133

1. (a) $8, 0, 0, 0$; (b) $16x - 11, 16, 0, 0$; (c) $24x^2 + 14x - 1, 48x + 14, 48, 0$; (d) $4x^3 - 39x^2 + 10x + 3$, $12x^2 - 78x + 10, 24x - 78, 24$; (e) $\tfrac{3}{2}x^{3/2}, \tfrac{15}{4}x^{1/2}, \tfrac{15}{8}x^{-1/2}, -\tfrac{15}{16}x^{-3/2}$.

3. (a) $n!(1 - x)^{-(n+1)}$;
(b) $(-1)^n n! 3^n (1 + 3x)^{-(n+1)}$;
(c) $(-1)^{n+1} n! (1 + x)^{-(n+1)}$.

5. $-\dfrac{(n - 1)a^n x^{n-2}}{y^{2n-1}}$.

7. (a) $t = \frac{1}{2}, s = 0, v = 12$; (b) $t = 4, s = 32, v = 6$; (c) $t = 1, s = 6, v = -3$.

9. $3, \frac{1}{3}$.

Problemas Suplementares, p. 139

1. $(-1, 10)$ e $(3, -22)$.

3. $(1, 2)$ e $(-1, -2)$; declividade mínima $= 1$ em $(0, 0)$.

5. Declividade $= 4x^3 - 4x; x = 0, \pm 1; -1 < x < 0, x > 1$.

7. $a = 1, b = 1, c = 0$.

9. $a = 1, b = 0, c = -1$.

13. $a = 1, b = -2, c = 2, d = -1$.

17. $(6, 9), (-2, 1), (-4, 4)$.

19. (a) $\dfrac{-4x}{(x^2-1)^2}$; (b) $\dfrac{-4(x+1)}{(x-1)^3}$;

(c) $\dfrac{x(4-x^3)}{(x^3+2)^2}$; (d) $\dfrac{-2x^2-6x-11}{(x^2+x-4)^2}$;

(e) $\dfrac{x^2(3-x^2)}{(1-x^2)^2}$; (f) $\dfrac{-2}{(1+x)^2}$;

(g) $\dfrac{18x^4-24x^3-9}{(x-1)^2}$;

(h) $\dfrac{-10(x+3)}{(x-2)^3}$.

23. (a) $(x+2)(x+3) + (x+1)(x+3) + (x+1)(x+2)$; (b) $(x^3 + 3x^2)(x^4 + 4)(2x+2) + (x^2 + 2x)(x^4 + 4)(3x^2 + 6x) + (x^2 + 2x)(x^3 + 3x^2)(4x^3)$;

25. $(0, 10\sqrt{5}), (\pm 3, \sqrt{5})$.

27. $(2, -2)$ e $(-10, \frac{2}{3})$.

29. (a) $-6(1 + 2x)^2(4 - 5x)^5 \cdot (15x + 1)$;
(b) $10x(x^2 + 1)^9(x^2 - 1)^{14}(5x^2 + 1)$;

(c) $\dfrac{-2x(2x^2 - 19)}{(16 + x^2)^4}$;

(d) $-3x^6(3 - 2x)^2(4x - 9) \cdot (32x^2 - 96x + 63)$.

31. (a) $y = (x^4 + 1)^3$;
(b) $y = 2(x^6 + 1)^6$.

33. (a) $-\dfrac{2x^3 + y^3}{3xy^2 + 4y^3}$; (b) $\dfrac{y + 2x^2}{x(1-x)}$;

(c) $\dfrac{-4x}{y(x^2-2)^2}$; (d) $-\dfrac{y^5}{x^5}$;

(e) $\dfrac{\sqrt{y}-y}{x+4\sqrt{xy}}$.

35. (a) $\tfrac{1}{2}\sqrt{x}(5x-3)$;
(b) $\tfrac{8}{9}x(x^2+2)^{-5/9}$;
(c) $\dfrac{2+5x^{3/2}}{6(x+x^{5/2})^{2/3}}$; (d) $\dfrac{2x-x^3}{(1-x^2)^{3/2}}$;
(e) $\dfrac{x-1}{2x\sqrt{x}}$; (f) $\dfrac{x}{(2x^2-1)^{3/4}}$;
(g) $\dfrac{2x}{(x^2+1)^2}\sqrt{\dfrac{x^2+1}{x^2-1}}$;
(h) $-\dfrac{1}{\sqrt{2-x}\sqrt{2+\sqrt{2-x}}}$.

39. (a) $-2(1+3x)^{-5/3}$;
(b) $-\dfrac{x+4}{4(x+1)^{5/2}}$; (c) $-\tfrac{4}{25}x^{-6/5}$;
(d) $\tfrac{35}{4}x^{3/2}$; (e) $-\tfrac{1}{4}x^{-3/2}+\tfrac{3}{4}x^{-5/2}$;
(f) $20(x^2+1)(x^2+4)^{1/2}$.

CAPÍTULO 4

Seção 4.1, p. 146

1.

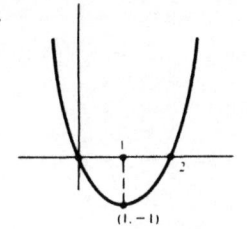

3.

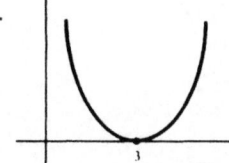

5.

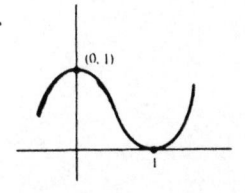

7.

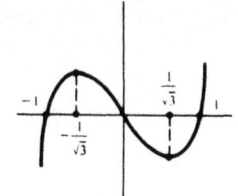

9.

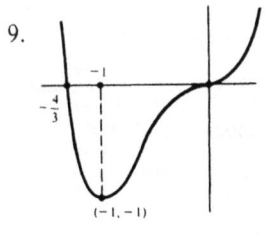

11.

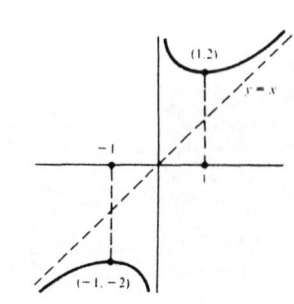

13.

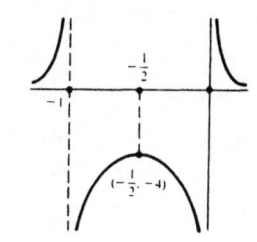

15.

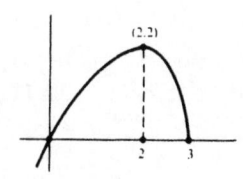

19.

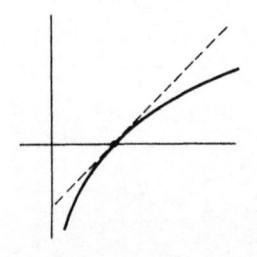

Respostas 795

21. (a) [gráfico com ponto (1,1)]

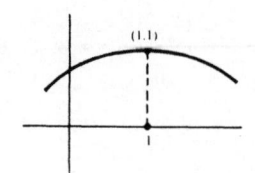

(b) [gráfico com pontos (-1,2) e (2,-1)]

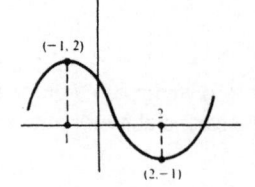

(c) [gráfico com pontos (-1,1) e 2]

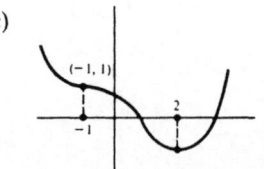

(d) [gráfico com pontos -2 e 1]

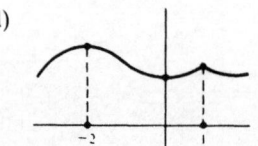

Seção 4.2, p. 153

1. [gráfico]

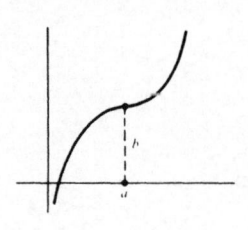

3. [gráfico com pontos -2 e -1]

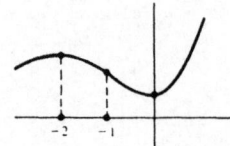

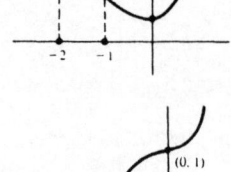

5. [gráfico com pontos (0,1) e (-1)]

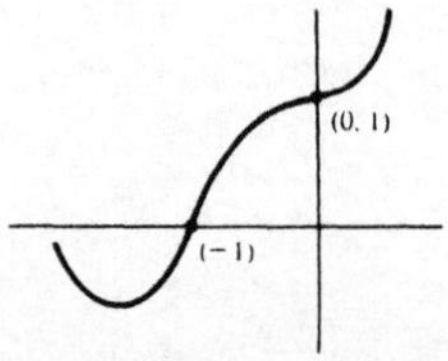

7. [gráfico com ponto 3/2]

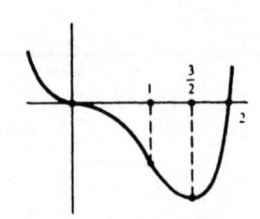

9. [gráfico com ponto (0,1), $-\sqrt{3}$ e $\sqrt{3}$]

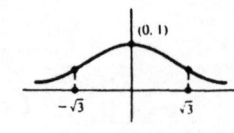

11. [gráfico com assíntota 4, pontos -1 e 1]

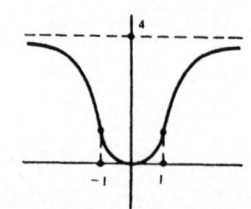

13. [gráfico com assíntota $y = x$, pontos -1 e 1]

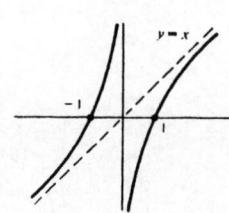

15. (a) [gráfico]

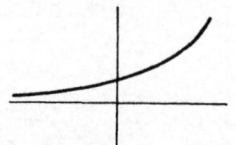

(b) [gráfico]

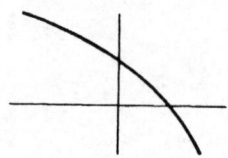

17. $(2, 0)$.
19. $a = 3$.
23. (a) $a > 0$; (b) $a < 0$.
25. (a) [gráfico com pontos 1 e 2]

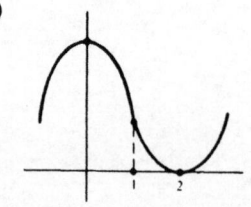

(b) [gráfico com pontos -2, 1, 2, 3]

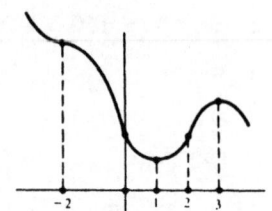

(c) [gráfico com assíntota 2, pontos -2 e 2]

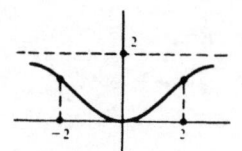

(d) [gráfico com ponto 2]

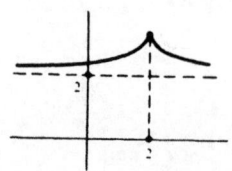

Seção 4.3, p. 160

1. ½.
7. a/b.
9. Cz$ 8,50.
11. 14 h; 30 mi.
13. 4, 4.
15. 108.
17. 4 por 8 cm.
19. 1.
21. 2 m.
23. $\sqrt{3}$.
25. ⅔a.
27. 1.
29. $(a^{2/3} + b^{2/3})^{3/2}$ (convença-se de que este e o Problema 28 são essencialmente o mesmo).

Seção 4.4, p. 171

1. 1.
3. ⅔R.
5. 4 por 4 cm.
7. ½.
9. (1, 1).
11. (a) ½ mi; (b) 1 h e 44 min; (c) 8 min mais longe.
13. $15/\sqrt{10}$ mi/h.
19. 1.
21. $a = 2$.
23. $x = \tfrac{1}{2}\sqrt{2}\, a$.
25. (a) 0; (b) 1.
27. (2, 4).

Seção 4.5, p. 182

1. (a) $10,8\pi\ m^2/s$; (b) $21,6\pi\ m^2/s$.
3. $0,6/\pi$ m/min.
5. 1,3 m/s em cada um dos instantes mencionados.
7. 0,9 m/s.
9. 1,3 m/s.
13. 85,7 km/h.
15. $\frac{1}{3}$ lb/in² por min.
17. $\frac{2,6}{\pi}$ cm/min; (b) $\frac{83,5}{\pi}$ cm/min.
19. $\frac{0,512}{\pi}$ cm/s.

Seção 4.6, p. 190

3. 0,62.

5. 2,15

7. 1,31 m.

11. 0,92 e 2,86.

Seção 4.7, p. 194

1. $x_0 = \sqrt{a/c}$.

3. (a) 11.250 ao preço de Cz$ 1.875,00; (b) absorve Cz$ 125,00 e repassa Cz$ 125,00

7. 30.

Problemas Suplementares, p. 202

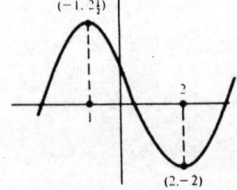

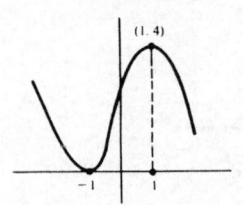

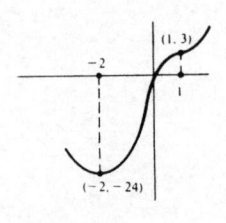

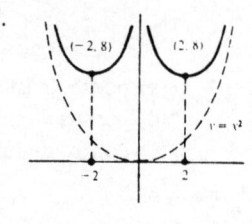

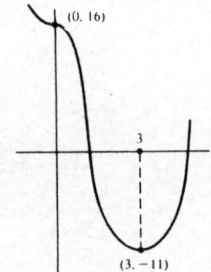

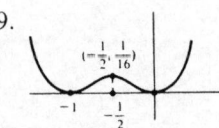

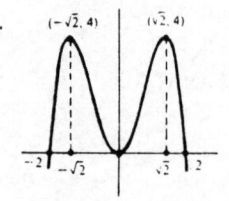

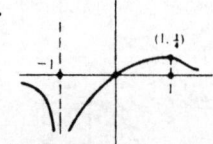

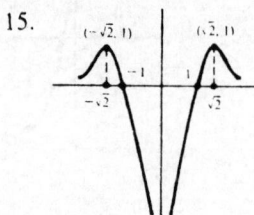

19.

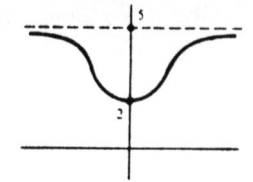

21.

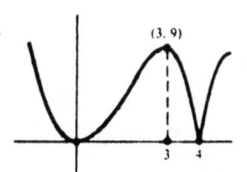

23.

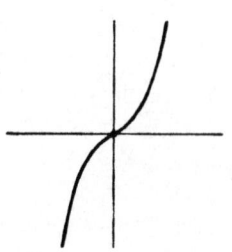

25.

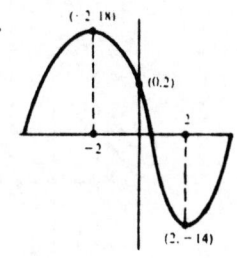

27.

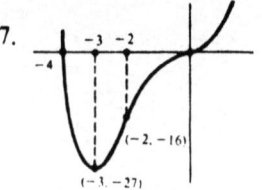

29.

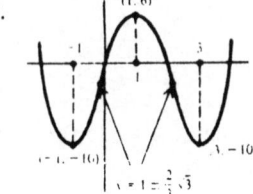

31.

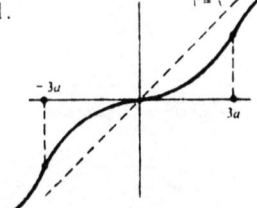

33.

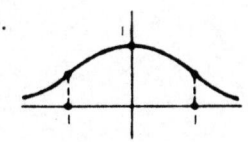

35.

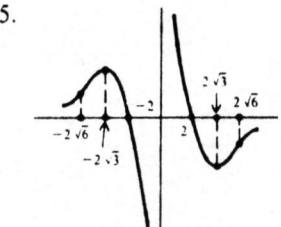

37. (a) ponto de inflexão em $x = 1$;
    (b) pontos de inflexão em $x = 1, 2$;
    (c) pontos de inflexão em $x = -2, 0, 1, 2, 3$.

39. $a = -3$.

41. $\frac{1}{3}\sqrt{3}$.

43. $x = 21, y = 35$.

45. $18 = 16 + 2$.

47. $5, 5, 5$.

51. $\frac{1}{3}\sqrt{3}\,a, \frac{2}{3}b$.

59. 2 cm.

63. 4.000 facas ao preço de Cz$ 18,00.

65. 92 dias.

67. (a) 36m; (b) 93 m.

69. $\frac{1}{4}$.

71. $\sqrt{2}$.

73. $\pi/4$.

75. 4.

77. $4/\pi$.

79. Um quadrado com lado $\frac{1}{6}(a + b - \sqrt{a^2 - ab + b^2})$.

81. $\sqrt{2}$.

83. 7,5 por 15 por 30 cm.

85. $a - \dfrac{bs}{\sqrt{r^2 - 5^2}}$ metros, se este número é positivo.

87. $x^2 + y^2 = 32$.

89. (3, 3).

91. (5, 0) e (−5, 0).

99. (a) 3,6 m/s; (b) 0,9 m/s.

101. 0,3 m/min.

103. 2,7 m, pelo menos.

107. $\dfrac{dy}{dt} = \dfrac{ax}{\sqrt{x^2 + r^2}}$ cm/s.

109. 0,32 lb/min.

111. 144π m³/min.

115. Decrescendo 1 cm²/min.

117. Quando $t = \dfrac{R_0\sqrt{b} - r_0\sqrt{a}}{a\sqrt{a} - b\sqrt{b}}$.

119. (a) 3,32; (b) 1,90; (c) 2,09.

123. 4,6 cm.

127. A cada 4 dias.

CAPÍTULO 5

Seção 5.2, p. 219

1. $(63x^8 - 15x^4)\, dx$.

3. $\dfrac{(2x - 3x^3)\, dx}{\sqrt{1 - x^2}}$.

5. $\dfrac{(2 - x)\, dx}{\sqrt{4x - x^2}}$.

7. $(2x^{-1/3} + 2x^{-4/5} - 17)\, dx$.

9. $\dfrac{(15x^2 + 8x)\, dx}{2\sqrt{3x + 2}}$.

11. $\dfrac{dy}{dx} = \dfrac{3x}{8y^2},\ \dfrac{dx}{dy} = \dfrac{8y^2}{3x}$.

13. $\dfrac{dy}{dx} = \dfrac{2xy - x^2}{y^2 - x^2},\ \dfrac{dx}{dy} = \dfrac{y^2 - x^2}{2xy - x^2}$.

15. $\dfrac{dy}{dx} = \dfrac{-15(3u^2 - 2u + 1)x^2(x^3 + 2)^4}{(u^2 - u)^2}$.

17. $\dfrac{dy}{dx} = \dfrac{18x^2 u^{5/2}}{(4y^3 + 3)(2u^{3/2} - 1)}$.

19. $\Delta V = 4\pi r^2\, \Delta r + 4\pi r\, \Delta r^2 + \tfrac{4}{3}\pi\, \Delta r^3$ e $dV = 4\pi r^2\, dr = 4\pi r^2\, \Delta r$.

A diferencial dV pode ser encarada como a área da esfera interna vezes a espessura da casca esférica.

Seção 5.3, p. 231

1. $\frac{1}{2}x^2 + x + c.$
3. $\frac{1}{3}x^3 + \frac{1}{4}x^4 + \frac{1}{5}x^5 + c.$
5. $2\sqrt{x} + c.$
7. $\frac{4}{7}x^{7/4} + c.$
9. $\frac{3}{2}x^{2/3} + c.$
11. $\frac{2}{3}x^{3/2} - 2\sqrt{x} + c.$
13. $6\sqrt{x} + \frac{2}{5}x^{5/2} + c.$
15. $\frac{1}{9}(3x^2 + 1)^{3/2} + c.$
17. $-\frac{1}{22}(1 - 4x^3)^{6/5} + c.$
19. $\dfrac{3}{20(2 - x^{5/3})^4} + c.$
21. $\sqrt{1 + 4x + 3x^2} + c.$
23. $\frac{1}{15}x^{15} + c.$
25. $y = x^3 + 2.$

Seção 5.4, p. 239

1. $y = 2x^3 + 2x^2 - 5x + c.$
3. $y = 6x^4 + 6x^3 - 4x^2 + 3x + c.$
5. $3y^2 - 4y^{3/2} = 3x^2 + 4x^{3/2} + c.$
7. $y = -\dfrac{1}{x} + \dfrac{1}{2}x^2 + c.$
9. $y = \dfrac{1}{5 - x^2}.$
11. $y = \sqrt{\dfrac{2x^2 - 31}{33 - 2x^2}}.$
13. $3\sqrt{y} = x\sqrt{x} - 3.$

Seção 5.5, p. 245

1. 8s; velocidade = 39,2 m/s.
3. $v = -32t + 128$; $s = -16t^2 + 128t.$
5. $10\sqrt{10}$ s.
7. 11,8 m/s.
9. 29 m/s.
11. $v_0^2 g$ m; 29 m/s.

Problemas Suplementares, p. 255

1. $\frac{3}{5}x^5 - \frac{7}{4}x^4 + 10x + c.$
3. $\frac{1}{3}x^3 - \frac{1}{2}x^2 + x - 4\sqrt{x} + c.$
5. $\frac{1}{4}x^4 + \frac{2}{3}x^3 + \frac{1}{2}x^2 + c.$
7. $17x^3 - 27x^4 + c.$
9. $6x - \frac{2}{3}x^{3/2} - \frac{1}{2}x^2 + c.$
11. $-\frac{2}{9}(2 - 3x)^{3/2} + c.$
13. $\frac{1}{825}(5x + 2)^{165} + c.$
15. $5\sqrt{1 + x^2} + c.$
17. $\frac{1}{3}\sqrt{2x^3 - 1} + c.$
19. $\frac{3}{4}(x^2 - 2x + 3)^{2/3} + c.$
21. $-\frac{1}{3}\sqrt[3]{2 - x^2} + c.$
23. $-\dfrac{1}{3}\left(1 + \dfrac{1}{x}\right)^3 + c.$
25. $\frac{3}{7}(x + 1)^{7/3} + c.$
27. $\frac{3}{7}(1 + x)^{7/3} - \frac{3}{4}(1 + x)^{4/3} + c.$
29. $\frac{2}{11}(x^3 + x + 32)^{11/2} + c.$

31. $\frac{1}{28}(x^3 - 1)^{4/3}(4x^3 + 3) + c$.

33. (a) $y = \sqrt{\dfrac{7x^2 - 3}{3x^2 + 13}}$;

(b) $3\sqrt{y - 4} = (x - 1)^{3/2} - 2$.

35. $x^2 - y^2 = c$.

39. (a) 25 s, 3.918 m/s;
   (b) $25\sqrt{2} \cong 35$ s, 3.694 m/s.

41. 30 m/s.

43. (a) 143,7 m; (b) 2.220 m.

45. Cerca de 3 km.

CAPÍTULO 6

Seção 6.3, p. 264

1. (a) 55; (b) 62; (c) 206.

5. (a) $\dfrac{(n - 1)n}{2}$;

   (b) $\dfrac{(n - 1)n(2n - 1)}{6}$;

   (c) $\left[\dfrac{(n - 1)n}{2}\right]^2$.

Seção 6.6, p. 278

1. 9.

3. (a) $\tfrac{32}{3}$; (b) 16; (c) 12.

5. (a) $\tfrac{32}{3}$; (b) 4; (c) $\tfrac{21}{2}$; (d) $\tfrac{62}{3}$; (e) $\tfrac{26}{3}$; (f) 2; (g) 33; (h) 18; (i) $\tfrac{26}{3}$; (j) 2; (k) $\tfrac{4}{3}$.

7. (a) $\tfrac{2}{3}$; (b) 4; (c) 1; (d) $\tfrac{14}{3}$; (e) $\tfrac{13}{3}$; (f) 9; (g) $5/48a^2$; (h) $(\sqrt{5} - 1)b$; (i) $\tfrac{1}{8}$; (j) $\tfrac{9}{2}$; (k) $a^4/4$; (l) $\tfrac{1023}{10}$; (m) $b^2/6$; (n) $\tfrac{2}{15}$; (o) $\tfrac{1}{30}$; (p) $\tfrac{29}{6}$.

Seção 6.7, p. 286

1. (a) $\tfrac{21}{6}$; (b) $\tfrac{22}{3}$; (c) 19; (d) $\tfrac{13}{2}$.

3. $\tfrac{128}{5}$.

13. $\pi a^2/2$.

Problemas Suplementares, p. 294

7. (a) $\tfrac{8}{3}$; (b) $\tfrac{38}{3}$; (c) 12; (d) $5\sqrt{5}/3$; (e) $\tfrac{9}{20}$.

9. (a) $4(2\sqrt{2} - 1)$; (b) $\tfrac{8}{3}$; (c) 3; (d) $\tfrac{35}{4}$.

11. (a) $\dfrac{4x^3}{1+x^4}$; (b) $\dfrac{2x}{1+x^2}$; (c) $\dfrac{3x^2}{\sqrt{3x^3+7}}$; (d) $\dfrac{5x^9}{\sqrt{1+x^{10}}}$.

CAPÍTULO 7

Seção 7.2, p. 299

1. $\tfrac{7}{3}$.
3. $\tfrac{8}{3}$.
5. $\tfrac{32}{3}$.
7. $\tfrac{64}{3}\sqrt{2}$.
9. 4.
11. $\tfrac{64}{3}$.
13. (a) $\tfrac{1}{12}$; (b) $\tfrac{4}{3}$.
15. $\tfrac{27}{4}$.
17. $2(\sqrt{b}-1) \to \infty$ quando $b \to \infty$.

Seção 7.3, p. 303

1. (a) 8π; (b) $16\pi/15$; (c) $3\pi/5$; (d) $2\pi/3$; (e) $8\pi/3$; (f) $16\pi a^3/105$.
5. 4π.
7. $\tfrac{4}{3}a^3$.
9. $\tfrac{16}{3}a^3$.
11. $2\pi^2 a^2 b$.
13. $\tfrac{1}{8}\sqrt{3}a^3$.
15. $9\sqrt{2}/2$.
17. $\tfrac{16}{3}a^3$.

Seção 7.4, p. 310

3. $128\pi/5$.
5. $486\pi/5$.
7. $2\pi(b-a)$.
9. $\dfrac{8\pi}{3}(2-\sqrt{2})$.
11. (a) 8π; (b) $256\pi/15$.
13. $\pi h^3/6$.
15. $8\pi/9$.

Seção 7.5, p. 315

1. $\tfrac{8}{27}(10\sqrt{10}-1)$.
3. $\tfrac{53}{6}$.
5. $\tfrac{148}{9}$.
7. 12.

Seção 7.6, p. 321

1. $253\pi/20$.
3. 12π.
5. $\dfrac{\pi}{27}(10\sqrt{10} - 1)$.
7. $\dfrac{8\pi}{3}(2\sqrt{2} - 1)p^2$.
9. $\tfrac{12}{5}\pi a^2$.

Seção 7.7, p. 328

1. 202,5 ton.
3. 108 ton.
5. 0,72 ton.
7. 0,936 ton.
9. 1.274 N.
11. 8,91, ton.; 3,3 m.
13. Aproximadamente $8,1\sqrt{2}$ ton.

Seção 7.8, p. 333

1. 72 J.
3. 8.100 J.
5. 75 J.
7. 13.200 J.
11. 0,36 J.
13. 5 J.
15. $GMm/2a$.
17. $mgRh/(R + h)$.
19. $0,864\,\pi\,w$ J.
21. $\dfrac{4}{3}\pi a^3 w(h + a)$.
23. $m_1 = \dfrac{1}{4}m_2$.

Problemas Suplementares, p. 343

1. $\tfrac{1}{6}$.
3. $\tfrac{128}{15}$.
5. 36.
7. $\tfrac{125}{6}$.
9. 18.
11. $\tfrac{8}{3}$.
13. 64.
15. $\tfrac{37}{6}$.
17. $\tfrac{136}{3}$.
19. (a) $56\pi/15$; (b) $56\pi/15$; (c) $32\pi/3$; (d) $48\pi/5$; (e) $\pi a^3/15$.
21. (a) $512\pi/15$; (b) $128\pi/3$.
23. $\tfrac{8}{3}a^3$.
25. $\tfrac{1}{3}\pi(b^5 - a^5)$.

27. (a) $2\pi a^3$; (b) $\frac{8}{3}\pi a^3$; (c) $\frac{16}{15}\pi a^3$.

29. $a^2 h$.

31. $\frac{1}{3}a^2 h$.

33. $128\pi/3$.

35. $11\pi/15$.

37. $135\pi/2$.

39. 2π.

43. $\frac{14}{3}$.

45. $\frac{14}{3}$.

47. $\frac{17}{6}$.

49. $\frac{495}{8}$.

51. $AB = \frac{1}{32}$.

53. 90π.

55. 168π.

57. $\pi a^2/2$.

59. 6,48 ton.

61. $\frac{1}{3}wBH^2$.

63. 0,23 ton.

65. 12,7 m.

67. 48,6 J.

71. $3 \cdot 2^8$ ft-lb.

73. $\frac{5}{2}p_1 V_1 \left[\left(\frac{V_1}{V_2}\right)^{2/5} - 1\right]$.

75. aB.

79. $204\,\pi\,\text{J}$.

CAPÍTULO 8

Seção 8.2, p. 352

1. (a) $\log_4 16 = 2$; (b) $\log_3 81 = 4$; (c) $\log_{81} 9 = 0.5$; (d) $\log_{32} 16 = \frac{4}{5}$.

3. (a) 4; (b) 6; (c) -4; (d) $\frac{2}{3}$.

5. (a) $a = 32$; (b) $a = \frac{1}{16}$; (c) $a = 6$; (d) $a = 49$.

9. (a) 7;
   (b) ácido pH < 7, básico pH > 7.

Seção 8.3, p. 357

1. $\frac{1}{2}(e^x - e^{-x})$.

3. $(x^2 + 2x)e^x$.

5. $e^{e^x}e^x$.

7. xe^{ax}.

9. $4x^2 e^{2x}$.

11. $\frac{1}{3}e^{3x} + c$.

13. $5e^{x/5} + c$.

15. $2e^{x^3} + c$.

17. (a) Pt. max. $(0, 1)$, sem pt. min. pts. de infl. $(\pm \frac{1}{2}\sqrt{2}, 1/\sqrt{e})$; (b) sem pt. max., pt. min. $(-3, -3/e)$, pt. de infl. $(-6, -6/e^2)$.

19. $\frac{1}{2}(e^b + e^{-b})$.

23. Área = $1 - e^{-b} \to 1$ quando $b \to \infty$.

25. (a) e; (b) e; (c) e; (d) e^2; (e) $\sqrt{e}$.

Seção 8.4, p. 366

1. (a) 2; (b) 3; (c) $1/x$; (d) $1/x$; (e) $-x$; (f) $1/x$; (g) x; (h) $3x$; (i) 0; (j) $\frac{2}{3}$; (k) $\frac{4}{3}$; (l) 0; (m) $x^3 y^2$; (n) 8; (o) $2e^3$; (p) $x^2 e^x$.

3. (a) $\dfrac{y(1 + 2x)}{x(3y - 1)}$; (b) $\dfrac{y(1 + xy)}{x(1 - xy)}$.

5. (a) $\frac{1}{3}\ln(3x + 1) + c$; (b) $\frac{1}{6}\ln(3x^2 + 2) + c$; (c) $\frac{1}{2}x^2 + 2\ln x + c$; (d) $x + \ln x + c$;
(e) $x - \ln(x + 1) + c$; (f) $\frac{1}{2}\ln(x^2 + 1) + c$; (g) $-\frac{1}{4}\ln(3 - 2x^2) + c$;
(h) $\ln x(x - 1) + c$; (i) $\frac{1}{2}(\ln x)^2 + c$; (j) $\ln(\ln x) + c$;
(k) $2\ln(\sqrt{x} + 1) + c$; (l) $\ln(e^x + e^{-x}) + c$.

9. Sem máx., sem pt. de infl., min. $(3{,}9 - 18\ln 3) \cong (3, -11)$.

11. $\pi \ln 4$.

15. min. $(1/e, -1/e)$.

17. $1/\sqrt{e}$.

19. (a) $y\left(1 + \dfrac{2x}{x^2 - 1} - \dfrac{3}{6x - 2}\right)$; (b) $\dfrac{y}{5}\left(\dfrac{2x}{x^2 + 3} - \dfrac{1}{x + 5}\right)$.

21. (a) $x^{x^x} x^x \left[\dfrac{1}{x} + (\ln x)(1 + \ln x)\right]$; (b) $\sqrt[x]{x}\left[\dfrac{1 - \ln x}{x^2}\right]$. Max. = $\sqrt[e]{e}$.

Seção 8.5, p. 377

1. (a) 2520; (b) 13,8.

3. 20,1.

5. 95,8 por cento.

7. Quando $t = 6$. Você pode resolver esse problema sem cálculo, simplesmente pensando nele?

9. $x = 10\left(\dfrac{4}{5}\right)t$.

11. 2 horas mais.

13. (a) cerca de 3.330 anos (1380 a.C.);
    (b) cerca de 3.850 anos (1900 a.C.);
    (c) cerca de 10.510 anos;
    (d) cerca de 7.010 anos.

15. $x \to A$ se $A < B$; $x \to B$ se $A > B$.

Seção 8.6, p. 387

1. $1/2 N_1$.

3. $x = \dfrac{x_0 x_1}{x_0 + (x_1 - x_0) e^{-cx_1 t}}$

5. $s = \dfrac{v_0}{c}(1 - e^{-ct})$.

7. Quando $v < 1$, a força resistiva no segundo caso torna-se muito pequena.

9. Cerca de 24 kg.

Problemas Suplementares, p. 394

1. $-xe^{\sqrt{1-x^2}}/\sqrt{1-x^2}$.

3. $(2x - 2)e^{x^2 - 2x + 1}$.

5. $\dfrac{e^{\sqrt{x}}}{2\sqrt{x}} + \dfrac{1}{2}\sqrt{e^x}$.

7. $-\frac{1}{3}e^{-3x} + c$.

9. $-e^{1/x} + c$.

11. $2\sqrt{e^x + 1} + c$.

13. $(1/a, e)$.

17. $\dfrac{\pi}{2}(e^6 - 1)$.

23. (a) $\dfrac{y(3x + 1)}{x(2y^2 - 1)}$; (b) $\dfrac{y(2x^2 + 1)}{x(1 - 3y)}$.

25. (a) $\frac{1}{2}\ln(1 + 2x) + c$;
(b) $-\frac{1}{3}\ln(1 - 3x) + c$; (c) $\frac{1}{2}\ln 2$;
(d) $\frac{1}{2}\ln 10$; (e) $\ln 3$; (f) $2\sqrt{\ln x} + c$;
(g) $\frac{1}{2}\ln 7$; (h) $-\frac{1}{2}\ln(1 - x^2) + c$;
(i) $\frac{1}{2}(\ln 3)^2$; (j) $\frac{1}{3}\ln(3x^2 - 3x + 7) + c$; (k) $\ln(e^x + 1) + c$; (l) $\ln(x + 1)(x + 2) + c$; (m) $\frac{1}{4}(\ln x)^3 + c$;

(n) $\frac{1}{4}(\ln x)^2 + c$; (o) $\frac{1}{2}[\ln (\ln x)]^2 + c$; (p) $-\frac{1}{2}(\ln x)^2 + c$.

29. $\frac{3}{2a} + \frac{a}{4} \ln 2; a = \sqrt{\frac{6}{\ln 2}}$.

31. (a) $(\ln 10)10^x$; (b) $(\ln 3)3^x$;
(c) $(\ln \pi)\pi^x$; (d) $(3 \ln 7)7^{3x}$;
(e) $(\ln 6)(2x - 2)6^{x^2-2x}$;
(f) $\left(\frac{\ln 5}{2\sqrt{x}}\right) 5^{\sqrt{x}}$.

33. Max. em $x = \frac{2}{\ln 5}$; pts. de infl. em
$x = \frac{2 \pm \sqrt{2}}{\ln 5}$.

35. (a) $(\ln x)^x \left[\frac{1}{\ln x} + \ln (\ln x)\right]$;
(b) $(2 \ln x)x^{\ln x - 1}$;
(c) $\frac{(\ln x)^{\ln x}}{x} [1 + \ln (\ln x)]$;
(d) $\frac{x^{\sqrt{x}}}{\sqrt{x}} (1 + \frac{1}{2} \ln x)$;
(e) $\frac{x^{\sqrt[3]{x}}}{x^{2/3}} (1 + \frac{1}{3} \ln x)$.

39. Em mais 4 horas.

41. 22,8°C.

47. Mais 17 dias.

49. $v^2 = \frac{g}{c} (1 - e^{-2cs})$; $v \to \sqrt{\frac{g}{c}}$ quando $s \to \infty$.

51. Quando $t = 4{,}33$ min; quando $t = 21{,}5$ min.

53. Cerca de 1,39 h.

CAPÍTULO 9

Seção 9.1, p. 404

1. (a) $\pi/12$; (b) $7\pi/12$; (c) $2\pi/3$; (d) $5\pi/12$; (e) $5\pi/6$; (f) $3\pi/4$; (g) $5\pi/4$; (h) $7\pi/6$; (i) $7\pi/2$; (j) 5π.

3. $\theta = 2$ radianos.

5. $A = 25 \cot \frac{1}{2}\theta$.

7. $H = L \tg \theta$.

11. $\sen 3\theta = 3 \sen \theta - 4 \sen^3 \theta$ $\cos 3\theta = 4 \cos^3 \theta - 3 \cos \theta$.

13. $\sen 4\theta = (4 \sen \theta - 8 \sen^3 \theta) \cos \theta$.

15. (a) $\frac{1}{4}(\sqrt{6}-\sqrt{2})$; (b) $\frac{1}{2}\sqrt{2-\sqrt{3}}$.

21. Para uma prova geométrica, use o fato de que o vértice oposto ao lado fixado deve estar sobre uma circunferência da qual esse lado é uma corda.

23. $\dfrac{\sqrt{2}}{2}$ m.

Seção 9.2, p. 417

1. $3\cos(3x-2)$.
3. $48\cos 16x$.
5. $2x\cos x^2$.
7. $15(\cos 3x - \operatorname{sen} 3x)$.
9. $x\cos x + \operatorname{sen} x$.
11. $\frac{3}{2}\operatorname{sen} 12x$.
13. $\cos^5 x$.
15. $3e^{2x}\cos 3x + 2e^{2x}\operatorname{sen} 3x$.
17. $-\operatorname{tg} x$.

21. $45°$.
23. 5.
31. $\pi/3, 3$.
33. 1.
35. 1.
37. $\frac{1}{2}$.
39. 1.
41. 1.
43. -1.

Seção 9.3, p. 426

1. $-\frac{1}{5}\cos 5x + c$.
3. $\frac{1}{9}\cos(1-9x) + c$.
5. $\operatorname{sen}^2 x + c$ ou $-\cos^2 x + c$ ou $-\frac{1}{2}\cos 2x + c$.
7. $\frac{1}{8}\operatorname{sen}^4 2x + c$.
9. $\frac{1}{4}\operatorname{sen}^8 \frac{1}{2}x + c$.
11. $-2\cos\sqrt{x} + c$.
13. $\frac{1}{2}\operatorname{sen}(\operatorname{sen} 2x) + c$.
15. $\dfrac{3}{2}\sec\left(\dfrac{2x-1}{3}\right) + c$.
17. $-\ln(\cos x) + c$.
19. $\operatorname{sen}(x^2 + x) + c$.
21. $\frac{2}{3}$.
23. $\sqrt{2} - 1$.

25. $\frac{2}{3}$.
27. 3.
29. $\frac{1}{2}\pi^2$.

Seção 9.4, p. 433

1. $8x \sec^2 4x^2$.
3. $2 \text{ tg}(\text{sen } x) \cdot \sec^2(\text{sen } x) \cdot \cos x$.
5. 0.
7. $24 \text{ cosec}(-6x) \text{ cotg}(-6x)$.
9. $-\sqrt{\text{cosec } 2x \text{ cotg } 2x}$.
11. $\sec^2 x \, e^{\text{tg } x}$.
13. $-\frac{1}{6} \text{ cotg } 6x + c$.
15. $-\frac{1}{2} \text{ cotg } 2x + c$.
17. $\frac{1}{5} \text{tg}^5 x + c$.
19. $-\frac{1}{7} \text{ cosec } 7x + c$.
21. $\frac{1}{2}$.
23. $\frac{1}{2}(\pi - 2)$.
25. 2.
27. $4\sqrt{3}$; não.
29. $3{,}2 \, \pi \text{ km/s}$.

Seção 9.5, p. 437

1. $\frac{1}{2}\sqrt{3}, -\frac{1}{3}\sqrt{3}, -\sqrt{3}, \frac{2}{3}\sqrt{3}, -2$.
3. (a) π; (b) $\pi/2$; (c) 0,123; (d) 0,8; (e) 0,96; (f) $\pi/7$; (g) $\pi/6$; (h) $\pi/4$.
5. $1/(25 + x^2)$.
7. $\dfrac{1}{\sqrt{x}(x + 1)}$.
9. $\text{arc sen } x$.
11. $(\text{arc sen } x)^2$.
13. $\dfrac{4}{5 + 3 \cos x}$.
15. $\pi/6$.
17. $\frac{1}{2} \text{ arc sen } 2x + c$.
19. $\pi/8$.
21. $\frac{1}{2} \text{ arc sen } \frac{2}{3}x + c$.
23. $\frac{1}{6} \text{ arc tg } \frac{1}{2}x + c$.

25. $-\pi/12$.

27. $\pi/4$.

29. (a) arc sen $\dfrac{3}{5}$; (b) $\dfrac{1}{4}$ rad/s.

31. A fórmula não é válida, pois o integrando $1/\sqrt{1-x^2}$ é descontínuo no ponto $x = 1$ no intervalo de integração.

Seção 9.6, p. 448

1. (a) $x = 5\sqrt{2}\,\text{sen}\left(t - \dfrac{\pi}{4}\right)$, $A = 5\sqrt{2}$, $T = 2\pi$; (b) $x = 2\,\text{sen}\left(3t + \dfrac{2\pi}{3}\right)$, $A = 2$, $T = 2\pi/3$;

   (c) $x = \sqrt{2}\,\text{sen}\left(t + \dfrac{\pi}{4}\right)$, $A = \sqrt{2}$, $T = 2\pi$; (d) $x = 4\,\text{sen}\left(2t - \dfrac{\pi}{6}\right)$, $A = 4$, $T = \pi$.

3. $A \cong 14{,}9$ cm; $T \approx 0{,}77$s.

5. $T = 2\pi\sqrt{R/g} \cong 89$ min.

7. Cerca de 0,993 m.

Problemas Suplementares, p. 458

1. $-9\cos(1 - 9x)$.

3. $-2\,\text{sen}\,x\cos x = -\text{sen}\,2x$.

5. $-10\,\text{sen}\,5x\cos 5x = -5\,\text{sen}\,10x$.

7. $-6\,\text{sen}\,6x$.

9. $-x^2\,\text{sen}\,x + 2x\cos x$.

11. $x\cos x$.

13. $(\text{sen}\,x)[\text{sen}(\cos x)]$.

15. $-(\cos x)[\text{sen}(\text{sen}\,x)]$.

17. $\cos x$.

25. 0.

27. 1.

29. 2.

31. $\tfrac{2}{3}$.

33. 2.

35. $\pi/4$.

37. $\tfrac{1}{3}\,\text{sen}\,3x + c$.

39. $-2\,\text{sen}(1 - \tfrac{1}{2}x) + c$.

41. $\tfrac{1}{18}\,\text{sen}^6 3x + c$.

43. $-\tfrac{2}{3}\cos 3x + \tfrac{1}{9}\cos^3 3x + c$.

45. $\tfrac{1}{3}\,\text{sen}\,x^3 + c$.

47. $\tfrac{1}{2}\cos(\cos 2x) + c$.

49. $-\tfrac{1}{4}\,\text{cosec}\,4x + c$.

51. $\dfrac{1}{2(3 + 2\cos x)} + c$.

53. $-\tfrac{2}{3}\sqrt{7 - \text{sen}\,5x} + c$.

55. $\tfrac{1}{4}$.

57. $\tfrac{1}{2}$.

59. $2\sqrt{2}$.

61. 21π.

67. $12 \sec^2 3x$.

69. $\dfrac{-\operatorname{cosec}^2 2x}{\sqrt{\operatorname{cotg} 2x}}$.

71. $4 \sec^2 x \, \operatorname{tg} x$.

73. $-10 \operatorname{cotg} 5x \operatorname{cosec}^2 5x$.

75. $\operatorname{tg} \dfrac{1}{x} - \dfrac{1}{x} \sec^2 \dfrac{1}{x}$.

77. $\dfrac{\sqrt{\sec \sqrt{x}} + \operatorname{tg} \sqrt{x}}{4\sqrt{x}}$.

79. $\sec^2 x \sec^2 (\operatorname{tg} x)$.

81. $-3 \operatorname{cosec} \tfrac{1}{3}x + c$.

83. $-\tfrac{1}{3} \operatorname{cotg} 3x + c$.

85. $-\tfrac{1}{4} \operatorname{cosec}^4 x + c$.

87. $-\tfrac{1}{4} \operatorname{cotg}^4 x + c$.

89. $4\pi/3$.

91. 300 km/h.

93. (a) $-\pi/3$; (b) $\pi/3$; (c) $-\pi$; (d) $0{,}7$; (e) $0{,}7$; (f) -1; (g) $\pi/3$.

95. $\dfrac{1}{\sqrt{25-x^2}}$.

97. $\dfrac{x^4}{1+x^{10}}$.

99. $\dfrac{1}{x\sqrt{x^2-1}}$.

101. $\dfrac{1+x}{1+x^2}$.

103. $\dfrac{\sqrt{x^2-1}}{x}$.

105. $\pi/2$.

107. $\dfrac{1}{\sqrt{5}} \operatorname{arc tg} \sqrt{5}x + c$.

109. $\tfrac{1}{2} \operatorname{arc sen} \tfrac{2}{3}x + c$.

111. $\tfrac{1}{4} \operatorname{arc tg} x^4 + c$.

113. $10{,}8$ m do ponto da estrada mais próximo do cartaz.

115. $0{,}069$ rad/s.

117. $T \cong 0{,}282$ s.

119. $A = 5$, $f = 1/\pi$.

CAPÍTULO 10

Acrescente uma constante de integração a cada resposta para cada integral indefinida deste capítulo.

Seção 10.2, p. 472

1. $-\tfrac{1}{3}(3-2x)^{3/2}$.

3. $\tfrac{1}{2} \ln [1 + (\ln x)^2]$.

5. $-\tfrac{1}{2} \cos 2x$.

7. $\tfrac{1}{3} \ln [\operatorname{sen}(3x-1)]$.

9. $\tfrac{1}{3}(x^2+1)^{3/2}$.

11. $\tfrac{1}{5}e^{5x}$.

13. $-\tfrac{1}{3} \operatorname{cotg}(3x+2)$.

15. 2.

17. $2\sqrt{1-\cos x}$.

19. $e^{\operatorname{arc tg} x}$.

21. $\frac{1}{5}$ sec 5x.

23. $\frac{1}{3}$(ln x)².

25. ln 2.

27. arc sen e^x.

29. $\frac{1}{3}$ sen³ x.

31. ln (1 + e^x).

33. $-\frac{1}{3}$ ln (cos 3x).

35. $4\sqrt{x^2 + 1}$.

37. arc tg⁻¹ e^x.

39. $\frac{1}{7}(e^x + 1)^7$.

41. $\frac{1}{5}$ tg 5x.

43. $-\frac{1}{2}$ cosec 2x.

45. $4(\sqrt{2} - 1)$.

47. $\frac{2}{3}$.

49. (a) $n = 3$, $\frac{1}{3}e^{x^3}$; (b) $n = 2$, $\frac{1}{3}$ sen x³;
(c) $n = -1$, $\frac{1}{2}$(ln x)²;
(d) $n = -\frac{1}{2}$, 2 tg $\sqrt{x}$.

Seção 10.3, p. 477

1. $\frac{1}{2}x - \frac{1}{4}$ sen 2x.

3. $\frac{5}{16}x + \frac{1}{4}$ sen 2x + $\frac{3}{64}$ sen 4x - $\frac{1}{48}$ sen³ 2x.

5. $-\frac{1}{3}\cos^3 x + \frac{1}{5}\cos^5 x$.

7. sen x - $\frac{1}{3}$ sen³ x.

9. $\frac{2}{3}$ sen^{3/2} x - $\frac{2}{7}$ sen^{7/2} x.

11. $\frac{1}{8}x - \frac{1}{96}$ sen 12x.

13. $\frac{4}{3}$.

15. $\frac{1}{7}$ sec⁷ x - $\frac{2}{5}$ sec⁵ x + $\frac{1}{3}$ sec³ x.

17. $-\cotg x - x$.

19. $-\frac{1}{4}$ cotg 4x.

21. $-\frac{1}{2}$ cotg 2x $- \frac{1}{2}$ cosec 2x.

23. $\frac{1}{3}$ sen 3x.

25. (a) $\tg x - x$, $\frac{1}{3}\tg^3 x - \tg x + x$, $\frac{1}{5}\tg^5 x - \frac{1}{3}\tg^3 x + \tg x - x$;

(b) $\frac{1}{2}\tg^2 x + \ln(\cos x)$, $\frac{1}{4}\tg^4 x - \frac{1}{2}\tg^2 x - \ln(\cos x)$, $\frac{1}{6}\tg^6 x - \frac{1}{4}\tg^4 x + \frac{1}{2}\tg^2 x + \ln(\cos x)$.

27. (a) $\pi^2/2$; (b) π; (c) $(4\pi - \pi^2)/8$; (d) $3\pi^2/16$.

29. $\frac{1}{2}[\sec x \tg x + \ln(\sec x + \tg x)]$.

Seção 10.4, p. 483

1. $-\arcsen \frac{x}{a} - \frac{\sqrt{a^2 - x^2}}{x}$.

3. $\frac{1}{2a^3} \arctg \frac{x}{a} + \frac{x}{2a^2(a^2 + x^2)}$.

5. $-\frac{1}{3}\sqrt{9 - x^2}(x^2 + 18)$.

7. $\frac{1}{a}\ln\left(\frac{x}{a + \sqrt{a^2 + x^2}}\right)$.

9. $\ln(x + \sqrt{x^2 - a^2})$.

11. $\frac{1}{2}x\sqrt{a^2 + x^2} + \frac{1}{2}a^2 \ln(x + \sqrt{a^2 + x^2})$.

13. $\frac{1}{2a} \ln \frac{a + x}{a - x}$.

15. $\sqrt{a^2 + x^2} - a \ln\left(\frac{a + \sqrt{a^2 + x^2}}{x}\right)$.

17. $\ln(x + \sqrt{x^2 - a^2}) - \frac{\sqrt{x^2 - a^2}}{x}$.

19. $\frac{1}{8}\left[a^4 \arcsen \frac{x}{a} + \sqrt{a^2 - x^2}(2a^3 - a^2 x)\right]$.

21. $-\sqrt{4 - x^2}$.

23. $\frac{1}{a} \arctg \frac{x}{a}$.

25. $-\frac{1}{3}(9 - x^2)^{3/2}$.

27. $\sqrt{9 + x^2}$.

31. $2\pi^2 ba^2$.

33. $3 - \sqrt{2} + \ln(1 + \frac{1}{2}\sqrt{2})$.

Seção 10.5, p. 491

1. $\arcsen(x - 1)$.

3. $\arctg(x + 2)$.

5. $-\sqrt{2x - x^2} + 2\arcsen(x - 1)$.

7. $\frac{27}{2} \arcsen\left(\frac{x - 3}{3}\right) - 6\sqrt{6x - x^2} - \frac{1}{2}(x - 3)\sqrt{6x - x^2}$.

9. $\frac{1}{2}\ln(x^2 + 2x + 5) + 3\arctg\left(\frac{x + 1}{2}\right)$.

11. $\ln(x - 1 + \sqrt{x^2 - 2x - 8})$.

13. $\frac{1}{2}\ln(2x + 1 + \sqrt{4x^2 + 4x + 17})$.

15. $-\frac{x - 1}{4\sqrt{x^2 - 2x - 3}}$.

Seção 10.6, p. 494

1. (a) $x + 1 + \dfrac{1}{x-1}$, $\dfrac{1}{2}x^2 + x + \ln(x-1)$;

   (b) $\dfrac{1}{3}x^2 - \dfrac{2}{9}x + \dfrac{4}{27} - \dfrac{8/27}{3x+2}$, $\dfrac{1}{9}x^3 - \dfrac{1}{9}x^2 + \dfrac{4}{27}x - \dfrac{8}{81}\ln(3x+2)$;

   (c) $x - \dfrac{x}{x^2+1}$, $\dfrac{1}{2}x^2 - \dfrac{1}{2}\ln(x^2+1)$;

   (d) $1 + \dfrac{1}{x+2}$, $x + \ln(x+2)$;

   (e) $1 - \dfrac{2}{x^2+1}$, $x - 2\arctan x$.

3. $3\ln(x-3) + 4\ln(x+2)$.

5. $5\ln(x-7) - 3\ln x$.

7. $2\ln x - 4\ln(x+8) + 3\ln(x-3)$.

9. $3\ln x + 2\ln(x+13) - \ln(x-3)$.

11. $-\ln(x+1) - \dfrac{2}{x+1} - 3\ln x$.

13. $2\ln x + \dfrac{1}{2}\ln(x^2 + 2x + 2) - 6\arctan(x+1)$.

Seção 10.7, p. 504

1. $\tfrac{1}{2}x^2 \ln x - \tfrac{1}{4}x^2$.
3. $\tfrac{1}{2}x^2 \arctan x - \tfrac{1}{2}x + \tfrac{1}{2}\arctan x$.
5. $\tfrac{1}{2}e^x(\operatorname{sen} x - \cos x)$.
7. $\tfrac{1}{2}x\sqrt{1-x^2} + \tfrac{1}{2}\operatorname{arc\,sen} x$.
9. $\tfrac{1}{2}x^2 \operatorname{arc\,sen} x - \tfrac{1}{4}\operatorname{arc\,sen} x + \tfrac{1}{4}x\sqrt{1-x^2}$.
11. $\tfrac{1}{3}x \operatorname{sen}(3x-2) + \tfrac{1}{9}\cos(3x-2)$.

13. $x \operatorname{tg} x + \ln(\cos x)$.
15. $x \ln(a^2 + x^2) - 2x + 2a \arctan \dfrac{x}{a}$.
17. $\tfrac{1}{2}(\ln x)^2$.
19. $\pi(\pi - 2)$.
23. (b) $x(\ln x)^5 - 5x(\ln x)^4 + 20x(\ln x)^3 - 60x(\ln x)^2 + 120\,x \ln x - 120x$.
25. $2\pi[\sqrt{2} + \ln(\sqrt{2}+1)]$.

Seção 10.8, p. 513

5. $2\sqrt{x} - 2\ln(1 + \sqrt{x})$.
7. $2\sqrt{x} - 3\sqrt[3]{x} + 6\sqrt[6]{x} - 6\ln(\sqrt[6]{x}+1)$.
9. $2\sqrt{x} - 2\arctan \sqrt{x}$.

11. $\tfrac{4}{3}x^{3/4} - 4\sqrt[4]{x} + 4\arctan \sqrt[4]{x}$.
13. $2\sqrt{x+2} - 2\arctan \sqrt{x+2}$.

Seção 10.9, p. 520

1. (a) 0,643; (b) 0,656.
3. 2,2845.

5. 0,881.
7. 3,14156.

Problemas Suplementares, p. 527

1. $\frac{2}{9}(3x+5)^{3/2}$.
3. $\ln(1+3x^2)$.
5. $-\frac{1}{5}\operatorname{sen}(1-5x)$.
7. $2\sec\sqrt{x}$.
9. $\operatorname{arc tg} x^2$.
11. $\frac{1}{4}\ln(\operatorname{sen} 4x)$.
13. $-1/\ln x$.
15. $\ln(\operatorname{tg} x)$.
17. $-\dfrac{2}{3}\cos\left(\dfrac{3x-5}{2}\right)$.
19. $-2\operatorname{cosec} x^3$.
21. $\operatorname{arc tg}(\ln x)$.
23. $-\dfrac{1}{3(3x+5)}$.
25. $-\frac{1}{2}\ln(3-2x)$.
27. $\frac{1}{3}\operatorname{sen}(1+x^3)$.
29. $-\frac{1}{2}\operatorname{cotg}(x^2+1)$.
31. $\operatorname{arc tg}(\operatorname{sen} x)$.
33. $\frac{1}{2}\ln(\operatorname{sen} 2x)$.
35. $\frac{1}{2}(\operatorname{arc tg} x)^2$.
37. $\frac{1}{2}\ln(2x+1)$.
39. $3e^{x/3}$.
41. $\operatorname{tg}(\operatorname{sen} x)$.
43. $\frac{1}{5}\operatorname{arc sen} 5x$.
45. $\operatorname{arc tg}(\sec x)$.
47. $\frac{1}{3}(\ln x)^3$.
49. $-\ln(1+\cos x)$.
51. $-\frac{1}{3}e^{-3x}$.
53. $-\cos(\ln x)$.
55. $\operatorname{cosec}\dfrac{1}{x}$.

57. $\frac{1}{2}\operatorname{arc tg} e^{2x}$.
59. $\frac{1}{6}(2+x^4)^{3/2}$.
61. $\ln(e^x+x)$.
63. $-4/\sqrt{e^x}$.
65. $-\operatorname{cotg} x$.
67. $-\frac{1}{2}\ln(\cos x^2)$.
69. $\frac{1}{2}\ln(1+x^2)$.
71. $\frac{1}{6}e^{3x^2-2}$.
73. $\operatorname{tg} x + \sec x$.
75. $\frac{3}{8}(1+x^{5/3})^{3/2}$.
77. $e^{\operatorname{tg} x}$.
79. $-\frac{1}{5}(1+\cos x)^5$.
81. $\operatorname{sen}(\operatorname{tg} x)$.
83. $\pi/6$.
85. $\frac{1}{4}$.
87. $\frac{196}{3}$.
89. $\frac{1}{2}x - \frac{1}{20}\operatorname{sen} 10x$.
91. $\frac{1}{2}x + \frac{1}{28}\operatorname{sen} 14x$.
93. $-\frac{1}{3}\cos^3 x + \frac{2}{5}\cos^5 x - \frac{1}{7}\cos^7 x$.
95. $\frac{1}{4}\operatorname{sen} 4x - \frac{1}{12}\operatorname{sen}^3 4x$.
97. $\operatorname{cosec} x - \frac{1}{3}\operatorname{cosec}^3 x$.
99. $\frac{5}{8}\operatorname{sen}^{8/5} x$.
101. $\frac{1}{5}\operatorname{tg}^5 x + \frac{2}{3}\operatorname{tg}^3 x + \operatorname{tg} x$.
103. $\frac{1}{9}\sec^9 x - \frac{1}{7}\sec^7 x$.
105. $-\frac{1}{4}\operatorname{cotg}^4 x + \frac{1}{2}\operatorname{cotg}^2 x + \ln(\operatorname{sen} x)$.
107. $\frac{1}{9}\operatorname{tg} 3x - \frac{1}{3}\operatorname{cotg} 3x - \frac{2}{3}\ln(\operatorname{cosec} 6x + \operatorname{cotg} 6x)$.
109. $\dfrac{3}{2}\operatorname{arc sen}\dfrac{x}{\sqrt{3}} + \dfrac{1}{2}x\sqrt{3-x^2}$.
111. $x - a\operatorname{arc tg}\dfrac{x}{a}$.

113. $-\frac{1}{15}(a^2 - x^2)^{3/2}(3x^2 + 2a^2)$.

115. $\ln(x + \sqrt{a^2 + x^2}) - \frac{\sqrt{a^2 + x^2}}{x}$.

117. $-\frac{1}{3a^4x^3}\sqrt{a^2 - x^2}\,(2x^2 + a^2)$.

119. $\frac{1}{2a}$ arc tg $\frac{x}{a} - \frac{x}{2(a^2 + x^2)}$.

121. $\frac{\sqrt{x^2 - 9}}{9x}$.

123. $\frac{x}{\sqrt{1 - 9x^2}}$.

125. $-\frac{1}{3}\ln\left(\frac{3 + \sqrt{9 + 4x^2}}{2x}\right)$.

127. $\frac{x}{\sqrt{a^2 - x^2}} -$ arc sen $\frac{x}{a}$.

129. $\ln(x + \sqrt{a^2 + x^2}) - \frac{x}{\sqrt{a^2 + x^2}}$.

131. $\frac{1}{2}x\sqrt{x^2 - a^2} + \frac{1}{2}a^2 \ln(x + \sqrt{x^2 - a^2})$.

133. arc sen $\left(\frac{x + 4}{9}\right)$.

135. $\frac{1}{10}\sqrt{2}$ arc tg $\left(\frac{x + 1}{\sqrt{2}}\right)$.

137. $\frac{1}{\sqrt{3}}$ arc tg $\left(\frac{3x - 1}{\sqrt{7}}\right)$.

139. $\frac{3}{2}$ arc sen $(x - 1) - 2\sqrt{2x - x^2} - \frac{1}{2}(x - 1)\sqrt{2x - x^2}$.

141. $\frac{1}{6}$ arc tg $\left(\frac{x - 1}{2}\right)$.

143. $-\frac{1}{2}$ arc tg $\left(\frac{2}{x - 1}\right)$.

145. $3\sqrt{x^2 + 4x + 8} + \ln(x + 2 + \sqrt{x^2 + x + 8}$

147. $\frac{5x - 3}{4\sqrt{x^2 + 2x - 3}}$.

149. $19 \ln(x - 4) - 3 \ln(x + 3)$.

151. $3 \ln(2x + 1) - 5 \ln(2x - 1)$.

153. $5 \ln x + \ln(x + 4) - 3 \ln(x - 3)$.

155. $-2 \ln x + 3 \ln(x + 3) - 3 \ln(x - 3)$.

157. $2 \ln x + \frac{1}{x} - \frac{3}{2x^2} - 5 \ln(x + 1)$.

159. $-\ln x + \ln(x^2 + 4x + 8) - \frac{1}{2}$ arc tg $\left(\frac{x + 2}{2}\right)$

161. $\frac{1}{3}x^3$ arc tg $x - \frac{1}{6}x^2 + \frac{1}{6}\ln(1 + x^2)$.

163. $\frac{1}{2}x[\cos(\ln x) + \sen(\ln x)]$.

165. $x^3 \sen x + 3x^2 \cos x - 6x \sen x - 6 \cos x$.

167. $-\frac{\ln x}{x + 1} + \ln x - \ln(x + 1)$.

169. $\frac{1}{3}\sqrt{1 + x^2}(x^2 - 2)$.

171. $\frac{e^{ax}}{a^2 + b^2}(a \sen bx - b \cos bx)$.

173. $-xe^{-x} - e^{-x}$.

175. $-\frac{1}{2}x^3 e^{-2x} - \frac{3}{4}x^2 e^{-2x} - \frac{3}{4}xe^{-2x} - \frac{3}{8}e^{-2x}$.

177. 2π.

179. $\frac{16}{105}a^{7/2}$.

183. (b) $\frac{x^6(\ln x)^3}{6} - \frac{x^6(\ln x)^2}{12} + \frac{x^6 \ln x}{36} - \frac{x^6}{216}$

185. (b) $\frac{1}{2}[\sec x \,\tg x + \ln(\sec x + \tg x)]$.

CAPÍTULO 11

Seção 11.2, p. 540

1. $(\frac{3}{2}, \frac{8}{5})$.

3. $\left(0, \frac{4}{3\pi}a\right)$.

5. $(0, \frac{3}{5}a)$.

7. $(\frac{37}{5}, \frac{4}{3})$.

9. $\left(\dfrac{2}{3(4-\pi)}a, \dfrac{2}{3(4-\pi)}a\right)$.

13. $\left(0, \dfrac{2}{\pi}a\right)$.

Seção 11.3, p. 547

1. (a) $\left(0, \dfrac{4}{3\pi}a\right)$; (b) $\left(0, \dfrac{2}{\pi}a\right)$.

3. (a) $\tfrac{4}{3}\pi a^2$; (b) $6\sqrt{2}\pi a^2$.

5. $\tfrac{3}{2}\pi a^3$; $6\sqrt{3}\pi a^2$.

7. (a) $\pi r^2 h$; (b) $\tfrac{1}{3}\pi r^2 h$.

Seção 11.4, p. 550

1. $\tfrac{1}{3}Ma^2$.

3. $\tfrac{1}{6}Mh^2$.

5. $\tfrac{3}{4}Ma^2$.

7. $\tfrac{1}{2}Ma^2$.

9. $\tfrac{1}{10}Ma^2$.

11. (a) $\tfrac{1}{2}\sqrt{2}a \cong 0{,}707a$; (b) $\tfrac{1}{10}\sqrt{30}a \cong 0{,}548a$; (c) $\tfrac{1}{5}\sqrt{10}a \cong 0{,}632a$.

Problemas Suplementares, p. 556

3. (a) $\left(\dfrac{1}{2}, \dfrac{2}{5}\right)$; (b) $\left(0, \dfrac{4}{5}\right)$;

(c) $\left(1, \dfrac{2}{5}\right)$; (d) $\left(\dfrac{5}{9}, \dfrac{5}{27}\right)$;

(e) $\left(0, \dfrac{10}{7}\right)$; (f) $\left(\dfrac{16}{15}, \dfrac{64}{21}\right)$;

(g) $\left(\dfrac{1}{e-1}, 0\right)$.

5. $8\pi abc$; $8\pi(a+b)c$.

7. $\tfrac{1}{6}Ma^2$.

CAPÍTULO 12

Seção 12.2, p. 563

1. 3.
3. $\tfrac{1}{14}$.
5. $\tfrac{1}{6}$.
7. $-\tfrac{1}{3}$.
9. $\tfrac{1}{2}$.
11. -6.
13. 3.
15. 4.

17. $-\tfrac{1}{2}$.
19. $1/\pi$.
21. 16.
23. $\tfrac{1}{4}$.
25. 6.
27. $f(\theta) = \tfrac{1}{2}a^2(\operatorname{sen}\theta - \operatorname{sen}\theta\cos\theta)$,
$g(\theta) = \tfrac{1}{2}a^2(\theta - \operatorname{sen}\theta\cos\theta)$;
limite = $\tfrac{2}{3}$.

Seção 12.3, p. 569

1. -3.
3. 1.
5. 3.
7. 0.
9. 2.
11. 1.
13. 0.
15. 0.
17. 0.
19. 2.
21. $\frac{1}{2}$.
23. 1.
25. 1.
27. 1.
29. 1.
31. 1.
33. e^a.
35. 1.
37. 1.
39. $1/\sqrt{e}$.
41. e^p.

Seção 12.4, p. 577

1. $1/(2e^6)$.
3. $\frac{3}{2}$.
5. $1 - \cos 1$.
7. 1.
9. 0.
11. $\ln \sqrt{3}$.
13. $\sqrt{2}(\ln 4 - 4)$.
15. 1.
17. Converge se $p < 1$, diverge se $p \geq 1$.
19. (a) $\pi/5$; (b) π.

Problemas Suplementares, p. 585

1. $\frac{3}{2}$.
3. 44.
5. 12.
7. $\frac{1}{6}$.
9. $-\frac{2}{75}$.
11. ∞.
13. 6.
15. 3.
17. $\frac{1}{2}$.
19. ∞.
21. 0.
23. $-\frac{1}{3}$.
25. 0.
27. $\frac{1}{24}$.
29. $\frac{1}{8}$.
31. 9.
33. 3.
35. $\frac{1}{3}$.
37. $\frac{10}{9}$.
39. $\frac{1}{3}$.
41. $\frac{1}{16}$.
43. 0. Não, em vez disso enfatiza o ponto lógico de que a regra de L'Hospital faz uma afirmação definida apenas quando o limite da direita existe.
49. 0.
51. 0.
53. 0.
55. 0.
57. 0.
59. 0.
61. p.
63. $-\frac{1}{3}$.
65. 0.
67. 0.
69. $\frac{1}{8}$.

71. 1.
73. 1.
75. 1.
77. 1.
79. 1.
81. 1.
83. $-\infty$.
85. 1.
87. 1.
89. 1.
91. 1.
93. e^2.
95. e^4.

97. e^3.
99. 1.
101. $1/(3e^6)$.
103. 1.
105. $\frac{1}{2}$.
107. $\pi/4$.
109. $\pi/8$.
111. $\frac{1}{3}$.
113. 2.
115. **Diverge**.
117. **Diverge**.
119. 3.

ÁLGEBRA

Expoentes

$a^m a^n = a^{m+n}$, $(ab)^n = a^n b^n$

$\dfrac{a^m}{a^n} = a^{m-n}$, $\left(\dfrac{a}{b}\right)^n = \dfrac{a^n}{b^n}$

$(a^m)^n = a^{mn}$, $a^{m/n} = \sqrt[n]{a^m} = (\sqrt[n]{a})^m$

Logaritmos

$\log_a(xy) = \log_a x + \log_a y$ $\log_a 1 = 0$, $\log_a a = 1$

$\log_a \dfrac{x}{y} = \log_a x - \log_a y$ $a^{\log_a x} = x$, $\log_a(a^x) = x$

$\log_a x^y = y \log_a x$

Fórmula Quadrática

As raízes da equação quadrática
$ax^2 + bx + c = 0$ são

$x = \dfrac{-b \pm \sqrt{b^2 - 4ac}}{2a}$.

Fatoração

$a^2 - b^2 = (a - b)(a + b)$
$a^3 - b^3 = (a - b)(a^2 + ab + b^2)$
$a^3 + b^3 = (a + b)(a^2 - ab + b^2)$

Teorema do Binômio de Newton

$(a + b)^2 = a^2 + 2ab + b^2$, $(a + b)^3 = a^3 + 3a^2 b + 3ab^2 + b^3$

Se n é um inteiro positivo.

$(a + b)^n = a^n + na^{n-1}b + \dfrac{n(n-1)}{2}a^{n-2}b^2 + \cdots + \dfrac{n(n-1)(n-2)\cdots(n-k+1)}{1 \cdot 2 \cdot 3 \cdots k}a^{n-k}b^k + \cdots + b^n$.

Progressão e Série Geométrica

$1 + x + x^2 + \cdots + x^n = \dfrac{1 - x^{n+1}}{1 - x}$ $1 + x + x^2 + \cdots = \dfrac{1}{1 - x}$, $|x| < 1$

Determinantes

$\begin{vmatrix} a_1 & a_2 \\ b_1 & b_2 \end{vmatrix} = a_1 b_2 - a_2 b_1$, $\begin{vmatrix} a_1 & a_2 & a_3 \\ b_1 & b_2 & b_3 \\ c_1 & c_2 & c_3 \end{vmatrix} = a_1 \begin{vmatrix} b_2 & b_3 \\ c_2 & c_3 \end{vmatrix} - a_2 \begin{vmatrix} b_1 & b_3 \\ c_1 & c_3 \end{vmatrix} + a_3 \begin{vmatrix} b_1 & b_2 \\ c_1 & c_2 \end{vmatrix}$

GEOMETRIA

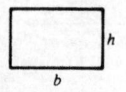

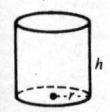

Retângulo
Área $= hb$

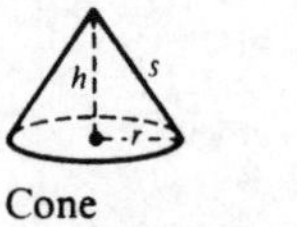

Triângulo
Área $= \frac{1}{2} hb$

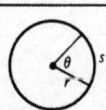

Círculo
Área $= \pi r^2$
Circunferência $= 2\pi r$

Setor Circular
Comprimento de arco
Área $= \frac{1}{2} rs$

Cilindro
Volume $= \pi r^2 h$
Área lateral $= 2\pi rh$

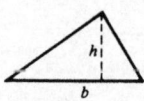

Cone
Volume $= \frac{1}{3}\pi r^2 h$
Área lateral $= \pi rs$

Esfera
Volume $= \frac{4}{3}\pi r^3$
Área $= 4\pi r^2$

TRIGONOMETRIA

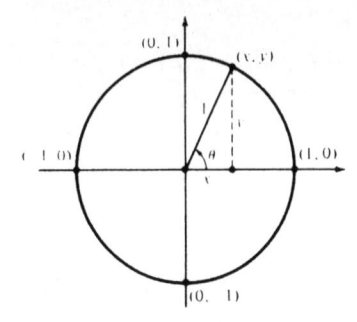

$\text{sen } \theta = y$
$\cos \theta = x$

$\text{tg } \theta = \dfrac{\text{sen } \theta}{\cos \theta}$

$\text{tg } \theta = \dfrac{y}{x}$

$\text{cotg } \theta = \dfrac{\cos \theta}{\text{sen } \theta}$

$\text{cotg } \theta = \dfrac{x}{y}$

$\sec \theta = \dfrac{1}{\cos \theta}$

$\sec \theta = \dfrac{1}{x}$

$\text{cosec } \theta = \dfrac{1}{\text{sen } \theta}$

$\text{cosec } \theta = \dfrac{1}{y}$

$\text{cotg } \theta = \dfrac{1}{\text{tg } \theta}$

$\text{sen}(-\theta) = -\text{sen } \theta$
$\cos(-\theta) = \cos \theta$
$\text{tg}(-\theta) = -\text{tg } \theta$

$\text{sen}^2 \theta + \cos^2 \theta = 1$
$\text{tg}^2 \theta + 1 = \sec^2 \theta$
$1 + \text{cotg}^2 \theta = \text{cosec}^2 \theta$

$\text{sen}(\theta + \phi) = \text{sen } \theta \cos \phi + \cos \theta \text{ sen } \phi$
$\cos(\theta + \phi) = \cos \theta \cos \phi - \text{sen } \theta \text{ sen } \phi$
$\text{tg}(\theta + \phi) = \dfrac{\text{tg } \theta + \text{tg } \phi}{1 - \text{tg } \theta \text{ tg } \phi}$

$\text{sen}(\theta - \phi) = \text{sen } \theta \cos \phi - \cos \theta \text{ sen } \phi$
$\cos(\theta - \phi) = \cos \theta \cos \phi + \text{sen } \theta \text{ sen } \phi$
$\text{tg}(\theta - \phi) = \dfrac{\text{tg } \theta - \text{tg } \phi}{1 + \text{tg } \theta \text{ tg } \phi}$

$\text{sen } 2\theta = 2 \text{ sen } \theta \cos \theta$
$\cos 2\theta = \cos^2 \theta - \text{sen}^2 \theta$

$2 \cos^2 \theta = 1 + \cos 2\theta$
$2 \text{sen}^2 \theta = 1 - \cos 2\theta$

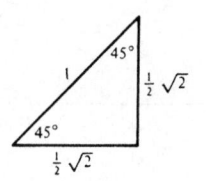

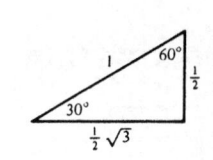

$\text{sen } 45° = \dfrac{1}{2}\sqrt{2}, \quad \cos 45° = \dfrac{1}{2}\sqrt{2}, \quad \text{tg } 45° = 1$

$\text{sen } 30° = \dfrac{1}{2}, \quad \cos 30° = \dfrac{1}{2}\sqrt{3}, \quad \text{tg } 30° = \dfrac{1}{3}\sqrt{3}$

$\text{sen } 60° = \dfrac{1}{2}\sqrt{3}, \quad \cos 60° = \dfrac{1}{2}, \quad \text{tg } 60° = \sqrt{3}$

ALFABETO GREGO

Letras		Nomes	Letras		Nomes	Letras		Nomes
A	α	alpha	I	ι	iota	P	ρ	rho
B	β	beta	K	κ	kappa	Σ	σ	sigma
Γ	γ	gamma	Λ	λ	lambda	T	τ	tau
Δ	δ	delta	M	μ	mu	Y	υ	upsilon
E	ε	epsilon	N	ν	nu	Φ	φ	phi
Z	ζ	zeta	Ξ	ξ	xi	X	χ	chi
H	η	eta	O	o	omicron	Ψ	ψ	psi
Θ	θ	theta	Π	π	pi	Ω	ω	omega

FÓRMULAS BÁSICAS DE DIFERENCIAÇÃO

Regra do Produto $\quad \dfrac{d}{dx}(uv) = u\dfrac{dv}{dx} + v\dfrac{du}{dx}$

Regra do Quociente $\dfrac{d}{dx}\left(\dfrac{u}{v}\right) = \dfrac{v\dfrac{du}{dx} - u\dfrac{dv}{dx}}{v^2}$

Regra da Cadeia $\quad \dfrac{dy}{dx} = \dfrac{dy}{du}\dfrac{du}{dx}$

$\dfrac{d}{dx} x^n = nx^{n-1}$ $\qquad\qquad \dfrac{d}{dx} u^n = nu^{n-1}\dfrac{du}{dx}$

$\dfrac{d}{dx} e^x = e^x$ $\qquad\qquad \dfrac{d}{dx} e^u = e^u\dfrac{du}{dx}$

$\dfrac{d}{dx} \ln x = \dfrac{1}{x}$ $\qquad\qquad \dfrac{d}{dx} \ln u = \dfrac{1}{u}\dfrac{du}{dx}$

$\dfrac{d}{dx} \operatorname{sen} x = \cos x$ $\qquad\qquad \dfrac{d}{dx} \operatorname{sen} u = \cos u \dfrac{du}{dx}$

$\dfrac{d}{dx} \cos x = -\operatorname{sen} x$ $\qquad\qquad \dfrac{d}{dx} \cos u = -\operatorname{sen} u \dfrac{du}{dx}$

$\dfrac{d}{dx} \operatorname{tg} x = \sec^2 x$ $\qquad\qquad \dfrac{d}{dx} \operatorname{tg} u = \sec^2 u \dfrac{du}{dx}$

$\dfrac{d}{dx} \operatorname{cotg} x = -\operatorname{cosec}^2 x$ $\qquad\qquad \dfrac{d}{dx} \operatorname{cotg} u = -\operatorname{cosec}^2 u \dfrac{du}{dx}$

$\dfrac{d}{dx} \sec x = \sec x \operatorname{tg} x$ $\qquad\qquad \dfrac{d}{dx} \sec u = \sec u \operatorname{tg} u \dfrac{du}{dx}$

$\dfrac{d}{dx} \operatorname{cosec} x = -\operatorname{cosec} x \operatorname{cotg} x$ $\qquad\qquad \dfrac{d}{dx} \operatorname{cosec} u = -\operatorname{cosec} u \operatorname{cotg} u \dfrac{du}{dx}$

$\dfrac{d}{dx} \operatorname{arc\,sen}^{-1} x = \dfrac{1}{\sqrt{1-x^2}}$ $\qquad\qquad \dfrac{d}{dx} \operatorname{arc\,sen}^{-1} u = \dfrac{1}{\sqrt{1-u^2}}\dfrac{du}{dx}$

$\dfrac{d}{dx} \operatorname{arc\,tg}^{-1} x = \dfrac{1}{1+x^2}$ $\qquad\qquad \dfrac{d}{dx} \operatorname{arc\,tg}^{-1} u = \dfrac{1}{1+u^2}\dfrac{du}{dx}$

SÉRIES

$$\operatorname{sen} x = x - \dfrac{x^3}{3!} + \dfrac{x^5}{5!} - \cdots, \qquad \cos x = 1 - \dfrac{x^2}{2!} + \dfrac{x^4}{4!} - \cdots$$

$$e^x = 1 + x + \dfrac{x^2}{2!} + \dfrac{x^3}{3!} + \cdots$$

FÓRMULAS BÁSICAS DE INTEGRAÇÃO

$$\int u^n \, du = \frac{u^{n+1}}{n+1}, \quad n \neq -1$$

$$\int \frac{du}{\sqrt{a^2 - u^2}} = \text{arc sen}^{-1} \frac{u}{a}$$

$$\int \frac{du}{u} = \ln u$$

$$\int \frac{du}{a^2 + u^2} = \frac{1}{a} \text{arc tg}^{-1} \frac{u}{a}$$

$$\int e^u \, du = e^u$$

$$\int \text{tg } u \, du = -\ln(\cos u)$$

$$\int \cos u \, du = \text{sen } u$$

$$\int \text{cotg } u \, du = \ln(\sin u)$$

$$\int \text{sen } u \, du = -\cos u$$

$$\int \sec u \, du = \ln(\sec u + \text{tg } u)$$

$$\int \sec^2 u \, du = \text{tg } u$$

$$\int \text{cosec } u \, du = -\ln(\text{cosec } u + \text{cotg } u)$$

$$\int \text{cosec}^2 u \, du = -\text{cotg } u$$

$$\int \sec u \, \text{tg } u \, du = \sec u$$

$$\int \text{cosec } u \, \text{cotg } u \, du = -\text{cosec } u$$

VETORES

$$\mathbf{A} \cdot \mathbf{B} = a_1 b_1 + a_2 b_2 + a_3 b_3$$

$$\mathbf{A} \times \mathbf{B} = \begin{vmatrix} \mathbf{i} & \mathbf{j} & \mathbf{k} \\ a_1 & a_2 & a_3 \\ b_1 & b_2 & b_3 \end{vmatrix} = \mathbf{i} \begin{vmatrix} a_2 & a_3 \\ b_2 & b_3 \end{vmatrix} - \mathbf{j} \begin{vmatrix} a_1 & a_3 \\ b_1 & b_3 \end{vmatrix} + \mathbf{k} \begin{vmatrix} a_1 & a_2 \\ b_1 & b_2 \end{vmatrix}$$

$$\nabla = \frac{\partial}{\partial x} \mathbf{i} + \frac{\partial}{\partial y} \mathbf{j} + \frac{\partial}{\partial z} \mathbf{k}$$

$$\text{grad } f = \nabla f = \frac{\partial f}{\partial x} \mathbf{i} + \frac{\partial f}{\partial y} \mathbf{j} + \frac{\partial f}{\partial z} \mathbf{k}, \qquad \frac{df}{ds} = \nabla f \cdot \mathbf{u}$$

Teorema de Green $\qquad \oint_C M \, dx + N \, dy = \iint_R \left(\frac{\partial N}{\partial x} - \frac{\partial M}{\partial y} \right) dA$

ÍNDICE ANALÍTICO

Abscissa, 10
Aceleração, 91, 246
    angular, 551
    devido à gravidade, 247, 249
Adiabática, Lei dos gases, 214, 341, 387
Adição, fórmulas de, 409
Amplitude, 449
Antibiótico, 401
Antiderivada, 232
Ar, resistência do, 390
Arco, 315
Área, 260
    algébrica, 287
    de círculo, 260
    de segmento parabólico, 262
    geométrica, 287
Áreas, problema de, 70
Arquimedes, 259, 262, 277
    lei da alavanca, 536
    princípio em hidrostática, 341, 457
    sobre área da superfície da esfera, 326
    sobre volume da esfera, 308
Assíntona, 51
Astróide (*Veja* Hipociclóide, de quatro cúspides)

Barrow, Isaac, 284
Bernoulli, John, 229, 565
Boyle, lei de, 189, 341
Buffon, problema da agulha de, 428
Buracos negros, 253

Cálculo:
    diferencial, 259
    infinitesimal, 228
    integral, 259
    teorema fundamental do, 70, 259, 281, 284, 287n., 297
Catenária, 489
Cavalieri, B., 277
Centro:
    de gravidade, 537
    de massa, 538, 541
Centróide, 541
Chebyshev, P., 519
Circuito elétrico, 386
Circunferência, 26
Co-seno, 176
Coeficiente de atrito, 460
Colchete, símbolo de, 281
Comparação, teste para integrais impróprias, 584
Completamento de quadrados, 28, 491
Côncavo:
    para baixo, 154
    para cima, 154
Condição inicial, 242
Conservação de energia, lei da, 339
Constante de integração, 233
Contra-exemplo, 8
Coordenadas cartesianas, 26
Coulomb, lei de, 342
Crescimento:
    exponencial, 364
    populacional, 377
        inibido, 387

Curva:
    de demanda, 197
    do crescimento inibido ou
        sigmóide, 390
Custo marginal, 91, 195

Datação com radiocarbono, 382
Decaimento:
    exponencial, 381
    radiativo, 379
Decomposição em frações parciais, 496
Demócrito, 327
Derivação, 107
    implícita, 128
    logarítmica, 375
Derivada, 79
    segunda, 133
Descontinuidade infinita, 52
Desigualdade de Schwarz, 212
Diferencial, 221
Diretriz, 29
    de parábola, 29
Distância de ponta a reta, 62, 212
Domínio, 37

e, 351, 357, 371
Einstein, Albert, 247n.
Eixo da parábola, 30
Elemento:
    de área, 298
    de comprimento de arco, 317
    de força, 330
    de trabalho, 334
    de volume, 304
Elipse, área de, 293
Elipsóide:
    achatado, 308
    alongado, 308
Energia:
    cinética, 337, 466, 555
    lei de conservação de, 339
    potencial, 338, 466
    total, 339
Equação:
    da reta, 16
        forma segmentária, 24
    de gás de Poisson, 387
    linear geral, 21
    ponto-coeficiente angular, 19
    reduzida da reta, 19

Equações:
    diferenciais, 240
    ordem de, 240
    solução geral de, 241
    solução particular de, 241
Euclides, 58
Euler, L, 229
    citado: sobre a estrutura do mundo, 179
    descoberta de e, 372
Expoentes fracionários, 129

Fatorial, notação, 135
Fermat, P., 26n., 71, 168n., 179, 259, 277, 284
    conceito de tangente, 71
    princípio do tempo mínimo, 179
Foco, 29
    de parábola, 29
Foguete, 400
Força:
    de gravidade, 247
    de restauração, 451
Forma indeterminada, 560, 569, 570
Fórmula:
    de Vieta, 423
    quadrática, 34
Fórmulas:
    de redução, 483, 502, 508, 535
    de subtração, 409
    do ângulo-metade, 410, 479
    do ponto médio, 12
Frações parciais:
    decomposição em, 496
    método de, 495
    teorema, 499n.
Freqüência, 450
Função, 37, 41
    algébrica, 43
    composta, 120
    contínua, 99
    crescente, 146
    decrescente, 146
    demanda, 197
    derivável, 79
    diferenciável, 79
    elementar, 468
    exponencial, 360
        geral, 352, 353
    gama, 583
    hiperbólica, 457
    implícita, 126
    integrável, 273
    inversa, 444

limite de, 95
linear, 41
logarítmica geral, 352, 355
par e ímpar, 67
periódica, 407
quadrática, 41
racional, 43, 495
    imprópria, 495
    própria, 495
transcendente, 44
trigonométrica, 406
    inversa, 437
zero de, 48

Galileu, 1
Geometria analítica, 26
Gráfico, 26, 37
Gravidade:
    aceleração devido à, 247, 249
    centro de, 537
    força de, 247

Hamilton, W., 179
Heilbroner, R. L., 198n.
Heron de Alexandria, 177
Heron, fórmula de, 206
Hidrostática, 328
Hipociclóide de quatro
    cúspides, 144, 321, 328
Hipócrates de Chios, 263
    lúnula de, 264
Hooke, lei de, 334

Idade das rochas, 381
Imagem, 37
Inclinação, 18
Incremento, 75
Índice de refração, 178
Inércia, momento de, 552
Infinitésimo, 227
Integral, 233
    de Riemann, 274
    definida, 263, 272
    elíptica, 513n.
        da primeira espécie, 518
    imprópria, 577, 580
        convergente, 578, 581
        divergente, 578, 581
        teste de comparação, 584
    indefinida, 233, 263

Integração, 233
    abordagem de Leibniz, 299, 540
    constante de, 233
    limites de, 272
    por partes, 504
    por substituição, 237
    variável de, 239, 273
Integrando, 233, 273
Inteiros, 2
    positivos, 2
Intervalo:
    aberto, 5
    fechado, 5

Juros compostos continuamente, 363

Keynes, J. M., 198

Lagrange, J. L., 229
Lambert, lei de absorção, 384
Laplace, transformada de, 583
Lei:
    de ação de massas, 385
    de conservação de energia, 339
    de gravitação de Newton, 251, 255, 335
    de movimento, Segunda de
        Newton, 134, 246, 337, 551
    de reflexão, 175
    dos co-senos, 413
Leibniz, G. W., 70, 219, 233, 259,
        278, 284
    abordagem do cálculo, 299, 540
    fórmula: para $\pi/4$, 445, 511
    notação, para derivadas, 83
    série, 445, 511
    uso de diferenciais, 224
Lemniscata, 62
L'Hospital, regra de, 565
Libby, W., 382
Limite de uma função, 95
Limites de integração, 272
Logaritmo, 354
    comum, 355
    natural, 367
Lugar geométrico, 33
Lúnula de Hipócrates, 264

Massa, 247
    centro de, 538, 541
Mecânica newtoniana, 246

Média:
　aritmética, 9
　geométrica, 9
Mediana, 16
Meia-vida, 380
Método:
　da arruela, 308
　da casca, 310
　da substituição, 472
　de exaustão, 259
　de fatias móveis, 306
　de frações parciais, 495
　do disco, 306
Mistura, 392
Mito leibniziano, 227
Momento, 527, 540
　inércia de, 552
Movimento:
　curvilíneo, 245
　harmônico, simples, 448
　retilíneo, 245
　segunda lei de Newton, 134, 246, 337, 551

Newton, Isaac, 70, 86, 219, 259, 278, 284
　lei de gravitação, 251, 255, 335
　lei de resfriamento, 384
　método de solução aproximada, 190-194
　primeira lei de movimento, 247n.
　segunda lei de movimento, 134, 246, 337, 551
Normal, 114
Notação delta, 75
Número:
　irracional, 2
　racional, 2
　real, 2

Ordenada, 10

Pappus:
　de Alexandria, 547
　teoremas de, 547
Parábola, 29
　diretriz de, 29
　eixos de, 30
　foco de, 29
　propriedade de reflexão, 113
　vértice de, 30
Partícula, 245
Pascal, Blaise, 259, 284
Pêndulo, 454
　período de, 467

Período, 407, 450
Peso, 247, 333
pH, 357
Pi (π):
　definição de, 261n.
　fórmula de Leibniz para $\pi/4$, 445, 511
　método experimental para
　　calcular, 431
　produto de Wallis para $\pi/2$, 511
Plano cartesiano, 26
Plano coordenado, 10
Plano xy, 10
Polinômios, 42
　zeros de, 66
Ponto:
　crítico, 147
　de inflexão, 154
Potencial, 335
Pressão, 329
Primeira lei de movimento de
　Newton, 247n.
Probabilidade, 428
Problema:
　de áreas, 70
　de tangentes, 70, 219
　do corredor, 171, 436
　do lote ideal, 198
Processo de limite de somas, 297
Propagações de boatos, 393
Pseudo-espera, 489
Psicofísica, 401

Radiano, 404
Raio de rotação, 556
Reação de segunda ordem, 385
Receita, 197
Refração:
　índice de, 178
　lei de Snell de, 178, 624
Regra:
　da cadeia, 120, 124
　de potência, 123
　do produto, 114, 141
　do quociente, 116
　do trapézio, 521
Reta:
　equação de, 16
　real, 3
　tangente, 71
Richter, escala de, 356
Riemann, B., integral de, 274
Robinson, A., 229n.

Schwarz, desigualdade de, 212
Segunda lei de movimento de Newton, 134,
Seno, 176, 246, 337, 551
Separação de variáveis, 241
Série geométrica, 582n.
Sinal de integral, 233, 272
Sistema cartesiano de coordenadas, 9
Sistema de coordenadas retangulares, 9
Snell, lei da refração de, 178
Sólido de revolução, 303
Solução:
    geral, 241, 424, 455, 458
    particular, 241
Soma:
    inferior, 270
    superior, 271
Substituição:
    método de, 472
    racionalizante, 516
    trigonométrica, 483
Superfície de revolução, 321

Tangente:
    problema da, 70, 219
    problema inverso da, 219
Taxa de variação, 91, 182
Teorema:
    de Pitágoras, 10, 59
    do binômio de Newton, 109, 136
    do eixo paralelo, 559
    do valor médio generalizado, 564n.
    fundamental do cálculo: 70, 259, 281,
        284, 287n., 297
Teste da segunda derivada, 157

Toro, 309, 346, 490, 549
Torque, 551
Trabalho, 333
Tractriz, 488
Triângulo diferencial, 317
Túnel através da Terra, 453, 457

Valor:
    absoluto, 4
    crítico, 147
    máximo e mínimo, 147
        em extremidades, cúspides e quinas, 150
Variável:
    de integração, 289
    dependente, 37
    independente, 37
Velocidade, 88, 246
    de escape, 253, 257
    instantânea, 89
    limite, 391
    média, 87
Vértice de parábola, 30
Volterra, equações de presa-predador, 402

Whitehead, A. N., 131
Wundt, W., 401

Zeros:
    de um polinômio, 66
    de uma função, 48